DRÁCULA

COPYRIGHT © 2012-2018 BY EDITORA LANDMARK LTDA

TODOS OS DIREITOS RESERVADOS À EDITORA LANDMARK LTDA.
TEXTO ADAPTADO À NOVA ORTOGRAFIA DA LÍNGUA PORTUGUESA DECRETO NO 6.583, DE 29 DE SETEMBRO DE 2008

PRIMEIRA EDIÇÃO DE "DRÁCULA: UMA HISTÓRIA DE MISTÉRIO": ARCHIBALD CONSTABLE AND CO., LONDRES, 26 DE MAIO DE 1897
PRIMEIRA EDIÇÃO DE "O CONVIDADO DE DRÁCULA": GEORGE ROUTLEDGE AND SONS, LONDRES, 1914

DIRETOR EDITORIAL: FABIO PEDRO-CYRINO
TRADUÇÃO E NOTAS: DORIS GOETTEMS
REVISÃO: FRANCISCO DE FREITAS

DIAGRAMAÇÃO E CAPA: ARQUÉTIPO DESIGN+COMUNICAÇÃO
IMPRESSÃO E ACABAMENTO: MARKPRESS BRASIL INDÚSTRIA GRÁFICA LTDA.

DADOS INTERNACIONAIS DE CATALOGAÇÃO NA PUBLICAÇÃO (CIP)
(CÂMARA BRASILEIRA DO LIVRO, CBL, SÃO PAULO, BRASIL)

STOKER, ABRAHAM 'BRAM' (1847-1912)
DRÁCULA - DRÁCULA : O CONVIDADO DE DRÁCULA ; DRÁCULA : UMA HISTÓRIA DE
MISTÉRIO = DRACULA'S GUEST ; DRACULA : A MISTERY STORY / BRAM STOKER;
[TRADUÇÃO E NOTAS DORIS GOETTEMS] -- SÃO PAULO : EDITORA LANDMARK, 2012.

EDIÇÃO BILÍNGUE: PORTUGUÊS/INGLÊS.
ISBN 978-85-8070-009-1

1. FICÇÃO INGLESA I. TÍTULO. II. TÍTULO: DRÁCULA : UMA HISTÓRIA DE MISTÉRIO. III. TÍTULO:
DRACULA'S GUEST. IV. TÍTULO: DRACULA : A MISTERY STORY.

12-03855   CDD: 823

ÍNDICES PARA CATÁLOGO SISTEMÁTICO:

1. ROMANCES : LITERATURA INGLESA   823

8ª REIMPRESSÃO: MAIO 2018

TEXTOS ORIGINAIS EM INGLÊS DE DOMÍNIO PÚBLICO.
RESERVADOS TODOS OS DIREITOS DESTA TRADUÇÃO E PRODUÇÃO.
NENHUMA PARTE DESTA OBRA PODERÁ SER REPRODUZIDA ATRAVÉS DE QUALQUER MÉTODO, NEM SER
DISTRIBUÍDA E/OU ARMAZENADA EM SEU TODO OU EM PARTES ATRAVÉS DE MEIOS ELETRÔNICOS SEM PERMISSÃO
EXPRESSA DA EDITORA LANDMARK LTDA, CONFORME LEI N° 9610, DE 19/02/1998

EDITORA LANDMARK
RUA ALFREDO PUJOL, 285 - 12° ANDAR - SANTANA
02017-010 - SÃO PAULO - SP
TEL.: +55 (11) 2711-2566 / 2950-9095
E-MAIL: EDITORA@EDITORALANDMARK.COM.BR

WWW.EDITORALANDMARK.COM.BR

IMPRESSO NO BRASIL
PRINTED IN BRAZIL
2018

BRAM STOKER

O CONVIDADO DE DRÁCULA
DRÁCULA: UMA HISTÓRIA DE MISTÉRIO

EDIÇÃO BILÍNGUE PORTUGUÊS / INGLÊS

DRACULA'S GUEST
DRACULA: A MYSTERY STORY

TRADUÇÃO E NOTAS
DORIS GOETTEMS

SÃO PAULO - SP - BRASIL
2018

ABRAHAM 'BRAM' STOKER

Abraham 'Bram' Stoker nasceu em 8 de novembro de 1847, em Clontarf, Dublin, Irlanda.

O interesse de Stoker pelo teatro levou-o a oferecer-se voluntariamente como crítico do jornal Dublin Evening Mail. Suas críticas inteligentes e embasadas elevaram seu nome junto aos meios sociais, artísticos e intelectuais da cidade. Assim, passou a conviver com personalidades influentes como Oscar Wilde, Arthur Conan Doyle e William Butler Yeats. No ano de 1873, foi convidado a assumir a editoria do jornal Irish Echo (que mais tarde seria rebatizado como Halpenny Press), entretanto, o periódico não obteve o sucesso esperado e Stoker abandonou a atividade no ano seguinte. A partir deste momento, produziu os seus primeiros contos e peças ficcionais que eram publicados em jornais da cidade. "The Chain of Destiny" foi seu primeiro trabalho na linha do terror sobrenatural, publicado em 1875 no periódico Shamrock.

No ano seguinte, o ator inglês Henry Irving assumiu a direção do Royal Lyceum Theatre, de Londres, e convidou Stoker a ocupar a função de gerente. Neste momento iniciou-se a fase mais criativa e próspera da vida de Bram Stoker. Seu cargo no Lyceum Theatre o colocava em contato com o núcleo intelectual londrino. Assim, no final desta década, em 1889, publicou o seu primeiro romance, "The People". Nos anos seguintes eram publicados "O Castelo da Serpente", "The Watter's Mou", "Croken Sands" e "The Shoulder of Shasta".

Em maio de 1897, publicou a obra que incluiria o seu nome definitivamente na literatura mundial: "Drácula". O romance epistolar, permeado pelo horror tétrico e sobrenatural, aborda a trajetória do diabólico conde Drácula, da Transilvânia à Inglaterra. A publicação de "Drácula" encontrou boa receptividade em alguns críticos que o consideraram uma rara combinação de um tema lúgubre com uma trama bem construída. Nos anos seguintes, Stoker deu continuidade as suas atividades literárias em ainda foram publicados "Miss Betty" (1898), "Os sete dedos da morte" (1903) e "The Man" (1904), entre outras que não obtiveram o mesmo sucesso de "Drácula". A partir de 1905, a saúde de Stoker se deteriorou gradativamente, ainda sim, em 1906, publicou, em homenagem ao amigo e sócio, "Personal Reminiscences of Henry Irving". Publicou ainda "O Caixão da Mulher Vampiro" e, em 1911, o seu último romance intitulado "O Monstro Branco".

Em 20 de abril de 1912, em Londres, Bram Stoker, autor de uma das maiores obras da literatura mundial, faleceu em sua casa na companhia da esposa. Após a morte do autor, Florence Stoker, que morreria apenas em 1937, passou a administrar o patrimônio literário do marido, publicando textos inéditos e permitindo que o dramaturgo Hamilton Deane adaptasse "Drácula" para o teatro: essa foi a primeira adaptação da obra e contribuiu muito para a sua popularização.

O CONVIDADO DE DRÁCULA

PREFÁCIO À EDIÇÃO DE "O CONVIDADO DE DRÁCULA E OUTROS CONTOS SOBRENATURAIS", PUBLICADO EM 1914[1]

PARA MEU FILHO

Poucos meses antes da morte do meu pranteado marido – até mesmo antes que a sombra da morte pairasse sobre ele, eu diria – ele planejava publicar três séries de contos, e o presente volume é uma delas. À sua lista original de histórias para este livro, acrescentei um episódio até então inédito de Drácula. Ele foi originalmente retirado, devido à extensão do livro, e pode revelar-se de interesse para muitos leitores daquela que é considerada a obra mais notável do meu marido. As outras histórias já foram publicadas em periódicos ingleses e americanos. Se meu marido tivesse vivido mais tempo, poderia achar adequado revisar esse trabalho, já que foi escrito em sua maior parte nos primeiros anos de sua árdua vida. Mas, como o destino confiou a mim a sua publicação, considero adequado e apropriado deixá-lo sair praticamente como foi deixado por ele.

FLORENCE BRAM STOKER

---

[1] "O CONVIDADO DE DRÁCULA E OUTROS CONTOS SOBRENATURAIS" é uma coletânea de nove contos de autoria de Bram Stoker, publicado dois anos após sua morte, em 1914. Esta coletânea foi organizada e editada por sua viúva, Florence Bram Stoker e publicada pela editora "George Routledge and Sons Ltd", de Londres. NT

O CONVIDADO DE DRÁCULA

Na hora em que saímos para o nosso passeio o sol brilhava intensamente sobre Munique, e o ar estava repleto da alegria que prenuncia o verão. Quando estávamos a ponto de partir, *Herr* Delbrück *(o maître d'hôtel do Quatre Saisons, onde eu estava hospedado)* dirigiu-se até a carruagem, sem o seu chapéu, e depois de me desejar um passeio agradável, disse ao cocheiro, ainda segurando o trinco da porta:

"Lembre-se de voltar antes do anoitecer. O céu parece claro e brilhante, mas há uma friagem no vento norte que diz que pode haver uma tempestade repentina. Mas estou certo de que o senhor não se atrasará". E então ele sorriu e acrescentou, *"Pois o senhor sabe bem que noite é esta"*.

Johann respondeu com um enfático, *"Ja, mein Herr"* (Sim, meu senhor), e, tocando na aba do chapéu, partiu rapidamente. Quando já tínhamos deixado a cidade, eu disse, depois de fazer-lhe um sinal para que parasse:

"Diga-me, Johann, que noite é a de hoje?"

Ele fez o sinal da cruz, enquanto respondia de modo lacônico: *"Walpurgisnacht"*[2]. Então pegou seu relógio, um enorme e antiquado relógio alemão de prata, grande como um nabo, e olhou-o, com as sobrancelhas franzidas e um leve e impaciente dar de ombros. Percebi que este era o seu modo de protestar respeitosamente contra aquela demora desnecessária, então voltei a me recostar no banco da carruagem, fazendo-lhe apenas um sinal para prosseguir. Ele partiu a toda pressa, como se quisesse compensar o tempo perdido. De vez em quando, os cavalos pareciam levantar a cabeça e cheirar o ar de maneira suspeita. Quando isso acontecia, eu sempre olhava em volta alarmado. A estrada estava bem deserta, pois estávamos atravessando um tipo de planalto, um lugar alto e varrido pelo vento. Enquanto seguíamos, vi uma estrada que parecia pouco usada, e que dava a impressão de mergulhar num vale pequeno e sinuoso. Parecia tão convidativa, que mesmo correndo o risco de ofendê-lo, pedi a Johann que parasse – e quando ele o fez, disse-lhe que gostaria de descer por aquela estrada. Ele deu todo tipo de desculpas, e com frequência fazia o sinal da cruz enquanto falava. Isso aguçou minha curiosidade, de certo modo, e assim lhe fiz várias perguntas. Ele respondia fazendo rodeios, e olhava repetidamente para o relógio, em sinal de protesto. Por fim eu disse:

"Bem, Johann, eu quero descer por essa estrada. Não vou pedir-lhe que venha, a menos que queira; mas me conte por que não quer ir, é tudo o que eu lhe peço". Como resposta, ele pareceu atirar-se para fora da boleia, tamanha a pressa com que chegou ao chão. Então estendeu suas mãos para mim num apelo, e implorou-me para que não fosse. Sua fala misturada de inglês e alemão só me permitia entender a direção da conversa. Parecia que ele estava sempre a ponto de me falar alguma coisa – cuja simples ideia

---

[2] *Walpurgisnacht* ou "Noite de Santa Valburga" é uma festa tradicional cristã cujas origens remontam em parte ao paganismo e é celebrada na véspera do dia 1º de maio igualmente em diversos países do Norte e do Centro da Europa. Na maioria dos países, esta festividade é celebrada em honra de Santa Valburga, abadessa de Heidenheim na Baviera, nascida em Devonshire no século VIII. No entanto, devido ao fato dessa noite estar associada com diversos ritos pagãos vinculados à celebração da chegada da Primavera, as duas celebrações, ao longo do tempo, acabaram se fundindo, dando assim origem à moderna festividade dos dias de hoje. Durante os festejos é costume fazerem-se grandes fogueiras de modo a afugentar espíritos malignos e almas penadas, os quais segundo a crença popular, vagam nesta noite por entre os vivos. NT

evidentemente o amedrontava; mas parava a cada vez, dizendo enquanto fazia o sinal da cruz, *"Walpurgisnacht!"*

Tentei argumentar com ele, mas era difícil argumentar com um homem sem conhecer a sua língua. A vantagem certamente estava com ele, pois embora começasse a falar em inglês, de um tipo muito tosco e imperfeito, ele sempre acabava por se exaltar e voltar à sua língua nativa – e toda vez que o fazia, olhava para o relógio. Nesse momento, os cavalos ficaram inquietos e cheiraram o ar. Ao ver isso ele tornou-se muito pálido, e, olhando ao redor com ar amedrontado, saltou de repente para a frente, pegou os cavalos pelas rédeas e avançou alguns metros. Eu o segui e perguntei por que havia feito isso. Como resposta ele fez de novo o sinal da cruz, apontou para o lugar de onde saíramos e levou a carruagem na direção da outra estrada. Indicando uma cruz, disse, primeiro em alemão, depois em inglês: *"Enterrado aqui... ele que se matou"*.

Lembrei-me do antigo costume de enterrar os suicidas nas encruzilhadas. *"Ah! Entendo, um suicida. Muito interessante!"* Mas, pela minha vida, não conseguia entender porque os cavalos se assustaram.

Enquanto falávamos, ouvimos uma espécie de som, algo entre um ganido e um latido. Era longe, mas os cavalos ficaram muito inquietos, e Johann levou bastante tempo para acalmá-los. Ele estava pálido, quando disse, *"Parece um lobo... mas não há lobos por aqui agora"*.

"Não?", eu disse, questionando, *"Há quanto tempo que os lobos estiveram tão perto da cidade?"*

"Há muito, muito tempo", ele respondeu, *"na primavera e no verão; mas com a neve os lobos estiveram aqui não tanto tempo"*.

Enquanto ele estava acariciando os cavalos e tentando acalmá-los, nuvens escuras cruzaram rapidamente o céu. A luz do sol desapareceu, e uma rajada de vento frio pareceu passar por nós. Era só uma rajada, no entanto, algo mais semelhante a uma advertência do que um fato em si, pois o sol voltou a brilhar. Johann olhou na direção da sua mão erguida para o horizonte, e disse:

"A tempestade de neve... ela chegou bem antes da hora". Então olhou novamente para o seu relógio, e segurando as rédeas com firmeza – pois os cavalos ainda estavam pateando o chão e sacudindo as cabeças com impaciência – imediatamente subiu à boleia como se fosse hora de prosseguir com a nossa viagem.

Eu me sentia um tanto obstinado, e não entrei de imediato na carruagem.

"Conte-me sobre esse lugar para onde leva a estrada", eu disse, e apontei para baixo.

De novo ele fez o sinal da cruz, e murmurou uma oração, antes de responder, *"É um lugar profano"*.

"O que é profano?", perguntei.

"O vilarejo".

"Então há um vilarejo lá?"

"Não, não. Ninguém vive lá há centenas de anos". Minha curiosidade foi aguçada, *"Mas você disse que havia um vilarejo"*.

"Havia".

"E onde está ele agora?"

Como consequência ele desatou a contar uma longa história em alemão e inglês, tão misturada que eu não pude entender exatamente o que ele disse, mas a grosso modo compreendi que há muito tempo, há centenas de anos, homens haviam morrido lá e foram enterrados em seus túmulos; e ouviram-se sons debaixo da terra, e quando os túmulos foram abertos, encontraram homens e mulheres rosados de vida com suas bocas vermelhas de sangue. E assim, na pressa de salvarem as suas vidas *(sim, e suas almas! – e aqui ele fez o sinal da cruz)*, aqueles que ficaram fugiram para outros lugares, onde os vivos viviam e os mortos estavam mortos e não... não alguma coisa. Ele evidentemente tivera medo de falar as últimas palavras. À medida que prosseguia com seu relato, ficava cada vez mais agitado. Era como se sua imaginação o tivesse dominado, e terminou num perfeito paroxismo de medo – o rosto pálido, suando, tremendo e olhando ao redor, como se esperasse que alguma presença terrível se manifestasse ali, sob o sol brilhante na planície aberta. Finalmente, numa agonia de desespero, ele exclamou:

"*Walpurgisnacht!*" e insistiu para que eu entrasse na carruagem. Todo meu sangue inglês ferveu diante disso, e recuando, eu disse:

"*Você está com medo, Johann... você está com medo. Vá para casa. Vou voltar sozinho, a caminhada vai me fazer bem*". A porta da carruagem estava aberta. Peguei no banco o meu bastão de caminhada de carvalho – que eu sempre carregava em meus passeios – e fechei a porta. Apontando para trás na direção de Munique, eu disse, "*Vá para casa, Johann. Walpurgisnacht não diz significa nada para os ingleses*".

Os cavalos agora estavam mais inquietos do que nunca, e Johann tentava contê-los, enquanto me implorava fervorosamente que não fizesse algo tão tolo. Tive pena do pobre sujeito, ele falava a sério, mas mesmo assim não pude deixar de rir. Seu inglês agora quase desaparecera. Em sua ansiedade, ele tinha esquecido que o único modo de me fazer entendê-lo era falar a minha língua, e assim tagarelava no seu alemão nativo. Comecei a achar aquilo um pouco aborrecido. Depois de dar a instrução, "*Para casa!*" virei-me para descer pela encruzilhada na direção ao vale.

Com um gesto de desespero, Johann virou os cavalos na direção de Munique. Apoiei-me em meu bastão e olhei para ele. Ele dirigiu devagar ao longo da estrada por um bom tempo. Então, sobre a crista da colina, surgiu um homem alto e magro. Eu podia ver tudo isso ao longe. Quando o homem se aproximou dos cavalos, eles começaram a saltar e a dar coices, e depois a gritar de terror. Johann não conseguiu dominá-los; eles dispararam estrada abaixo, correndo como loucos. Olhei até perdê-los de vista, então me virei para o estranho, mas descobri que ele também tinha ido embora.

Despreocupado, virei-me para descer pela estrada secundária na direção do vale escondido, ao qual Johann fizera tanta objeção. Não havia a menor razão, pelo que eu podia ver, para a sua objeção. Acredito que vaguei por ali durante um par de horas, sem pensar em tempo ou distância, e certamente sem ver qualquer pessoa ou casa. No que se referia ao lugar, era a própria desolação. Mas não reparei muito nisso, até que, ao virar uma curva, encontrei um bosquezinho à margem da estada; então percebi que, inconscientemente, havia sido impressionado pela desolação da região pela qual passava.

Sentei-me para descansar e olhei ao redor. Ocorreu-me que a temperatura estava muito mais fria do que tinha estado no começo do meu passeio. Ao meu redor parecia haver um tipo de som abafado, como um suspiro, e de vez em quando, bem no alto, uma espécie de rugido surdo. Olhando para cima, notei que grandes e grossas nuvens cruzavam rapidamente pelo céu, do norte para o sul, a uma grande altura. Havia sinais de uma tempestade chegando, em algum estrato mais alto da atmosfera. Eu sentia um pouco de frio, e pensando que fosse o fato de haver sentado após o exercício da caminhada, retomei meu passeio.

O terreno por onde eu passava agora era muito mais pitoresco. Não havia nenhum objeto notável que se destacasse à vista, mas em tudo havia encanto e beleza. Prestei pouca atenção à passagem do tempo, e foi só quando a escuridão do crepúsculo caiu sobre mim que comecei a pensar em como iria encontrar o caminho de volta para casa. A claridade do dia se fora. O ar estava frio, e o acúmulo de nuvens lá em cima era mais intenso. Elas eram acompanhadas por uma espécie de rumorejar distante, através do qual parecia vir, a intervalos, aquele grito misterioso que o condutor tinha dito que era de um lobo. Hesitei por algum tempo. Eu tinha dito que iria ver a aldeia deserta, então continuei, e naquele momento entrei numa grande extensão de campo aberto, todo rodeado por colinas. Seus lados eram cobertos de árvores que se esparramavam até a planície e, em pequenos grupos, salpicavam as encostas mais suaves e as depressões que se mostravam aqui e ali. Segui com o olhar as curvas da estrada, e vi que ela fazia uma volta perto de um dos mais densos desses grupos de árvores, e se perdia por trás dele.

Enquanto eu olhava veio uma rajada fria de ar, e a neve começou a cair. Pensei nos quilômetros e quilômetros de caminho deserto por onde passara, e então me apressei a buscar o abrigo do bosque em frente. O céu se tornava cada vez mais escuro, e a neve caía mais pesada e mais rápida, até que a terra diante de mim e ao meu redor transformou-se num tapete branco e reluzente, cuja extremidade se perdia numa névoa imprecisa. A estrada aqui era muito rústica, e quando no plano seus limites não eram tão marcados, como quando atravessara os cortes. Em pouco tempo achei que devia ter me afastado dela, pois não sentia mais a superfície dura sob os meus pés, que afundavam profundamente na grama e no musgo. Então o vento ficou mais forte, e soprou com força crescente até que me vi forçado a correr antes dele. O ar ficou frio como gelo, e apesar do exercício comecei a padecer. A neve caía agora tão densamente, e girava ao meu redor em turbilhões tão rápidos, que eu mal podia manter os olhos abertos. De vez em quando, raios vívidos rasgavam o céu, e com os clarões eu podia ver à minha frente uma grande massa de árvores, principalmente teixos e ciprestes, todos cobertos por uma grossa camada de neve.

Logo cheguei ao abrigo das árvores, e lá, em comparativo silêncio, podia ouvir o rugido do vento bem acima. Agora, o negrume da tormenta fundira-se com a escuridão da noite. Aos poucos a tempestade parecia amainar: agora só vinha em súbitas rajadas ou lufadas de vento. Nesses momentos, o estranho som do lobo parecia ser ecoado por muitos sons semelhantes ao meu redor.

De vez em quando, através da camada espessa de nuvens, vinha um solitário raio de luar – que iluminava o espaço e me mostrava que eu estava à beira de uma massa densa de ciprestes e teixos. Como a neve parara de cair, saí do abrigo das árvores e comecei a investigar mais de perto. Pareceu-me que, entre tantas fundações antigas pelas quais eu passara, poderia haver ainda uma casa de pé, na qual, embora em ruínas, eu poderia encontrar algum tipo de abrigo provisório. Como contornei a borda do bosque, descobri que era cercado por um muro baixo, e ao segui-lo encontrei agora uma abertura. Aqui os ciprestes formavam uma aleia, que conduzia até a massa quadrada de algum tipo de prédio. Assim que o vi, porém, as nuvens cerradas obscureceram a lua, e atravessei o caminho na escuridão. O vento devia ter ficado mais frio, pois senti que tremia enquanto andava; mas havia esperança de abrigo, e segui tateando meu caminho no escuro.

Então parei, pois de repente tudo se acalmou. A tempestade passara, e talvez em harmonia com o silêncio da natureza, meu coração parecia ter deixado de bater. Mas foi só por um momento, pois de repente o luar atravessou as nuvens, mostrando-me que eu estava em um cemitério, e que o objeto quadrado diante de mim era um túmulo de mármore grande e maciço, tão branco quanto a neve que jazia ao redor e sobre ele. Com o luar veio uma nova e violenta rajada da tempestade, que parecia retomar seu curso com um uivo longo e baixo, como de vários cães ou lobos. Fiquei temeroso e chocado, sentindo o frio aumentar perceptivelmente sobre mim, até que pareceu agarrar-me direto pelo coração. Então, enquanto a luz do luar ainda iluminava o túmulo de mármore, a tempestade deu mais uma prova de que iria renovar-se, como se fosse retomar seu curso. Impelido por uma espécie de fascinação, aproximei-me do sepulcro para ver o que era, e por que uma coisa assim ficara sozinha em um lugar como esse. Fui até ele e, sobre a porta dórica, li em alemão:

CONDESSA DOLINGEN DE GRATZ
EM STÍRIA BUSCOU E ENCONTROU A MORTE
1801

No alto do túmulo, aparentemente introduzida no mármore sólido – pois a estrutura era composta de alguns blocos enormes de pedra – estava uma grande estaca ou bastão de ferro. Ao olhar a parte de trás eu vi, gravadas em grandes letras russas: "*Os mortos viajam rápido*".

Havia algo tão estranho e misterioso em tudo aquilo que me assustou, fazendo com que eu me sentisse muito fraco. Pela primeira vez, comecei a desejar ter seguido o conselho de Johann. Então um pensamento me ocorreu, vindo em circunstâncias quase misteriosas e provocando-me um choque terrível. Isto era *Walpurgisnacht*!

Walpurgisnacht, quando, de acordo com a crença de milhões de pessoas, o diabo saía de casa – quando as sepulturas eram abertas e os mortos saíam e caminhavam. Quando todas as coisas más da terra, do ar e da água faziam seu festim. O cocheiro tinha evitado este lugar especialmente. Esta era a aldeia despovoada de séculos atrás. Era aqui que jazia o suicídio, e era neste lugar que eu estava sozinho – abatido, tremendo de frio sob uma mortalha de neve, com uma tempestade violenta pronta para desabar de novo sobre mim! Precisei de toda a minha filosofia, de toda a religião que aprendera, de toda a minha coragem, para não sucumbir a um ataque de medo.

E então, um perfeito tornado desabou sobre mim. O chão tremia como se milhares de cavalos disparassem sobre ele. Desta vez, a tempestade carregou em suas asas geladas, não a neve, mas grandes pedras de granizo, que atirava com tanta violência como se viessem das correias dos fundeiros baleares – granizos que botaram abaixo folhas e galhos, e fizeram o abrigo de ciprestes perder todo o proveito, como se os seus caules fossem meros pés de milho. A princípio, corri para a árvore mais próxima; mas logo a deixei de bom grado, e busquei o único lugar que parecia proporcionar refúgio, a porta dórica encravada no túmulo de mármore. Lá, abaixado contra a porta de bronze maciça, consegui uma certa proteção contra a saraivada de granizos, pois agora eles só me atingiam quando ricochetavam no chão e no lado do mármore.

Enquanto eu me apoiava contra a porta, ela moveu-se ligeiramente e abriu para dentro. Mesmo o abrigo de um túmulo era bem-vindo naquela tempestade impiedosa, e eu estava a ponto de entrar quando veio o clarão de um raio bifurcado, que iluminou toda a extensão dos céus. Naquele instante, como sou um homem vivo, eu vi – quando meus olhos se voltaram para a escuridão do túmulo – uma bonita mulher, com faces arredondadas e lábios vermelhos, aparentemente dormindo em um esquife. Quando o trovão estourou sobre a minha cabeça, fui agarrado como pela mão de um gigante, e lançado fora na tempestade. A coisa toda foi tão repentina que, antes que eu pudesse me dar conta do choque, tanto moral quanto físico, encontrei-me fustigado pelo granizo. Ao mesmo tempo, tinha a estranha e poderosa sensação de que não estava sozinho. Olhei para a tumba. Nesse instante veio outro clarão ofuscante, que pareceu fulminar a estaca de ferro que encimava o túmulo e entorná-la no chão, explodindo e esfarelando o mármore como numa explosão de chamas. A mulher morta ergueu-se por um momento em agonia, enquanto era envolvida pelas chamas, e seu grito amargo de dor fundiu-se com o estrondo do trovão. A última coisa que ouvi foi essa mistura terrível de sons, pois novamente fui agarrado no aperto gigantesco e arrastado para fora, enquanto o granizo desabava sobre mim e o ar à volta parecia reverberar com o uivo dos lobos. A última coisa que me lembro de ter visto foi uma massa imprecisa e branca movendo-se, como se todos os túmulos ao meu redor tivessem enviado os fantasmas dos mortos cobertos por suas mortalhas, e que eles estavam se aproximando de mim através da nebulosidade branca do granizo.

Gradualmente, fui sentindo um vago princípio de consciência, e então uma terrível sensação de cansaço. Durante algum tempo não me lembrei de nada. Lentamente, porém, recuperei os sentidos. Meus pés pareciam decididamente torturados pela dor, embora eu não pudesse movê-los. Eles pareciam estar entorpecidos. Eu tinha a sensação de que havia algo gelado em minha nuca, e por toda a minha espinha; e as minhas orelhas, como meus pés, estavam amortecidas, embora doessem. Mas havia em meu peito uma sensação de calor que era, por comparação, deliciosa. Era como um pesadelo – um pesadelo físico, se é possível usar tal expressão – pois um peso sobre o meu peito dificultava a minha respiração.

Esse período de semi-letargia pareceu durar bastante tempo, e quando desapareceu eu devo ter dormido ou desmaiado. Então veio uma espécie de repugnância, como a primeira fase do enjoo do mar, e um desejo ardente de me ver livre de algo... eu não sabia o quê. Uma imensa quietude envolveu-me, como se o mundo inteiro estivesse adormecido ou morto – só quebrada por um arquejo abafado, como se houvesse algum animal perto de mim. Senti algo morno raspando a minha garganta, então veio a consciência da terrível verdade, que me gelou o coração e enviou o sangue ativo para o meu cérebro. Algum animal enorme estava estendido sobre mim, e agora lambia a minha garganta. Tive medo de me mexer, pois o meu instinto de conservação mandou-me ficar imóvel. Mas a besta pareceu perceber que houvera alguma mudança em mim agora, pois ergueu a cabeça. Através dos meus cílios vi sobre mim os dois grandes olhos flamejantes de um lobo gigantesco. Seus dentes brancos e afiados brilhavam na boca vermelha entreaberta, e eu podia sentir sua respiração ardente e acre sobre mim.

Por um novo período de tempo, não me lembrei de mais nada. Então percebi um rosnado baixo, seguido por um ganido, repetido de novo e de novo. Então, aparentemente bem longe, ouvi um *"Olá! Olá!"* como o som de muitas vozes chamando em uníssono. Com toda cautela ergui a cabeça e olhei na direção de onde vinha o som, mas o cemitério bloqueava minha visão. O lobo continuava ganindo de maneira estranha, e um clarão vermelho começou a se mover ao redor do bosque de ciprestes, como se seguisse o som. À medida que as vozes se aproximavam, o lobo gania mais rápido e mais alto. Eu tinha medo de fazer qualquer movimento ou som. O brilho vermelho chegou mais perto, sobre o manto branco que se estendia ao meu redor na escuridão. Então, de repente, surgiu trotando por entre as árvores uma tropa de cavaleiros carregando tochas. O lobo ergueu-se de cima de mim e correu para o cemitério. Vi um dos cavaleiros (soldados, a julgar pelos chapéus e pelas longas capas militares) erguer a carabina e fazer pontaria. Um companheiro levantou o braço, e ouvi a bala zumbir por sobre a minha cabeça. Ele, evidentemente, tinha tomado meu corpo pelo do lobo. Outro avistou o animal enquanto ele fugia, e seguiu-se um tiro. Então a tropa avançou a galope – alguns na minha direção, outros seguindo o lobo que desaparecia entre os ciprestes cobertos de neve.

Quando eles se aproximaram eu tentei me mover, mas estava impotente, embora pudesse ver e ouvir tudo o que se passava ao meu redor. Dois ou três soldados saltaram dos cavalos e se ajoelharam ao meu lado. Um deles ergueu minha cabeça, e pôs a mão sobre o meu coração.

"*Boas notícias, companheiros!*" ele exclamou. "*Seu coração ainda bate!*"

Em seguida, derramaram um pouco de conhaque em minha garganta. Isso me revigorou, e pude abrir inteiramente os olhos e olhar ao redor. Luzes e sombras se moviam por entre as árvores, e ouvi os homens chamando uns aos outros. Eles se juntaram, proferindo exclamações assustadas, e as luzes piscavam enquanto os outros vinham desordenadamente pelo cemitério, como homens possuídos. Quando os demais chegaram perto de nós, os que estavam ao meu redor perguntaram avidamente:

"*Bem, você o encontrou?*"

A resposta veio às pressas:

"*Não! Não! Vamos embora rápido... rápido! Isto não é lugar para ficar, ainda mais nesta noite, entre todas as outras!*"

"*O que era aquilo?*", foi a pergunta, feita em todas as entonações possíveis. As respostas eram variadas, e todas indefinidas, como se os homens fossem movidos por um impulso comum de falar, embora contidos por um medo comum de revelar seus pensamentos.

"*Ele... ele... realmente!*" gaguejou um, cujo juízo estava claramente perturbado no momento.

"*Era um lobo... e mesmo assim não era um lobo!*", disse outro, estremecendo.

"*Não adianta tentar caçá-lo sem a bala sagrada*", observou um terceiro, com mais naturalidade.

"*É o que merecemos por ter saído esta noite! Realmente, hoje fizemos jus aos nossos mil marcos!*", exclamou um quarto homem.

"*Havia sangue nos pedaços de mármore*", disse outro, depois de uma pausa. "*Não foi o raio que colocou isso lá. E quanto a ele... está a salvo? Olhe a sua garganta! Vejam, companheiros, o lobo estava estirado sobre ele, e o manteve aquecido*".

O oficial olhou para a minha garganta e respondeu:

"*Ele está bem; a pele não foi perfurada. O que significa tudo isso? Nós nunca o teríamos encontrado se não fosse pelo uivo do lobo*".

"*O que aconteceu com o lobo?*" perguntou o homem que estava segurando a minha cabeça, e que parecia o menos apavorado do grupo, pois suas mãos estavam firmes e sem tremer. Em sua manga havia uma divisa de suboficial.

"*Foi para casa*", respondeu um homem cujo rosto estava muito pálido, e que na verdade tremia de pavor, enquanto olhava temerosamente ao redor. "*Há tumbas suficientes por aqui onde ele pode se deitar. Venham, companheiros... venham depressa! Vamos sair deste lugar amaldiçoado*".

O oficial ergueu-me até que eu ficasse sentado, enquanto proferia uma ordem; então vários homens me colocaram sobre um cavalo. Ele saltou na sela atrás de mim, passou os braços pelo meu corpo e deu ordem para avançar; e, deixando os ciprestes para trás, partimos rapidamente em formação militar.

Até então minha língua se recusara a falar, e eu estava forçosamente em silêncio. Devo ter adormecido, pois a próxima coisa de que me lembro foi de estar em pé, apoiado por um soldado de cada lado. Já era quase dia claro, e ao norte refletia-se uma faixa vermelha de sol, como um caminho de sangue sobre o manto de neve. O oficial estava dizendo aos homens que não contassem nada do que tinham visto, a não ser que haviam encontrado um estranho inglês, guardado por um cão enorme.

"*Cão! Aquilo não era um cão!*" interrompeu o homem que demonstrara tanto pavor. "*Acho que conheço um lobo quando vejo um*".

O jovem oficial respondeu calmamente: "*Eu disse um cão*".

"*Cão!*" repetiu o outro com ironia. Era evidente que sua coragem estava voltando com o sol. E, apontando para mim, ele disse, "*Olhe a garganta dele. Isso é obra de um cão, senhor?*"

Instintivamente levei a mão à garganta, e quanto a toquei, gritei de dor. Os homens se aglomeraram à minha volta para olhar, alguns descendo das selas. E de novo ouviu-se a voz tranquila do jovem oficial:

"*Um cão, como eu disse. Se algo mais for dito, nós seremos apenas motivo de riso*".

Eu estava, então, montado atrás de um cavalariano, e cavalgávamos em direção aos subúrbios de Munique. Aqui nos deparamos casualmente com uma carruagem, na qual me colocaram, mandando que se dirigisse ao *Quatre Saisons*. O jovem oficial acompanhou-me, enquanto um soldado nos seguia a cavalo, e os demais partiram para seus quartéis.

Quando chegamos, *Herr* Delbrück desceu tão depressa as escadas para encontrar-me, que era evidente que ele estivera espreitando lá de dentro. Pegando-me pelas duas mãos, conduziu-me solicitamente para dentro do hotel. O oficial saudou-me, e estava se virando para retirar-se quando percebi sua intenção, e insisti para que viesse até meus aposentos. Tomamos uma taça de vinho enquanto eu agradecia calorosamente a ele e aos seus bravos companheiros por terem salvo a minha vida. Ele respondeu com simplicidade que estava muito contente com isso, e que *Herr* Delbrück já havia de início tomado providências para agradar a todo o grupo de busca. Diante dessa declaração ambígua, o *maître d'hôtel* sorriu, enquanto o oficial alegou deveres e retirou-se.

"*Mas* Herr Delbrück", inquiri, "*como e por que esses soldados foram me procurar?*"

Ele deu de ombros, como se não desse importância à sua própria atitude, enquanto respondia:

"*Eu tive a sorte de obter uma autorização do comandante do regimento em que servi, para pedir voluntários*".

"*Mas como sabia que eu estava perdido?*", perguntei.

"*O condutor veio para cá com os restos da carruagem que tinha capotado quando os cavalos fugiram*".

"*Mas o senhor certamente não iria enviar um grupo de busca de soldados apenas por causa disso?*"

"*Oh, não!*" ele respondeu, "*Mas antes mesmo do cocheiro chegar, eu já tinha recebido este telegrama do boiardo, de quem o senhor é convidado*", e ele tirou do bolso um telegrama e me estendeu.

Eu li:

Bistrita,

Tenha cuidado com meu convidado, sua segurança é muito preciosa para mim. Se algo acontecer a ele, ou se ele se perder, não poupe esforços para encontrá-lo e garantir sua segurança. Ele é inglês, e por isso mesmo aventureiro. Sempre há os perigos da neve, dos lobos e da noite. Não perca um minuto se suspeitar que ele pode estar em perigo. Respondo ao seu zelo com a minha fortuna.

Drácula.

Enquanto eu segurava o telegrama na mão, senti o quarto girando ao meu redor; e se o atento *maître d'hôtel* não tivesse me segurado, acho que teria caído no chão. Havia algo tão estranho em tudo isso, algo tão bizarro e impossível de imaginar, que apoderou-se de mim a sensação de que eu era, de algum modo, o joguete de forças opostas – cuja mera e vaga ideia parecia, de certa forma, paralisar-me. Eu com certeza estava sob alguma espécie de proteção misteriosa. De um país distante havia chegado, na hora exata, uma mensagem que me salvara do perigo de dormir sobre a neve e das garras de um lobo.

FIM

DRÁCULA
UMA HISTÓRIA DE MISTÉRIO

O modo como estes documentos foram colocados em sequência se tornará evidente através da sua leitura. Todo material desnecessário foi eliminado, de modo a permitir que uma história praticamente em desacordo com as possibilidades de crença dos nossos dias pudesse prosseguir como um fato comum. Não há, do princípio ao fim, nenhum relato de acontecimentos passados que sejam passíveis de erro por parte da memória, pois todos os relatos escolhidos são de fato contemporâneos, fornecidos a partir dos pontos de vista e dentro do alcance dos conhecimentos daqueles que os produziram.

CAPÍTULO 1

DIÁRIO DE JONATHAN HARKER *(Em Taquigrafia)*

3 de maio, Bistrita: Parti de Munique às 8h35 da noite de 1º de maio, chegando à Viena logo cedo na manhã seguinte; deveria ter chegado às 6h46, mas o trem partiu com uma hora de atraso. Budapeste parece um lugar maravilhoso, pelo pouco que pude ver do trem e pela pequena caminhada que fiz por suas ruas. Temi afastar-me demais da estação, uma vez que, como havíamos chegado tarde, recomeçaríamos a viagem o mais próximo possível da hora marcada.

A impressão que eu tive era de que estávamos deixando o Ocidente e ingressando no Oriente; a mais ocidental das esplêndidas pontes sobre o Danúbio, que aqui é de uma profundidade e largura raras, levava-nos para dentro das tradições do governo turco.

Partimos praticamente na hora certa, e chegamos logo após o anoitecer a Klausenburgh[1]. Aqui parei para passar a noite no Hotel Royale. Jantei, ou melhor, ceei, um frango preparado com algum tipo de pimenta vermelha que estava delicioso, mas que me deixou sedento. *(Lembrar de conseguir a receita para Mina)*. Perguntei ao garçom, e ele me disse que a pimenta se chamava *paprika hendl*, e como se tratava de uma iguaria nacional, eu poderia consegui-la em qualquer parte da região dos Cárpatos.

Descobri que meu parco conhecimento do alemão era muito útil aqui, na verdade, pois não sei como seria capaz de prosseguir sem ele.

Dispondo de algum tempo livre quando ainda estava em Londres, visitei o Museu Britânico e fiz uma pesquisa nos livros e mapas na biblioteca a respeito da Transilvânia; ocorrera-me que algum conhecimento prévio sobre o país dificilmente deixaria de ter alguma serventia ao se lidar com um nobre daquele país.

Descobri que o distrito que ele nomeara situa-se no extremo leste do país, exatamente na fronteira de três estados, Transilvânia, Moldávia e Bucóvina, bem no centro dos Montes Cárpatos; uma das regiões mais selvagens e menos conhecidas da Europa.

Não fui capaz de encontrar nenhum mapa ou obra que fornecesse a localização exata do castelo de Drácula, uma vez que não há nenhum mapa dessa região que pudesse ser comparado aos nossos próprios mapas da Agência Nacional de Cartografia; mas descobri que Bistrita, a cidade postal indicada pelo Conde Drácula, é um lugar bastante conhecido. Tenho que fazer aqui algumas das minhas anotações, para que elas possam refrescar a minha memória quando eu conversar sobre as minhas viagens com Mina.

Entre a população da Transilvânia há quatro distintas nacionalidades: os saxões no sul e, miscigenados com eles, os valáquios, que são os descendentes dos dácios; os magiares no oeste e os sículos no leste e norte. Estou me dirigindo à região dos sículos, que alegam serem os descendentes de Átila e dos hunos. Isso bem que pode ser verdade, pois quando os magiares conquistaram o país no século XI encontraram os hunos estabelecidos ali.

Li que toda superstição conhecida no mundo é originada nas regiões tortuosas dos Cárpatos, como se ali fosse o centro de algum tipo de redemoinho imaginativo; se

---
[1] Klausenburgh, atual Cluj-Napoca, terceira maior cidade da Romênia, localiza-se na parte noroeste da Transilvânia, e é a capital daquela região. NT

for assim, minha estadia pode vir a ser muito interessante. *(Lembrar de pedir ao Conde todas as informações sobre o assunto).*

Não dormi bem, embora minha cama fosse bastante confortável, pois tive todo tipo de sonhos estranhos. Havia um cão uivando a noite inteira debaixo da minha janela, o que pode ter tido alguma coisa a ver com isso; ou pode ter sido a páprica, pois eu havia tomado toda a água do jarro e ainda estava morrendo de sede. Já amanhecia quando adormeci, e fui acordado por um contínuo bater em minha porta, por isso acho que devo ter dormido profundamente.

No café-da-manhã serviram-me mais páprica, um tipo de mingau de maisena que eles disseram se chamar *mamaliga*, beringela recheada com carne moída e ovos, um prato excelente que eles chamam de *impletata*. *(Lembrar de conseguir a receita desse também).*

Tive que tomar o café-da-manhã às pressas, pois o trem partia um pouco antes das oito da manhã, ou pelo menos deveria partir nesse horário, pois depois de correr para a estação às 7h30, tive que esperar dentro do vagão por mais de uma hora até que começássemos a andar.

Parece-me que quanto mais se avança para o oriente, mais impontuais são os trens. Como será que eles se arranjam na China?

Durante o dia todo, parecia que vagueávamos por uma região completamente tomada de belezas de todo tipo. Algumas vezes víamos pequenas cidades ou castelos no topo de colinas escarpadas, como aqueles que víamos nos velhos missais; às vezes, corríamos ao longo de rios e riachos que, pela larga margem pedregosa de cada lado, pareciam ser objeto de grandes inundações. É preciso uma grande quantidade de água e uma correnteza forte, para devastar as margens de um rio.

Em cada estação havia grupos de pessoas, às vezes multidões, vestidos com todo tipo de roupas. Alguns eram como os camponeses do meu país, ou como os que eu vi ao passar pela França e pela Alemanha, com casacos curtos e chapéus redondos, e calças feitas a mão; mas outros eram muito pitorescos.

As mulheres pareciam bonitas, exceto quando se chegava muito perto, pois eram bem volumosas na região da cintura. Todas usavam longas mangas brancas de algum tipo, e a maioria tinha grandes cintos com vários retalhos de alguma coisa que flutuava, como os vestidos de balé, mas é claro que havia anáguas por baixo.

As estranhas figuras que víamos eram os eslovacos, mais bárbaros que os demais, com grandes chapéus de pastoreio, vastas calças largas de um branco sujo, camisas de linho branco e enormes e pesados cintos de couro, de quase um pé de largura, decorados com cravos de latão. Usavam botas de cano alto, com as calças enfiadas por dentro, e tinham cabelos longos e fartos bigodes negros. Eram muito pitorescos, mas nem um pouco simpáticos. No teatro, seriam colocados todos juntos, como um antigo bando de bandoleiros orientais. Mas eles são bastante inofensivos, segundo me disseram, e um tanto carentes de uma distinção própria natural.

Era a hora mais escura do crepúsculo quando chegamos à Bistrita, que por sinal é uma localidade antiga bastante interessante. Ficando praticamente na fronteira – pois o Passo Borgo a liga até Bucóvina – teve uma existência muito turbulenta, e certamente mostra as marcas disso. Cinquenta anos atrás, ocorreu uma série de grandes incêndios, que causou uma destruição terrível em cinco ocasiões distintas. Nos primeiros anos do século XVII foi sitiada durante três semanas, e perdeu treze mil pessoas, as baixas de guerra devidamente acompanhadas pela fome e pela doença.

Conde Drácula indicou-me o Hotel Coroa de Ouro, que descobri, para meu grande deleite, ser perfeitamente antiquado, pois eu naturalmente desejava ver tudo o que pudesse dos modos da região.

Eu era esperado, é evidente, pois quando me encontrava próximo da porta dei de cara com uma anciã de aspecto alegre, com as usuais roupas de camponesa, brancas, com um avental duplo, na frente e atrás, de um tecido colorido apertado demais para ser modesto. Quando me aproximei, ela se inclinou e disse, "Herr *inglês*?"

"*Sim*" respondi, "*Jonathan Harker*".

Ela sorriu e disse alguma coisa para um homem idoso, com uma camisa de mangas brancas, que a tinha seguido até a porta.

Ele se retirou, mas imediatamente retornou com uma carta:

Meu amigo,
Bem-vindo aos Cárpatos. Espero-o ansiosamente. Durma bem hoje à noite. Às três horas, amanhã, a diligência partirá para Bucóvina; um lugar lhe foi reservado. No Passo Borgo, minha carruagem estará esperando e o trará até mim. Espero que sua viagem desde Londres tenha sido satisfatória, e que aprecie sua estadia em meu belo país.
Seu amigo,
Drácula

4 de maio: Descobri que meu senhorio tinha recebido uma carta do Conde, orientando-o a assegurar-me o melhor lugar na carruagem; mas quando pedi informações mais detalhadas, ele pareceu um tanto reticente, e fingiu que não conseguia compreender o meu alemão.

Isso não podia ser verdade, pois até então ele tinha me compreendido perfeitamente; pelo menos, respondia às minhas perguntas como se assim fosse.

Ele e a esposa, a velha senhora que havia me recebido, olharam um para o outro de uma maneira assustadora. Ele murmurou que o dinheiro tinha sido encaminhado junto com uma carta, e que era tudo o que ele sabia. Quando lhe perguntei se ele conhecia o Conde Drácula, e se poderia dizer-me alguma coisa sobre o seu castelo, tanto ele quanto a esposa fizeram o sinal da cruz e disseram que não sabiam de nada sobre o assunto, e simplesmente se recusaram a fazer outros comentários. Como a hora da partida já se aproximava, não tive tempo de perguntar mais nada, embora aquilo tudo fosse muito misterioso, para não dizer desconfortável.

Pouco antes de eu partir, a velha senhora subiu até meu quarto e disse de modo histérico, "*O senhor precisa ir? Oh, jovem senhor, precisa mesmo ir?*". Ela se encontrava num estado tão alterado que parecia ter perdido a noção de quanto alemão conhecia, e misturava as palavras com outras de alguma língua que não me era familiar. Só consegui compreendê-la ao fazer-lhe algumas perguntas. Quando eu lhe disse que precisava realmente ir, e que estava comprometido com importantes negócios, ela me perguntou novamente:

"*O senhor sabe que dia é hoje?*". Eu lhe respondi que era quatro de maio. Ela balançou a cabeça, enquanto repetia:

"*Oh, sim! Eu sei disso! Eu sei disso... mas o senhor sabe que dia é hoje?*"

Ao dizer-lhe que não compreendia, ela prosseguiu:

"*É a véspera do dia de São Jorge*[2]. *O senhor sabe que nesta noite, quando o relógio bater meia-noite, todas as coisas más do mundo terão pleno domínio? O senhor sabe para onde está indo e para o que está indo?*" Ela se encontrava numa agonia tão evidente que tentei

---

[2] Segundo a tradição romena, é na véspera do dia de São Jorge, comemorado em 6 de maio pela Igreja Ortodoxa, que as criaturas do mal, entre as quais se incluem os vampiros, se tornam mais ativas. Aqui, Stoker engana-se com a data ao citar esta tradição. NT

confortá-la, mas não tive sucesso. Finalmente, ela caiu de joelhos e implorou-me que não fosse; ou, pelo menos, que esperasse um dia ou dois antes de partir.

Tudo aquilo era bastante ridículo, mas mesmo assim não me senti confortável. Havia uma negociação a ser feita, contudo, e eu não poderia permitir que nada interferisse com isso.

Tentei levantá-la e disse, com tanta gravidade quanto podia, que eu lhe agradecia, mas o meu dever era imperativo e eu devia prosseguir.

Ela então se levantou e secou os olhos, e, tomando um crucifixo do seu próprio pescoço, ofereceu-me.

Eu não sabia como reagir, pois, como membro da Igreja da Inglaterra, fui ensinado a considerar tais coisas uma forma de idolatria, mesmo que parecesse descortês recusar algo de tanta consideração para a velha senhora, ainda mais naquele estado de espírito.

Suponho que ela tenha visto a dúvida em meu rosto, pois colocou o rosário em volta do meu pescoço e disse, *"Pelo bem de sua mãe"*, e se retirou do quarto.

Estou escrevendo este trecho do diário enquanto aguardo pela carruagem que, é claro, está atrasada; o crucifixo ainda está em volta do meu pescoço.

Não sei se é o temor da velha senhora, ou as muitas tradições fantasmagórica deste lugar, ou mesmo o crucifixo em si, mas não estou me sentindo tão tranquilo como de costume.

Se este livro chegar à Mina antes que eu possa fazê-lo, que ele leve o meu adeus. Eis a carruagem!

5 de maio: O Castelo: As névoas cinzentas da manhã se dissiparam, e o sol já está alto no horizonte distante, um horizonte que parece irregular, se são árvores ou colinas não sei dizer, pois está tão distante que as coisas grandes e pequenas se misturam.

Não estou com sono e, como não vou ser chamado senão quando acordar, naturalmente escreverei até o sono chegar.

Há muitas coisas curiosas para se anotar, e, para que aqueles que estão lendo possam imaginar o quanto jantei bem antes de deixar Bistrita, vou anotar exatamente qual foi o meu jantar.

Jantei o que eles chamam de *bife ladrão* – pedaços de toucinho, cebola e carne, temperados com pimenta vermelha e metidos num espeto, assados sobre o fogo, no melhor estilo do "churrasquinho de gato" de Londres!

O vinho era um *golden mediasch*, que produz um estranho formigamento na língua, o qual, no entanto, não é desagradável.

Tomei apenas umas duas taças, e nada mais.

Quando entrei na carruagem, o cocheiro ainda não tinha tomado o seu lugar, e vi que estava conversando com a senhoria.

É evidente que falavam sobre mim, pois me olhavam de vez em quando, e algumas das pessoas que estavam sentadas no banco do lado de fora da porta se aproximaram para ouvir, e logo depois me olharam, a maioria com uma expressão de piedade. Pude ouvir muitas das palavras que eram frequentemente repetidas, palavras estranhas, pois havia muitas nacionalidades misturadas na multidão. Sendo assim, calmamente tirei da maleta meu dicionário poliglota e passei a procurá-las.

Devo confessar que não me tranquilizaram, pois a maioria delas era *Ordog*, Satã, *pokol*, inferno, *stregoica*, feiticeira, *vrolok* e *vlkoslak*, ambas significando a mesma coisa, uma em eslovaco e a outra em sérvio, para algo parecido com lobisomem ou vampiro *(Lembrar de perguntar ao Conde sobre essas superstições).*

Quando partimos, todos na multidão agrupada à porta da estalagem, que a esta altura tinha aumentado de consideravelmente, fizeram o sinal da cruz e apontaram dois dedos na minha direção.

Com alguma dificuldade consegui que um companheiro de viagem me contasse o que significava aquilo. A princípio, ele não queria responder, mas ao perceber que eu era inglês, explicou-me que era uma espécie de encantamento ou proteção contra o mau-olhado.

Isso não me foi muito agradável, principalmente por estar partindo para um lugar desconhecido para me encontrar com um homem desconhecido. Mas todo mundo parecia tão bem intencionado, tão pesarosos e simpáticos, que não pude deixar de ficar comovido.

Nunca me esqueci do último vislumbre que tive do pátio da estalagem e da multidão de figuras pitorescas, todas elas se benzendo, enquanto permaneciam na grande passagem em forma de arco, com ricas folhagens de oleandro ao fundo e laranjeiras agrupadas num canteiro no centro do pátio.

Foi quando o nosso cocheiro, cujas grandes ceroulas de linho cobriam toda a frente do assento – *gotza*, como eram chamadas – estalou o seu grande chicote sobre os quatro pequenos cavalos, que corriam lado a lado. Assim partimos para a nossa jornada.

Logo me esqueci da visão e da lembrança daqueles temores fantasmagóricos ao me lançar na beleza da paisagem, à medida que avançávamos, embora, se eu conhecesse a língua – ou melhor, as línguas – que os meus companheiros de viagem falavam, não seria capaz de esquecê-las tão facilmente. Diante de nós estendiam-se campos inclinados, verdejantes, repletos de bosques e florestas, e aqui e acolá, encostas coroadas com grupos de árvores ou com casas de fazenda, cujas empenas despojadas se voltavam para a estrada. Por todo lugar havia uma confusa massa de árvores carregadas de frutas – maçãs, ameixas, peras, cerejas. E, à proporção que andávamos, pude ver a relva esverdeada sob as árvores, coroada com pétalas caídas. A estrada corria para dentro e para fora dessas colinas verdejantes, conhecidas aqui por "terra média", como se se perdesse ao mergulhar nas curvas tomadas pela relva alta, ou fosse escondida pelos esparsos topos dos ciprestes que, aqui e ali, espalhavam-se pelas encostas das colinas como línguas de fogo. A estrada era irregular, mas ainda assim parecíamos deslizar por ela numa pressa febril. Não conseguia compreender até então o que essa afobação significava, mas era evidente que o cocheiro estava empenhado em não perder tempo economizando o cascalho da estrada do Borgo. Fiquei sabendo que essa estrada é excelente nos meses de verão, mas que ainda não tinha sido colocada em ordem depois das neves do inverno. Nesse sentido, ela é diferente das estradas em geral que correm pelos Cárpatos, pois parece ser uma antiga tradição que elas não sejam conservadas e mantidas em ordem. Desde os tempos antigos que os Hospodares[3] não as reparavam, para que na época os turcos pensassem que estavam se preparando para trazer tropas estrangeiras e, com isso, apressar a guerra que sempre fora de fato um ponto de opressão.

Para além das colinas altas e verdes da "terra média" erguiam-se as encostas poderosas da floresta, sobre os soberbos precipícios dos Cárpatos. Elevavam-se à nossa direita e à nossa esquerda, com o sol poente caindo em cheio sobre elas, descortinando todas as gloriosas cores desta bela cadeia de montanhas – o azul profundo e o púrpura das sombras dos picos, o verde e o marrom onde a relva e a rocha se misturam – e a perspectiva sem fim da rocha recortada e dos penhascos pontiagudos, até que estes se perdessem à distância, onde os picos nevados surgiam em toda a sua grandiosidade.

---

[3] Hospodares eram os antigos senhores ou governantes das regiões da Valáquia e da Moldávia. NT

Aqui e ali, apareciam poderosas fendas nas montanhas, através das quais, conforme o sol começava a declinar, víamos de vez em quando o branco resplandecente das quedas d'água. Um dos meus companheiros de viagem tocou-me o braço, assim que contornamos a base de uma colina e enxergamos o imponente pico coberto de neve de uma montanha, que parecia, à medida que percorríamos nosso caminho sinuoso, estar bem diante de nós.

"*Veja! Isten szek! O trono de Deus!*", e com grande reverência fez o sinal da cruz.

Enquanto percorríamos nosso caminho sem fim, e o sol mergulhava cada vez mais na escuridão atrás de nós, as sombras do anoitecer começaram a rastejar à nossa volta. Isso era ressaltado pelo fato de que o topo nevado da montanha ainda aprisionava o pôr do sol, e parecia resplandecer com um delicado e frio tom de rosa. Passávamos a todo o momento por tchecos e eslovacos, todos com seus trajes pitorescos, mas notei que o bócio era aflitivamente predominante entre eles. À margem da estrada havia muitas cruzes, e ao passarmos por elas todos os meus companheiros se benziam. Vez por outra, víamos um camponês ou camponesa ajoelhados diante de um santuário, tão absortos em sua devoção que não tinham nem olhos nem ouvidos para nada do mundo exterior; nem sequer se viravam à nossa aproximação. Tudo aquilo era completamente novo para mim. Por exemplo, medas de feno nas árvores, e por todo lado belos agrupamentos de vidoeiros, com os seus troncos esbranquiçados brilhando como prata por entre o delicado verde das folhas.

De vez em quando passávamos por um carroção – a carroça comum dos camponeses – com seu eixo comprido e sinuoso, calculado para se adaptar às irregularidades da estrada. Nessas carroças sempre havia, na verdade, um extraordinário grupo de camponeses retornando a casa, os tchecos com suas roupas brancas e os eslovacos com as suas coloridas, todas de pele de carneiro, os últimos carregando lanças longas e antigas, encimadas por machados. À medida que escurecia, começou a ficar cada vez mais frio, e o crepúsculo crescente parecia mergulhar para dentro de uma névoa escura as melancólicas árvores, carvalhos, faias e pinheiros, embora nos vales profundos que corriam por entre os contrafortes das colinas, conforme avançávamos pelo Passo, os abetos enegrecidos sobressaíssem por toda parte contra a paisagem tomada pela neve. Às vezes, como a estrada fosse aberta por entre as florestas de pinheiros que pareciam se fechar sobre nós na escuridão, grandes massas acinzentadas, que aqui e ali se espalhavam por entre as árvores, produziam um efeito particularmente estranho e solene, perpetuando os pensamentos e as fantasias macabras engendrados mais cedo naquela noite, quando o pôr do sol derramou para dentro do estranho relevo as nuvens fantasmagóricas que nos Cárpatos pareciam circular sem cessar por entre os vales. Às vezes as colinas eram tão íngremes que, apesar da pressa do nosso cocheiro, os cavalos tinham que seguir vagarosamente. Desejei descer e prosseguir a pé, como costumamos fazer em casa, mas o cocheiro não quis saber disso. "Não, não", ele disse. "*Não se deve caminhar por aqui. Os cães são muito ferozes*". E completou, com o evidente intuito de fazer um terrível gracejo, pois olhou em torno em busca do sorriso aprovador dos demais, "*E o senhor ainda terá que lidar com muitas coisas desse tipo antes de se deitar*". A única parada que ele fez foi uma pausa momentânea para acender os lampiões.

Quando escureceu, parece que houve alguma agitação entre os passageiros, e eles continuaram a falar com o cocheiro, um depois do outro, tentando fazê-lo andar mais rápido. Ele fustigava os cavalos sem piedade com o seu longo chicote, e, com gritos selvagens, os encorajava a um empenho maior. Foi quando vislumbrei, através da escuridão, uma espécie de clarão acinzentado logo acima de nós, como se houvesse uma fissura nas colinas. A excitação dos passageiros tornou-se maior ainda. O louco cocheiro se balançava no seu grande assento de couro, agitado como um barco atirado em um mar tempestuoso. Tive que me segurar. A estrada tornou-se mais plana, e parecíamos voar. As montanhas pareciam se aproximar cada vez mais, de ambos os lados, com seu aspecto sombrio. Estávamos entrando no Passo Borgo. Um a um, vários dos passageiros ofereceram-me presentes, com uma preocupação tão sincera que não permitiria uma recusa. Eram presentes muito curiosos e variados, na verdade, mas cada um deles era dado de boa-fé, acompanhado de uma palavra gentil e uma benção, e daquela estranha mistura de movimentos supersticiosos que eu vira diante do hotel em Bistrita – o sinal da cruz e a figa contra o mau-olhado. Então, enquanto descíamos, o cocheiro debruçou-se para a frente e de cada lado dos passageiros, esticando-se pelas bordas da carruagem, e espreitou ansiosamente a escuridão. Era evidente que algo muito emocionante estava para acontecer, ou era esperado, mas embora eu perguntasse a cada um dos passageiros, nenhum deles me dava a menor explicação. Esse estado de agitação manteve-se por algum tempo. E, finalmente, avistamos o Passo, descortinando-se pelo lado oriental. Havia nuvens densas e escuras logo acima, e no ar a sensação pesada e opressiva dos trovões. Era como se a cadeia de montanhas separasse duas atmosferas, e naquele momento tivéssemos ingressado na mais turbulenta. Eu estava agora procurando o transporte que me levaria até o Conde. Esperava ver, a qualquer momento, o clarão de lampiões através da escuridão, mas só havia negrume. A única luz eram os raios vacilantes de nossos próprios lampiões, que transformavam o vapor exalado pelos cavalos esgotados numa névoa esbranquiçada. Conseguíamos ver agora a estrada de areia branca estendida à nossa frente, mas não havia sinal de nenhum veículo. Os passageiros recuaram com um suspiro de satisfação que parecia zombar do meu próprio desapontamento. Eu já estava pensando no melhor procedimento a adotar quando o cocheiro, olhando para o seu relógio, disse algo aos outros, algo que eu mal pude ouvir, e que foi dito com tanta calma e em tom tão baixo, que acreditei ser *"Uma hora antes do marcado"*. Em seguida, voltando-se para mim, falou em um alemão pior do que o meu.

"Não há nenhuma carruagem aqui. *O herr* não está sendo aguardado, afinal. Ele retornará para Bucóvina e voltará amanhã ou no dia seguinte, melhor que seja no dia seguinte". Enquanto ele estava falando, os cavalos começaram a relinchar, a bufar, e a se movimentar loucamente, tanto que o cocheiro teve que segurá-los. Então, por entre um coro de gritos assustados por parte dos camponeses e sinais da cruz em movimentos uníssonos, uma caleche, puxada por quatro cavalos, aproximou-se por trás, ultrapassou-nos, e parou bem ao lado da carruagem. Pude ver, enquanto os raios de luz dos nossos lampiões incidiam sobre eles, que os cavalos eram negros como carvão, além de serem animais esplêndidos. Eram conduzidos por um homem alto, com uma longa barba acastanhada e um grande chapéu preto que lhe escondia o rosto. Só consegui ver o fulgor de um par de olhos muito brilhantes, que pareciam vermelhos à luz do lampião, quando se voltou para nós.

Ele disse ao cocheiro, *"Está adiantado essa noite, meu amigo"*.

O homem gaguejou ao responder, *"O herr inglês estava com pressa"*.

Ao que o estranho respondeu, *"Era por isso, então, que você queria que ele voltasse para Bucóvina. Não pode me enganar, meu amigo. Eu sei de muitas coisas, e os meus cavalos são muitos velozes"*.

Sorriu enquanto falava, e a luz do lampião revelou uma boca dura, com lábios muito vermelhos e dentes afiados, brancos como marfim. Um dos meus companheiros sussurrou para outro a seguinte passagem da "Lenora", de Bürger[4].

"*Denn die Todten reiten Schnell. Pois os mortos viajam depressa*".

O estranho condutor evidentemente ouviu as palavras, pois levantou os olhos com um sorriso resplandecente. O passageiro virou o rosto, afastando-se, enquanto cruzava os dedos e se benzia. *"Passe-me a bagagem do* herr", disse o condutor, e com uma vivacidade excessiva minhas malas foram agarradas e colocadas na caleche. Desci pelo lado da carruagem onde estava estacionada a caleche, e o seu condutor ajudou-me a subir, pegando-me pelo braço com uma garra de aço. Sua força devia ser prodigiosa.

Sem uma palavra sequer, sacudiu as rédeas, os cavalos viraram, e mergulhamos na escuridão do Passo. Ao olhar para trás, vi o vapor que exalava dos cavalos da carruagem iluminado pela luz dos lampiões, e, projetado contra ele, as figuras dos meus companheiros de viagem fazendo o sinal da cruz. Então o cocheiro estalou seu chicote, tocando os cavalos, que mergulharam no caminho de volta à Bucóvina. À medida que eles desapareciam na escuridão, senti um estranho calafrio, e um sentimento de solidão tomou conta de mim. Mas um casaco foi jogado sobre os meus ombros, e uma manta por cima dos meus joelhos. O condutor disse em alemão fluente, *"A noite está fria, mein Herr, e o meu mestre, o Conde, ordenou-me que tomasse conta de você. Há uma garrafa de slivovitz* (uma espécie de conhaque de ameixa local) *debaixo do assento, se desejar"*.

Não tomei, mas de qualquer forma era um consolo saber que estava ali. Sentia-me um pouco estranho, mas nem um pouco assustado. Acho que se tivesse havido alguma alternativa eu deveria tê-la tomado, ao invés de prosseguir com aquela jornada noturna desconhecida. A caleche seguiu em ritmo forte ao longo do caminho, então fizemos uma volta completa e prosseguimos por uma outra estrada reta. Pareceu-me que estávamos simplesmente passando sempre pelo mesmo lugar, e, por isso, fixei o olhar sobre alguns pontos marcantes, descobrindo que era esse o caso. Eu teria gostado de ter perguntado ao condutor o que significava tudo aquilo, mas realmente tive medo de fazê-lo, pois pensei que, no lugar em que me encontrava, nenhum protesto surtiria efeito, caso houvesse mesmo uma intenção de se atrasar.

Aos poucos, porém, como eu estava curioso para saber quanto tempo já se havia passado, acendi um fósforo e olhei para o meu relógio. Faltavam poucos minutos para a meia-noite. Isso me chocou um pouco, pois creio que a superstição geral sobre a meia-noite foi aumentada pelas minhas experiências recentes. Aguardei com uma sensação doentia de suspense.

Logo em seguida um cão começou a uivar em algum lugar, numa fazenda distante da estrada, um choro agoniado, como se estivesse tomado de medo. O som foi ecoado por outro cão, e depois por outro, e outro, até que, trazido pelo vento que agora suspirava suavemente através do Passo, começou um uivo selvagem, que parecia vir de toda a região, tanto quanto a imaginação podia distingui-lo através da escuridão da noite.

Ao primeiro uivo, os cavalos começaram a relinchar e a bufar, mas o condutor lhes falou suavemente e eles se acalmaram, mas tremiam e suavam como se estivessem fugindo depois de um súbito ataque de medo. Então, à distância, vindo das montanhas que nos cercavam, começou um uivo maior e mais alto, um uivo de lobos, que afetou, tanto aos cavalos quanto a mim, da mesma maneira. Já estava decidido a saltar da caleche e correr, quando eles relincharam e bufaram furiosamente, tanto que o condutor teve que usar de toda a sua enorme força para mantê-los sob controle. Em poucos minutos,

---

[4] Gottfried August Bürger (1747-1794): poeta, acadêmico e tradutor alemão, famoso por suas baladas poéticas, consideradas as mais elegantes da língua alemã. Bürger faleceu ao fim de uma longa enfermidade, logo após receber duras críticas de Schiller à segunda coletânea de suas obras, em 1791. NT

no entanto, meus ouvidos se acostumaram com o som, e os cavalos logo ficaram mais tranquilos, de modo que o motorista foi capaz de descer e ficar de pé diante deles.

Ele os acariciou e acalmou, sussurrando algo em seus ouvidos, como ouvi dizer que os encantadores de cavalos fazem; e com efeito extraordinário, pois sob suas carícias tornaram-se de novo bastante dóceis, embora ainda tremessem. O condutor retornou para o seu lugar, e sacudindo as rédeas, partiu em ritmo acelerado. Desta vez, depois de ir ao outro lado do Passo, virou de repente para baixo, e entrou numa estrada estreita que corria abruptamente para a direita.

Logo fomos cercados por árvores que, em determinados lugares, arqueavam-se por sobre a estrada, como se passássemos por um túnel. E, mais uma vez, grandes rochas escarpadas guardavam-nos audaciosamente de ambos os lados. Embora estivéssemos abrigados, podíamos ouvir o vento aumentando, pois ele gemia e assobiava através das rochas, e quebrava os ramos das árvores enquanto passávamos. Ficava cada vez mais frio, e a neve, fina como pó, começou a cair; logo estávamos cobertos por uma manta branca, assim como tudo à nossa volta. O vento penetrante ainda carregava o uivo dos cães, ainda que este se tornasse mais fraco conforme seguíamos nosso caminho. O latido dos lobos parecia cada vez mais próximo, como se estivesse se fechando ao nosso redor, por todos os lados. Fiquei terrivelmente assustado, e os cavalos compartilhavam do meu medo. O condutor, no entanto, não ficou sequer perturbado. Continuou virando a cabeça para a esquerda e a direita, mas eu não conseguia ver nada naquela escuridão.

De repente, mais à frente à esquerda, vi uma chama azul bruxuleante, ainda fraca. O condutor a viu no mesmo momento. Ele parou os cavalos de imediato, e, saltando para o chão, desapareceu na escuridão. Eu não sabia o que fazer, e soube menos ainda quando o uivo dos lobos se tornou mais próximo. Mas enquanto eu me questionava o condutor reapareceu, e, sem dizer uma palavra, retornou ao seu lugar e reiniciamos a jornada. Acho que devo ter caído no sono e mantido a lembrança do incidente, pois ele parecia se repetir indefinidamente, e agora que me recordo, era como uma espécie de pesadelo horrível. Uma vez mais a chama pareceu bem próxima da estrada, tão perto que, mesmo com a escuridão à nossa volta, eu podia acompanhar os movimentos do condutor. Ele seguiu rapidamente para o lugar em que a chama azul surgira – ela devia ser muito fraca, pois não parecia iluminar o terreno à sua volta – e, apanhando algumas pedras, arrumou-as num determinado formato.

Naquele momento, surgiu ali um estranho efeito óptico. Quando o condutor se posicionou entre eu e a chama, ele não a obstruiu, pois eu podia ver o seu brilho fantasmagórico do mesmo jeito. Isso me assustou, mas como o efeito foi apenas momentâneo, achei que eram os meus olhos que me enganavam, pelo esforço de olhar através da escuridão. Então, por um momento, não houve mais nenhuma chama azul, e prosseguimos nas trevas, com o uivo dos lobos em torno de nós, como se estivessem a nos seguir em círculos.

Por fim, houve um momento em que o condutor foi mais longe do que antes, e durante sua ausência os cavalos começaram a tremer mais do que nunca, e a bufar e urrar de medo. Eu não podia atinar com a causa daquilo, pois o uivo dos lobos cessara por completo. Mas naquele momento a lua, atravessando as nuvens negras, surgiu por trás da crista irregular de um rochedo coberto de pinheiros, e à sua luz vi em torno de nós uma matilha de lobos, com dentes brancos e línguas vermelhas estendidas para fora da boca, com longos membros musculosos e pelos desgrenhados. Eram cem vezes mais terríveis naquele silêncio sombrio que mantinham do que quando uivavam. Quanto a mim, estava paralisado de medo. Só quando um homem se encontra face a face com tais horrores é que ele compreende a sua verdadeira importância.

Todos os lobos começaram a uivar de uma só vez, como se o luar houvesse tido algum efeito estranho sobre eles. Os cavalos saltavam e levantavam as patas, olhando em volta com olhos impotentes, que giravam de uma modo doloroso de se ver. Mas o círculo vivo de terror cercava-os por todos os lados, e por isso tinham forçosamente de permanecer dentro dele. Gritei para que o condutor retornasse, pois me parecia que a nossa única chance era tentar escapar através do círculo, e, para ajudá-lo a se aproximar, gritei e bati na lateral da caleche, esperando que o barulho assustasse os lobos que estavam daquele lado, de modo a dar-lhe uma chance de alcançar a carruagem. Não sei dizer como ele chegou lá, mas ouvi sua voz levantar-se num tom de comando imperioso, e olhando na direção do som, vi que ele estava de pé no meio da estrada. Agitava os longos braços, como se afastasse algum obstáculo impalpável, o que fez com que os lobos se afastassem cada vez mais para longe. Foi então que uma nuvem carregada passou diante da lua, de modo que fomos de novo lançados à escuridão.

Quando consegui ver outra vez, o condutor estava subindo na caleche, e os lobos tinham desaparecido. Isso tudo foi tão estranho e bizarro que um medo terrível se apoderou de mim, e eu tinha medo de falar ou de me mover. O tempo parecia interminável enquanto percorríamos nosso caminho, agora em quase completa escuridão, pois as nuvens carregadas encobriam a lua.

Continuamos a subir, com descidas rápidas e ocasionais, mas quase sempre subindo. De repente, dei-me conta de que o condutor estava freando os cavalos dentro do pátio de um vasto castelo em ruínas, de cujas janelas altas e negras não partia nenhum raio de luz, e cujas ameias quebradas formavam uma linha recortada contra o céu.

CAPÍTULO 2

DIÁRIO DE JONATHAN HARKER *(continuação)*

5 de maio: Eu devia estar dormindo, pois certamente, se estivesse totalmente desperto, teria percebido a aproximação de um lugar tão notável. Na escuridão, o pátio parecia ter um tamanho considerável, e, como vários caminhos escuros saíam dali passando sob grandes arcos redondos, talvez ele parecesse maior do que realmente é. Ainda não fui capaz de vê-lo à luz do dia.

Quando a caleche parou, o motorista desceu e estendeu a mão para me ajudar a descer. De novo eu pude notar a sua força prodigiosa. Sua mão parecia na verdade uma garra de aço, que poderia ter esmagado a minha, se ele quisesse. Ele pegou os meus pertences e os colocou no chão ao meu lado, enquanto eu me aproximava de uma porta enorme, velha e repleta de grandes tachas de ferro, embutida numa entrada saliente de pedra maciça. Eu podia notar, mesmo sob a luz fraca, que a pedra fora esculpida num bloco maciço, mas que as esculturas tinham sido muito desgastadas pelos anos e pelo tempo. Enquanto eu estava ali, o condutor pulou novamente para o seu assento e sacudiu as rédeas. Os cavalos seguiram adiante, e a carruagem desapareceu por uma das aberturas escuras.

Fiquei parado onde estava, em silêncio, pois não sabia o que fazer. De sino ou aldrava, não havia sinal. Não era provável que minha voz pudesse penetrar através daquelas paredes sombrias ou pelas aberturas escuras das janelas. Esperei por um tempo que me parecia não ter fim, e senti que dúvidas e medos me assaltavam. Que tipo de lugar era aquele aonde eu tinha chegado, e que tipo de pessoas eram essas? Em que espécie de aventura sombria eu havia embarcado? Era esse um incidente costumeiro na vida de um funcionário de uma firma de advogados, enviado para explicar os detalhes da compra de uma propriedade em Londres para um estrangeiro? Funcionário de uma firma de advogados! Mina não gostaria daquilo. Advogado, sim, pois pouco antes de deixar Londres recebi a notícia de que meu exame fora bem-sucedido, e agora eu era um advogado completo! Comecei a esfregar os olhos e a me beliscar, para ver se estava acordado. Tudo parecia um pesadelo horrível para mim, e eu esperava acordar de repente e me encontrar em casa, com o amanhecer irrompendo pelas janelas, como acontecia de vez em quando pela manhã, após um dia de trabalho duro. Mas meu corpo respondeu ao teste do beliscão, e meus olhos não me enganavam. Eu estava realmente acordado, e no meio dos Cárpatos. Tudo o que eu podia fazer agora era ser paciente e esperar pela chegada da manhã.

Assim que cheguei a essa conclusão ouvi passos pesados se aproximando por trás da enorme porta e, pelas frestas, vi o brilho de uma luz que avançava. Depois houve o som de correntes batendo e o tilintar dos ferrolhos maciços sendo destrancados. Uma chave girou na fechadura, com o rangido alto e áspero do longo desuso, e a grande porta se abriu.

Dentro encontrava-se um velho alto, com o rosto barbeado, salvo por um longo bigode branco, e vestido de preto da cabeça aos pés, sem uma única mancha de cor em sua pessoa. Tinha nas mãos uma antiga lamparina de prata, na qual a chama queimava sem proteção ou globo de espécie alguma, lançando longas sombras bruxuleantes, pois a chama brilhava na corrente de ar da porta aberta. O ancião acenou-me com a mão direita num gesto cortês, dizendo em inglês bastante fluente, mas com entonação estranha:

"Bem-vindo à minha casa! Entre livremente, e por sua própria vontade!" Não deu nenhum sinal de que viria ao meu encontro, mas ficou parado como uma estátua, como se o seu gesto de boas-vindas o tivesse transformado em pedra. Porém, no instante em que cruzei a soleira da porta, ele se moveu para a frente impulsivamente, e estendendo a mão agarrou a minha com uma força que me fez estremecer, um efeito que não foi diminuído pelo fato de que ela parecia fria como gelo, mais como a mão de um morto do que de um homem vivo. Outra vez ele disse:

"Bem-vindo à minha casa! Entre livremente. Siga sem medo e deixe um pouco da felicidade que traz!" A força do aperto de sua mão era tão parecida com aquela que eu havia notado no condutor, cujo rosto eu não tinha visto, que por um momento me perguntei se não era a mesma pessoa com quem eu estava falando. Portanto, para ter certeza, disse interrogativamente, "Conde Drácula?"

Ele se curvou de forma cortês, enquanto respondia, *"Eu sou Drácula, e dou-lhe as boas-vindas à minha casa, sr. Harker. Venha, o ar da noite está frio, e você deve estar precisando comer e descansar".* Enquanto falava pôs a lâmpada sobre um suporte na parede e, ao sair, pegou minha bagagem. Ele a tinha pego antes que eu pudesse impedi-lo. Protestei, mas ele insistiu.

"De forma alguma, senhor, você é meu convidado. É tarde, e meus empregados não estão disponíveis. Permita que eu mesmo cuide do seu conforto". Ele insistiu em carregar os meus pertences ao longo da passagem, depois até uma escada grande e sinuosa, e depois por outra enorme passagem, sobre cujo piso de pedra nossos passos ecoavam com força. Ao final desta abriu uma porta pesada, e alegrei-me ao me ver dentro de uma sala bem iluminada onde uma mesa estava preparada para o jantar, e em cuja lareira imensa crepitava e reluzia um enorme fogo de lenha, recém reabastecido.

O Conde parou, colocou minhas malas no chão, fechou a porta e, atravessando a sala, abriu outra porta que dava para uma saleta octogonal, iluminada por uma única lamparina, aparentemente sem janelas de qualquer espécie. Passando por ela abriu outra porta, e acenou-me para entrar. Era uma visão de boas-vindas. Ali havia um quarto espaçoso, bem iluminado e aquecido por outra lareira também abastecida, mas recentemente, pois as lenhas do topo eram frescas, produzindo um rugido oco que subia pela enorme chaminé. O próprio Conde deixou ali a minha bagagem e retirou-se, dizendo, antes de fechar a porta:

"Depois da sua viagem, vai precisar refrescar-se e fazer sua toalete. Acredito que encontrará tudo o que deseja. Quando estiver pronto, venha para a outra sala, onde sua ceia estará preparada".

A luz, o calor e as cortesias de boas-vindas do Conde pareciam ter dissipado todas as minhas dúvidas e temores. Tendo então voltado ao meu estado normal, descobri que estava um tanto esfomeado, faminto. Assim, depois de me refrescar apressadamente, dirigi-me para a outra sala.

Já encontrei a ceia servida. Meu anfitrião, que permanecia de pé ao lado da enorme lareira, apoiado no peitoril de pedra, fez um movimento gracioso com a mão em direção à mesa, e disse:

"Peço-lhe que se sente e sirva-se à vontade. Creio que me desculpará por não me unir a você, pois já jantei e não costumo cear".

Entreguei-lhe a carta lacrada que o sr. Hawkins me confiara. Ele a abriu e leu com toda seriedade. Depois, com um sorriso encantador, devolveu-me para que eu a lesse. Um trecho, pelo menos, causou-me um arrepio de prazer:

Lamento que um ataque de gota, doença da qual sou um sofredor crônico, proíba absolutamente qualquer viagem da minha parte num futuro próximo. Mas fico feliz em dizer-lhe que estou enviando um substituto capaz, no qual tenho toda a confiança. Trata-se de um homem jovem, cheio de energia e talento próprios, e de caráter muito fiel. É discreto e silencioso, e tornou-se adulto trabalhando comigo. Ele estará apto a assisti-lo durante sua estadia, e acatará suas instruções em todos os assuntos.

O próprio Conde adiantou-se e retirou a tampa de uma travessa, e eu lancei-me de imediato a um excelente frango assado. O frango, com um pouco de queijo e salada e uma garrafa de um encorpado vinho branco doce de Tokay – do qual bebi duas taças – foi a minha ceia. Enquanto eu estava comendo, o Conde me fez muitas perguntas a respeito da minha viagem, e aos poucos lhe contei todas as experiências que tivera.

A essa altura eu já havia terminado o meu jantar, e por insistência do meu anfitrião levei uma cadeira para junto do fogo e comecei a fumar um charuto que ele me oferecera, enquanto se desculpava por não fumar. Tinha agora a oportunidade de observá-lo, e achei sua fisionomia bastante marcada.

Seu rosto era forte, muito forte, aquilino, com um nariz fino e pontudo e narinas arqueadas de modo peculiar, a testa alta e arredondada, com cabelos escassos em torno das têmporas, mas que cresciam profusamente em outros lugares. Suas sobrancelhas eram muito grandes, quase se unindo sobre o nariz, e de pelos tão espessos que pareciam ondular-se em sua própria profusão. A boca, até onde eu podia vê-la sob o espesso bigode, era rígida e de aparência um tanto cruel, com dentes afiados singularmente brancos. Estes se projetavam sobre os lábios, cuja notável vermelhidão mostrava uma vitalidade surpreendente para um homem da sua idade. Quanto ao resto, suas orelhas eram pálidas e extremamente pontiagudas. O queixo era largo e forte, e as faces firmes, embora finas. O aspecto geral era de uma palidez extraordinária.

Até então eu tinha observado as costas de suas mãos apoiadas sobre os joelhos, à luz do fogo, e me pareceram muito brancas e finas. Mas, ao vê-las agora perto de mim, não pude deixar de notar que eram bastante grosseiras, largas, com dedos curtos. Parece estranho, mas havia cabelos no centro da palma das mãos. As unhas eram longas e finas, e cortadas em pontas afiadas. Quando o Conde se inclinou sobre mim e suas mãos me tocaram, não pude evitar um estremecimento. Pode ter sido por causa de seu hálito pesado, mas uma sensação horrível de náusea apoderou-se de mim, e, apesar das minhas tentativas, não consegui escondê-la.

O Conde, evidentemente, percebeu e recuou. E, com uma espécie de sorriso triste, que mostrava ainda mais dos seus dentes salientes, sentou-se outra vez no seu lado da lareira. Permanecemos ambos em silêncio por um tempo, e quando olhei para a janela, vi os primeiros raios da aurora que se aproximava. Tudo estava imerso numa estranha imobilidade. Mas, do mesmo modo que eu já ouvira antes, escutei, vindo do vale lá embaixo, o uivo de uma porção de lobos. Os olhos do Conde brilharam, e ele disse:

"*Ouça-os, os filhos da noite. Que música eles produzem!*". Suponho que ele tenha visto no meu rosto alguma expressão estranha, pois continuou, "*Ah, meu senhor, vocês, moradores das cidades, não conseguem compreender os sentimentos dos caçadores*". Então levantou-se e disse:

"*Mas você deve estar cansado. Seu quarto já está pronto, e amanhã você poderá dormir o quanto desejar. Estarei fora até o entardecer, portanto, durma bem e tenha bons sonhos!*". Com uma reverência cortês, abriu a porta da sala octogonal para mim, e eu ingressei em meus aposentos.

Estou lançado em um mar de mistérios. Eu duvido. Eu temo. Penso em coisas estranhas, que não me atrevo a confessar nem a minha própria alma. Deus me proteja, mesmo que seja apenas pelo bem daqueles que me são caros!

7 de maio: Já é de manhã outra vez, mas eu descansei e desfrutei as últimas vinte e quatro horas. Dormi até bem tarde, e acordei por vontade própria. Depois de me vestir segui para a sala onde tínhamos ceado, e encontrei já servido um café-da-manhã frio, com a cafeteira colocada na lareira para manter o café quente. Havia um cartão sobre a mesa, no qual estava escrito, "*Tenho que me ausentar por um tempo. Não espere por mim. D.*" Sentei-me e desfrutei daquela farta refeição. Quando terminei, procurei por uma sineta, para avisar aos criados que tinha terminado, mas não encontrei nenhuma. Certamente havia algumas deficiências estranhas naquela casa, considerando-se as extraordinárias provas de riqueza que me cercavam. O serviço de mesa era de ouro, e tão maravilhosamente trabalhado que devia valer uma imensa fortuna. As cortinas e estofados das cadeiras e dos sofás e o cortinado da minha cama são dos tecidos mais belos e caros que existem, e devem ter custado uma fortuna quando foram feitos, séculos atrás, embora ainda estivessem em excelente estado. Vi algo parecido em Hampton Court, mas lá os estofados estavam puídos e comidos por traças. Curiosamente, não há um espelho sequer em nenhuma peça. Não há nem mesmo um espelho para a toalete em minha mesa, e tive que pegar um espelhinho que carrego em minha mala para que pudesse me barbear e pentear o cabelo. Não vi nenhum criado em lugar algum, nem ouvi um barulho sequer no castelo, além do uivo dos lobos. Algum tempo depois que terminei minha refeição – não sei se posso chamá-la de café-da-manhã ou de jantar, pois já eram cinco ou seis horas da tarde quando terminei – procurei algo para ler, pois não gostaria de andar pelo castelo sem antes pedir a permissão do Conde. Não havia absolutamente nada na sala, livros, jornais, ou mesmo algum material escrito, então abri outra porta da sala e encontrei uma espécie de biblioteca. Tentei abrir a porta oposta à minha, mas encontrei-a trancada.

Na biblioteca encontrei, para meu grande prazer, uma vasta quantidade de livros ingleses, prateleiras repletas deles, e volumes encadernados de revistas e jornais. Uma mesa no centro estava coberta com revistas e jornais ingleses, embora nenhum fosse recente. Os livros eram dos mais variados tipos: história, geografia, política, economia política, botânica, geologia, direito, todos eles relacionados com a Inglaterra e com a vida, os costumes e o modo de vida dos ingleses. Havia muitos livros de referência como o Guia de Londres[5], os livros "vermelho" e "azul"[6], o Almanaque Whitaker[7], os inventários do exército e da marinha e um que, de certo modo, alegrou meu coração ao encontrá-lo, a relação de advogados da Inglaterra[8].

Enquanto eu estava olhando os livros, a porta se abriu e o Conde entrou. Saudou-me de um modo cordial, e disse que esperava que eu tivesse tido uma boa noite de descanso. Em seguida, disse:

"*Fico satisfeito de que tenha encontrado este lugar, pois estou certo de que aqui há muitas coisas que vão interessá-lo. Estes compêndios*", e pousou a mão sobre alguns livros, "*têm sido bons amigos para mim, e por muitos anos, desde que tive a ideia de me mudar para Londres, têm me proporcionado muitas e muitas horas de prazer. Através da sua leitura vim a descobrir a sua grande Inglaterra, e conhecê-la é amá-la. Anseio andar pelas ruas apinhadas da poderosa Londres, estar no meio do turbilhão e da pressa da humanidade, compartilhar sua vida, sua mudança, sua morte, e tudo o que a torna o que é. Mas ai de mim! Até agora só conheço sua língua pelos livros. Com você, meu amigo, procurarei aprendê-la falando*".

"*Mas, Conde*", respondi, "*seu conhecimento e fluência da língua inglesa é completo!*". Em agradecimento, ele fez uma reverência.

"*Agradeço-lhe, meu amigo, por sua avaliação bastante lisonjeira, mas temo que ainda exista um longo caminho a percorrer pela estrada na qual pretendo viajar. É verdade que eu conheço a gramática e as palavras, mas ainda não sei como me valer delas*".

"*Na verdade*", disse, "*sua fluência é excelente*".

"*Não é bem assim*", respondeu ele. "*Bem, eu sei que, se eu me movimentasse e falasse em sua Londres, ninguém lá me tomaria por um estrangeiro. Mas isso não é suficiente para mim. Aqui eu sou um nobre. Sou um boiardo*[9]. *As pessoas comuns me conhecem, e sou um mestre. Mas um estranho numa terra estranha não é ninguém. Os homens não o conhecem, e saber é poder. Fico contente de ser como os demais, de modo que nenhum homem interrompa o seu caminho quando me vir, ou interrompa seu discurso ao ouvir minhas palavras, 'Ha, ha! Um estrangeiro!' Fui um senhor por tanto tempo que ainda continuarei sendo, pelo menos ninguém deverá ser o meu senhor. Você veio a mim não apenas como um representante do meu amigo Peter Hawkins, de Exeter, para me contar tudo a respeito da minha nova propriedade em Londres. Creio que deverá ficar algum tempo aqui comigo, de modo que com nossas conversas eu possa aprender a entonação do inglês. E eu gostaria que me dissesse quando eu cometer um erro, por menor que seja, ao falar. Lamento ter tido que me afastar por tanto tempo hoje, mas sei que perdoará alguém que possui tantas coisas importantes a fazer*".

---

[5] Em 1765, uma legislação aprovada pelo Parlamento Inglês exigiu que todas as residências de Londres fossem numeradas e listadas em um guia. NT
[6] Livros publicados pelo Escritório Nacional de Estatísticas, que contêm as estimativas de produção domésticas e nacionais, rendimentos e gastos do Reino Unido. NT
[7] Guia anual de referência publicado desde 1868, contendo todas as instituições, clubes, associações e congêneres, bem como dados sobre educação, ações militares, saúde, e estrutura governamental da Inglaterra. NT
[8] Apesar de Harker não suspeitar da presença dessa publicação inglesa na biblioteca, Stoker a menciona para sinalizar que foi através dela que Drácula escolheu as suas vítimas. NT
[9] Na Romênia, antiga denominação de membros de uma classe privilegiada de proprietários rurais. NT

Claro que eu lhe disse que estaria à disposição dele, e perguntei-lhe se poderia vir a essa sala quando quisesse. Ele respondeu, *"Sim, certamente"*, e acrescentou:

"Você pode ir a qualquer parte do castelo que desejar, exceto onde as portas estiverem trancadas, e lá é claro que não desejará ir. Há uma razão para que as coisas sejam do jeito que são, e se você tivesse visto tudo o que eu vi e soubesse o que eu sei, talvez entendesse melhor". Respondi que tinha certeza disso, e então ele prosseguiu:

"Estamos na Transilvânia e a Transilvânia não é a Inglaterra. Nossos costumes não são os mesmos que os seus, e muitas coisas devem lhe parecer estranhas. Na verdade, de acordo com o que me contou das suas experiências até agora, já conhece um pouco das coisas estranhas que existem por aqui".

Isso levou a uma troca de ideias, e como era evidente que ele estava disposto a falar, mesmo que só por falar, perguntei-lhe muitas coisas sobre tudo o que já acontecera comigo ou que chegara ao meu prévio conhecimento. Às vezes ele desviava do assunto, ou mudava de conversa, fingindo não entender, mas geralmente respondia com franqueza a tudo que eu perguntava. À medida que o tempo passava, e eu me tornava um pouco mais ousado, perguntei-lhe sobre algumas das coisas estranhas da noite anterior – por exemplo, por que o cocheiro fora até os lugares onde tinha visto as chamas azuis. Ele então me explicou que era uma crença comumente aceita que, numa determinada noite do ano, ontem à noite na verdade, todos os espíritos malignos tinham a sua influência supostamente desmascarada, e uma chama azul seria vista nos lugares onde havia um tesouro escondido.

"Esse tesouro foi escondido", continuou ele, *"na região por onde você veio ontem à noite, não há dúvida nenhuma quanto a isso. Pois foi uma região disputada durante séculos pelos valáquios, saxões e turcos. Não há um metro sequer de terra em toda essa região que não tenha sido adubado com o sangue dos homens, patriotas ou invasores. Houve antigamente épocas conturbadas, quando os austríacos e os húngaros vieram em hordas, e os patriotas foram ao seu encontro — homens e mulheres, idosos e crianças também, esperando a sua chegada por entre os rochedos sobre as passagens, de modo a lançar sobre eles a destruição, com suas avalanches artificiais. Quando o invasor por fim triunfou encontrou muito pouco, pois tudo o que havia estava escondido nas regiões amigáveis".*

"Mas como pode ter permanecido tanto tempo sem ser descoberto", perguntei, *"se todos têm plena certeza da sua existência, e basta que os homens se deem ao trabalho de procurar?"* O Conde sorriu e, enquanto seus lábios se abriam revelando as gengivas, seus longos e afiados dentes caninos apareciam de um modo estranho. Ele respondeu:

"Porque os camponeses são covardes e tolos! Aquelas chamas aparecem somente em uma noite e nessa noite nenhum homem desta terra ousa deixar a sua casa, se puder evitar. Ah, meu caro senhor, e mesmo que deixasse não saberia o que fazer. Pois veja, esse mesmo camponês que você me disse ter marcado o lugar da chama, à luz do dia não saberia para onde olhar à procura do seu próprio trabalho. Mesmo você, ouso dizer, não seria capaz de encontrar esses lugares outra vez".

"Nisso o senhor tem razão", eu disse. *"Não sei mais do que os mortos, nem mesmo onde procurá-los".* E então mudamos de assunto.

"Bem", disse ele por fim, *"conte-me sobre Londres e sobre a casa que você adquiriu para mim"*. Desculpando-me por minha negligência, dirigi-me até meus aposentos para pegar os documentos em minha bagagem. Enquanto eu os estava colocando em ordem, ouvi o barulho da porcelana e da prataria na sala ao lado, e quando me dirigi para lá notei que a mesa havia sido limpa e a lamparina acesa, pois até então a sala estivera mergulhada na escuridão. As lamparinas também foram acesas no estúdio ou

biblioteca, e encontrei o Conde sentado no sofá, lendo, entre todas as coisas do mundo, um Guia Bradshaw inglês. Quando retornei ele retirou os livros e os documentos de cima da mesa, e então lhe apresentei plantas, documentos e números de toda ordem. Ele mostrou-se bastante interessado em tudo, e fez-me uma infinidade de perguntas sobre o lugar e sua vizinhança. Estava claro que ele tinha estudado de antemão tudo o que pode sobre os arredores, pois no final mostrou-se muito mais bem informado sobre o assunto do que eu. Quando lhe observei isso, respondeu:

"Bem, meu caro amigo, mas não é assim que deve ser? Quando eu me mudar para lá, estarei completamente sozinho, e o meu amigo Harker Jonathan... não, perdoe-me. Fui levado pelo costume do meu país de se colocar o sobrenome primeiro... meu amigo Jonathan Harker não estará ao meu lado para me corrigir e ajudar. Ele estará em Exeter, a quilômetros de distância, provavelmente trabalhando em processos legais junto com meu amigo Peter Hawkins, não é mesmo?"

Continuamos tratando diretamente do negócio da compra da propriedade em Purfleet. Após contar-lhe os detalhes e colher sua assinatura nos documentos necessários, escrevemos uma carta para ser enviada ao sr. Hawkins. Depois disso, ele me pediu que lhe contasse como descobrira um lugar tão agradável. Li para ele as anotações que realizei na ocasião e que transcrevo aqui.

Em Purfleet, andando por uma estrada secundária, deparei-me com um lugar que parecia ser o desejado, e onde havia uma placa deteriorada informando que o lugar estava à venda. O prédio era de estrutura antiga, construído com pedras pesadas e cercado por um muro alto, e não era reparado já há vários anos. Os portões fechados eram antigos, de carvalho e ferro, todos comidos pela ferrugem.

A propriedade é chamada Carfax, sem dúvida uma corruptela de Quatre Face, uma vez que a casa possui quatro lados, alinhados com os pontos cardeais da bússola. Possui aproximadamente vinte acres, e é totalmente cercada pela parede de pedra sólida que mencionei acima. Há muitas árvores, o que torna o lugar sombrio, e há uma lagoa escura – ou pequeno lago – que parece profunda, evidentemente alimentada por algumas nascentes, pois a água é clara e corre num fluxo de bom tamanho. A casa é bem grande e apresenta todos os estilos arquitetônicos do passado, isto é, desde os tempos medievais, pois uma parte é de pedra extremamente grossa, com apenas algumas janelas no alto, trancadas com fortes barras de ferro. Parece fazer parte de uma fortaleza, e fica perto de uma antiga capela ou igreja. Não pude entrar, pois não tinha a chave da porta que conduz a ela a partir da casa, mas tirei várias fotografias com a minha Kodak, de vários pontos. A casa havia sido ampliada, mas de um modo muito desordenado, e posso apenas imaginar o tamanho da sua área, que deve ser muito grande. Existem poucas construções por perto, uma delas é uma casa muito grande e recente, transformada em manicômio particular. No entanto, não é visível a partir da propriedade.

Quando terminei, ele disse: *"Fico satisfeito que ela seja antiga e grande. Eu mesmo sou de uma família antiga, e viver numa casa nova me mataria. Uma casa não pode se tornar habitável em apenas um dia, e depois de tudo pronto, uns poucos dias se transformam em séculos. Alegro-me também que haja uma capela dos velhos tempos. Nós, nobres da Transilvânia, não gostamos de pensar que os nossos ossos possam repousar entre os mortos comuns. Eu não busco alegria, nem júbilo, nem a voluptuosidade brilhante do sol abundante e das águas cristalinas que agradam às pessoas jovens e felizes. Eu não sou mais jovem, e meu coração, já cansado por anos de luto pelos mortos, não está mais em sintonia com a alegria. Além disso, as* paredes do meu castelo estão arruinadas. As sombras são muitas, e o vento frio sopra através das muralhas quebradas e das janelas. Eu amo os lugares escuros e a sombra, e ficaria sozinho com meus pensamentos sempre que pudesse". De algum modo, as palavras do Conde e o seu olhar não pareciam estar em sintonia, ou então era o seu tipo de rosto que fazia seu sorriso parecer maligno e melancólico.

Naquele instante, dando uma desculpa, ele me deixou, pedindo-me para guardar todos os documentos. Afastou-se por algum tempo, por isso comecei a olhar alguns dos livros ao meu redor. Um deles era um atlas, que eu achei aberto naturalmente na Inglaterra, como se esse mapa tivesse sido muito usado. Ao olhá-lo, encontrei em alguns lugares marcas de pequenos anéis, e ao examiná-los notei que um estava próximo de Londres, no lado leste, onde claramente se localizava a sua nova propriedade. Os outros dois estavam em Exeter e em Whitby, na costa do Yorkshire.

Já havia transcorrido quase uma hora, quando o Conde retornou. *"Ah!"*, disse ele. *"Ainda com seus livros? Bom! Mas você não deve trabalhar sempre. Venha! Fui informado de que o jantar já está pronto"*. Tomou meu braço e fomos para a sala ao lado, onde encontrei um excelente jantar posto à mesa. O Conde desculpou-se novamente, pois já tinha jantado quando se ausentara da casa. Mas sentou-se como na noite anterior, e conversou, enquanto eu comia. Depois do jantar, fumei, como na noite anterior, e o Conde ficou comigo, conversando e fazendo perguntas sobre todos os assuntos imagináveis, hora após hora. Senti que já estava ficando bem tarde, na verdade, mas não disse nada, pois me senti na obrigação de atender os desejos de meu anfitrião em todos os aspectos. Não estava com sono, pois o longo sono de ontem tinha me restaurado, mas não pude deixar de experimentar aquele frio que acompanha a chegada da aurora, e que, de certa forma, lembra a virada da maré. Costuma-se dizer que as pessoas que estão perto da morte morrem geralmente na chegada da madrugada ou na mudança da maré. Qualquer um que, estando cansado e preso ao seu posto já experimentou essa mudança na atmosfera, pode muito bem acreditar nisso. Foi quando ouvimos o canto alto do galo chegando com estridência sobrenatural, no ar claro da manhã.

Conde Drácula, pondo-se rapidamente de pé, disse, *"Ah, aí está a manhã chegando de novo! Como sou negligente, deixando-o ficar acordado por tanto tempo. Você deve tornar a sua conversa sobre o meu novo e querido país, a Inglaterra, menos interessante, de modo que eu não me esqueça de como o tempo voa."* E, com uma reverência cortês, rapidamente me deixou.

Fui para os meus aposentos e abri as cortinas, mas havia pouco a ser visto. Minha janela se abria para um pátio interno, e tudo o que eu conseguia ver era a névoa morna sobre o céu desperto. Fechei novamente as cortinas e estou registrando os acontecimentos desse dia.

8 de maio: Comecei a recear, enquanto escrevia esse diário, que estivesse ficando muito disperso. Mas agora fico contente por estar detalhando tudo desde o início, pois há algo tão estranho a respeito deste lugar e de tudo que existe nele, que só posso me sentir desconfortável. Gostaria de estar a salvo longe daqui, ou que nunca tivesse vindo. Pode ser que essa estranha existência noturna esteja me fatigando, mas gostaria que fosse só isso! Se houvesse alguém com quem conversar seria mais suportável, mas não há ninguém. Eu só tenho o Conde com quem falar, e ele... Receio que eu seja a única alma viva neste lugar. Vou ser prosaico, na medida em que os fatos permitam. Isso vai me ajudar a suportar, e assim a imaginação não deverá me levar à loucura. Se isso acontecer, estou perdido. Vou dizer de uma vez como estou, ou pareço estar.

Dormi apenas algumas horas depois que fui para a cama, e sentindo que não conseguiria dormir mais, levantei-me. Eu havia pendurado meu espelho de barbear na janela, e estava começando a fazer a barba. De repente, senti uma mão em meu ombro, e ouvi a voz do Conde que me dizia, *"Bom dia"*. Assustei-me, pois fiquei espantado de não tê-lo visto, uma vez que o reflexo do espelho cobria todo o quarto atrás de mim. Cortei-me um pouco devido ao susto, mas não percebi no momento. Tendo respondido à saudação do Conde, virei-me para o espelho outra vez, para ver como poderia ter me enganado. Desta vez não havia erro, pois o homem estava perto de mim e eu podia vê-lo por cima do ombro. Mas não havia nenhum reflexo dele no espelho! Podia ver a sala inteira atrás de mim, mas não havia sinal algum de um homem naquela sala, exceto eu mesmo.

Isso foi surpreendente, e estava no topo da lista de várias coisas estranhas, o que aumentou esse sentimento vago de inquietação que sempre tenho quando o Conde está próximo. Naquele instante vi que o corte sangrava um pouco, e que o sangue estava escorrendo pelo meu queixo. Abaixei a navalha, enquanto me virava a meio para procurar um pedaço de esparadrapo. Quando o Conde viu meu rosto, seus olhos brilharam com uma espécie de fúria demoníaca, e ele de repente tentou agarrar minha garganta. Eu me afastei, e sua mão tocou o rosário de contas onde se encontrava o crucifixo. Esse fato produziu nele uma mudança instantânea, pois a fúria passou com tanta rapidez que eu mal podia acreditar que estivesse ali antes.

"Tome cuidado", disse ele, *"tome cuidado ao se cortar. Isso é mais perigoso do que você pode pensar nesta região"*. Em seguida, pegando o espelho de barbear, continuou, *"E esta é a coisa miserável que fez o mal. É uma quinquilharia boba, para a vaidade dos homens Fora com ele!"* E, abrindo a janela, com um puxão violento da sua mão terrível, arremessou para fora o espelho, que se estilhaçou em mil pedaços nas pedras do pátio lá embaixo. Em seguida, retirou-se sem uma palavra sequer. Isso é muito irritante, pois eu não sei como vou fazer a barba, a não ser usando a caixa do meu relógio ou o fundo do pote do creme de barbear, que felizmente é de metal.

Quando me dirigi para a sala de jantar, o café da manhã estava servido, mas não encontrei o Conde em lugar algum. Tomei o desjejum sozinho. É estranho que eu ainda não tenha visto o Conde comer ou beber nada. Ele deve ser um homem muito peculiar! Após o café da manhã, decidi explorar um pouco o castelo. Segui pelas escadas e descobri uma sala no sentido meridional.

A vista era magnífica, e ali onde eu me encontrava era o melhor lugar para vê-la. O castelo se encontra à beira de um precipício terrível. Uma pedra que caísse da janela cairia mil metros sem tocar em nada! Até onde a vista alcança é um mar de copas de árvores verdes; ocasionalmente se vê uma fenda profunda, onde há um abismo. Aqui e ali existem aberturas prateadas, onde os rios correm por desfiladeiros profundos através das florestas.

Mas não estou disposto a descrever a beleza, não depois de ter visto o que mais tarde exploraria. Portas, portas, portas em todos os lugares, e todas elas fechadas e aferrolhadas. Não há saída possível em lugar algum, salvo as janelas nas paredes. O castelo é uma verdadeira prisão, e eu sou um prisioneiro!

CAPÍTULO 3

DIÁRIO DE JONATHAN HARKER *(continuação)*

Quando descobri que era um prisioneiro, um sentimento de desespero tomou conta de mim. Corri, descendo e subindo as escadas, experimentando cada uma das portas e espreitando cada uma das janelas que pude encontrar, mas após um instante, a certeza da minha impotência dominou todos os outros sentimentos. Quando parei para pensar, algumas horas depois, percebi que devo ter enlouquecido por um tempo, pois me comportava como um rato numa ratoeira. Quando, porém, fui tomado pela convicção de que estava impotente, sentei-me calmamente, com mais calma do que em qualquer outro momento da minha vida, e comecei a pensar em qual seria a melhor atitude a tomar. Ainda estou pensando e ainda não cheguei a qualquer conclusão definitiva. Tenho certeza apenas de uma coisa. Que não adianta dar conhecimento das minhas ideias ao Conde. Ele sabe muito bem que estou preso, e como ele mesmo fez isso, e sem dúvida tem os seus motivos para tanto, só iria me enganar se eu confiasse plenamente nele. Até onde posso ver, meu único plano será o de manter o meu conhecimento e os meus temores só para mim, além de manter os olhos bem abertos. Sei que posso estar sendo enganado como uma criança pelos meus próprios medos, ou então estou em situação desesperadora, e se assim for, preciso e precisarei de toda a minha inteligência para superar isso.

Acabara de chegar a essa conclusão quando ouvi a grande porta no andar de baixo se fechar, o que indicava que o Conde havia retornado. Ele não veio direto para a biblioteca, então segui cautelosamente até os meus aposentos e encontrei-o arrumando a minha cama. Isso era estranho, mas apenas confirmou o que eu já tinha suspeitado há muito tempo: que não havia criados na casa. Quando mais tarde eu o vi, pelas frestas das dobradiças da porta, colocando a mesa para o jantar, tive certeza disso. Pois se ele mesmo fazia todas essas tarefas domésticas, o que certamente era a prova de que não havia mais ninguém no castelo, deve ter sido o próprio Conde quem conduziu a carruagem que me trouxe aqui. É um pensamento terrível, pois se assim for, o que significa o fato dele ser capaz de controlar os lobos, como fez, apenas erguendo a mão e pedindo silêncio? O que era aquele terrível medo que todas as pessoas em Bistrita, e as que estavam na carruagem, sentiam por mim? Qual o significado das coisas que me presentearam, o crucifixo, o alho, a rosa silvestre e o freixo da montanha?

Abençoada seja aquela boa mulher que colocou o crucifixo em torno do meu pescoço. Pois ele tem sido para mim um conforto e uma fortaleza, toda vez que o toco. É estranho que algo que fui ensinado a desaprovar e considerar como um instrumento de idolatria pudesse, num momento de solidão e inquietação, ser de alguma valia. Será que há algo na essência da coisa em si, ou é só um meio, uma ajuda tangível, para trazer memórias de simpatia e conforto? De vez em quando, se for possível, tenho que examinar esse assunto para tentar me decidir quanto a essa questão. Enquanto isso, tenho que descobrir tudo o que posso sobre o Conde Drácula, tudo que possa me ajudar a entender. Esta noite ele pode falar de si mesmo, se eu conduzir a conversa para esse caminho. Preciso ter muito cuidado, no entanto, para não despertar suas suspeitas.

Meia noite: Tive uma longa conversa com o Conde. Fiz-lhe algumas perguntas sobre a história da Transilvânia, e ele ficou maravilhosamente empolgado com o tema. Em seu relato sobre coisas e pessoas, especialmente sobre batalhas, falou como se estivesse presente em todas elas. Ele explicou isso mais tarde dizendo que, para um boiardo, o orgulho de sua casa e de seu nome é o seu próprio orgulho, que a glória deles é sua própria glória, e que o destino deles é o seu destino. Quando falava de sua casa ele sempre dizia *"nós"* e falava quase sempre no plural, como um rei costuma falar. Desejaria poder transcrever tudo o que ele disse, da forma exata que ele disse, pois para mim tudo aquilo era extremamente fascinante. Parecia que havia ali toda a história do país. Ele se exaltava ao falar, e caminhava pela sala, alisando o seu grande bigode branco e agarrando qualquer coisa em que punha as mãos como se quisesse esmagá-la com toda a força do seu ser. Vou transcrever aqui uma coisa que ele disse, do modo mais fiel possível, pois nos diz um pouco sobre a história do seu povo.

"Nós, os sículos, temos o direito de ser orgulhosos, pois em nossas veias corre o sangue de vários povos corajosos que lutaram como os leões lutam, por nobreza. Aqui, onde os povos europeus se congregam, a tribo dos úgricos trouxe da Islândia o espírito de luta que recebeu de Thor e Odin, e que foi exibido pelos seus violentos guerreiros nórdicos ao se lançarem contra o litoral da Europa, e até mesmo da Ásia e da África, de tal modo que a população acreditou que eram lobisomens que chegavam. Aqui também, quando chegaram encontraram os hunos, cuja fúria guerreira havia varrido a terra como se fosse uma chama viva, até que os povos dizimados sustentassem que em suas veias corria o sangue daquelas velhas feiticeiras que, expulsas da Cítia, tinham se acasalado com os demônios do deserto. Tolos! Tolos! Qual demônio ou feiticeira já foi maior do que Átila, cujo sangue se encontra nestas veias?". Ele ergueu os braços. "Não é maravilhoso que sejamos uma raça conquistadora, orgulhosa, que conseguiu expulsar os magiares, os lombardos, os avaros, os búlgaros ou os turcos que se espalhavam aos milhares ao longo das nossas fronteiras? Não é estranho que quando Árpad e suas legiões atravessaram a pátria húngara nos encontraram aqui ao chegar à fronteira, e que a Honfoglalás[10] foi completada justamente lá? E quando a horda húngara se dirigiu para o oriente, os sículos foram reivindicados como parentes pelos vitoriosos magiares, e a nós, durante séculos, foi confiada a guarda da fronteira junto à terra dos turcos. Sim, e mais do que isso, o dever interminável de se guardar a fronteira, pois os turcos costumam dizer que 'a água dorme, mas o inimigo não dorme jamais'. Quem além de nós, entre as Quatro Nações[11], recebeu a 'espada sangrenta', ou em seu apelo bélico reuniu-se com mais presteza sob o estandarte do Rei? Quando foi redimida a grande vergonha da minha nação, a vergonha de Kosovo, quando as bandeiras dos valáquios e dos magiares se submeteram ao Crescente? Quem era o voivoda[12] que cruzou o Danúbio e derrotou os turcos em sua própria terra, senão alguém da minha própria raça? Sim, ele era um Drácula! A desgraça foi que seu próprio irmão, indigno desse nome, quando ele foi derrotado, vendeu seu povo para os turcos e lhes trouxe a vergonha da escravidão! Pois não foi esse Drácula, de fato, quem inspirou outros de sua raça, e que, tempos depois, novamente atravessou com suas tropas o grande rio em direção à Turquia, e que, após bater em retirada, avançou de novo e de novo, mesmo que tivesse que atravessar sozinho o campo sangrento onde suas tropas estavam sendo dizimadas, pois sabia que só ele poderia triunfar por fim? Disseram que ele só pensava em si mesmo. Bobagem! De que valem os camponeses sem um líder? Onde acabará a guerra, se não houver um cérebro e um coração que a conduza? E ainda, quando, após a batalha de Mohács, que nos livrou do jugo da Hungria, nós, da linhagem dos Dráculas, estávamos entre os seus líderes, pois o nosso espírito não toleraria se não fôssemos livres. Sim, meu jovem senhor, os sículos e os Dráculas, assim como o sangue dos seus corações, seus cérebros e suas espadas, podem se gabar de ostentar um crescimento que os Habsburgo e os Romanoff nunca conseguiram alcançar. Os dias de luta já terminaram. O sangue é algo muito precioso nesses dias de paz desonrosa, e as glórias dos grandes povos são hoje apenas histórias a serem contadas."

O amanhecer já estava se aproximando, e fomos para a cama. *(Lembrar que este diário se parece terrivelmente com o início das "Mil e Uma Noites", pois tudo sempre se interrompe com o canto do galo, ou ainda, se parece com o fantasma do pai de Hamlet).*

12 de maio: Vou começar com os fatos, os fatos nus e crus, verificados em livros e figuras, e sobre os quais não pode haver dúvidas. Não devo confundi-los com as experiências creditadas a minha própria observação, ou com a lembrança dos fatos. Ontem à noite, quando o Conde chegou do seu quarto, começou a me fazer perguntas sobre questões jurídicas, e o que fazer com certos tipos de negócios. Eu tinha passado

---

[10] Guerra da conquista da Hungria, ocorrida nas primeiras décadas do século IX. NT
[11] As quatro nações são os saxões, os vávaros, os boêmios e os poloneses. NT
[12] Voivoda: palavra eslava que originalmente designava o principal comandante de uma força militar. NT

o dia debruçado sobre livros, apenas para manter minha mente ocupada, repassando algumas matérias que havia analisado na Lincoln's Inn[13]. Havia certo método nas perguntas do Conde, por isso vou tentar colocá-las em sequência. O conhecimento pode me ser útil de alguma forma ou em algum momento.

Primeiro, ele me perguntou se um homem na Inglaterra poderia ter mais de um procurador. Disse-lhe que poderia ter uma dúzia, se quisesse, mas que não seria uma atitude sábia ter mais de um advogado encarregado das transações, pois só um poderia agir de cada vez, e que qualquer mudança com certeza traria prejuízos aos seus interesses. Ele pareceu entender perfeitamente, e passou a perguntar se haveria alguma dificuldade prática em se ter um homem para auxiliar, por exemplo, nos assuntos bancários, e outro para cuidar das remessas, no caso de ser necessária ajuda local num lugar muito distante da casa do procurador bancário. Pedi-lhe que explicasse com mais detalhes, para que eu não tivesse nenhuma dúvida ao responder, então ele disse:

"*Vou dar um exemplo. Nosso amigo em comum, o sr. Peter Hawkins, à sombra da sua bela catedral em Exeter, que está muito longe de Londres, compra para mim por sua própria conta a minha propriedade em Londres. Muito bem! Agora permita que eu lhe fale francamente, para que você não julgue estranho que eu tenha procurado os serviços de uma pessoa tão distante de Londres, ao invés de procurar alguém que resida lá, que meu único motivo foi que nenhum interesse local pudesse estar envolvido, além do meu próprio desejo; e como um residente de Londres pudesse, talvez, ter algum interesse particular, até mesmo prestar um favor a um amigo, foi por isso que procurei fora dali o meu agente, cujos serviços atenderiam apenas aos meus interesses. Agora suponha que eu, que tenho muitos negócios, desejasse despachar mercadorias, digamos, para Newcastle, Durham, Harwich ou mesmo Dover – isso não seria feito com mais facilidade, talvez, encarregando alguém para fazê-lo em um desses portos?*"

Respondi que certamente seria mais fácil, mas que os procuradores tinham um sistema de agência de uma para a outra, para que o trabalho local pudesse ser feito localmente de acordo com as instruções de qualquer procurador; assim o cliente, colocando-se simplesmente nas mãos de alguém, pudesse ter seus desejos realizados por ele sem maiores problemas.

"Mas", disse ele, "*eu poderia ter a liberdade de administrar por mim mesmo. Não é assim?*"

"Claro", respondi, e "isso muitas vezes é feito por homens de negócios que não gostam que todos os seus negócios sejam conhecidos por qualquer pessoa".

"*Bom!*", ele disse, e então passou a perguntar-me sobre os meios de se fazer as remessas e os procedimentos a serem tomados, e todos os tipos de dificuldades que poderiam surgir, mas que por prudência pudessem ser evitadas. Expliquei-lhe tudo isso dentro das minhas possibilidades, e ele certamente me deixou a impressão de que teria sido um advogado maravilhoso, pois não havia nada que ele não pensasse ou previsse. Para um homem que nunca saíra do país, e que, evidentemente, não tinha muita experiência no ramo dos negócios, o seu conhecimento e a sua perspicácia eram maravilhosos. Quando ele ficou satisfeito com os assuntos que tínhamos tratado, e eu os tinha ratificado tão bem quanto pude com os livros disponíveis, ele se levantou de repente e disse, "*Você já escreveu alguma carta para o nosso amigo Peter Hawkins desde aquela primeira carta, ou para qualquer outra pessoa?*"

Foi com alguma amargura no coração que lhe respondi que não tinha escrito, pois ainda não tivera qualquer oportunidade de enviar cartas a ninguém.

---

[13] Lincoln's Inn: uma das quatro sociedades de advogados de Londres. NT

"*Então escreva agora, meu jovem amigo*", disse ele, colocando a mão pesada sobre o meu ombro, "*escreva para o nosso amigo, e para outras pessoas também, e diga-lhes, se for do seu agrado, que você ficará comigo por mais um mês, a partir de hoje*".

"*O senhor gostaria que eu ficasse tanto tempo assim?*", perguntei-lhe, pois meu coração congelou diante de tal ideia.

"*Gostaria muito, sim, e não aceitarei uma recusa. Quando o seu patrão, ou seu empregador, como desejar, comprometeu-se a mandar alguém em seu lugar, ficou entendido que apenas as minhas necessidades seriam levadas em conta. Não há um prazo para isso, não é mesmo?*"

O que eu poderia fazer, além de me curvar em obediência? Era o interesse do sr. Hawkins, não o meu, e eu tinha que pensar nele, não em mim mesmo. Além disso, enquanto o Conde Drácula falava, havia algo em seus olhos e em seu porte que me fez lembrar que eu era um prisioneiro, e mesmo que quisesse não teria outra escolha. O Conde viu sua vitória na minha reverência, e sua autoridade estampada em meu rosto, pois começou imediatamente a usá-las, mas da sua própria maneira, suave e irresistível.

"*Rogo-lhe, meu bom e jovem amigo, que você não discuta, em suas cartas, outros assuntos além de negócios. Sem dúvida, será um grande prazer para seus amigos saber que você está bem, e que está ansioso para retornar para casa e para a companhia deles. Não é mesmo?*". Enquanto falava, entregou-me três folhas de papel de carta e três envelopes. Todos eram praticamente transparentes e, ao olhar para eles, e depois para o Conde, notei o seu sorriso silencioso, com os dentes afiados e caninos estendidos sobre o lábio inferior vermelho, e entendi tão bem como se ele tivesse falado que eu deveria ser cuidadoso ao escrever, pois ele poderia ler. Então decidi escrever agora apenas notas formais, mas escrever plenamente para o sr. Hawkins, em segredo, e também para Mina, pois para ela eu poderia escrever por taquigrafia, o que confundiria o Conde, se ele realmente tentasse ler. Após ter escrito minhas duas cartas, sentei-me em silêncio, lendo um livro, enquanto o Conde escrevia várias notas, recorrendo a alguns livros que estavam sobre a mesa ao escrever. Ele então pegou minhas duas cartas e colocou-as junto com as suas, deixando-as de lado; no instante em que a porta se fechou atrás dele, inclinei-me e olhei para as cartas, que estavam viradas com a face para baixo sobre a mesa. Não senti nenhum remorso em fazê-lo, pois, em tais circunstâncias, sentia que deveria me proteger de todas as maneiras possíveis.

Uma das cartas estava endereçada a Samuel F. Billington, no número 7 da Crescent, em Whitby; outra para *herr* Leutner, em Varna. A terceira era para Coutts & Cia., em Londres, e a quarta para os senhores Klopstock & Billreuth, banqueiros de Budapeste. A segunda e a quarta não estavam seladas. Ia começar a lê-las quando vi a maçaneta da porta se movendo. Corri de volta para o meu lugar, tendo tempo apenas de apanhar meu livro antes que o Conde entrasse na sala, segurando outra carta nas mãos. Apanhou as cartas de cima da mesa e as selou cuidadosamente; depois, virando-se para mim, disse:

"*Peço-lhe que me perdoe, mas tenho alguns afazeres pessoais a realizar esta noite. Espero que encontre tudo conforme o seu desejo*". Ao chegar à porta, ele se virou, e depois de uma breve pausa, disse:

"*Deixe-me aconselhá-lo, meu querido e jovem amigo. Não, deixe-me avisá-lo com toda a seriedade, que se resolver deixar estas salas, não deve dormir em qualquer outra parte do castelo. Ele é velho e possui muitas lembranças, que se transformam em pesadelos para aqueles que dormem imprudentemente. Esteja avisado! Deve dormir agora ou, senão, se for fazer algo do seu gosto, apresse-se para vir depois para o seu próprio quarto ou para estes aposentos, para que seu descanso seja seguro. Mas se você não tomar cuidado com relação a isto, então...*". Terminou o seu discurso de um modo terrível, fazendo um gesto com as mãos como se estivesse lavando-as. Eu entendi muito bem. Minha única dúvida era saber se qualquer um desses sonhos poderia ser mais terrível do que aquela rede de tristeza e de mistério, horrível e contrária à natureza, que parecia se fechar em torno de mim.

Mais tarde: Confirmo as últimas palavras que escrevi, mas desta vez não há dúvida alguma a respeito. Não devo temer dormir em qualquer lugar onde ele não esteja. Coloquei o crucifixo pendurado na cabeceira da minha cama e, com isso, imagino que o meu descanso esteja assegurado, livre de quaisquer sonhos; e assim deve continuar.

Quando ele saiu, segui para os meus aposentos. Após um tempo, não ouvindo nenhum som, saí e segui até a escadaria de pedra, de onde podia olhar para fora em direção ao sul. Havia uma espécie de sensação de liberdade naquela vastidão, embora fosse inacessível para mim, comparada com a escuridão do pátio interno. Olhando para fora, senti que estava realmente numa prisão, e por isso desejava uma lufada de ar fresco, embora fosse tarde da noite. Estou começando a sentir os efeitos dessa existência noturna que me fatiga. Está acabando com todo meu vigor. Começo a me assustar com minha própria sombra, e sou tomado por todo tipo de ideias horríveis. Deus sabe que há motivos para o medo terrível que sinto deste lugar maldito! Olhei para a bela vastidão lá fora, banhada pela suave luz amarelada do luar, até que estivesse quase tão claro quanto o dia. Aquela luz suave fundia-se com os montes distantes e lançava sombras de uma escuridão aveludada nos vales e desfiladeiros. A beleza simples pareceu animar-me. Havia paz e conforto em cada respiração. Ao me inclinar na direção da janela, meus olhos capturaram algo se movendo um andar abaixo de mim, e um pouco à minha esquerda, onde eu imaginava, pela ordem dos quartos, que se encontravam as janelas dos aposentos do Conde. A janela em que eu me encontrava era alta e profunda, com caixilhos de pedra, e, embora gasta pelo tempo, ainda estava completa. Mas era evidente que muitos dias haviam se passado desde que ela fora colocada ali. Recuei para trás do entalhe de pedra e olhei atentamente para fora.

O que eu vi, era a cabeça do Conde saindo pela janela. Não vi o rosto, mas reconheci o homem pelo pescoço e pelo movimento de suas costas e braços. Em todo caso, não poderia confundir as mãos que tive tantas oportunidades de estudar. A princípio, eu estava interessado e até me divertia um pouco, pois é maravilhoso como uma pequena questão como esta pode interessar e divertir um homem quando este é um prisioneiro. Mas os meus sentimentos se transformaram em repulsa e terror quando vi o homem lentamente sair da janela e começar a rastejar muralha abaixo, em direção ao terrível abismo, com o rosto voltado para baixo e o manto se abrindo em torno dele como grandes asas. No começo, não pude acreditar em meus olhos. Julguei ser algum truque do luar, algum estranho efeito de sombra, mas continuei olhando e vi que não podia ser uma ilusão. Vi os dedos das mãos e dos pés se agarrarem aos cantos das pedras, onde a argamassa estava gasta pelo passar dos anos, e usando assim cada protuberância e saliência, moveu-se para baixo numa velocidade considerável, do mesmo modo que um lagarto se move ao longo de uma parede.

Que tipo de homem era esse, ou que tipo de criatura era essa que se assemelhava a um homem? Sinto o medo desse lugar horrível apoderando-se de mim. Estou com medo, com um medo horrível, e não há escapatória. Estou cercado por terrores que nem me atrevo a imaginar.

15 de maio: Mais uma vez vi o Conde sair em sua forma de lagarto. Ele se movia para baixo, obliquamente, descendo algumas centenas de metros e desviando bastante para a esquerda. Desapareceu em algum buraco ou janela. Quando sua cabeça havia desaparecido, inclinei-me para fora para tentar ver mais, mas sem sucesso. A distância era grande demais para permitir um bom ângulo de visão. Sabia que ele tinha deixado o castelo agora, então pensei em aproveitar a oportunidade para explorar um pouco além do que já tinha ousado. Retornei para o quarto, e pegando uma lamparina, experimentei todas as portas. Todas estavam trancadas, como eu já esperava, e as trancas eram comparativamente novas em relação às portas. Segui depois pela escadaria de pedra até o saguão por onde entrei na primeira vez. Descobri que podia retirar os ferrolhos com facilidade e desenganchar as enormes correntes. Mas a porta estava trancada e a chave tinha desaparecido! Aquela chave devia estar nos aposentos do Conde. Eu devia verificar se sua porta estava destrancada, assim poderia entrar lá e fugir. Fiz uma análise profunda das escadas e das diversas passagens, e tentei abrir as portas que davam para elas. Um ou dois quartos pequenos próximos do saguão estavam abertos, mas não havia nada de interesse ali, exceto móveis antigos, empoeirados pelos anos e comidos pelas traças. No último, no entanto, encontrei uma porta no topo da escada que, embora parecesse bloqueada, cedeu um pouco sob pressão. Forcei um pouco mais e descobri que ela não estava realmente trancada, mas que a resistência vinha do fato das dobradiças terem caído, o que fazia com que aquela porta pesada se apoiasse no chão. Estava ali uma oportunidade que eu não teria novamente, e então, fazendo um grande esforço, empurrei-a para trás para que pudesse entrar. Estava agora numa ala do castelo mais à direita dos aposentos que eu já conhecia, e um andar abaixo. Das janelas eu podia ver que o conjunto de quartos se localizava ao sul do castelo, as janelas do último quarto dando tanto para o oeste quanto para o sul. Neste último lado, bem como no anterior, havia um grande precipício. O castelo foi construído no canto de um grande rochedo, de modo que três de seus lados eram inexpugnáveis, e janelas enormes foram colocadas ali, onde fundas, arcos ou colubrinas não poderiam alcançar e, consequentemente, foram garantidos luz e conforto impossíveis numa posição que deveria ser guardada. A oeste havia um grande vale, e depois, erguendo-se mais ao longe, uma grande cadeia de montanhas recortadas, erguendo-se pico a pico, as rochas escarpadas repletas de freixos e espinheiros, cujas raízes se agarravam nas rachaduras, fendas e fissuras da pedra. Esta era, evidentemente, a parte do castelo ocupado pelas damas em dias longínquos, pois o mobiliário possuía um ar mais confortável do que qualquer outro que eu vira.

As janelas estavam sem cortinas, e o luar amarelado, fluindo através dos painéis em forma de diamantes, permitia que qualquer um pudesse ver até mesmo as cores, esmaecidas pela quantidade de poeira que pairava sobre tudo, e que disfarçava, de algum modo, os estragos do tempo e das traças. Minha lamparina parecia ter pouco efeito diante do luar brilhante, mas fiquei feliz de tê-la comigo, pois havia uma solidão terrível naquele lugar, uma solidão que me enregelava o coração e fazia meus nervos tremerem. Ainda assim, foi melhor do que ficar sozinho nos quartos que eu já odiava – em virtude da presença do Conde. Depois de tentar controlar um pouco os nervos, senti uma suave quietude apoderar-se de mim. Aqui estou eu, sentado numa mesa de carvalho pequena onde, em tempos antigos, possivelmente uma senhora sentou-se para escrever – pensativa e envergonhada – sua carta de amor mal escrita, e onde agora escrevo no meu diário, em taquigrafia, tudo o que aconteceu desde que o fechei pela última vez. É o século XIX atualizado por uma vingança. E, no entanto, a menos que os meus sentidos me enganem, as antigas eras tinham, e ainda têm, competências próprias que a "modernidade" por si só não pode destruir.

Mais tarde, na manhã de 16 de maio: Deus preserve a minha sanidade, pois estou reduzido a ela. A segurança e a certeza da segurança são coisas do passado. Enquanto eu viver aqui só posso esperar uma coisa, que eu não enlouqueça, se é que, de fato, já não estou louco. Se eu estiver são, então certamente é enlouquecedor pensar que, de todas as coisas imundas que se escondem neste lugar odioso, o Conde é o que tem sido menos terrível para mim, pois somente com ele posso procurar segurança, embora esta segurança exista apenas enquanto eu puder servir aos seus propósitos. Grande Deus! Misericordioso Deus, permita que eu fique calmo, pois não outro meio de se evitar a loucura, de fato. Começo a ver sob novas luzes certas coisas que me intrigavam. Até agora eu nunca soube bem o que Shakespeare quis dizer quando fez Hamlet recitar, *"Minha lousa, minha lousa... preciso tomar nota..."*[14], etc. No momento, sentindo como se meu próprio cérebro estivesse doente, ou como se o choque que se apoderou dele o levasse à destruição, volto-me para o meu diário em busca de repouso. O hábito de registrar com precisão deve ajudar a me acalmar.

O aviso misterioso do Conde me assustou naquele momento. Assusta-me ainda mais quando penso que no futuro ele exercerá um efeito terrível sobre mim. Temerei desconfiar do que ele possa me dizer!

Quando terminei de escrever no diário, felizmente recoloquei o caderno e a caneta em meu bolso antes de dormir. O aviso do Conde não me saía da mente, mas fiquei feliz de desobedecê-lo. O sono estava se apoderando de mim, e com ele a obstinação que o sono traz como um cavaleiro. A tranquilidade do suave luar e a vastidão lá fora davam-me uma sensação de liberdade que me revigorou. Decidi não retornar nessa noite para os meus aposentos, tristes e assombrados, mas dormir aqui, onde, em antigas eras, as damas se sentavam, cantavam e viviam as suas doces vidas, enquanto suspiravam tristes por seus homens que se encontravam no meio de guerras desumanas. Tirei um grande sofá do seu lugar, em um dos cantos, de modo que pudesse ver a adorável vista que se estendia do leste ao sul, e indiferente à poeira, preparei-me para dormir. Suponho que devo ter adormecido logo. Assim espero, apesar de temer, pois tudo o que se seguiu foi assustadoramente real, tão real que agora, sentado aqui sob a luz da manhã, ampla e vasta, não consigo acreditar que tenha sido só um sonho.

Eu não estava sozinho. O quarto era o mesmo, sem uma mudança sequer desde que entrei nele. Eu podia ver no chão, à luz brilhante da lua, meus próprios passos marcados onde eu havia perturbado o longo acúmulo de poeira. No lado oposto ao luar, havia três jovens damas, a julgar por seus trajes e maneiras. Pensei na hora que eu devia estar sonhando quando as vi, pois elas não projetavam sombra no chão. Chegaram perto de mim e me olharam por algum tempo, depois sussurraram entre si. Duas delas eram morenas, narizes aquilinos como o do Conde, e grandes olhos escuros e penetrantes, que pareciam quase vermelhos quando contrastados com a pálida luz amarelada do luar. A outra era clara, muito clara, com grandes massas de cabelos dourados e olhos que se assemelhavam a safiras pálidas. De algum modo eu parecia conhecer o seu rosto, e sabia que estava associado a algum medo nebuloso, mas no momento não conseguia me lembrar de onde nem de como. Todas as três possuíam dentes brancos brilhantes que reluziam como pérolas junto ao rubi de seus lábios voluptuosos. Havia algo nelas que me deixava inquieto, algo que me trazia lembranças nostálgicas e que, ao mesmo tempo, me dava um medo mortal. Senti no coração um desejo perverso e ardente de que elas me beijassem com aqueles lábios vermelhos. Não é bom que eu anote isso, pois algum dia poderia chegar ao conhecimento de Mina e causar-lhe dor, mas é a verdade. Elas sussurraram, e então todas as três riram, uma risada musical e ressonante, mas tão áspera como se aquele som não pudesse ter se originado da suavidade de lábios humanos. Era como a intolerável palpitação produzida pela doçura das clepsidras quando tocadas por mãos hábeis. A menina mais clara balançou a cabeça de um modo faceiro, e as outras duas a encorajaram.

---

[14] William Shakespeare, *A Tragédia de Hamlet, Príncipe da Dinamarca*, Ato I, cena V. NT

Uma delas disse, *"Vamos! Você primeiro; nós a seguiremos. Você tem o direito de começar"*.

A outra completou, *"Ele é jovem, forte. Haverá beijos suficientes para todas nós"*.

Fiquei quieto, olhando de soslaio, numa agonia de deliciosa expectativa. A menina pôs-se de joelhos, inclinada sobre mim, olhando-me tomada de desejo. Havia uma volúpia deliberada, ao mesmo tempo excitante e repulsiva, e quando ela arqueou o pescoço lambeu os lábios como um animal, de tal modo que pude ver a luz da lua brilhando sobre a umidade dos seus lábios rubros, e sua língua vermelha deslizando sobre os dentes brancos e afiados. Ela foi abaixando a cabeça cada vez mais, até que seus lábios chegassem ao espaço entre a minha boca e o meu queixo, e pareceram se fixar na minha garganta. Então ela fez uma pausa, e eu pude ouvir o som de sua língua ao lamber os dentes e os lábios, e pude sentir o hálito quente no meu pescoço. Em seguida, a pele da minha garganta começou a formigar, como a carne reage ao receber cócegas de uma mão que se aproxima cada vez mais. Pude sentir o toque macio e trêmulo dos lábios sobre a pele muito sensível da minha garganta, e a pressão rígida de dois dentes afiados, apenas tocando-a e parando por ali. Fechei os olhos num êxtase langoroso, e esperei, esperei com o coração batendo.

Mas naquele instante fui tomado por outra sensação, rápida como um relâmpago. Estava consciente da presença do Conde, e do seu ser tomado por uma tempestade de fúria. Como meus olhos se abriram involuntariamente, vi sua mão forte agarrar o pescoço esguio da mulher clara, e, com uma força gigantesca, empurrá-la para trás, os olhos azuis transtornados pela fúria, os dentes brancos crispando de raiva e as faces lívidas vermelhas de paixão. O Conde! Nunca imaginei tal ira e fúria, mesmo entre os demônios do abismo. Seus olhos estavam positivamente em chamas. Seu brilho vermelho era lúgubre, como se as chamas do fogo do inferno ardessem por trás deles. O rosto estava mortalmente pálido, e suas rugas pareciam fios de aço. As sobrancelhas grossas que se encontravam sobre o nariz, pareciam agora uma barra de metal pesado de uma brancura incandescente. Com um movimento forte do braço, atirou para longe a mulher, e depois fez um gesto para as outras, como se estivesse expulsando-as. Foi o mesmo gesto imperioso que eu tinha visto ser usado contra os lobos. Com uma voz que, apesar de baixa e quase sussurrada, parecia cortar o ar e depois envolver toda a sala, ele disse:

"Como ousam tocá-lo, como? Como ousam deitar seus olhos sobre ele quando eu as havia proibido? Fora daqui, eu lhes ordeno! Este homem me pertence! Cuidado para não se meterem com ele, ou vocês terão que se haver comigo".

A menina mais clara, com uma risada obscena e afetada, virou-se para responder. *"Você mesmo nunca amou. Você nunca ama!"* Neste momento, as outras mulheres se uniram à primeira, e uma gargalhada perversa, melancólica, desalmada, tomou conta da sala, de tal modo que quase me fez desmaiar ao ouvi-la. Parecia uma gargalhada demoníaca.

Então o Conde virou-se, e, após olhar atentamente para o meu rosto, disse num sussurro gentil, *"Sim, eu posso amar também. Vocês mesmas puderam testemunhar isso no passado, não é mesmo? Bem, eu lhes prometo que quando tiver terminado com ele, vocês poderão beijá-lo à vontade. Agora vão! Vão! Preciso acordá-lo, pois há muito trabalho a ser feito"*.

"E não receberemos nada esta noite?", disse uma delas, com uma risada baixa, apontando para o saco que ele havia jogado no chão, e que havia se mexido como se houvesse alguma coisa viva dentro dele. Como resposta, ele apenas acenou afirmativamente com a cabeça. Uma das mulheres saltou para frente e abriu-o. Se meus ouvidos não me enganaram, houve um suspiro e um gemido baixo, como de uma criança meio sufocada. As mulheres se fecharam em torno do saco, enquanto eu era tomado pelo

horror. Mas, quando olhei, elas haviam desaparecido, e com elas aquele saco pavoroso. Não havia nenhuma porta por perto, e elas não poderiam ter passado por mim sem que eu percebesse. Pareciam ter simplesmente desaparecido dentro dos raios do luar e atravessado a janela, pois pude ver, por um momento, vultos na escuridão do lado de fora, antes que desaparecessem totalmente.

Então o horror tomou conta de mim, e caí inconsciente.

CAPÍTULO 4

DIÁRIO DE JONATHAN HARKER *(continuação)*

Acordei em minha própria cama. Se é que eu não sonhei, o Conde deve ter me carregado até aqui. Tentei convencer-me disso, mas não consegui chegar a qualquer resultado definitivo. Para me dar certeza, havia certas pequenas evidências, como o fato de minhas roupas estarem dobradas e dispostas de uma forma que não era do meu hábito. Além de outros detalhes, como meu relógio ainda estar sem corda, e acostumei-me rigorosamente a dar-lhe corda, sendo a última coisa que faço antes de ir para a cama. Mas estas coisas não provam nada, pois elas podem ter sido evidências de que minha mente não estava como de costume, e que, por um motivo ou outro, eu estivesse realmente muito preocupado. Devo procurar por provas. Fico contente com uma coisa. Se foi o Conde que me trouxe até aqui e me despiu, ele deveria estar com muita pressa, pois os meus bolsos estavam intactos. Estou certo de que para ele este diário teria sido um mistério que ele não teria como resolver. O Conde o teria levado ou destruído. Ao olhar em volta, embora o quarto tivesse sido motivo de grande temor para mim, agora parecia uma espécie de santuário, pois nada podia ser mais terrível do que aquelas mulheres horríveis, que estavam... que estavam esperando para sugar o meu sangue.

18 de maio: Desci para procurar novamente aquele quarto à luz do dia, pois precisava descobrir a verdade. Quando cheguei diante da porta no topo das escadas, encontrei-a trancada. Tinha sido tão violentamente empurrada contra o batente que parte da madeira estava estilhaçada. Podia ver que o ferrolho da fechadura não tinha sido destruído, mas a porta estava presa por dentro. Receio que não tenha sido um sonho, e que devo agir sob esta premissa.

19 de maio: Certamente estou trabalhando muito. Na noite passada, o Conde pediu-me, da forma mais suave possível, que escrevesse três cartas, uma dizendo que o meu trabalho aqui estava praticamente concluído, e que eu estaria partindo para casa dentro de alguns dias; outra que eu estaria partindo na manhã seguinte à data da carta, e a terceira que eu tinha deixado o castelo e que estava em Bistrita. Eu teria de bom grado me rebelado, mas senti que, no estado atual das coisas, seria uma loucura brigar abertamente com o Conde enquanto eu estivesse inteiramente em seu poder. E recusar-me seria despertar suas suspeitas e estimular sua ira. Ele sabe que eu sei demais, e que não devo viver para que não seja um perigo para ele. Minha única chance é prolongar as minhas oportunidades. Algo pode ocorrer que me dará uma chance de escapar. Vi em seus olhos algo como uma raiva acumulada que se manifestou quando ele arremessou aquela mulher para longe. Ele me explicou que as remessas postais eram raras e incertas, e que os meus relatos garantiriam a tranquilidade de espírito dos meus amigos. E garantiu-me com toda imponência que seguraria as cartas até mais tarde, e que seriam despachadas de Bistrita no momento devido, caso se admitisse a possibilidade de se prolongar a minha estadia; opor-me a ele seria criar novas suspeitas. Por isso, fingi concordar com os seus pontos de vista e lhe perguntei quais datas deveria pôr nas cartas.

Ele pensou por um instante, e então disse, *"A primeira deverá ser 12 de junho; a segunda, 19 de junho e a terceira 29 de junho"*.

Agora eu sei a duração da minha vida. Que Deus me ajude!

28 de maio: Há uma oportunidade de escapar, ou pelo menos de poder mandar alguma notícia para casa. Um bando de *szgany* chegou ao castelo, e estão acampados no pátio. São ciganos. Tenho notas sobre eles em meu diário. São nativos desta parte do mundo, apesar de estarem ligados aos ciganos comuns do resto do mundo. Existem milhares deles na Hungria e na Transilvânia, e são considerados fora-da-lei em sua totalidade. Normalmente são ligados a algum grande nobre ou boiardo e são conhecidos pelo seu nome. São destemidos e não possuem religião, exceto a superstição, e falam apenas em sua própria variedade da língua cigana.

Vou escrever algumas cartas para casa, e tentar convencê-los a postá-las. Já falei com eles através da minha janela para começar um relacionamento. Eles tiraram os chapéus e fizeram uma reverência e muitos sinais, que, no entanto, não consegui entender mais do que entendia a sua língua...

Escrevi as cartas. A carta para Mina está em taquigrafia, e na carta para o sr. Hawkins pedi apenas que ele entrasse em contato com ela. Para ela, expliquei a minha situação, mas sem os horrores que eu só podia supor. Seria um choque, e iria assustá-la de modo terrível se eu lhe expusesse tudo o que sentia. Se as cartas não o levarem, então o Conde não sabe ainda do meu segredo ou da extensão do meu conhecimento...

Entreguei as cartas. Joguei-as através das grades da minha janela junto com uma moeda de ouro, e fiz-lhes sinais de que eu queria que as postassem. O homem que as pegou pressionou-as contra o peito, inclinou-se em reverência, e então colocou-as sob o chapéu. Eu não podia fazer mais nada. Retomei os meus estudos e comecei a ler. Como o Conde ainda não chegou, estou escrevendo aqui...

O Conde chegou. Sentou-se ao meu lado e disse, num tom dos mais suaves, enquanto abria as duas cartas, *"Os szgnay me entregaram estas cartas, e embora eu não saiba de onde elas vieram, certamente peguei-as. Veja!"* Ele deve ter olhado para a carta... *"Uma delas é sua para o meu amigo Peter Hawkins. A outra..."*, foi nesse momento que ele notou os estranhos símbolos ao abrir o envelope, as trevas tomaram conta do seu semblante e os seus olhos brilhavam, tomados pela maldade. *"A outra é uma coisa vil, um ultraje à amizade e à hospitalidade! Não está assinada. Muito bem! Então não pode ser algo que nos preocupe!"*. E dizendo isso, calmamente segurou a carta e o envelope sobre a chama da lamparina até que fossem consumidos.

Depois continuou, *"A carta para Hawkins será postada, é claro, uma vez que é sua. Suas cartas são sagradas para mim. Perdoe-me, meu amigo, pois sem querer rompi o lacre. Não vai envelopá-la novamente?"* Estendeu-me a carta e, com uma reverência cortês, entregou-me um envelope novo.

Eu só pude reendereçá-la e devolvê-la para ele, em silêncio. Quando ele saiu da sala, pude ouvir a chave girar suavemente. Um minuto depois, fui até lá e tentei abri-la, mas a porta estava trancada.

A chegada do Conde, uma ou duas horas mais tarde, quando retornou calmamente para o quarto, despertou-me, pois eu tinha ido dormir no sofá. Ele foi muito cortês e muito bem-humorado em suas maneiras, e percebendo que eu estava dormindo, disse, *"Então, meu amigo, está cansado? Vá para a cama. É o melhor caminho para o descanso. Não terei o prazer de conversar hoje à noite, uma vez que tenho muitas tarefas a fazer, mas rogo-lhe que vá dormir"*.

Passei para o meu quarto e fui para a cama, e, por mais estranho que pareça, dormi sem sonhar. O desespero em si mesmo acalma.

31 de maio: Nesta manhã, quando acordei, pensei em me abastecer com alguns papéis e envelopes da minha bagagem e mantê-los em meu bolso, para que pudesse escrever, caso tivesse uma oportunidade, mas de novo uma surpresa, de novo um choque!

Cada pedaço de papel havia desaparecido, e com eles todas as minhas anotações, minhas notas relativas às ferrovias e à viagem, minha carta de crédito, na verdade tudo que pudesse ser útil para mim quando eu estivesse de vez fora do castelo. Sentei-me e ponderei por um tempo, então me ocorreram algumas ideias, e fui procurar minha valise que estava no guarda-roupa onde eu havia guardado as minhas roupas.

O traje com o qual eu tinha viajado havia desaparecido, assim como o meu casaco e a minha manta. Não consegui encontrá-los em lugar algum. Isso certamente era algum novo tipo de vilania...

17 de junho: Esta manhã, enquanto eu estava sentado em minha cama, quebrando a cabeça, ouvi lá fora o estalar de chicotes e o arranhar dos cascos de cavalos sobre o caminho pedregoso do pátio interno. Corri alegre para a janela e vi, dirigindo-se para dentro do pátio, dois grandes carroções, cada um deles puxado por oito cavalos robustos, e à frente de cada par um eslovaco, com seus chapéus largos, cintos cravejados de tachas salientes, e vestidos com pele de carneiro suja e botas de cano alto. Nas mãos, também traziam longos bastões. Corri para a porta, com a intenção de descer e tentar juntar-me a eles no salão principal, pois pensei que este estaria aberto para a sua entrada. Tive novo choque: minha porta estava trancada pelo lado de fora.

Então corri para a janela e gritei. Eles olharam estupidamente para cima, na minha direção, e apontaram, mas nesse momento o capataz dos *szgany* saiu, e vendo-os apontar para a minha janela, disse algo, o que fez com que todos rissem.

Dali em diante, nenhum esforço meu, nenhum grito ou súplica de comovente agonia, fez com que tornassem a olhar para mim. Decididamente me deram as costas. Os carroções continham grandes caixões quadrados, com alças feitas de cordas grossas. Estavam evidentemente vazios, pela facilidade com que os eslovacos os manejavam e pela ressonância que produziam ao serem movidos sem maiores cuidados.

Quando todas as caixas foram descarregadas e arrumadas numa grande pilha num dos cantos do pátio, os eslovacos receberam algum dinheiro dado pelo *szgany*, e cuspindo nele para dar sorte, dirigiram-se preguiçosamente para a dianteira dos seus cavalos. Pouco depois, ouvi o crepitar dos seus chicotes desaparecendo na distância.

24 de junho, antes do amanhecer: Na noite passada, o Conde deixou-me cedo, e se trancou em seu próprio quarto. Assim que criei coragem, subi a escada em caracol e olhei para fora da janela que se abria para o sul. Pensei que iria ver o Conde, pois há algo acontecendo. Os *szgany* estão aquartelados em algum lugar do castelo, realizando algum tipo de trabalho. Sei que, de vez em quando, tenho ouvido um som distante, abafado, como de enxadas e pás, e que, seja lá o que for, deve ter por finalidade alguma vilania implacável.

Eu estava na janela há pouco menos de meia hora quando vi algo saindo pela janela do Conde. Recuei e observei cuidadosamente, e vi o homem emergir por completo. Tive um novo choque ao descobrir que ele estava vestindo o conjunto de roupas que eu havia usado durante a viagem até aqui, e, nos ombros, carregava aquele saco terrível que eu tinha visto as mulheres levarem. Não havia dúvida nenhuma quanto à sua missão, nem quanto aos meus trajes, também! Esse deve ser o seu novo esquema maléfico: permitir que os outros me vejam, ou pelo menos acreditem que seja eu, de modo que ele possa deixar várias evidências de que eu fui visto nas cidades ou vilarejos, postando as minhas próprias cartas, e que as maldades que ele possa vir a praticar sejam atribuídas a mim pela população local.

Fico furioso que isso possa continuar, enquanto estou trancado aqui como um verdadeiro prisioneiro, sem ter, no entanto, aquela proteção da lei que é tanto um direito quanto um consolo para os criminosos.

Pensei que veria o regresso do Conde, e por longo tempo sentei-me com obstinação na janela. Então comecei a perceber que havia algumas manchas um tanto curiosas, flutuando nos raios do luar. Eram menores que grãos de poeira, e se movimentavam rapidamente, reunindo-se em grupos numa espécie de névoa de algum tipo. Eu as observava com um sentimento de alívio, e uma espécie de calmaria se apoderou de mim. Inclinei-me sobre a abertura da janela, buscando uma posição mais confortável, para que pudesse desfrutar mais plenamente daquelas acrobacias etéreas.

Algo fez com que eu me levantasse de repente, um uivo de cães, baixo e compassivo, vindo de algum lugar lá embaixo no vale que estava fora da minha vista. Quanto mais alto parecia chegar aos meus ouvidos, mais os canais de pó flutuantes tomavam novas formas sob o som, enquanto dançavam ao luar. Senti-me lutando contra mim mesmo para despertar de algum chamado dos meus instintos. Não, minha própria alma estava se debatendo, e os meus sentidos, abatidos, se esforçavam para atender àquele chamado. Eu estava sendo hipnotizado!

Aquela poeira dançava cada vez mais rápido. O luar parecia tremer, enquanto passava por mim ao atravessar aquela massa de escuridão. Ela se agrupava cada vez mais, até que pareceu assumir formas fantasmagóricas. Foi quando despertei, arrebatado pela minha consciência e em plena posse dos meus sentidos, e saí correndo, gritando, daquele local.

As formas fantasmagóricas que, gradualmente, se materializavam a partir dos raios do luar, eram os espíritos daquelas três mulheres às quais eu estava condenado.

Fugi e me senti um pouco mais seguro em meu próprio quarto, onde não havia luar, e onde a lâmpada estava acesa e brilhante.

Após um par de horas, ouvi algo se mexendo no quarto do Conde, algo semelhante a um gemido agudo rapidamente suprimido. E então houve silêncio, um silêncio profundo, terrível, que me gelou. Com o coração batendo, tentei a porta, mas eu estava trancado em minha prisão, e não pude fazer nada. Sentei-me e apenas chorei.

Enquanto estava sentado, ouvi um som vindo de fora, do pátio interno, o grito agonizante de uma mulher. Corri para a janela, atirando-me contra ela, e olhei por entre as barras.

Era, de fato, uma mulher, com cabelos desgrenhados, segurando as mãos sobre o coração, como se esgotada de tanto correr. Estava recostada contra um dos cantos do portão de entrada. Ao ver meu rosto na janela, jogou-se para frente e gritou, com uma voz carregada de ameaça, *"Monstro, dá-me o meu filho!"*

Ela caiu de joelhos, e, levantando as mãos, choramingou as mesmas palavras com uma entonação que partiu meu coração. Arrancava os cabelos e batia no peito, abandonando-se a toda sorte de violências produzidas pela emoção extrema. Finalmente, jogou-se para a frente e, embora eu não pudesse vê-la, pude ouvir o bater de suas mãos nuas contra a porta.

Em algum lugar mais acima, provavelmente na torre, ouvi a voz do Conde convocando algo, com seu sussurro áspero e metálico. Seu chamado pareceu ter sido respondido ao longe pelo uivo dos lobos. Antes que uns poucos minutos se passassem, um bando deles entrou correndo pela larga entrada do pátio, como as águas de uma represa quando liberadas.

Não houve grito algum por parte da mulher, e o uivo dos lobos também foi curto. Logo depois, eles corriam para longe separadamente, lambendo os beiços.

Não senti pena dela, pois agora sabia o que tinha acontecido à criança. A mulher estava melhor morta.

O que devo fazer? O que posso fazer? Como posso escapar desta coisa terrível que existe na noite, sombria e sinistra?

25 de junho: Ninguém que não tenha sofrido durante a noite sabe como é doce e querida, ao seu coração e aos olhos, a chegada da manhã. Quando o sol se elevou tão alto esta manhã que atingiu o topo do grande portão em frente à minha janela, pareceu-me que o ponto alto em que tocara era o lugar onde pousara a pomba da arca de Noé. O medo que eu sentia abandonou-me, como se fosse uma peça de roupa vaporosa que se dissolvesse no calor.

Preciso agir, fazer algo, enquanto a coragem da manhã está comigo. Ontem à noite, uma das minhas cartas previamente datadas foi despachada, a primeira de uma série fatal que apagará qualquer vestígio de minha existência sobre a terra.

Não vou pensar nisso. Ação!

Fora sempre durante a noite que eu tinha sido molestado ou ameaçado, ou, de algum modo, colocado em perigo ou amedrontado. Ainda não vi o Conde à luz do dia. Será que ele dorme enquanto os outros estão acordados, para que possa estar acordado quando os outros estão dormindo? Se ao menos eu pudesse entrar em seu quarto! Mas não há nenhum jeito. A porta está sempre trancada, não há chance alguma.

Sim, há uma maneira, se alguém se atrevesse. Onde o corpo dele passou, por que não pode o corpo de outra pessoa passar? Eu o vi rastejar para fora da janela do seu quarto. Por que não posso imitá-lo e entrar pela mesma janela? É uma oportunidade desesperada, mas a minha necessidade é ainda mais desesperadora. Vou arriscar. Na pior das hipóteses significará a morte, mas a morte de um homem não é a morte de um bezerro, e, de qualquer forma, o terrível porvir ainda estará aberto para mim. Deus me ajude nesta minha tarefa! Adeus, Mina, se eu falhar. Adeus, meu fiel amigo e segundo pai. Adeus a todos, e adeus a Mina acima de todos!

No mesmo dia, mais tarde: Fiz o esforço e Deus me ajudou, pois retornei com segurança para este quarto. Devo registrar tudo o que aconteceu na ordem dos fatos. Segui direto para a janela do lado sul, enquanto minha coragem ainda estava fresca, e lá chegando saí por aquele lado. As pedras são grandes e irregulares, e a argamassa por entre elas encontra-se gasta pela passagem do tempo. Tirei as botas e aventurei-me de maneira desesperada. Olhei para baixo logo de uma vez, de modo a assegurar-me que um súbito vislumbre daquela terrível profundidade não tomasse conta de mim, mas depois mantive os olhos longe dela. Conheço muito bem a direção e a distância até a janela do Conde, e segui para lá da melhor maneira que pude, aproveitando as oportunidades disponíveis. Não senti tontura, provavelmente por estar muito excitado com tudo aquilo, e o tempo pareceu-me ridiculamente curto quando me vi de pé no parapeito da janela, tentando levantar o caixilho. Eu estava muito agitado, no entanto, quando me abaixei e deslizei os pés pela janela para dentro do aposento. Olhei ao redor procurando o Conde, mas para minha surpresa e alegria, fiz uma descoberta. A sala estava vazia! Era pobremente decorada com coisas estranhas, que pareciam nunca terem sido usadas.

A mobília parecia ser do mesmo estilo que as dos quartos da ala sul e estava coberta de poeira. Procurei pela chave, mas não estava na fechadura e não a encontrei em lugar nenhum. A única coisa que encontrei foi uma grande pilha de ouro num dos cantos, ouro de todos os tipos, dinheiro romeno, britânico, austríaco, húngaro, grego e turco, coberto por uma película de poeira, como se tivesse ficado muito tempo largado no chão. Tudo aquilo que eu descobria tinha pelo menos trezentos anos de idade. Havia também correntes e ornamentos, algumas joias, mas todos antigos e manchados.

Num dos cantos da sala havia uma porta pesada. Experimentei-a, uma vez que não pudera encontrar nem a chave da porta nem a chave da porta da entrada, que era o meu objetivo principal, e devia fazer um exame mais aprofundado, ou todos os meus esforços teriam sido em vão. A porta estava aberta, e conduzia através de uma passagem de pedra até uma escada circular, que seguia abruptamente para baixo.

Desci com cuidado, pois as escadas eram escuras, iluminadas apenas por frestas na alvenaria pesada. No fundo havia uma passagem em forma de túnel, escura, pela qual veio um odor mortal, doentio, o odor de terra antiga recém remexida. Assim que atravessei a passagem, o cheiro se tornou mais próximo e mais forte. No final da passagem, abri uma porta pesada que estava entreaberta, e me encontrei diante de uma antiga capela em ruínas que, evidentemente, havia sido usada como um cemitério. O telhado estava caído, e em dois pontos havia degraus que levavam a criptas; o chão fora escavado recentemente, e a terra colocada em grandes caixas de madeira, claramente as mesmas que tinham sido trazidas pelos eslovacos.

Não havia ninguém ali, e fiz uma pesquisa em cada centímetro da terra, de modo a não perder uma oportunidade como aquela. Desci até mesmo às criptas, onde a luz lutava para penetrar, apesar do grande temor que se apoderou da minha alma. Em duas delas não vi nada, exceto fragmentos de caixões velhos e montes de poeira. Na terceira, no entanto, fiz uma descoberta.

Ali, dentro de um caixão, dos quais havia cinquenta ao todo, sobre um monte de terra recém-escavada, se encontrava o Conde! Ou ele estava morto, ou estava dormindo. Não sabia dizer ao certo, pois seus olhos estavam abertos e duros, mas sem a ausência de expressão que a morte traz; as faces tinham o calor da vida, apesar de toda a sua palidez. Os lábios eram vermelhos como nunca. Mas não havia sinal algum de movimento, sem pulso, sem respiração, sem batimentos cardíacos.

Inclinei-me sobre ele e tentei encontrar algum sinal de vida, mas em vão. Ele não poderia estar ali há muito tempo, pois o cheiro de terra teria desaparecido em poucas horas. Ao lado da caixão estava sua capa, com furos aqui e ali. Pensei que ele poderia estar com as chaves, mas quando fui procurá-las deparei-me com seus olhos, e, embora estivessem mortos e inconscientes de mim ou da minha presença, tinham uma expressão de ódio. Fugi do lugar e, saindo do quarto do Conde pela janela, arrastei-me de novo pela parede do castelo. Ao chegar ao meu quarto, atirei-me ofegante sobre a cama e tentei pensar.

29 de junho: Hoje é a data da minha última carta, e o Conde tomou as medidas necessárias para provar que era verdadeira, pois mais uma vez eu o vi sair do castelo pela mesma janela usando as minhas roupas. Enquanto ele descia pela parede, do mesmo modo que um lagarto, cheguei a desejar ter comigo uma pistola ou alguma arma letal para que eu pudesse destruí-lo. Mas receio que nenhuma arma forjada pela mão do homem tenha qualquer efeito sobre ele. Não esperei para vê-lo voltar, pois tinha medo de ver aquelas estranhas irmãs. Voltei para a biblioteca e fiquei lendo ali até que adormeci.

Fui acordado pelo Conde que olhava para mim do modo mais cruel que um homem podia olhar, enquanto me dizia, *"Amanhã, meu amigo, devemos partir. Você retorna para a sua bela Inglaterra, e eu para um trabalho que talvez conduza a um final tal que podemos nunca mais nos encontrar. Sua carta para casa já foi despachada. Amanhã eu não estarei aqui, mas tudo estará pronto para a sua viagem. Pela manhã, os szgany chegarão, pois ainda há algum trabalho para eles por aqui; além deles, virão também alguns eslovacos. Quando eles se forem, minha carruagem virá buscá-lo, e você será conduzido até o Passo Borgo para se encontrar com a diligência que vem de Bucóvina em direção a Bistrita. Mas guardo a esperança de vê-lo uma vez mais no Castelo Drácula".*

Eu estava desconfiado dele, e também determinado a testar sua sinceridade. Sinceridade! Parece uma profanação da palavra escrevê-la associada àquele monstro, então perguntei-lhe, à queima-roupa, *"Por que não posso ir esta noite?"*

"Porque, caro senhor, meu cocheiro e meus cavalos estão fora numa missão".

"Mas eu poderia, sem problemas, ir a pé. Quero partir de uma vez".

Ele sorriu, um sorriso tão diabólico, suave e macio ao mesmo tempo, que eu sabia que havia algum truque por trás daquela gentileza. Ele disse, *"E sua bagagem?"*

"Não me importo com isso. Posso mandar buscá-la outra hora".

O Conde levantou-se, e disse, com uma cortesia tão doce que me fez esfregar os olhos, tão real parecia, *"Vocês, ingleses, têm um ditado que me é muito caro, pois seu espírito é o mesmo que governa a nós, os boiardos, 'Bem-vindo aquele que chega; pois se aproxima a partida do hóspede'*[15]*. Venha comigo, meu caro e jovem amigo. Não deve ficar nem uma hora a mais em minha casa contra a sua vontade, apesar de triste que estou por sua partida e por este desejo tão repentino. Venha!"* Com uma gravidade majestosa, ele, segurando uma lamparina, precedeu-me escadas abaixo e ao longo do corredor. De repente parou. *"Ouça!"*

De muito perto veio o uivo de um bando de lobos. Era quase como se o som surgisse no momento em que ele erguera a mão, do mesmo modo que a música de uma grande orquestra parece surgir ao comando da batuta do maestro. Depois de uma breve pausa, ele prosseguiu, em seu modo majestoso, até a porta, tirou os pesados ferrolhos, destrancou as grossas correntes e começou a abrir a porta.

Para minha grande surpresa, vi que ela estava destrancada. Olhei em volta, receoso, mas não vi nenhuma chave de qualquer tipo.

Assim que a porta começou a se abrir, o uivo dos lobos pareceu aumentar e ficar mais violento. Suas mandíbulas vermelhas, com os dentes rosnando, e suas garras ferozes saltaram para dentro pela porta aberta. Eu sabia que era inútil, naquele momento, lutar contra o Conde. Com aliados como aqueles sob seu comando, eu não podia fazer nada.

Ainda assim, a porta continuou a se abrir lentamente, e apenas o corpo do Conde colocou-se na passagem. De repente, ocorreu-me que aquele poderia ser o momento exato da minha perdição. Eu seria entregue aos lobos, e por minha própria iniciativa. Havia uma maldade diabólica naquela ideia, bastante digna do Conde, e naquele exato momento eu gritei, *"Feche a porta! Esperarei até de manhã".* E cobri o rosto com as mãos, para esconder as lágrimas de desilusão.

Com um movimento do seu poderoso braço o Conde bateu a porta, e as enormes ferragens se agitaram e ecoaram pelo salão como se tivessem retornado aos seus lugares.

---

[15] Citação de um trecho do poema *Odisséia*, de autoria do poeta inglês Alexander Pope (1688-1744) NT

Em silêncio, voltamos para a biblioteca, e depois de um ou dois minutos fui para meus aposentos. A última vez que vi o conde Drácula ele estava beijando minha mão, com um clarão rubro de triunfo nos olhos, e um sorriso que deixaria orgulhoso o próprio Judas no inferno.

Quando já estava em meu quarto, preparando-me para dormir, pensei ouvir uma voz que sussurrava em minha porta. Cautelosamente fui até ela, e escutei com atenção. A menos que meus ouvidos me enganassem, ouvi a voz do Conde.

"Para trás! Voltem para o seu lugar! Sua hora ainda não chegou. Esperem! Tenham paciência! Hoje a noite é minha. Amanhã, a noite será de vocês!"

Houve uma gargalhada, baixa e doce, e, tomado pela raiva, abri a porta e vi as três mulheres horríveis do lado de fora, lambendo os lábios. Assim que apareci, juntaram-se todas numa risada apavorante e desapareceram.

Voltei para meu quarto e caí de joelhos. Então o fim está tão próximo assim? Amanhã! Amanhã! Senhor, ajudai-me, e àqueles a quem sou querido!

30 de junho: Estas podem ser as últimas palavras que escrevo neste diário. Dormi até um pouco antes do amanhecer, e quando despertei caí de joelhos, pois decidira que estaria pronto quando a Morte viesse me encontrar.

Por fim, percebi a sutil mudança no ar e soube que a manhã havia chegado. Depois veio o canto de boas vindas do galo, e senti que estava seguro. Com o coração cheio de alegria, abri a porta e corri pelo corredor. Eu já tinha visto que a porta estava destrancada, e agora a escapatória estava bem diante de mim. Com as mãos tremendo, tomadas pelo ímpeto, destranquei as correntes e puxei para fora os ferrolhos.

Mas a porta não se moveu. O desespero tomou conta de mim. Puxei e puxei a porta, e sacudi-a até que tremesse em seus batentes, enorme como era. Eu podia ver os ferrolhos soldados. Ela havia sido trancada depois que deixei o Conde.

Então fui tomado por um desejo selvagem de obter a chave a qualquer custo, e resolvi na mesma hora escalar a parede de novo e chegar até o quarto do Conde. Ele poderia me matar, mas a morte parecia agora a escolha mais feliz dentre todos os males. Sem perder tempo, corri para a janela leste e desci pela parede até o quarto do Conde, como já tinha feito antes. Estava vazio, mas isso era o que eu esperava. Não conseguia ver uma chave em lugar nenhum, mas a pilha de ouro continuava ali. Atravessei a porta no canto e segui para baixo, pela escada em caracol, atravessando a longa e escura passagem até a antiga capela. Eu agora sabia muito bem onde encontrar o monstro que procurava.

O caixão estava no mesmo lugar, próximo à parede, mas a tampa fora colocada sobre ele; não estava presa ainda, mas os pregos estavam em seus lugares, prontos para serem martelados.

Eu sabia que deveria chegar ao corpo para pegar a chave, por isso levantei a tampa e coloquei-a contra a parede. Então vi algo que me encheu a alma de horror. Lá estava o Conde, mas parecia que a sua juventude havia sido meio restaurada. Pois os cabelos e o bigode brancos se transformaram em cinza escuro, como o ferro-fundido. As faces estavam mais cheias, e a pele embranquecida, por baixo, parecia de um vermelho-rubi. A boca estava mais vermelha do que nunca, e nos lábios havia gotas de sangue fresco que escorriam dos cantos da boca pelo queixo e o pescoço. Mesmo os olhos, ardentes e profundos, pareciam encravados na carne intumescida, pois as pálpebras e as bolsas logo abaixo estavam inchadas. Parecia que toda aquela criatura horrível estava simplesmente empanturrada de sangue. Estava deitado como uma sanguessuga imunda, exausta em sua plenitude.

Estremeci ao me inclinar para tocá-lo e todos os meus sentidos se revoltaram ao contato, mas eu tinha que procurar ou estaria perdido. A noite que estava por vir poderia ver meu próprio corpo se transformar em um banquete, de modo similar ao daquelas três mulheres horríveis. Toquei todo o seu corpo, mas não encontrei sinal da chave. Então parei e olhei para o Conde. Havia um sorriso zombeteiro em seu rosto inchado que parecia me enlouquecer. Aquele era o ser que eu estava ajudando a se transferir para Londres, onde, talvez, nos séculos vindouros, ele poderia, entre os milhões que lá habitam, saciar a sua sede de sangue e criar um novo e sempre crescente círculo de semidemônios, que se abateriam sobre os indefesos.

Aquele pensamento me deixava louco. Um desejo terrível se apoderou de mim, o de livrar o mundo de tal monstro. Não havia nenhuma arma a mão, mas agarrei uma pá que os trabalhadores estavam usando para encher as caixas, e, erguendo-a bem alto, atingi, com a borda para baixo, aquele rosto odioso. Mas quando o fiz sua cabeça virou-se, e aqueles olhos caíram sobre mim, com todas as chamas de um horror monstruoso. A visão pareceu paralisar-me, e a pá acabou virando em minha mão, desviando do rosto, e fazendo apenas um corte profundo logo acima da testa. A pá caiu da minha mão, dentro do caixão, e ao puxá-la para fora a borda da lâmina atingiu a beirada da tampa, que caiu de novo sobre o caixão e escondeu aquela coisa horrível da minha vista. A última visão que tive foi do rosto inchado, manchado de sangue, com um sorriso fixo de malícia que provavelmente vinha diretamente das profundezas do inferno.

Pensei muito em qual deveria ser o meu próximo passo, mas meu cérebro parecia estar em chamas, e esperei com um sentimento de desespero apoderando-se de mim. Enquanto esperava, ouvi ao longe uma música cigana que se aproximava, cantada por vozes alegres, e, para além da música, ouvi o som das rodas pesadas e o estalar de chicotes. Os *szgany* e os eslovacos de que o Conde havia falado estavam chegando. Com um último olhar ao redor e para o caixão que continha aquele corpo repulsivo, fugi do lugar e cheguei ao quarto do Conde, determinado a sair correndo no momento em que a porta fosse aberta. Com os ouvidos tensos, escutei, e vindo do andar debaixo ouvi o girar da chave na enorme fechadura e o afastar da pesada porta. Devia haver algum outro modo de entrar, ou alguém tinha uma chave para uma das portas trancadas.

Então veio o som de muitos pés a vagar, afastando-se por alguma passagem e produzindo um eco retumbante. Virei-me para correr de novo em direção à cripta, onde poderia encontrar uma nova entrada, mas naquele instante pareceu vir uma rajada de vento violenta e a porta para a escada em caracol bateu com toda força, com um choque que fez voar a poeira das vergas. Quando corri para tentar mantê-la aberta, descobri que o choque fora rápido demais, não havia esperanças. Eu estava preso de novo, e a rede da desgraça estava se fechando em volta de mim, cada vez mais perto.

Enquanto escrevo, na passagem logo abaixo há o som de muitos pés a vagar, e o estrondo de objetos sendo arrastados pesadamente; sem dúvida, os caixões com suas cargas de terra. Houve um som de marteladas. É o caixão que está sendo pregada. Agora posso ouvir os pesados pés vagando novamente ao longo do corredor, com muitos outros pés ociosos vindo atrás.

A porta está fechada, as correntes atadas. Há um movimento de chaves na fechadura. Posso ouvir a chave sendo retirada, em seguida outra porta que se abre e se fecha. Ouço o ranger da fechadura e dos ferrolhos.

Ouça! É o rolar de rodas pesadas no pátio e no caminho rochoso logo abaixo, o estalar de chicotes e o coro dos *szgany,* enquanto passam ao longe.

Estou sozinho dentro do castelo com aquelas mulheres horríveis. Argh! Mina é uma mulher, e elas não possuem nada em comum. Estas são demônios das profundezas!

Não vou ficar sozinho com elas. Vou tentar escalar a parede do castelo para mais longe ainda do que já tentei ir. Vou levar um pouco de ouro comigo, para que não me falte mais tarde. Posso encontrar um caminho para fora deste lugar horrível.

E depois, fugir para casa! Fugir até o trem mais rápido e mais próximo que exista! Fugir deste local amaldiçoado, desta terra maldita, onde o diabo e seus filhos ainda caminham com pés terrenos!

Pelo menos, a misericórdia de Deus é melhor que a daqueles monstros, e o precipício é alto e íngreme. Aos seus pés, um homem pode dormir... como um homem. Adeus a todos. Mina!

CAPÍTULO 5

CARTA DA SRTA. MINA MURRAY PARA A SRTA. LUCY WESTENRA
9 de maio
Minha querida Lucy,

Perdoe minha demora em escrever-lhe, mas tenho estado simplesmente atolada em trabalho. A vida de uma professora assistente é muitas vezes cansativa. Estou ansiosa para estar com você, e estar junto ao mar, onde podemos conversar livremente e construir nossos castelos no ar. Tenho trabalhado duro ultimamente, porque quero me adaptar ao trabalho de Jonathan e, por isso, tenho praticado taquigrafia com muita assiduidade. Quando nos casarmos, eu poderei ser útil a Jonathan, e se puder taquigrafar bem o suficiente, poderei registrar dessa forma o que ele quiser dizer, além de datilografar seus escritos à máquina, na qual também tenho praticado arduamente.

Ele e eu, muitas vezes, escrevemos cartas em taquigrafia, e ele está escrevendo um diário estenografado de suas viagens ao exterior. Enquanto eu estiver com você vou manter um diário na mesma forma. Não me refiro a um desses diários de duas-páginas-por-semana-com-o-domingo-espremido-em-um-canto, mas uma espécie de registro diário onde eu possa escrever toda vez que me sentir inclinada a isso.

Não acho que isso despertará muito interesse nas outras pessoas, mas o registro não é destinado a eles. Posso mostrá-lo a Jonathan algum dia, se houver alguma coisa que valha a pena ser partilhada, mas na verdade é mais um livro de exercícios. Vou tentar fazer o mesmo que as jornalistas fazem, entrevistando e escrevendo descrições e tentando lembrar-me das conversas. Disseram-me que, com um pouco de prática, pode-se lembrar de tudo que se tenha passado ou ouvido durante o dia.

No entanto, veremos. Vou contar-lhe um pouco dos meus planos quando nos encontrarmos. Acabei de receber algumas linhas apressadas de Jonathan, lá da Transilvânia. Ele está bem, e vai voltar mais ou menos dentro de uma semana. Estou ansiosa por ouvir todas as suas novidades. Deve ser bom ver países estrangeiros. Eu me pergunto se nós, quero dizer, Jonathan e eu, um dia poderemos visita-los juntos. A sineta das dez horas já está tocando. Até logo.
Com carinho,

Mina

P.S.: Conte-me todas as novidades quando me escrever. Já faz muito tempo que você não me conta nada. Ouvi alguns rumores, especialmente em relação a certo homem alto, bonito e de cabelos encaracolados...

CARTA DE LUCY WESTENRA PARA MINA MURRAY
17, Chatham Street, Quarta-feira
Minha querida Mina,

Devo dizer que você é muito injusta ao me acusar de ser uma correspondente ruim. Escrevi-lhe duas vezes, desde que nos separamos, e sua última carta foi apenas a segunda. Fora isso, não tenho nada a contar. Não há realmente nada que lhe possa interessar.
A cidade está muito agradável agora, e vamos muito às galerias de arte, além de caminharmos e passearmos no parque. Quanto ao homem alto, de cabelos encaracolados, suponho que seja a pessoa que estava comigo no último baile. Alguém evidentemente anda espalhando boatos por aí.
Era o sr. Holmwood. Ele vem nos visitar com frequência; ele e mamãe se dão muito bem, pois têm muitas coisas em comum para conversar.
Conhecemos algum tempo atrás um homem que seria ideal para você, se já não estivesse noiva de Jonathan. É um ótimo partido, bem de vida, bonito e bem-nascido. É um médico, e muito inteligente. Só estou fantasiando! Ele tem apenas vinte e nove anos, e cuida inteiramente sozinho de um imenso asilo de loucos. Sr. Holmwood apresentou-o a mim e ele veio nos visitar, e agora tem vindo com frequência. Acho que é um dos homens mais decididos que já vi, e um dos mais calmos. Parece absolutamente imperturbável. Posso imaginar o maravilhoso poder que deve ter sobre os seus pacientes. Ele tem um curioso hábito de olhar diretamente nos olhos, como se estivesse tentando ler os pensamentos da gente. Sempre tenta isso comigo, mas eu me orgulho de poder dizer que sou um osso duro de roer. Sei muito bem o que guardo dentro de mim.
Você já tentou ler o seu próprio rosto? Eu já, e posso dizer-lhe que não é um mau estudo, e traz mais problemas do que você pode imaginar se nunca tentou fazê-lo.
Ele costuma dizer que eu daria um curioso estudo psicológico, e humildemente acredito que sim. Como bem sabe, não me interesso o bastante por vestidos para poder lhe descrever a última moda. A moda é um porre... Lá vem um xingamento outra vez, mas não faz mal. Arthur diz isso todos os dias.
Olha, isso é tudo, Mina, nós temos compartilhado todos os nossos segredos uma com a outra desde que éramos crianças. Temos dormido juntas e comido juntas, e rimos e choramos juntas, e agora, embora eu já tenha falado, gostaria de falar mais. Oh, Mina, você não adivinha? Eu o amo. Eu estou corando enquanto escrevo, pois, embora acredite que ele me ama, ele não me disse isso em palavras. Mas, oh, Mina, eu o amo. Eu o amo! Olha, isso me faz tão bem!
Gostaria de estar com você, querida, sentadas sem roupa junto à lareira, como costumávamos fazer, e tentaria dizer-lhe o que sinto. Não sei como estou escrevendo isso, mesmo para você. Tenho medo de parar, ou de rasgar a carta, mas não quero parar, pois faço isso porque quero lhe contar tudo.

Escreva-me de uma vez, e diga-me tudo o que pensa sobre o assunto. Mina, reze pela minha felicidade.

Lucy

P.S. Não preciso lhe dizer que isso é um segredo. Boa-noite, novamente. L.

CARTA DE LUCY WESTENRA PARA MINA MURRAY
24 de maio
Minha querida Mina,

Obrigada, obrigada, e obrigada de novo por sua doce carta. Foi muito bom poder dizer-lhe tudo e contar com a sua simpatia.

Minha querida, nunca chove, mas sempre transborda. Como são verdadeiros os antigos provérbios! Aqui estou eu, prestes a completar vinte anos em setembro, e até hoje nunca tinha recebido uma proposta de casamento, não uma proposta de verdade – e hoje recebi três. Pode imaginar? Três propostas num só dia! Não é terrível? Sinto muito, real e verdadeiramente, sinto muito por dois dos pobres coitados. Oh, Mina, estou tão feliz que não sei o que fazer comigo mesma. Três propostas! Mas, pelo amor de Deus, não conte isso a nenhuma das meninas, ou elas terão todo tipo de ideias extravagantes, e se imaginarão feridas e desprezadas se em seu primeiro dia em casa não receberem pelo menos seis propostas. Algumas meninas são tão vaidosas! Você e eu, querida Mina, que já estamos comprometidas e vamos nos estabelecer, breve e sobriamente, entre as velhas mulheres casadas, podemos desprezar a vaidade. Bem, devo contar-lhe sobre os três, mas você deve manter segredo para todo mundo, querida, exceto, é claro, para Jonathan. Você vai contar a ele, porque, se estivesse em seu lugar, eu certamente contaria a Arthur. A mulher deve contar tudo ao marido. Não acha isso, querida? E devo ser justa. Os homens gostam que as mulheres, suas esposas, pelo menos, sejam tão justas quanto eles. E as mulheres, receio dizer, nem sempre são tão justas quanto deveriam.
Bem, minha querida, o primeiro pretendente chegou um pouco antes do almoço. Já lhe falei sobre ele, Dr. John Seward, o homem do hospício, com seu queixo forte e fronte magnífica. Estava muito calmo, aparentemente, mas ao mesmo tempo estava muito nervoso. É evidente que havia ensaiado consigo mesmo todos os tipos de detalhes, e se lembrou de todos, mas quase conseguiu sentar-se sobre o seu chapéu de seda, coisa que os homens em geral não fazem quando estão calmos, e, depois, como quem quisesse passar um ar de tranquilidade, ficou mexendo com uma lanceta de um modo que quase me fez gritar. Ele falou comigo, Mina, de maneira muito franca. Disse-me o quanto eu lhe era querida, mesmo tendo me conhecido há tão pouco tempo, e como seria sua vida comigo a ajudá-lo e animá-lo. Ia dizer-me o quanto seria infeliz se eu não me interessasse por ele, mas quando me viu chorar, disse que era um bruto e que não iria aumentar minhas preocupações no momento. Então parou e perguntou se eu poderia amá-lo com o tempo, e suas mãos tremiam quando balancei a cabeça. Depois, com alguma hesitação, me perguntou se eu já estava interessada em alguma outra pessoa. Mencionou isso com muita gentileza, dizendo que não queria arrancar-me aquele segredo, apenas saber, pois se o coração de uma mulher ainda fosse livre um homem poderia manter a

esperança. Foi quando senti que era uma espécie de dever dizer-lhe que havia alguém. Só lhe disse isso, e ele então se levantou, parecendo muito forte e muito sério, e enquanto tomava minhas mãos nas suas disse-me que esperava que eu fosse feliz, e, se um dia desejasse ter um amigo, que acreditasse que ele seria um dos melhores.

Oh, Mina querida, não consigo parar de chorar e você deve me desculpar por esta carta estar toda borrada. Ser pedida em casamento é algo muito bonito, é realmente maravilhoso, mas não é nada bom, afinal, quando se tem que ver um pobre rapaz, que você sabe que a ama honestamente, indo embora com o coração partido, e saber que, não importa o que ele possa dizer no momento, você estará afastando-o de sua vida. Minha querida, devo parar por aqui agora, pois me sinto muito infeliz, embora esteja tão feliz.

Ao anoitecer,
Arthur acabou de sair e, como me sinto bem melhor agora, talvez eu possa continuar a contar-lhe sobre os acontecimentos do dia.

Bem, minha querida, o segundo pretendente chegou logo após o almoço. Ele é um sujeito muito simpático, um americano do Texas, e tem uma aparência tão jovem e inexperiente que me parece quase impossível que ele tenha estado em tantos lugares e tenha vivido tantas aventuras. Simpatizo com a pobre Desdêmona, quando lhe sussurraram doces palavras ao ouvido, mesmo que tenha sido um mouro. Suponho que nós, mulheres, somos tão covardes que acreditamos que um homem possa nos salvar dos nossos medos e, por isso, casamos com ele. Sei agora o que eu faria se fosse um homem e quisesse fazer com que uma jovem me amasse. Não, não sei, pois lá estava o sr. Morris contando as suas histórias, e Arthur nunca contou nenhuma, e mesmo assim...

Minha querida, estou me adiantando um pouco na história. O sr. Quincey P. Morris me encontrou sozinha. Parece que um homem sempre encontra uma moça sozinha. Não, nem sempre, pois Arthur tentou por duas vezes ter essa oportunidade e eu o ajudei em tudo o que podia... não me envergonho de dizer isso agora. Devo dizer-lhe de antemão que o sr. Morris nem sempre usa gírias, isto é, nunca faz isso diante de estranhos, pois ele é de fato muito educado e tem modos refinados, mas descobriu que eu me divertia ao ouvi-lo falar gíria americana e, sempre que eu estava presente e não havia ninguém para ficar chocado, ele dizia aquelas coisas engraçadas. Receio, minha querida, que ele tenha inventado tudo isso, pois se encaixava perfeitamente em tudo mais que ele tinha a dizer. Mas é assim que as gírias são. Eu não me reconheceria se algum dia falasse por gírias. Não sei se Arthur gosta de gíria, uma vez que nunca o ouvi usar uma sequer.

Bem, o sr. Morris sentou-se ao meu lado, e parecia tão alegre e satisfeito quanto podia, mas notei também que ele estava muito nervoso. Tomou-me a mão e disse do modo mais terno que existe:

"Srta. Lucy, não sou digno de atar os cordões dos seus sapatos, mas imagino que para a senhorita encontrar um homem que seja digno de si talvez fossem necessárias sete jovens mulheres a procurar com suas lamparinas, e mesmo assim dificilmente se encontraria tal homem. Na falta de outro melhor, não se contentaria em se amarrar comigo e percorrermos a longa estrada da vida, montados em arreios duplos?"

Bem, ele parecia tão bem-humorado e contente que não me pareceu tão difícil recusá-lo como tinha sido com o pobre dr. Seward. Eu então lhe disse, do modo mais alegre que podia, que não sabia nada sobre cordas e arreios, e que ainda não estava pronta para aproveitar tudo aquilo. Ele me respondeu que havia falado de modo figurado, e esperava que – se tivesse cometido um equívoco ao fazê-lo numa ocasião tão grave e tão importante – que eu o perdoasse. Ele parecia de fato muito sério no momento em que disse isso, e não pude deixar de sentir uma espécie de júbilo por ser ele o segundo a me propor casamento naquele dia. Então, minha querida, antes que eu pudesse dizer uma palavra, ele começou a derramar uma torrente de cortesias, estendendo a meus pés seu coração e sua alma. Parecia tão sério sobre tudo aquilo que nunca mais pensarei que um homem possa ser sempre brincalhão, e nunca sério, só porque às vezes ele é divertido. Suponho que ele tenha visto algo em meu semblante que o deteve, pois de repente parou e disse-me, com uma espécie de fervor viril, que eu poderia tê-lo amado se fosse desimpedida...

"Lucy, você é a garota mais doce e honesta que conheço. Eu não estaria aqui falando com você como estou agora se não soubesse quão pura você é, no mais profundo da sua alma. Diga-me, de um amigo para outro, existe alguém de quem você goste? Pois se existir, nunca mais tocarei num fio de seus cabelos, mas serei, se você me permitir, um bom e fiel amigo".

Minha querida Mina, por que os homens são tão nobres justo nos momentos em que nós, mulheres, menos merecemos? Aqui estava eu quase fazendo troça deste verdadeiro e nobre cavalheiro. Comecei a chorar de novo, e temo, minha querida, que você ache esta carta muito desleixada sob vários aspectos, e sinto-me de fato muito mal com tudo isso.

Por que não deixam que uma moça se case com três homens, ou com quantos a queiram, e com isso se evite todo esse trabalho? Mas isso é heresia, e não devo falar assim. Fico contente de dizer que, embora eu estivesse chorando, fui capaz de olhar nos olhos corajosos do sr. Morris e dizer-lhe diretamente:

"Sim, há alguém que eu amo, embora ele ainda não tenha dito que me ama". Fiz bem em lhe falar com tanta franqueza, pois seu rosto se iluminou. Ele baixou as mãos e tomou as minhas... bem, acho que fui eu que coloquei minhas mãos nas dele... e disse de modo muito sincero:

"Essa é a minha garota corajosa. Vale muito mais chegar tarde e perder a oportunidade de conquistá-la, do que chegar a tempo para conquistar qualquer outra garota no mundo. Não chore, minha querida. Se for por mim, acredite: sou um osso duro de roer e vou sobreviver. Se aquele outro sujeito não sabe a felicidade que tem, bem, é melhor que ele a procure logo, ou vai ter que se entender comigo. Mocinha, sua honestidade e coragem me fizeram seu amigo, e isso é mais raro do que ser o amado, e mais egoísta, de qualquer modo. Minha querida, vou fazer uma caminhada muito solitária entre este e o Reino do Porvir. Não vai dar-me um beijo? Ele servirá para afastar a escuridão, agora e no futuro. Você pode, se quiser, saber o porquê daquele outro bom sujeito ainda não ter falado com você".

Isso quase me conquistou, Mina, pois era uma atitude tão corajosa e gentil, além de nobre, para quem perdeu para um rival, não é? E ele estava tão triste que me inclinei para ele e o beijei.

Ele ficou de pé, segurando minhas mãos junto às suas, e, enquanto me olhava no rosto, temi que estivesse muito envergonhada. Foi quando ele me disse,

"Mocinha, eu seguro a sua mão e você me beija, e se essas coisas não nos fizerem amigos, nada mais fará. Obrigado por ter sido tão honesta comigo. Adeus".

Apertou minha mão com mais força e, apanhando o chapéu, saiu da sala sem olhar para trás, sem derramar uma lágrima, sem nem se perturbar com tudo aquilo, enquanto eu chorava como um bebê.

Oh, por que um homem como esse deve ficar infeliz quando há inúmeras jovens prontas para venerar o chão que ele pisa? Eu sei o que faria se estive desimpedida, o único problema é que eu não quero estar desimpedida. Minha querida, isso me perturba demais, e sinto que não sou capaz de escrever sobre a felicidade de uma vez só, principalmente depois de lhe contar tudo isso. Além do mais, não quero falar sobre o terceiro pretendente até que tudo esteja completamente certo.

Sua sempre, com carinho...

Lucy

P.S. Oh, quanto ao terceiro pretendente, não preciso contar-lhe sobre ele, preciso? Além disso, foi tudo tão confuso. Parece que se passou apenas um segundo, entre a sua chegada na sala e o momento em que seus dois braços estavam ao meu redor e ele estava me beijando. Estou muito, muito feliz, e não sei o que fiz para merecer isso. Devo apenas tentar no futuro demonstrar que não sou ingrata com Deus por toda a Sua bondade para comigo, ao me enviar um amante, um marido e um amigo assim. Adeus.

DIÁRIO DO DR. SEWARD *(Gravado em fonógrafo)*

25 de maio: Estou muito desanimado hoje. Não consigo comer, não consigo descansar, só consigo escrever em meu diário. Desde que fui rejeitado ontem, tenho vivenciado uma sensação de vazio. Nada no mundo parece valer a pena, nem parece suficientemente importante. Como sei que a única cura possível para esse tipo de coisa é o trabalho, lancei-me aos meus pacientes. Escolhi um que tem me propiciado um estudo muito interessante. Ele é tão esquisito que estou determinado a compreendê-lo o máximo que puder. Hoje, pela primeira vez, acredito que cheguei mais perto do que nunca da essência do seu mistério.

Eu o questionei mais profundamente do que já tinha feito, visando conhecer os fatos referentes à sua alucinação. A minha maneira de agir, agora vejo isso, tinha um pouco de crueldade. Parecia que eu desejava mantê-lo no ponto exato da sua loucura, algo que eu evito ao máximo fazer com os pacientes, como evitaria a boca do inferno.

(Lembrar quais são as circunstâncias que me fariam evitar a boca do inferno!) Omnia Romae venalia sunt[16]. O inferno tem seu preço! Se há algo por trás desse instinto que seja valioso para rastreá-lo depois com precisão, então é melhor que eu comece logo a fazê-lo, portanto...

R. M. Renfield, 59 anos de idade. Temperamento sanguíneo, grande força física, agitado de modo doentio, períodos de melancolia, parece estar com uma ideia fixa que ainda não consegui descobrir qual é. Presumo que o temperamento sanguíneo em si e a influência perturbadora conduzam a um fim de consumição mental, um

---

[16] Expressão latina: *Tudo em Roma tem seu preço*. NT

homem possivelmente perigoso, provavelmente perigoso se for altruísta. Nos homens egoístas a cautela é uma armadura segura, tanto para seus inimigos quanto para si mesmos. O que penso sobre essa questão é: quando o ego é o ponto fixo, a força centrípeta está em equilíbrio com a centrífuga. Quando o dever, uma causa, etc., é o ponto fixo, essa última força é fundamental, e um único acidente de uma série de acidentes pode equilibrá-la.

CARTA DE QUINCEY P. MORRIS PARA O HONORÁVEL ARTHUR HOLMOOD
25 de maio
Meu caro Art,

Contamos histórias em volta da fogueira nas pradarias, tratamos dos ferimentos um do outro depois de tentarmos desembarcar nas Marquesas[17], e bebemos à nossa saúde às margens do Titicaca. Existem outras histórias a serem contadas, e outros ferimentos a serem curados, e outros brindes a serem erguidos. Você não vai deixar de estar junto a minha fogueira amanhã à noite, não é? Não hesito em pedir-lhe, pois sei que uma certa senhora está comprometida com um certo jantar, e que você está livre. Haverá apenas mais um, o nosso velho amigo da Coreia, Jack Seward. Ele virá também, e ambos queremos unificar nossas tristezas sobre os cálices de vinho, e, do fundo do coração, bebermos à saúde do homem mais feliz em todo esse vasto mundo, aquele que conquistou o mais nobre coração que Deus já criou e, por isso, é um vencedor valoroso. Nós lhe prometemos uma calorosa recepção e uma saudação ao amor, e um brinde a uma saúde tão real quanto sua própria mão direita. Nós dois juramos deixá-lo em casa, se você beber demais para um certo par de olhos. Venha!

Seu amigo, para todo o sempre,

Quincey P. Morris

TELEGRAMA DE ARTHUR HOLMWOOD PARA QUINCEY P. MORRIS
26 de maio: Conte sempre comigo. Estou levando novidades que farão seus ouvidos zumbirem.
Art

CAPÍTULO 6

DIÁRIO DE MINA MURRAY
24 de julho. Whitby. Lucy me encontrou na estação de trem, parecendo mais meiga e adorável do que nunca, e seguimos direto para a casa, na Crescent Street, onde eles estão alojados. É um lugar adorável. O riacho, o Esk, corre por um vale profundo, que se amplia à medida que se aproxima do cais. É atravessado por um grande viaduto de pilastras altas, através do qual a vista parece, de algum modo, mais longe do que realmente é. O vale é de um verde belíssimo, e tão íngreme que quando se está na parte mais alta em qualquer dos lados é possível olhar através dele, a menos que se

---
[17] Arquipélago do Pacífico Sul. NT

esteja perto o suficiente para olhar para baixo. Todas as casas da cidade velha – o lado oposto ao nosso – possuem telhados vermelhos, e parecem empilhadas umas sobre as outras de alguma maneira, como as imagens que vemos de Nuremberg. Bem acima da cidade ficam as ruínas da Abadia de Whitby, que foi saqueada pelos dinamarqueses, e que serve de cenário para parte de "Marmion[18]", onde a jovem foi aprisionada dentro de suas paredes[19]. É uma ruína cheia de nobreza, imensa, e repleta de pequenas histórias belas e românticas. Existe uma lenda que afirma que uma dama vestida de branco pode ser vista numa de suas janelas. Entre a abadia e a cidade há outra igreja, uma paróquia, circundada por um grande cemitério, repleto de lápides. A meu ver, é dali que se tem a vista mais agradável de Whitby, pois ela se situa bem sobre a cidade, e pode-se ter uma vista completa do porto e de todo a baía, onde o promontório de Kettleness se estende para dentro do mar. O cemitério desce de forma tão abrupta por sobre o porto que parte de sua borda desmoronou, e algumas das sepulturas foram destruídas.

Em certo trecho, parte da cantaria das sepulturas se estende ao longo do caminho de areia mais abaixo. Há caminhos, ladeados por bancos, através do cemitério no adro da igreja, e as pessoas sentam-se ali o dia todo, olhando para a bela vista e desfrutando da brisa.

Virei aqui muitas vezes para me sentar e trabalhar. Na verdade, estou escrevendo agora, com meu caderno sobre os joelhos, e ouvindo a conversa de três homens de idade que estão sentados ao meu lado. Parece que eles não fazem nada o dia todo, além de se sentar aqui e conversar.

O porto está logo abaixo de mim, com um extenso paredão de granito, do outro lado, estendendo-se até o mar, e uma curva para fora no final, no meio da qual se encontra um farol. Ao longo do farol corre um robusto quebra-mar. No lado mais próximo, o quebra-mar faz um cotovelo virado ao contrário, e no seu final também há um farol. Entre os dois molhes existe um canal estreito na direção do porto, que de repente se alarga.

É muito bom na maré alta, mas durante a vazante fica tomado por bancos de areia, restando apenas o fluxo do Esk a correr entre eles, com rochas aflorando aqui e ali. Fora do porto, por este lado, há um grande recife que se eleva a cerca de 750 metros, correndo em linha reta desde o farol que se localiza na parte sul. No final do recife há uma boia com um sino, que balança durante o mau tempo e lança ao vento um som melancólico.

Há uma lenda local que diz que quando um navio está perdido ouvem-se os sinos ao longe no mar. Preciso perguntar ao velho lobo do mar sobre isso. Parece que ele está se aproximando de mim...

É um velho engraçado. Deve ser terrivelmente velho, pois seu rosto é nodoso e retorcido como a casca de uma árvore. Ele me disse que tem quase cem anos, e que era marinheiro da frota de pesca da Groenlândia quando a batalha de Waterloo estava sendo travada. Receio que ele seja uma pessoa muito cética, pois quando lhe perguntei sobre os sinos no mar e sobre a dama de branco na abadia, disse de modo brusco, com forte sotaque e abusando do dialeto local:

"Eu não me preocuparia com isso, senhorita. Essas coisas são ditas da boca para fora. Veja, não posso afirmar que não existam, mas não perco meu tempo com elas. Servem muito bem

---

[18] Poema épico de 1808, escrito por sir Walter Scott (1771-1832), e que relata a Batalha de Flodden, ocorrida em 1513 entre os exércitos ingleses e escoceses. NT
[19] Stoker se refere a uma passagem do "Marmion" que descreve o aprisionamento, dentro da abadia de Whitby, de Constance de Beverly, amante de Lorde Marmion, uma vez que este desejava livrar-se de Constance para poder conquistar o coração de Clara de Claire. NT

para turistas e recém-chegados, mas não para uma bela mocinha como você. Tem sempre esse pessoal que vem a pé de York e Leeds, que estão sempre comendo arenque defumado e bebendo chá, além de comprar qualquer quinquilharia barata que encontrem. Fico pensando em quem se importa de contar essas mentiras pra eles, além dos jornais que já estão cheios dessas tolices".

Pensei que talvez o velho fosse uma pessoa boa para se aprender coisas interessantes, então perguntei se ele se importaria de me dizer algo sobre a pesca de baleia nos velhos tempos. Ele já estava se acomodando para começar a contar quando o relógio bateu seis horas. De imediato, fez um esforço para se levantar e disse:

"Tenho que ir embora agora, senhorita. Minha neta não gosta de ficar esperando quando o chá está pronto, pois caminhar pelos bosques leva um bom tempo, e há muitos deles por aí; além disso, senhorita, com certeza vou perder o jantar se me atrasar".

Ele saiu mancando, e pude vê-lo apressar-se, tanto quanto podia, para descer os degraus. A escadaria é uma grande vantagem para o local. Liga diretamente a cidade à igreja, e há centenas de degraus, não sei bem quantos, que acabam numa curva delicada. A inclinação é tão suave que um cavalo poderia com facilidade subir e descer por ela.

Acredito que a escada originalmente devia ter algo a ver com a abadia. Também preciso ir para casa. Lucy saiu para fazer visitas com a mãe, e como eram apenas visitas de cortesia, eu não fui.

1º de agosto: Fui ter com Lucy há uma hora, e tivemos uma conversa muito interessante com o meu velho amigo e os outros dois que sempre vem se juntar a ele. Ele é, evidentemente, o sabe-tudo entre eles, e creio que, em seus tempos de juventude, deve ter sido uma pessoa bastante autoritária. Não admite nada e constrange a todos. Se não possui argumentos a oferecer, então faz troça dos outros, e acaba tomando o silêncio dos demais como concordância com seus pontos de vista. Lucy estava particularmente bonita em seu vestido de cambraia branca. Está com ótimo aspecto desde que chegou aqui. Notei que os velhos não perdem tempo em vir e sentar-se junto dela, assim que nos sentamos. Lucy é tão meiga com as pessoas de idade, que acredito que todos caíram de amores por ela. Mesmo o meu velho sucumbiu a ela e não a contradisse, mas em vez disso me cortou por duas vezes. Insisti com ele sobre as lendas, e ele começou a me passar uma espécie de sermão sobre o tema. Preciso lembrar-me do que ele disse para registrá-lo aqui:

"Isso tudo é uma bobagem, uma completa besteira, só isso e nada mais. Essas maldições, vultos, fantasmas, duendes e demônios, e tudo mais que se relacione a eles, só servem para assustar crianças e mulheres perturbadas. Não são nada além de bolhas de ar. Todas essas coisas sinistras, os sinais, as advertências, foram inventados pelos párocos e por pessoas mal-intencionadas, por cambistas de ferroviárias, procurando assustar e fazer as pessoas se enfastiarem com assuntos sem importância, e para conseguir que elas façam algo que eles mesmos não estejam inclinados a fazer. Fico furioso só de pensar neles. Ora, são eles que, não contentes de imprimir essas mentiras nos jornais e pregá-las dos púlpitos, ainda querem vê-las gravadas nas lápides. Vejam aqui em torno de vocês tudo o que quiserem. Todas essas pedras que se erguem com orgulho sobre suas cabeças estão em ruínas, estão simplesmente desmoronando sobre as sepulturas, com o peso das mentiras escritas nelas, 'Aqui jaz o corpo' ou 'Consagrada à memória', escritas em todas, mesmo que em quase metade não exista nenhum corpo, as lembranças não valham nem uma pitada de rapé, e muito menos sejam sagradas. Tudo isso é uma mentira, nada além de mentira, seja lá de que tipo for. Meu Deus, que confusão será o Dia do Juízo Final, quando eles chegarem derrubando as lajes de suas moradas mortais, todos saltando ao mesmo tempo e arrastando suas lápides dolorosamente atrás de si, para provar o

quanto foram bons, alguns deles hesitando e tremendo, pois suas mãos ficaram tempo demais sob as águas do mar para serem capazes de segurar as pedras".

Pude ver pelo ar de satisfação do velho camarada e pela maneira como olhava ao redor buscando a aprovação dos companheiros, que ele estava "se mostrando", de modo que disse algo para impedir que continuasse falando:

"Oh, sr. Swales, o senhor não pode estar falando sério. Tem certeza de que todas essas lápides estão erradas?"

"Bobagem! Pode haver algum pobre sujeito aí, mas não todos. A questão é que hoje em dia eles inventam coisas para as pessoas que são boas demais, pois há gente que pensa que qualquer bacia pode ser igual ao mar, especialmente quando são os donos. A coisa toda é um amontoado de mentiras. Agora, olhe o seu caso. Você vem aqui, uma estranha, e vê este cemitério".

Balancei a cabeça afirmativamente, pois achei melhor concordar, embora não entendesse muito bem o seu dialeto. Sabia apenas que tinha algo a ver com a igreja.

Ele prosseguiu, "E você acredita que debaixo dessas lápides todas ao nosso redor as pessoas estão repousando tranquilamente?". Assenti outra vez. "Então, é bem aí que reside toda a mentira. Pois existem dezenas e dezenas dessas sepulturas que estão tão vazias quanto uma velha caixa de tabaco de Dun[20] numa noite de sexta-feira!".

Cutucou um de seus companheiros, e todos riram. "E, bom Deus! Como poderia ser diferente? Olhe lá, há uma mostra disso que você poderá ver... e ler! Sim... vá em frente...!"

Fui na direção em que ele apontava e li, *"Edward Spencelagh, mestre de embarcação, assassinado por piratas ao largo da costa de Andres[21], em abril de 1854, aos 30 anos de idade"*. Quando retornei, sr. Swales prosseguiu:

"Quem o trouxe para casa, eu me pergunto, para sepultá-lo aqui? Assassinado ao largo da costa de Andres... você realmente acredita que o corpo dele jaz ali? Ora, eu poderia citar-lhe uma dúzia de marinheiros cujos ossos se encontram nos mares da Groenlândia, logo mais acima", e apontou na direção do norte, "ou onde quer que as correntezas os tenham levado. Mas suas sepulturas estão aqui, bem ao seu lado. Você, com seus olhos jovens, pode ler todas essas pequenas mentiras gravadas nas lápides. Veja este Lowery Braithwaite... Eu sei que o pai dele se perdeu no naufrágio do Lively, na costa da Groenlândia, na década de 1820... ou Andrew Woodhouse que se afogou nas mesmas águas em 1777... e John Paxton que se afogou junto ao Cabo Farexell um ano depois... ou o velho John Rawlings, cujo avô navegou comigo, que se afogou no Golfo da Finlândia na década de 1850. Você acredita que todas essas pessoas correrão para se reunir em Whitby, quando a trombeta do Juízo Final soar? Tenho minhas dúvidas quanto a isso! Eu lhe digo que quando todos eles chegarem por aqui estarão se digladiando e trombando uns com os outros, como uma aquelas lutas sobre o gelo dos velhos tempos, quando atacávamos uns aos outros do amanhecer até o anoitecer, e curávamos nossas feridas sob a aurora boreal".

Evidentemente, isso devia ser alguma brincadeira local, pois o velho gargalhou ao falar e os seus companheiros juntaram-se a ele com muito gosto.

"Mas", eu disse, "o senhor com certeza não está completamente certo quanto a isso, pois parte do pressuposto de que todas essas pobres pessoas, ou seus espíritos, terão que carregar consigo suas próprias lápides no Dia do Juízo Final. Acha que isso será de fato necessário?"

"Bem, afinal, para que servem as lápides? Responda-me, senhorita!"

"Para agradar aos parentes, suponho".

---

[20] Cidade histórica do sudeste da Escócia, localizada nas Scottish Border. NT
[21] Andres é uma comuna francesa, situada no departamento de Pas-de-Calais. NT

"Para agradar aos parentes, você supõe!". Disse isso com forte tom de desprezo. *"Que prazer os parentes deles podem sentir, sabendo que nelas estão escritas tantas mentiras, e sabendo que todo mundo aqui sabe que tudo isso é mentira?"*

Ele apontou para uma pedra aos nossos pés, que tinha sido disposta como uma laje, e na qual o banco estava encostado, próximo da beira do precipício. *"Leia as mentiras nesta lápide"*, disse ele.

As letras estavam de cabeça para baixo do lugar onde eu estava sentada, mas Lucy, que estava do outro lado, se levantou e leu, "'*Consagrada à memória de George Canon, que morreu, na esperança da gloriosa ressurreição, em 29 de julho de 1873, ao cair dos rochedos em Kettleness. Esta sepultura foi erigida por sua pesarosa mãe em memória do seu querido filho. Ele era filho único, e sua mãe era viúva*'. Realmente, sr. Swales, não vejo nada de engraçado nisso!". Lucy disse isso com ar bastante grave e um tanto severo.

"Eu também não vejo nada de engraçado nisso! Há-há! Isso é porque você não conhece essa mãe inconsolável, uma megera que odiava o filho, por ele ser doente, e ele, por sua vez, a odiava tanto que cometeu suicídio, de modo que ela não pudesse receber o seguro de vida que havia feito em nome dele. Ele estourou os miolos com uma espingarda velha que eles usavam para assustar os corvos. Naquele dia não assustou os corvos, mas trouxe as larvas e o infortúnio para si. Foi assim que ele foi parar lá embaixo, nas rochas. Quanto à esperança de uma gloriosa ressurreição do corpo, eu muitas vezes o ouvi dizer que queria ir para o inferno, pois sua mãe, piedosa como era, certamente iria para o céu, e ele não queria apodrecer no mesmo lugar que ela... Agora me diga, esta pedra", e deu pequenas batidas na pedra com sua bengala, enquanto falava, *"não está coberta de mentiras? E essas mentiras não farão com que Gabriel[22] se enoje, quando o nosso Georgie chegar quase sem fôlego, arrastando sua lápide nas costas, e pedindo que esta lhe sirva como evidência?"*

Eu não sabia o que dizer, mas Lucy retomou a conversa ao dizer, levantando-se, *"Oh, por que o senhor nos contou isso? Aqui é o meu lugar favorito, não posso deixá-lo, e agora descubro que tenho me sentado sobre o túmulo de um suicida"*.

"Isso não vai lhe fazer mal, minha linda, e até pode deixar o pobre Georgie um pouco mais feliz, por ter uma moça tão bonita enfeitando sua lápide. Isso não vai machucá-la, pois tenho me sentado aqui todos os dias e noites nos últimos vinte anos, e não tem me feito mal algum. Não se preocupe com aqueles que estão embaixo de você, nem com aqueles que não estão! Deverá preocupar-se quando vir que todas as lápides desapareceram, e que este lugar está tão desolado quanto uma plantação recém colhida. Bem, chegou a minha hora, e tenho que ir. Meus cumprimentos às senhoras!" E dito isso, saiu dali mancando.

Lucy e eu permanecemos sentadas, e tudo era tão bonito diante de nós que ficamos de mãos dadas, e ela me contou tudo de novo sobre Arthur e o seu esperado casamento. Isso deixou meu coração um tanto triste, pois já fazia um mês inteiro que eu não tinha notícias de Jonathan.

No mesmo dia: Vim aqui sozinha, pois estou muito triste. Não há nenhuma carta para mim. Espero que não haja nenhum problema com Jonathan. O relógio acabou de soar nove horas. Vejo as luzes se espalhando pela cidade, às vezes em fileiras, onde estão localizadas as ruas, e às vezes isoladas. Correm diretamente para o Esk e desaparecem na curva do vale. À minha esquerda, a vista é bloqueada por uma linha escura, formada pelos telhados daquela antiga casa próxima da abadia. As ovelhas e os carneiros estão balindo nos campos atrás de mim, e ouço o trotar confuso dos cascos dos burros sobre a estrada pavimentada logo abaixo. A banda no píer está tocando uma

---

[22] Segundo a tradição cristã, Gabriel é um dos arcanjos que, com sua trombeta, anunciará o Juízo Final. NT

valsa desafinada em boa hora, e um pouco mais longe do cais, o Exército da Salvação está reunido, numa das ruas de trás. Nenhuma das bandas consegue ouvir a outra, mas eu aqui em cima as ouço e vejo muito bem. Pergunto-me onde Jonathan está, e se está pensando em mim! Queria que ele estivesse aqui.

DIÁRIO DO DR. SEWARD

5 de junho: O caso Renfield se torna cada vez mais interessante à medida que tento entender o que se passa com o homem. Ele possui certas qualidades muito bem desenvolvidas, como o egoísmo, a discrição e a intenção.

Queria ser capaz de descobrir qual é o seu objetivo afinal. Ele parece ter algum plano próprio previamente estabelecido, mas ainda não sei qual é. A qualidade que o redime é uma paixão pelos animais, embora, na verdade, ele tenha alguns comportamentos curiosos a respeito deles que me fazem às vezes imaginar que ele seja apenas excepcionalmente cruel. Seus animais de estimação são os mais estranhos.

Agora o seu passatempo é apanhar moscas. Ele possui atualmente uma quantidade tamanha que tive até que admoestá-lo. Para minha surpresa, ele não rompeu em fúria como eu esperava, mas encarou o assunto de um modo muito sério. Pensou por um momento, e então disse, *"Posso levar uns três dias para me livrar de todas elas?"* Claro que sim, respondi. Devo vigiá-lo.

18 de junho: Ele agora mudou o seu foco para aranhas, e tem mantido várias delas, de considerável tamanho, dentro de uma caixa. Ele as alimenta com suas moscas, e o número de moscas diminuiu sensivelmente, embora ele tenha usado parte de sua comida para atrair mais moscas para dentro do seu quarto.

1º de julho: As aranhas estão se tornando um grande transtorno, tanto quanto as moscas, e hoje eu lhe pedi que se livrasse delas.

Ele pareceu muito triste com isso, então eu lhe disse que poderia ficar com algumas, em todo o caso. Ele concordou alegremente, e lhe dei o mesmo prazo de antes para a diminuição.

Ele me enojou com sua atitude, pois ao apanhar uma mosca varejeira horrível que zumbia no quarto, inchada com um pouco de comida estragada, segurou-a exultante por alguns momentos entre o indicador e o polegar, e antes que eu me desse conta do que ele ia fazer, colocou-a na boca e a comeu.

Eu o repreendi por isso, mas ele calmamente argumentou que aquilo era muito bom e muito saudável, que aquilo era a vida, a vida plena, e que lhe dava vida. Isso me deu uma ideia, ou o rudimento de uma. Preciso ficar atento ao modo como ele se livrará das aranhas.

É evidente que ele tem algum profundo problema mental, pois mantém um pequeno caderno de anotações no qual está sempre anotando alguma coisa. Inúmeras páginas estão preenchidas com grande quantidade de algarismos, geralmente números isolados colocados em grupos, e depois os totais adicionados aos grupos novamente, como se ele estivesse concentrando-se em alguma conta, do modo que os auditores costumam fazer.

8 de julho: Há um método em sua loucura, e a ideia rudimentar está tomando forma em minha mente. Em breve será uma ideia completa, e então, oh, inconsciente raciocínio! você terá que dar abrigo ao seu irmão consciente.

Mantive-me afastado do meu amigo por alguns dias, para que eu possa perceber se houve alguma mudança. As coisas continuam como estavam, exceto pelo fato dele ter se separado de alguns de seus animais de estimação e ter agora um novo.

Ele conseguiu apanhar um pardal, e já o domesticou em parte. Seus meios de adestrá-lo são simples, pois as aranhas já diminuíram. Aquelas que permanecem, no entanto, são bem alimentadas, pois ele ainda atrai moscas tentando-as com comida.

19 de julho: Estamos progredindo. Agora, meu amigo possui uma colônia de pardais, e suas moscas e aranhas estão praticamente no fim. Quando entrei, ele correu para mim e disse que queria me pedir um grande favor, um favor muito, muito grande. E enquanto falava, bajulava-me como um cão.

Perguntei-lhe o que era, e ele disse, com uma espécie de êxtase na voz e na atitude, *"Um gatinho, um pequeno e bonito gatinho, suave e brincalhão, com quem eu possa brincar, e ensinar, e alimentar, e alimentar e alimentar!"*

Eu não estava preparado para esse pedido, pois já tinha notado como os seus animais de estimação continuavam aumentando de tamanho e esperteza, mas não me importava que sua bela família de pardais domesticados pudesse ser eliminada da mesma maneira que as moscas e aranhas. Então disse que iria pensar no assunto, e perguntei-lhe se não preferiria um gato maior a um gatinho.

Sua ansiedade o traiu, enquanto me respondia, *"Oh, sim, eu gostaria de um gato! Só pedi um gatinho para que não me recusasse um gato. Ninguém me recusaria um gatinho, não é?"*

Respondi-lhe que naquele momento eu receava que não fosse possível, mas que iria pensar sobre isso. Seu rosto se alterou, e pude ver um sinal de perigo estampado nele, pois houve um súbito olhar de soslaio, um olhar feroz, que significava assassinato. O homem é um maníaco homicida primitivo. Vou testá-lo com o seu desejo atual e ver como ele se comportará, e então devo descobrir mais.

22 horas: Visitei-o de novo e o encontrei amuado, sentado num dos cantos do quarto. Quando entrei, ele se atirou de joelhos diante de mim e implorou para que eu o deixasse ter um gato, afirmando que sua salvação dependia daquilo.

Permaneci firme, contudo, e disse-lhe que ele não poderia ter um; ele ergueu-se imediatamente sem dizer uma só palavra, e sentou-se, roendo os dedos, no mesmo canto onde eu o havia encontrado. Eu o verei novamente amanhã de manhã.

20 de julho: Visitei Renfield logo cedo, antes da ronda dos funcionários. Encontrei-o já de pé, cantarolando uma canção. Estava espalhando sobre a janela um pouco de açúcar que havia economizado, e, de modo claro, recomeçava sua caçada às moscas, cheio de alegria e boa vontade.

Olhei ao redor à procura dos pássaros, e, não os encontrando, perguntei-lhe onde estavam. Ele respondeu, sem sequer mudar o tom de voz, que todos eles tinham fugido. Havia algumas penas espalhadas pelo quarto, e sobre o travesseiro havia uma gota de sangue. Não disse nada, apenas saí e pedi ao guarda que se reportasse a mim se acontecesse algo de estranho durante o dia.

11 horas: O funcionário acabou de me procurar para dizer que Renfield estava muito doente, e que tinha vomitado um monte de penas. *"Acredito, doutor"*, disse ele, *"que ele comeu todos os pássaros... acho que ele os pegou e os comeu crus!"*.

23 horas: Dei a Renfield um forte entorpecente esta noite, suficiente para fazê-lo dormir, e apanhei sua caderneta para examiná-la. O pensamento que tenho ruminado no cérebro ultimamente está concluso, e provou minha teoria.

Ele é um maníaco homicida bastante peculiar. Terei que criar uma nova classificação para ele, e denominá-lo de maníaco zoófago, ou maníaco por comer coisas vivas. O que ele deseja é absorver o máximo de vidas que puder, e ele se preparou para conseguir isso de forma cumulativa. Deu um monte de moscas para uma aranha, e muitas aranhas para um pássaro, e então queria um gato para comer os vários pássaros. Qual teria sido a sua próxima ação?

Quase valeria a pena completar a experiência. Poderia ser feito, se apenas houvesse causa suficiente. Os homens ridicularizavam a vivissecção e, mesmo assim, vejam quais são os seus resultados hoje! Por que não progredir com a ciência em seu aspecto mais difícil e vital, o conhecimento do cérebro?

Se eu conhecesse o segredo desse tipo de mente, se eu tivesse a chave para a fantasia mesmo de um lunático, poderia avançar meu próprio ramo da ciência para um campo comparado ao qual a fisiologia de Burdon-Sanderson ou o conhecimento de Ferrier sobre o cérebro não representariam nada. Se ao menos houvesse uma causa suficiente! Não devo pensar muito sobre isso, ou poderei ficar tentado. Uma boa causa pode virar a balança a meu favor, pois eu também não posso ter um cérebro excepcional, congênito?

Como os homens fundamentam bem. Os lunáticos sempre o fazem dentro de um escopo próprio. Gostaria de saber em quantas vidas ele avalia um homem, ou se apenas em uma. Ele fechou a conta com mais precisão, e hoje começou um novo registro. Quantos de nós iniciam um novo registro a cada dia de nossas vidas?

Para mim, parece que foi ontem que toda a minha vida se encerrou com a minha nova esperança, e que realmente iniciei um novo registro. Assim será até que o Grande Registrador calcule o meu total, e encerre meu livro-diário com um balanço de lucros e perdas.

Oh, Lucy, Lucy, não posso ficar zangado com você, nem posso ficar zangado com o meu amigo, cuja felicidade lhe pertence, mas devo viver apenas para o trabalho e sem esperanças. Trabalho! Trabalho!

Se eu pudesse ter uma causa tão forte como o meu pobre amigo insano ali, uma causa boa e altruísta para me fazer trabalhar, seria realmente uma felicidade.

DIÁRIO DE MINA MURRAY

26 de julho: Estou ansiosa, e me expressar neste diário me acalma. É como sussurrar para si mesmo e escutar ao mesmo tempo. E também há algo nos símbolos de taquigrafia que torna esse ato diferente da escrita. Estou infeliz por causa de Lucy e por causa de Jonathan. Não tenho tido notícias de Jonathan já há algum tempo, e estava muito preocupada, mas ontem o caro sr. Hawkins, que é sempre tão gentil, me encaminhou uma carta dele. Eu lhe havia escrito perguntando se ele tinha recebido alguma notícia, e ele me disse que acabara de receber a carta que me enviou em anexo. É apenas uma linha, datada do Castelo de Drácula, e só diz que ele logo estará voltando para casa. Isto não é típico de Jonathan. Não compreendo, e isso me deixa preocupada.

Lucy também, embora esteja tão bem, ultimamente voltou ao seu velho hábito de andar enquanto dorme. Sua mãe me falou sobre isso, e decidimos que devo trancar a porta do nosso quarto todas as noites.

Sra. Westenra criou a ideia de que os sonâmbulos sempre saem para os telhados das casas e para as bordas das falésias e, ao acordar de repente, caem dali com um grito desesperado que ecoa por todo o lugar.

Coitada, ela naturalmente está preocupada com Lucy, e me disse que seu marido, o pai de Lucy, tinha o mesmo hábito, levantando-se de noite, vestindo-se e saindo, se não fosse impedido.

Lucy se casará no outono, e já está planejando o enxoval e o modo como sua casa será arrumada. Simpatizo com ela, pois faço o mesmo, a única diferença é que

Jonathan e eu começaremos nossa vida de modo muito simples, e teremos que fazer com que nossos recursos juntos cheguem ao final do mês.

Sr. Holmwood, o Honorável Arthur Holmwood, filho único de Lorde Godalming, logo estará chegando aqui, assim que possa deixar a cidade, pois seu pai não está muito bem de saúde, e acredito que a minha querida Lucy está contando os minutos até que ele chegue.

Ela quer levá-lo ao cemitério da igreja, no alto da falésia, e mostrar-lhe a beleza de Whitby. Ouso dizer que é a espera que a perturba. Ela vai ficar bem assim que ele chegar.

27 de julho: Não tenho notícias de Jonathan. Estou ficando muito inquieta em relação a ele, embora o porquê disso eu realmente não saiba, mas gostaria que ele me escrevesse, nem que fosse uma única linha.

Lucy tem caminhado enquanto dorme mais do que nunca, e, a cada noite, sou acordada com os movimentos dela pelo quarto. Felizmente, o clima está tão quente que ela não corre o risco de ficar resfriada. Mesmo assim, a ansiedade e esse despertar contínuo de Lucy estão começando a mexer comigo, e eu mesma estou ficando nervosa e insone. Graças a Deus, a saúde de Lucy está aguentando. O sr. Holmwood foi subitamente chamado de volta a Ring para ver o pai, que está seriamente doente. Lucy está irritada com essa demora em vê-lo, mas isso não é visível em sua aparência. Ela é uma coisinha robusta, e suas faces são de um belíssimo tom rosado. Perdeu aquele olhar abatido que tinha. Rezo para que tudo isso dure.

3 de agosto: Outra semana se passou, e ainda nenhuma notícia de Jonathan, nem mesmo para o Sr. Hawkins, de quem tenho recebido as cartas. Oh, espero que ele não esteja doente. Ele certamente teria escrito. Olho para aquela última carta dele, mas de algum modo não me satisfaz. Não parece o seu estilo, mas mesmo assim é a sua letra. Não há nenhuma dúvida quanto a isso.

Lucy não tem perambulado muito durante o sono na última semana, mas existe nela uma compenetração estranha que eu não consigo entender, pois parece vigiar-me até quando dorme. Ela tenta abrir a porta e, encontrando-a fechada, revira o quarto à procura da chave.

6 de agosto: Mais três dias e nenhuma notícia. Esse suspense está se tornando terrível. Se eu ao menos soubesse para onde escrever, ou para onde ir, me sentiria mais tranquila. Mas ninguém recebeu uma palavra sequer de Jonathan desde sua última carta. Só me resta pedir a Deus por paciência.

Lucy está mais excitada do que nunca, mas fora isso está bem. A última noite foi bastante ameaçadora, e os pescadores estão dizendo que vamos ter uma tempestade. Preciso observá-la, e tentar aprender os sinais do tempo.

Hoje o dia está nublado, e enquanto escrevo o sol está escondido atrás de grossas nuvens, bem alto no céu que cobre Kettleness. Tudo está cinzento, exceto a relva verde, que se assemelha à esmeralda diante do cinza terroso das rochas e das nuvens carregadas, nuvens tingidas com os raios de sol que tentam atravessá-las, debruçadas sobre o mar acinzentado, onde pontas arenosas surgem como figuras cinzentas. O mar está se derramando sobre os baixios e os bancos de areia, com um rugido abafado pelo nevoeiro que é carregado terra a dentro. O horizonte desapareceu numa névoa cinza. Tudo se transformou em vastidão, exceto as nuvens que se empilham como gigantescos rochedos. Há um tumulto sobre o mar, que se parece com um caminho para a perdição. Imagens escuras surgem ao longo da praia, aqui e ali, às vezes meio encobertas pela neblina, como se fossem árvores que andam[23]. Os barcos de pesca correm para casa, surgindo e mergulhando nas vagas do mar enquanto se arremessam contra o porto, inclinando os embornais. Eis que chega o velho Sr. Swales. Ele está se dirigindo diretamente para mim, e posso ver, pelo modo como agita o chapéu, que deseja falar comigo.

Fiquei bastante comovida pela mudança no comportamento daquele pobre velho. Quando ele se sentou ao meu lado, disse-me, com um tom de voz muito gentil, *"Desejo dizer-lhe algo, senhorita"*.

Eu podia ver que ele estava incomodado com alguma coisa, então, tomando suas pobres mãos encarquilhadas nas minhas, pedi-lhe que falasse abertamente.

Então ele disse, abandonando as mãos nas minhas, *"Receio, minha querida, que devo tê-la chocado com todas as coisas terríveis que lhe disse sobre os mortos e coisas desse tipo, nas últimas semanas, mas acredite que não era essa a minha intenção, e desejo que você se lembre disso quando eu partir. Nós – as pessoas muito velhas que já estão com um pé na cova – não gostamos de pensar nessas coisas, e não gostamos de sentir um certo medo dessas coisas, por isso tento torná-las mais leves para mim, de modo a tranquilizar um pouco meu coração. Mas, Deus a abençoe, senhorita, eu não tenho o menor medo de morrer, nem um pouco, só não pretendo morrer tão cedo, se puder evitar. Minha hora deve estar se aproximando, pois já sou velho, e uma centena de anos já é bastante para qualquer pessoa. E estou tão próximo da minha hora que já posso vislumbrar a foice se agitando. Como você bem pode ver, não consigo me livrar do velho hábito de resmungar sobre tudo. Minhas mandíbulas não conseguem parar de falar bobagens. Logo, algum dia desses, o Anjo da Morte soará a sua trombeta para mim. Mas, minha querida, não se lamente por isso!"*, pois ele viu que eu estava chorando, *"se ele vier me buscar esta noite mesmo não me recusarei a atender ao seu chamado. Pois a vida, afinal de contas, se resume a uma constante espera por algo mais, e não tem nada a ver com o que estamos fazendo, e a morte é a única certeza que podemos esperar. No entanto, estou satisfeito de vê-la se aproximar, minha querida, e com passos largos. Ela pode estar chegando neste mesmo instante em que nos maravilhamos com a paisagem. Talvez ela esteja nesta ventania que sopra sobre o mar, e que traz com ela a perda e a destruição, causando aflição e entristecendo os corações. Veja! Veja!"*, ele gritou de repente. *"Há algo nessa ventania e no rugido mais além que soa como a morte, parece com a morte, e têm o sabor e o cheiro da morte. Está no ar. Eu a sinto se aproximar. Senhor! Fazei com que eu responda alegremente quando o vosso chamado chegar!"* Ele ergueu os braços com devoção e tirou o chapéu. Sua boca se movia como se estivesse rezando. Levantou-se após alguns minutos de silêncio, cumprimentou-me, abençoou-me, despediu-se e partiu mancando. Tudo aquilo me comoveu e me angustiou muito.

Fiquei feliz quando o guarda-costeiro se aproximou, com o binóculo debaixo do braço. Parou para conversar comigo como sempre fazia, mas olhava o tempo todo na direção de um estranho navio.

"Não consigo distingui-lo", disse ele. *"Acredito que seja russo, pela aparência. Mas está se debatendo contra as águas de um modo muito estranho. Ainda não decidiu o que fazer. Parece que está vendo a tempestade se aproximar, mas é incapaz de decidir se continua rumo ao norte, mar a dentro, ou se segue para cá. Olhe lá de novo! Está se comportando*

---

[23] Alusão à passagem do Novo Testamento, constante do Evangelho de Marcos, cap. 8: 22-25 : "E chegou a Betsaida; e trouxeram-lhe um cego, e rogaram-lhe que o tocasse. E, tomando o cego pela mão, levou-o para fora da aldeia; e, cuspindo-lhe nos olhos, e impondo-lhe as mãos, perguntou-lhe se via alguma coisa. E, levantando ele os olhos, disse: Vejo os homens; pois os vejo como árvores que andam. Depois disto, tornou a pôr-lhe as mãos sobre os olhos, e o fez olhar para cima: e ele ficou restaurado, e viu cada homem claramente". NT

estranhamente, como se não houvesse ninguém ao leme... Seu curso se altera a cada sopro da ventania. Saberemos mais sobre ele amanhã, a essa hora".

CAPÍTULO 7

RECORTE DO JORNAL "THE DAILYGRAPH", 8 DE AGOSTO
(COLADO NO DIÁRIO DE MINA MURRAY)

DE UM CORRESPONDENTE EM WHITBY.

Uma das maiores e mais repentinas tempestades já registradas foi experimentada aqui, com resultados ao mesmo tempo estranhos e singulares. O tempo tem estado um pouco sufocante, mas nada incomum para o mês de agosto. A tarde de sábado foi uma das mais agradáveis que já tivemos, e grandes grupos de turistas dispuseram-se ontem a visitar os Bosques de Mulgrave, a Baía de Robin Hood, Rig Mill, Runswick, Staithes, e vários outros destinos nas cercanias de Whitby. Os vapores Emma e Scarborough faziam viagens para cima e para baixo na costa, e havia uma quantidade invulgar de "apressadinhos" chegando e partindo de Whitby. O dia estava excepcionalmente bom até a tarde, quando alguns dos frequentadores do cemitério de East Cliff, um promontório, que do alto da igreja contemplam uma vista deslumbrante do mar, de norte a leste, chamaram a atenção para uma repentina massa de nuvens, do tipo cirrus, alongadas e altas no céu, vindas do noroeste. O vento soprava de sudoeste ao nível do mar, o que, em linguagem barométrica, é classificado como 'ventos de nível 2, brisa suave'.

O guarda-costeiro de serviço fez um relatório imediatamente, e um dos velhos pescadores, que por mais de meio século tem observado os sinais do tempo do alto de East Cliff, vaticinou de um modo bem enfático a aproximação de uma súbita tempestade. A aproximação do pôr do sol era tão bela, tão grandiosa em suas massas de nuvens esplendidamente coloridas, que uma verdadeira multidão caminhou pelo promontório até o cemitério da velha igreja para apreciar a beleza. Antes que o sol mergulhasse atrás das montanhas escuras de Kettleness, permanecendo de modo audacioso em diagonal ao céu ocidental, seu trajeto descendente foi marcado por uma miríade de nuvens, tingidas de todas as cores do pôr do sol: escarlate, púrpura, rosa, verde, violeta e todos os tons de dourado, com massas de nuvens não muito grandes, aqui e ali, de uma escuridão aparentemente absoluta, de todos os tipos e formas, delineando silhuetas colossais. Essa experiência não deve ter sido desperdiçada pelos pintores, e sem dúvida alguma, alguns dos esboços do "Prelúdio para a Grande Tempestade" irão ornamentar as paredes da Academia Real e Imperial de Arte em maio próximo.

Mais de um capitão mudou de ideia, e retiveram suas embarcações, de modo que os diferentes tipos de barcos pesqueiros, com seus nomes peculiares, ficaram ancorados no porto até que a tempestade tivesse passado. A ventania desabou com toda força durante o entardecer, e à meia-noite houve uma calmaria absoluta, um calor sufocante, que ia aumentando de intensidade, do mesmo modo que a aproximação do trovão afeta as pessoas de natureza mais sensível.

Viam-se poucas luzes no mar, pois mesmo os vapores costeiros que geralmente navegam próximos da costa mantinham-se ao largo do litoral e, deste modo, apenas alguns barcos pesqueiros podiam ser vistos. O único veleiro considerável era uma escuna estrangeira, com todas as velas estendidas, que parecia seguir rumo ao oeste. A imprudência ou a ignorância de seus oficiais foi um tema fértil para os comentários enquanto ela esteve à vista, e se envidaram todos os esforços para sinalizar-lhe a necessidade de baixar as velas diante do perigo iminente. Antes da noite cair por completo, a escuna foi vista com seu velame debatendo-se ao léu, enquanto era gentilmente levada pelas vagas ondulantes do mar.

"Tão sem propósito quanto o desenho duma nau sobre um oceano pintado".[24]

Pouco antes das dez da noite, a imobilidade do ar era tão opressiva e o silêncio tão marcante que o balido de uma ovelha, mais para o interior, ou o latido de um cão, na cidade, podiam ser ouvidos distintamente, e a presença da banda junto ao píer, tocando vivamente uma ária francesa, contrastava com a grande harmonia do silêncio da natureza. Pouco depois da meia-noite ouviu-se um barulho estranho vindo do mar, e bem no alto o ar começou a trazer um rugido estranho, débil e oco.

E então, sem qualquer aviso, a tempestade desabou. E com tal rapidez que, naquele momento, parecia inacreditável, e mesmo depois era difícil de conceber, pois parecia que toda a natureza estava em convulsão. As ondas surgiam com fúria crescente, cada uma sobrepondo-se à anterior, até que, em poucos minutos, o mar que até ali estava apático transformou-se num monstro devorador e barulhento. Vagalhões bordados de branco chocavam-se loucamente contra os bancos de areia, e rapidamente escalavam os promontórios. Outras vagas se rompiam sobre os molhes e, com sua espuma, lavavam as lanternas dos faróis situados no final de cada píer do porto de Whitby.

O vento rugia como um trovão, e soprava com tal força que até o homem mais forte mal conseguiria manter-se de pé, mesmo que se agarrasse aos balaústres de ferro. Então foi preciso evacuar todo o píer da massa de curiosos que ali estavam, de outra forma o número de vítimas da noite teria se multiplicado muitas vezes. Uma massa de espesso nevoeiro somou-se às dificuldades e perigos daquele momento, dirigindo-se diretamente para a terra. Nuvens úmidas e brancas, que se movimentavam numa velocidade de fantasmas, e eram tão úmidas, desalentadoras e frias, que não era preciso muita imaginação para se acreditar que os espíritos daqueles que se perderam no mar estavam tocando seus irmãos, ainda vivos, com o pegajoso toque da morte, o que fez com que muitos estremecessem quando aquele círculo de névoa arrastou-se por entre eles.

Às vezes a névoa clareava, e podia-se vislumbrar o mar a certa distância, sob o clarão dos relâmpagos que chegavam velozmente e em abundância, seguidos pelo estrondo dos trovões, tão forte que todo o céu acima de nós parecia tremer sob o avanço da tempestade.

Algumas das cenas assim reveladas eram de grandeza incomensurável e de profundo interesse. O mar, correndo à altura das montanhas, atirava para o céu massas poderosas de espuma branca, que a tempestade parecia agarrar e lançar num turbilhão em direção ao espaço. Aqui e ali, podia-se ver um barco de pesca, com as velas em

---

[24] Segmento do poema "As rimas do Antigo Marinheiro", de autoria do poeta do Romantismo inglês, Samuel Taylor Coleridge (1772-1834) NT

farrapos, correndo loucamente em busca de abrigo antes da explosão, e de vez em quando as asas brancas de alguma ave marinha jogada pela tempestade. No cume do East Cliff, um novo farol estava pronto para entrar em uso, mas ainda não havia sido testado. Os oficiais responsáveis colocaram-no em funcionamento, e nas brechas abertas naquele inesperado nevoeiro vasculhavam a superfície do mar. Em duas ocasiões o seu serviço foi bastante eficaz, como por exemplo quando um barco de pesca, com sua amurada sob as águas, conseguiu correr para o porto auxiliado pela orientação daquela luz acolhedora, evitando o risco de se precipitar contra os molhes. À medida que cada barco alcançava a segurança do porto, ouvia-se um grito de alegria da multidão de pessoas na praia, um grito que, por um momento, parecia se unir à tempestade, e então era varrido para longe pela ventania.

Pouco tempo depois, o holofote do farol descobriu a certa distância uma escuna com o velame a todo pano, aparentemente o mesmo navio que havia sido observado no início da noite. O vento a essa altura tinha se voltado para leste, e um calafrio tomou conta dos espectadores no alto do promontório, como se percebessem o terrível perigo ao qual a escuna estava exposta.

Entre ela e o porto encontrava-se o grande arrecife submerso, com o qual tantos navios de vez em quando sofriam, e, com o vento soprando daquele quadrante, seria quase impossível que ela conseguisse chegar até a entrada do porto.

Já era quase hora da maré alta, e as ondas eram tão grandes que ao recuarem revelavam quase por completo as águas rasas da costa; a escuna, com seu velame a todo pano, avançava com tamanha velocidade que, nas palavras de um veterano dos mares, "ela vai acabar em algum lugar, nem que seja no inferno". Naquele momento veio uma nova onda de nevoeiro, maior do que qualquer outra até então, uma massa de névoa úmida que parecia tomar conta de todas as coisas como uma mortalha acinzentada, deixando à disposição dos homens apenas o órgão da audição, pois o rugido da tempestade, o barulho do trovão e o estrondo dos poderosos vagalhões atravessaram o úmido esquecimento ainda mais alto do que antes. Os raios de luz do farol foram mantidos fixos na boca do porto, através do píer oriental, onde o choque era esperado, e todos os homens esperavam prendendo a respiração.

De repente o vento mudou para nordeste, e o restante da neblina que vinha do mar dissipou-se na ventania. E então, passando miraculosamente entre os molhes, saltando de onda em onda, navegando a grande velocidade, surgiu aquela estranha escuna, ainda com o seu velame a todo pano, e atingindo a segurança do porto. O farol a seguiu e um calafrio tomou conta de todos aqueles que a viram, pois, amarrado à roda do leme, encontrava-se um cadáver, com a cabeça caída, balançando terrivelmente de um lado para outro a cada movimento do navio. Não se via nenhuma outra alma em todo o convés.

Um enorme medo se apoderou de todos quando perceberam que aquele navio, como por milagre, conseguiu chegar ao porto, desgovernado, salvo pelas mãos de um cadáver! No entanto, tudo aconteceu mais rápido do que o tempo que se levou para escrever estas palavras. A escuna não parou, mas continuou seu caminho, atravessando o porto e arremessando-se contra a montanha de areia e cascalho lavado por muitas ondas e tempestades, que se acumulava no canto sudeste do píer, aos pés de East Cliff, um lugar conhecido como Tate Hill Pier.

Naturalmente, houve um abalo considerável quando a nau se chocou contra o monte de areia. Cada mastro, corda e estai estava tensionado, e algumas das partes superiores chegaram a desabar. Mas, o mais estranho de tudo, no momento em que a escuna tocou a costa, um cão imenso saltou para o tombadilho, vindo do convés inferior, como se tivesse sido atirado para fora pela força da batida, e seguiu correndo, saltando da proa para a areia.

Seguiu direto para a beirada do precipício, onde o cemitério se debruça sobre a alameda que o interliga ao píer oriental, de um modo tão íngreme que algumas das lápides, sepulturas, ou lajes-de--covas, como são chamadas na língua vernácula de Whitby, na verdade projetam-se sobre o muro de arrimo que havia desabado; ali ele desapareceu na escuridão, que parecia ser mais densa em virtude da proximidade da área iluminada pelo farol.

Aconteceu que não havia ninguém naquele momento em Tate Hill Pier, pois todos os que moravam nas casas que existiam nas proximidades, ou estavam dormindo, ou estavam no alto do promontório mais acima. O guarda-costeiro de serviço no lado oriental do porto, que havia corrido pelo pequeno píer, foi o primeiro a subir a bordo. Os homens que operavam o farol, depois de vasculhar a entrada do porto sem nada encontrar, direcionaram a luz diretamente para a escuna acidentada e a mantiveram ali. O guarda-costeiro correu para a popa, e quando chegou próximo do leme inclinou-se para examiná-lo, recuando sobressaltado, como se tomado por alguma emoção súbita. Isso pareceu despertar a curiosidade geral e um bom número de pessoas correu para lá.

Há um bom caminho a se percorrer entre West Cliff e Tate Hill Pier, passando pela ponte-levadiça, mas este seu correspondente, que é um corredor razoavelmente bom, chegou bem à frente da multidão. Quando cheguei ali, no entanto, já encontrei uma multidão reunida no píer, a quem a guarda-costeira e a polícia se recusavam a permitir que subisse a bordo. Por cortesia do barqueiro-chefe, este seu correspondente obteve permissão de subir no tombadilho, e foi um dos integrantes do pequeno grupo que viu o marinheiro morto enquanto ainda estava amarrado à roda do leme.

Não era de se admirar que o guarda-costeiro se surpreendesse, ou até mesmo se impressionasse com aquilo, pois uma visão desse tipo raramente pode ser vista. O homem foi simplesmente amarrado pelas mãos, atadas uma sobre a outra, presas a um dos raios da roda do leme. Entre a mão que estava presa na parte interna e a madeira da roda havia um crucifixo, o fio de contas do rosário preso em torno de ambos os pulsos e na roda do leme, e todo o conjunto mantido unido pelas cordas de ligação. O pobre rapaz deveria ter ficado sentado por um tempo, mas o bater do mar e a forte turbulência do velame o arrastaram para o meio da roda do leme, jogando-o de um lado para outro, de modo que as cordas com as quais ele fora amarrado cortaram a carne até os ossos.

Foi feito um relatório completo sobre o estado das coisas, e um médico, o cirurgião J. M. Caffyn, domiciliado no número 33 de East Elliot Place, que chegou imediatamente depois de mim, declarou, após o devido exame, que o homem deveria estar morto já há uns dois dias.

Em seu bolso havia uma garrafa cuidadosamente arrolhada, vazia, exceto por um pequeno rolo de papel que provou ser um adendo ao diário de bordo.

O guarda-costeiro disse que o homem devia ter amarrado as próprias mãos, apertando os nós com os dentes. O fato de um guarda--costeiro ter sido o primeiro a subir a bordo pode evitar certas complicações mais tarde, na Corte do Almirantado, pois os guarda-

-costeiros não podem reivindicar os salvados, que são de direito destinados ao primeiro civil que adentrar num navio abandonado. Entretanto, as línguas jurídicas já estavam se movimentando, e um jovem estudante de direito afirmava, aos brados, que os direitos do proprietário já estavam completamente prejudicados, encontrando-se a sua propriedade em infração aos estatutos dos bens indisponíveis, já que a barra do leme, como parte do navio, não era prova de posse delegada, pois era segura por uma mão morta.

É desnecessário dizer que o timoneiro morto foi removido com toda reverência do local onde realizou sua honrosa e assídua vigilância até a morte – com a mesma nobre firmeza do jovem Casabianca[25] – e colocado no necrotério a espera do inquérito.

A tempestade repentina já está passando, e sua ferocidade diminuindo. A multidão está se dispersando e o céu começa a ficar rubro sobre os campos de Yorkshire.

Encaminharei a tempo para a próxima edição maiores detalhes sobre o navio abandonado, que encontrou seu destino de modo tão miraculoso ao adentrar o porto em meio à tempestade.

9 de agosto: A consequência da estranha chegada da escuna abandonada na tempestade na noite passada é quase mais surpreendente do que a coisa em si. Descobrimos que a escuna é russa, oriunda de Varna, e é conhecida pelo nome de "Demeter". Está carregada quase inteiramente com lastro de areia finíssima, e só uma pequena quantidade de carga, um grande número de caixões de madeira repletos de mofo.

Sua carga foi despachada para um procurador em Whitby, sr. S. F. Billington, domiciliado no número 7 da Crescent Street, que nesta manhã foi a bordo e tomou posse formal das mercadorias a ele consignadas.

O cônsul da Rússia, também, exercendo suas funções de parte interessada no fretamento, tomou posse formal do navio e pagou todas as taxas portuárias devidas.

Não se fala sobre outra coisa por aqui, exceto a estranha coincidência. Os funcionários da Junta Comercial foram mais exigentes em verificar que tudo fosse realizado em conformidade à regulamentação existente. Como tudo foi tratado em regime de extrema urgência, estavam evidentemente determinados a que não houvesse depois motivos para queixas.

Outro assunto de grande interesse diz respeito ao cão que saltou para a praia quando a escuna se chocou, e diversos membros da Sociedade Protetora dos Animais, que é bem atuante em Whitby, tentaram em vão conseguir um bom lar para o animal. Para decepção geral, no entanto, não foi possível encontrá-lo. Parece que ele desapareceu por completo da cidade. Pode ser que tenha se assustado e fugido para a região das charnecas, onde ainda está se escondendo, tomado pelo terror.

Há alguns que encaram com receio essa possibilidade, pois mais tarde o animal poderia se tornar um perigo em si, visto que se trata evidentemente de uma besta feroz. Esta manhã bem cedo um cão enorme, mestiço de mastim, pertencente a um comerciante de carvão próximo de Tate Hill Pier, foi encontrado morto na estrada que passa do lado oposto ao quintal de seu dono. Apresentava marcas de luta contra um

---

[25] Refere-se ao poema de autoria de Felícia Dorothea Hemans, que narra a morte do jovem Giocante Casabianca, filho do comandante Julien-Joseph Casabianca (1762-1798), a bordo do *Orient*, a nau-capitânia da esquadra que conduziu Napoleão Bonaparte e seu exército para o Egito. Ao regressar para a França, a esquadra entrou em batalha com a esquadra britânica. O jovem Giocante, mesmo na iminência do naufrágio do Orient, não abandonou seu posto frente ao leme do navio. NT

oponente notoriamente feroz, pois sua garganta estava dilacerada e a barriga estava completamente aberta como se tivesse sido rasgada por uma garra selvagem.

Mais tarde: Por gentileza do Inspetor da Junta Comercial tive permissão para examinar o diário de bordo do "Demeter", que se encontrava com seus lançamentos em ordem até três dias atrás, mas não continha nada que despertasse algum interesse especial, exceto o registro referente ao desaparecimento da tripulação. O interesse maior, no entanto, é com relação ao papel encontrado dentro da garrafa, e que foi hoje incluído no inquérito. E um relato mais estranho do que aquele prestado pelos dois homens que o descobriram, ainda não tive a sorte de encontrar.

Como não há razão para se manter sigilo, fui autorizado a usá-los, e, consequentemente, enviar-lhes uma transcrição, apenas omitindo certos detalhes técnicos referente à marinhagem e à sobrecarga. Ao que parece, o capitão foi tomado por algum tipo de mania antes que se lançasse às águas azuis do mar, e essa mania evoluiu de um modo bem persistente durante a viagem. É claro que minha declaração não deve ser tomada ao pé da letra, uma vez que a estou escrevendo a partir do ditado de um funcionário do cônsul da Rússia, que gentilmente traduziu as anotações de bordo para mim, mesmo tendo pouco tempo para isso.

DIÁRIO DE BORDO DO "DEMETER", DE VARNA A WHITBY

ANOTADO EM 18 DE JULHO: coisas muito estranhas estão acontecendo, por isso vou manter um registro preciso de tudo, até que possamos desembarcar.

Em 6 de julho, terminamos de embarcar a carga - areia fina, prateada, e caixões cheios de terra. Zarpamos ao meio-dia. Vento fresco vindo do leste. Tripulação: cinco homens, dois imediatos, um cozinheiro, além de mim mesmo (capitão).

Em 11 de julho, ao amanhecer, entramos no Bósforo. Oficiais da Alfândega Turca a bordo. Backsheesh[26]. Tudo em ordem. Retomamos nosso curso às 4 da tarde.

Em 12 de julho, atravessamos o Dardanelos. Mais oficiais da aduana a bordo e a presença da nau-capitânea da guarda - costeira. Backsheesh novamente. A inspeção dos oficiais foi completa, mas rápida. Querem que partamos o quanto antes. Ao anoitecer, passamos pelo arquipélago.

Em 13 de julho, passamos pelo Cabo Matapan[27]. Tripulação incomodada com alguma coisa. Parecem assustados, mas evitam falar a respeito.

Em 14 de Julho, eu estava um tanto ansioso em relação à tripulação. Homens de muita confiança, e que já navegaram comigo antes. Um dos imediatos não conseguiu descobrir o que há de errado. Os homens apenas lhe disseram que há ALGO de errado, e se benzeram. O imediato perdeu a paciência com um deles, outro dia, e o espancou. Esperava-se briga acirrada, mas tudo permaneceu calmo.

Em 16 de julho, o imediato relatou de manhã que um dos mem-

---

[26] Derivado da palavra persa "bakhshidan" que possui muitos significados, entre eles o ato de mendigar e o ato de pedir propina. Neste contexto específico, refere-se à propina paga pelo capitão do "Demeter" aos oficiais da alfândega turca para a liberação da escuna. NT

[27] Cabo Matapan ou Cabo Tainaron: ponto mais meridional da península do Peloponeso, na Grécia. NT

bros da tripulação, Petrofsky, desapareceu. Não podia ser responsabilizado por isso. Permaneci em meu posto por oito turnos na noite passada, sendo rendido por Amramoff, mas não retornei aos meus aposentos. Os homens estão muito abatidos, mais do que antes. Todos dizem que estão esperando alguma coisa acontecer, mas não conseguem dizer exatamente o que é esta COISA que sentem a bordo. O imediato está se tornando muito impaciente com eles. Teme certa confusão mais à frente.

Em 17 de julho, ontem, um dos homens, Olgaren, veio à minha cabine e confidenciou-me, com expressão aterrorizada, que achava que havia um homem estranho a bordo do navio. Disse que no seu turno havia se abrigado atrás da cabine do convés, para se proteger de uma tempestade, quando viu um homem alto e magro, que não se assemelhava a nenhum dos outros tripulantes, subir as escadas e seguir pelo convés em direção à proa, até desaparecer. Ele o acompanhou com cautela, mas quando chegou à frente do navio não encontrou ninguém, apesar das escotilhas estarem todas fechadas. Estava tomado por um medo supersticioso que beirava o pânico, e temo que esse pânico se espalhe. Para acalmá-lo, eu mesmo realizarei uma busca cuidadosa em todo o navio, da proa à popa.

Mais tarde, no mesmo dia, reuni toda a tripulação e disse-lhes que, já que todos acreditavam que havia alguém no navio, iríamos realizar uma busca da proa à popa. O primeiro imediato, irritado, disse que tudo aquilo era uma loucura, e ceder a tais ideias tolas seria desmoralizar os homens; disse ainda que se esforçaria para mantê-los longe de problemas, valendo-se da barra do cabrestante. Deixei-o assumir o comando, enquanto o restante da tripulação iniciou a busca minuciosa, todos com a respiração suspensa e lanternas à mão. Não deixaram nenhum canto a ser vasculhado. Como havia apenas os grandes caixões de madeira, não existia canto algum onde um homem pudesse se esconder. Os homens se sentiram muito aliviados quando as buscas terminaram e voltaram ao trabalho alegremente. O imediato fez uma careta, mas não disse nada.

<u>22 DE JULHO</u>: clima péssimo nos últimos três dias, e todas as mãos estão ocupadas com as velas; não há tempo para se ter medo. Os homens parecem ter se esquecido de seus temores. O imediato voltou a ficar satisfeito, e todos estão em boas condições. Elogiei os homens pelo trabalho diante de tais condições meteorológicas. Passamos por Gibraltar e seguimos para fora do estreito. Todos estão bem.

<u>24 DE JULHO</u>: parece que uma maldição se abateu sobre este navio. Já sem um dos tripulantes, ingressamos no golfo de Biscaia com tempo ruim à frente, sendo que na noite passada perdemos outro homem... desapareceu. Como o primeiro, este havia encerrado o seu turno e não foi mais visto. Os homens estão em pânico, tomados pelo medo; perguntei-lhes se queriam realizar seus turnos em duplas, uma vez que temiam ficar sozinhos. O imediato se enfureceu. Temo que haja algum problema maior, pois tanto ele quanto os demais podem apelar para o uso da violência.

<u>28 DE JULHO</u>: quatro dias lançados ao inferno, debatendo-nos contra algum tipo de redemoinho e contra a ventania da tempestade. Ninguém está dormindo mais. Todos os homens estão esgotados. Dificilmente saberei qual o próximo turno, uma vez

que ninguém está em condições de cumpri-lo. O segundo imediato se ofereceu para pilotar e manter a guarda, o que propiciou aos homens algumas poucas horas de sono. A ventania está diminuindo, mas o mar continua terrível, embora menos violento, pois o navio está mais estável.

29 DE JULHO: outra tragédia. Esta noite, tivemos turnos individuais, pois a tripulação está muito cansada para dobrá-los. Quando o turno da manhã chegou ao convés não encontrou ninguém além do timoneiro. Nova chamada para que todos se reunissem no convés. Apesar das buscas, ninguém foi encontrado. Agora estamos sem o segundo imediato e com a tripulação em pânico. O imediato e eu concordamos em andar armados de agora em diante, e esperamos algum sinal dos desaparecidos.

30 DE JULHO: noite passada. Alegra-me que estejamos nos aproximando da Inglaterra. O tempo está firme e navegamos a todo o pano. Retirei-me, esgotado, e dormi profundamente, sendo acordado pelo imediato, que me relatou que tanto o vigia de plantão quanto o timoneiro tinham desaparecido. Há somente eu e o imediato, além de outros dois tripulantes, para manobrar o navio.

1º DE AGOSTO: dois dias de neblina e nenhuma vela à vista. Tinha esperança de que ao atingirmos o canal da Mancha pudéssemos sinalizar para algum navio em busca de auxílio, ou que pudéssemos aportar em algum lugar. Não tenho mais forças para manejar as velas e preciso navegar à frente do vendo. Não ouso baixá-las, pois não conseguiria içá-las novamente. Parece que estamos à deriva, rumo a alguma terrível maldição. O imediato está agora mais abatido do que qualquer outro. Sua natureza firme parece estar trabalhando internamente contra ele. Os homens ultrapassaram os limites do medo, trabalhando de modo apático e paciente, com os pensamentos voltados para o pior. Eles são russos, o imediato é romeno.

2 DE AGOSTO, MEIA-NOITE: acordei depois de alguns minutos de sono ao ouvir um grito que parecia vir do outro lado da minha porta. Não conseguia ver nada além da neblina. Corri para o convés e trombei com o imediato. Disse-me ele que ouviu gritos e que correu, mas não encontrou nem um sinal sequer do marinheiro de plantão. Mais um que desapareceu. Senhor, ajudai--nos! O imediato me informa que devemos estar passando pelo estreito de Dover, pois no momento em que ele ouviu o grito do homem pode ver North Foreland, quando a neblina ergueu--se um pouco. Se isso estiver correto, então estamos agora nos dirigindo para o Mar do Norte, e somente Deus poderá nos conduzir no meio desse nevoeiro, que parece nos acompanhar. Deus parece ter desistido de nós.

3 DE AGOSTO: à meia-noite segui para render o marinheiro que estava à frente do leme, e quando ali cheguei não encontrei ninguém. O vento era constante, e como estávamos à frente dele, não nos desviamos da rota. Eu não ousava sair dali, então chamei o imediato. Ele correu para o convés alguns momentos depois, vestido com sua roupa de dormir de flanela. Estava com os olhos arregalados e completamente abatido, e temi realmente que ele tivesse perdido o juízo. Chegou perto de mim e sussurrou com voz rouca, a boca bem próxima do meu ouvido, como se temesse que o próprio ar pudesse ouvi-lo. "Ele

está aqui. Sei disso agora. No meu turno, ontem à noite, eu o vi, parecido com um homem, alto e magro, pálido e medonho. Ele estava na proa e olhava diretamente para frente. Rastejei por trás dele e golpeei-o com meu facão, mas a lâmina passou por ele, como se ele fosse vazio como o ar". E enquanto falava, pegou a faca nas mãos e dirigiu-a selvagemente para o espaço vazio. Em seguida, continuou, "mas ele está aqui e vou encontrá-lo. Está no porão, talvez dentro de um desses caixões. Vou desaparafusar uma por uma, e procurar em cada uma delas. Você continue na roda do leme". E, com um olhar de advertência e os dedos sobre os lábios, seguiu para baixo. Uma ventania cortante se abateu sobre nós e não pude deixar o leme. Vi-o voltar ao convés com uma caixa de ferramentas e uma lanterna nas mãos, e depois descer pela escotilha em direção à proa. Ele está louco, louco varrido, e não adianta nada tentar detê-lo. Ele não pode fazer nenhum mal àqueles grandes caixões, pois, segundo a nota de despacho, eles estão cheios de terra, e arrastá-los é a única coisa que talvez ele consiga fazer. Assim, ficarei aqui e controlarei o leme, enquanto redijo essas anotações. Só posso confiar em Deus e esperar que a neblina se dissipe. Então, se não conseguir manobrá-lo até um porto qualquer com o vento disponível, vou baixar as velas, recolhê-las e sinalizar em busca de auxílio...
Tudo está quase acabado agora. Exatamente quando comecei a ter esperanças de que o imediato estivesse mais calmo - pois ouvi-o martelando algo no porão, e o trabalho faz bem a ele - eis que ele surge pela escotilha, com um grito tão repentino e assustador que me gelou o sangue; correu pelo convés como se tivesse sido disparado por um canhão, como um louco furioso, com os olhos girando nas órbitas e o rosto convulsionado pelo medo. "Salve-me! Salve-me!" ele gritou, enquanto olhava ao redor como se quisesse enxergar em meio ao nevoeiro. Seu horror se transformou em desespero, e com voz firme ele disse, "É melhor vir também, capitão, antes que seja tarde demais. Ele está lá! Agora eu sei o seu segredo. O mar me salvará dele, e isso é tudo que nos resta!" Antes que eu pudesse dizer-lhe uma palavra sequer, ou tentar segurá-lo, saltou pela murada e deliberadamente se jogou ao mar. Acho que agora eu também sei o segredo dele. Foi esse louco que se livrou de cada um dos homens, um por um, e agora acabou por acompanhá-los. Deus me ajude! Como poderei dar conta de todos esses horrores quando chegar ao porto? Se eu chegar a um porto! Será que chegarei?
<u>4 DE AGOSTO</u>: o nevoeiro continua, e nem mesmo o nascer do sol consegue dissipá-lo; sei que já amanheceu, pois sou um marinheiro experiente. Não ouso ir ao porão, não ouso deixar a roda do leme; permaneci a noite toda aqui, no meio da escuridão da noite, eu e a coisa, Ele! Deus, perdoai-me, mas o imediato estava certo ao se jogar ao mar. Seria melhor morrer como um homem. Morrer como um marinheiro nas águas azuis do mar... ninguém poderá discordar disso. Mas eu sou o capitão e não devo abandonar o meu navio. Devo, no entanto, frustrar o intento desse demônio ou mostro, pois amarrarei minhas mãos à roda do leme quando as minhas forças começarem a me abandonar, e junto com elas também amarrarei aquilo que Ele, a Coisa, não ousa tocar. E assim, soprem bons ou maus ventos, terei salvo a minha alma e a minha honra de capitão. Estou cada vez mais

fraco, e a noite está se aproximando. Se Ele vier a me encarar novamente, não terei tempo de agir... Se nós naufragarmos, que esta garrafa possa ser encontrada e aqueles que a encontrarem possam compreender tudo o que aqui se passou. Se não... bem, então que todos os homens saibam que fui fiel ao meu compromisso. Que Deus e a Virgem Santíssima e todos os Santos auxiliem esta pobre alma ignorante a cumprir seu dever...

Claro que o veredito permanecerá em aberto. Mas não há nada que sirva de evidência; se esse próprio homem cometeu ou não os assassinatos, não há mais quem possa dizer. Quase todas as pessoas que aqui residem sustentam que o capitão foi um verdadeiro herói e, por isso, organizaram um funeral público. Já foi acertado que o seu corpo será conduzido por um cortejo de barcos até chegar ao Esk, percorrendo um trecho do rio, e depois trazido de volta a Tate Hill Píer, para ser levado pela escadaria da abadia e, então, ser enterrado no cemitério no alto do promontório. Os proprietários de mais de uma centena de barcos já se ofereceram para acompanhar o corpo até a sepultura.

Nenhum vestígio do enorme cão foi encontrado, e, uma vez que o luto tomou conta da cidade, e com a opinião pública passando por esse estado atual, acredito que ele acabaria sendo adotado pela cidade. Amanhã ocorrerá o funeral, e assim se encerrará mais esse "mistério do mar".

DIÁRIO DE MINA MURRAY

8 de agosto: Lucy esteve muito inquieta durante a noite toda, e eu também não consegui dormir. A tempestade era aterradora, e à medida que retumbava entre as chaminés, provocava-me calafrios. Cada estrondo agudo que surgia parecia ser o disparo de uma arma distante. Curiosamente, Lucy não acordou, mas se levantou duas vezes e se vestiu. Felizmente, acordei as duas vezes, a tempo de conseguir despi-la, sem acordá-la, e levá-la de volta para a cama. É uma coisa muito estranha essa história de sonambulismo, pois assim que sua vontade é contrariada por qualquer estímulo físico, sua intenção, se há alguma, desaparece, e ela se rende quase inteiramente à rotina da sua vida.

De manhã bem cedo nós duas nos levantamos e descemos para o porto, para ver se algo tinha acontecido durante a noite. Havia poucas pessoas por ali, e embora o sol brilhasse e o ar estive fresco e limpo, as grandes ondas ameaçadoras – que pareciam ainda mais escuras devido à espuma que as cobria como se fosse neve – forçavam seu caminho pela entrada do porto, como um homem ameaçador atacando uma multidão. De algum modo, senti-me feliz por Jonathan não estar naquele mar na noite passada, mas sim em terra. Mas, oh, estará ele em terra ou no mar? Onde ele está e como está? Na verdade, estou ficando cada vez mais ansiosa em relação a ele. Se eu ao menos soubesse o que fazer e como fazê-lo!

10 de agosto: O funeral do pobre capitão do navio, que aconteceu hoje, foi muito comovente. Parecia que cada um dos barcos que há no porto estava lá, e o caixão foi carregado pelos capitães ao longo de todo o caminho entre Tate Hill Píer e o cemitério. Lucy me acompanhou e, logo de manhã, nos sentamos em nosso costumeiro lugar, enquanto o cortejo dos barcos seguia rio acima até o Viaduto e depois retornou para o lugar de onde tinha partido. Tínhamos dali uma vista magnífica e pudemos ver toda a procissão bem de perto, por todo o caminho. O pobre coitado foi sepultado num túmulo próximo ao lugar onde estávamos sentadas, de modo que permanecemos ali quando a hora chegou, o que nos permitiu a assistir a tudo.

A pobre Lucy parecia muito angustiada. Esteve inquieta e desassossegada o tempo todo e só posso pensar que isso se deve aos sonhos que a estão incomodando. Ela de fato está muito estranha. Lucy não vai admitir que há algum motivo para sua inquietação, e se há, ela mesma não o compreende.

E ainda há um motivo a mais, pois o pobre sr. Swales foi encontrado morto esta manhã, junto ao nosso lugar no cemitério, com o pescoço quebrado. É evidente, como disse o médico, que ele deve ter caído do banco, tomado por algum tipo de temor, pois tinha um olhar de medo e horror estampado no rosto que provocou calafrios nos homens, como contaram depois. Pobre e querido homem!

Lucy é tão meiga e sensível que essas coisas a influenciam de modo mais intenso do que a outras pessoas. Agora mesmo ela estava bastante chateada com uma pequena coisa que, a princípio, não me chamou muito a atenção, embora eu mesma goste muito de animais.

Um dos homens que com frequência vêm até aqui para olhar os barcos foi seguido pelo seu cão. O cão está sempre com ele. Ambos são tranquilos, e nunca vi o homem com raiva nem ouvi o cachorro latir. Durante o funeral, o cão não se aproximou do dono, que estava sentado no banco junto a nós, mas manteve-se afastado alguns metros, latindo e uivando. Seu dono admoestou-o suavemente, depois com aspereza e finalmente com raiva. Mas o cão não se aproximava nem parava de latir. Parecia tomado por uma fúria incontrolável, seus olhos pareciam selvagens e o pelo estava todo eriçado, como a cauda de um gato pronto para atacar.

O homem por fim se irritou, pulou de onde nos encontrávamos e chutou o cachorro; depois agarrou-o pela coleira e, arrastando-o a meio, jogou-o contra a lápide na qual o banco está encostado. No exato momento em que se chocou contra a pedra o pobre animal começou a tremer. Não tentou fugir, mas agachou-se e ficou encolhido, tremendo, num estado de terror tão deplorável que tentei, em vão, confortá-lo.

Lucy também ficou penalizada, mas não tentou tocar o cão, apenas olhou-o com uma expressão de profunda agonia. Tenho muito receio de que ela seja aquele tipo de pessoa supersensível por natureza, que passa pelo mundo sempre repleta de problemas. Tenho certeza de que nesta noite ela sonhará com tudo isso. Aquele amontoado de coisas, o navio pilotado até o porto por um homem morto, sua postura, amarrado à roda do leme com um crucifixo e um rosário atados às mãos, o comovente funeral, o cão, ora furioso ora aterrorizado, irão fornecer material suficiente para os seus sonhos.

Acho que seria melhor que ela se deitasse apenas quando estivesse esgotada fisicamente, por isso vou levá-la para uma longa caminhada pelos arrecifes da Baía de Robin Hood. Assim ela não ficará tão inclinada a andar enquanto dorme.

CAPÍTULO 8

DIÁRIO DE MINA MURRAY

No mesmo dia, às 23 horas: Oh, como estou cansada! Se eu não houvesse me obrigado a registrar tudo em meu diário, nem mesmo o abriria esta noite. Tivemos um passeio tão agradável! Depois de um tempo, Lucy já estava novamente disposta, devido, creio, a algumas belas vacas que vieram nos cheirar numa campina próxima ao farol, dando-nos um terrível susto. Creio que já nos esquecemos de tudo, exceto, é claro, do nosso medo pessoal, e ele parece ter apagado a lousa e nos propiciado um novo começo. Tomamos um "chá bem farto" na Baía Robin Hood, numa adorável e pitoresca estalagem que tinha uma janela em forma de arco, e que se abria para os rochedos cobertos de algas-marinhas que existem na praia. Acho que qualquer integrante do "Nova Mulher"[28] ficaria chocada com o tamanho do nosso apetite. Homens são mais tolerantes, abençoados sejam! Logo depois, voltamos para casa caminhando, com algumas, ou melhor, muitas paradas para descansar, mas com o coração sempre tomado pelo pavor da aproximação de algum daqueles touros selvagens.

Lucy ficou realmente cansada, e pretendíamos nos atirar na cama assim que pudéssemos. No entanto, o jovem pároco da cidade chegou para uma visita, e a sra. Westenra lhe pediu que ficasse para jantar. Lucy e eu tivemos que lutar contra o cansaço para não "desmaiarmos" à mesa. Sei que aquilo foi uma luta da minha parte, mas posso dizer que fui muito corajosa. Acho que algum dia os bispos deveriam se reunir e considerar a criação de uma nova classe de curas, que não fiquem para o jantar, não importa o quanto sejam pressionados, e que possam identificar quando as jovens estão cansadas.

Lucy está dormindo e ressonando suavemente. Está mais corada do que o habitual, com mais viço nas faces, e parece... oh! tão doce. Se o Sr. Holmwood apaixonou-se por ela ao vê-la apenas na sala de visitas, pergunto-me o que ele diria se a visse agora. Algumas das escritoras do "Nova Mulher" poderiam algum dia lançar a ideia de que homens e mulheres devem ser autorizados a ver uns aos outros enquanto dormem, antes de propor ou aceitar um pedido de casamento. Mas suponho que o "Nova Mulher" não concordará no futuro em aceitar. Ela mesma vai tomar a iniciativa de propor o casamento. E que belo trabalho realizará, por certo! Há um pouco de consolo nisso. Estou muito feliz hoje, pois minha querida Lucy parece melhor. Acredito realmente que ela virou a página, e que superamos os seus problemas com o sono. Só falta uma coisa para me deixar completamente feliz: ter alguma notícia de Jonathan... Deus o abençoe e o guarde.

11 de agosto: Escrevo de novo em meu diário. Não consigo dormir, então só me resta escrever. Estou muito agitada para dormir. Tivemos uma aventura, uma experiência torturante. Eu havia adormecido assim que fechei o diário... De repente, despertei e me sentei na cama, sentindo um medo terrível, e com uma sensação de vazio ao meu redor. O quarto estava escuro, por isso eu não podia ver a cama de Lucy. Esgueirei-me pelo quarto e tateei a escuridão à sua procura. A cama estava vazia. Acendi um fósforo e descobri que ela não estava no quarto. A porta estava fechada, mas não trancada, como eu havia deixado. Tive medo de acordar sua mãe – que ultimamente tem se sentido muito adoentada, mais do que o normal – então vesti algumas roupas e me preparei para procurá-la. Quando estava pronta para deixar o quarto pensei que talvez as roupas que ela estaria usando poderiam me fornecer alguma pista sobre sua intenção enquanto sonhava. Um roupão significaria que ela estaria dentro de casa, um vestido que teria saído. Tanto o roupão quanto o vestido estavam em seus lugares. "Graças a Deus", disse para mim mesma, "ela não pode estar distante, pois está só de camisola".

Corri pelas escadas até o andar de baixo e olhei na sala de estar. Não estava ali! Então olhei em todos os outros cômodos da casa, com um temor crescente que me gelava o coração. Finalmente cheguei à porta do saguão e a encontrei aberta. Não

---

[28] O "Nova Mulher" era um movimento feminista inglês do final do século XIX, que encorajava as mulheres a se expressarem livremente, tornando-se independentes da sociedade machista de então. Embora Mina cite o movimento, na verdade ela representava a síntese da mulher vitoriana em sua essência, ao declarar que o movimento constituiria a destruição dos valores da sociedade. Curiosamente, ao longo da narrativa, Mina apresenta algumas características que entram em choque com os valores vitorianos, como a independência, a inteligência e a lógica. NT

estava totalmente aberta, mas o trinco da porta estava desencaixado. Os criados são muito cuidadosos, trancando a porta todas as noites, pois eu temia que Lucy pudesse sair como acabou fazendo. Não havia tempo a perder, pensando no que poderia ter acontecido. Um temor vago e dominante obscurecia qualquer detalhe.

Apanhei um xale grande e pesado e saí correndo. O relógio já estava batendo uma hora quando cheguei ao Crescent, mas não havia uma alma à vista. Corri ao longo do Terraço do Norte, mas não vi nenhum sinal da alva figura que esperava encontrar. Na borda do West Cliff, bem acima do píer, olhei através do porto na direção do East Cliff, com a esperança ou o medo, não sei bem qual dos dois, de ver Lucy em nosso lugar favorito.

Havia uma lua cheia brilhante, e nuvens negras pesadas que vagavam pelo céu, nuvens que lançavam todo o cenário num diorama fugaz de luz e sombra, à medida que se movimentavam. Por um momento não consegui ver nada, pois a sombra de uma nuvem obscureceu a igreja de Santa Maria e tudo ao seu redor. Quando a nuvem se afastou pude ver as ruínas da abadia surgindo, e quando uma estreita faixa de luz – cortante como uma espada afiada – se movimentou, a igreja e o cemitério tornaram-se gradualmente visíveis. Qualquer que fosse minha expectativa, não fiquei decepcionada, pois lá, em nosso lugar favorito, a luz prateada da lua atingiu em cheio uma figura meio reclinada, branca como a neve. As nuvens se movimentaram rápido demais para que eu visse muito, pois quase de imediato a sombra eliminou a luz; entretanto, pareceu-me que havia algo escuro, de pé, por trás do banco onde a figura branca brilhava, inclinando-se sobre ela. O que era aquilo, homem ou besta, não saberia dizer.

Não esperei para olhar de novo: lancei-me escada abaixo, correndo pelos degraus íngremes em direção ao píer e atravessando o mercado de peixe até a ponte, que era a única maneira de se alcançar East Cliff. A cidade parecia morta, pois não vi uma alma sequer. Alegrei-me que fosse assim, pois não queria testemunhas das más condições de Lucy. O tempo e a distância pareciam não ter fim, meus joelhos tremiam e eu respirava com dificuldade, enquanto escalava os degraus intermináveis que levavam até a abadia. Corria o mais rápido que podia, e mesmo assim tinha a impressão que meus pés pesavam tanto quanto o chumbo, e que todas as articulações do meu corpo estavam tomadas pela ferrugem.

Quando estava quase chegando ao topo pude ver o banco e a figura branca, pois estava perto o suficiente para distingui-los, mesmo através dos encantamentos produzidos pelas sombras. Havia algo ali, sem dúvida alguma, algo grande e preto, curvando-se sobre a figura meio reclinada. Gritei atemorizada, "Lucy! Lucy!" e aquela coisa ergueu a cabeça, e de onde eu me encontrava pude ver um rosto branco e uns olhos brilhantes, avermelhados.

Lucy não respondeu e corri para a entrada do cemitério da igreja. Quando entrei, a igreja estava entre mim e o banco, e por um minuto ou mais eu a perdi de vista. Quando a vi de novo a nuvem havia se afastado, e o luar surgiu tão brilhante que eu podia ver Lucy, meio reclinada, com a cabeça apoiada no encosto do banco. Ela estava completamente sozinha, e não havia sinal de qualquer coisa viva nas proximidades.

Quando me curvei sobre ela pude ver que ainda estava dormindo. Seus lábios estavam abertos e sua respiração não era suave, como de costume, mas com suspiros longos e pesados, como se fizesse um esforço para encher os pulmões a cada respiração. Assim que cheguei perto, ela ergueu a mão, ainda dormindo, e puxou a gola da camisola para junto de si, como se sentisse muito frio. Lancei o xale aquecido sobre ela e puxei as bordas, apertando-as em volta do seu pescoço, pois temia que ela pudesse apanhar alguma friagem mortal no ar da noite, despida como estava. Tive medo de acordá-la de uma vez, então, para ter as mãos livres para ajudá-la, coloquei a manta em seu pescoço e a prendi com um grande alfinete de segurança. Mas devo ter sido desajeitada em minha ansiedade e acabei por beliscá-la ou picá-la com o alfinete, pois, logo depois, quando sua respiração tornou-se mais calma, ela colocou a mão novamente sobre a garganta e deu um gemido. Depois que enrolei o xale com cuidado em torno dela e calcei-lhe os meus sapatos, comecei a acordá-la de modo muito gentil.

Ela não respondeu, a princípio, mas aos poucos foi ficando cada vez mais desconfortável, agitada em seu sono, gemendo e suspirando de vez em quando. Enfim, como o tempo estava passando muito rápido, e também por outras razões, resolvi levá-la para casa de uma vez, sacudindo-a com força, até que finalmente ela abriu os olhos e acordou. Não parecia surpresa em me ver, uma vez que não percebera logo onde se encontrava.

Lucy sempre era agradável ao acordar, e mesmo num momento como aquele – em que seu corpo devia estar congelando de frio, e sua mente numa espécie de choque ao despertar e se ver despida num cemitério à noite – ela não perdeu a graça. Tremia um pouco e se agarrou a mim. Quando eu lhe disse que era melhor irmos logo para casa, ela se levantou sem dizer uma palavra, com a obediência de uma criança. Conforme caminhávamos, o cascalho machucava meus pés, e Lucy percebeu o meu estremecimento. Parou e insistiu em me devolver os sapatos, mas recusei de pronto. No entanto, quando chegamos à trilha do lado de fora do cemitério, onde havia uma poça de água, resquício da tempestade, sujei meus pés com a lama, esfregando um no outro, de modo que ao voltarmos para casa ninguém pudesse perceber que estavam descalços, no caso de encontrarmos alguém.

Tivemos sorte, e chegamos em casa sem encontrar uma alma sequer. Uma vez chegamos a ver um homem, que não parecia muito sóbrio, caminhando por uma rua bem à nossa frente. Mas nos escondemos no vão de uma porta, até que ele tivesse desaparecido por uma daquelas abertura que existem ali, uma entrada íngreme, ou wynds, como são chamadas na Escócia. Meu coração batia tão alto o tempo todo que eu às vezes achava que ia desmaiar. Estava muito angustiada a respeito de Lucy, não apenas por causa da sua saúde, para que não sofresse com a exposição ao mau tempo, mas também por sua reputação caso a história viesse a público. Quando entramos, depois de termos lavado os pés e rezado juntas uma prece de agradecimento, enfiei-a na cama. Antes de dormir ela me pediu, até mesmo implorou, que eu não dissesse uma palavra a ninguém, nem mesmo a sua mãe, sobre sua aventura de sonâmbula.

Hesitei em prometer, a princípio, mas ao pensar no estado de saúde da mãe de Lucy e em como o conhecimento de tal coisa a afligiria, e pensando também em como essa história poderia ser distorcida – não, certamente seria – caso viesse a público, achei mais sensato fazê-lo. Espero ter agido certo. Tranquei a porta e amarrei a chave ao meu pulso, assim talvez eu não seja perturbada de novo. Lucy está dormindo profundamente. O reflexo do amanhecer já surgiu, alto e distante sobre o mar.

No mesmo dia, ao meio-dia: Tudo vai bem. Lucy dormiu até que eu a despertasse, e parecia nem ter mudado de posição. A aventura da noite não parece tê-la prejudicado, pelo contrário, beneficiou-a, pois ela parece bem melhor esta manhã do que nas últimas semanas. Fiquei triste ao perceber que minha falta de jeito com o alfinete de segurança feriu-a. Realmente, deve ter sido sério, pois a pele da sua garganta foi perfurada. Eu devo ter beliscado um pedaço de pele solta e a perfurei, pois há dois pequenos pontos vermelhos como furos de alfinete, e no decote da camisola havia uma gota de sangue.

Quando me desculpei e fiquei preocupada, ela riu e me fez um carinho, dizendo que nem mesmo sentiu. Felizmente não deve deixar cicatriz, pois o furo é muito pequeno.

No mesmo dia, à noite: Passamos um dia feliz. O ar estava claro e o sol luminoso, e havia uma brisa fresca. Levamos nosso almoço para Mulgrave Woods, a sra. Westenra dirigindo pela estrada, e Lucy e eu andando pelo caminho do penhasco e encontrando-a no portão. Eu me sentia um pouco triste, pois não podia deixar de pensar em como teria sido absolutamente feliz se Jonathan estivesse comigo. Mas o que se há de fazer! Só preciso ser paciente. À noite passeamos pelo Cassino Terrace, ouvimos um pouco de boa música interpretada por Spohr e Mackenzie e fomos para cama cedo. Lucy parece mais tranquila do que nos últimos tempos, e dormiu em seguida. Trancarei a porta e guardarei a chave como fiz antes, embora não espere nenhuma dificuldade esta noite.

12 de agosto: Minha expectativa não se justificava, pois duas vezes durante a noite fui acordada por Lucy, que tentava sair. Ela parecia, mesmo no sono, estar um pouco impaciente por encontrar a porta trancada, e voltou para cama sob uma espécie de protesto. Acordei ao amanhecer, e ouvi os pássaros cantando na janela. Lucy também acordou, e fiquei contente ao ver que estava ainda melhor que na manhã anterior. Todo seu antigo jeito alegre de ser parecia ter voltado, e ela veio se aconchegar ao meu lado e me contou tudo sobre Arthur. Contei-lhe o quanto eu estava ansioso a respeito de Jonathan, e ela então tentou confortar-me. Bem, de algum modo ela teve sucesso, pois embora a simpatia não possa alterar os fatos, pelo menos pode torná-los mais suportáveis.

13 de agosto: Outro dia calmo, e fui dormir com a chave no pulso como antes. De novo acordei durante a noite, e descobri Lucy sentada na cama, ainda adormecida, apontando para a janela. Levantei sem fazer barulho, e puxando a cortina olhei para fora. A lua brilhava intensamente, e o efeito suave da luz sobre o mar e o céu fundia-se num grande e misterioso silêncio, mais belo do que as palavras poderiam descrever. Entre mim e a lua voava um enorme morcego, indo e vindo, girando em grandes círculos. Algumas vezes ele chegou mais perto, mas creio que assustou-se ao me ver, e voou pelo porto em direção à abadia. Quando saí da janela, Lucy havia se deitado outra vez, e estava dormindo pacificamente. De novo ela não se mexeu durante toda a noite.

14 de agosto: Em East Cliff, lendo e escrevendo o dia todo. Lucy parece ter se apaixonado pelo lugar tanto quanto eu, e é difícil afastá-la de lá quando é hora de ir para casa almoçar, ou tomar chá, ou jantar. Esta tarde ela fez uma observação engraçada. Estávamos voltando para casa para o jantar, e tínhamos chegado ao alto da escadaria que leva ao West Pier quando paramos para olhar a vista, como geralmente fazemos. O pôr do sol, baixo no céu, estava a ponto de desaparecer por trás de Kettleness. A luz rubra do poente atingiu East Cliff e a velha abadia, e parecia banhar toda a paisagem com um lindo brilho rosado. Ficamos em silêncio por um momento, e de repente Lucy murmurou, como se falasse consigo mesma:

"*Seus olhos vermelhos de novo! São sempre os mesmos*". Era uma expressão tão estranha, dita sem nenhum propósito, que me assustou muito. Andei em volta um pouco, de modo a olhar bem para Lucy sem parecer encará-la, e vi que ela estava num estado meio sonhador, com um olhar estranho no rosto que eu não conseguia decifrar, então não disse nada, mas segui a direção dos seus olhos. Ela parecia estar examinando o nosso próprio banco, no qual havia uma figura escura sentada sozinha. Eu mesma fiquei bastante assustada, pois pareceu-me por um momento que o estranho tinha grandes olhos como brasas vivas, mas um segundo olhar dissipou a fantasia. A luz vermelha do sol estava brilhando nos vitrais da igreja de Santa Maria, atrás do nosso banco, e enquanto o sol descambava havia uma mudança na refração e reflexão suficiente apenas para fazer com que a luz se movesse. Chamei a atenção de Lucy para esse efeito peculiar, e ela voltou a si com um tremor, mas parecia triste do mesmo modo. Pode ser que ela estivesse pensando naquela noite terrível lá em cima. Nós nunca falamos daquilo, então eu não disse nada, e fomos para casa jantar. Lucy estava com dor de cabeça e foi para cama cedo. Eu a vi dormindo, e saí sozinha para um pequeno passeio.

Caminhei ao longo dos precipícios na direção oeste, e estava tomada por uma doce tristeza, pois pensava em Jonathan. Quando voltava para casa, a lua já brilhava por inteiro, tão luminosa que, embora a frente da nossa parte da Crescent Street estivesse na sombra, podia se ver tudo muito bem. Lancei um olhar para a nossa janela e vi a cabeça de Lucy inclinando-se para fora. Abri meu lenço e acenei. Lucy não percebeu, ou não fez qualquer movimento. Naquele instante, o luar atingiu um ângulo da casa e a luz bateu direto na janela. Via-se distintamente Lucy com a cabeça recostada ao lado do peitoril da janela, com os olhos fechados. Dormia profundamente, e ao seu lado, pousado no peitoril da janela, havia algo que se parecia com um pássaro de bom tamanho. Fiquei com medo que ela se resfriasse, então corri escada acima, mas quando entrei no quarto ela estava voltando para a cama, ainda dormindo e com a respiração pesada. Mantinha a mão na garganta, como se a protegesse do frio.

Eu não a despertei, mas cobri-a bem para aquecê-la. Tomei cuidado para que a porta fosse chaveada e a janela firmemente trancada.

Ela parece tão doce quando dorme, mas está mais pálida que de costume, e há uma expressão cansada, desfigurada, nos seus olhos que não me agrada. Temo que ela esteja preocupada com alguma coisa. Gostaria de poder descobrir o que é.

15 de agosto: Levantei-me mais tarde que o habitual. Lucy estava sem energia e cansada, e dormiu até bem depois de termos sido chamadas. Tivemos uma grata surpresa no café da manhã. O pai de Arthur está melhor, e quer que o casamento se realize logo. Lucy está tomada de serena alegria, e sua mãe está alegre e triste ao mesmo tempo. Mais tarde, durante o dia, ela me contou o motivo. Está triste por perder a sua querida Lucy, mas contente porque logo ela terá alguém para protegê-la. Coitada, pobre senhora! Confiou-me que recebeu sua sentença de morte. Não contou a Lucy, e me fez prometer segredo. Seu médico havia lhe dito que dentro de alguns meses, no máximo, ela morreria, pois seu coração está debilitado. A qualquer momento, mesmo agora, um choque súbito provavelmente a mataria. Ah, fomos sensatas em esconder-lhe o caso da terrível noite de sonambulismo de Lucy.

17 de agosto: Nada de diário por dois dias inteiros. Não tive ânimo para escrever. Algum tipo de mortalha sombria parece estar encobrindo nossa felicidade. Nenhuma notícia de Jonathan, e Lucy parece estar ficando mais fraca, enquanto as horas de vida de sua mãe estão chegando ao fim. Não entendo por que Lucy está enfraquecendo dessa maneira. Ela come bem e dorme bem, e desfruta do ar fresco, mas a todo momento suas faces estão mais pálidas, e ela fica cada dia mais fraca e abatida. À noite eu a ouço ofegando, como em busca de ar.

Mantenho a chave da nossa porta sempre presa ao meu pulso, mas ela se levanta e caminha pelo quarto, e senta-se junto à janela aberta. Na noite passada descobri Lucy inclinando-se para fora quando acordei, e quando tentei despertá-la não consegui.

Ela tivera um desmaio. Quando consegui reanimá-la estava mole como água, e chorou silenciosamente, enquanto respirava com dificuldade, numa luta longa e dolorosa. Quando lhe perguntei como fora parar na janela, Lucy sacudiu a cabeça e virou as costas.

Espero que seu mal-estar não tenha sido provocado por aquela picada infeliz do alfinete de segurança. Olhei agora mesmo para a sua garganta, enquanto ela dormia, e as minúsculas feridas parecem não ter cicatrizado. Ainda estão abertas, e, se é possível, maiores do que antes, e as extremidades estão levemente esbranquiçadas. São como pequenos pontos brancos com o centro vermelho. A menos que cicatrizem dentro de um dia ou dois, insistirei para que o doutor as examine.

CORRESPONDÊNCIA DE SAMUEL F. BILLINGTON & FILHO, PROCURADORES, WHITBY, AOS SRS. CARTER, PATERSON & CIA., LONDRES.
17 de agosto
Prezados Senhores,

Estamos encaminhando em anexo a fatura das mercadorias despachadas pela Ferrovia Great Northern. As mesmas devem ser entregues em Carfax, perto de Purfleet, imediatamente após o seu recebimento na estação de King's Cross. A casa no momento está vazia, mas as chaves estão anexas, todas elas etiquetadas.

Pedimos que depositem as caixas que constituem a remessa, em número de cinquenta, no edifício parcialmente em ruínas que faz parte da casa, marcado com a letra "A" nos diagramas anexos. Seu agente reconhecerá facilmente o lugar, pois trata-se da antiga capela da mansão. As mercadorias partem hoje à noite pelo trem das 9h30, e serão descarregadas em King's Cross às 16h30 de amanhã. Como nosso cliente deseja que a entrega seja feita o mais rápido possível, agradeceríamos se tiver uma equipe pronta em King's Cross na hora citada para transportar imediatamente as mercadorias ao seu destino. A fim de evitar eventuais atrasos por quaisquer exigências quanto ao pagamento de rotina em seus departamentos, encaminhamos em anexo um cheque de dez libras, do qual pedimos que acusem o recebimento. Se a taxa for menor que esse valor, os senhores podem devolver o saldo, se for maior, enviaremos um cheque no valor da diferença assim que formos notificados. Ao sair, devem deixar as chaves no salão principal da casa, onde o proprietário poderá pegá-las ao entrar na casa com sua cópia da chave.

Pedimos que não nos levem a ultrapassar os limites da cortesia profissional ao pressioná-los de todos os modos para que usem da máxima rapidez.

Somos, atenciosamente,

SAMUEL F. BILLINGTON & FILHO

CORRESPONDÊNCIA DOS SENHORES CARTER, PATERSON & CIA., LONDRES, PARA OS SRS. BILLINGTON & FILHO, WHITBY.
21 de agosto
Prezados Senhores,

Acusamos o recebimento de 10 libras, e devolvemos cheque de 1 libra, 17 xélins e 9 décimos, valor do excedente, como consta no recibo anexo. As mercadorias foram entregues exatamente de acordo com as instruções, e as chaves deixadas em um pacote no salão principal, conforme ordenado.

Somos, atenciosamente,

CARTER, PATERSON & CIA., PROCURADORES

DIÁRIO DE MINA MURRAY

18 de agosto: Hoje estou feliz, e escrevo sentada no banco do cemitério da igreja. Lucy está muitíssimo melhor. Na noite passada dormiu bem toda a noite, e não me perturbou nem uma vez.

O rubor parece ter voltado às suas faces, embora ela ainda esteja muito pálida e fraca de aspecto. Se ela estivesse de alguma forma anêmica eu poderia entender, mas não está. Lucy está com o espírito animado, e cheia de vida e alegria. Toda aquela reserva mórbida parece tê-la deixado, e ela há pouco me lembrou, como se eu precisasse de qualquer lembrança, daquela noite, e que foi aqui, neste mesmo banco, que a encontrei adormecida.

Enquanto falava, bateu alegremente com o salto do sapato na laje de pedra e disse, *"Meus pobres pezinhos não fizeram muito barulho, naquele dia! Acredito que o pobre sr. Swales teria me dito que era porque eu não queria acordar Georgie".*

Como ela estava num estado de humor tão comunicativo, perguntei-lhe se realmente havia sonhado naquela noite.

Antes de responder, sua testa contraiu-se e ela me olhou com aquele olhar doce que Arthur – chamo-o de Arthur por causa dela – diz que ama, e de fato não me admiro que ele o faça. Ela então continuou, de modo meio sonhador, como se estivesse tentando recordar-se.

"Não sonhei totalmente, mas tudo parecia ser real. Eu só queria estar aqui neste lugar. Não sei porque, pois tinha medo de alguma coisa, não sei de quê. Eu me lembro, embora suponho que estivesse adormecida, de passar pelas ruas e atravessar a ponte. Um peixe saltou quando atravessei, e me inclinei para olhar, e ouvi um monte de cachorros latindo. Parecia que a cidade inteira estava cheia de cachorros latindo todos ao mesmo tempo, enquanto eu subia os degraus. Depois tive uma vaga lembrança de algo comprido e escuro com olhos vermelhos, igual ao que vimos no pôr do sol, e algo muito doce e muito amargo ao mesmo tempo à minha volta. E então eu parecia estar afundando na água verde e profunda, e havia uma canção em meus ouvidos, como aquela que ouvi dizer que faz os homens se afogarem, e então tudo parecia estar morrendo. Minha alma parecia que ia sair do meu corpo e flutuar no ar. Lembro-me que uma vez o Farol Oeste estava logo abaixo de mim, e então senti um tipo de agonia, como se estivesse num terremoto, e voltei e encontrei você me sacudindo. Eu a vi fazer isso antes de sentir".

Então ela começou a rir. Pareceu-me um pouco estranho, e escutei-a com ansiedade. Não gostei nem um pouco disso, e achei melhor não manter a mente dela nesse assunto, então passamos para outro assunto e Lucy voltou a ser a mesma de antes. Quando chegamos em casa, a brisa fresca a tinha revigorado, e suas faces pálidas estavam de fato mais rosadas. A mãe alegrou-se ao vê-la, e todas passamos juntas uma noite muito feliz.

19 de agosto: Alegria, alegria, alegria! Embora não toda a alegria. Notícias de Jonathan, finalmente. Meu querido companheiro esteve doente, por isso não escreveu. Não tenho medo nenhum de pensar ou falar nisso, agora que sei. Sr. Hawkins me enviou a carta, e ele mesmo escreveu, oh! com tanta gentileza. Devo partir pela manhã e ir para junto de Jonathan, e ajudar a cuidá-lo, se for necessário, e trazê-lo para casa. Sr. Hawkins diz que não seria má ideia se nos casássemos lá no exterior. Chorei sobre a carta da boa Irmã, até que a sentisse molhada contra meu peito, onde se encontra agora. É de Jonathan, e deve ficar próxima do meu coração, porque ele está no meu coração. Os planos da minha viagem já estão todos traçados, e minha bagagem pronta. Só estou levando uma muda de roupa. Lucy levará minha mala para Londres e a guardará até que eu mande pedir, pois pode ser que... Não devo escrever mais. Devo guardar o que tenho a dizer para Jonathan, meu marido. A carta que ele viu e tocou deve confortar-me até que nos encontremos.

CARTA DA IRMÃ AGATHA, HOSPITAL DE SÃO JOSÉ E SANTA MARIA, BUDAPESTE, PARA A S^{RTA}. WILLHELMINA MURRAY

12 de agosto
Prezada Senhora,

Escrevo a pedido do sr. Jonathan Harker, que não está forte o bastante para escrever, embora esteja melhorando muito, graças a Deus e a São José e Santa Maria. Ele tem estado sob nossos cuidados há quase seis semanas, sofrendo de uma violenta febre cerebral. Deseja que eu lhe transmita o seu afeto, e lhe informe por esta mensagem que escrevo da parte dele ao sr. Peter Hawkins, Exeter, para dizer-lhe, com seus mais respeitosos cumprimentos, que ele sente muito pela demora, e que todo o seu trabalho foi completado. Sr. Harker necessitará de algumas semanas de descanso em nosso sanatório nas colinas, e então retornará. Pediu-me que diga que ele não tem dinheiro suficiente consigo, e que gostaria de pagar pela sua estadia aqui, para que outros que necessitem não fiquem desassistidos.
Receba minha simpatia e todas as bênçãos.
Sinceramente,

Irmã Agatha

P.S.: Como meu paciente está dormindo, abri esta carta para informar-lhe algo mais. Ele me contou tudo sobre a senhorita, e que em breve será sua esposa. Que Deus abençoe a ambos! Ele teve algum choque terrível, segundo o nosso médico, e no seu delírio falou coisas pavorosas, sobre lobos e veneno e sangue, e fantasmas e demônios, e temo até dizer o que mais. Tenha sempre cuidado com ele, para que não se excite com coisas desse tipo por muito tempo ainda. Os sinais de uma doença como a dele não se extinguem com facilidade. Deveríamos ter escrito há muito tempo, mas não sabíamos nada sobre os seus amigos, e não havia nada com ele, nada que alguém pudesse entender. Ele veio no trem de Klausenburg, e o guarda soube pelo encarregado da estação que ele entrou lá correndo e gritando por um bilhete para casa. Vendo pelo seu comportamento descontrolado que ele era inglês, deram-lhe um bilhete para a estação mais distante que ficasse naquela direção.
Esteja segura de que ele está sendo bem cuidado. Sr. Harker conquistou a todos pela sua doçura e gentileza. Ele realmente está indo muito bem, e não tenho dúvidas de que em algumas semanas voltará a ser o mesmo de antes. Mas tenha cuidado com ele por questões de segurança. Haverá, peço a Deus e São José e Santa Maria, muitos, muitos, e muitos anos felizes para ambos.

DIÁRIO DO DR. SEWARD

19 de agosto: Mudança estranha e súbita em Renfield ontem à noite. Em torno das oito horas, ele começou a ficar agitado e a cheirar em torno como um cachorro. O atendente ficou espantado com suas maneiras, e sabendo do meu interesse nele, encorajou-o a falar. Ele normalmente é respeitoso com o atendente, às vezes até servil, mas nessa noite, contou-me o homem, ele foi bastante arrogante. Não condescenderia em falar com ele por nada no mundo.

Tudo o que ele disse foi, *"Não quero falar com você. Você não importa mais, agora. O Mestre está aqui."*

O atendente acha que ele foi atacado por alguma forma repentina de mania religiosa. Nesse caso, temos que tomar cuidado com os gritos, pois um homem forte com mania homicida e religiosa ao mesmo tempo pode ser perigoso. A combinação é terrível.

Às nove horas eu mesmo o visitei. Sua atitude para comigo foi igual a que teve para com o atendente. Na sua egolatria sublime, a diferença entre mim e o atendente devia parecer-lhe igual a nada. Parece mania religiosa, e ele logo estará pensando que é o próprio Deus.

Essas distinções infinitesimais entre homem e homem são demasiado insignificantes para um Ser Onipotente. Como esses loucos se entregam! O verdadeiro Deus toma cuidado para evitar a queda de um pardal. Mas o Deus criado pela vaidade humana não vê nenhuma diferença entre uma águia e um pardal. Oh, se os homens soubessem!

Por meia hora ou mais Renfield foi ficando cada vez mais agitado. Não fingi que o estava vigiando, mas mantive estreita observação da mesma forma. De repente, surgiu em seus olhos aquele olhar matreiro que sempre percebemos quando um louco tem uma ideia, e com ele o movimento matreiro da cabeça e das costas, que os atendentes psiquiátricos conhecem tão bem. Ele ficou muito quieto, e foi sentar-se resignadamente na beira da cama, e olhou para o espaço com olhos vazios.

Pensei que poderia descobrir se sua apatia era real ou apenas simulada, e tentei levá-lo a falar dos seus animais de estimação, um tema que nunca deixara de lhe atrair a atenção.

No princípio ele não deu nenhuma resposta, mas depois de algum tempo disse com raiva, *"Que todos eles se danem! Não ligo a mínima para eles"*.

"O quê?" eu disse. *"Não está querendo me dizer que não se importa com as aranhas, está?"* *(As aranhas são o seu passatempo, no momento, e seu caderno está cheio de colunas de números pequenos.)*

A isso ele respondeu de modo enigmático, *"As damas de honra alegram os olhos que esperam a chegada da noiva. Mas quando a noiva se aproxima, então as damas não brilham mais aos olhos que estão saciados".*

Ele não se explicou, mas permaneceu teimosamente sentado na cama o tempo todo que permaneci com ele.

Estou cansado esta noite, e com o espírito abatido. Só consigo pensar em Lucy, e em como as coisas poderiam ter sido diferentes. Se não durmo de uma vez, cloral, o Morfeu moderno! Preciso tomar cuidado para não deixar que isso se torne um hábito. Não, não tomarei cloral esta noite! Eu pensei em Lucy, e não devo desonrá-la misturando os dois. Se for necessário, esta noite será insone...

Mais tarde: Fiquei contente de ter tomado essa decisão, e mais contente ainda de tê-la mantido. Eu estava deitado, me remexendo na cama, e tinha ouvido o relógio bater apenas duas horas quando o vigia noturno me procurou, enviado pela ronda, para dizer que Renfield havia escapado. Vesti-me às pressas e corri para baixo imediatamente. Meu paciente é uma pessoa muito perigosa para ficar vagando por aí. Essas suas ideias poderiam se revelar perigosas com estranhos.

O atendente estava esperando por mim. Disse que o tinha visto há menos de dez minutos, aparentemente dormindo na cama, quando olhou pelo vidro de observação na porta. Sua atenção foi atraída pelo barulho da janela sendo arrancada. Ele correu de volta e viu seus pés desaparecerem pela janela, e imediatamente mandou me chamar. O paciente estava só com as roupas de dormir, e não poderia estar longe.

O atendente achou que seria mais útil vigiar onde ele poderia ir do que segui-lo, pois o perdera de vista enquanto saía do prédio pela porta. Ele é um homem robusto e não conseguiria sair pela janela.

Eu sou magro, assim, com a ajuda dele, saí pela janela, mas com os pés na frente, e como estávamos só alguns pés acima do chão, aterrissei ileso.

O atendente me disse que o paciente tinha ido para a esquerda, e tomara uma linha reta, então corri tão depressa quanto pude. Quando cheguei ao cinturão de árvores vi uma figura branca escalando a parede alta que separa nossa área da casa desabitada.

Corri de volta no mesmo instante, e disse ao vigia que arranjasse três ou quatro homens imediatamente para me seguirem nos terrenos de Carfax, caso o nosso amigo se tornasse perigoso. Eu mesmo consegui uma escada e, pulando o muro, aterrissei do outro lado. Pude ver a silhueta de Renfield desaparecendo atrás do ângulo da casa, então corri atrás dele. No lado mais distante da casa, achei-o pressionado contra a velha porta de carvalho e ferro da capela.

Ele estava, aparentemente, falando com alguém, mas eu tinha medo de chegar perto o bastante para ouvir o que ele estava dizendo, pois poderia amedrontá-lo e levá-lo a fugir.

Perseguir um enxame errante de abelhas não é nada comparado a seguir um lunático nu, quando ele possui meios de escapar! Porém, depois de alguns minutos, pude ver que ele não percebia nada do que se passava ao seu redor, e assim me aventurei a chegar mais perto, ainda mais que meus homens já tinham pulado o muro e agora o estavam cercando. Eu o ouvi dizer:

"Estou aqui para fazer a sua vontade, Mestre. Sou seu escravo e o senhor me recompensará, pois serei fiel. Eu o tenho adorado à distância e há muito tempo. Agora que está próximo, espero suas ordens, e o senhor não irá me ignorar, não é, querido Mestre, em sua distribuição de recompensas?"

De qualquer maneira, ele é um velho mendigo egoísta. Pensa em vantagens pessoais até quando acredita estar diante de uma presença real. Suas manias fazem uma combinação surpreendente. Quando nos aproximamos dele, lutou como um tigre. Ele é muito, muito forte, pois parece mais uma besta selvagem do que um homem.

Nunca vi antes um lunático em tal paroxismo de raiva, e espero nunca mais ver. Foi uma sorte termos descoberto a tempo sua força e o perigo que ele representa. Com uma força e determinação como essas, ele poderia ter feito muito estrago antes de ser capturado.

De qualquer modo, ele agora está em segurança. O próprio Jack Sheppard[29] não poderia libertar-se da camisa de força que o mantém seguro, e ele está acorrentado à parede no quarto almofadado.

---

[29] Jack Sheppard (1702-1724) foi um famoso arrombador e ladrão inglês. NT

Seus gritos às vezes são terríveis, mas os silêncios que se seguem são ainda mais mortais, pois ele significa assassinato em cada giro e movimento.

Agora mesmo ele disse palavras coerentes pela primeira vez. *"Serei paciente, Mestre. Está vindo, vindo, vindo!"*

Assim, aceitei a sugestão e vim também. Eu estava agitado demais para dormir, mas este diário me acalmou, e sinto que conseguirei dormir um pouco esta noite.

CAPÍTULO 9

CARTA DE MINA HARKER PARA LUCY WESTENRA
Budapeste, 24 de agosto
Minha querida Lucy,

Sei que está ansiosa para saber tudo o que se passou desde que nos despedimos na estação de trem em Whitby.

Bem, minha querida, cheguei sem problemas a Hull, e peguei o barco para Hamburgo, e depois o trem até aqui. Sinto que mal posso recordar qualquer coisa da viagem, exceto que eu sabia que estava vindo para Jonathan, e como eu sabia que teria que cuidar dele, achei melhor dormir o mais que pudesse. Encontrei o meu querido, oh, tão magro e pálido, e parecendo muito fraco. Seus olhos queridos perderam toda a vontade, e aquela dignidade calma que eu lhe contei que ele tinha no rosto, desapareceu. Ele é só uma sombra do que era, e não se lembra de nada do que aconteceu com ele nos últimos tempos. Pelo menos, é o que ele quer que eu acredite, então jamais perguntarei. Ele teve algum choque terrível, e temo que possa exigir demais do seu pobre cérebro se tentasse recordar. Irmã Agatha, que é uma boa criatura e uma enfermeira experiente, disse-me que ele queria que ela me contasse o que era, mas ela apenas se benzeu e disse que nunca me contaria. Que os delírios de um doente eram um segredo de Deus, e que se uma enfermeira, pela sua vocação, tivesse que ouvi-los, deveria respeitar a confidência.

Ela é uma alma boa e gentil, e no dia seguinte, quando viu que eu estava preocupada, entrou no assunto dos delírios do meu pobre querido, acrescentando, *"Posso lhe dizer mais uma coisa, minha querida. Que não foi nada sobre algo que ele tenha feito de errado, e você, como sua futura esposa, não tem nenhum motivo para se preocupar. Ele não a esqueceu, nem esqueceu o quanto lhe deve. Seu medo era de coisas grandes e terríveis, coisas com as quais nenhum mortal pode lidar."*

Acho que a pobre alma pensou que eu poderia estar desconfiada de que o meu pobre querido pudesse ter se apaixonado por alguma outra moça. Que ideia pensar que eu pudesse ter ciúmes de Jonathan! Mesmo assim, minha querida, vou segredar-lhe que senti uma alegria repentina quando soube que nenhuma outra mulher era a causa do problema. Estou agora sentada ao lado da sua cama, de onde posso ver o rosto dele enquanto dorme. Ele está acordando!

Quando ele acordou me pediu o casaco, pois queria pegar algo do bolso. Pedi à Irmã Agatha, e ela trouxe todas as suas coisas. Vi que entre elas estava o seu diário, e estava prestes a pedir-lhe que me deixasse vê-lo, pois sabia que poderia encontrar alguma pista para o seu problema, mas suponho que ele deve ter visto esse desejo nos meus olhos, pois me pediu para ir até a janela, dizendo que queria ficar sozinho por um momento.

Então me chamou de volta, e me disse de modo bastante solene, *"Wilhelmina"*, e eu soube então que era profundamente sério, pois ele nunca mais me chamou por esse nome desde que me pediu em casamento, *"Você conhece, querida, as minhas ideias sobre a confiança entre marido e mulher. Não deve haver nenhum segredo, nenhum encobrimento. Eu tive um grande choque, e quando tento pensar no que aconteceu sinto minha cabeça girando, e não sei se foi real ou o delírio de um louco. Você sabe que eu tive febre cerebral, e isso é estar louco. O segredo está aqui dentro, e eu não quero conhecê-lo. Quero recomeçar minha vida aqui, com o nosso casamento"*. Pois, minha querida Lucy, tínhamos decidido nos casar assim que as formalidades estivessem completas. *"Você está disposta, Wilhelmina, a compartilhar minha ignorância? Aqui está o caderno. Pegue-o e guarde-o, leia-o se quiser, mas nunca me deixe saber, a menos que, de fato, recaia sobre mim algum dever solene de voltar, adormecido ou desperto, louco ou lúcido, para aquelas horas amargas registradas aqui"*. Ele recostou-se, exausto, e pus o livro debaixo do seu travesseiro e o beijei. Pedi a Irmã Agatha que solicitasse permissão à Superiora para que nosso casamento se realize esta tarde, e estou esperando a resposta...

Ela veio e disse-me que o capelão da igreja da missão inglesa fora chamado. Casaremos-nos dentro de uma hora, ou assim que Jonathan acordar.

Lucy, a hora chegou e passou. Estou me sentindo um tanto solene, mas muito, muito feliz. Jonathan despertou um pouquinho depois da hora, e tudo estava pronto. Ele sentou-se na cama, apoiado nos travesseiros. Disse o seu *"sim"* de modo claro e firme. Eu mal podia falar. Meu coração estava tão feliz que até mesmo essas palavras pareciam me sufocar.

As queridas irmãs foram muito amáveis. Por favor, meu Deus, permita que eu nunca, nunca as esqueça, nem as responsabilidades sérias e doces que assumi. Tenho que lhe contar sobre o meu presente de casamento. Quando o capelão e as irmãs me deixaram sozinha com meu marido – oh, Lucy, foi a primeira vez que escrevi as palavras *"meu marido"* – me deixaram sozinha com meu marido, peguei o livro debaixo do seu travesseiro, embrulhei-o em papel branco, amarrei-o com um pedaço de fita azul clara que tinha em volta do pescoço, e derramei cera de lacre sobre o nó, usando como sinete minha aliança de casamento. Então beijei o diário e o mostrei para o meu marido, dizendo-lhe que o manteria assim, e que ele seria um sinal externo e visível para nós, durante toda a nossa vida, de que confiamos um no outro, e que nunca o abriria, a menos que fosse para o seu próprio bem ou por causa de algum dever inexorável. Então ele tomou minha mão na sua, e oh, Lucy, foi a primeira vez que ele pegou a mão da sua esposa, e disse que essa era a coisa mais preciosa do mundo, e que ele passaria novamente por tudo que passou para merecer isso, se fosse preciso. O pobre querido pensava ter contado uma parte do passado, mas ele não pode pensar em termos de tempo ainda, e eu não vou querer saber se no princípio ele confundiu não apenas o mês, mas o ano.

Bem, minha querida, o que eu podia dizer? Só pude dizer-lhe que eu era a mulher mais feliz em todo o mundo, e que não tinha nada para lhe dar, exceto eu mesma, minha vida e minha confiança, e com elas lhe entregava meu amor e meu dever por todos os dias da minha vida. Assim, minha querida, quando ele me beijou e me atraiu para si com as pobres mãos enfraquecidas, foi como uma promessa solene entre nós.

Lucy, querida, sabe por que estou lhe contando tudo isso? Não é só porque tudo me é muito agradável, mas porque você foi, e é, muito querida para mim.

Foi meu privilégio ter sido sua amiga e guia, quando você saiu da escola para se preparar para o mundo e a vida. Quero que veja agora, com os olhos de uma esposa muito feliz, para onde o dever me conduziu, de modo que em sua própria vida de casada você também possa ser tão feliz quanto eu. Minha querida, queira Deus Todo-poderoso que sua vida possa ser tudo o que promete, um longo dia de sol, sem nenhum vento rigoroso, nenhum dever esquecido, nenhuma desconfiança. Não preciso lhe desejar que não sofra, pois isso nunca acontecerá, mas confio que será sempre tão feliz quanto eu sou agora. Adeus, minha querida. Vou despachar a carta de uma vez e, talvez, lhe escreva de novo muito em breve. Preciso terminar, pois Jonathan está acordando. Tenho que cuidar do meu marido!
Com meu amor para sempre,

Mina Harker

CARTA DE LUCY WESTENRA PARA MINA HARKER
Whitby, 30 de agosto
Minha querida Mina,

Oceanos de amor e milhões de beijos, e que você logo esteja em sua própria casa com seu marido. Queria que estivessem voltando para casa cedo o suficiente para ficar conosco aqui. O ar saudável logo deixaria Jonathan restabelecido. Já me restabeleceu quase inteiramente. Tenho um apetite de cormorão, estou cheia de vida e durmo bem. Você ficará contente de saber que quase deixei inteiramente de caminhar durante o sono. Acho que não deixei minha cama por uma semana, isto é, quando vou para cama de uma vez à noite. Arthur diz que estou engordando. Aliás, esqueci de lhe contar que Arthur está aqui. Temos feito muitas caminhadas e passeios, cavalgamos, remamos, jogamos tênis e pescamos juntos, e eu o amo mais do que nunca. Ele diz que me ama mais, mas eu duvido, pois no início ele me disse que não poderia me amar mais do que amava então. Mas isso é tolice. Lá está ele, me chamando. Assim, no momento, fico por aqui.
Sua sempre,

Lucy

P.S.: Mamãe manda seu afeto. Ela parece melhor, pobre querida.
P.P.S.: Casaremos-nos no dia 28 setembro.

DIÁRIO DO DR. SEWARD
20 de agosto: O caso de Renfield torna-se ainda mais interessante. Ele agora tem estado tão calmo que há períodos em que sua fúria cessa. Na primeira semana após o seu ataque estava sempre violento. Então certa noite, logo que a lua surgiu, ficou calmo e continuou murmurando para si mesmo, *"Agora eu posso esperar. Agora eu posso esperar".*

O atendente veio me contar, de modo que corri para baixo para dar uma olhada nele. Ele ainda estava com a camisa de força no quarto almofadado, mas o olhar injetado tinha deixado seu rosto, e seus olhos tinham algo da sua antiga expressão de súplica. Eu quase poderia dizer subserviência, suavidade. Fiquei satisfeito com sua condição atual, e ordenei que o soltassem. Os atendentes hesitaram, mas afinal levaram a cabo as minhas ordens sem protestar.

Era estranho que o paciente tivesse humor bastante para perceber a desconfiança dos homens, pois, chegando perto de mim, disse num sussurro, olhando furtivamente para eles o tempo todo, *"Eles acham que eu posso machucá-lo! Imaginam-me machucando o senhor! Que tolos!"*

Era reconfortante para os meus sentimentos, de alguma forma, encontrar-me desassociado dos outros, mesmo na mente deste pobre louco, mas de qualquer modo não consigo acompanhar seu pensamento. Devo entender que tenho algo em comum com ele, de forma que precisamos, por assim dizer, permanecer juntos? Ou será que ele pretende conseguir de mim algum grande favor, de modo que meu bem-estar lhe é necessário? Tenho que descobrir mais tarde. Esta noite ele não vai falar. Mesmo a oferta de um gatinho, ou até de um gato adulto, não vai tentá-lo.

Ele só dirá, *"Não estou colecionando gatos. Tenho mais em que pensar agora, e posso esperar. Posso esperar"*.

Depois de um tempo, deixei-o. O atendente me diz que ele ficou calmo até pouco antes do amanhecer, e que então começou a ficar inquieto, depois violento, e, por fim, caiu num paroxismo que o esgotou, de modo que desmaiou e entrou num tipo de coma.

...Há três noites acontece a mesma coisa, violento durante todo o dia, então quieto do nascer da lua ao nascer do sol. Gostaria de obter alguma pista sobre a causa. Seria quase como se houvesse alguma influência, que ia e vinha. Pensamento feliz! Esta noite vamos jogar as inteligências sãs contra as loucas. Ele escapou antes sem a nossa ajuda. Esta noite ele vai escapar com ela. Vamos dar-lhe uma chance, e os homens estarão prontos para agir, caso sejam necessários.

23 de agosto: "O esperado sempre acontece" Como Disraeli conhecia bem a vida. Nosso pássaro, quando encontrou a gaiola aberta, acabou não voando, assim todos os nossos sutis arranjos foram em vão. De qualquer modo, nós provamos uma coisa, que o feitiço da tranquilidade dura um tempo razoável. Teremos, no futuro, que ser capazes de relaxar seus laços por algumas horas a cada dia. Dei ordens ao atendente da noite apenas para fechá-lo no quarto almofadado, quando ele se acalma de uma vez, até a hora antes do amanhecer. O corpo da pobre alma desfrutará desse alívio, mesmo que sua mente não possa apreciá-lo. Escute! O inesperado de novo! Fui chamado. O paciente escapou mais uma vez.

Mais tarde: Outra aventura noturna. Renfield astuciosamente esperou até que o atendente entrasse no quarto para inspecionar. Então lançou-se por trás dele e voou para o corredor. Mandei dizer aos atendentes que o seguissem. De novo ele entrou no terreno da casa desabitada, e nós o encontramos no mesmo lugar, pressionado contra a porta da antiga capela. Quando ele me viu ficou furioso, e se os atendentes não o tivessem agarrado a tempo, teria tentado me matar. Enquanto o segurávamos, uma coisa estranha aconteceu. De repente ele redobrou seus esforços, e então, do mesmo modo repentino, ficou calmo. Olhei em volta instintivamente, mas não conseguia ver nada. Então vi o olhar do paciente e o segui, mas não podia localizar nada enquanto ele olhava para o céu enluarado, exceto um enorme morcego que batia suas asas de modo silencioso e fantasmagórico na direção oeste. Morcegos normalmente voam em círculos, mas este aqui parecia seguir em frente, como se soubesse qual era o seu destino ou tivesse alguma intenção própria.

O paciente ficava mais calmo a cada instante, e logo disse, *"Não precisa me amarrar. Irei calmamente!"* Sem dificuldade, voltamos para a casa. Sinto que há algo sinistro em sua calma, e não esquecerei esta noite.

DIÁRIO DE LUCY WESTENRA

Hillingham, 24 de agosto: Tenho que imitar Mina, e continuar a escrever as coisas. Então poderemos ter longas conversas quando nos encontrarmos. Gostaria de saber quando será. Queria que ela estivesse comigo de novo, pois me sinto muito infeliz. Ontem à noite eu parecia estar sonhando outra vez, como quando estava em Whitby. Talvez seja a mudança de ares, ou a volta para casa. Tudo é escuro e horrendo para mim, pois não consigo me lembrar de nada. Mas estou tomada por um medo vago, e me sinto muito fraca e cansada. Quando Arthur veio para o almoço pareceu bastante aflito ao me ver, e eu não tive espírito para tentar ser alegre. Pergunto-me se poderia dormir hoje à noite no quarto da mãe. Darei uma desculpa para tentar.

25 de agosto: Outra noite ruim. A mãe não deu mostras de aceitar a minha proposta. Ela mesma não parece muito bem, e sem dúvida tem medo de me preocupar. Tentei ficar acordada, e consegui durante algum tempo, mas quando o relógio bateu meia-noite acordou-me de um cochilo, então devo ter dormido. Havia uma espécie de batida ou arranhado na janela, mas não dei importância, e como não me lembro de mais nada, suponho que devo ter dormido. Mais sonhos ruins. Quem dera eu pudesse me lembrar deles. Esta manhã estou terrivelmente fraca. Meu rosto está lívido, medonho, e minha garganta dói. Deve haver algo errado com meus pulmões, pois parece que não consigo respirar direito. Tentarei me animar quando Arthur vier, ou então eu sei que ele ficará infeliz de me ver assim.

CARTA DE ARTHUR PARA O DR. SEWARD

Hotel de Albemarle, 31 de agosto
Meu querido Jack,

Quero que você me faça um favor. Lucy está doente, quer dizer, não tem nenhuma doença específica, mas sua aparência é terrível, e está ficando pior a cada dia. Eu lhe perguntei se há alguma causa. Não ouso perguntar à mãe, pois perturbar a mente da pobre senhora a respeito da filha no seu presente estado de saúde seria fatal. Sra. Westenra me confiou que sua morte foi anunciada, doença do coração, embora a pobre Lucy ainda não saiba. Estou certo de que há algo atacando a mente da minha querida menina. Fico quase distraído quando penso nela. Olhar para ela me dá uma dor no coração. Eu disse a Lucy que lhe pediria para vê-la, e embora ela tenha objetado a princípio, e eu sei por que, velho amigo, finalmente concordou. Será uma tarefa dolorosa para você, eu sei, meu amigo, mas é para o bem dela, e não devo hesitar em pedir, ou você em agir. Você virá almoçar em Hillingham amanhã, às duas horas, para não despertar nenhuma suspeita na sra. Westenra, e depois do almoço Lucy aproveitará uma oportunidade para ficar a sós com você. Estou cheio de ansiedade, e quero consulta-lo sozinho assim que puder, depois de você examiná-la. Não falte!

Arthur

TELEGRAMA DE ARTHUR HOLMWOOD PARA SEWARD
1º de setembro
Fui chamado a ver o meu pai, que está pior. Vou escrever. Escreva-me contando tudo pelo correio de hoje à noite para Ring. Telegrafe, se for necessário.

CARTA DO DR. SEWARD PARA ARTHUR HOLMWOOD
2 de setembro
Meu velho e querido companheiro,

Com respeito à saúde da srta. Westenra, apresso-me a informar-lhe de uma vez que na minha opinião não há nenhuma perturbação funcional ou qualquer enfermidade que eu conheça. Ao mesmo tempo, não estou de forma alguma satisfeito com sua aparência. Ela está lamentavelmente diferente do que era quando a vi pela última vez. Claro que você precisa ter em mente que não tive uma oportunidade plena de examiná-la, como desejaria. Nossa própria amizade cria algumas dificuldades, que nem mesmo a ciência médica ou o costume podem ultrapassar. É melhor eu dizer-lhe exatamente o que aconteceu, deixando que tire, em certa medida, suas próprias conclusões. Vou então lhe dizer o que fiz e o que proponho fazer.

Encontrei a srta. Westenra de espírito aparentemente alegre. Sua mãe estava presente, e em poucos segundos me dei conta de que ela estava tentando tudo que podia para enganar a mãe e impedi-la de ficar preocupada. Não tenho nenhuma dúvida de que ela adivinha, se é que não sabe, quanta cautela é necessária.

Almoçamos sozinhos, e como todos nos esforçamos para parecer alegres, conseguimos, como uma espécie de recompensa pelos nossos esforços, um pouco de alegria verdadeira entre nós. Então a sra. Westenra foi se deitar, e Lucy ficou comigo. Fomos para sua saleta íntima, e até chegarmos lá Lucy permaneceu alegre, pois os criados estavam indo e vindo.

Porém, assim que a porta se fechou, a máscara caiu-lhe da face, e ela afundou numa cadeira com um profundo suspiro, escondendo os olhos com a mão. Quando vi que seu espírito alegre se fora, imediatamente tirei proveito da sua reação para fazer um diagnóstico.

Ela me disse com muita doçura, *"Não posso lhe dizer o quanto detesto falar de mim mesma"*. Lembrei-a de que o sigilo médico era sagrado, mas que você estava tristemente ansioso a respeito dela. Ela me compreendeu de imediato, e resolveu aquela questão com uma palavra. *"Conte ao Arthur tudo o que desejar. Não me preocupo comigo, mas com ele!"* Assim, estou bem à vontade.

Podia ver facilmente que ela estava um pouco pálida, mas não conseguia ver os sinais habituais de anemia, e, por acaso, pude testar a verdadeira qualidade do seu sangue. Ao abrir uma janela que estava emperrada um cordão se soltou, e ela cortou levemente a mão com o caco de vidro. Era um problema pequeno em si, mas me proporcionou uma chance evidente, e eu guardei algumas gotas do sangue e as analisei.

A análise qualitativa deu resultado absolutamente normal, e mostra em si mesma, eu deveria deduzir, um estado de saúde vigoroso. Em outros aspectos físicos eu estava bastante satisfeito, e não há nenhum motivo para preocupação, mas como deve haver uma causa em algum lugar, cheguei à conclusão de que deve ser algo mental.

Ela se queixa de dificuldade para respirar de modo satisfatório às vezes, e de ter o sono letárgico e pesado, com sonhos que a amedrontam, mas dos quais não consegue se lembrar. Disse que quando criança costumava caminhar durante o sono, e que quando esteve em Whitby o hábito voltou, e que uma vez saiu caminhando à noite e foi para East Cliff, onde a srta. Murray a encontrou. Mas me assegurou que ultimamente o hábito não voltara.

Estou em dúvida, e assim também a melhor coisa que conheço. Escrevi a meu velho amigo e mestre, Professor Van Helsing, de Amsterdã, que sabe mais sobre doenças obscuras do que qualquer outra pessoa no mundo. Eu lhe pedi que venha, e como você me disse que arcaria com todas as despesas, contei a ele quem você é e suas relações com a srta. Westenra. Isso, meu querido companheiro, é em obediência aos seus desejos, pois eu mesmo estou muito orgulhoso e feliz de poder fazer qualquer coisa que eu possa por ela.

Van Helsing, eu sei, faria qualquer coisa por mim por razões pessoais, assim não importa por quais motivos ele venha, devemos aceitar os seus desejos. Ele é um homem aparentemente arbitrário, e isso porque sabe do que está falando melhor do que qualquer outro. Ele é um filósofo e um metafísico, e um dos cientistas mais avançados de sua época, e tem, creio, uma mente absolutamente aberta. Isto, mais nervos de aço, temperamento frio, resolução indomável, autodomínio, tolerância louvável de virtudes a bênçãos, e o coração mais bondoso e mais verdadeiro que existe, formam seu equipamento para o nobre trabalho que está realizando pelo gênero humano, tanto na teoria quanto na prática, pois suas opiniões são tão vastas quanto a sua total simpatia. Conto-lhe esses fatos para que saiba por que tenho tanta confiança nele. Pedi-lhe que venha imediatamente. Vou ver a srta. Westenra de novo amanhã. Ela vai me encontrar nas lojas, para que eu não assuste sua mãe repetindo tão cedo a minha visita.

Seu amigo de sempre,

John Seward

CARTA DE ABRAHAM VAN HELSING, M. D., PHD., DR. LIT., ETC, ETC, PARA O DR. SEWARD
2 de setembro
Meu bom amigo,

Quando recebi sua carta já estava indo visitá-lo. Por sorte, posso partir imediatamente, sem prejuízo para nenhum daqueles que confiaram em mim. Fosse outra a sorte, então seria ruim para aqueles que confiaram, pois vou até meu amigo quando ele me chama para ajudar aqueles a quem ele tanto preza. Diga a seu amigo que, naquela ocasião em que você sugou da minha ferida, com toda rapidez, o veneno da gangrena daquela faca que nosso outro amigo, muito nervoso, deixou cair, você fez mais por ele do que se ele pedisse a minha ajuda, e você tem mais direito a ela do que toda a grande fortuna do seu amigo. Embora seja um prazer a mais fazer algo por ele, que é seu amigo, é por você que eu vou. Esteja pronto, e por favor arranje para que possamos ver a jovem não muito tarde amanhã, pois é provável que eu tenha que retornar para cá na mesma noite. Mas, se for necessário, voltarei dentro de três dias, e ficarei mais tempo se for preciso. Até então adeus, meu amigo John.

Van Helsing

CARTA DO DR. SEWARD PARA O HONORÁVEL ARTHUR HOLMWOOD
3 de setembro
Meu caro Art,

Van Helsing veio e se foi. Ele veio comigo para Hillingham, e concluiu que, pela discrição de Lucy, sua mãe estava almoçando fora, de modo que estávamos a sós com ela.

Van Helsing fez um exame muito cuidadoso da paciente. Ele se reportará a mim, e eu aconselharei você, pois é claro que eu não estava presente o tempo todo. Ele está, eu temo, muito preocupado, mas diz que precisa pensar. Quando lhe contei da nossa amizade e como você confiava em mim nessa questão, ele disse, *"Você tem que dizer para ele tudo que pensa. Diga a ele o que eu penso, se pode adivinhar, se você quiser. Não, não estou brincando. Isso não é nenhum gracejo, mas vida e morte, talvez mais".* Perguntei-lhe o que queria dizer com aquilo, pois ele estava muito sério. Isso foi quando tínhamos voltado para a cidade, e ele estava tomando uma xícara de chá antes de iniciar sua viagem de volta a Amsterdã. Van Helsing não me deu nenhuma outra pista. Não deve ficar bravo comigo, Art, porque sua própria reticência significa que todas as suas faculdades estão trabalhando para o bem de Lucy. Ele falará com bastante clareza quando chegar a hora, esteja certo. Assim, disse a ele que lhe faria simplesmente um relato da nossa visita, como se estivesse escrevendo um artigo especial descritivo para "The Dailygraph". Ele pareceu não notar, só observou que a fuligem de Londres não era tão ruim quanto costumava ser quando ele era um estudante aqui. Vou receber seu relatório amanhã, se ele tiver oportunidade de fazê-lo. Em todo caso, receberei uma carta.

Bem, quanto à visita, Lucy estava mais alegre do que no dia em que a vi sozinho, e com certeza parecia melhor. Tinha perdido um pouco daquela aparência horrível que tanto o angustiou, e sua respiração era normal. Ela foi muito gentil com o Professor *(como sempre é)*, e tentou fazê-lo sentir-se à vontade, embora eu percebesse que isso custava um grande esforço para a pobre menina.

Acredito que Van Helsing percebeu isso também, pois vi o olhar vivo sob suas espessas sobrancelhas, que eu conhecia há muito. Ele começou a conversar sobre todas as coisas, exceto nós mesmos e doenças, e com tão imensa jovialidade que pude ver a pretensa animação da pobre Lucy cair na realidade. Então, sem qualquer mudança aparente, ele delicadamente trouxe a conversa para a sua visita, e disse de modo amável:

"Minha cara jovem, tenho grande prazer em tratá-la, pois você é muito amada. Isso é muito, minha querida, mesmo que existam aí coisas que eu não vejo. Falaram-me que você tinha pouco ânimo, e que estava horrivelmente pálida. A eles eu digo 'Puf!'" E ele estalou os dedos para mim e continuou. *"Mas você e eu vamos mostrar a eles como estão errados. Como pode ele"*, e apontou para mim com o mesmo

olhar e gesto com que me apontou em sua aula, ou melhor, depois de uma ocasião especial, da qual ele nunca deixa de me lembrar, *"saber qualquer coisa sobre as moças? Ele tem os seus loucos com quem brincar, e trazê-los de volta à felicidade e também aqueles que tem amor por eles. É uma tarefa enorme, e, oh, mas há recompensas para aqueles de nós que podemos proporcionar tal felicidade. Mas as moças! Ele não tem esposa nem filha, e os jovens não contam de si mesmos para os jovens, mas para os velhos, como eu, que conhecem tantas tristezas e as suas causas. Assim, minha querida, nós vamos despachá-lo para fumar seu cigarro no jardim, enquanto você e eu temos uma pequena conversa, só nós dois"*. Peguei a deixa e fui passear lá fora, e então o Professor veio à janela e me chamou. Ele parecia sério, mas disse, *"Fiz um exame cuidadoso, mas não há nenhuma causa funcional. Concordo com você que houve muita perda de sangue, houve mas não há mais. Mas as condições da moça não são, em hipótese alguma, as de uma pessoa anêmica. Eu lhe pedi que me mandasse a sua criada, para que eu possa fazer uma ou duas perguntas, assim não corro o risco de perder nada. Eu sei bem o que ela vai dizer. E mesmo assim ainda há motivo. Sempre há uma causa para tudo. Tenho que voltar para casa e pensar. Você tem que me mandar um telegrama todo dia, e se houver motivo eu virei outra vez. A doença, embora não sendo bem uma doença, me interessa, e a doce e querida jovem, ela também me interessa. Ela me encantou, e por ela, se não por você ou pela doença, eu virei"*.

Como eu lhe contei, ele não disse nem mais uma palavra, mesmo quando estávamos sós. Então agora, Art, você sabe tudo que eu sei. Manterei estreita vigilância. Espero que seu pobre pai esteja se restabelecendo. Deve ser algo terrível para você, meu velho e caro amigo, ser colocado em tal posição, entre duas pessoas que lhe são tão queridas. Conheço sua ideia de dever para com seu pai, e você tem razão em manter-se firme quanto a isso. Mas se for necessário, lhe mandarei um recado para vir de imediato para junto de Lucy, então não fique muito ansioso, a menos que receba notícias minhas.

DIÁRIO DO DR. SEWARD

4 de setembro: Paciente zoófago ainda mantém nosso interesse. Ele teve só um ataque, e isso foi ontem, numa hora incomum. Pouco antes de bater meio-dia ele começou a ficar inquieto. O atendente conhecia os sintomas, e imediatamente pediu ajuda. Felizmente os homens vieram correndo, e foi bem a tempo, pois assim que bateu meio-dia ele ficou tão violento que eles precisaram de toda sua força para segurá-lo. Porém, dentro de cinco minutos, ele começou a ficar mais calmo, e finalmente caiu numa espécie de melancolia, e permanece nesse estado até agora. O atendente me disse que seus gritos enquanto tinha o ataque eram realmente pavorosos. Eu não tinha mãos a medir quando cheguei, atendendo alguns dos outros pacientes que foram assustados por ele. Na verdade, posso entender muito bem esse efeito, pois os sons perturbaram até mesmo a mim, embora eu estivesse um pouco distante. Agora é a hora depois do jantar no hospício, e como antes meu paciente está sentado num canto pensando, com um olhar sombrio, mal-humorado, triste no rosto, que parece mais indicar do que mostrar claramente alguma coisa. Não consigo entender isso.

Mais tarde: Outra mudança em meu paciente. Às cinco horas dei uma olhada nele, e o achei aparentemente tão feliz e contente quanto costumava ser. Estava pegando moscas e comendo-as, e tomava nota da captura fazendo marcas com a unha na extremidade da porta, entre os sulcos do acolchoado. Quando me viu, aproximou-se e veio se desculpar por sua má conduta, e me pediu de modo muito humilde, adulatório, para ser levado de volta ao seu próprio quarto, e para ter de novo o seu caderno. Achei que era bom fazer-lhe a vontade, assim ele está de volta ao seu quarto com a janela aberta. Espalhou o açúcar do chá no peitoril da janela, e está fazendo uma enorme colheita de moscas. Ele agora não está comendo as moscas, mas colocando-as numa caixa, como antigamente, e já está examinando os cantos do quarto à procura de uma aranha. Tentei levá-lo a falar sobre os últimos dias, pois qualquer pista sobre os seus pensamentos me seria muito útil, mas ele não mordeu a isca. Pareceu muito triste por um momento ou dois, e disse numa espécie de voz distante, como se falasse mais consigo mesmo do que comigo:

"*Tudo acabou! Tudo acabou! Ele me abandonou. Não há esperança para mim agora, a menos que eu mesmo faça isso!*" Então, virando-se de repente para mim de modo resoluto, disse, "*Doutor, o senhor não seria bondoso comigo e me conseguiria um pouco mais de açúcar? Acho que seria muito bom para mim*".

"*E as moscas?*" eu disse.

"*Sim! As moscas gostam de açúcar também, e eu gosto das moscas, então eu gosto de açúcar*". E há pessoas que sabem tão pouco a ponto de pensar que os loucos não argumentam. Eu lhe consegui uma porção dupla, e o deixei como um homem tão feliz como, suponho, qualquer outro no mundo. Gostaria de poder entender a sua mente.

Meia-noite: Outra mudança nele. Eu tinha ido visitar a srta. Westenra, a quem achei bem melhor, e tinha acabado de voltar, e estava de pé junto ao nosso próprio portão olhando para o pôr do sol, quando mais uma vez o ouvi gritar. Como seu quarto está deste lado da casa, eu podia ouvir melhor do que de manhã. Foi um choque para mim voltar da maravilhosa beleza esfumaçada de um pôr do sol sobre Londres, com suas luzes pálidas e sombras escuras, e todos os matizes divinos que vêm das nuvens pesadas, ou até mesmo da água turva, e perceber toda a sombria severidade do meu próprio prédio de pedra fria, com sua riqueza que respirava infelicidade, e meu próprio coração desolado para suportar tudo isso. Cheguei junto do paciente bem quando o sol estava se pondo, e da sua janela vi o disco vermelho mergulhar. Conforme o sol declinava ele ia ficando cada vez menos agitado, e assim, no momento em que o sol mergulhou, ele deslizou das mãos que o prendiam para o chão, uma massa inerte. É assombroso, porém, o poder de recuperação intelectual que os lunáticos têm, pois dentro de alguns minutos ele se levantou com toda calma e olhou em volta. Sinalizei aos atendentes que não o segurassem, pois estava ansioso para ver o que ele faria. Ele foi direto até a janela e escovou para fora os farelos de açúcar. Então pegou a caixa de moscas e esvaziou-a, depois jogou fora a caixa. Então fechou a janela, e atravessando o quarto, sentou-se na cama. Tudo isso me surpreendeu, de modo que lhe perguntei, "*Não vai mais apanhar moscas?*"

"*Não*", disse ele. "*Estou cansado de todo esse lixo!*" Ele com certeza é um estudo maravilhosamente interessante. Gostaria de ter algum vislumbre da sua mente, ou da causa dos seus ataques repentinos. Parar. Pode haver uma pista, afinal, se pudermos descobrir por que hoje os seus ataques vieram ao meio-dia e ao pôr do sol. Será que existe uma influência maligna do sol em alguns períodos que afeta certas naturezas, como a lua às vezes faz com outras? Veremos.

TELEGRAMA DE SEWARD, LONDRES, PARA VAN HELSING, AMSTERDÃ

4 de setembro. Paciente ainda melhor hoje.

TELEGRAMA DE SEWARD, LONDRES, PARA VAN HELSING, AMSTERDÃ

5 de setembro. Paciente melhorou muito. Bom apetite, dorme normalmente, ânimo elevado, cores voltando ao rosto.

TELEGRAMA DE SEWARD, LONDRES, PARA VAN HELSING, AMSTERDÃ
6 de setembro. Mudança terrível para pior. Venha imediatamente. Não perca uma hora sequer. Segurarei o telegrama para Holmwood até que chegue aqui.

CAPÍTULO 10

CARTA DO DR. SEWARD PARA O HONORÁVEL ARTHUR HOLMWOOD
6 de setembro
Meu caro Art,

Minhas notícias hoje não são tão boas. Lucy piorou um pouco esta manhã. Há, porém, uma coisa boa que surgiu disso. Sra. Westenra estava naturalmente ansiosa com relação à Lucy, e me consultou profissionalmente sobre ela. Aproveitei a oportunidade e lhe contei que meu antigo mestre, Van Helsing, o grande especialista, estava vindo me visitar, e que eu a colocaria aos seus cuidados juntamente comigo. Assim, agora podemos ir e vir sem alarmá-la indevidamente, pois para ela um choque significaria a morte súbita, e isso, na condição de fraqueza em que Lucy se encontra, poderia se revelar desastroso. Estamos cercados de dificuldades, todos nós, meu pobre amigo, mas, se Deus quiser, passaremos por elas e tudo ficará bem. Se houver qualquer necessidade escreverei, de modo que, se não tiver notícias minhas, tome como certo que estou apenas esperando por notícias. Às pressas,
Seu amigo de sempre,

John Seward

DIÁRIO DO DR. SEWARD
7 de setembro: A primeira coisa que Van Helsing me disse quando nos encontramos na Liverpool Street foi, *"Você disse alguma coisa ao nosso jovem amigo, o noivo dela?"*

"Não", eu disse. *"Esperei até encontrá-lo, como disse em meu telegrama. Eu lhe escrevi uma carta dizendo apenas que você estava vindo, já que a srta. Westenra não estava bem, e que eu o avisaria se fosse necessário".*

"Certo, meu amigo", disse ele. *"Muito certo! Melhor que ele não saiba ainda. Talvez ele nunca venha a saber. Rezo para isso, mas se for preciso, então ele deve saber de tudo. E, meu bom amigo John, deixe-me adverti-lo. Você lida com os loucos. Todos os homens são loucos, de um modo ou de outro, e na medida em que você lida discretamente com seus loucos, assim o resto do mundo também lida com os loucos de Deus. Você não conta para os seus loucos o que você faz, nem por que faz. Você não conta para eles o que pensa. Portanto, você mantém o conhecimento em seu lugar, onde ele pode descansar, onde pode reunir a sua espécie em volta dele e prosperar. Você e eu devemos guardar o que sabemos, por enquanto, aqui e aqui"*. Ele me tocou no coração e na testa, e depois tocou em si da mesma maneira. *"Eu tenho algumas ideias no momento. Depois as revelarei a você"*.

"Por que não agora?" perguntei. *"Pode ser bom. Podemos chegar a alguma decisão"*.

Ele me olhou e disse, *"Meu amigo John, quando o milho está crescido, mesmo antes de ter amadurecido, enquanto o leite da sua mãe terra ainda está nele, e o sol ainda não começou a pintá-lo com seu ouro, o lavrador puxa a espiga e a esfrega entre as mãos ásperas, e sopra fora a palha verde, e lhe diz, 'Olhe! É um milho bom, vai dar uma boa colheita quando chegar a hora'"*.

Eu não via o sentido e disse isso a ele. Como resposta ele pegou minha orelha com a mão e puxou-a de modo brincalhão, como costumava fazer nas suas conferências, há muito tempo, e disse, *"O bom lavrador lhe fala assim porque ele sabe, mas não sabia até então. Mas você não encontra o bom lavrador a desenterrar seu milho plantado para ver se ele cresceu. Isso é para as crianças que brincam de agricultura, e não para aqueles que tomam isso como o trabalho de suas vidas. Agora vê, meu amigo John? Eu semeei meu milho, e a natureza tem que fazer o seu trabalho fazendo ele brotar, se ele um dia brotar, existe a promessa, e espero até a espiga começar a inchar"*. Ele parou, pois evidentemente viu que eu entendi. Então continuou, com toda seriedade, *"Você sempre foi um estudante cuidadoso, e seu caderno de casos sempre era mais completo que o dos outros. E eu confio que o bom hábito não falha. Lembre-se, meu amigo, que o conhecimento é mais forte que a memória, e não devemos confiar no mais fraco. Mesmo se você não manteve a boa prática, deixe-me dizer-lhe que este caso da nossa querida senhorita é um que pode ser, observe, eu digo pode ser, de tal interesse para nós e outros, que tudo o mais não pode fazê-lo chutar o balde, como diz o seu povo. Tome bem nota disso então. Nada é pequeno demais. Aconselho você a fazer um registro até mesmo das suas dúvidas e conjeturas. Para o futuro pode ser de interesse para você ver o quanto adivinhou. Nós aprendemos com o fracasso, não com o sucesso!"*

Quando descrevi os sintomas de Lucy, iguais aos de antes, mas infinitamente mais marcantes, ele pareceu muito sério, mas não disse nada. Levou consigo uma maleta na qual havia muitos instrumentos e remédios, *"as parafernálias horríveis do nosso comércio benéfico"*, como ele uma vez chamou, numa das suas conferências, o equipamento de um professor da arte curativa.

Quando entramos, a sra. Westenra nos recebeu. Estava alarmada, mas não tanto quanto eu esperava. A Natureza, num dos seus humores benéficos, ordenara que até mesmo a morte tivesse algum antídoto para seus próprios terrores. Aqui, num caso onde qualquer choque poderia ser fatal, as coisas estavam tão bem ordenados que, por um motivo ou outro, coisas não pessoais, até mesmo a mudança terrível na filha a quem ela é tão apegada, pareciam não atingi-la. É como se a senhora Natureza reunisse em volta de um corpo estranho um envelope de algum tecido insensível que pode proteger do mal, que de outro modo prejudicaria pelo contato. Se isso é um egoísmo ordenado, então deveríamos parar antes de condenarmos qualquer um pelo vício do egoísmo, pois pode haver raízes mais profundas para suas causas do que temos conhecimento.

Eu usei meu conhecimento desta fase da patologia espiritual, e estabeleci uma regra de que ela não deveria estar presente com Lucy, nem deveria pensar na doença da filha mais do que era absolutamente necessário. Ela consentiu prontamente, tão prontamente que eu vi de novo a mão da Natureza lutando pela vida. Van Helsing e eu fomos levados ao quarto de Lucy. Se eu fiquei chocado quando a vi ontem, fiquei horrorizado ao vê-la hoje.

Ela estava pálida de um modo medonho, o rosto da cor do giz. O sangue parecia ter desaparecido até mesmo dos seus lábios e gengivas, e os ossos da face sobressaíam no rosto. Sua respiração era dolorosa de se ver ou ouvir. O rosto de Van Helsing tornou-se rígido como mármore e as sobrancelhas se juntaram até quase se tocarem sobre o nariz. Lucy estava deitada imóvel, e parecia não ter forças para falar, assim ficamos todos calados por um momento. Então Van Helsing fez-me um sinal, e saímos do quarto sem fazer ruído. No momento em que fechamos a porta ele andou rapidamente pelo corredor até a próxima porta, que estava aberta. Então me puxou depressa para dentro junto com ele e fechou a porta. *"Meu Deus!"*, disse. *"Isso é terrível. Não há tempo a perder. Ela morrerá por absoluta falta de sangue para manter o coração batendo como deve ser. Precisamos fazer uma transfusão de sangue imediatamente. Você ou eu?"*

"Sou mais jovem e mais forte, Professor. Devo ser eu".

"Então prepare-se imediatamente. Trarei minha maleta. Eu estou pronto".

Desci com ele, e enquanto descíamos houve uma batida na porta da frente. Quando chegamos ao vestíbulo, a empregada tinha acabado de abrir a porta, e Arthur entrou apressado. Ele correu para mim, dizendo num sussurro ansioso:

"Jack, eu estava tão angustiado! Li nas entrelinhas da sua carta e entrei em desespero. O pai estava melhor, então corri para cá para ver por mim mesmo. Aquele cavalheiro não é o dr. Van Helsing? Fico-lhe muito grato, senhor, por ter vindo".

A princípio, quando os olhos do Professor deram com Arthur, ele ficara bravo com a interrupção num momento como aquele, mas agora, ao perceber suas proporções robustas e a masculinidade forte e jovem que parecia emanar dele, seus olhos brilharam. Sem uma pausa, disse a ele enquanto lhe estendia a mão:

"Meu senhor, veio bem a tempo. É o amado da nossa querida senhorita. Ela está mal, muito, muito mal. Não, meu filho, não fique assim". Pois Arthur empalidecera de repente e sentou-se numa cadeira, quase desmaiando. *"O senhor precisa ajudar. Pode fazer mais por ela do que qualquer pessoa viva, e sua coragem é sua melhor ajuda".*

"O que posso fazer?" perguntou Arthur, com a voz rouca. *"Diga-me e eu o farei. Minha vida pertence a ela, e eu daria até a última gota de sangue do meu corpo por ela".*

O Professor tem um lado fortemente humorístico, e eu pude, graças ao meu antigo conhecimento, detectar um traço disso na origem da sua resposta:

"Meu jovem senhor, não lhe peço tanto, não a última!"

"O que devo fazer?" Havia fogo em seus olhos, e suas narinas dilatadas tremiam com a decisão. Van Helsing deu-lhe um tapa no ombro.

"Venha!" ele disse. *"O senhor é um homem, e é de um homem que precisamos. O senhor é melhor que eu, melhor que meu amigo John".* Arthur parecia confuso, e o Professor continuou, explicando de modo gentil.

"A jovem senhorita está mal, muito mal. Precisa de sangue, e se não tiver sangue, morre. Meu amigo John e eu conversamos, e estamos a ponto de executar o que chamamos de transfusão de sangue, transferir das veias cheias de alguém sadio para as veias de outra pessoa que anseia por ele. John ia dar seu sangue, pois ele é mais jovem e forte do que eu". Então Arthur pegou minha mão e pressionou-a com força sem dizer uma palavra. *"Mas agora o senhor está aqui, o senhor é melhor do que qualquer um de nós, velho ou jovem, que trabalhamos muito no mundo do pensamento. Nossos nervos não são tão calmos, nem nosso sangue tão vívido quanto os seus!"*

Arthur virou-se para ele e disse, *"Se o senhor apenas soubesse como eu ficaria feliz de morrer por ela, entenderia..."* Então parou, pois a voz lhe faltara.

"Bom menino!" disse Van Helsing. *"Daqui a nem-tanto-tempo o senhor ficará contente por ter feito tudo por aquela que ama. Venha agora e fique calado. O senhor irá beijá-la uma vez antes que termine, mas então tem que ir, e tem que partir ao meu sinal. Não diga uma palavra à senhora mãe dela. Sabe como ela é. Não deve receber nenhum choque, e qualquer conhecimento disso seria um choque. Venha!"*

Subimos todos ao quarto de Lucy. Arthur recebeu ordem de permanecer do lado de fora. Lucy virou a cabeça e olhou para nós, mas não disse nada. Não estava adormecida, mas apenas fraca demais para fazer esse esforço. Seus olhos falaram conosco, e foi tudo.

Van Helsing pegou algumas coisas da maleta e as colocou fora de vista, sobre uma mesinha. Então preparou um narcótico e, vindo até a cama, disse alegremente, *"Agora, mocinha, aqui está o seu remédio. Beba tudo, como uma boa menina. Veja, vou erguê-la para que fique mais fácil engolir. Sim"*. Ela tinha feito o esforço com sucesso.

Surpreendeu-me o tempo que a droga levou para agir. Na realidade, isso indicava a extensão da sua fraqueza. Pareceu passar-se um tempo infinito até que o sono começou a adejar em suas pálpebras. Porém, afinal o narcótico começou a manifestar sua potência e ela caiu num sono profundo. Quando o Professor ficou satisfeito, chamou Arthur para o quarto e pediu-lhe que tirasse o casaco. Então acrescentou, *"O senhor pode lhe dar aquele pequeno beijo enquanto eu trago a mesa. Amigo John, ajude-me!"* Assim, nenhum de nós olhou enquanto Arthur se inclinava sobre ela.

Van Helsing, virando-se para mim, disse, *"Ele é tão jovem e forte, e de sangue tão puro que não precisamos desfibriná-lo"*.

Então, com rapidez, mas com absoluto método, Van Helsing executou a operação. À medida que a transfusão progredia, algo semelhante à vida parecia voltar às faces da pobre Lucy, e, na crescente palidez de Arthur, a alegria do seu rosto parecia brilhar intensamente. Depois de um tempo comecei a ficar ansioso, pois a perda de sangue estava esgotando Arthur, forte como era. Isso me deu uma ideia sobre a tensão terrível que o sistema de Lucy devia ter sofrido, tanto que o que debilitava Arthur restabelecia Lucy apenas parcialmente.

Mas o rosto do Professor estava imóvel, e ele ficou de pé, relógio na mão, os olhos fixos ora na paciente ora em Arthur. Eu podia ouvir as batidas do meu próprio coração. Então, ele disse com voz suave, *"Não se mexa um momento. É o bastante. Você cuida dele. Eu cuidarei dela"*.

Quando tudo acabou, eu pude ver o quanto Arthur estava debilitado. Tratei o ferimento e peguei-o pelo braço para levá-lo para fora, quando Van Helsing falou sem se virar, o homem parece ter olhos na parte de trás da cabeça, *"O corajoso amante, eu acho, merece outro beijo, que ele terá agora"*. E como ele já tinha terminado a operação, ajustou o travesseiro à cabeça da paciente. Quando fez isso, a estreita faixa de veludo negro que ela parecia sempre usar em volta da garganta, fechada com uma antiga fivela de diamante que seu amado lhe dera, foi puxada um pouco para cima, revelando uma marca vermelha em sua garganta.

Arthur não percebeu, mas eu podia ouvir o profundo sibilar da respiração contida, que é um dos modos de Van Helsing trair emoção. Ele não disse nada no momento, mas virou-se para mim, dizendo, *"Agora leve para baixo o nosso corajoso jovem amante, dê a ele um cálice de vinho do porto, e mande que se deite um pouco. Depois ele tem que ir para casa descansar, dormir muito e comer muito, para que possa se restaurar daquilo que deu para a sua amada. Ele não deve ficar aqui. Espere um momento! Posso entender, senhor, que está ansioso por resultados. Então acredite que a operação foi bem-sucedida em todos os sentidos. O senhor salvou a vida dela desta vez, e pode ir para casa e descansar com a mente tranquila, pois tudo está como deveria ser. Eu contarei tudo a ela quando estiver bem. Ela o amará bem mais por aquilo que fez. Adeus"*.

Quando Arthur saiu eu voltei para o quarto. Lucy dormia tranquilamente, mas sua respiração estava mais forte. Eu podia ver a colcha mover-se quando seu peito se erguia. Ao lado da cama sentava-se Van Helsing, olhando atentamente para ela. A faixa de veludo cobria de novo a marca vermelha. Perguntei ao Professor num sussurro, *"O que pensa daquela marca em sua garganta?"*

"O que pensa você disso?"

"Eu ainda não a examinei", respondi, e aos poucos comecei a soltar a faixa. Bem em cima da veia jugular externa havia dois furos, que não eram grandes, mas não pareciam saudáveis. Não havia nenhum sinal de doença, mas as extremidades eram esbranquiçadas e de aspecto gasto, como se tivessem sofrido alguma trituração. Imediatamente me ocorreu que essa ferida, ou o que fosse, poderia ser a causa daquela manifestação de perda de sangue. Mas abandonei a ideia assim que surgiu, pois uma coisa dessas não podia acontecer. A cama inteira teria sido encharcada de vermelho com o sangue que a menina deve ter perdido para deixar uma palidez tal como ela apresentava antes da transfusão.

"Bem?" disse Van Helsing.

"Bem", disse eu. "Não posso pensar nada sobre isso".

O Professor levantou-se. "Tenho que voltar para Amsterdã esta noite", ele disse. "Há livros e outras coisas lá que eu necessito. Você tem que ficar aqui toda a noite, e não deve deixar que seus olhos se desviem dela nem por um momento".

"Posso arrumar uma enfermeira?" perguntei.

"Nós somos os melhores enfermeiros, você e eu. Você mantém vigília toda a noite. Cuide que ela seja bem alimentada, e que nada a perturbe. Você não deve dormir a noite toda. Mais tarde podemos dormir, você e eu. Vou voltar assim que puder, e então podemos começar".

"Podemos começar?" eu disse. "O que diabos você quer dizer?"

"Veremos!" ele respondeu, enquanto se apressava a sair. Voltou um momento depois e enfiou a cabeça pela porta, dizendo com um dedo levantado, em sinal de advertência, "Lembre-se, ela é sua responsabilidade. Se você a deixar, e o mal acontecer, você não dormirá mais tranquilo no futuro!"

DIÁRIO DO DR. SEWARD *(continuação)*

8 de setembro: Passei toda a noite sentado ao lado de Lucy. O narcótico perdera gradualmente seu efeito ao aproximar-se o crepúsculo e ela acordou naturalmente. Parecia um ser diferente daquele que tinha sido antes da operação. Até mesmo seu espírito era bom, e ela estava cheia de uma alegre vivacidade, mas eu podia ver evidências da prostração absoluta que havia sofrido. Quando contei à sra. Westenra que o dr. Van Helsing tinha determinado que eu ficasse ao lado de Lucy, ela quase desdenhou da ideia, apontando a força renovada da filha e seu excelente estado de espírito. Fui firme, porém, e preparei tudo para minha longa vigília. Quando a criada já a havia preparado para a noite, entrei, tendo jantado nesse meio tempo, e tomei meu lugar ao lado da cama.

Ela não fez objeção de espécie alguma, mas olhava-me com gratidão toda vez que eu encontrava o seu olhar. Depois de um longo período ela parecia estar fechando os olhos de sono, mas parece que fazia um esforço para se recobrar e livrar-se dele. Era evidente que ela não queria dormir, assim entrei logo no assunto.

"Você não quer dormir?"

"Não. Estou com medo".

"Medo de dormir? Por que isso? É o conforto que todos nós desejamos".

"Ah, não se você fosse como eu, se o sono fosse para você um presságio de horror!"

"Um presságio de horror! Que diabos você quer dizer?"

"Eu não sei. Oh, eu não sei. E isso é que é tão terrível. Toda essa fraqueza me vem durante o sono, até que eu tenha medo da própria ideia".

"Mas, minha querida menina, pode dormir esta noite. Estou aqui tomando conta de você, e lhe prometo que nada vai acontecer".

"Ah, em você eu posso confiar!" ela disse.

Aproveitei a oportunidade e disse, "Prometo que se eu vir qualquer indício de sonhos maus eu a acordarei imediatamente".

"Acordará? Oh, fará mesmo isso? Como você é bom para mim. Então vou dormir!" E ao dizer essas palavras deu um profundo suspiro de alívio, e recostou-se, adormecida.

Velei por ela a noite toda. Lucy não se mexeu, mas dormiu sem parar num sono profundo, tranquilo, tonificante, restaurador. Seus lábios estavam levemente afastados, e seu peito subia e descia com a regularidade de um pêndulo. Havia um sorriso em seu rosto, e era evidente que nenhum sonho mau tinha vindo perturbar sua paz de espírito.

De manhã cedo chegou a criada, e eu a deixei aos seus cuidados e tratei de voltar para casa, pois estava ansioso com muitas coisas. Enviei um telegrama curto para Van Helsing e para Arthur, contando-lhes do excelente resultado da operação. Meu próprio trabalho, com seus múltiplos atrasos, me ocupou o dia todo. Já estava escuro quando pude indagar sobre o meu paciente zoófago. O relatório foi bom. Ele estivera bastante calmo durante o dia e a noite anteriores. Enquanto eu estava jantando chegou um telegrama de Van Helsing, de Amsterdã, sugerindo que eu deveria ir para Hillingham esta noite, pois seria bom estar a postos, e declarando que ele estava partindo pelo correio noturno e se juntaria a mim bem cedo de manhã.

9 de setembro: Eu estava muito cansado e esgotado quando cheguei a Hillingham. Por duas noites mal tirara um cochilo, e meu cérebro estava começando a sentir aquele entorpecimento que marca o esgotamento cerebral. Lucy estava acordada e alegre de espírito. Quando me apertou a mão, olhou-me intensamente e disse:

"Nada de ficar de vigília a noite inteira hoje. Você está esgotado. Estou de novo muito bem. Estou, realmente, e se houver qualquer vigília, sou eu que vou velar por você".

Não discuti a questão, mas entrei e fui tomar a ceia. Lucy veio comigo e, estimulado pela sua presença encantadora, fiz uma refeição excelente e tomei dois cálices de um ótimo vinho do porto. Então Lucy me levou para cima e me mostrou um quarto ao lado do seu, onde ardia um fogo aconchegante.

"Agora", ela disse, "você tem que ficar aqui. Deixarei esta porta aberta e a minha porta também. Pode se deitar no sofá, pois sei que nada levaria qualquer um de vocês, médicos, a ir para a cama enquanto houvesse um paciente no horizonte. Chamarei se precisar de alguma coisa, e você pode vir até mim imediatamente".

Não pude senão concordar, pois eu estava acabado, e não poderia ter feito a vigília nem se tivesse tentado. Assim, quando ela renovou sua promessa de me chamar se precisasse de alguma coisa, deitei-me no sofá e me esqueci de tudo no mundo.

DIÁRIO DE LUCY WESTENRA

9 de setembro: Estou tão feliz esta noite! Tenho estado tão terrivelmente fraca, que ser capaz de pensar e de me movimentar é como sentir a luz do sol depois de um longo período de vento oeste soprando num céu de chumbo. De alguma maneira sinto Arthur muito, muito próximo de mim. Parece que sinto sua presença à minha volta. Suponho que seja porque doença e fraqueza são coisas egoístas, e viram os nossos olhos interiores e a nossa simpatia para nós mesmos, enquanto a saúde e a força dão asas ao amor, e em pensamento e sentimento ele pode vagar por onde quer. Eu sei onde meus pensamentos estão. Se Arthur apenas soubesse! Meu querido, meu querido, suas orelhas devem estar formigando enquanto dorme, como as minhas estão despertas. Oh, o repouso abençoado da noite passada! Como dormi, com esse querido e bondoso dr. Seward velando pelo meu sono. E esta noite não temerei dormir, já que ele está à disposição e perto o bastante para me ouvir chamar. Agradeço a todos por serem tão bons para comigo. Agradeço a Deus! Boa-noite, Arthur.

DIÁRIO DO DR. SEWARD

10 de setembro: Senti a mão do Professor sobre a minha cabeça, e despertei no mesmo instante. Essa é uma das coisas que aprendemos num hospício, de qualquer modo.

"E como está nossa paciente?"

"Estava bem quando a deixei, ou melhor, quando ela me deixou", respondi.

"Venha, vamos ver", ele disse. E juntos entramos no quarto.

A persiana estava abaixada, e fui levantá-la suavemente, enquanto Van Helsing caminhava com seu passo macio, como o de um gato, até a cama.

Enquanto eu levantava a persiana e a luz do sol matinal inundava o quarto, ouvi o zumbido baixo da respiração do Professor, e, sabendo da sua raridade, um medo mortal atravessou-me o coração. Enquanto eu avançava ele recuou, e sua exclamação de horror, *"Gott in Himmel!"* não precisava do reforço de sua face angustiada. Ele levantou a mão e apontou para a cama, e seu rosto férreo estava pálido e acinzentado. Senti meus joelhos começarem a tremer.

No fundo da cama, parecendo desmaiada, jazia a pobre Lucy, mais branca e horrivelmente pálida do que nunca. Até mesmo os lábios estavam brancos, e as gengivas pareciam ter encolhido para trás dos dentes, como às vezes vemos num cadáver depois de uma doença prolongada.

Van Helsing levantou o pé para bater no chão com raiva, mas o instinto de vida e todos os seus longos anos de prática o detiveram, e ele baixou-o outra vez suavemente.

"Rápido!" ele disse. *"Traga o conhaque"*.

Voei para a sala de jantar e retornei com a garrafa. Ele molhou os pobres lábios brancos com a bebida, e juntos esfregamos as palmas, os pulsos e o peito. Ele sentiu o coração de Lucy, e depois de alguns momentos de agonizante silêncio, disse:

"Não é tarde demais. Ele bate, ainda que fracamente. Todo nosso trabalho está destruído. Temos que começar tudo de novo. Não há nenhum jovem Arthur aqui agora. Tenho que apelar para você mesmo desta vez, amigo John". Enquanto falava, estava mexendo na maleta e pegando os instrumentos de transfusão. Eu havia tirado meu casaco e arregaçado a manga da camisa. Não havia qualquer possibilidade de um narcótico naquele momento, nem havia necessidade de um; e assim, sem esperar um momento, começamos a operação.

Depois de um tempo, e não parecia pouco tempo, pois a transfusão de sangue, não importa a boa vontade com que seja doado, é uma sensação terrível, Van Helsing levantou um dedo em advertência. *"Não se mexa"*, ele disse. *"Mas temo que com a recuperação de suas forças ela possa acordar, e isso seria um perigo, oh, um grande perigo. Mas tomarei uma precaução. Darei uma injeção hipodérmica de morfina"*. Ele então prosseguiu, com habilidade e rapidez, na realização do seu intento.

O efeito em Lucy não foi ruim, pois o desmaio parecia se unir sutilmente ao sono narcótico. Foi com um sentimento de orgulho pessoal que pude ver um fraco colorido voltar às faces e aos lábios pálidos. Nenhum homem sabe, até que experimente, o que é sentir a sua própria essência vital drenada para as veias da mulher que ama.

O Professor me observava de modo crítico. *"Assim está bom"*, ele disse. *"Já?"* protestei. *"Você tirou bem mais sangue de Art"*. Em resposta, ele sorriu um tipo de sorriso triste, enquanto dizia:

"Ele é o noivo dela, o seu amado. Você tem trabalho, muito trabalho a fazer por ela e por outros, e no momento isso será suficiente".

Quando paramos a operação ele cuidou de Lucy, enquanto eu fazia pressão com os dedos sobre a minha própria incisão. Fiquei recostado esperando que ele estivesse livre para cuidar de mim, pois me sentia fraco e um pouco enjoado. Aos poucos ele dedicou-se ao meu ferimento, e me mandou descer para tomar um cálice de vinho do porto. Quando eu estava saindo do quarto, ele veio atrás de mim e disse num sussurro:

"Lembre-se, não deve ser dito nada sobre isso. Se nosso jovem amante voltar de modo repentino, como antes, nenhuma palavra para ele. Isso o deixaria amedrontado e enciumado, também, e não deve haver nenhuma dessas duas coisas. Então!"

Quando voltei ele me olhou com cuidado, e então disse, *"Você não está muito pior. Vá para o quarto, deite-se no sofá e descanse por um tempo, então tome um farto café da manhã e volte para cá".*

Segui as ordens dele, pois sabia o quanto eram corretas e sensatas. Eu tinha feito a minha parte, e agora meu próximo dever era manter minha força. Sentia-me muito fraco, e com a fraqueza perdi um pouco do assombro com o que havia acontecido. Adormeci no sofá, porém, perguntando-me inúmeras vezes como Lucy tinha feito tal movimento retrógrado, e como ela podia ter perdido tanto sangue sem qualquer sinal aparente, em parte alguma. Acho que continuei a devanear nos sonhos, pois, dormindo ou acordado, meus pensamentos sempre voltavam aos pequenos furos em sua garganta e à aparência gasta e irregular das suas extremidades, apesar de serem minúsculos.

Lucy dormiu bem durante o dia, e quando despertou estava bem melhor e mais forte, embora não tanto quanto na véspera. Depois que Van Helsing a viu, saiu para um passeio, deixando-me encarregado, com ordens rigorosas de não deixá-la por um momento que fosse. Eu podia ouvir sua voz no corredor, perguntando o caminho para o posto de telégrafo mais próximo.

Lucy conversou comigo de modo familiar, e parecia não ter consciência de que alguma coisa tinha acontecido. Tentei mantê-la distraída e interessada. Quando sua mãe subiu para vê-la, não pareceu notar qualquer mudança, mas me disse de modo agradecido:

"Nós lhe devemos muito, dr. Seward, por tudo que tem feito, mas agora realmente deve tomar cuidado para não ficar sobrecarregado. O senhor mesmo está parecendo pálido. Precisa de uma esposa para alimentá-lo e cuidá-lo um pouco, é disso que precisa!" Enquanto ela falava, Lucy ficou vermelha, embora apenas momentaneamente, pois suas pobres veias desgastadas não podiam suportar por longo tempo um dreno de sangue inabitual para a cabeça. A reação foi uma palidez excessiva, enquanto ela virava para mim os olhos suplicantes. Eu sorri e acenei em concordância, pondo o dedo sobre os lábios. Com um suspiro, ela recostou-se e afundou nos travesseiros.

Van Helsing retornou em um par de horas, e então me disse: *"Agora você vai para casa, e deve comer e beber bastante. Fique forte. Eu fico aqui esta noite, e eu mesmo me sentarei com a senhorita. Você e eu devemos tomar conta do caso, e não devemos permitir que ninguém mais fique sabendo. Eu tenho razões sérias. Não, não me pergunte. Pense o que quiser. Não tenha medo de pensar até mesmo o mais não-improvável. Boa-noite".*

No corredor duas das criadas vieram me perguntar se ambas, ou uma delas, não poderia fazer a vigília junto a srta. Lucy. Imploraram-me que permitisse, e quando eu disse que era desejo do dr. Van Helsing que ou ele ou eu fizéssemos a vigília, pediram-me de modo bastante comovente que intercedesse com o "cavalheiro estrangeiro." Fiquei muito emocionado com a sua bondade. Talvez fosse porque estou fraco no momento, ou talvez fosse por causa de Lucy que manifestaram sua devoção. Inúmeras vezes vi exemplos semelhantes da bondade feminina. Voltei para cá a tempo para um jantar tardio, fiz a minha ronda, todos bem, e escrevi isso enquanto espero pelo sono. Está vindo.

11 de setembro: Esta tarde fui para Hillingham. Achei Van Helsing em excelente espírito, e Lucy muito melhor. Logo após minha chegada, veio um enorme pacote do estrangeiro para o Professor. Ele abriu-o com bastante apreensão, fingida, é claro, e mostrou um grande buquê de flores brancas.

"*Estas são para você, srta. Lucy*", ele disse.

"*Para mim? Oh, dr. Van Helsing!*"

"*Sim, minha querida, mas não é para o seu prazer. Estas flores são remédios*". A isso Lucy fez cara de aversão. "*Não, não são para tomar em forma de essência, ou de forma enjoativa, assim você não precisa torcer esse nariz tão encantador, ou eu mostrarei para meu amigo Arthur que aflições ele pode ter que suportar vendo essa beleza que ele tanto ama com uma expressão tão torcida. Ah, minha bela senhorita, agora o nariz tão bonito está todo direito outra vez. Isso é medicinal, mas você não sabe de que modo. Eu as colocarei na sua janela, farei bonita guirlanda para pendurar em volta do seu pescoço, assim você dorme bem. Oh, sim! Elas, assim como a flor de lótus, fazem esquecer seus problemas. Cheira igual às águas do Lete, e daquela fonte da mocidade que os Conquistadores procuraram nas Floridas, e a acharam tarde demais*".

Enquanto ele estava falando, Lucy tinha examinado e cheirado as flores. Agora, lançou-as ao chão, dizendo, com um misto de sorriso e de repulsa:

"*Oh, Professor, acho que o senhor está apenas brincando comigo. Ora, essas flores são apenas alho comum*".

Para minha surpresa, Van Helsing levantou-se e disse, com toda seriedade, a mandíbula rígida e as sobrancelhas espessas contraindo-se:

"*Nada de brincadeira comigo! Eu nunca brinco! Existem um propósito sério no que faço e eu advirto você que não me contrarie. Tome cuidado, pelo bem de outros, se não pelo seu próprio*". Então, vendo a pobre Lucy assustada, como bem deveria estar, ele continuou com mais gentileza, "*Oh, mocinha, minha querida, não tenha medo de mim. Eu faço isso apenas para o seu bem, mas há muita coisa boa para você nessas flores tão comuns. Veja, eu mesmo coloco as flores no seu quarto. Eu mesmo faço a guirlanda que você deve usar. Mas silêncio! Nada de contar aos outros, que fazem tantas perguntas. Devemos obedecer, e o silêncio é parte da obediência, e a obediência é devolver você forte e bem de saúde aos braços amorosos que a esperam. Agora sente-se quieta um pouco. Venha comigo, amigo John, e me ajude a enfeitar o quarto com meu alho, que veio de Haarlem, onde meu amigo Vanderpool cria ervas nas suas estufas o ano todo. Tive que telegrafar ontem, ou eles não estariam aqui*".

Entramos no quarto, levando as flores conosco. As ações do Professor eram certamente estranhas, e não poderiam ser encontradas em qualquer farmacopeia de que eu já tivesse ouvido falar. Primeiro ele fechou as janelas e as trancou com firmeza. Depois, pegando um punhado de flores, esfregou-as em todas as vidraças, como se para assegurar-se de que todo sopro de ar que pudesse entrar no aposento estivesse carregado com o cheiro de alho. E por fim esfregou todo o umbral da porta com o tufo, em cima, em baixo, e de cada lado, e procedeu do mesmo modo ao redor da lareira. Tudo isso me parecia grotesco, e então eu disse, "*Bem, Professor, sei que sempre tem uma razão para tudo o que faz, mas isto certamente me confunde. É bom que não tenhamos nenhum cético aqui, ou ele diria que você estava fazendo algum feitiço para manter afastado um mau espírito*".

"*Talvez eu esteja!*" ele respondeu calmamente, enquanto começava a fazer a guirlanda que Lucy deveria usar em volta do pescoço.

Nós esperamos então que Lucy se preparasse para dormir, e quando ela estava deitada Van Helsing colocou a guirlanda de alho em volta do seu pescoço. As últimas palavras que ele disse a ela foram:

"*Tome cuidado para não desarranjá-la, e mesmo que o quarto fique abafado, não abra a janela nem a porta esta noite*".

"Prometo", disse Lucy. "E mil vezes obrigado aos dois por toda sua bondade para comigo! Oh, o que fiz para ser abençoada com tais amigos?"

Quando deixamos a casa na carruagem de aluguel, que estava esperando, Van Helsing disse, "*Hoje posso dormir em paz, e preciso dormir, duas noites de viagem, muita leitura no dia entre elas, e muita ansiedade no dia seguinte, e uma noite sentado, sem piscar. Amanhã de manhã cedo você vem me buscar, e nós viremos juntos ver nossa bonita senhorita, que vai estar muito mais forte por causa do 'feitiço' que eu fiz. Ho, ho!*"

Ele parecia tão confiante que eu, lembrando da minha própria confiança duas noites atrás com seu resultado pernicioso, tive um sentimento de medo e de vago terror. Deve ter sido a minha fraqueza que me fez hesitar em contar esse fato ao meu amigo, mas senti isso ainda mais, como lágrimas contidas.

CAPÍTULO 11

DIÁRIO DE LUCY WESTENRA

12 de setembro: Como todos eles são bons para mim! Adoro esse querido dr. Van Helsing. Queria saber por que ele estava tão ansioso sobre essas flores. Ele positivamente me assustou, estava tão furioso! E mesmo assim deve ter tido razão, pois já sinto o conforto que elas me proporcionam. De alguma forma, não tenho medo de ficar sozinha esta noite, e posso ir dormir sem medo. Não prestarei atenção a qualquer batida na janela. Oh, a luta terrível que tive contra o sono com tanta frequência nos últimos tempos, a aflição da insônia, ou a aflição do medo de dormir, e com tais horrores desconhecidos como acontece comigo! Como são abençoadas algumas pessoas cujas vidas não têm nenhum medo, nenhum receio, para quem o sono é uma bênção que vem todas as noites, e não traz nada além de doces sonhos. Bem, aqui estou eu esta noite, na esperança de dormir, e deitada como Ofélia na peça, com suas "grinaldas de virgem e flores brancas de donzela"[30]. Nunca gostei de alho antes, mas esta noite acho-o delicioso! Há paz em seu cheiro. Sinto que o sono está chegando. Boa-noite a todos.

DIÁRIO DO DR. SEWARD

13 de setembro: Fui ao Hotel Berkeley e encontrei Van Helsing pronto, como de hábito. A carruagem chamada pelo hotel estava esperando. O Professor pegou sua maleta, que ele agora sempre levava consigo.

Vou relatar exatamente o que se passou. Van Helsing e eu chegamos a Hillingham às oito horas. Era uma manhã encantadora. O sol brilhante e toda a fresca sensação de começo de outono pareciam a conclusão do trabalho anual da natureza. As folhas estavam adquirindo todos os mais belos matizes de cores, mas ainda não tinham começado a cair das árvores. Ao entrar, encontramos a sra. Westenra saindo da

---
[30] William Shakespeare, *A Tragédia de Hamlet, Príncipe da Dinamarca*, Ato V, cena I. NT

sala de estar. Ela é sempre madrugadora. Cumprimentou-nos calorosamente e disse:

"Ficarão contentes de saber que Lucy está melhor. A querida menina ainda está dormindo. Olhei para dentro do quarto e a vi, mas não entrei, para não perturbá-la". O Professor sorriu e pareceu muito exultante. Esfregou as mãos e disse, "Aha! Achei mesmo que tinha diagnosticado o caso. Meu tratamento está funcionando".

A isso a senhora respondeu, "Não tome todo o crédito para si, doutor. O estado de Lucy esta manhã deve-se em parte a mim".

"O que quer dizer, senhora?" perguntou o Professor.

"Bem, eu estava ansiosa com a querida menina durante a noite, e entrei no seu quarto. Ela dormia profundamente, tão profundamente que nem acordou com a minha chegada. Mas o quarto estava muito abafado. Havia um monte daquelas flores horríveis, malcheirosas, por toda parte, e havia até uma guirlanda em volta do pescoço de Lucy. Tive receio de que o odor pesado fosse demais para a pobre menina em seu estado de fraqueza, então levei todas embora e abri uma fresta da janela para deixar entrar um pouco de ar fresco. Vocês ficarão satisfeitos com ela, tenho certeza".

A sra. Westenra saiu para os seus aposentos, onde normalmente tomava o café da manhã mais cedo. Enquanto ela falava, observei o rosto do Professor e o vi tornar-se pálido e acinzentado. Ele tinha sido capaz de manter o autodomínio enquanto a pobre senhora estava presente, pois conhecia seu estado e sabia o quanto um choque seria prejudicial. Ele na verdade até sorriu para ela, enquanto segurava a porta aberta para que passasse. Mas no instante em que ela desapareceu ele me puxou, de modo repentino e violento, para a sala de jantar, e fechou a porta.

Então, pela primeira vez em minha vida, vi Van Helsing sucumbir. Ele ergueu as mãos sobre a cabeça, numa espécie de mudo desespero, e depois juntou as palmas de um modo desamparado. Finalmente sentou-se numa cadeira, e, cobrindo o rosto com as mãos, começou a soluçar, soluços altos e secos que pareciam vir do fundo do seu coração.

Então ergueu os braços de novo, como se apelasse ao universo inteiro. *"Deus! Deus! Deus!"* ele disse. *"O que foi que nós fizemos, o que fez esta pobre infeliz, para sermos acossados de modo tão grave? Será que ainda há destruição entre nós, enviada pelo antigo mundo pagão, para que tais coisas aconteçam, e de tal modo? Esta pobre mãe, sem nada saber, e tudo com a melhor das intenções, faz uma coisa dessas, perder a filha de corpo e alma, e nós nem podemos contar-lhe, não devemos nem mesmo avisá-la, ou ela morre, e então ambas morrem. Oh, estamos sitiados! Como todos os poderes dos demônios estão contra nós!"*

De repente, deu um salto e pôs-se de pé. *"Venha"*, ele disse, *"venha, temos que ver e agir. Demônios, não-demônios, ou todos os demônios juntos de uma vez, não importa. Devemos lutar contra ele do mesmo jeito"*. Ele foi até a porta do corredor buscar sua maleta, e juntos subimos para o quarto de Lucy.

De novo eu levantei a persiana, enquanto Van Helsing dirigia-se à cama. Desta vez ele não se assustou quando olhou para o pobre rosto, com a mesma palidez terrível e cerosa de antes. Exibia um olhar de severa tristeza e piedade infinita.

"Como eu esperava" ele murmurou, com aquela sua respiração sibilante que significava tanto. Sem uma palavra, foi até a porta e trancou-a, então começou a dispor na mesinha os instrumentos para mais uma operação de transfusão de sangue. Eu já havia reconhecido a necessidade há muito tempo, e começara a tirar o casaco, mas ele me fez parar com um gesto de advertência. *"Não!"* ele disse. *"Hoje você terá que fazer a operação. Eu darei o sangue. Você já está debilitado"*. Enquanto falava, tirou o casaco e arregaçou as mangas.

Novamente a operação. Novamente o narcótico. Novamente um pouco de cor voltando às faces cinzentas e a respiração regular do sono saudável. Desta vez eu velei enquanto Van Helsing recuperava-se e descansava.

Agora ele aproveitava uma oportunidade para dizer à sra. Westenra que não devia remover nada do quarto de Lucy sem consultá-lo. Que as flores tinham valor medicinal, e que a aspiração do seu odor era uma parte do processo de cura. Então ele mesmo assumiu o cuidado do caso, dizendo que velaria nesta noite e na próxima, e mandaria me dizer quando eu deveria vir.

Depois de mais uma hora Lucy acordou do sono, fresca e luminosa, e aparentando não estar muito pior para quem passou por uma provação tão terrível.

O que significa tudo isso? Estou começando a me perguntar se meu longo hábito de vida entre os insanos não está começando a cansar meu próprio cérebro.

DIÁRIO DE LUCY WESTENRA

17 de setembro: Quatro dias e noites de paz. Estou ficando tão forte outra vez que mal me reconheço. É como se eu tivesse passado por um longo pesadelo, e acabasse de acordar para ver o belo sol e sentir o ar fresco da manhã ao meu redor. Tenho uma recordação meio vaga de longas e ansiosas horas de espera e temor, uma escuridão na qual não havia nem mesmo a dor da esperança para fazer a presente aflição mais pungente. E então os longos períodos de esquecimento e a volta à vida, como um mergulhador que surge de uma grande massa de água. Porém, desde que o dr. Van Helsing tem estado comigo, todo esse sonho mau parece ter acabado. Os barulhos que costumavam amedrontar-me e me deixar fora de mim, o bater contra as janelas, as vozes distantes que me pareciam tão perto, os sons ásperos que vinham não sei de onde e me mandavam fazer não sei o quê, tudo isso cessou. Agora vou para cama sem qualquer medo de dormir. Nem mesmo tento ficar acordada. Acabei gostando muito de alho, e uma caixa cheia chega de Haarlem para mim todos os dias. Hoje à noite o dr. Van Helsing vai embora, pois tem que ficar um dia em Amsterdã. Mas já não preciso de vigília. Estou bem o bastante para ser deixada só.

Agradeço a Deus pelo amor da mamãe, e do querido Arthur, e de todos os nossos amigos que têm sido tão bondosos! Não deverei nem mesmo sentir a mudança, pois ontem à noite o dr. Van Helsing esteve dormindo em sua cadeira boa parte do tempo. Nas duas vezes em que acordei encontrei-o dormindo. Mas não tive medo de dormir de novo, embora os galhos das árvores, ou morcegos ou alguma outra coisa tivessem batido furiosamente contra as vidraças da janela.

"THE PALL MALL GAZETTE", 18 DE SETEMBRO

O LOBO FUGITIVO, PERIGOSA AVENTURA DO NOSSO CORRESPONDENTE ENTREVISTA COM O GUARDADOR DO JARDIM ZOOLÓGICO

Depois de inúmeras investigações e outras tantas recusas, e usando eternamente as palavras "PALL MALL GAZETTE" como um tipo de talismã, consegui localizar o guardador da seção do Jardim Zoológico à qual se acha subordinado o departamento dos lobos. Thomas Bilder vive num dos chalés na área cercada atrás do alojamento dos elefantes, e quando o encontrei acabara de sentar-se à mesa para o chá. Thomas e a esposa são gente hospitaleira, idosos, sem filhos, e se a amostra de hospitalidade que desfrutei em sua casa for do tipo normal, sua vida deve ser bastante confortável. O guardador não quis entrar no que ele chama de "negócios" até que a ceia houvesse terminado, e estivéssemos todos satisfeitos. Então, depois da mesa limpa e de acender seu cachimbo, disse-me:

"Agora, senhor, pode continuar e me perguntar o que quiser. O senhor vai me desculpar a recusa em falar de assuntos profissionais antes da refeição. Sirvo o chá para todos os lobos, chacais e hienas da nossa seção, antes de começar a fazer perguntas para eles."

"O que o senhor quer dizer com 'fazer perguntas para eles'?" interroguei, na esperança de levá-lo a um humor mais falante.

"Bater na cabeça deles com um bastão é um modo. Coçar suas orelhas é outro, quando os cavalheiros que assistem querem um pouco de exibição para suas damas. Não dou tanta atenção assim à barrica de comida, nem dou pancada na cabeça antes que comam o jantar, mas espero até que tenham tomado seu xerez e seu café, por assim dizer, antes de tentar coçar suas orelhas. Imagine o senhor" ele acrescentou filosoficamente, "que há um bocado da mesma natureza em nós, assim como existe nesses animais todos. Aqui está o senhor, que mal chegou e vem me fazer perguntas sobre a minha profissão, e se eu estivesse de mau-humor, e em troca de uma porção de fumo de mascar o senhor me desse uma surra antes que eu pudesse responder. Nem mesmo quando o senhor me perguntou com sarcasmo se eu gostaria que pedisse ao superintendente para me entrevistar eu o tratei mal. Sem ofensa, eu mandei o senhor para o inferno?"

"Mandou."

"E quando o senhor disse que ia informar meus superiores que eu estava usando linguagem obscena, foi uma pancada na cabeça. Mas a sua porção de fumo deixou tudo certo. Eu não queria brigar, então esperei pela refeição, e fiz com a minha 'coruja' o mesmo que fazem os lobos e leões e tigres. Mas, pelo bem do meu coração, agora que a minha velha já me estufou com um pedaço grosso do seu bolo, e me alagou com um belo chá servido no velho bule, e estou saltando num pé só, o senhor pode me encher as orelhas com tudo que acha que vale a pena, e não vai ouvir nem mesmo um resmungo de mim. Comece com suas perguntas. Eu sei por que o senhor veio, é por causa do nosso lobo que fugiu."

"Exatamente. Quero que o senhor me dê a sua versão do caso. Só me conte como aconteceu, e quando eu souber os fatos, vou pedir que me diga qual, em sua opinião, foi a causa da fuga, e como acha que esse caso todo irá terminar."

"Certo, chefe. Essa história já vem de antes. Esse nosso lobo que nós chamamos de Bersicker era um dos três lobos cinzentos que vieram da Noruega por Jamarach, e que nós compramos quatro anos atrás. Era um belo lobo, muito bem-comportado, que nunca deu nenhum problema. Estou mais surpreso por ter sido ele a tentar escapar em vez de qualquer outro animal do lugar. Mas, lá isso é, não se pode confiar nos lobos, não mais do que nas mulheres."

"Não ligue para o que ele diz, senhor!" interrompeu a sra. Tom, com um riso alegre. "Vive há tanto tempo no meio dos animais que é um milagre que ele mesmo ainda não tenha virado um lobo velho! Mas ele não tem maldade."

"Bem, senhor, foi ontem, mais ou menos duas horas depois de distribuir a ração, quando eu primeiro ouvi a perturbação. Eu estava limpando uma padiola na jaula dos macacos para um puma jovem, que está doente. Mas quando ouvi os gritos e uivos saí direto para fora.

Lá estava Bersicker, arranhando feito louco as grades da jaula, como se quisesse sair. Não tinha muita gente naquele dia, e perto dele havia só um homem, um camarada alto, magro, com um nariz de falcão e uma barba pontuda, com alguns fios brancos no meio. Ele tinha um olhar duro e frio e olhos vermelhos, e eu peguei um tipo de antipatia por ele, pois parecia que era ele que estava irritando os bichos. Calçava luvas brancas de pelica, e então me apontou os animais, dizendo, 'Guardador, estes lobos parecem estar incomodados com alguma coisa.'"

"'Talvez seja com o senhor', eu disse, pois não gostei dos ares afetados dele. Ele não ficou bravo, como eu achei que ia ficar, mas deu um sorriso insolente, e sua boca era cheia de dentes brancos e afiados. 'Oh não, eles não gostariam de mim', ele disse.

"'Oh, sim, eles gostariam', disse eu, imitando o jeito dele. 'Eles sempre gostam de um osso ou dois para limpar os dentes na hora do chá, e o senhor parece que dá um saco cheio.'

"Bem, era uma coisa estranha, mas quando os animais nos viram conversando foram se deitar, e quando eu fui até Bersicker ele me deixou coçar suas orelhas como sempre. Então aquele homem chegou perto, e pedi que ele não pusesse as mãos e também tentasse coçar as orelhas do lobo velho!

"'Tome cuidado', eu disse. 'Bersicker é rápido.'

"'Não importa', ele disse. Estou acostumado com eles!'

"'O senhor mesmo também está no negócio, então?' eu disse, tirando o chapéu, pois um homem que comercia com lobos é, desde sempre, um bom amigo dos guardadores.

"'Não' disse ele, 'não estou exatamente no negócio, mas transformei muitos deles em animais de estimação.' E com isso ele tirou o chapéu como se fosse um lorde, e foi embora. O velho Bersicker ficou olhando para ele até perdê-lo de vista, depois foi se deitar num canto e não saiu dali a tarde toda. Bem, na noite passada, assim que surgiu a lua, todos os lobos daqui começaram a uivar. Não havia nenhum motivo para uivarem. Não havia ninguém perto, exceto alguém que estava evidentemente chamando um cão em algum lugar lá nos jardins da estrada do Parque. Eu saí uma ou duas vezes para ver se tudo estava certo, e estava, e então os uivos pararam. Logo antes da meia-noite, fui dar mais uma olhada antes de voltar, mas quando cheguei em frente à jaula do velho Bersicker vi que as grades estavam quebradas e retorcidas, e a jaula vazia. E isso é tudo que eu sei com certeza."

"Alguém mais viu alguma coisa?"

"Um dos nossos jardineiros estava voltando para casa por essa hora, depois da folga, quando viu um enorme cão cinzento saindo pelo canto do jardim. Pelo menos, assim ele diz, mas eu não lhe dou muito crédito, pois ele nunca disse uma palavra sobre isso para a mulher quando chegou em casa, e foi só depois que a fuga do lobo foi descoberta, e nós tínhamos passado a noite toda caçando Bersicker no parque, que ele se lembrou de ter visto alguma coisa. Minha própria convicção é de que a 'folga' lhe subiu à cabeça."

"Agora, Mr. Bilder, pode imaginar alguma explicação para a fuga do lobo?"

"Bem, senhor", ele disse, com um tipo suspeito de modéstia, "acho que posso, mas não sei se o senhor ficaria satisfeito com a minha teoria."

"Certamente que sim. Se um homem como o senhor, que conhece os animais por experiência própria, não puder arriscar uma boa suposição, quem mais seria capaz de tentar?"

"Está bem então, senhor, eu imagino as coisas deste modo. Parece-me que o nosso lobo escapou... simplesmente porque queria cair fora."

Pelo modo entusiasmado com que ambos, Thomas e a esposa, riram da piada, pude ver que ela já era de segunda mão, e que a explicação toda era apenas um elaborado conto da carochinha. Eu não podia competir com o valioso Thomas em termos de gracejos, mas pensei que conhecia um modo seguro de cair em suas boas graças, então disse, "Agora, Mr. Bilder, vamos considerar que aquela primeira moeda de meia-libra já fez o seu trabalho, e esta outra moedinha igual está esperando para ser reclamada assim que o senhor me disser o que acha que vai acontecer."

"Tá muito certo, senhor", ele disse vivamente. "O senhor vai me desculpar, eu sei, por fazer troça com o senhor, mas a minha velha aqui piscou para mim, como que me incentivando a continuar."

"Quem, eu? Nunca!" disse a velha senhora.

"Minha opinião é esta: que o nosso lobo está solto por aí, em algum lugar. O jardineiro que não se lembrava disse que ele estava galopando na direção norte, mais rápido que um cavalo, mas eu não acredito nele, pois, o senhor sabe, lobos não galopam, não mais do que os cachorros, não são feitos para isso, não é sua natureza. Lobos são muito bonitos nos livros de histórias, e ouso dizer que quando se juntam em bandos para caçar alguma coisa, isso é muito assustador, porque podem fazer um barulho dos diabos e agarrar o que quer que seja. Mas, Deus seja louvado, na vida real um lobo é só uma criatura humilde, não tem a metade da inteligência ou da coragem de um bom cachorro, e sua ferocidade potencial não chega a um quarto da do cachorro. Este daqui não está nem acostumado a lutar, nem mesmo a prover sua subsistência. É mais provável que ele esteja em algum lugar em torno do Parque, escondendo-se e tremendo, e se ele pensa em alguma coisa, deve estar se perguntando onde poderia conseguir o café da manhã. Ou talvez tenha descido para alguma área próxima e entrado num depósito de carvão. Meus olhos gostariam de ver alguma cozinheira levar um susto danado ao ver aqueles olhos verdes brilhando para ela na escuridão! Se ele não conseguir comida, vai ser obrigado a procurar, e pode ser que apareça num açougue a tempo de não morrer de fome. Mas se nada disso acontecer, e alguma ama seca sair para um passeio com o seu soldado, deixando a criança esquecida no carrinho de bebê... bem, então eu não ficaria surpreso se o censo registrasse um bebê de menos. E isso é tudo."

Eu já estava lhe estendendo a moeda de meia-libra, quando alguma coisa surgiu inesperadamente na janela. O sr. Bilder abriu a boca, pasmo, e seu rosto se transformou, tamanha era a sua surpresa.

"Deus seja louvado!" ele disse. "Se não é o velho Bersicker que voltou por conta própria!"

Ele foi até a porta e abriu-a, o que me pareceu um procedimento completamente desnecessário. Sempre pensei que um animal selvagem nunca se comporta tão bem como quando existe algum obstáculo de considerável estabilidade entre ele e nós. E uma experiência pessoal intensificou, em vez de diminuir, essa ideia.

Afinal de contas, porém, não há nada como o hábito, pois nem Bilder nem a esposa tinham mais medo do lobo do que eu teria de um cachorro. O próprio animal era calmo e bem-comportado, como aquele pai de todos os lobos dos livros de gravuras, o velho amigo de "Hood, o Cavaleiro Vermelho", mudando sua confiança em disfarce.

A cena inteira era uma mistura indescritível de comédia e emoção exacerbada. O lobo mau, que durante meio dia tinha paralisado Londres e deixado todas as crianças da cidade tremendo como vara verde, estava ali numa espécie de humor penitente, arrependido, e foi recebido e acariciado como um tipo de filho pródigo lupino. O velho Bilder examinou-o minuciosamente com a mais terna solicitude, e quando terminou, disse:

"Bem, eu sabia que o meu pobre e velho camarada acabaria se metendo em algum tipo de problema. Não falei isso desde o início? Aqui está, sua cabeça está toda cortada e cheia de cacos de vidro. Deve ter tentado pular um muro ou coisa desse tipo. É uma vergonha permitir que as pessoas cubram o alto dos muros com cacos de garrafa. É isso que acontece. Vamos, Bersicker."

Ele levou o lobo e prendeu-o numa jaula, dando-lhe um pedaço de carne que satisfez - em quantidade, de qualquer modo - as necessidades elementares do bezerro cevado, e depois saiu para reportar a situação.

Eu também saí, para reportar a única informação exclusiva que foi dada hoje a respeito da estranha fuga no Jardim zoológico.

DIÁRIO DO DR. SEWARD

17 de setembro: Depois do jantar eu estava ocupado em meu escritório, pondo em dia os livros contábeis, que, pela urgência de outros afazeres e pelas muitas visitas a Lucy, estavam lamentavelmente atrasados. De repente, a porta foi aberta com violência, e meu paciente correu para dentro, o rosto distorcido pela ira. Fiquei estupefato, pois uma coisa tal como um paciente entrando por conta própria no escritório do superintendente é algo quase desconhecido.

Sem se deter por um momento, veio direto na minha direção. Tinha na mão uma faca de mesa, e quando percebi que ele estava perigoso, tentei manter a mesa entre nós. No entanto, ele era rápido e forte demais para mim, pois antes que eu pudesse me equilibrar já tinha me atacado e feito um corte bastante sério no meu pulso esquerdo.

Antes que pudesse atacar-me outra vez, porém, empurrei-o com a mão direita e ele esparramou-se de costas no chão. Meu pulso sangrava sem parar, e o sangue pingando formou uma pequena poça no tapete. Vi que meu amigo não tinha nenhuma intenção de fazer nova investida, e me ocupei fazendo uma bandagem no pulso, o tempo todo mantendo um olho cauteloso na figura prostrada. Quando os atendentes entraram apressados e voltamos então nossa atenção para o paciente, o que ele fazia definitivamente me deixou enojado. Ele estava deitado de barriga no chão, lambendo, como um cachorro, o sangue que tinha pingado do meu pulso ferido. Foi facilmente dominado, e, para minha surpresa, voltou com os atendentes na maior placidez, apenas repetindo sem parar, "*Sangue é vida! Sangue é vida!*"

Não posso me permitir perder sangue neste momento. Perdi demais ultimamente para o meu bem-estar físico, e além disso a prolongada tensão da doença de Lucy, e suas fases horríveis, está me fatigando. Ando muito agitado e me canso demais, e tudo que preciso é de descanso, descanso, descanso. Felizmente Van Helsing não me chamou, assim não preciso abrir mão do meu sono. Hoje à noite, porém, isso não vai ser possível.

TELEGRAMA DE VAN HELSING, ANTUÉRPIA, PARA SEWARD, CARFAX

(Enviado para Carfax, Sussex, pois não constava indicação do condado, e entregue com atraso de vinte e duas horas)

17 de setembro. Esteja em Hillingham esta noite sem falta. Se não velar durante todo o tempo, faça visitas frequentes e veja se as flores estão nos devidos lugares. Muito importante, não falte. Estarei com você assim que possível, logo que chegar.

DIÁRIO DO DR. SEWARD

18 de setembro: Acabo de pegar o trem para Londres. A chegada do telegrama de Van Helsing me encheu de desânimo. Uma noite inteira perdida, e sei por amarga experiência o que pode acontecer numa noite. Claro que é possível que tudo esteja bem, mas o que será que aconteceu? Com certeza há alguma destruição terrível pairando sobre nós, de modo que todo possível acidente acabe por frustrar todos os nossos esforços. Levarei este cilindro comigo e então poderei completar meu registro no fonógrafo de Lucy.

NOTA DEIXADA POR LUCY WESTENRA

17 de setembro, noite. Escrevo isto e o deixo para ser lido, de forma que ninguém possa, por qualquer motivo, ficar em apuros por minha causa. Este é um relato exato do que aconteceu esta noite. Sinto que estou morrendo de fraqueza, e mal tenho forças para escrever, mas isso deve ser feito, caso eu morra nesse meio tempo.

Fui para cama como sempre, tomando cuidado para que as flores fossem colocadas da forma que o dr. Van Helsing determinou, e logo adormeci.

Fui acordada com as batidas na janela, que começaram depois daquele episódio de sonambulismo no penhasco, em Whitby, quando Mina me salvou, e que agora conheço tão bem. Não tive medo, mas gostaria que o dr. Seward estivesse no quarto ao lado, como o dr. Van Helsing disse que ele estaria, assim eu poderia tê-lo chamado. Tentei dormir, mas não consegui. Então voltei a sentir o antigo medo do sono, e resolvi ficar acordada. Mas o sono, perverso, tentou vir justo quando não era desejado. Como eu tinha medo de ficar só, abri a porta do meu quarto e chamei, *"Há alguém aí?"* Não houve resposta. Eu tinha medo de acordar a mamãe, então fechei de novo a porta. Naquele momento ouvi, lá fora, no meio dos arbustos, um tipo de uivo como o de um cachorro, mas mais feroz e mais profundo. Fui até a janela e olhei para fora, mas não pude ver nada, exceto um enorme morcego, que evidentemente tinha estado batendo com as asas contra a janela. Assim, voltei para a cama outra vez, mas determinada a não dormir. Então a porta se abriu, e a mãe olhou para dentro. Vendo pelo meu movimento que eu não estava dormindo, entrou e sentou-se ao meu lado. Ela me disse, de modo ainda mais doce e suave do que era seu costume:

"Eu estava inquieta a seu respeito, querida, e entrei para ver se você estava bem".

Temi que ela pudesse apanhar um resfriado sentada ali, e lhe pedi que se deitasse e dormisse comigo; ela então entrou na cama e deitou-se ao meu lado. Não tirou o roupão, pois disse que ficaria só um tempo, e depois voltaria para o seu quarto. Enquanto estávamos deitadas, abraçadas, as batidas e pancadas na janela começaram de novo. Ela ficou assustada e um pouco temerosa, e exclamou, *"O que é isso?"*

Tentei acalmá-la. Afinal consegui, e ela ficou deitada quieta. Mas eu ainda podia ouvir o seu pobre e querido coração batendo bem forte. Depois de algum tempo, ouvi de novo o uivo nos arbustos. Logo após houve um estrondo na janela, e o chão cobriu-se com os cacos da vidraça que fora estilhaçada. A forte rajada de vento que entrou fez a persiana voar janela afora e, na abertura da vidraça quebrada, surgiu a cabeça de um enorme e esquálido lobo cinzento.

Mamãe gritou aterrorizada, lutando em desespero para sentar-se na cama, e agarrou descontroladamente qualquer coisa que pudesse ajudá-la. Entre outras coisas, agarrou a guirlanda de flores que o dr. Van Helsing insistira tanto que eu usasse em volta do pescoço, arrancando-a e jogando-a longe. Por um segundo ou dois ela ficou sentada, apontando para o lobo, e então sua garganta emitiu um som estranho e horrível de gorgolejos e soluços. Depois caiu, como se tivesse sido fulminada por um raio, e sua cabeça bateu na minha testa, deixando-me atordoada por alguns instantes.

O quarto e tudo à volta parecia estar girando vertiginosamente. Mantive os olhos fixos na janela, mas o lobo retirou dali sua cabeça, e uma miríade de pequeninas partículas parecia estar entrando pela janela quebrada, girando como um turbilhão e circulando à minha volta, como a coluna de poeira que os viajantes descrevem quando há um simum soprando no deserto. Tentei me mexer, mas havia algum feitiço sobre mim, e também havia o peso do corpo da minha querida mãe – que já parecia estar ficando frio, pois seu pobre coração tinha deixado de bater – impedindo meus movimentos. Então, por alguns momentos, perdi a consciência.

O tempo que se passou não me pareceu longo, mas terrivelmente assustador, até que recuperei a consciência de novo. Em algum lugar próximo, ouvi um sino tocando. Todos os cães da vizinhança estavam uivando, e nas árvores do nosso jardim, logo ao lado da janela, ao que parecia, havia um rouxinol cantando. Eu estava confusa e desnorteada com a dor, o terror e a fraqueza, mas o canto do rouxinol parecia a voz da minha mãe morta que voltara para me confortar. Os sons pareciam ter acordado também as criadas, pois pude ouvir o barulho dos seus pés descalços do lado de fora da minha porta. Chamei por elas, que entraram, e quando viram o que tinha acontecido, e quem era aquela que jazia sobre mim na cama, gritaram aterrorizadas. Entrou uma rajada de vento pela janela quebrada, e a porta bateu com estrondo. Elas levantaram o corpo da minha querida mãe, e a colocaram deitada na cama, coberta por um lençol, depois que me levantei. Estavam tão amedrontadas e nervosas que mandei que fossem até a sala de jantar e tomassem cada uma um cálice de vinho. A porta abriu-se por um momento e fechou-se outra vez. As criadas soluçavam muito, depois saíram todas juntas para a sala de jantar. Peguei todas as flores que ainda tinha e coloquei sobre o peito da minha querida mãe. Depois que as tinha colocado lembrei-me do que o dr. Van Helsing havia me dito, mas eu não queria removê-las, e além disso eu agora teria comigo algumas das criadas para me fazerem companhia. Fiquei surpresa de ver que as moças não voltavam. Chamei-as, mas não obtive resposta, então fui até a sala de jantar para procurá-las.

Meu coração quase parou quando vi o que tinha acontecido. Todas as quatro jaziam inertes no chão, respirando com dificuldade. A garrafa de xerez estava na mesa, cheia até a metade, mas havia um cheiro esquisito e acre ao redor. Suspeitei de alguma coisa, e examinei a garrafa. Cheirava a láudano, e olhando no aparador descobri que a garrafa com o remédio que a mamãe usa – oh! usava – estava vazia. O que vou fazer? O que vou fazer? Voltei para o quarto, para ficar com mamãe. Não posso deixá-la, e estou só, exceto pelas criadas adormecidas, que foram drogadas por alguém. Sozinha com a morta! Não ouso sair, pois posso ouvir claramente o uivo baixo do lobo através da janela quebrada.

O ar parece cheio de partículas, flutuando e girando em círculos na corrente de ar que vem da janela, e as luzes são azuladas e mortiças. O que vou fazer? Que Deus me proteja do mal esta noite! Esconderei este papel em meu peito, onde eles o acharão quando vierem buscar-me. Minha querida mãe já se foi! É tempo de eu ir, também. Adeus, querido Arthur, se eu não sobreviver a esta noite. Que Deus o guarde, meu querido, e que Deus me ajude!

CAPÍTULO 12

DIÁRIO DO DR. SEWARD

18 de setembro: Dirigi-me imediatamente a Hillingham, e cheguei cedo. Deixei o taxi no portão, e subi a alameda sozinho. Bati suavemente, e toquei a campainha com toda a delicadeza, temendo perturbar Lucy ou a mãe, na esperança apenas de que uma criada viesse atender a porta. Depois de algum tempo, não havendo resposta, bati e toquei novamente. De novo não houve resposta. Amaldiçoei a preguiça das criadas, por estarem deitadas a uma hora daquelas, pois já eram dez horas. Então toquei a campainha e bati de novo, com mais impaciência desta vez, mas ainda sem obter resposta. Até aqui eu tinha culpado apenas as criadas, mas agora um medo terrível começou a assaltar-me. Será que essa desolação era mais um elo na corrente de destruição que parecia estar fechando o cerco em torno de nós? Seria aquela de fato a morada da morte, à qual eu havia chegado tarde demais? Sei que poucos minutos, até mesmo segundos de demora, poderiam significar horas de perigo para Lucy, se ela tivesse tido de novo uma dessas recaídas assustadoras, então dei a volta na casa para tentar ver se por acaso havia alguma outra entrada.

Não descobri nenhum meio de entrar. Todas as janelas e portas estavam fechadas e trancadas, e voltei aturdido para o pórtico. Enquanto voltava, ouvi o bater dos cascos de um cavalo conduzido a toda pressa. Pararam no portão, e alguns segundos depois encontrei Van Helsing correndo pela alameda. Quando me viu, falou com a voz ofegante, *"Então era você que acabou de chegar. Como ela está? Chegamos tarde demais? Você não recebeu meu telegrama?"*

Respondi tão depressa e coerentemente quanto pude que eu só recebera seu telegrama naquela manhã bem cedo, e não perdera um minuto em vir para cá, e que não conseguira fazer com que ninguém na casa me ouvisse. Ele fez uma pausa e tirou o chapéu, enquanto dizia solenemente, *"Então receio que tenhamos chegado tarde demais. Que seja feita a vontade de Deus!"*

Com sua costumeira energia recuperadora, ele continuou, *"Venha. Se não há nenhum modo de entrar, temos que criar um. O tempo agora é vital, é tudo para nós".*

Demos a volta até os fundos da casa, onde havia uma janela da cozinha. O Professor pegou uma pequena serra cirúrgica da maleta e, entregando-a para mim, apontou para as barras de ferro que protegiam a janela. Atirei-me ao trabalho imediatamente, e logo já tinha serrado três das barras. Então, com uma faca longa e fina, empurramos para trás o trinco da vidraça e abrimos a janela. Ajudei o Professor a entrar e o segui. Não havia ninguém na cozinha ou nos quartos dos criados, que ficavam próximos. Tentamos todos os quartos enquanto passávamos, e, na sala de jantar, vagamente iluminada pelos raios de luz que entravam pelas frestas das venezianas, encontramos quatro criadas deitadas no chão. Não havia nenhuma razão para julgá-las mortas, pois sua respiração estertorosa e o cheiro acre de láudano na sala não deixavam nenhuma dúvida sobre a sua condição.

Van Helsing e eu olhamos um para o outro, e quando saímos dali ele disse, *"Podemos cuidar delas depois"*. Então subimos ao quarto de Lucy. Paramos na porta por alguns momentos para escutar, mas não havia nenhum som que pudéssemos ouvir. Com os rostos pálidos e as mãos trêmulas, abrimos a porta suavemente e entramos no quarto.

Como poderei descrever o que vimos? Na cama jaziam duas mulheres, Lucy e a mãe. A última estava deitada mais distante, e fora coberta com um lençol branco, cuja borda havia sido levantada pelo vento que entrava pela janela quebrada, mostrando a face branca e contraída, com um olhar de terror fixo sobre ela. Ao seu lado jazia Lucy, com o rosto branco e ainda mais contraído que o da mãe. As flores da guirlanda que estivera em volta do seu pescoço, encontramos no regaço da mãe, e a garganta de Lucy, assim descoberta, mostrava os dois pequenos furos que tínhamos notado antes, mas parecendo terrivelmente brancos e mutilados. Sem uma palavra, o Professor se inclinou sobre a cama, a cabeça quase tocando o peito da pobre Lucy. Em seguida, ele virou a cabeça rapidamente, como quem escuta, e pondo-se de pé num salto gritou para mim, *"Ainda não é tarde demais! Rápido! Rápido! Traga o conhaque!"*

Voei escada abaixo e retornei com a bebida, tomando o cuidado de cheirá-la e prová-la, para certificar-me de que o conhaque, também, não fora drogado como a garrafa de xerez que encontrei sobre a mesa. As criadas ainda estavam respirando, mas de modo mais inquieto, e eu imaginei que o efeito do narcótico estava passando. Não fiquei para ter certeza, mas voltei para junto de Van Helsing. Ele esfregou o conhaque, como da outra vez, nos lábios e gengivas de Lucy, e nos pulsos e palmas das mãos. Disse-me, *"Eu posso fazer isso, é tudo que pode ser feito no momento. Vá acordar aquelas moças. Esfregue o seu rosto com uma toalha molhada, e esfregue com força. Mande que aqueçam água e tomem um banho quente. Esta pobre alma está quase tão fria quanto a outra ao seu ado. Precisará ser aquecida antes que possamos fazer qualquer outra coisa"*.

Desci imediatamente, e tive pouca dificuldade em acordar três das mulheres. A quarta era apenas uma menina, e era evidente que a droga a tinha afetado com mais força. Assim, ergui-a, deitei-a no sofá e deixei que dormisse.

As outras estavam confusas, a princípio, mas à medida que a lembrança lhes voltava choravam e soluçavam de modo histérico. Fui duro com elas, porém, e não deixei que falassem. Disse-lhes que já era ruim o bastante perder uma vida, e se elas demorassem sacrificariam a vida da srta. Lucy. Então, chorando e soluçando, elas seguiram em frente, meio vestidas como estavam, e prepararam o fogo e a água. Felizmente, o fogo da cozinha e da caldeira ainda estavam vivos, e não houve falta de água quente. Preparamos um banho, então levamos Lucy do jeito que estava e a colocamos na banheira. Enquanto estávamos ocupados esfregando os membros de Lucy, houve uma batida na porta da frente. Uma das criadas correu, vestiu apressadamente algumas roupas, e abriu a porta. Depois voltou e sussurrou-nos que chegara um cavalheiro com uma mensagem do sr. Holmwood. Mandei que ela apenas lhe dissesse que ele teria que esperar, pois não podíamos receber ninguém agora. Ela saiu para transmitir o recado, e, ocupado com o nosso trabalho, esqueci completamente da presença do visitante.

Eu nunca vira, em toda minha experiência, o Professor trabalhar com tanta seriedade. Eu sabia, assim como ele, que aquela era uma luta de enfrentamento com a morte, e, durante uma pausa, disse-lhe isso. Ele me respondeu de um modo que não entendi, mas com o olhar mais duro que seu rosto podia exibir.

"Se isso fosse tudo, eu pararia por aqui, onde estamos agora, e a deixaria desaparecer em paz, pois não vejo nenhuma luz de vida no seu horizonte". Então continuou seu trabalho com vigor renovado e maior disposição ainda, se isso fosse possível.

Naquele momento, ambos começamos a nos dar conta de que o calor começava a fazer algum efeito. O coração de Lucy batia de modo um pouquinho mais audível, quando auscultado com o estetoscópio, e os pulmões apresentavam um movimento perceptível. O rosto de Van Helsing quase se iluminou, e quando nós a tiramos do banho e a enrolamos num lençol quente para secá-la, ele me disse, *"A primeira vitória é nossa! Xeque ao rei!"*

Levamos Lucy para outro quarto, que já havia sido preparado, e a deitamos na cama. Depois derramamos algumas gotas de conhaque em sua boca e o forçamos garganta abaixo. Notei que Van Helsing amarrara um lenço de seda macio em volta do seu pescoço. Ela ainda não recobrara a consciência, e estava tão mal, senão pior, do que jamais a tínhamos visto.

Van Helsing chamou uma das moças, e lhe disse que ficasse com Lucy e não tirasse os olhos dela até que voltássemos, e então fez-me um gesto para que saísse do quarto.

"*Temos que conversar sobre o que deve ser feito*", disse ele, enquanto descíamos a escada. No corredor, ele abriu a porta da sala de jantar e entramos, depois fechou cuidadosamente a porta atrás de si. As venezianas tinham sido abertas, mas as cortinas já estavam fechadas, com aquela obediência à etiqueta da morte que as mulheres britânicas das classes mais baixas sempre observam rigorosamente. A sala, por conta disso, estava mergulhada na obscuridade. Havia, porém, claridade bastante para os nossos propósitos. A seriedade de Van Helsing fora um pouco aliviada por um olhar de perplexidade. Era evidente que ele estava torturando a mente com alguma coisa, então esperei por um momento, e ele disse:

"*O que vamos fazer agora? Para onde vamos nos virar em busca de ajuda? Precisamos de outra transfusão de sangue, e isso logo, ou a vida daquela pobre menina não durará nem mais uma hora. Você já está exausto. Eu também estou exausto. Tenho medo de confiar nessas mulheres, mesmo que elas tivessem coragem de submeter-se ao processo. O que vamos fazer para achar alguém que ofereça o sangue de suas veias para Lucy?*"

"*Posso saber o que há de errado comigo?*"

A voz viera do sofá, no outro lado da sala, e seu tom trouxe alívio e alegria ao meu coração, pois aquela era a voz de Quincey Morris.

Van Helsing ficou furioso ao ouvir aquele som, mas seu rosto suavizou-se e seus olhos exibiram um olhar de alegria enquanto eu exclamava, "*Quincey Morris!*" e corria para ele com a mão estendida.

"*O que o trouxe aqui?*" exclamei, enquanto apertávamos as mãos.

"*Suponho que Art seja o motivo.*"

Ele me entregou um telegrama: '*Sem notícias de Seward por três dias, estou terrivelmente preocupado. Não posso partir. Papai ainda na mesma condição. Mande me dizer como vai Lucy. Não demore. Holmwood.*'

"*Acho que cheguei na hora exata. Você sabe que só precisa me dizer o que tenho que fazer*".

Van Helsing deu um passo à frente e apertou-lhe a mão, olhando-o diretamente nos olhos enquanto dizia, "*O sangue de um homem de coragem é a melhor coisa deste mundo, quando uma mulher está em dificuldades. O senhor é um homem de verdade. Bem, o diabo pode trabalhar contra nós com todos os seus recursos, mas Deus sempre nos envia um homem quando precisamos de um*".

Uma vez mais, passamos por aquela operação horrível. Não tenho coragem de entrar nos detalhes. Lucy teve um choque medonho, e isso a exauriu mais do que antes, pois por mais que entrasse sangue em suas veias, seu corpo não respondeu ao tratamento tão bem como das outras vezes. Sua luta para voltar à vida era algo assustador de se ver e ouvir. No entanto, a atividade do coração e dos pulmões melhorou, e Van Helsing ministrou-lhe uma injeção subcutânea de morfina, como fizera antes, com bons resultados. Seu desmaio transformou-se num sono profundo. O Professor ficou de vigília, enquanto eu descia com Quincey Morris e mandava uma das empregadas pagar um dos condutores de taxi que estava esperando.

Deixei Quincey deitado depois de tomar uma taça de vinho, e disse à cozinheira para preparar-lhe um café da manhã reforçado. Então um pensamento me ocorreu, e voltei para o quarto onde Lucy estava agora. Entrei sem fazer ruído, e encontrei Van

Helsing segurando uma ou duas folhas de papel de carta. Era evidente que ele estivera lendo, e agora refletia sobre o assunto, com a testa apoiada numa das mãos. Havia um olhar de severa satisfação em seu rosto, como o de alguém que acaba de solucionar uma questão complicada. Ele me estendeu os papéis, dizendo apenas, *"Isso caiu do decote de Lucy, quando a carregamos para o banho".*

Depois que li, fiquei olhando para o Professor. Algum tempo depois, perguntei-lhe, *"Em nome de Deus, o que significa tudo isso? Ela estava louca, ou está agora, ou que outro tipo de perigo medonho é esse?"* Eu estava tão confuso que não sabia mais o que falar. Van Helsing estendeu a mão e pegou o papel, dizendo:

"Não se incomode com isso agora. Esqueça-o por enquanto. Você saberá e entenderá tudo no momento certo. Mas isso será mais tarde. E então, o que é que você veio me dizer?" Isso me trouxe de volta à realidade, e voltei a ser eu mesmo.

"Vim falar sobre o atestado de óbito. Se não agirmos corretamente e com sensatez pode haver um inquérito, e aquele papel teria que ser mostrado. Tenho esperanças de que não haja necessidade de inquérito, pois se houver, isso com certeza mataria a pobre Lucy, se nada mais o fizer. Eu sei, você sabe, e o outro médico que cuidava dela também sabe, que a sra. Westenra sofria do coração e podemos atestar que ela morreu disso. Vamos preencher os papéis de uma vez, e eu mesmo os levarei ao cartório para registrar a morte, depois providenciarei o enterro".

"Ótimo, meu amigo John! Bem pensado! Querida srta. Lucy, se ela está triste por causa dos inimigos que a atacaram, pelo menos deve estar contente pelos amigos que a amam tanto. Um, dois, três, todos lhe ofereceram o sangue de suas veias, além deste velho homem. Ah, sim, eu sei, meu amigo John. Não sou cego! Gosto mais ainda de você por causa disso! Agora vá".

No corredor encontrei Quincey Morris, com um telegrama para Arthur contando-lhe que a sra. Westenra havia morrido, e que Lucy também estivera doente, mas agora estava melhorando, e que Van Helsing e eu estávamos com ela. Eu lhe contei para onde ia, e ele logo me liberou. Quando eu ia saindo, porém, disse-me:

"Quando você voltar, Jack, posso ter uma palavrinha em particular com você?" Acenei que sim e saí. Não encontrei nenhuma dificuldade para fazer o registro da morte, e combinei com o agente funerário local para vir à noite tirar as medidas para o caixão e providenciar os demais arranjos necessários.

Quando voltei, Quincey estava esperando por mim. Disse-lhe que falaria com ele assim que soubesse de Lucy, e subi para o seu quarto. Ela ainda estava dormindo, e o Professor parecia não ter se movido do lugar que ocupava ao lado dela. Pela maneira como ele pôs o dedo sobre os lábios, entendi que esperava que ela acordasse logo, e tinha medo de adiantar o processo natural. Assim, desci para ver Quincey e o levei para a sala do café da manhã, onde as cortinas não haviam sido fechadas, e o ambiente estava um pouco mais alegre, ou menos triste, que nas outras peças.

Quando ficamos a sós, ele me disse, *"Jack Seward, não quero me meter em nada que não me diga respeito, mas este caso não é algo comum. Você sabe que eu amava aquela menina e queria casar-me com ela, mas embora isso já seja assunto encerrado, não posso evitar de ficar angustiado a respeito dela do mesmo modo. O que é que há de errado com Lucy? O holandês – que é um ótimo sujeito, aliás, dá para perceber – disse quando vocês entraram na sala que seria preciso outra transfusão de sangue, e que tanto você quanto ele estavam exaustos. Eu sei bem que vocês, médicos, estão protegidos pelo sigilo profissional, e que um homem não deve esperar ter acesso ao que os médicos conversam em particular. Mas esta não é uma situação normal, e mesmo que fosse, eu também fiz minha parte. Não é mesmo?"*

"É verdade", eu disse, e ele continuou.

"Entendo que ambos, você e Van Helsing, já fizeram aquilo que eu fiz hoje. Não é mesmo?"

"*É verdade*".

"*E posso adivinhar que Art também passou por isso. Quando eu o vi quatro dias atrás, na casa dele, notei que ele parecia esquisito. Nunca vi nada que destruísse tão rápido uma criatura desde que estive na região dos pampas, na América do Sul, e vi uma égua da qual gostava muito perder-se e passar uma noite ao relento. Um desses morcegos grandes, que eles chamam de vampiros, atacou-a durante a noite, e com o buraco aberto em sua garganta e a veia aberta ela perdeu tanto sangue que não tinha mais forças para ficar de pé. Tive que sacrificá-la com um tiro na cabeça, enquanto jazia no chão. Jack, se pode me contar sem trair o sigilo profissional, Arthur foi o primeiro, não é mesmo?*"

Enquanto falava, o pobre rapaz parecia terrivelmente ansioso. Estava numa torturante expectativa em relação à mulher que amava, e sua total ignorância sobre o mistério terrível que parecia envolvê-la só fazia aumentar a sua dor. Seu coração estava devastado, e era preciso toda a sua coragem – que era enorme, também – para impedi-lo de desmoronar. Fiz uma pausa antes de responder, pois sentia que não devia revelar nada que o Professor desejasse manter em segredo, mas ele já sabia tanto, e adivinhara tanto, que não podia haver nenhuma razão para não responder-lhe. Assim, respondi com a mesma frase.

"*É verdade*".

"*E há quanto tempo isso vem acontecendo?*"

"*Cerca de dez dias*".

"*Dez dias! Então imagino, Jack Seward, que aquela pobre e linda criatura que todos nós amamos recebeu em suas veias, durante esse período, o sangue de quatro homens fortes. Homem de Deus, o corpo inteiro dela não aguentaria isso*". Então, chegando perto de mim, sussurrou-me num tom feroz. "*E o que a deixou assim?*"

Sacudi a cabeça. "*Essa é a questão*", eu disse. "*Van Helsing está simplesmente histérico com isso, e eu estou chegando ao fim dos meus conhecimentos. Não posso nem mesmo arriscar um palpite. Houve uma série de pequenas circunstâncias que puseram por terra todos os nossos esforços para que Lucy fosse assistida do modo apropriado. Mas isso não voltará a acontecer. Ficaremos aqui até que tudo esteja bem, ou então mal*".

Quincey estendeu-me a mão. "*Conte comigo*", ele disse. "*Você e o holandês vão me dizer o que fazer, e eu farei*".

Quando acordou, ao cair da tarde, o primeiro movimento de Lucy foi procurar em seu peito, e, para minha surpresa, retirou dali o papel que Van Helsing me dera para ler. O cuidadoso Professor havia recolocado o papel em seu lugar, para que Lucy não ficasse alarmada ao despertar. Seus olhos então pousaram em Van Helsing e também em mim, e se iluminaram. Depois olhou à volta do quarto, e percebendo onde estava, estremeceu. Deu um grito agudo, e cobriu o rosto pálido com as mãos finas.

Ambos compreendemos o significado daquilo – que ela havia se dado conta por inteiro da morte da mãe. Então fizemos todo o possível para confortá-la. A compaixão sem dúvida aliviou-a um pouco, mas seu espírito estava muito abatido, e ela chorou baixinho, debilmente, durante longo tempo. Nós lhe dissemos que um de nós, ou ambos, permaneceria agora com ela todo o tempo, e isso pareceu consolá-la. Ao aproximar-se o crepúsculo, Lucy cochilou. Então aconteceu uma coisa muito estranha. Ainda adormecida, pegou o papel em seu peito e rasgou-o em dois. Van Helsing adiantou-se e tirou-lhe os pedaços da mão. Lucy, no entanto, continuou com o ato de rasgar do mesmo jeito, como se o papel ainda estivesse em suas mãos. Finalmente, ergueu as mãos e abriu-as, como se quisesse espalhar os fragmentos. Van Helsing pareceu surpreso, e suas sobrancelhas se juntaram como se estivesse meditando sobre algo, mas ele não disse nada.

19 de setembro: Lucy passou toda a noite de ontem dormindo de modo intermitente. Mas se mostrava sempre temerosa de adormecer e, quando acordava, estava um pouco mais fraca. O Professor e eu nos revezamos para assisti-la, e nunca a deixamos sozinha, nem por um momento sequer. Quincey Morris não disse nada sobre suas intenções, mas eu soube que ele passou a noite toda fazendo a ronda, dando voltas em torno da casa.

Quando amanheceu, a luz penetrante do dia mostrou a devastação que se operara nas forças da pobre Lucy. Ela mal podia virar a cabeça, e o pouco alimento que conseguiu ingerir parecia não lhe fazer bem. Às vezes ela dormia, e Van Helsing e eu notamos a diferença que havia nela entre os dois estados: o sono e a vigília. Enquanto dormia ela parecia mais forte, embora mais desfigurada, e sua respiração era mais suave. Sua boca aberta mostrava as gengivas descoradas e os dentes recuados, parecendo positivamente mais longos e afiados do que o normal. Quando despertava, evidentemente que a suavidade dos seus olhos mudava-lhe a expressão, fazendo com que parecesse mais consigo mesma, embora agonizante. À tarde ela perguntou por Arthur, e nós lhe enviamos um telegrama. Quincey saiu para buscá-lo na estação.

Quando ele chegou eram quase seis horas, e o sol estava se pondo, pleno e cálido, e a luz vermelha infiltrava-se pela janela, dando mais cor às faces pálidas de Lucy. Quando a viu, Arthur ficou simplesmente sufocado pela emoção, e nenhum de nós conseguia falar. Nas horas que haviam se passado até aquele momento, os ataques de sono, ou a condição letárgica que se assemelhava a ele, tinham se tornado mais frequentes, de forma que as pausas que permitiam a conversação ficaram mais curtas. A presença de Arthur, contudo, parecia agir como um estimulante. Ela animou-se um pouco, e falou com ele com mais vivacidade do que tinha demonstrado desde que chegamos. Ele também animou-se, e falou de modo tão alegre quanto pôde, de forma que tudo foi feito pelo melhor.

Agora é quase uma hora, e ele e Van Helsing estão sentados com ela. Vou revezar com eles daqui a um quarto de hora, e estou fazendo este registro no fonógrafo de Lucy. Até as seis horas eles tentarão dormir. Receio que amanhã termine a nossa vigília, pois o choque foi muito grande. A pobre criança não tem mais condições de resistir. Que Deus ajude a todos nós.

CARTA DE MINA HARKER PARA LUCY WESTENRA *(Não recebida por ela)*
17 de setembro
Minha querida Lucy,

Parece que faz séculos desde que tive notícias suas, ou, na verdade, desde que eu lhe escrevi. Tenho certeza de que perdoará todas as minhas faltas, quando tiver lido o meu rol de novidades inteiro. Bem, recuperei meu marido são e salvo. Quando chegamos a Exeter, havia uma carruagem a nossa espera. Dentro dela, embora estivesse passando por um ataque de gota, encontramos o sr. Hawkins. Ele nos levou para sua casa, onde havia aposentos preparados para nós, muito bonitos e confortáveis, e jantamos todos juntos. Depois do jantar, o sr. Hawkins disse: *"Meus queridos, quero brindar à sua saúde e prosperidade, e que todas as bênçãos recaiam sobre vocês dois. Conheço ambos desde crianças, e foi com carinho e orgulho que os vi crescer. Agora, queria que morassem aqui comigo, fazendo da minha casa o seu lar. Não me restou nenhum filho, nenhuma criança. Todos se foram, e em meu testamento deixei tudo para vocês."* Eu chorei, Lucy querida, enquanto Jonathan e o velho homem apertavam as mãos. Nossa noite foi uma daquelas noites muito, muito felizes.

Assim, aqui estamos instalados nesta casa antiga e bonita, e tanto do meu quarto quanto da sala de estar, posso ver os grandes olmos que ladeiam a catedral, com seus galhos enormes e escuros destacando-se contra a velha pedra amarela da igreja. Posso ouvir as gralhas lá no alto, grasnando e tagarelando e fofocando o dia todo, como fazem as gralhas – e os humanos. Ando bastante atarefada, nem preciso lhe dizer, organizando as coisas e cuidando da casa. Jonathan e o sr. Hawkins passam o dia todo ocupados, pois agora que Jonathan é sócio da firma, o sr. Hawkins quer que ele tome conhecimento de tudo sobre os clientes.

E como vai passando sua querida mãe? Quem dera eu pudesse correr até a cidade por um ou dois dias para vê-la, querida, mas não ouso ir ainda, com tantas responsabilidades sobre meus ombros. E Jonathan também necessita ainda dos meus cuidados. Ele está voltando a ganhar alguma carne sobre os ossos, mas ficou terrivelmente debilitado com a longa doença. Mesmo agora, ele às vezes acorda de repente, assustado, tremendo, até que eu consiga fazê-lo voltar a sua placidez habitual. Graças a Deus, porém, essas ocasiões se tornam cada vez menos frequentes conforme se passam os dias, e creio que dentro de algum tempo cessarão por completo. Já lhe contei minhas novidades, agora quero saber das suas. Quando será o casamento? Onde? Quem vai celebrar a cerimônia? O que você vai vestir? Será uma cerimônia pública ou íntima? Conte-me tudo sobre isso, querida, conte-me tudo sobre qualquer coisa, pois não há nada que seja do seu interesse que não seja caro para mim. Jonathan me pede que envie seus *"respeitosos préstimos"*, mas não acho que isso seja bom o bastante da parte do sócio júnior da importante firma de advogados Hawkins & Harker. Assim, como você me ama, e ele me ama, e eu a amo em todos os modos e tempos do verbo, em vez disso envio simplesmente seu "amor". Adeus, minha querida Lucy, que Deus a cumule de bênçãos.

Sua amiga de sempre,

Mina Harker

RELATÓRIO DE PATRICK HENNESSEY, M.D., MRCSLK, QCPI, ETC., ETC. PARA JOHN SEWARD, M.D.
20 de setembro
Prezado Senhor,

Conforme suas instruções, envio anexo relatório sobre as condições de tudo que foi deixado ao meu encargo. Porém, a respeito do paciente, Renfield, há algo mais a relatar. Ele teve outro ataque, que poderia ter tido um fim terrível, mas que, como felizmente aconteceu, não foi seguido de qualquer resultado infeliz. Esta tarde, um carro de mudança conduzido por dois homens fez uma entrega na casa vazia cujas áreas limitam com a nossa, a casa para a qual, o senhor deve se lembrar, o referido paciente fugiu em duas ocasiões. Os homens pararam no nosso portão para perguntar o caminho ao porteiro, pois eram estrangeiros.

Eu mesmo estava na janela do escritório, fumando após o jantar, quando vi um deles andando em direção à casa. Quando ele passou pela janela do quarto de Renfield, o paciente começou a xingá-lo lá de dentro, e o chamou de todos os nomes sujos que lhe vieram à mente. O homem, que parecia um sujeito bastante decente, limitou-se a dizer-lhe que *"se calasse, pois era um mendigo boca-suja"*. Nosso homem, então, acusou-o de roubar e de querer assassiná-lo, e disse que o impediria se pudesse fazê-lo. Abri a janela e fiz um sinal ao homem para não dar importância ao que ouvira, de modo que ele se contentou em dizer – depois de examinar o lugar e se dar conta do tipo de lugar em que estava, *"Deus o abençoe, senhor, eu não daria importância ao que podem me dizer num manicômio. Tenho pena é do senhor e do encarregado, por terem que viver numa casa com uma besta selvagem igual a essa"*.

Ele então me perguntou, de modo bastante educado, que caminho devia seguir, e eu lhe expliquei onde ficava o portão da casa vazia. O homem foi embora, seguido pelas ameaças, maldições e insultos do nosso paciente. Desci para ver se conseguia entender qual o motivo da sua raiva, já que ele normalmente é um homem bem-educado, e afora os seus ataques violentos, nada do tipo jamais tinha acontecido. Encontrei-o, para minha surpresa, bastante composto e muito cordial à sua maneira. Tentei fazê-lo falar do incidente, mas ele começou calmamente a me perguntar sobre o quê eu estava falando, e me levou a acreditar que havia se esquecido completamente do caso. Aquilo era, sinto dizer, apenas outro exemplo da sua esperteza, pois dentro de meia hora voltei a ter notícias dele. Desta vez, ele tinha escapado pela janela do quarto e estava correndo alameda abaixo. Chamei os atendentes e corri atrás dele, pois temia que ele pretendesse causar algum dano. Meu medo foi justificado quando vi o mesmo carro que tinha passado antes descendo a estrada, carregado com grandes caixas de madeira. Os homens que o conduziam estavam suados, com as faces afogueadas, como se tivessem feito algum tipo de exercício violento. Antes que eu pudesse agarrá-lo, o paciente correu para os homens, e, puxando um deles para fora do veículo, começou a bater a cabeça do homem contra o chão. Se eu não o tivesse agarrado bem a tempo, acredito que ele teria matado o homem ali mesmo. O outro sujeito saltou do carro e golpeou-o na cabeça com a coronha do seu pesado chicote. Foi um golpe horrível, mas ele pareceu não se importar; agarrou o homem assim mesmo, e lutou com os três, puxando-nos para lá e para cá como se fôssemos uns gatinhos. O senhor sabe que não sou nenhum fracote, e os outros dois também eram fortes. No princípio ele lutou em silêncio, mas quando sentiu que começamos a dominá-lo, e que os criados lhe punham uma camisa de força, começou a gritar, *"Vou frustrá-los! Eles não vão me roubar! Não vão me assassinar aos pouquinhos! Lutarei por meu Amo e Senhor!"* e todo tipo de delírios incoerentes da mesma ordem. Foi com muita dificuldade que os atendentes o trouxeram de volta para a casa, e o puseram no quarto almofadado. Um dos atendentes, Hardy, teve um dedo quebrado. No entanto, resolvemos tudo e ele agora está indo bem.

Os dois carregadores, a princípio, fizeram graves ameaças de entrar com ações de perdas e danos, e prometeram fazer chover todas as penalidades da lei sobre nós. As ameaças, porém, eram misturadas com algum tipo de desculpa indireta pela derrota de dois deles para um louco fraco. Disseram que, não fosse o modo como haviam gasto suas forças puxando e carregando as pesadas caixas, teriam feito picadinho dele. Deram ainda outra razão para a sua derrota: o estado extraordinário de seca a que tinham sido reduzidos pela natureza poeirenta da sua ocupação, e a criticável distância do seu local de trabalho para qualquer lugar de entretenimento público. Entendi bem o rumo que as coisas tomavam, e depois de um bom copo de aguardente, ou talvez um pouco mais, e um soberano na mão de cada um, eles deram menos importância ao ataque e juraram que encontrariam um louco pior qualquer dia desses só pelo prazer de com um *"homem tão bom"* como esse seu correspondente. Peguei seus nomes e endereços, caso haja necessidade. São os seguintes: Jack Smollet, da Dudding's Rents, Estrada King George, Great Walworth, e Thomas Snelling, da Peter Farley's Row, Guide Court, Bethnal Green. Ambos são contratados da Harris & Sons, Companhia de Despachos e Mudanças, Orange Masters's Yard, Soho.

Informarei ao senhor qualquer assunto de interesse que ocorra aqui, e telegrafarei de imediato se houver alguma coisa de maior importância.

Sou, atenciosamente,

Patrick Hennessey

CARTA DE MINA HARKER PARA LUCY WESTENRA *(Não recebida por ela)*
18 de setembro
Minha querida Lucy,

Um triste golpe nos atingiu: o sr. Hawkins veio a falecer de modo repentino. Alguns podem achar que isso não é tão triste assim para nós, mas tanto eu quanto Jonathan acabamos por nos afeiçoar tanto a ele, que realmente sentimos como se tivéssemos perdido um pai. Eu nunca soube o que é ter pai ou mãe, de forma que a morte desse senhor tão querido é um verdadeiro golpe para mim. Jonathan está muito abalado. Não se trata apenas de sentir tristeza, profunda tristeza pelo querido e bom homem que o protegeu durante toda sua vida, e agora, ao final da existência, tratou-o como seu próprio filho, deixando-lhe uma fortuna que, para pessoas de condição modesta como nós, é riqueza além dos nossos sonhos de grandeza – mas Jonathan sente isso por outro motivo também. Ele diz que a enorme responsabilidade que recaiu sobre ele o deixa angustiado. Começa a duvidar de si mesmo. Eu tento animá-lo, e minha confiança nele ajuda-o a ter confiança em si. Mas é nisso que o choque sério que ele sofreu mais o abateu. Oh, é muito duro que uma natureza doce, simples, nobre e forte como a dele, uma natureza que lhe permitiu, com a ajuda do nosso querido e bom amigo, a elevar-se de escriturário a dono do negócio em poucos anos, tenha sido tão ferida que sua própria essência se esvaiu. Perdoe-me, querida, por aborrecê-la com as minhas angústias em meio a sua própria felicidade, mas Lucy querida, preciso contar para alguém, pois a tensão de manter uma aparência corajosa e alegre diante de Jonathan é uma provação, e não tenho ninguém aqui a quem possa tomar como confidente. Tenho medo de ir até Londres, como teremos que fazer depois de amanhã, pois o pobre sr. Hawkins determinou em seu testamento que queria ser enterrado no mesmo jazigo em que já se encontram os restos do pai. Como ele não tinha parente algum, Jonathan terá que representar o papel de principal parente do morto. Tentarei correr para fazer-lhe uma visita, minha querida, nem que seja só por alguns minutos. Perdoe-me por incomodá-la. Com todas as bênçãos,

Sua amiga que tanto a quer,

Mina Harker

DIÁRIO DO DR. SEWARD

20 de setembro: Só a força de vontade e o hábito podem permitir-me fazer um registro em meu diário esta noite. Estou muito infeliz, com o espírito abatido ao extremo, tão enojado do mundo e de tudo que existe nele, incluindo a própria vida, que não me importaria se ouvisse neste momento o bater de asas do anjo da morte. E ele tem batido aquelas asas cruéis ultimamente com algum propósito, a mãe de Lucy e o pai de Arthur, e agora... Vou prosseguir com minha tarefa.

Rendi Van Helsing como devia, em sua vigília a Lucy. Queríamos que Arthur também fosse descansar, mas ele recusou, a princípio. Foi só quando eu lhe disse que poderíamos precisar dele para nos ajudar durante o dia, e que não devíamos todos desfalecer por falta de repouso para que Lucy não sofresse, que ele concordou em ir.

Van Helsing foi muito amável com ele. *"Venha, meu filho"*, ele disse. *"Venha comigo. O senhor está doente e fraco, e tem tido muitas tristezas e muito sofrimento mental, além daquela sobrecarga em suas forças da qual nós sabemos. Não deve ficar só, pois estar só é ficar cheio de medos e preocupações. Venha para a sala de estar, onde há um bom fogo na lareira e dois sofás. O senhor se deitará em um e eu no outro, e nossa simpatia nos consolará mutuamente, mesmo que não falemos, e até mesmo se dormirmos".*

Arthur se foi com ele, lançando atrás de si um olhar ardente para o rosto de Lucy. Ela estava recostada no travesseiro, e seu rosto parecia tão branco quanto a roupa de cama. Estava totalmente imóvel, e dei uma olhada ao redor do quarto para ver se tudo estava como deveria estar. Pude perceber que o Professor tinha mantido neste quarto, assim como fizera no outro, o propósito de usar o alho. Todas as vidraças da janela cheiravam a alho, e ao redor do pescoço de Lucy, sobre o lenço de seda que Van Helsing a fazia usar, havia uma guirlanda rústica das mesmas flores odoríferas.

A respiração de Lucy era um pouco estertorosa, e o rosto apresentava seu pior aspecto, com a boca aberta mostrando as gengivas pálidas. Seus dentes, na vaga obscuridade, pareciam ainda mais longos e afiados do que estavam pela manhã. Em particular os caninos, que por algum truque da luz pareciam mais longos e afiados do que os outros.

Sentei-me ao seu lado, e então ela se mexeu, inquieta. No mesmo instante ouvi uma espécie de batida ou pancada na janela. Fui até lá em silêncio, e espiei para fora pelo canto da persiana. Era noite de lua cheia, e pude ver que o barulho era feito por um enorme morcego que voava ao redor – sem dúvida atraído pela luz, embora fosse fraca – e que de vez em quando batia na janela com suas asas. Quando voltei para o meu lugar, vi que Lucy se movera ligeiramente, e havia arrancado da garganta a guirlanda de flores de alho. Recoloquei-a tão bem quanto pude, e sentei-me para continuar a vigília.

Ela então acordou, e eu lhe dei algo para comer, como Van Helsing havia determinado. Lucy comeu só um pouquinho, e mesmo assim sem interesse. Não parecia haver dentro dela a luta inconsciente pela vida, para recobrar as forças, que tanto haviam marcado a sua doença até então. Achei curioso que no momento em que ela recobrou a consciência apertou as flores de alho contra si. Certamente era algo muito estranho, pois sempre que ela entrava naquele estado letárgico, com a respiração estertorosa, afastava as flores do corpo, mas quando acordava, apertava-as de novo contra si. Não havia qualquer possibilidade de engano quanto a isso, pois nas longas horas que se seguiram ela teve várias fases de dormir e acordar, e repetiu ambas as ações várias vezes.

Às seis horas, Van Helsing veio me substituir. Arthur tinha caído no sono, por fim, e ele bondosamente o deixou dormir. Quando ele viu o rosto de Lucy, pude ouvir o barulho da sua respiração, e ele me disse num sussurro cortante, *"Abra a cortina. Preciso de luz!"* Ele então se inclinou, e, com o rosto quase encostando em Lucy, examinou-a cuidadosamente. Removeu as flores e tirou o lenço de seda do seu pescoço. Quando fez isso, recuou assustado, e eu pude ouvir a exclamação, *"Mein Gott! Meu Deus!"* sufocada em sua garganta. Eu também me inclinei para olhar, e quando vi o que era, um estranho calafrio percorreu meu corpo. As feridas em sua garganta haviam desaparecido completamente.

Por cinco minutos inteiros Van Helsing ficou de pé, olhando para ela, uma expressão dura no rosto. Então virou-se para mim e disse com toda calma, *"Ela está morrendo. Não vai demorar muito agora. Fará muita diferença, veja bem, se ela morrer acordada ou durante o sono. Acorde esse pobre rapaz, e deixe que venha vê-la pela última vez. Ele confia em nós, e temos que cumprir o que prometemos".*

Fui até a sala de jantar e acordei-o. Arthur ficou aturdido por um momento, mas quando viu que a luz do sol entrava pelas frestas das venezianas achou que fosse tarde demais, e expressou seu receio. Assegurei-lhe que Lucy ainda estava adormecida, mas lhe contei, do modo mais gentil que pude, que tanto eu quanto Van Helsing achávamos que o fim estava próximo. Ele cobriu o rosto com as mãos, e dobrando os joelhos caiu sobre o sofá, onde permaneceu por um minuto, talvez, rezando com a cabeça enterrada nas mãos, enquanto seus ombros tremiam com o sofrimento que o abalava. Peguei-o pelo braço e o levantei. Então disse, *"Vamos, meu velho amigo, tenha coragem. Será melhor e mais fácil para ela".*

Quando entrarmos no quarto de Lucy pude ver que Van Helsing, com sua habitual previdência, havia colocado as coisas em ordem, fazendo com que tudo parecesse o mais agradável possível. Tinha até mesmo escovado o cabelo de Lucy, de modo que ele caía sobre o travesseiro como sempre, numa cascata de cachos dourados. Quando entramos no quarto ela abriu os olhos, e ao vê-lo, sussurrou docemente, *"Arthur! Oh, meu amor, estou tão feliz que você tenha vindo!"*

Ele estava se inclinando para beijá-la, quando Van Helsing fez-lhe um sinal para recuar. *"Não"*, ele sussurrou, *"ainda não! Segure sua mão, isso lhe trará mais conforto".*

Então Arthur tomou a mão de Lucy entre as suas, e ajoelhou-se ao seu lado. Ela parecia estar com uma aparência melhor, todos os traços suaves do seu rosto emoldurando a beleza angelical dos olhos. Então, aos poucos, seus olhos se fecharam, e ela mergulhou no sono. Por um momento, seu peito moveu-se suavemente, e sua respiração ia e vinha, como se fosse uma criança exausta.

E naquele momento, quase sem que se percebesse, surgiu a estranha mudança que eu havia notado durante a noite. Sua respiração tornou-se estertorosa, a boca abriu-se, e as gengivas pálidas, recuadas, faziam seus dentes parecerem mais longos e afiados do que nunca. Numa espécie de letargia, de modo vago e inconsciente, Lucy abriu os olhos, que agora estavam duros e sombrios, e disse numa voz suave, voluptuosa, como eu nunca tinha ouvido dos seus lábios, *"Arthur! Oh, meu amor, estou tão feliz que tenha vindo! Beije-me!"*

Arthur inclinou-se avidamente para beijá-la, mas naquele momento Van Helsing, que, como eu, ficara assombrado com o tom de voz de Lucy, lançou-se sobre ele, e agarrando-o pelo pescoço com ambas as mãos, arrastou-o para trás com uma força selvagem que eu nunca pensei que ele possuísse, e quase o arremessou para o outro lado do quarto.

"Não! Pela sua vida!", ele disse, *"Não faça isso, pela sua alma e pela dela!"* E se interpôs entre os dois como um leão encurralado.

Arthur ficou tão surpreso que, por um momento, não soube o que fazer ou o que dizer. Antes, porém, de ser tomado por qualquer impulso de violência, percebeu o lugar em que se achava e as circunstâncias, e ficou calado, à espera.

Mantive os olhos fixos em Lucy, assim como Van Helsing, e vimos que um espasmo, como se fosse de raiva, pairou como uma sombra sobre seu rosto. Os dentes afiados se fecharam. Então seus olhos tornaram a fechar-se, e ela respirou pesadamente.

Logo após ela abriu os olhos, que agora se mostravam em toda a sua doçura, e estendendo sua pobre mão, pálida e magra, pegou a mão grande e escura de Van Helsing. Puxando-a para perto de si, beijou-a. *"Meu amigo verdadeiro"*, ela disse, numa voz lânguida, mas com indizível emoção, *"Meu fiel amigo, e amigo dele também! Oh, proteja-o, e me traga a paz!"*

"Eu prometo!" ele disse solenemente, ajoelhando-se ao lado dela e levantando a mão, como se prestasse um juramento. Então virou-se para Arthur e disse, *"Venha, meu filho, segure a mão dela na sua e beije-a na testa, e só uma vez"*.

Seus olhos se encontraram, em vez dos lábios, e assim eles se despediram. Os olhos de Lucy se fecharam, e Van Helsing, que estivera observando de perto, tomou Arthur pelo braço e o afastou dali.

Então a respiração de Lucy voltou a ficar estertorosa, e cessou de uma vez.

"Está tudo acabado", disse Van Helsing. *"Ela está morta!"*

Peguei Arthur pelo braço e o levei para a sala de estar, onde ele se sentou. Cobriu o rosto com as mãos, chorando de um modo que me deixou quase desesperado só de olhar para ele.

Voltei para o quarto, e encontrei Van Helsing olhando para a pobre Lucy. Seu rosto tinha a expressão mais severa que eu já tinha visto. O corpo de Lucy sofrera uma mudança. A morte lhe devolvera parte da beleza, pois suas faces e sobrancelhas tinham recuperado um pouco do seu traçado suave. Até mesmo os lábios tinham perdido a palidez mortal. Era como se o sangue, não mais necessário para manter o coração batendo, tivesse tornado a dureza da morte o menos cruel possível.

"Julgamos que estava morta enquanto apenas dormia, e que dormia quando de fato morreu".

Parei ao lado de Van Helsing e disse, *"Ah, pobre menina! Agora terá paz, afinal. É o fim de tudo!"*

Ele virou-se para mim e disse de modo solene, *"Não é bem assim, oh não! Não é bem assim. Isso é só o começo!"*

Quando lhe perguntei o que queria dizer, ele apenas sacudiu a cabeça e respondeu, *"Não podemos fazer mais nada, por enquanto. Espere e verá"*.

CAPÍTULO 13

DIÁRIO DO DR. SEWARD *(continuação)*

O funeral foi acertado para o dia seguinte, de forma que Lucy e a mãe pudessem ser enterradas juntas. Eu cuidei de todas as horríveis formalidades, e o agente funerário, um homem muito gentil, provou que seu pessoal sofria, ou era abençoado, com algo da sua própria suavidade subserviente. Até mesmo a mulher que executou os últimos preparativos para os mortos observou-me, em tom confidencial, de camaradagem profissional, quando saiu da câmara mortuária:

"*Ela é um cadáver muito bonito, senhor. É um verdadeiro privilégio cuidá-la. Não é exagero dizer que ela dará crédito ao nosso estabelecimento!*"

Notei que Van Helsing nunca se afastava muito. Isso só era possível pelo estado desordenado das coisas na casa. Não havia parentes próximos, e como Arthur teve que voltar no dia seguinte para cuidar do funeral do pai, não pudemos avisar ninguém que devesse ser convidado. Nessas circunstâncias, Van Helsing e eu tomamos para nós o encargo de examinar documentos, etc. Ele insistiu em examinar ele mesmo os papéis de Lucy. Perguntei-lhe por que, pois temia que ele, sendo um estrangeiro, poderia não estar bastante familiarizado com as exigências legais inglesas, e assim pudesse, por ignorância, criar alguma dificuldade desnecessária.

Ele me respondeu, "*Eu sei, eu sei. Você se esquece de que eu sou advogado, além de médico. Mas não é só por causa da lei. Você sabia disso, quando quis evitar um inquérito sobre a morte da sra. Westenra. Eu tenho mais do que um inquérito para evitar. Pode haver mais papéis, como este, por exemplo*".

Enquanto falava, pegou na sua agenda de bolso a nota que tinha estado no peito de Lucy, e que ela tinha rasgado enquanto dormia.

"*Quando você encontrar qualquer coisa sobre o advogado da falecida sra. Westenra, guarde todos os documentos e escreva para ele hoje à noite. Quanto a mim, vou fazer uma busca neste quarto e no antigo quarto da srta. Lucy durante toda a noite, e vou eu mesmo procurar por qualquer coisa. Não fica bem que os próprios pensamentos dela caiam nas mãos de estranhos*".

Prossegui com minha parte da tarefa, e meia hora depois já tinha achado o nome e o endereço do advogado da sra. Westenra e escrito para ele. Todos os documentos da pobre senhora estavam em ordem. Havia instruções explícitas quanto ao lugar do enterro. Mal tinha guardado a carta, quando, para minha surpresa, Van Helsing irrompeu na sala, dizendo:

"*Posso ajudá-lo, amigo John? Estou livre, e se puder, estou à sua disposição*".

"*Achou o que estava procurando?*", perguntei.

A isso ele respondeu, "*Eu não estava procurando por nada específico. Só esperava encontrar, e encontrei de fato tudo que havia, só algumas cartas e umas poucas notas, e um diário novo recém começado. Mas estou com eles aqui, e no momento não devemos dizer nada sobre eles. Vou ver aquele pobre rapaz amanhã à noite, e, com a permissão dele, usarei alguns desses papéis*".

Quando tínhamos terminado o trabalho mais urgente, ele me disse, "*E agora, amigo John, acho que podemos ir para cama. Precisamos de sono, você e eu, e de descanso para nos recuperarmos. Amanhã teremos muito para fazer, mas por esta noite não há mais necessidade de nós*".

Antes de irmos nos deitar fomos ver a pobre Lucy. O agente funerário certamente tinha feito muito bem o seu trabalho, pois o quarto havia se transformado numa pequena capela ardente. Havia uma imensidão de belas flores brancas, e a morte tornara-se tão pouco repulsiva quanto seria possível. A barra do lençol fora colocada sobre o rosto de Lucy. Quando o Professor se inclinou e retirou suavemente o lençol, ambos nos espantamos com a beleza diante de nós. As altas velas de cera espalhavam luz suficiente para que se pudesse ver com clareza. Todo o encanto de Lucy voltara para ela após a morte, e as horas que se passaram, em vez de deixarem rastros dos "dedos destruidores da decadência"[31] só fizeram restabelecer a beleza da vida, até que eu positivamente não pudesse acreditar que meus olhos estavam olhando para um cadáver.

---

[31] Lorde Byron (1788-1824), *O Infiel*, poema de 1813. NT.

O Professor parecia muito sério e grave. Ele não a tinha amado como eu, e não era de se esperar que houvesse lágrimas em seus olhos. Ele me disse, *"Fique até que eu volte"*, e deixou o quarto. Voltou com um punhado de flores de alho que estavam na caixa que fora deixada no vestíbulo, mas que não tinha sido aberta, e colocou as flores entre as outras, por cima e em torno da cama. Depois tirou do próprio pescoço, debaixo do colarinho, um pequeno crucifixo de ouro, e colocou-o sobre a boca de Lucy. Recolocou o lençol em seu lugar, e saímos.

Eu estava me despindo em meu quarto, quando, com uma pequena batida na porta, ele entrou e imediatamente começou a falar.

"Amanhã eu quero que você me traga, antes do anoitecer, um jogo de lâminas para autópsia".

"Temos que fazer uma autópsia?" perguntei.

"Sim e não. Eu quero operar, mas não o que você pensa. Vou lhe contar agora, mas não diga uma palavra a ninguém. Quero cortar a cabeça de Lucy e tirar fora seu coração. Ah! Você, um cirurgião, e tão chocado! Você, a quem nunca vi tremer a mão ou o coração, fez operações de vida e morte que faziam os outros tremerem. Ah, mas não devo esquecer, meu querido amigo John, que você a amava, e não esqueci, pois sou eu que vou operar e você não deve ajudar. Gostaria de fazer isso esta noite, mas não devo, por causa de Arthur. Ele estará livre amanhã, após o funeral do pai, e vai querer vê-la. Então, quando o caixão for fechado, pronto para o enterro no dia seguinte, você e eu viremos, quando todos estiverem dormindo. Vamos tirar os parafusos da tampa do caixão e fazer nossa operação, depois substituiremos tudo, de modo que ninguém fique sabendo, exceto nós dois".

"Mas por que fazer isso, afinal? A menina está morta. Por que mutilar seu pobre corpo sem necessidade? E se não há qualquer necessidade de uma autópsia, e nada a ganhar com isso, nenhum bem para ela, ou para nós, ou para a ciência, ou o conhecimento humano, por que fazer uma coisa assim? Sem motivo, é algo monstruoso".

Como resposta, ele pôs a mão no meu ombro e disse, com ternura infinita, *"Amigo John, tenho pena do seu pobre coração dilacerado, e o amo ainda mais, porque seu coração sofre tanto. Se eu pudesse, tomaria para mim o fardo que você suporta. Mas há coisas que você não sabe, mas que saberá, e me abençoará por saber, embora não sejam coisas agradáveis. John, meu filho, você tem sido meu amigo há muitos anos, e algum dia você me viu fazer qualquer coisa sem bom motivo? Eu posso errar, não sou mais que um homem, mas acredito em tudo que faço. Não foi por esse motivo que você me chamou, quando surgiu o grande problema? Sim! Você não ficou espantado, nem horrorizado, quando não deixei Arthur beijar o seu amor, embora ela estivesse morrendo, e o arranquei dali com toda minha força? Sim! E ainda assim viu como ela me agradeceu, com seus olhos agonizantes tão bonitos, sua voz, também, tão fraca, e que beijou minha mão velha e áspera e me abençoou? Sim! E você não me ouviu fazer-lhe uma promessa, para que assim fechasse os olhos tranquila? Sim! Bem, tenho uma boa razão agora para tudo que quero fazer. Você tem confiado em mim por muitos anos. Você acreditou em mim semanas atrás, quando havia coisas tão estranhas que você podia muito bem ter dúvidas. Acredite em mim ainda um pouco, amigo John. Se não confiar em mim, então tenho que lhe dizer o que penso, e isso talvez não seja bom. E se eu trabalhar, como trabalharei, com confiança ou sem confiança, sem meu amigo confiar em mim trabalho com o coração pesado, e me sinto, oh, tão sozinho, quando preciso de toda ajuda e coragem que possa haver!"* Ele parou por um momento, e então continuou solenemente, *"Amigo John, há dias estranhos e terríveis diante de nós. Não vamos ser dois, mas um só, pois assim trabalhamos por um bom fim. Não terá fé em mim?"*

Apertei-lhe a mão e lhe fiz a promessa. Segurei a porta aberta enquanto ele saía, e o vi entrar em seu quarto e fechar a porta. Como fiquei parado, vi uma das criadas passar silenciosamente pelo corredor e entrar no quarto onde jazia Lucy. A moça estava de costas para mim, por isso não me viu. Fiquei emocionado com o que vi. A devoção é tão rara, que somos muito gratos àqueles que a demonstram de modo espontâneo pelas pessoas a quem amamos. Ali estava uma pobre moça, pondo de lado os terrores que a morte naturalmente inspira para ir velar sozinha ao lado do caixão da patroa a quem amava, de forma que a pobre argila não ficasse só até partir para o descanso eterno.

Devo ter dormido profundamente por um longo tempo, pois já era dia claro quando Van Helsing me acordou ao entrar no quarto. Ele veio até a cama e disse, *"Não precisa se preocupar com as lâminas. Não faremos a autópsia".*

"Por que não?" perguntei, pois sua atitude solene na noite anterior havia me causado forte impressão.

"Porque", ele disse severamente, *"é muito tarde. Ou muito cedo. Veja!"* Então levantou na mão o pequeno crucifixo dourado.

"Isso foi roubado durante a noite".

"Roubado, como", perguntei espantado, *"se está com ele agora?"*

"Porque peguei de volta da desgraçada que o roubou, da mulher que roubou os mortos e os vivos. O castigo dela seguramente virá, mas não por mim. Ela não sabia exatamente o que estava fazendo, e sem ter consciência, apenas roubou. Agora temos que esperar". E com essas palavras, saiu, deixando-me com um novo mistério para pensar, um novo quebra-cabeças para deslindar.

Foi uma manhã sombria, mas ao meio-dia chegou o advogado, sr. Marquand, de Wholeman, Filhos, Marquand & Lidderdale. Ele foi muito cordial, ficou bastante agradecido pelo que tínhamos feito, e tirou das nossas mãos todas as preocupações com os detalhes. Durante o almoço, ele nos disse que a sra. Westenra já esperava há algum tempo uma morte súbita por causa do coração, e tinha colocado seus negócios em perfeita ordem. Informou-nos que, com exceção de certa propriedade deixada pelo pai de Lucy, e que agora, por falta de herdeiro direto, voltaria para um ramo distante da família, todo os bens, tanto os imóveis quanto os bens de uso pessoal, foram deixados inteiramente para Arthur Holmwood. Depois de nos contar isso, ele continuou:

"Francamente, fizemos tudo para evitar tal disposição testamentária, e apontamos certas contingências que poderiam deixar sua filha sem dinheiro, ou então não tão livre quanto ela deveria ser em relação a uma aliança matrimonial. Na verdade, insistimos tanto no assunto que quase nos desentendemos, pois ela nos perguntou se estávamos ou não preparados para levar a cabo os seus desejos. Claro que não tivemos outra alternativa senão aceitar. Tínhamos razão, em princípio, e em noventa e nove por cento dos casos teríamos provado, pela lógica dos acontecimentos, a precisão do nosso julgamento. Porém, tenho que admitir francamente que neste caso qualquer outra forma de disposição teria tornado impossível o cumprimento dos desejos da sra. Westenra. Por ter a morte dela precedido a da filha, esta última teria entrado na posse da propriedade, e, mesmo que ela tivesse sobrevivido à mãe por apenas cinco minutos, sua propriedade seria – no caso de não haver testamento, e um testamento era uma impossibilidade prática neste caso – tratada por ocasião do seu falecimento como um caso de morte sem testamento. Neste caso, Lorde Godalming, embora seja um amigo muito querido, não teria direito à reivindicação de espécie alguma neste mundo. E os herdeiros, por serem remotos, provavelmente não abandonariam seus justos direitos, por razões sentimentais, em favor de um completo estranho. Asseguro-lhes, meus caros senhores, que estou satisfeito com o resultado, perfeitamente satisfeito".

Ele era um bom sujeito, mas sua satisfação com uma pequena questão jurídica na qual ele estava oficialmente interessado, dentro de uma tragédia tão grande, era uma lição objetiva sobre as limitações da compreensão e simpatia humanas.

O advogado não ficou por muito tempo, mas disse que mais tarde naquele dia iria fazer uma rápida visita a Lorde Godalming. Sua vinda, porém, deu-nos um certo alívio, pois assegurou-nos que não teríamos críticas hostis a quaisquer dos nossos atos. Arthur era esperado às cinco horas, de modo que um pouco antes fizemos uma visita à câmara mortuária. O quarto se tornara mesmo uma câmara ardente, pois agora mãe e filha jaziam lado a lado. O agente funerário, fiel à sua arte, havia feito a melhor exibição possível dos atavios inerentes ao seu ofício, e havia um ar mortuário sobre o lugar que deprimiu nossos espíritos de imediato.

Van Helsing ordenou-lhe que voltasse ao arranjo anterior, explicando que, como Lorde Godalming estava para chegar, seria menos angustiante para os sentimentos dele ver os restos mortais da sua amada noiva em completa solidão.

O agente funerário pareceu chocado com sua própria estupidez, e se esforçou para restaurar as coisas de modo que ficassem nas mesmas condições em que estavam na noite anterior. Assim, quando Arthur chegou, qualquer coisa que pudesse chocar seus sentimentos havia sido evitada.

Pobre amigo! Parecia desesperadamente triste e arrasado. Mesmo sua robusta virilidade parecia ter encolhido um pouco sob o desgaste provocado por tantas provações. Eu sabia o quanto ele era genuína e devotamente afeiçoado ao pai, e perdê-lo, ainda mais em tal momento, era um golpe amargo para ele. Arthur foi carinhoso como sempre comigo, e com Van Helsing foi gentil e cortês. Mas não pude deixar de notar que ele estava um pouco constrangido. O professor também notou, e me fez sinal para levá-lo para cima. Eu o levei, e deixei-o na porta do quarto, pois senti que ele gostaria de ficar sozinho com ela. Mas Arthur pegou meu braço e conduziu-me para dentro, dizendo com voz rouca:

"Você também a amava, meu velho amigo. Ela me contou tudo, e não houve nenhum amigo que tivesse um lugar tão especial no seu coração quanto você. Não sei como lhe agradecer por tudo que fez por ela. Ainda não consigo acreditar..."

Então ele desmoronou de repente, lançou os braços em volta dos meus ombros e pôs a cabeça em meu peito, chorando alto, *"Oh, Jack! Jack! O que vou fazer? A vida inteira parece ter me abandonado de uma vez, e não me resta um só motivo neste mundo para continuar vivendo".*

Consolei-o tão bem quanto pude. Em tais casos, os homens não precisam de grandes expressões de sentimento. Um aperto de mão, um braço em cima do ombro, um soluço conjunto, são expressões de compaixão caras ao coração de um homem. Fiquei parado, em silêncio, até que ele parasse de soluçar, então lhe disse gentilmente, *"Venha e olhe para ela".*

Fomos juntos até a cama, e ergui o tecido que lhe cobria o rosto. Deus! Como ela estava bonita! Cada hora que passava parecia aumentar o seu encanto. Isso me deixou assustado e surpreso, de algum modo. Quanto a Arthur, começou a tremer descontroladamente, como se estivesse com um ataque de febre. Por fim, depois de uma longa pausa, disse-me num fraco sussurro, *"Jack, tem certeza de que ela está morta?"*

Assegurei-lhe que infelizmente era assim. Sentindo que uma dúvida terrível como aquela não deveria prosperar sem que eu pudesse evitar, prossegui sugerindo que acontecia com frequência que, depois da morte, o rosto adquirisse um aspecto suave, ou até mesmo voltasse à beleza da juventude, e que isso acontecia especialmente quando a morte tinha sido precedida por algum sofrimento agudo ou prolongado. Tive a impressão de ter consigo suprimir por completo qualquer dúvida, e depois de se ajoelhar durante algum tempo ao lado da cama e olhar amorosa e longamente para Lucy, Arthur virou-se para sair. Lembrei-o que devia dizer adeus, pois o caixão tinha que ser fechado. Ele então voltou, e tomando a mão morta de Lucy na sua, beijou-a, depois inclinou-se e beijou-lhe a testa. Então saiu, olhando-a com ternura por sobre o ombro enquanto se afastava.

Deixei-o na sala de estar, e disse a Van Helsing que ele já havia se despedido. O Professor então foi até a cozinha para dizer aos homens da funerária que prosseguissem com os preparativos e pregassem o caixão. Quando ele voltou a sair, contei-lhe sobre a pergunta de Arthur, e ele respondeu, *"Não estou surpreso. Ainda agora, eu mesmo duvidei disso por um momento!"*

Jantamos todos juntos, e eu podia ver que o pobre Art estava tentando se comportar da melhor maneira possível, tentando ocultar seu sofrimento. Van Helsing ficara em silêncio durante todo o jantar, mas depois que havíamos acendido nossos charutos, ele disse, *"Meu Lorde..."* mas Arthur interrompeu-o.

"Não, não, isso não, pelo amor de Deus! Não ainda, de qualquer modo. Perdoe-me, senhor. Não pretendia ofendê-lo. É que a perda do meu pai ainda é muito recente".

O Professor respondeu com toda gentileza, *"Eu só usei esse tratamento porque estava em dúvida. Não devo chama-lo de 'senhor' e passei a estimá-lo, sim, meu caro rapaz, a estimá-lo, apenas como Arthur".*

Arthur estendeu a mão e tocou carinhosamente a mão do velho. *"Chame-me como quiser"*, ele disse. *"Espero que sempre possa ter o título de amigo. E permita-me dizer que não tenho palavras para lhe agradecer por sua bondade para com a minha pobre amada."* Ele parou por um momento, e então continuou, *"Eu sei que ela entendeu a sua bondade até melhor do que eu. E se eu fui rude, ou descortês de alguma maneira, naquele momento em que o senhor agiu daquele modo... deve se lembrar..."* – o Professor confirmou com a cabeça – *"peço que me perdoe".*

Van Helsing respondeu num tom sério, mas bondoso, *"Eu sei que foi muito difícil para o senhor confiar totalmente em mim naquela hora, pois para confiar em tal violência é preciso compreender, e eu estou certo de que o senhor ainda não confia em mim, ainda não consegue confiar, pois ainda não compreendeu. E pode haver mais ocasiões em que eu precisarei que confie em mim, mesmo que não possa, mesmo que não queira, pois pode não ter compreendido ainda. Mas chegará um dia em que sua confiança em mim será inteira e completa, e então entenderá, como se a luz do sol iluminasse o caminho. Então me abençoará do início ao fim pelo seu próprio bem, e pelo bem de outros, e pelo bem da sua amada que eu jurei proteger".*

"Realmente, realmente, senhor", disse Arthur, calorosamente. *"Confiarei no senhor de todo modo. Eu sei muito bem que o senhor tem um coração muito nobre, e é amigo de Jack, e era amigo dela. Deve fazer o que acha melhor".*

O Professor, por duas vezes, emitiu um ruído como se fosse falar, e finalmente disse, *"Posso lhe perguntar uma coisa agora?".*

"Certamente".

"Sabe que a sra. Westenra lhe deixou todos os seus bens?"

"Não, pobre coitada! Nunca poderia imaginar".

"E como é tudo seu, tem o direito de dispor de todas as coisas como desejar. Gostaria que me desse permissão para ler todas as cartas e documentos da srta. Lucy. Acredite-me,

não se trata de mera curiosidade. Tenho um motivo para isso, o qual, esteja certo, ela teria aprovado. Estou com todos os documentos aqui. Peguei esses papéis antes que soubéssemos que tudo ficaria para o senhor, para que nenhuma mão estranha pudesse tocá-los, e nenhum olhar estranho visse as palavras ditadas pelo seu coração. Eu ficarei com eles, se me permitir. Nem o senhor deve vê-los agora, mas eu os guardarei em segurança. Nenhuma palavra será desconsiderada, e no devido tempo eu os devolverei ao senhor. Sei que é muito difícil o que lhe peço, mas o senhor concordará, não é, para o bem de Lucy?"

Arthur falou cordialmente, como era o seu jeito, "Dr. Van Helsing, o senhor tem toda liberdade para agir como desejar. Sinto que, ao fazer isso, não estou fazendo nada mais do que aquilo que a minha pobre querida teria aprovado. Não vou importuná-lo com perguntas até que chegue a hora".

O velho Professor levantou-se, enquanto dizia solenemente, "E está certo em agir assim. Haverá dor para todos nós, mas nem tudo será dor, nem essa dor será a última. Nós, e o senhor também – o senhor mais do que todos nós, meu caro rapaz – ainda teremos que atravessar as águas amargas, antes de poder beber da água doce. Mas devemos ser corajosos e altruístas, e cumprir o nosso dever, e assim tudo ficará bem!"

Dormi num sofá no quarto de Arthur naquela noite. Van Helsing nem sequer se deitou. Andou de um lado para outro, como se estivesse patrulhando a casa. Jamais perdeu de vista o quarto onde Lucy jazia em seu caixão, coberto com as flores de alho silvestre, cujo forte odor, misturado à doce fragrância dos lírios e das rosas, impregnava a noite com seu cheiro pesado e opressivo.

DIÁRIO DE MINA HARKER

22 de setembro: No trem para Exeter. Jonathan dormindo. Parece que foi ontem que fiz a última anotação em meu diário, e ainda assim quanta coisa aconteceu nesse meio tempo, em Whitby e pelo mundo afora. Na última vez, Jonathan estava viajando e eu não tinha notícias dele, e agora, casada com Jonathan, Jonathan advogado, sócio de uma firma, rico, dono do próprio negócio, o sr. Hawkins morto e enterrado, e Jonathan com outro ataque que pode prejudicá-lo muito. Algum dia ele pode perguntar-me sobre isso, então descrevo tudo a seguir. Estou um tanto enferrujada na taquigrafia, vejo bem que isso é fruto da prosperidade inesperada, assim pode ser bom refrescar de novo a minha taquigrafia com um exercício.

O funeral foi muito simples e muito solene. Havia apenas nós dois e os criados, um ou dois velhos amigos de Exeter, o agente do sr. Hawkins em Londres, e um cavalheiro representando o sr. John Paxton, presidente da Ordem dos Advogados. Jonathan e eu ficamos de pé, de mãos dadas, sentindo que nosso melhor e mais querido amigo havia nos deixado.

Voltamos calmamente à cidade, tomando um ônibus para Hyde Park Corner. Jonathan achou que eu gostaria de descansar um pouco no parque, então nos sentamos na alameda. Mas havia pouquíssimas pessoas ali, e o lugar parecia um tanto triste e desolado, com tantas cadeiras vazias. Fez com que pensássemos na cadeira vazia em nossa casa. Assim, levantamos e fomos andando até Piccadilly. Jonathan me segurava pelo braço, do modo que costumava fazer nos velhos tempos, antes que eu fosse trabalhar na escola. Achei aquilo muito impróprio, pois não se pode passar anos ensinando etiqueta e decoro para outras moças sem que o pedantismo associado a isso não fique um pouco impregnado dentro de nós. Mas tratava-se de Jonathan, e ele era meu marido, e não conhecíamos ninguém que pudesse nos ver, e não ligaríamos mesmo que alguém visse, então seguimos nosso caminho. Eu estava olhando para uma moça muito bonita, com um enorme chapéu de abas largas, sentada numa carruagem em frente ao Guiliano's, quando senti Jonathan apertando meu braço com tanta força que quase me machucou. Ele então exclamou, num tom assustado, *"Meu Deus!"*

Estou sempre ansiosa a respeito de Jonathan, pois temo que algum ataque nervoso venha a incomodá-lo de novo. Assim, virei-me para ele depressa, e perguntei o que foi que o perturbara.

Ele estava muito pálido, os olhos arregalados, enquanto olhava – com um misto de terror e assombro – para um homem alto, magro, com um nariz aduncо, bigode preto e barba pontuda, que também estava olhando para a linda moça. Olhava para ela com tanta intensidade que não viu nenhum de nós, e assim pude observá-lo bem. Seu rosto não era um rosto agradável. Era um rosto duro, cruel, sensual, e seus enormes dentes brancos, que pareciam ainda mais brancos em contraste com o vermelho dos lábios, eram pontudos como as presas de um animal. Jonathan continuou a encará-lo, e tive medo que ele pudesse notar. Temia que levasse a mal, pois parecia bastante sórdido e feroz. Perguntei a Jonathan por que estava tão transtornado, e ele respondeu, pensando evidentemente que eu sabia tanto sobre isso quanto ele, *"Você não viu quem é?"*

"Não, querido", eu disse. *"Eu não o conheço, quem é?"* Sua resposta me deixou chocada e assustada, pois foi dita como se ele não soubesse que era eu, Mina, quem estava falando com ele. *"Esse é o homem, em pessoa!"*

Era evidente que o meu pobre querido estava apavorado com alguma coisa, terrivelmente apavorado. Acredito que se ele não me tivesse a seu lado para ampará-lo e dar-lhe apoio teria sucumbido. Ele continuava olhando. Um homem saiu da loja com um pequeno pacote e entregou-o à moça, que então partiu. A figura sinistra manteve os olhos fixos nela, e quando a carruagem tomou o rumo de Piccadilly, seguiu na mesma direção, fazendo sinal para um carro de aluguel. Jonathan continuou a olhá-lo, e disse, como se falasse consigo mesmo:

"Acho que aquele é o Conde, mas ele rejuvenesceu. Meu Deus, e se for verdade! Oh, meu Deus! Meu Deus! Se eu ao menos soubesse! Se eu ao menos soubesse!" Ele estava ficando tão aflito que tive receio de insistir no assunto fazendo-lhe alguma pergunta, por isso fiquei em silêncio. Comecei a me afastar calmamente, e ele, segurando meu braço, acompanhou-me sem protestar. Caminhamos mais um pouco, e então nos sentamos por algum tempo no Green Park. Era um dia quente de outono, e encontramos um banco confortável sob a sombra das árvores. Depois de ficar alguns minutos olhando para o vazio, Jonathan fechou os olhos, e logo começou a cochilar, a cabeça recostada no meu ombro. Pensei que seria melhor para ele, então não o perturbei. Cerca de vinte minutos depois ele acordou, e me disse num tom bastante animado:

"Ora, Mina, acho que peguei no sono! Oh, perdoe-me por ser tão rude. Venha, vamos tomar uma xícara de chá em algum lugar".

Ele, evidentemente, tinha esquecido tudo sobre o sinistro estranho, assim como na sua doença esquecera tudo sobre o episódio que a provocara. Não estou gostando desses lapsos de memória. Podem provocar, ou acentuar, algum dano ao cérebro. Não devo lhe perguntar, pois tenho medo de fazer mais mal do que bem, mas tenho, de alguma maneira, que me inteirar dos fatos que aconteceram na sua viagem ao estrangeiro. Chegou a hora, receio, de abrir o pacote e descobrir o que está escrito no diário. Oh, Jonathan, sei que me perdoará se eu estiver errada, mas é para o seu próprio bem, meu querido.

Mais tarde: Uma triste volta ao lar, em todos os sentidos, a casa vazia da presença daquela querida alma que fora tão boa para nós. Jonathan ainda pálido e confuso com a leve recaída da sua enfermidade, e agora um telegrama de Van Helsing, seja ele quem for. *"Lamento profundamente informar que a sra. Westenra morreu cinco dias atrás, e que sua filha Lucy faleceu antes de ontem. Ambas foram sepultadas hoje".*

Oh, a quantidade imensurável de tristeza que encerravam aquelas poucas palavras! Pobre sra. Westenra! Pobre Lucy! Oh, elas se foram, partiram para nunca mais voltar! Pobre Arthur, perder assim toda felicidade e doçura que tinha na vida! Que Deus nos ajude a suportar nossas provações.

DIÁRIO DO DR. SEWARD *(continuação)*

22 de setembro: Tudo acabado. Arthur voltou a sua casa em Ring e levou Quincey Morris com ele. Que companheiro admirável é Quincey! Acredito, no fundo do meu coração, que ele sofreu tanto quanto qualquer um de nós pela morte de Lucy, mas comportou-se como se tivesse a fortaleza moral de um guerreiro viking. Se a América continuar a produzir homens assim, será realmente um dos países mais poderosos do mundo. Van Helsing está deitado, descansando um pouco antes de seguir viagem. Ele vai hoje à noite para Amsterdã, mas diz que voltará amanhã à noite, pois deseja fazer alguns arranjos que só podem ser feitos pessoalmente. Ficará comigo, então, se puder. Diz que tem trabalho a fazer em Londres que pode tomar-lhe algum tempo. Pobre e velho companheiro! Receio que a tensão da última semana tenha combalido até mesmo a sua têmpera de aço. Durante todo o funeral, percebi que ele fazia um esforço enorme para se controlar. Quando tudo terminou, ficamos de pé ao lado de Arthur, que, pobre amigo, falava da operação na qual seu sangue fora transfundido para as veias de Lucy. Vi o rosto de Van Helsing tornar-se pálido e rubro, alternadamente. Arthur estava dizendo que, desde então, sentia como se eles tivessem realmente se casado, e que aos olhos de Deus ela era sua esposa. Nenhum de nós disse coisa alguma sobre as outras transfusões, e nenhum de nós jamais dirá. Arthur e Quincey foram juntos para a estação, e Van Helsing e eu voltamos para cá. No momento em que ficamos sós na carruagem, ele deu vazão a um verdadeiro ataque de histeria. Negou, porém, que fosse histeria, e insistiu que era só o modo do seu senso de humor ajustar-se àquelas condições terríveis. Riu até chorar, e eu tive que baixar as cortinas para que ninguém nos visse e fizesse um julgamento errado. Então chorou, até que riu novamente, depois riu e chorou ao mesmo tempo, exatamente como fazem as mulheres. Tentei ser duro com ele, como fazemos com as mulheres em semelhante circunstância, mas não surtiu efeito. Homens e mulheres são tão diferentes nas manifestações de força ou fraqueza nervosa! Depois, quando ele voltou a ficar sério e grave, perguntei-lhe por que estava tão alegre, e por que naquele momento. Sua resposta foi, de certo modo, característica dele, pois era lógica, contundente e misteriosa. Ele disse:

"Ah, você não compreende, amigo John. Não pense que não estou triste, embora tenha rido. Veja, eu chorei, mesmo quando não conseguia parar de rir. Mas não pense também que sinto só tristeza quando choro, pois o riso vem do mesmo jeito. Tenha sempre em mente que o riso que bate em sua porta e diz, 'Posso entrar?' não é o verdadeiro riso. Não! O verdadeiro riso é um rei, que vem quando e como deseja. Não pede licença a ninguém, não escolhe uma ocasião propícia. Apenas diz, 'Aqui estou.' Veja, por exemplo, como meu coração sofre por essa jovem tão adorável. Dei-lhe meu sangue, embora esteja velho e cansado. Dei meu tempo, meu sono, meu conhecimento profissional. Deixei em falta meus outros pacientes, para que ela pudesse ter tudo de mim. Ainda assim posso rir da sua própria sepultura, rir quando a terra da pá do coveiro cai sobre o seu caixão, e dizer para meu coração, 'Bata! Bata!' até que ele mande de

volta o sangue para o meu rosto. Meu coração sangra por aquele rapaz, aquele pobre rapaz, da idade do meu próprio filho – se eu tivesse recebido a benção de tê-lo ainda vivo – até os cabelos e os olhos são os mesmos. Aí está, agora você já sabe por que o estimo tanto. E quando ele diz coisas que tocam fundo meu coração de marido, e faz meu coração de pai afligir-se por ele como nunca me afligi por nenhum outro homem, nem mesmo por você, amigo John, pois em termos de experiências estamos num nível mais próximo que pai e filho, pois até mesmo em tal momento o Rei do Riso vem a mim e grita e berra em meu ouvido, 'Aqui estou! Aqui estou!' até que o sangue dance de volta e traga um pouco do sol que carrega consigo para o meu rosto. Oh, amigo John, este é um mundo estranho, um mundo triste, um mundo cheio de infelicidades, e aflições, e dificuldades. Ainda assim, quando chega o Rei do Riso, ele faz todos dançarem conforme a sua música. Corações devastados, ossos secos do cemitério, lágrimas que escorrem pelas faces, todos dançam juntos a música que ele faz com aquela sua boca risonha. E acredite, amigo John, que ele é bom para mim, e gentil. Ah, nós, homens e mulheres, somos iguais a cordas esticadas ao máximo e puxadas para todos os lados. Então vêm as lágrimas, e como a chuva molhando uma corda, elas nos apertam cada vez com mais força, até que a tensão se torna grande demais e nós sucumbimos. Mas o Rei do Riso vem como vem o sol, e afrouxa a tensão novamente, e nós conseguimos suportar e prosseguir com nosso trabalho, seja ele qual for".

Não quis magoá-lo, fingindo não entender a sua ideia, mas como eu de fato ainda não atinara com o motivo do seu riso, perguntei-lhe. Ao me responder, seu rosto tornou-se sério, e ele disse num tom bem diferente.

"Oh, é a triste ironia de tudo isso. Essa moça tão adorável, enfeitada com flores, que parecia tão linda como se estivesse viva, até que, um por um, todos nos perguntássemos se ela estava verdadeiramente morta. Ela deitou-se no lindo jazigo de mármore naquele cemitério solitário, onde descansam tantos parentes seus, e está lá deitada junto com a mãe que a amou, e a quem ela amava. E aquele sino sagrado tocando, tocando, tocando sem parar, tão triste e baixo, e aqueles homens santos, com as vestes brancas dos anjos, fingindo lerem livros, e mesmo assim nunca dirigiam seus olhos para a página, e todos nós de cabeça baixa, em sinal de aceitação. E tudo isso para quê? Ela está morta, afinal! Não é verdade?"

"Bem, pela minha vida, Professor", eu disse, "não consigo ver nada que seja motivo de riso em tudo aquilo. Pois o que acaba de expressar deixou tudo ainda mais confuso do que antes. Mas mesmo que o serviço religioso fosse cômico, o que dizer sobre o pobre Art e todo seu sofrimento? Pois seu coração estava simplesmente devastado".

"Exatamente. Ele não disse que a transfusão do seu sangue para as veias dela a tinha tornado sua verdadeira esposa?"

"Sim, e essa ideia foi doce e reconfortante para ele."

"Isso mesmo. Mas há uma dificuldade, amigo John. Nesse caso, o que dizer dos outros que doaram seu sangue? Ha, ha! Então essa doce donzela é uma poliandra, e eu, com minha pobre esposa morta para mim, mas viva pela lei de Igreja, embora tenha pedido toda a sanidade mental, sem nada restar, até mesmo eu, que sou um marido fiel para esta agora-não-esposa, tornei-me um bígamo".

"Não vejo onde está a graça nisso também!" eu disse, e não me sentia particularmente satisfeito com ele por dizer tais coisas. Ele pôs a mão no meu braço, e disse:

"Amigo John, perdoe-me se lhe causo dor. Não mostrei meu sentimento para outros quando poderia feri-los, mas só para você, meu velho amigo, em quem posso confiar. Se você pudesse ter olhado para dentro do meu coração naquela hora, quando eu queria rir, se você pudesse ter feito isso quando o riso chegou, se pudesse fazer isso agora, quando o Rei do Riso empacotou sua coroa e tudo que é dele, pois vai embora para longe, longe de mim, e por muito, muito tempo, você talvez tivesse pena de mim, mais do que qualquer coisa".

Fiquei emocionado com a ternura do seu tom de voz, e perguntei-lhe por que dizia isso.

"*Porque eu sei!*"

E agora estamos todos dispersos, e por muitos dias longos e solitários nos sentaremos sobre os nossos telhados com as asas da meditação. Lucy jaz na tumba da sua família, um jazigo grandioso num cemitério solitário, longe da fervilhante Londres, onde o ar é fresco e o sol se levanta sobre a colina de Hampstead, e onde as flores selvagens crescem livremente, sem prestar contas a ninguém.

E assim posso terminar esse diário, e só Deus sabe se algum dia começarei outro. Se o fizer, ou se um dia abrir este diário novamente, será para tratar de pessoas diferentes e assuntos diferentes, pois agora no fim, onde contei o romance da minha vida, antes que eu volte a pegar o fio da minha vida profissional, digo tristemente e sem esperança, "FINIS."

"THE WESTMINSTER GAZETTE", 25 DE SETEMBRO
UM MISTÉRIO EM HAMPSTEAD

A vizinhança de Hampstead está sendo abalada no momento por uma série de eventos que parecem muito similares àqueles que ficaram conhecidos dos redatores de manchetes como "O Horror de Kensington" ou "A Mulher Esfaqueadora" ou "A Dama de Negro." Durante os últimos dois ou três dias ocorreram vários casos de crianças pequenas que se perderam de casa, ou deixaram de voltar ao lar depois de brincar no parque de Heath. Em todos esses casos as crianças eram demasiado pequenas para dar um relato inteligível e correto dos fatos, mas de modo geral sua desculpa é que tinham estado com uma "dama bonita." É sempre tarde da noite quando as crianças desaparecem, e em duas ocasiões elas só foram encontradas na manhã seguinte bem cedo. É voz corrente no bairro que, como a primeira criança perdida deu como razão para estar fora o fato de uma "dama bonita" tê-la convidado para um passeio, as outras tinham pego a frase e a utilizaram quando a ocasião surgiu. Tornou-se a coisa mais natural que a brincadeira favorita dos pequenos no momento seja atrair uns aos outros por meio de truques. Um correspondente nos escreve que ver alguns dos pequeninos fingindo ser a "dama bonita" é extremamente engraçado. Alguns dos nossos caricaturistas podem, segundo ele, tirar uma lição sobre a ironia do grotesco, comparando a realidade e o retrato. Está de acordo com os princípios gerais da natureza humana que a "dama bonita" seja o papel mais popular nestes desempenhos al fresco. Nosso correspondente diz ingenuamente que nem mesmo Ellen Terry poderia ser tão triunfalmente atraente quanto algumas dessas criancinhas de cara suja fingem, ou até mesmo acreditam, ser.

Há um lado possivelmente mais sério na questão, porém, pois algumas das crianças, na verdade todas as que se perderam durante a noite, foram ligeiramente cortadas ou feridas no pescoço. As feridas parecem iguais as que poderiam ter sido provocadas por um rato ou um cachorro pequeno, e embora não sejam muito importantes individualmente, tendem a mostrar que, seja qual for o animal que as infligiu, este tem seu próprio método ou sistema. A polícia local foi instruída a manter estrita vigilância sobre crianças que possam estar perdidas, especialmente quando forem muito pequenas, em Hampstead Heath e nos arredores, e sobre qualquer cachorro extraviado que possa existir no lugar.

"THE WESTMINSTER GAZETTE", 25 DE SETEMBRO, EDIÇÃO ESPECIAL

HORROR EM HAMPSTEAD
OUTRA CRIANÇA FERIDA
A "MULHER BONITA"
Recebemos há pouco a informação de que outra criança, desaparecida na noite passada, só foi encontrada no final desta manhã, debaixo de um arbusto de tojo no lugar chamado Shooter's Hill, em Hampstead Heath, que é, talvez, menos frequentado que as outras áreas. Apresentava a mesma ferida minúscula no pescoço que foi observada nos outros casos. A criança estava terrivelmente fraca e parecia bastante descarnada. Ela também, quando se restabeleceu parcialmente, contou a mesma história comum sobre ser atraída por uma "dama bonita".

CAPÍTULO 14

DIÁRIO DE MINA HARKER

23 de setembro: Jonathan está melhor, depois de uma noite ruim. Fico contente que ele tenha bastante trabalho a fazer, pois isso evita que fique pensando nessas coisas terríveis. Ah, me alegra também que ele agora não se sinta mais sobrecarregado com o peso da responsabilidade da sua nova posição. Eu sabia que ele voltaria a confiar em si mesmo, e agora me sinto muito orgulhosa de ver meu Jonathan elevando-se à altura da ascensão profissional que conquistou, e dando conta perfeitamente de todas as responsabilidades que recaem sobre ele. Hoje ele ficará fora o dia todo, até tarde, pois disse que não poderia almoçar em casa. Já fiz meu trabalho doméstico, de modo que pegarei o diário que Jonathan escreveu no estrangeiro e vou me trancar no quarto para lê-lo.

24 setembro: Não tive coragem de escrever ontem à noite, de tal modo fiquei perturbada com as coisas terríveis que Jonathan registrou em seu diário. Pobre querido! Como ele deve ter sofrido, seja verdade ou só imaginação. Pergunto-me se existe alguma verdade nisso tudo, afinal. Será que ele pegou a febre cerebral e então escreveu todas essas coisas terríveis, ou será que teve algum motivo para tudo isso? Acredito que nunca saberei, pois não ouso entrar no assunto com ele. E ainda há aquele homem que vimos ontem! Jonathan parecia estar bastante seguro sobre a identidade dele, pobre rapaz! Suponho que tenha sido o funeral que o transtornou, e levou sua mente a recordar alguma sequência infeliz de acontecimentos.

Ele próprio acredita em tudo. Lembro-me bem que no dia do nosso casamento ele disse, *"A menos que recaia sobre mim algum dever solene de voltar, adormecido ou desperto, louco ou lúcido, para aquelas horas amargas..."* Tenho a impressão de que há um fio condutor ligando tudo isso. Aquele Conde assustador parecia estar vindo para Londres. E se for verdade, e ele veio de fato para Londres, com tantos milhões para gastar... Poderia haver um dever solene, e caso se apresente, não devemos recuar diante dele.

Eu estarei preparada. Vou pegar minha máquina de escrever agora mesmo e começar a transcrever essas informações. Então estaremos prontos para que tudo seja visto por outros olhos, caso seja necessário. E se for necessário, então, talvez, se eu estiver bem preparada, o pobre Jonathan não fique tão incomodado, pois posso falar por ele e nunca permitir que seja aborrecido ou perturbado com nada disso. E se algum dia Jonathan superar o nervosismo, pode querer me contar tudo, e posso então lhe fazer perguntas e descobrir coisas, e ver de que maneira posso confortá-lo.

CARTA DE VAN HELSING PARA A SRA. HARKER
24 de setembro
(Confidencial)
Prezada senhora,

Peço-lhe que me perdoe por ter escrito, já que sou amigo distante e por isso lhe enviei a triste notícia da morte da srta. Lucy Westenra. Por bondade de Lorde Godalming, estou autorizado a ler todas as cartas e documentos deixados por ela, pois estou profundamente preocupado com certas questões de importância vital. Entre esses papéis encontrei algumas cartas da senhora, que mostram como eram grandes amigas, e como a senhora lhe tinha afeição. Oh, senhora Mina, em nome desse afeto, eu lhe imploro, ajude-me. É para o bem de outros que eu peço, para reparar um grande mal, e para evitar problemas grandes e terríveis, que podem ser ainda maiores do que a senhora possa imaginar. Será que eu poderia encontrá-la? Pode confiar em mim. Sou amigo do Dr. John Seward e de Lorde Godalming (que era o Arthur da srta. Lucy). No momento, preciso manter isso em absoluto sigilo para todos. Eu poderia ir a Exeter para vê-la imediatamente, se me conceder esse privilégio, e também se me fizer o favor de informar onde e quando. Imploro seu perdão, senhora. Li suas cartas para a pobre srta. Lucy, e sei o quanto é boa e também como o seu marido está sofrendo. Então eu lhe peço, se for possível, que não o informe sobre esta visita, para não causar-lhe mal. Peço novamente que me perdoe.

Van Helsing

TELEGRAMA DA SRA. HARKER PARA VAN HELSING
25 de setembro. Venha hoje pelo trem das dez e quinze, se conseguir pegá-lo. Posso recebê-lo a qualquer hora que chegar.
Wilhelmina Harker

DIÁRIO DE MINA HARKER
25 de setembro: Não posso deixar de me sentir terrivelmente nervosa à medida que se aproxima a hora da visita do dr. Van Helsing, pois de algum modo espero que isso lance um pouco de luz sobre a triste experiência de Jonathan, e como ele cuidou da pobre e querida Lucy na sua última doença, poderá contar-me tudo sobre ela. Essa é a razão da sua vinda. Está interessado em Lucy e no seu sonambulismo, e não em Jonathan. Então agora eu nunca saberei a verdade! Como sou tola. Aquele diário terrível tomou conta da minha imaginação, e tingiu tudo com um pouco das suas próprias cores sombrias. Claro que é sobre Lucy. Aquele hábito voltou a atormentar a pobre querida,

e aquela noite terrível no penhasco deve ter sido a causa da sua doença. Quase tinha esquecido, ocupada com meus próprios assuntos, como ela ficou doente depois. Lucy deve ter contado a ele sobre o episódio de sonambulismo no penhasco, e como eu sei tudo sobre o que aconteceu, ele agora quer que eu lhe diga o que sei para que possa entender. Espero ter agido certo não dizendo nada sobre o caso para a sra. Westenra. Eu nunca me perdoaria se qualquer ato meu, mesmo um ato que deixei de cometer, tivesse feito mal à pobre e querida Lucy. Espero, também, que o dr. Van Helsing não me atribua qualquer culpa. Tenho tido tantas angústias e preocupações ultimamente que sinto que não poderia suportar mais nenhuma no momento.

Imagino que uma crise de choro às vezes nos faz bem, clareia o ar como faz a chuva. Talvez tenha sido a leitura do diário ontem que me transtornou, e depois Jonathan saiu esta manhã para ficar longe de mim um dia inteiro e uma noite, a primeira vez que ficamos separados desde o nosso casamento. Espero que o meu querido cuide bem de si mesmo, e que não ocorra nada que o aborreça. São duas horas agora, e logo o doutor estará aqui. Não direi nada sobre o diário de Jonathan, a menos que ele me pergunte. Estou contente de ter datilografado meu próprio diário, de modo que, caso ele pergunte sobre Lucy, posso entregar-lhe o diário para ler. Vai evitar muito interrogatório.

Mais tarde: Ele já veio e já foi. Oh, que encontro estranho, e como essa situação toda deixou minha cabeça girando. Sinto como se estivesse num sonho. Será que tudo isso é possível, ou pelo menos uma parte? Se eu não tivesse lido o diário de Jonathan primeiro, nunca teria admitido sequer a possibilidade. Pobre Jonathan, pobre querido! Como ele deve ter sofrido. Permita o bom Deus que tudo isso não venha a transtorná-lo de novo. Eu tentarei salvá-lo. Mas pode até ser um consolo e uma ajuda para ele, embora seja algo terrível em si e de consequências assustadoras, saber com certeza que seus olhos e ouvidos e cérebro não o enganaram, e que é tudo verdade. Pode ser que seja a dúvida que o assombra, e que quando a dúvida for afastada, não importa como, sonhando ou acordado, a verdade for provada, ele ficará mais satisfeito e será mais capaz de aguentar o choque. O dr. Van Helsing deve ser um homem bom, e também muito inteligente, se é amigo de Arthur e do dr. Seward, e se eles o trouxeram lá da Holanda para cuidar de Lucy. Agora que o conheci, sinto que ele é bom e gentil, e de natureza nobre. Quando voltar amanhã vou perguntar-lhe sobre Jonathan. E então, queira Deus que toda essa tristeza e ansiedade possam levar a um bom fim. Eu costumava acreditar que gostaria de ser repórter. Um amigo de Jonathan no "The Exeter News" disse-lhe que a memória é tudo nesse tipo de trabalho, e que é preciso ser capaz de relatar com precisão quase todas as palavras que foram ditas, mesmo se tiver que reduzir um pouco o diálogo depois. Aqui está uma conversa rara. Tentarei registrá-la literalmente.

Passava das duas e meia quando ouvi a batida na porta. Tomei coragem e esperei. Em poucos minutos, Mary abriu a porta e anunciou, *"Dr. Van Helsing"*.

Levantei-me e fiz uma reverência, e ele se dirigiu a mim. Trata-se de um homem de peso médio, de compleição robusta, os ombros eretos sobre um tórax largo e profundo, e o pescoço bem equilibrado entre o tronco e a cabeça. O porte da cabeça me chamou a atenção de imediato, pois indicava inteligência e autoridade. A cabeça é aristocrática, de bom tamanho, alargando-se para trás. O rosto, sem barba, mostra um queixo sólido, quadrado, e uma boca resoluta e sensível. O nariz é grande, aquilino, mas com narinas sensíveis e vivas, que parecem alargar-se quando ele junta as espessas sobrancelhas e aperta os lábios. A testa é larga e bonita, de desenho reto no princípio, e depois abaulando-se para trás sobre duas protuberâncias ou saliências bem separadas, de tal modo que o cabelo avermelhado não cai sobre a testa, mas para trás e para os lados, de modo natural. Olhos grandes, bem separados, de um tom azul-escuro, que se mostram vivos, ou ternos, ou sérios, conforme o seu humor. Ele então me disse:

"Sra. Harker, não é?" Concordei com um sinal de cabeça.

"E a senhora era a srta. Mina Murray?" Concordei novamente.

"É a srta. Mina Murray que venho visitar, a moça que era amiga daquela pobre e querida criança, Lucy Westenra. Senhora Mina, é por causa dos mortos que estou aqui".

"Senhor", eu disse, "não poderia ter melhor recomendação para mim do que ter sido amigo e de ter tratado de Lucy Westenra". E lhe estendi a mão. Ele apertou-a e disse ternamente:

"Oh, senhora Mina, eu sabia que uma amiga daquela pobre menina devia ser uma pessoa boa, mas ainda tinha que conhecê-la..." E terminou sua fala com uma elegante reverência. Perguntei-lhe então por que desejava ver-me, e ele começou imediatamente a explicar.

"Eu li suas cartas para a srta. Lucy. Perdoe-me, mas eu tinha que começar a investigar em algum lugar, e não havia ninguém a quem perguntar. Sei que estava com ela em Whitby. Ela mantinha um diário, às vezes, não precisa parecer surpresa, senhora Mina. Ela começou o diário depois que a senhora havia partido, e tentou fazê-lo parecido com o seu. Nesse diário ela menciona certas coisas que deduziu por inferência sobre um episódio de sonambulismo, e diz que a senhora a salvou. Então, venho até a senhora em grande perplexidade, e lhe peço que tenha a imensa bondade de me contar tudo o que puder se lembrar sobre o caso".

"Creio que posso contar-lhe tudo sobre isso, dr. Van Helsing".

"Ah, então a senhora tem boa memória para fatos, para detalhes? Nem sempre é assim com as jovens".

"Não, doutor, mas eu anotei tudo em meu diário, na ocasião. Posso mostrá-lo ao senhor, se desejar".

"Oh, senhora Mina, fico muito agradecido. A senhora me fará um grande favor".

Não pude resistir à tentação de enganá-lo um pouquinho, acho que é um resquício do gosto da maçã do pecado original que ainda permanece em nossas bocas, então lhe entreguei o diário em taquigrafia. Ele o pegou e agradeceu com toda cortesia, dizendo, *"Permita-me que o leia?"*

"Se assim desejar", respondi, de modo tão afetado quanto pude. Ele o abriu e, por um momento, seu rosto mostrou decepção. Então se levantou e fez uma reverência.

"Ah, a senhora é uma mulher tão inteligente!" ele disse. "Eu sabia há muito tempo que o sr. Jonathan era um homem agraciado com muitos talentos, mas agora vejo que sua esposa também possui todas as qualidades. E será que a senhora não me concederia a honra de me ajudar, lendo o diário para mim? Ah! Eu não sei taquigrafia".

A essa altura, meu pequeno gracejo já terminara, e eu estava quase envergonhada. Assim, peguei a cópia datilografada na minha cesta de trabalho e entreguei-lhe.

"Perdoe-me", eu disse, "não pude evitar. Mas estive pensando que era sobre a querida Lucy que o senhor queria perguntar, e que naturalmente não teria tempo a perder, não por minha causa, mas porque sei que seu tempo deve ser precioso, por isso datilografei tudo na máquina de escrever para o senhor".

Ele pegou os papéis e seus olhos brilharam. *"A senhora é tão boa"*, ele disse. *"E posso ler agora? Posso querer lhe fazer algumas perguntas, depois que tiver lido".*

"Certamente", eu disse, "leia enquanto peço o almoço, e então pode me fazer as perguntas enquanto almoçamos".

Ele assentiu com a cabeça, e acomodou-se numa cadeira de costas para a luz, totalmente absorto na leitura. Eu fui cuidar do almoço, principalmente para que ele não fosse perturbado. Quando voltei, encontrei-o caminhando agitado de um lado para outro da sala, o rosto em chamas com a excitação. Ele correu para mim e tomou minhas mãos nas suas.

"Oh, senhora Mina", ele disse, *"como posso expressar o quanto lhe devo? Este papel é como a luz do sol. Abre todas as portas para mim. Estou ofuscado, deslumbrado com tanta luz, e ainda assim existem grandes nuvens por trás da luz a cada vez. Mas isso a senhora não compreende, não pode compreender. Oh, mas sou muitíssimo grato a senhora, é uma mulher tão inteligente! Senhora"*, ele disse então, de modo bastante solene, *"se algum dia Abraham Van Helsing puder fazer qualquer coisa pela senhora ou pelos seus, confio que me dirá. Será um prazer e uma felicidade se eu puder servi-la como amigo, como amigo, sim. E tudo que eu já aprendi na vida, todo o meu conhecimento, e tudo que eu possa vir a fazer será para a senhora e para aqueles a quem ama. Há muita escuridão na vida, e há luzes também. A senhora é uma das luzes. Terá uma vida feliz, uma vida boa, e seu marido será abençoado por ter a senhora ao seu lado".*

"Mas, doutor, o senhor me elogia tanto, e nem me conhece".

"Não conhecê-la? Eu, que sou velho e que passei toda a minha vida estudando os homens e as mulheres, eu que me especializei no estudo do cérebro, e de tudo aquilo que pertence a ele e de tudo que é consequência dele! E eu li seu diário, que teve a bondade de escrever para mim e que transpira verdade em cada linha. Eu, que li sua carta tão doce para a pobre Lucy, falando do seu casamento e da sua confiança! Eu, não a conhecer! Oh, senhora Mina, as boas mulheres contam toda a sua vida, a cada dia, a cada hora, a cada minuto, coisas tais que até os anjos podem ler. E nós, os homens que desejam saber, temos em nós algo dos olhos dos anjos. Seu marido tem uma natureza nobre, e a senhora é nobre como ele, pela sua confiança, e confiança é algo que não pode existir onde houver uma natureza má. E seu marido, conte-me sobre ele. Ele está recuperado? A febre já se foi, e ele está forte e saudável?"

Vi ali uma abertura para lhe perguntar sobre Jonathan, então disse, "Ele quase se recuperou, mas ficou bastante transtornado com a morte do sr. Hawkins".

Ele interrompeu, "Oh, sim. Eu sei. Eu sei. Li suas duas últimas cartas".

Eu continuei, "Suponho que isso o transtornou, pois quando estávamos em Londres na última quinta-feira ele teve uma espécie de choque".

"Um choque, tão cedo, logo após uma febre cerebral! Isso não é bom. Que tipo de choque foi esse?"

"Ele pensou ter visto alguém que o fez recordar-se de algo terrível, algo que o levou à febre cerebral". E então a coisa toda pareceu abater-se sobre mim de repente. A piedade pelo sofrimento de Jonathan, o horror que ele sofreu, todo o tenebroso mistério do seu diário, e o medo que esteve sufocado dentro de mim desde então, tudo isso arrasou-me de uma vez. Creio que fiquei histérica, pois lancei-me ao chão de joelhos e estendi as mãos para ele, implorando-lhe que fizesse meu marido ficar bom novamente. Ele tomou minhas mãos e levantou-me, fazendo-me sentar no sofá. Depois sentou-se ao meu lado, segurou minha mão na sua, e me disse com a mais infinita doçura:

"Minha vida é muito árida e solitária, e tenho tanto trabalho que não tive muito tempo para amizades, mas desde que fui chamado até aqui por meu amigo John Seward conheci tantas pessoas de bem, e vi tanta nobreza de caráter, que passei a sentir mais do que nunca – e isso vem aumentando à medida que envelheço – a solidão da minha vida. Acredite-me, pois, que venho aqui com todo respeito pela senhora, e a senhora me deu esperança, esperança, sim, não naquilo que estou buscando, mas a esperança de que ainda existem boas mulheres para fazer a vida feliz, boas mulheres cujas vidas e cujos valores podem servir de lição para os filhos que um dia virão. Eu estou contente, muito contente, por poder ser de alguma utilidade para a senhora. Pois se o seu marido sofre, seu sofrimento está dentro do campo abrangido pelo meu estudo e pela minha experiência. Eu lhe prometo que farei, com o maior prazer, tudo que puder por ele, tudo para tornar sua vida forte e vigorosa, e para tornar a vida da senhora mais feliz. Agora deve comer alguma coisa. Vejo que está exausta, e talvez angustiada em excesso. Seu marido Jonathan não gostaria do vê-la tão pálida, e o que ele não gosta na pessoa que ama, não lhe fará bem. De agora em diante, pelo bem dele, tem que comer e sorrir. A senhora me falou de Lucy, mas agora não devemos falar nesse assunto, para que não fique angustiada. Ficarei em Exeter esta noite, pois quero refletir bastante sobre o que me contou, e depois de pensar eu lhe farei perguntas, se permite. E então a senhora também me contará tudo que puder sobre o problema do seu marido Jonathan, mas não ainda. Agora tem que comer, depois me contará tudo".

Depois do almoço, quando voltamos para a sala de estar, ele me disse, "E agora me conte tudo sobre Jonathan".

Ao chegar a hora de falar com esse grande homem, tão instruído, comecei a temer que ele me considerasse uma pobre tola, e que achasse que Jonathan era louco, pois o diário é todo ele tão estranho que hesitei em continuar. Mas ele era tão gentil e bondoso, e tinha prometido ajudar, e eu confiava nele, então disse:

"Dr. Van Helsing, o que tenho para lhe contar é tão extraordinário, que lhe peço que não ria de mim nem do meu marido. Desde ontem estou numa espécie de dúvida febril. Deve ser bondoso para comigo, e não achar que sou tola a ponto de ter acreditado sequer na metade dessas coisas tão estranhas".

Ele me tranquilizou, não apenas com sua atitude, mas também com suas palavras, quando me disse, "Oh, minha cara, se apenas soubesse o quanto é estranho o problema que me traz aqui, a senhora é que iria rir. Aprendi a não menosprezar a convicção de ninguém, por mais estranha que possa ser. Sempre tentei manter a mente aberta, e não são as coisas ordinárias da vida que poderiam fechá-la, mas as coisas estranhas, as coisas extraordinárias, as coisas que fazem uma pessoa duvidar da sua sanidade mental".

"Obrigada, mil vezes obrigada! O senhor tirou um peso da minha mente. Se me permitir, vou lhe dar um documento para ler. É longo, mas eu o datilografei. Vai informá-lo sobre o meu problema e de Jonathan. É a cópia do diário que ele escreveu quando estava no estrangeiro, e conta tudo que aconteceu. Não ouso dizer nada sobre isso. O senhor mesmo vai ler e formar seu próprio juízo. E então, quando eu voltar a vê-lo, talvez tenha a bondade de me dizer o que achou".

"Eu prometo", disse ele, quando lhe dei os documentos. "Virei pela manhã, assim que puder, para ver a senhora e o seu marido, se me permite".

"Jonathan estará aqui às onze e meia, e o senhor tem que vir almoçar conosco e aproveitar a oportunidade para vê-lo. Poderia pegar o trem expresso das 3h34, que o deixará em Paddington antes das oito". Ele ficou surpreso com meu conhecimento sobre o horário dos trens disponíveis, mas não sabia que eu decorara todos os trens que partiam e chegavam em Exeter, de forma a poder ajudar Jonathan, caso ele estivesse com pressa.

Dr. Van Helsing pegou então os documentos e partiu. Eu fiquei aqui sentada pensando, pensando nem sei em quê.

CARTA *(manuscrita)* DE VAN HELSING PARA A SRA. HARKER
25 de setembro, 6 horas
Prezada Senhora Mina,

Li o maravilhoso diário do seu marido. A senhora pode dormir tranquila, sem dúvida de espécie alguma. Estranho e terrível como possa parecer, é a mais pura verdade! Apostaria minha vida nisso. Poderia ser pior para outros, mas para ele e para a senhora não há nada a temer. Ele é uma pessoa de caráter nobre, e permita que lhe diga pela minha experiência com os homens, que alguém que faça o que ele fez, arriscando-se a descer por aquela parede para chegar àquele quarto, sim, e depois descendo uma segunda vez, não é alguém que possa ser prejudicado de maneira permanente por um choque. Seu cérebro e seu coração estão bem, isso eu juro, antes mesmo de vê-lo. Assim, fique descansada. Tenho muito para perguntar a ele sobre outras coisas. Sou abençoado por ir vê-la hoje, pois aprendi tanto de uma só vez que novamente estou deslumbrado, mais deslumbrado do que nunca, e preciso pensar.

Com meus sinceros respeitos,

Abraham Van Helsing

CARTA DA SRA. HARKER PARA VAN HELSING
25 de setembro, 18h30
Prezado dr. Van Helsing,

Milhões de agradecimentos por sua carta tão amável, a qual me tirou um grande peso da mente. Mesmo assim, se for verdade, que coisas terríveis existem no mundo! Além disso, é apavorante pensar que aquele homem, o monstro, esteja de fato em Londres! Tremo só de imaginar. Neste momento, enquanto escrevia, recebi um telegrama de Jonathan, dizendo que parte de Launceston esta tarde pelo trem das 18h25, e estará aqui às 22h18, de modo que nada tenho a temer por esta noite. O senhor aceitaria, então, em vez de almoçar conosco, vir para o café da manhã às oito horas, se não for muito cedo para o senhor? Poderá ir embora, se estiver com pressa, pelo trem das 10h30, que o deixará em Paddington às 14h35. Não é preciso responder, pois entenderei que, se não me mandar dizer o contrário, virá para o café da manhã.

Com todo meu respeito e gratidão,

Mina Harker

DIÁRIO DE JONATHAN HARKER
26 de setembro: Nunca pensei que voltaria a escrever neste diário, mas chegou a hora. Quando cheguei em casa ontem à noite Mina estava com a ceia pronta, e enquanto ceávamos ela contou-me da visita de Van Helsing, e também de ter lhe entregue as cópias datilografadas dos dois diários, e de como sentia-se angustiada a meu respeito. Mostrou-me a carta do doutor dizendo que tudo que escrevi era verdade. Isso parece ter feito de mim um novo homem. Foi a dúvida sobre a realidade da coisa toda que me abateu. Sentia-me uma pessoa impotente, em completa escuridão, e sem confiança em nada. Mas agora que sei, não tenho mais medo, nem mesmo do Conde. Ele teve sucesso, afinal de contas, no seu projeto de vir para Londres, e foi ele mesmo que eu vi. Está rejuvenescido, mas como? Van Helsing é o homem certo para

desmascará-lo e caçá-lo, se for tudo aquilo que Mina diz. Ficamos até tarde conversando sobre o assunto. Mina está se vestindo, e eu irei até o hotel dentro de alguns minutos para trazer o dr. Van Helsing.

Ele ficou, creio, bastante surpreso ao me ver. Quando entrei na sala em que estava e me apresentei, pegou-me pelo ombro e virou meu rosto para a luz. Então disse, depois de um exame atento:

"Mas a senhora Mina me disse que o senhor estava doente, que tivera um choque".

Era muito engraçado ouvir minha esposa ser chamada de *"senhora Mina"* por este ancião amável, de traços fortes. Sorri e disse, *"Eu estava doente, tive mesmo um choque, mas o senhor já me curou".*

"Como?"

"Com a carta que enviou para Mina na noite passada. Eu estava em dúvida, e então tudo parece que foi coberto por um véu de irrealismo, eu não sabia mais em que acreditar, não confiava sequer na evidência dos meus próprios sentidos. Sem saber em que acreditar, não sabia o que fazer, e assim só fiz continuar trabalhando naquilo que até então tinha sido o objetivo da minha vida. Meus objetivos me falharam, e eu deixei de confiar em mim mesmo. Doutor, o senhor não sabe o que é duvidar de tudo, até de si mesmo. Não, não sabe o que é isso, não com uma fronte como a sua".

Ele pareceu contente, e riu enquanto dizia, *"Ora! Então o senhor é um fisionomista. Aprendo mais aqui a cada hora que passa. Tenho imenso prazer em ir a sua casa para o café da manhã, e, oh, senhor, peço que perdoe o elogio de um ancião, mas o senhor é um homem abençoado por ter a esposa que tem".*

Eu ficaria escutando-o elogiar Mina durante um dia inteiro, então apenas concordei com um aceno de cabeça e permaneci em silêncio.

"Ela é uma das eleitas, talhada pela própria mão de Deus para mostrar aos homens e às outras mulheres que existe um céu no qual podemos entrar, e que sua luz pode estar aqui na terra. Tão verdadeira, tão doce, tão nobre, tão altruísta, e isso, permita que lhe diga, é muito numa época tão cética e egoísta como a nossa. Quanto ao senhor... Bem, li todas as cartas para a pobre srta. Lucy, e algumas falam no senhor, assim já o conheço há alguns dias pelo conceito dos outros, mas vi seu verdadeiro eu ontem à noite. Podemos trocar um aperto de mão, não é? E seremos amigos pelo resto das nossas vidas".

Apertamos as mãos, e ele foi tão sério e tão gentil que me senti um tanto constrangido.

"E agora", ele disse, *"posso pedir a sua ajuda? Tenho uma grande tarefa a realizar, e o primeiro passo é saber, obter algumas informações. É nisso que o senhor pode me ajudar. Poderia contar-me o que aconteceu antes da sua ida para a Transilvânia? Mais tarde posso precisar de um pouco mais de ajuda, e de um tipo diferente, mas no momento isso será o bastante".*

"Olhe aqui, senhor", eu disse, *"aquela tarefa que o senhor tem a fazer refere-se ao Conde?"*

"Sim", ele disse solenemente.

"Então estou com o senhor de corpo e alma. Como vai partir pelo trem das 10h30, não terá tempo para ler tudo, mas vou pegar o maço de documentos. Pode levá-los com o senhor e lê-los no trem".

Depois do café, acompanhei-o à estação. Quando nos despedimos, ele disse, *"Talvez o senhor possa vir a Londres, se eu pedir, e também levar a senhora Mina".*

"Iremos ambos, assim que o senhor desejar", eu disse.

Eu tinha lhe entregue os jornais da manhã e alguns jornais londrinos da noite anterior, e enquanto estávamos conversando pela janela, esperando a partida do trem,

Van Helsing folheava os jornais. Seus olhos de repente pareciam ter se deparado com algo de interesse num deles, "The Westminster Gazette", eu soube pela cor, e seu rosto tornou-se mortalmente pálido. Leu algo atentamente, murmurando para si mesmo, *"Mein Gott! Mein Gott! Meu Deus! Tão cedo! Tão cedo!"* Acho que naquela hora ele não se lembrou da minha presença. Naquele momento soou o apito, e o trem começou a se movimentar. Isso o chamou de volta ao presente. Ele se inclinou para fora da janela e acenou, exclamando, *"Dê minhas lembranças à senhora Mina. Escreverei assim que puder".*

DIÁRIO DO DR. SEWARD

26 de setembro: Na verdade, não existe nada que possa ser chamado de final. Não se passou uma semana desde que escrevi a palavra "Finis", e aqui estou eu começando de novo, ou melhor, continuando com o mesmo registro. Até esta tarde eu não tinha nenhum motivo para pensar no que aconteceu. Renfield havia se tornado, para todos os efeitos, tão normal quanto sempre fora. Ele já estava bem adiantado com o negócio das moscas, e mal começara a trabalhar da mesma forma com as aranhas, de modo que não estava me causando qualquer problema. Recebi uma carta de Arthur, escrita no domingo, e pude entender que ele está suportando a situação maravilhosamente bem. Quincey Morris está com ele, e isso é de grande ajuda, pois ele é um poço borbulhante de bons fluídos. Quincey também me escreveu uma linha, e por ela entendi que Arthur está começando a recuperar algo da sua antiga animação, portanto minha mente está tranquila a respeito de todos eles. Quanto a mim, estava me dedicando ao trabalho com o entusiasmo que costumava ter, e poderia dizer com justiça que a ferida provocada em mim pela pobre Lucy estava começando a cicatrizar.

Porém, tudo foi reaberto agora, e qual será o fim disso só Deus sabe. Tenho a impressão de que Van Helsing acha que também sabe, mas ele só revelará um pouquinho de cada vez, só o bastante para aguçar a curiosidade. Ele foi para Exeter ontem, e passou a noite lá. Hoje ele voltou, e mais ou menos às cinco e meia, quase saltou para dentro da sala, empurrando-me um exemplar do "The Westminster Gazette" de ontem à noite.

"O que você acha disso?" perguntou, enquanto se afastava e cruzava os braços.

Examinei o jornal, pois de fato não sabia a que ele estava se referindo, mas ele o pegou e apontou-me um parágrafo sobre crianças sendo atraídas para uma armadilha em Hampstead. Isso não me disse muita coisa, até que cheguei à passagem onde era dito que as crianças apresentavam pequenos furos no pescoço. Uma ideia me ocorreu, e levantei os olhos.

"Bem?" ele disse.

"É igual à pobre Lucy".

"E o que você deduz disso?"

"Simplesmente que há alguma causa em comum. O que quer que a tenha ferido, feriu as crianças também". A resposta que ele deu, eu absolutamente não entendi.

"Isso é verdade de modo indireto, mas não direto".

"O que quer dizer, Professor?" perguntei. Eu estava um tanto inclinado a levar a seriedade dele na brincadeira, pois, afinal de contas, quatro dias de descanso, sem passar a noite em claro, sem angústia, sem ansiedade, é tempo suficiente para restabelecer o espírito de uma pessoa. Quando vi seu rosto, porém, fiquei sério. Nunca, nem em meio ao nosso desespero pela pobre Lucy, ele parecera tão grave.

"Conte-me!" eu disse. *"Não posso arriscar uma opinião. Não sei o que pensar, e não tenho dados nos quais possa basear uma conjetura".*

"Está querendo me dizer, amigo John, que não tem nenhuma suspeita sobre a causa

da morte da pobre Lucy? Nem depois de todos os indícios fornecidos, não só pelos fatos em si, mas também por mim?"

"Acredito que tenha sido prostração nervosa, decorrente de uma grande perda ou dispêndio de sangue".

"E como o sangue foi perdido ou dispendido?" Sacudi a cabeça em negativa.

Ele adiantou-se e veio sentar-se ao meu lado. Então continuou, *"Você é um homem inteligente, amigo John. Raciocina bem, e sua inteligência tem um quê de ousadia, mas é muito preconceituoso. Não permite que seus olhos vejam, ou seus ouvidos escutem, e o que está fora da sua vida diária você não leva em conta. Não acha que existem coisas que não pode entender, e que mesmo assim algumas pessoas veem coisas que os outros não podem ver? Mas há coisas velhas e novas que não devem ser contempladas pelos olhos dos homens, porque eles sabem, ou pensam que sabem, algumas coisas que outros homens lhes contaram. Ah, o defeito da nossa ciência é que ela quer explicar tudo, e se não consegue explicar, então diz que não há nada a explicar. Ainda assim, vemos ao nosso redor todos os dias o crescimento de novas convicções, que pensam que são novas, e que não são nada mais que coisas antigas que fingem ser novas, como as belas damas na ópera. Suponho que agora você não acredita em transferência corpórea. Não? Nem em materialização. Não? Nem em corpos astrais. Não? Nem na leitura do pensamento. Não? Nem em hipnotismo".*

"Sim", eu disse. "Charcot já provou isso com bastante clareza".

Ele sorriu, enquanto prosseguia, *"Então está satisfeito sobre isso. Sim? E é claro que já entendeu como tal coisa se processa, e pôde acompanhar a mente do grande Charcot, que infelizmente não está mais entre nós, até o interior da alma do paciente que ele tenta influenciar. Não? Então, amigo John, entendo por isso que você simplesmente aceita os fatos, e fica satisfeito em deixar um enorme espaço em branco entre a premissa e a conclusão. Não? Então me diga, pois sou um estudioso da mente humana, como você aceita o hipnotismo e rejeita a leitura do pensamento. Permita que lhe diga, meu amigo, que hoje se fazem coisas na ciência da eletricidade que teriam sido julgadas profanas pelo próprio homem que descobriu a eletricidade, coisas que fariam seus autores serem queimados na fogueira como feiticeiros, não muito tempo atrás. Sempre há mistérios na vida. Como foi que Matusalém viveu novecentos anos, e Old Parr cento e sessenta e nove, e mesmo assim a pobre Lucy, com o sangue de quatro homens fortes nas veias, não pôde viver nem mais um dia? Pois se ela tivesse vivido mais um dia, nós poderíamos tê-la salvo. Você conhece tudo sobre o mistério da vida e da morte? Conhece tudo sobre anatomia comparada, e não pode dizer-me por que os instintos dos brutos se encontram em alguns homens, e não em outros? Pode dizer-me por que, enquanto algumas aranhas vivem uma vida breve, aquela enorme aranha viveu durante séculos na torre da velha igreja espanhola, crescendo e crescendo, até que, ao descer, podia beber o óleo de todas as lamparinas da igreja? Pode dizer-me por que na região dos pampas, sim, e em outros lugares, existem morcegos que saem à noite e rasgam as veias do gado e dos cavalos, chupando todo seu sangue até secar? Sabe por que em algumas ilhas dos mares ocidentais há morcegos que se penduram nas árvores o dia todo, e aqueles que os viram descrevem-nos como nozes ou vagens gigantescas, e que quando os marinheiros dormem na coberta do navio, porque é um lugar quente, voam sobre eles, de modo que na manhã seguinte os homens são encontrados mortos, lívidos como a própria srta. Lucy?"*

"Deus do céu, professor!" eu disse, assustado. "Está querendo me dizer que Lucy foi mordida por um morcego desses, e que essa coisa está aqui em Londres em pleno século XIX?"

Ele levantou a mão pedindo silêncio, e continuou, *"Pode dizer-me por que as tartarugas vivem mais que gerações inteiras de homens, por que os elefantes vivem sempre e sempre até que dinastias se sucedam, e por que os papagaios não morrem senão de mordida de gato, de cachorro, ou outro animal do tipo? Pode dizer-me por que os homens sempre acreditaram em todas as épocas e lugares que existem homens e mulheres que não podem morrer?*

Todos nós sabemos, porque a ciência atestou o fato, que houve sapos vivendo em buracos nas rochas durante milhares de anos, fechados em buracos minúsculos desde o início dos tempos. Pode dizer-me como o faquir da Índia se deixa morrer, e ser enterrado, e sua sepultura lacrada, e sobre ela é semeado o milho, que depois amadurece e é colhido, e é novamente semeado, e novamente amadurece e é colhido, e então, quando os homens retiram o lacre, encontram o faquir indiano, não morto, mas capaz de levantar-se e caminhar entre os homens como antes?"

Aqui eu o interrompi. Estava ficando desnorteado. Ele martelara tanto em minha mente sua lista de excentricidades da natureza e possíveis impossibilidades, que minha cabeça estava quase explodindo. Eu tinha a vaga ideia de que ele estava me ensinando alguma lição, como costumava fazer há muito tempo em seu gabinete em Amsterdã. Mas então ele costumava contar-me o objetivo da conversa, de forma que eu podia tê-lo em mente todo o tempo. Agora, porém, eu não contava com sua ajuda, embora desejasse acompanhar seu pensamento, portanto disse:

"Professor, deixe que eu seja novamente seu estudante favorito. Diga-me qual é a tese, de forma que eu possa aplicar a ela o seu conhecimento enquanto continuamos. No momento, minha mente está indo de um ponto ao outro, como um louco segue uma ideia, não um homem de mente sã. Sinto-me como um novato movimentando-se num pântano em meio a um nevoeiro, pulando de uma moita para a outra, num esforço cego para continuar, sem nem saber para onde vai".

"É uma boa imagem", ele disse. "Bem, eu lhe direi. Minha tese é esta: quero que você acredite".

"Acreditar em quê?"

"Acreditar em coisas em que não pode acreditar. Deixe-me dar um exemplo. Ouvi falar uma vez de um americano que definiu a fé deste modo: 'aquela faculdade que nos permite acreditar em coisas que nós sabemos serem falsas.' Consigo entender esse homem. Ele quis dizer que devemos ter a mente aberta, e não deixar que uma verdade pequena interrompa o caminho de uma verdade maior, como uma pedra pequena faz com um vagão da estrada de ferro. Pegamos a verdade pequena primeiro. Ótimo! Nós a mantemos, a avaliamos, mas ao mesmo tempo não devemos deixar que ela pense que é toda a verdade do universo".

"Então quer que eu não deixe que alguma convicção prévia impeça a receptividade da minha mente com respeito a algum assunto estranho. Entendi corretamente a sua lição?"

"Ah, você ainda é o meu aluno favorito. Vale a pena ensiná-lo. Agora que está disposto a entender, já deu o primeiro passo para o entendimento. Então pensa que esses pequenos furos na garganta das crianças foram feitos pela mesma coisa que fez os furos no pescoço da srta. Lucy?"

"Acredito que sim".

Ele se levantou e disse solenemente, "Então está errado. Ah, quem dera fosse assim! Mas, infelizmente, não! É coisa pior, muito, muito pior".

"Pelo amor de Deus, Professor Van Helsing, o que está querendo dizer?" exclamei.

Ele lançou-se numa cadeira com um gesto desesperado e apoiou os cotovelos na mesa, cobrindo o rosto com as mãos enquanto falava.

"Eles foram feitos pela própria srta. Lucy!"

CAPÍTULO 15

DIÁRIO DO DR. SEWARD *(continuação)*

Por um momento fui completamente dominado pela raiva. Era como se ele tivesse esbofeteado o rosto de Lucy, quando ainda estava viva. Dei um soco na mesa e me levantei, enquanto lhe dizia, *"Dr. Van Helsing, o senhor está louco?"*

Ele levantou o rosto e olhou para mim, e de algum modo a ternura da sua expressão acalmou-me de imediato. *"Quem dera eu estivesse!"* ele disse. *"A loucura é fácil de suportar, comparada a uma verdade como essa. Oh, meu amigo, por que acha que fiz tantos rodeios, por que levar tanto tempo para contar-lhe uma coisa tão simples? Foi porque o odeio e o odiei toda a minha vida? Foi porque queria causar-lhe dor? Foi por que eu queria, passado tanto tempo, vingar-me daquela época em que você me salvou a vida, poupando-me de uma morte terrível? Ah não!"*

"Perdoe-me", disse eu.

Ele prosseguiu, *"Meu amigo, foi porque eu quis ser gentil ao dar-lhe a notícia, pois sei que você amava aquela jovem tão doce. Mas ainda assim não espero que acredite. É tão difícil aceitar imediatamente qualquer verdade abstrata, que podemos duvidar que tal coisa seja possível, pois passamos a vida acreditando na 'negação' disso. É mais difícil ainda aceitar uma verdade tão triste e concreta, especialmente de alguém como a srta. Lucy. Esta noite irei comprovar esta verdade. Teria a coragem de vir comigo?"*

Aquilo me abalou. Um homem não gosta de comprovar uma verdade como essa, por ciúme, com a exceção de Byron.

E comprovou a própria verdade que mais detestava.

Ele viu minha hesitação, e disse, *"A lógica é simples, desta vez, nada da lógica de um louco, pulando de moita em moita num pântano enevoado. Se não for verdade, então a prova será um alívio. Na pior das hipóteses, não causará nenhum mal. Mas se for verdade! Ah, aí é que está o medo. Embora o medo talvez ajudasse a minha causa, pois para haver medo é preciso acreditar. Venha, vou dizer-lhe o que proponho. Primeiro, vamos sair agora e ver aquela criança no hospital. O dr. Vincent, do North Hospital, onde os jornais dizem que está a criança, é um amigo meu, e acredito que também seja seu, pois eram colegas de classe em Amsterdã. Ele permitirá que dois cientistas examinem o caso, se não permitir que dois amigos o façam. Não lhe diremos nada, só que desejamos aprender. E então..."*

"E então...?"

Ele pegou uma chave do bolso e segurou-a. *"E então passaremos a noite, você e eu, no cemitério onde Lucy está enterrada. Essa é a chave que fecha o jazigo. Peguei-a com o coveiro para dar a Arthur".*

Meu coração afundou dentro do peito, pois senti que tínhamos uma provação terrível diante de nós. Não havia nada que eu pudesse fazer, contudo, então juntei toda a coragem que pude e disse que era melhor nos apressarmos, pois a tarde estava passando.

Encontramos a criança acordada. Havia dormido um pouco e comido alguma coisa, e seu estado geral era bom. O dr. Vincent tirou a bandagem da sua garganta e mostrou-nos os furos. Não havia nenhum engano quanto a semelhança com aqueles que tinham sido feitos na garganta de Lucy. Estes eram menores, e a julgar pelas extremidades pareciam mais recentes, mas era tudo. Perguntamos a Vincent a que ele os atribuía, e ele respondeu-nos que devia ter sido uma mordida de algum animal, talvez um rato, mas, no que lhe dizia respeito, estava inclinado a pensar que fora um dos morcegos que são tão numerosos nas colinas ao norte de Londres. *"Entre tantas espécies inofensivas"*, disse ele, *"pode haver algum espécime selvagem vindo do Sul, de uma espécie mais maligna. Algum marinheiro pode tê-lo trazido de casa, e de algum modo ele conseguiu escapar. Ou então um filhote de uma ninhada de vampiros pode ter fugido do Jardim Zoológico. Essas coisas acontecem, você sabe. Faz só dez dias que um lobo escapou, e foi, eu creio, localizado naquela mesma redondeza. Mais ou menos uma semana depois, as crianças estavam brincando de Hood, o Cavaleiro Vermelho, nas vielas de Heath, quando surgiu a tal 'dama bonita', e desde então a brincadeira se espalhou entre eles. Até mesmo este pobre moleque, quando acordou* hoje, perguntou à enfermeira se podia ir embora. Quando ela lhe perguntou por que desejava ir, disse que queria brincar com a 'dama bonita'".

"Espero", disse Van Helsing "que quando você mandar a criança para casa avisará aos pais para manterem estrita vigilância sobre ele. Essa tendência a se perder por aí é muito perigosa, e se a criança passar outra noite fora, provavelmente seria fatal. Mas, em todo caso, suponho que o manterá aqui ainda por alguns dias, não?"

"Certamente, por uma semana pelo menos, e mais tempo se a ferida não estiver cicatrizada".

Nossa visita ao hospital demorou mais tempo do que tínhamos calculado, e quando saímos o sol já havia se posto. Quando Van Helsing viu como estava escuro, disse:

"Não há pressa. É mais tarde do que pensei, de fato. Venha, vamos procurar algum lugar em que possamos comer, e depois seguiremos o nosso caminho".

Jantamos no "Jack Straw's Castle", junto com uma pequena multidão de ciclistas e outras pessoas, todos fazendo uma barulheira infernal. Saímos da hospedaria em torno das dez horas. Já era noite fechada, e as lâmpadas esparsas tornavam ainda maior a escuridão, quando nos afastávamos do seu raio de luz. Era evidente que o Professor tinha reparado no caminho que seguíamos, pois andava sem hesitação, enquanto eu me encontrava em verdadeira confusão sobre o lugar. À medida que avançávamos, víamos cada vez menos pessoas, até que, por fim, ficamos um pouco surpresos ao encontrar a patrulha da polícia montada a caminho da sua ronda habitual pelo subúrbio. Afinal, chegamos à parede do cemitério, a qual escalamos. Com um pouco de dificuldade, pois estava muito escuro e o lugar inteiro nos parecia estranho, encontramos a tumba da família Westenra. O Professor pegou a chave e abriu a porta, que rangeu ao ser aberta, e, afastando-se educadamente, mas de modo inconsciente, fez sinal para que eu o precedesse. Havia uma ironia deliciosa naquela atitude cortês de dar precedência a outro numa circunstância tão penosa. Meu companheiro não tardou a me seguir, e puxou a porta com cautela, depois de verificar com cuidado que a fechadura era de encaixe, e não de mola. Nessa última hipótese nós agora estaríamos em sérios apuros. Van Helsing então tateou dentro da maleta, e tirando de lá uma caixa de fósforo e um pedaço de vela, providenciou uma luz. O jazigo, à luz do dia, quando enfeitado com flores frescas, já parecia horrível e tétrico o bastante, mas agora, passados alguns dias, quando as flores se penduravam murchas e mortas, os tons brancos enegrecidos, e os tons verdes tendendo para o marrom, quando a aranha e o besouro tinham retomado seu domínio costumeiro, quando a pedra descorada pelo tempo, a argamassa coberta de pó, o ferro úmido tomado pela ferrugem, o bronze manchado e a prata anuviada refletiam o brilho fraco de uma vela, o efeito era mais miserável e sórdido do que se poderia imaginar. Transmitia de modo irresistível a ideia de que a vida, a vida animal, não era a única coisa que podia morrer.

Van Helsing continuou com seu trabalho de modo sistemático. Segurou a vela de modo que pudesse ler as inscrições nos túmulos, enquanto a cera derramava-se em filamentos brancos que congelavam ao tocar o metal. Assim, certificou-se de qual era o caixão de Lucy. Outra busca em sua maleta e tirou de lá uma chave de fenda.

"O que pretende fazer?" perguntei.

"Abrir o caixão. Você ainda precisa ser convencido".

Começou imediatamente a tirar os parafusos, e afinal levantou a tampa, deixando à mostra o caixão de chumbo por baixo. A visão daquilo era mais do que eu podia suportar. Parecia-me uma espécie de afronta à pessoa morta, como seria se tirássemos suas vestes durante o sono quando ela ainda vivia. Cheguei a agarrar-lhe a mão para impedi-lo de continuar.

Ele disse apenas, *"Você verá"*, e fazendo nova busca na maleta pegou uma minúscula serra. Golpeando a chave de fenda contra o caixão de chumbo com um rápido movimento para baixo, que me provocou um estremecimento, fez um buraco pequeno, mas grande o bastante para passar a ponta da serra. Eu esperava uma lufada de gás, vindo do cadáver sepulto há uma semana. Nós, médicos, que tivemos que estudar os perigos da nossa profissão, acabamos por nos acostumar com essas coisas, por isso me afastei em direção à porta. Mas o Professor não parou por um momento sequer. Serrou alguns centímetros na lateral do caixão, depois fez um corte transversal, e depois serrou do outro lado. Pegando a ponta da aba solta, dobrou-a para trás, na direção dos pés. Segurando a vela na abertura, chamou-me para olhar.

Aproximei-me e olhei. O caixão estava vazio. Era certamente uma surpresa para mim, e me provocou um grande choque, mas Van Helsing estava impassível. Sentia-se agora mais seguro do que nunca dos seus argumentos, e isso o encorajou a prosseguir com sua tarefa. *"Está satisfeito agora, amigo John?"* ele perguntou.

Senti despertar dentro de mim toda a natureza obstinada da minha argumentação, quando lhe respondi, *"Estou convencido que o corpo de Lucy não está naquele caixão, mas isso só prova uma coisa"*.

"E que coisa é essa, amigo John?"

"Que ele não está lá".

"Isso é apenas lógica pura", ele disse, *"até onde ela possa alcançar. Mas qual a explicação, que razão pode me dar para o corpo não estar lá?"*

"Talvez um ladrão de túmulos", sugeri. *"Algum empregado do agente funerário pode tê-lo roubado"*. Eu sabia que estava dizendo bobagens, mesmo assim era o único motivo que eu podia sugerir.

O Professor suspirou. *"Bem!"* ele disse, *"Precisamos de mais provas. Venha comigo"*.

Ele recolocou a tampa do caixão, recolheu todas as suas coisas e as colocou na maleta, apagou a vela e a colocou também na maleta. Abrimos a porta e saímos. Ele fechou a porta atrás de nós e trancou-a. Entregou-me a chave, dizendo, *"Quer ficar com ela? É melhor ter certeza"*.

Eu ri, embora não fosse um riso muito alegre, sou obrigado a dizer, enquanto lhe fazia sinal para guardá-la. *"Uma chave não é nada"*, eu disse, *"há muitas duplicatas, e de qualquer modo não é difícil abrir uma fechadura desse tipo"*.

Ele não disse nada, mas guardou a chave no bolso. Então me pediu que vigiasse um lado do cemitério, enquanto ele vigiaria o outro.

Tomei meu lugar atrás de um teixo, e vi a figura escura do Professor mover-se até que as lápides e árvores o escondessem da minha vista.

Foi uma vigília solitária. Logo que tomei meu lugar, ouvi um relógio distante bater meia-noite, e mais tarde ouvi bater uma hora, depois duas. Eu estava nervoso e com frio, além de bravo com o Professor por ter me levado numa empreitada daquelas, e bravo comigo mesmo por ter concordado em vir. Sentia muito frio e muito sono para ser um observador arguto, mas não estava sonolento o bastante para abdicar da minha crença, então resignei-me a suportar aquelas horas tristes e miseráveis.

De repente, ao me virar, pensei ter visto algo como uma faixa branca movendo-se entre dois teixos sombrios, no lado do cemitério que ficava mais distante do jazigo. Ao mesmo tempo, uma massa escura se moveu na parte do terreno em que estava o Professor, e correu naquela direção. Então me movi também, mas tive que andar entre as lápides e os jazigos gradeados, e acabei tropeçando nas sepulturas. O céu estava nublado, e ouvi à distância um galo cantar. Um pouco fora da aleia, num atalho, para além de uma fileira de zimbros esparsos que marcavam o caminho até a igreja, uma figura branca e fugidia correu rapidamente na direção do jazigo. O jazigo em si estava escondido pelas árvores, e não consegui ver onde a figura havia desaparecido. Ouvi, então, o ruído de movimento real no lugar onde antes tinha visto a figura branca. Encontrei o Professor vindo na minha direção, carregando uma criancinha nos braços. Quando ele me viu, ergueu-a na minha direção e disse, *"Está satisfeito agora?"*

"Não", eu disse, de um jeito ostensivamente agressivo.

"Não está vendo a criança?"

"Sim, é uma criança. Mas quem a trouxe aqui? E será que está ferida?"

"Vamos ver", disse o Professor, e num impulso tomamos o caminho para fora do cemitério, ele carregando a criança adormecida.

Depois de nos afastarmos um pouco, paramos num lugar cercado de árvores. Acendemos um fósforo e olhamos para a garganta da criança. Não havia furo ou arranhão de espécie alguma.

"Eu não tinha razão?" perguntei triunfalmente.

"Chegamos bem a tempo", disse o Professor, aliviado.

Tínhamos agora que decidir o que fazer com a criança, então passamos a discutir o assunto. Se fôssemos levá-la a uma delegacia de polícia, teríamos que dar explicações sobre nossos movimentos durante a noite. Pelo menos, teríamos que prestar algum depoimento sobre como tínhamos encontrado a criança. Afinal, decidimos que a levaríamos para Heath, e quando ouvíssemos um policial chegando, nós a deixaríamos em um lugar onde ele não pudesse deixar de encontrá-la. Depois, trataríamos de ir para casa o mais depressa possível. Tudo correu bem. Na extremidade do parque de Hampstead Heath, ouvimos o barulho dos passos pesados de um policial, e deixando a criança no caminho, esperamos até que ele a localizasse ao vasculhar o local com sua lanterna. Ouvimos sua exclamação de surpresa, e então fomos embora em silêncio. Por pura sorte conseguimos um táxi perto do "Spainiards", e voltamos para a cidade.

Não consigo dormir, por isso estou fazendo este registro. Mas devo tentar dormir algumas horas, pois Van Helsing virá buscar-me ao meio-dia. Ele insiste que eu vá com ele em outra expedição ao cemitério.

27 de setembro: Eram duas horas quando tivemos uma oportunidade adequada para a nossa tentativa. O funeral que começara ao meio-dia já tinha terminado, e os últimos retardatários que haviam acompanhado o enterro tinham se afastado vagarosamente, quando, espiando com cuidado por detrás de um grupo de amieiros, vimos o coveiro fechar o portão atrás de si. Sabíamos que estávamos seguros até a manhã seguinte, caso fosse o nosso desejo, mas o Professor me dissera que não levaríamos mais do que uma hora, no máximo. Tive de novo aquele horrível sentido da realidade das coisas, quando qualquer esforço de imaginação parecia fora de lugar, e percebi distintamente as infrações da lei que estávamos cometendo ao realizar esse trabalho profano. Além do mais, sentia que tudo era inútil. Embora já fosse ultrajante abrir um caixão de chumbo para ver se uma mulher morta há quase uma semana estava realmente morta, agora parecia o cúmulo da loucura abrir a tumba outra vez, quando sabíamos, depois de comprovar com nossos próprios olhos, que o caixão estava vazio. Dei de ombros, porém, e permaneci em silêncio, pois Van Helsing tinha seu próprio método de fazer as coisas, não importando quem protestasse. Ele pegou a chave, abriu o jazigo, e novamente acenou de modo cortês para que eu o precedesse. O lugar não parecia tão lúgubre quanto na noite passada, mesmo assim parecia impregnado de uma atmosfera maligna quando banhado pela luz do sol. Van Helsing dirigiu-se ao caixão de Lucy e eu o segui. Inclinou-se e de novo forçou a tampa de chumbo para trás. E de novo fui tomado por um choque de surpresa e temor.

Lá estava Lucy, aparentemente igual ao que era quando a vimos na noite anterior ao seu funeral. E, se possível, parecia mais radiante e bela do que nunca. Eu não podia acreditar que estivesse morta. Os lábios eram vermelhos, mais vermelhos do que antes, e em suas faces havia um delicado rubor.

"*Isso é algum truque?*" perguntei-lhe.

"*Está convencido agora?*" disse o Professor, em resposta. Enquanto falava, estendeu a mão sobre o rosto de Lucy, e de um modo que me fez estremecer, empurrou os lábios mortos e deixou à mostra os dentes brancos. "*Veja*", ele prosseguiu, "*estão mais afiados do que antes. Com este e este*" e ele tocou os caninos superior e inferior, "*as criancinhas podem ter sido mordidas. Acredita agora, amigo John?*"

Mais uma vez, senti despertar dentro de mim a argumentação hostil. Não podia aceitar uma ideia tão devastadora como aquela que ele sugeria. Então, numa tentativa de argumentar, da qual me sentia envergonhado já naquele momento, eu disse, "*Ela pode ter sido colocada aqui depois que saímos, na noite passada*".

"*É mesmo? E se for assim, por quem?*"

"*Não sei. Alguém deve ter feito isso*".

"*Ainda assim, ela está morta há uma semana. A maioria das pessoas, a essa altura, não teria este aspecto*".

Não tive resposta para isso, então fiquei calado. Van Helsing não pareceu notar o meu silêncio. De qualquer modo, não demonstrou nem pesar nem triunfo. Olhava atentamente para a face da mulher morta, levantando as pálpebras e olhando os olhos, e abrindo os lábios de novo para examinar os dentes. Então virou-se para mim e disse:

"*Neste caso há uma coisa que é diferente de tudo que já foi registrado. Aqui existe um tipo de vida dupla que não é comum. Ela foi mordida pelo vampiro quando estava num transe, durante um episódio de sonambulismo – ah, você se espanta! Não sabe disso ainda, amigo John, mas em breve saberá – e em transe ela estava em melhores condições para sugar-lhe o sangue. Em transe ela morreu, e em transe ela se tornou uma morta-viva, também. Assim, é nisso que ela difere de todos os outros. Normalmente, quando os mortos-vivos dormem em sua casa*", e ao falar ele fez um gesto com o braço que incluía o ambiente ao redor, para indicar o que seria "casa" para um vampiro, "*seu rosto mostra o que eles são, mas doce como ela era quando não era ainda morta-viva, ela volta para o nada da morte comum. Veja, não há nada de maligno nela, e isso torna ainda mais difícil que eu tenha que matá-la enquanto dorme*".

Isso fez meu sangue gelar nas veias, e comecei a me dar conta de que estava aceitando as teorias de Van Helsing. Mas, se ela já estava de fato morta, o que havia de tão terrível na ideia de matá-la?

Ele olhou para mim, e evidentemente viu a mudança em meu rosto, pois disse de modo quase alegre, "*Ah, agora você acredita?*"

Eu respondi, "*Não me pressione tanto de uma só vez. Estou disposto a aceitar. E como vai fazer esse trabalho sangrento?*"

"*Cortarei sua cabeça e encherei sua boca de alho. Depois transpassarei seu corpo com uma estaca*".

Estremeci ao pensar naquela mutilação do corpo da mulher a quem eu havia amado. E ainda assim o sentimento não foi tão forte quanto eu poderia esperar. Na verdade, eu estava começando a tremer na presença deste ser, desta morta-viva, como Van Helsing a chamara, e a detestá-la. É possível que o amor seja apenas subjetivo, ou apenas objetivo?

Esperei por bastante tempo que Van Helsing começasse, mas ele continuou de pé, como se estivesse imerso em pensamentos. Naquele momento, fechou a trava da sua maleta com um estalo, e disse:

"*Estive pensando, e cheguei a uma conclusão sobre o que é melhor. Se eu apenas seguisse o meu impulso, faria agora, neste momento, o que precisa ser feito. Mas há outras coisas a considerar, e coisas que são mil vezes mais difíceis do que aquilo que sabemos. É muito simples. Ela ainda não tirou a vida de ninguém, embora já esteja em tempo, e agir agora seria afastar dela o perigo para sempre. No entanto, podemos precisar de Arthur, e como vamos contar-lhe isso? Se você, que viu as feridas na garganta de Lucy e depois viu as mesmas feridas na criança do hospital; se você, que viu o caixão vazio ontem à noite, e hoje viu dentro dele uma mulher que não mudou em nada, a não ser para ficar ainda mais rosada e mais bonita uma semana depois de morta; se você sabe de tudo isso, e viu a figura branca que trouxe a criança para o cemitério na noite passada, e ainda assim não acredita em seus próprios sentidos, como então posso esperar que Arthur, que não sabe de nada disso, acredite?*

"*Ele duvidou de mim, quando impedi que ela o beijasse quando estava morrendo. Eu sei que ele me perdoou, mas tem a ideia errada de que eu fiz coisas que o impediram de dizer adeus à sua amada como deveria, e pode ter outra ideia errada de que esta mulher foi enterrada viva, e ainda, na ideia mais errada de todos, de que fomos nós que a matamos. Ele poderá argumentar que fomos nós, os errados, que a matamos por causa das nossas ideias. Desse modo, ele sempre será muito infeliz. Ainda que nunca possa ter certeza, e isso é o pior de tudo. Ele às vezes pensará que aquela a quem amou foi enterrada viva, e isso pintará seus sonhos com os horrores que ela deve ter sofrido, e de novo vai pensar que nós podíamos ter razão, e que a sua bem-amada era, afinal de contas, uma morta-viva. Não! Eu lhe contei uma vez, e desde então aprendi muito. Agora que sei que tudo é verdade, cem mil vezes mais eu sei que ele precisa atravessar as águas amargas, antes de poder beber da água doce. Para ele, pobre rapaz, chegará uma hora em que a própria face de céu se tornará negra, e então deveremos estar perto para agir e levar-lhe a paz. Já me decidi. Vamos. Você volta para casa esta noite, para o seu sanatório, e assegure-se de que tudo esteja bem. Quanto a mim, passarei a noite aqui neste cemitério ao meu modo. Amanhã à noite, às dez horas, você virá me buscar no Hotel Berkeley. Eu pedirei a Arthur que venha também, assim como aquele excelente jovem americano que doou seu sangue para Lucy. Depois, todos teremos trabalho a fazer. Vou com você até Piccadilly, onde pretendo jantar, pois devo estar de volta aqui antes do pôr do sol*".

Assim, chaveamos o jazigo e fomos embora, pulando o mudo do cemitério – o que já se tornara rotina – e voltamos para Piccadilly.

MENSAGEM DEIXADA POR VAN HELSING EM SUA VALISE, HOTEL BERKELEY, DIRIGIDA A JOHN SEWARD, M.D. *(Não entregue)*

27 de setembro
Amigo John,

Escrevo esta mensagem para o caso de me acontecer alguma coisa. Vou sozinho fazer a vigília no cemitério. Agrada-me a ideia de que a morta-viva, srta. Lucy, não sairá esta noite, de modo que, amanhã à noite, estará ainda mais ávida. Por isso, vou preparar algumas coisas que ela não gosta – alho e um crucifixo – e selar com eles a porta do seu jazigo. Ela ainda é inexperiente como morta-viva, e se submeterá a isso. Além do mais, isso é só para impedir que ela saia, não interferindo na sua vontade de entrar, pois então a morta-viva estará desesperada e terá que encontrar uma linha de menor resistência, qualquer que seja. Estarei ali a noite toda, do pôr do sol ao amanhecer, e se ainda houver algo para ser aprendido, eu o aprenderei. Da srta. Lucy, ou do que vem dela, não tenho nenhum receio, mas do outro a quem se deve o fato de ela ser uma morta-viva, este não tem o poder de procurar seu jazigo e encontrar abrigo. Ele é esperto, sei disso pelo sr. Jonathan, e também pelo modo com que nos desafiou, desde o princípio, jogando conosco pela vida da srta. Lucy. E nós perdemos, pois os mortos-vivos são fortes de muitos modos. Ele sempre tem em si a força de vinte homens, e mesmo nós quatro, que pensávamos estar dando nossa força para a srta. Lucy, na verdade fortalecemos a ele. Além disso, ele pode chamar o seu lobo, e nem sei mais o quê. Portanto, se acontecer dele vir esta noite, me encontrará lá. A mim e mais ninguém, até que seja tarde demais. Mas pode ser que ele nem tente chegar ao lugar. Não tem nenhuma razão para fazer isso. Seu campo de caça é mais cheio de presas do que o cemitério onde jaz a morta-viva, e onde um velho vigia.

Portanto, escrevo isso para o caso de... Se isso acontecer, pegue os documentos que se encontram com esta mensagem, os diários de Harker e todo o resto, e leia-os. Depois encontre este grande morto-vivo, corte-lhe a cabeça e queime seu coração, ou transpasse-o com uma estaca, de forma que o mundo possa se ver livre dele.

Se assim for, deixo aqui o meu adeus.

Van Helsing

DIÁRIO DO DR. SEWARD

28 de setembro: É maravilhoso o que uma boa noite de sono faz por alguém. Ontem eu estava quase disposto a aceitar as monstruosas ideias de Van Helsing, mas agora elas parecem brilhar diante de mim como afrontas ao bom senso. Não tenho dúvida de que ele de fato acredita em tudo. Pergunto-me se sua mente não está confusa, de alguma maneira. Com certeza deve haver uma explicação racional para todas essas coisas misteriosas. É possível que o próprio Professor tenha feito isso? Ele é tão absurdamente inteligente, que se metesse uma ideia fixa na cabeça, acabaria por levar a cabo sua intenção de maneira espetacular. Deteste pensar assim, e realmente seria algo tão espantoso quanto a ideia de que Van Helsing esteja louco, mas, de qualquer modo, vou vigiá-lo com cuidado. Talvez eu consiga ver alguma luz nesse mistério.

29 de setembro: Ontem à noite, um pouco antes das dez horas, Arthur e Quincey entraram no quarto de Van Helsing. Ele nos contou tudo o que queria que fizéssemos, mas dirigiu-se em especial a Arthur, como se todas as nossas vontades dependessem da vontade dele. Começou dizendo que esperava que todos fôssemos com ele, *"Pois"*, ele disse, *"temos uma tarefa muito séria a realizar, um grande dever. Sem dúvida ficou surpreso com minha carta?"* Essa pergunta foi dirigida diretamente a Lorde Godalming.

"Fiquei. Até me incomodou, por um tempo. Houve tantos problemas em minha casa ultimamente, que não posso lidar com mais nenhum. Mas também fiquei curioso quanto à sua intenção. Quincey e eu discutimos o assunto, mas quanto mais falávamos, mais confusos ficávamos, até que posso dizer, da minha parte, que estou em cima de uma árvore, isolado, sem saber nada sobre coisa alguma".

"Eu também", disse Quincey Morris laconicamente.

"Oh", disse o Professor, *"então vocês estão mais próximos do começo, os dois, do que o meu amigo John aqui, que tem que andar um longo caminho de volta, antes que possa sequer se aproximar do começo".*

Era evidente que ele percebera que eu havia voltado às minhas antigas dúvidas, sem que eu dissesse uma só palavra. Então, virando-se para os outros dois, disse com muita seriedade:

"Quero sua permissão para fazer algo esta noite que acredito ser para o bem. É pedir muito, eu sei, e só quando souberem o que proponho fazer, vocês saberão avaliar o quanto estou pedindo. Por isso lhes peço que me façam a promessa no escuro, de modo que depois, embora possam ficar bravos comigo por um tempo – e não posso descartar a possibilidade de que isso venha a ocorrer – não poderão se culpar de coisa alguma".

"Bem, isso é honesto, de qualquer modo" interrompeu Quincey. "Responderei pelo Professor. Ainda não sei aonde ele quer chegar, mas juro que ele é honesto, e isso é o bastante para mim".

"Eu lhe agradeço, senhor", disse Van Helsing, envaidecido. "Sinto-me honrado em considerá-lo um amigo de confiança, e essa confirmação me é muito cara". Estendeu a mão, que Quincey apertou.

Então Arthur falou, "Dr. Van Helsing, não gosto absolutamente de 'comprar nabo ensacado', como dizem na Escócia, e se for alguma coisa em que esteja envolvida a minha honra de cavalheiro ou a minha fé cristã, não posso fazer tal promessa. Se o senhor puder me assegurar que o que pretende não viola nenhuma das duas, então lhe dou o meu consentimento de uma vez, embora, pela minha vida, não possa entender o que está pretendendo".

"Aceito sua limitação", disse Van Helsing "e tudo que lhe peço é que, se achar necessário condenar qualquer ato meu, pense bem primeiro, e confie que suas restrições não serão violadas".

"Concordo!" disse Arthur. "É justo. E agora que as negociações terminaram, posso perguntar o que temos que fazer?"

"Quero que venham comigo, em segredo, até o cemitério de Kingstead".

O rosto de Arthur demonstrou o seu espanto, quando ele disse assustado:

"Onde a pobre Lucy está enterrada?"

O Professor concordou com a cabeça.

Arthur prosseguiu, "E ao chegar lá, o que faremos?"

"Entramos no jazigo!"

Arthur levantou-se. "Professor, o senhor está falando sério ou é algum gracejo monstruoso? Perdoe-me, vejo que fala sério". Ele sentou-se outra vez, mas eu podia ver que sentava-se de modo firme e orgulhoso, como alguém que recuperasse a dignidade. Houve um silêncio até que ele perguntou novamente, "E depois de entrarmos no jazigo?"

"Abriremos o caixão".

"Isso é demais!" ele disse, levantando-se de novo furioso. "Estou disposto a ser paciente com todas as coisas que são razoáveis, mas isso, essa profanação da sepultura de alguém que..." E parou, sufocado pela indignação.

O Professor olhou-o piedosamente. "Se eu pudesse poupar-lhe uma dor, meu pobre amigo", disse ele, "Deus sabe que o faria. Mas esta noite nossos passos têm que andar por caminhos espinhosos, ou então mais tarde, e para sempre, os passos da pessoa que amou terão que andar por caminhos em chamas!"

Arthur olhou-o com o rosto pálido e disse, "Tome cuidado, senhor, tome cuidado!"

"Não seria bom ouvir o que eu tenho a dizer?" disse Van Helsing. "Então o senhor, pelo menos, saberá o limite dos meus propósitos. Devo continuar?"

"É bastante justo", interrompeu Morris.

Depois de uma pausa, Van Helsing prosseguiu, com evidente esforço, *"A srta. Lucy está morta, não é verdade? Sim! Então não haverá nenhuma ofensa para com ela. Mas se ela não estiver morta..."*

Arthur deu um salto, *"Bom Deus!"* exclamou. *"O que o senhor quer dizer? Houve algum engano? Ela foi enterrada viva?"* Ele suspirou, numa angústia que nem mesmo a esperança conseguia suavizar.

"Não disse que ela estava viva, meu filho. Não acho que esteja. Não vou além de dizer que ela poderia estar morta-viva."

"Morta-viva! Não está viva! O que o senhor quer dizer? Tudo isso é um pesadelo, ou que outra coisa pode ser?"

"Há mistérios que os homens só podem adivinhar, e que após eras e eras só conseguem resolver em parte. Creia-me, estamos agora no limiar de um desses mistérios. Mas ainda não terminei. Posso cortar a cabeça do corpo da srta. Lucy?"

"Por Deus no céu e Cristo na terra, não!" gritou Arthur, num acesso de ira. *"Por nada deste mundo eu consentiria em qualquer mutilação do seu corpo sem vida. Dr. Van Helsing, o senhor está me fazendo ir longe demais. O que foi que eu lhe fiz para que me torture dessa maneira? O que fez aquela pobre e doce menina, para que o senhor queira lançar tal desonra sobre sua sepultura? Será que o senhor está louco, para falar coisas assim, ou sou eu que estou louco a ponto de escutá-las? Não ouse sequer pensar em tal profanação! Não darei meu consentimento para nada que o senhor faça. Tenho o dever de proteger sua sepultura contra qualquer ultraje, e por Deus, eu o farei!"*

Van Helsing levantou-se do lugar em que estivera todo o tempo sentado, e disse, de modo grave e severo, *"Meu caro Lorde Godalming, eu também tenho um dever a cumprir, um dever para com os outros, um dever para com o senhor, um dever para com os mortos, e por Deus, eu o farei! Tudo que eu lhe peço agora é que venha comigo, que olhe e escute, e quando mais tarde eu lhe fizer o mesmo pedido, o senhor não esteja mais ansioso pelo seu cumprimento do que eu próprio. Cumprirei então o meu dever, não importa o quanto seja difícil. E depois, conforme os desejos de vossa senhoria, me colocarei à sua disposição para lhe prestar contas do que fiz, quando e onde desejar".* Sua voz falhou e ele fez uma pequena pausa. Depois continuou, num tom de voz repleto de piedade:

"Mas eu lhe peço, não fique com raiva de mim. Numa longa vida repleta de atos que não eram muitas vezes agradáveis de realizar, e que às vezes me doíam o coração, nunca tive uma tarefa tão árdua como esta. Creia, se algum dia o senhor vier a mudar de ideia a meu respeito, um simples olhar da sua parte apagará tudo o que se passou nesta hora tão triste, pois farei o que estiver ao meu alcance para poupar-lhe um sofrimento. Pense, apenas. Por que eu me daria a tanto trabalho e tanta aflição? Vim da minha terra até aqui para fazer o pudesse fazer de bem, primeiro para agradar meu amigo John, depois para ajudar uma doce jovem a quem também passei a estimar. Por ela, e me sinto envergonhado em dizê-lo, mas digo de boa-fé, eu dei o mesmo que o senhor, o sangue das minhas veias. Eu lhe dei meu sangue, eu que não era, como o senhor, seu amado, mas apenas seu médico e seu amigo. Eu lhe dei minhas noites e meus dias, antes da morte e depois da morte. E se a minha morte puder beneficiá-la de algum modo, mesmo agora que ela é uma morta-viva, eu a ofereço a ela de boa vontade". Suas palavras foram ditas em tom sério e suave, mas carregado de orgulho, e Arthur ficou profundamente abalado.

Ele tomou a mão do velho e disse, com voz entrecortada, *"Oh, é difícil pensar numa coisa dessas, e não consigo entender, mas pelo menos irei com o senhor e esperarei".*

CAPÍTULO 16

DIÁRIO DO DR. SEWARD *(continuação)*

Faltava um quarto para a meia-noite quando entramos no cemitério, pulando a parte baixa do muro. A noite estava escura, com vislumbres ocasionais de luar por entre as depressões das nuvens pesadas que deslizavam pelo céu. Todos nós nos mantínhamos juntos de algum modo, com Van Helsing ligeiramente à frente, já que era ele que mostrava o caminho. Quando tínhamos nos aproximado do jazigo olhei bem para Arthur, pois temia que a proximidade de um lugar carregado de memórias tão tristes poderia transtorná-lo, mas ele se controlou bem. Deduzi que o próprio mistério daquele procedimento estava de algum modo neutralizando a sua aflição. O Professor destrancou a porta, e percebendo uma hesitação natural entre nós, por várias razões, resolveu a dificuldade entrando ele mesmo primeiro. Nós o seguimos e ele fechou a porta. Então acendeu uma lanterna fraca e apontou para um caixão. Arthur avançou, hesitante. Van Helsing dirigiu-se a mim, *"Você esteve ontem aqui comigo. O corpo da srta. Lucy estava naquele caixão?"*

"Estava".

O Professor virou-se para os outros, dizendo, *"Vocês ouviram, e ainda assim ninguém aqui quer acreditar em mim"*.

Ele pegou a chave de fenda e novamente abriu a tampa do caixão. Arthur observava, muito pálido, mas silencioso. Quando a tampa foi afastada, ele adiantou-se. Ele não sabia, evidentemente, que havia um caixão de chumbo, ou, de qualquer modo, não tinha pensado nisso. Quando viu o rasgo no caixão de chumbo o sangue subiu-lhe ao rosto por um momento, mas depressa se esvaiu, de modo que ele ficou mortalmente pálido. Arthur ainda estava calado. Van Helsing empurrou a folha de chumbo para trás, e todos olhamos para dentro e recuamos.

O caixão estava vazio!

Durante vários minutos, ninguém disse uma palavra. O silêncio foi quebrado por Quincey Morris, *"Professor, eu me responsabilizei pelo senhor. Só quero a sua palavra. Eu normalmente não perguntaria uma coisa assim, não lhe faria a desonra de insinuar alguma dúvida, mas este é um mistério que vai além de qualquer honra ou desonra. Foi o senhor que fez isso?"*

"Juro por tudo que há de mais sagrado que eu não a tirei daqui e nem a toquei. O que aconteceu foi o seguinte. Duas noites atrás, meu amigo Seward e eu viemos até aqui com a melhor das intenções, acredite. Eu abri aquele caixão, que estava então lacrado, e o encontramos vazio, como agora. Decidimos ficar vigiando, e vimos algo branco passando por entre as árvores. No dia seguinte entramos aqui à luz do dia, e ela estava dentro do caixão. Não estava, amigo John?"

"Sim".

"Naquela noite chegamos bem a tempo. Havia mais uma criancinha perdida, e nós a encontramos, graças a Deus, incólume, entre as sepulturas. Ontem, vim aqui antes do pôr do sol, pois ao anoitecer os mortos-vivos podem se mover. Esperei aqui a noite toda, até que o sol nascesse, mas não vi nada. É provável que isso tenha ocorrido porque eu havia colocado flores de alho nas portas – coisa que os mortos-vivos não suportam – e outras coisas que eles evitam. Ontem à noite não houve saída, então hoje, antes do pôr do sol, peguei meu alho e as outras coisas de volta. E agora encontramos este caixão vazio. Mas sejam pacientes comigo. Até agora há muitas coisas estranhas. Esperem comigo lá fora, sem sermos vistos ou ouvidos, e coisas muito estranhas ainda irão acontecer. Portanto", e ele apagou a fraca luz da lanterna,

"agora vamos lá para fora". Van Helsing abriu a porta e nós saímos, depois também saiu e fechou a porta atrás de si.

Oh! Como o ar da noite parecia fresco e puro depois do horror daquela catacumba! Como era doce ver as nuvens passando, e os raios de luar que se infiltravam por entre as nuvens que cruzavam pelo céu e desapareciam, como fazem a alegria e a tristeza na vida de um homem. Como era doce respirar o ar fresco, sem qualquer ranço de morte ou decadência. Como era humanizante ver a rubra cor do céu, além da colina, e ouvir à distância o ruído surdo que marca a vida de uma grande cidade. Cada um de nós, a seu modo, estava solene e com total domínio sobre si. Arthur estava em silêncio, e eu podia ver que se esforçava para entender o propósito e o significado profundo daquele mistério. Eu estava razoavelmente calmo, e de novo um tanto inclinado a lançar fora as minhas dúvidas e aceitar as conclusões de Van Helsing. Quincey Morris era fleumático à maneira de um homem que aceita todas as coisas, e as aceita com o espírito intrépido, sem medo, arriscando tudo que está em jogo. Não podendo fumar, cortou um naco de tabaco de bom tamanho e começou a mascá-lo. Quanto a Van Helsing, era o único que tinha uma ocupação definida. Primeiro, pegou da maleta uma massa do que pareciam finos biscoitos, que enrolou cuidadosamente num guardanapo branco. Depois pegou dois punhados de um material esbranquiçado, semelhante a massa de pão ou pasta de vidraceiro. Então esmigalhou os biscoitos e misturou com a massa, moldando-a com as mãos. Depois pegou esse material e rolou-o entre os dedos, fazendo tiras finas, e começou a colocá-las nas fendas entre a porta e o marco que a fixava à parede do jazigo. Fiquei um pouco espantado com aquilo, e estando próximo a ele, perguntei-lhe o que estava fazendo. Arthur e Quincey se aproximaram, pois também estavam curiosos.

Ele respondeu, *"Estou vedando o jazigo, de modo que a morta-viva não possa entrar"*.

"E esse material que você tem aí vai fazer isso?"

"Vai".

"O que é isso que o senhor está usando?" Desta vez a pergunta viera de Arthur. Van Helsing ergueu o chapéu reverentemente enquanto respondia.

"É hóstia. Eu a trouxe de Amsterdã. Tenho uma Indulgência que me permite isso".

Foi uma resposta que abalou até o mais céptico dentre nós. Sentimos, individualmente, que na presença de um propósito tão sério como o do Professor, um propósito que o fazia usar assim as coisas que para ele eram as mais sagradas, era impossível não acreditar. Em respeitoso silêncio, tomamos os lugares que nos foram determinados, perto do jazigo, mas escondidos da vista de qualquer um que se aproximasse. Tive pena dos outros, especialmente de Arthur. Eu, que já tinha experiência pelas minhas visitas anteriores a esse tenebroso posto de vigia, e que apenas uma hora atrás repudiara as provas, agora sentia meu coração pesado dentro do peito. Nunca as sepulturas me pareceram tão sinistramente brancas. Nunca os ciprestes, ou teixos, ou juníperos, me pareceram personificar tão bem a tristeza de um funeral. Nunca as árvores ou a grama ondularam ou sussurraram de modo tão agourento. Nunca os galhos das árvores rangeram de modo tão misterioso, e nunca o uivo dos cães ao longe enviou um presságio tão angustiante noite afora.

Seguiu-se um longo intervalo de silêncio, enorme, doloroso, vazio, e depois, da parte do Professor, veio um enérgico *"Psiu!"* Ele apontou para a aleia de teixos mais abaixo, e vimos uma figura branca avançar, uma figura branca e indistinta, segurando alguma coisa escura junto ao peito. A figura parou, e naquele instante um raio de luar atravessou as massas de nuvens e mostrou, com assustadora proeminência, uma mulher morena, vestida com o sudário que cobre os mortos. Não podíamos ver o rosto, pois estava curvado sobre o que percebemos ser uma criança loura. Houve uma pausa e um pequeno grito agudo, como aquele que uma criança dá durante o sono, ou um cachorro, quando dorme na frente do fogo. Começamos a avançar, mas o Professor nos fez um sinal com a mão por trás do teixo onde estava, e permanecemos ali. E então, quando olhamos, a figura branca voltara a se movimentar. Agora estava perto o bastante para que víssemos claramente, pois o luar ainda brilhava. Meu próprio coração ficou frio como gelo, e pude ouvir o ofegar de Arthur quando reconhecemos as feições de Lucy Westenra. Era Lucy Westenra, mas como estava mudada! A doçura havia virado a mais dura e insensível crueldade, e a pureza se transformara em libertinagem voluptuosa.

Van Helsing deu um passo à frente, e, obedientes ao seu gesto, nós todos avançamos também. Nós quatro formamos uma fileira diante da porta do jazigo. Van Helsing levantou a lanterna e dirigiu o facho para ela. Pela luz concentrada que caiu sobre o rosto de Lucy, podíamos ver que seus lábios estavam rubros com o sangue fresco, e que o filete de sangue havia escorrido pelo queixo, manchando a pureza do seu sudário de linho.

Estremecemos de horror. Eu podia ver, pelo tremor do facho de luz, que mesmo os nervos de aço de Van Helsing haviam fraquejado. Arthur estava próximo a mim, e se eu não o tivesse agarrado com firmeza pelo braço para ampará-lo, ele teria caído.

Quando Lucy – chamo aquela coisa que estava diante de nós de Lucy, porque tinha a sua forma – nos viu, recuou com um rugido furioso, como o que um gato dá quando é acuado. Então lançou os olhos sobre nós. Eram os olhos de Lucy na forma e na cor, mas os olhos de Lucy imundos e tomados pelo fogo do inferno, em vez dos olhos puros e suaves que conhecíamos. Naquele momento, o que restara do meu amor por ela se transformou em ódio e abominação. Se ela tivesse que ser morta naquela hora, eu teria feito isso com o mais selvagem dos prazeres. Enquanto nos encarava, seus olhos brilhavam com uma luz profana, e ostentava no rosto um sorriso voluptuoso. Oh, Deus, como estremeci ao ver aquilo! Com um movimento descuidado, dura e cruel como um demônio, ela atirou ao chão a criança que até agora havia apertado com força junto ao peito, e começou a rosnar em cima dela como um cachorro rosna em cima de um osso. A criança deu um grito agudo, e ficou deitada ali, choramingando. Havia tanta crueldade naquele ato que arrancou um gemido de Arthur. Quando ela avançou para ele com os braços estendidos e um sorriso devasso, ele recuou e escondeu o rosto nas mãos.

Ela, porém, continuou avançando, e com uma graça sensual, voluptuosa, disse, *"Venha para mim, Arthur. Largue esses outros e venha para mim. Meus braços estão famintos por você. Venha, e descansaremos juntos. Venha, meu esposo, venha!"*

Havia algo diabolicamente doce no tom da sua voz, algo como o tinir de um cristal ao ser tocado. Até mesmo nossas mentes foram afetadas por esse som, ainda que as palavras fossem dirigidas a outro.

Quanto a Arthur, parecia estar sob uma espécie de encantamento. Tirando as mãos do rosto, abriu-lhe os braços. Ela estava a ponto de se atirar nos braços dele, quando Van Helsing saltou rápido à frente e segurou diante dela seu pequeno crucifixo dourado. Ela recuou ao ver a cruz, e, com o rosto desfigurado, tomado pela raiva, passou depressa por ele como se fosse entrar no jazigo.

Quando chegou a dois passos da porta, porém, ela parou, como se presa por alguma força irresistível. Então virou-se, e seu rosto surgiu sob a clara luz do luar, e da lanterna, que a essa altura não mais tremia, pois agora Van Helsing já controlara os nervos. Nunca vi um rosto que ostentasse uma malícia tão desnorteante, e nunca, eu creio, os olhos de algum mortal voltarão a ver algo assim. O seu belo tom rosado tornara-se lívido, os olhos pareciam lançar faíscas do fogo do inferno, as sobrancelhas estavam enrugadas, como se as dobras de carne fossem as espirais das cobras de Medusa, e a boca adorável, manchada de sangue, tornou-se um esgar quadrado, aberto, como as máscaras teatrais dos gregos e japoneses. Se algum rosto já significara morte, se um olhar já fora capaz de matar, eu os vi ali naquele momento.

E assim, por trinta segundos inteiros, que mais pareciam uma eternidade, ela permaneceu entre o crucifixo erguido por Van Helsing e a vedação sagrada da porta que a impedia de entrar no jazigo.

Van Helsing rompeu o silêncio perguntando a Arthur, *"Responda, meu amigo! Devo prosseguir com a minha tarefa?"*

"Faça como desejar, amigo, faça como achar melhor. Não poderá haver jamais um horror como esse, jamais, em tempo algum". E ele gemeu, derrotado em espírito.

Quincey e eu nos movemos ao mesmo tempo em direção a ele, e o seguramos pelos braços. Podíamos ouvir o clique da lanterna, enquanto Van Helsing a mantinha pressionada. Aproximando-se do jazigo, ele começou a remover das fendas um pouco da massa sagrada que havia colocado ali. Nós todos assistimos com horrorizado assombro quando, assim que o Professor recuou, a mulher, agora com um corpo tão real quanto o nosso, passou pelas frestas da porta onde mal passaria a lâmina de uma faca. Todos tivemos uma confortante sensação de alívio ao ver o Professor calmamente recolocando as tiras de massa nos cantos da porta.

Feito isso, ergueu a criança e disse, *"Venham agora, meus amigos. Não podemos fazer mais nada até amanhã. Haverá um funeral ao meio-dia, então todos nós viremos aqui não muito depois disso. Os amigos do falecido já terão ido embora por volta das duas horas, e quando o coveiro trancar a porta, nós ficaremos. Teremos outras coisas a fazer, mas nada como o que aconteceu esta noite. Quanto a este pequenino, não está muito ferido, e amanhã à noite já estará bem. Nós o deixaremos onde a polícia possa encontrá-lo, como na outra noite, e depois iremos para casa".*

Aproximando-se de Arthur, ele disse, *"Meu amigo Arthur, o senhor passou por uma dolorosa prova, mas depois, quando olhar para trás, verá como tudo isso foi necessário. O senhor está agora nas águas amargas, meu filho. Amanhã a essa hora, se Deus quiser, já as terá ultrapassado, e então poderá beber das águas doces. Assim, não se desespere além da conta. Até lá não lhe pedirei que me perdoe".*

Arthur e Quincey vieram para casa comigo, e no caminho tentamos animar uns aos outros. Tínhamos deixado a criança para trás em segurança, e estávamos cansados. Assim, todos caímos na realidade do sono, com maior ou menor intensidade.

29 de setembro, noite: Um pouco antes do meio-dia, nós três – Arthur, Quincey Morris e eu – nos encontramos com o Professor. Era estranho notar que, por consenso tácito, todos nós havíamos nos vestido de preto. Claro que Arthur usava preto, pois ainda estava de luto fechado, mas o resto de nós usou por instinto. Chegamos ao cemitério à uma e meia, e ficamos andando por ali, tomando o cuidando de não chamar a atenção de ninguém, de forma que, quando os coveiros completaram seu trabalho, e o encarregado, convicto de que todos haviam ido embora, fechara o portão, ficamos com o lugar inteiro à nossa disposição. Van Helsing, em vez da sua pequena maleta preta, carregava uma bolsa de couro comprida, parecida com um saco para tacos de críquete. Era evidente que pesava bem mais.

Quando estávamos sozinhos, depois de ouvir os passos do último dos acompanhantes do enterro desaparecerem na direção da estrada, nós – como se através de uma ordem não verbalizada – seguimos silenciosamente o Professor até o jazigo. Ele destrancou a porta e nós entramos, depois fechou a porta de novo. Então pegou a lanterna na bolsa e acendeu-a. Pegou também duas velas de cera e, depois de acendê-las, derreteu um pouco da base e grudou-as sobre outros caixões, de forma que fornecessem luz suficiente para o trabalho. Quando ele ergueu de novo a tampa do caixão de Lucy todos nós olhamos, enquanto Arthur tremia como um álamo tremedor, e vimos que o cadáver jazia ali em toda a sua beleza mortal. Mas não havia amor nenhum em meu próprio coração, nada além de ódio por aquela Coisa sórdida que havia se apossado das formas de Lucy, mas não da sua alma. Pude ver que até o rosto de Arthur tornava-se duro enquanto olhava. Ele então disse a Van Helsing, *"Este é realmente o corpo de Lucy, ou é só um demônio que tomou a sua forma?"*

"É o corpo dela, e mesmo assim não é. Mas espere um pouco e a verá como ela era, e ainda é".

A Lucy que ali jazia parecia uma Lucy de pesadelo, os dentes pontiagudos, a boca voluptuosa e manchada de sangue, cuja visão provocava calafrios, a aparência inteiramente carnal, desprovida de espírito, parecendo um escárnio diabólico da doce pureza de Lucy. Van Helsing, com seu habitual metodismo, começou a tirar os vários objetos da bolsa e a deixá-los prontos para o uso. Primeiro, tirou um ferro de soldar e um pouco de solda de encanamento. Depois uma pequena lamparina a óleo, que, ao ser acesa num canto do jazigo, desprendia um gás que queimava na forma de uma chama azul bem forte. Então pegou seus bisturis, que deixou a mão, e por último uma estaca de madeira roliça, com seis ou sete centímetros de espessura e quase um metro de comprimento. Uma das extremidades fora endurecida a fogo, e transformada numa ponta bem afiada. Junto com essa estaca ele trouxera um martelo pesado, como aquele que nas casas é usado no porão para quebrar os pedaços de carvão. Para mim, ver um médico se preparando para um trabalho de qualquer tipo é algo estimulante e atrativo, mas o efeito dessas coisas sobre Arthur e Quincey foi de causar-lhes uma espécie de consternação. Porém, ambos mantiveram a coragem, e permaneceram calmos e silenciosos.

Quando tudo estava pronto, Van Helsing disse, *"Antes de fazermos qualquer coisa, deixem-me dizer-lhes algo. Isto vem do conhecimento e experiência dos povos da Antiguidade, e de todos aqueles que estudaram os poderes dos mortos-vivos. Quando se tornaram mortos-vivos, junto com a mudança veio a maldição da imortalidade. Eles não podem morrer, mas têm que prosseguir por séculos e séculos, fazendo novas vítimas e multiplicando os males do mundo. Pois tudo o que morre atacado por um morto-vivo, torna-se ele mesmo um morto-vivo, e passa a atacar também. E assim o círculo vai sempre se alargando, como as ondulações provocadas por uma pedra lançada na água. Meu amigo Arthur, se o senhor tivesse recebido aquele beijo que tanto queria antes da pobre Lucy morrer, ou então na noite passada, quando abriu seus braços para ela, com o tempo, após a sua morte, o senhor se tornaria um **nosferatu**, como dizem na Europa Oriental, e pelo resto dos tempos faria mais desses mortos-vivos que tanto nos enchem de horror. A carreira desta moça tão querida e infeliz mal começou. Essas crianças cujo sangue ela chupou ainda não estão tão mal, mas se ela continuar existindo como morta-viva, acabarão por perder seu sangue cada vez mais, pois pelo poder que ela exerce sobre elas, essas crianças acabariam vindo por sua própria vontade, e assim ela seguiria chupando seu sangue com aquela boca maligna. Mas se ela morrer de verdade, tudo isso acaba. As feridas minúsculas em suas gargantas desaparecem, e as crianças poderão voltar às suas brincadeiras sem saber nada do que se passou. Mas a mais sagrada de todas as bênçãos se dará quando alguém fizer esta morta-viva descansar como uma verdadeira morta, quando então a alma da pobre dama a quem todos nós amamos será livre outra vez. Em vez de fazer maldades à noite, e degradar-se ainda mais a ponto de fazer isso durante o dia, ela tomará o seu lugar entre os outros anjos do céu. Desse modo, meu amigo, será abençoada aquela mão que desferir o* *golpe que a libertará. Eu estou disposto a fazer isso, mas não há nenhum entre nós que tenha mais direito a fazê-lo? No futuro, não será uma grande alegria pensar, no silêncio da noite, quando o sono não vem, 'Foi a minha mão que a enviou ao céu. Foi a mão daquele que mais a amava, a mão que ela teria escolhido entre todas, se tivesse podido escolher?' Digam-me, existe alguém aqui nessa condição?"*

Todos nós olhamos para Arthur. Ele também viu, assim como nós, a bondade infinita de quem sugeriu que deveria ser a sua a mão que nos devolveria Lucy como uma memória sagrada, e não profana. Ele deu um passo a frente e disse corajosamente, embora sua mão tremesse e seu rosto estivesse branco como a neve, *"Meu verdadeiro amigo, eu lhe agradeço do fundo do meu coração partido. Diga-me o que devo fazer, e não hesitarei!"*

Van Helsing pôs a mão no seu ombro e disse, *"Rapaz corajoso! Tenha coragem só por um momento, e estará terminado. Deve atravessar essa estaca em seu corpo. Será uma provação terrível, não se engane quanto a isso, mas será só por um momento, e depois sentirá uma alegria maior do que foi a sua dor. Sairá deste jazigo sombrio como se flutuasse no ar. Mas uma vez que comece, não deve hesitar. Pense apenas que nós, seus verdadeiros amigos, estamos ao seu redor, e que rezaremos pelo senhor o tempo inteiro".*

"Continue", disse Arthur, com a voz rouca. *"Diga-me o que devo fazer".*

"Pegue essa estaca com a mão esquerda, pronta para colocá-la bem em cima do coração, e o martelo na mão direita. Então, quando começarmos nossa prece pelos mortos – eu mesmo vou ler, tenho aqui o livro de orações, e os outros me acompanharão – dê o golpe em nome de Deus, que assim tudo ficará bem com a morta que nós amamos, e a morta-viva desaparecerá".

Arthur pegou a estaca e o martelo, e uma vez que sua mente estava concentrada na ação, suas mãos nem sequer estremeceram. Van Helsing abriu o missal e começou a ler, e Quincey e eu o acompanhamos tão bem quanto podíamos.

Arthur apoiou a ponta da estaca em cima do coração, e quando olhei pude ver a mossa na carne branca. Então golpeou com toda sua força.

A coisa no caixão se contorceu, e dos lábios vermelhos e abertos veio um guincho horroroso, horripilante. O corpo estremeceu, e se contorceu todo em convulsões selvagens. Os dentes brancos e afiados se juntaram, apertados numa mordida que cortou os lábios, e a boca foi coberta por uma espuma vermelha. Mas Arthur nunca hesitou. Ele parecia a própria imagem do deus Thor, enquanto seu braço firme subia e descia, enfiando cada vez mais fundo a estaca redentora. O sangue brotava do coração perfurado, jorrando e se espalhando ao redor. O rosto de Arthur mostrava decisão, e nos seus traços parecia brilhar o sentido do dever. Essa visão nos deu coragem, e fez com que nossas vozes vibrassem dentro daquele pequeno jazigo.

E então as contorções e tremores do corpo diminuíram, os dentes começaram a rilhar, e as faces pareciam ainda estremecer de leve. Finalmente, tudo ficou imóvel. A terrível tarefa estava terminada.

O martelo caiu da mão de Arthur. Ele cambaleou e teria caído, se não o tivéssemos segurado. Havia grossas gotas de suor em sua testa, e ele estava ofegante, a respiração saindo em espasmos. A tensão sobre ele realmente fora terrível, e se ele não tivesse sido forçado àquele ato por mais do que simples consideração humana, nunca poderia tê-lo realizado. Por alguns minutos ficamos tão concentrados nele que não olhamos para o caixão. Quando olhamos, porém, um murmúrio de espantosa surpresa se espalhou entre nós. Olhávamos com tanta avidez que Arthur se levantou, pois estava sentado no chão, e aproximou-se para olhar também. Então uma estranha luz de alegria surgiu em seu rosto, e dissipou totalmente a sombria expressão de horror que havia nele.

Ali, no caixão, não mais jazia a coisa sórdida que tanto temiamos e passamos a odiar, a tal ponto que a tarefa da sua destruição foi concedida como um privilégio ao melhor qualificado dentre nós para realizá-la, mas jazia Lucy como nós a tínhamos conhecido em vida, com seu rosto de inigualável doçura e pureza. É verdade que também estavam lá, assim como nós os tínhamos visto em vida, os resquícios do sofrimento, da dor e da exaustão. Mas estes eram todos caros a nós, pois marcavam a veracidade do que sabíamos. Cada um de nós sentiu que a calma sagrada que cobria como o sol aquele rosto e aquele corpo cansados, era só um sinal terrestre, e símbolo da calma que deveria reinar para sempre.

Van Helsing veio e pôs a mão no ombro de Arthur, dizendo-lhe, *"E agora, meu amigo Arthur, meu rapaz, não me perdoará?"*

A reação à tensão terrível por que passara veio quando ele pegou a mão do velho na sua, e levando-a aos lábios, apertou-a e disse, *"Perdoar? Deus o abençoe por ter devolvido a alma à minha amada, e trazido a paz ao meu coração"*. Pôs as mãos sobre os ombros do Professor e, apoiando a cabeça em seu peito, chorou baixinho durante algum tempo, enquanto permanecíamos de pé, imóveis.

Quando ele levantou a cabeça, Van Helsing lhe disse, *"E agora, meu filho, pode beijá-la. Beije seus lábios mortos, se quiser, como ela gostaria, se pudesse se manifestar. Pois ela não é mais um demônio sorridente, não mais uma Coisa sórdida, por toda a eternidade. Não é mais a morta-viva, o demônio. Ela é a verdadeira morta de Deus, cuja alma está com Ele!"*

Arthur se inclinou e beijou-a, e então nós pedimos que ele e Quincey saíssem do jazigo. O Professor e eu serramos a estaca, deixando a ponta dentro do corpo. Então cortamos fora a cabeça e enchemos a boca de alho. Soldamos o caixão de chumbo, tornamos a aparafusar a tampa, e recolhendo nossos pertences, saímos. Quando o Professor fechou a porta, entregou a chave a Arthur.

Lá fora o ar era doce, o sol brilhava e os pássaros cantavam, e parecia que toda a natureza estava afinada em um tom diferente. Havia alegria, felicidade e paz por toda parte, pois agora tínhamos um motivo para estar tranquilos. E nos sentimos felizes, embora nossa alegria fosse branda.

Antes que nos afastássemos, Van Helsing disse, *"Agora, meus amigos, um estágio do nosso trabalho foi terminado, aquele que era o mais terrível para nós. Mas permanece uma tarefa maior: descobrir o autor de toda a nossa tristeza, e esmagá-lo. Tenho algumas pistas que nós podemos seguir, mas é uma tarefa longa e difícil, e há perigo nisso, além de sofrimento. Vocês todos não me ajudarão? Aprendemos a acreditar, todos nós, não é verdade? E desde então não cumprimos com o nosso dever? Sim! E não prometemos ir até o fim, por mais amargo que possa ser?"*

Cada um de nós apertou-lhe a mão, e a promessa foi feita. E quando partimos, o Professor disse, *"Daqui a duas noites vocês se reunirão comigo, e jantaremos juntos às sete horas na casa do amigo John. Vou convidar duas outras pessoas, que vocês ainda não conhecem, e estarei pronto a lhes mostrar todo o nosso trabalho e revelar os nossos planos. Amigo John, venha comigo para casa, pois tenho muitas coisas para discutir com você, e poderá ajudar-me. Vou para Amsterdã esta noite, mas retornarei amanhã à noite. E então começa a nossa grande busca. Mas primeiro terei muito a dizer, de forma que vocês possam saber o que fazer e o que temer. Então faremos novamente a nossa promessa um para o outro. Pois há uma tarefa terrível diante de nós, e uma vez que nossos pés estejam em movimento, não devemos retroceder".*

CAPÍTULO 17

DIÁRIO DO DR. SEWARD *(continuação)*

Quando chegarmos ao Hotel Berkeley, Van Helsing encontrou um telegrama a sua espera.

"*Chegando de trem. Jonathan em Whitby. Notícias importantes. Mina Harker*".

O Professor ficou encantado. *"Ah, essa maravilhosa senhora Mina"*, ele disse, *"uma pérola entre as mulheres! Ela está chegando, mas eu não posso ficar. Ela tem que ir para a sua casa, amigo John. Deve esperá-la na estação. Telegrafe para ela no trem, de modo que esteja preparada".*

Depois que o telegrama foi despachado, ele tomou uma xícara de chá. Contou-me então sobre um diário mantido por Jonathan Harker quando esteve no estrangeiro, e me deu uma cópia datilografada, assim como do diário da sra. Harker em Whitby. *"Leve estas cópias"*, ele disse *"e estude-as bem. Quando eu tiver voltado, você estará ciente de todos os fatos, e então poderemos começar de forma melhor a nossa investigação. Mantenha-os em lugar seguro, pois esses documentos são um tesouro. Precisará de toda a sua fé, mesmo você, que teve uma experiência como a de hoje. O que está contado aqui,"* e ele colocou a mão de modo grave sobre o maço de documentos enquanto falava, *"pode ser o começo do fim para você, para mim, e para muitos outros, ou pode ser o toque de finados para o morto-vivo que anda sobre a terra. Leia tudo, peço-lhe, com a mente aberta, e se você puder acrescentar qualquer coisa à história aqui contada, faça-o, pois tudo é importante. Você tem mantido um diário sobre todas essas coisas estranhas, não é mesmo? Sim! Então vamos conversar sobre tudo isso quando nos encontrarmos"*. Ele se preparou então para partir, e logo após dirigiu-se à Liverpool Street. Eu tomei o rumo de Paddington, onde cheguei cerca de quinze minutos antes do trem entrar na estação.

A multidão se afastou, depois do alvoroço comum nas plataformas de chegada, e eu estava começando a ficar preocupado, com receio de perder a minha hóspede, quando uma delicada menina de rosto angelical dirigiu-se a mim, e depois de um rápido olhar, disse, *"Dr. Seward, não é?"*

"E a senhora é a sra. Harker!" respondi de imediato, e ela então estendeu-me a mão.

"Eu o conheci pela descrição da pobre querida Lucy, mas..." Ela parou de repente, e um rápido rubor cobriu-lhe o rosto.

O rubor que me subiu ao rosto de algum modo nos deixou à vontade, pois era uma espécie de resposta tácita ao seu rubor. Peguei sua bagagem, que incluía uma máquina de escrever, e tomamos o metrô para Fenchurch Street, depois de eu ter enviado um telegrama para minha governanta, pedindo-lhe que preparasse imediatamente uma sala de estar e um quarto para a sra. Harker.

Chegamos no devido tempo. Ela sabia, é claro, que o lugar era um manicômio, mas percebi que não pôde reprimir um leve tremor quando entramos.

Ela me disse que, se pudesse, viria agora mesmo ao meu escritório, pois tinha muito a dizer. Portanto, estou terminando este registro em meu diário fonográfico, enquanto a espero. Até agora não tive a chance de olhar os documentos que Van Helsing deixou comigo, embora estejam abertos à minha frente. Preciso fazê-la interessar-se por alguma coisa, de modo que possa ter uma oportunidade de lê-los. Ela não sabe como o tempo é precioso, ou que tarefa temos em nossas mãos. Devo ter cuidado para não amedrontá-la. Aí está ela!

DIÁRIO DE MINA HARKER

29 de setembro: Depois de fazer a minha toalete, desci ao escritório do dr. Seward. Parei por um momento ao chegar à porta, pois pareceu-me que ele falava com alguém. Como, porém, ele havia me pedido para ser rápida, bati na porta, e quando ele me disse *"Entre"*, apresentei-me.

Para minha enorme surpresa, não havia ninguém com ele. Ele estava só, e na mesa à sua frente estava o que logo reconheci pela descrição com sendo um fonógrafo. Eu nunca tinha visto um, e estava muito interessada.

"Espero não tê-lo deixado esperando", eu disse, "mas parei na porta quando o ouvi falando, e pensei que havia alguém com o senhor".

"Oh", ele respondeu com um sorriso, "eu só estava fazendo um registro em meu diário".

"Seu diário?" perguntei-lhe, surpresa.

"Sim", ele respondeu. "Mantenho um diário fonográfico." Enquanto falava, pôs a mão no fonógrafo. Fiquei bastante excitada por conta disso, e disse bruscamente, "Ora, isso é melhor até que a taquigrafia! Posso ouvi-lo dizer alguma coisa?"

"Certamente", ele respondeu entusiasmado e se levantou para preparar o aparelho para reprodução. Então parou, e um olhar preocupado surgiu em seu rosto.

"O fato é que...", ele começou, embaraçado, "Mantenho meu diário apenas neste aparelho, e como ele é todo, ou quase todo, sobre meus casos profissionais, pode ser estranho para a senhora, isto é, quero dizer..." Ele parou, e tentei ajudá-lo a sair do embaraço.

"O senhor ajudou a cuidar da querida Lucy até o fim. Deixe-me ouvir como ela morreu, por tudo que conheço dela, e lhe ficarei muito agradecida. Ela era muito, muito querida para mim"

Para minha surpresa, ele respondeu, com um olhar horrorizado no rosto, "Contar-lhe sobre a morte dela? Por nada deste mundo!"

"Por que não?" perguntei, pois um certo sentimento grave e terrível estava começando a tomar conta de mim.

Ele fez nova pausa, e percebi que estava tentando inventar uma desculpa. Por fim, ele gaguejou, "Veja, é que não sei como selecionar uma parte específica do diário".

Enquanto ele estava falando, uma ideia me ocorreu. Ele disse com inocente simplicidade, numa voz diferente, com a ingenuidade de uma criança "É a pura verdade, posso jurar. Palavra de um índio honesto!"

Só pude sorrir, enquanto ele fazia uma careta. "Perdi todo o meu tempo!" ele disse. "Mas sabe, embora eu mantenha esse diário já há alguns meses, nunca me ocorreu pensar em como faria para localizar alguma parte específica, caso precisasse consultá-la!"

A essa altura, eu já havia decidido que o diário de um médico que cuidou de Lucy poderia ter algo a acrescentar à soma dos nossos conhecimentos sobre aquele Ser terrível, e disse corajosamente, "Então, dr. Seward, seria melhor que o senhor me deixasse copiá-lo para o senhor em minha máquina de escrever".

Ele foi tomado por uma palidez mortal, enquanto dizia, "Não! Não! Não! Por nada deste mundo. Não posso permitir que saiba dessa história terrível!"

Então era terrível. Minha intuição estava certa! Fiquei pensando por um momento, e enquanto meus olhos percorriam a sala, procurando de modo inconsciente alguma coisa que viesse em meu auxílio, eles caíram sobre um enorme maço de papéis datilografados em cima da mesa. Seus olhos perceberam o meu olhar, e sem pensar seguiram na mesma direção. Quando viu o maço, compreendeu minha intenção.

"O senhor não me conhece", eu disse. "Quando tiver lido esses documentos, meu próprio diário e o diário do meu marido, que eu datilografei, me conhecerá melhor. Não hesitei em dedicar todo o meu coração a esta causa. Mas, é claro que o senhor não me conhece, ainda. Portanto, não devo esperar que confie em mim até que isso venha a acontecer".

Ele com certeza é um homem de natureza nobre. A pobre querida Lucy tinha razão sobre ele. Ele se levantou e abriu enorme gaveta, na qual estavam organizados em ordem vários cilindros ocos de metal cobertos de cera escura, e disse:

"Tem toda razão. Não confiei na senhora porque não a conheço. Mas agora a conheço, e me permita dizer que deveria tê-la conhecido há muito tempo. Sei que Lucy lhe contou sobre mim. Ela me contou sobre a senhora, também. Permite que lhe faça a única reparação que tenho condições de fazer? Pegue os cilindros e ouça-os. A primeira meia dúzia refere-se a coisas pessoais, e não vai horrorizá-la. Então me conhecerá melhor. Até lá o jantar já estará pronto. Enquanto isso eu vou ler alguns desses documentos, e poderei entender melhor certas coisas".

Ele mesmo levou o fonógrafo até minha sala de estar, e ajustou-o para mim. Agora aprenderei algo muito agradável, tenho certeza. Pois isso me revelará a outra metade de uma história de amor verdadeiro, da qual conheço apenas a metade.

DIÁRIO DO DR. SEWARD

29 de setembro: Fiquei tão absorvido na leitura daquele diário extraordinário de Jonathan Harker, e no outro, de sua esposa, que deixei o tempo correr sem sentir. A sra. Harker ainda não tinha descido quando a governanta veio anunciar o jantar, então eu disse, *"Ela deve estar cansada. Espere para servir o jantar daqui a uma hora"* e continuei com minha leitura. Eu acabara de ler o diário da sra. Harker, quando ela entrou no escritório. Estava encantadora, mas parecia muito triste, e seus olhos estavam vermelhos de chorar. Isso me deixou muito comovido. Tivera ultimamente muitos motivos para lágrimas, Deus é que sabe! Mas o alívio das lágrimas me foi negado, e agora a visão desses olhos suaves, com seu brilho de lágrimas recentes, calou-me fundo no coração. Então lhe disse, do modo mais suave que pude, *"Lamento profundamente tê-la angustiado".*

"Oh, não, não me angustiou" ela respondeu. *"Mas a sua dor me deixou mais comovida do que posso dizer. Essa máquina é maravilhosa, mas é verdadeira até a crueldade. Mostrou-me, no seu próprio tom de voz, a angústia do seu coração. Era como uma alma penada suplicando a Deus Todo-poderoso. Ninguém precisa ouvir isso de novo! Veja, eu tentei ser útil. Copiei as palavras na minha máquina de escrever, e ninguém mais agora precisa ouvir as batidas do seu coração, como eu ouvi".*

"Ninguém nunca precisará saber, ninguém jamais saberá", eu disse, em voz baixa. Ela pôs a mão sobre a minha e disse com toda seriedade, *"Ah, mas eles precisam saber!"*

"Precisam? Mas por quê?" perguntei.

"Porque é uma parte dessa história terrível, uma parte da morte da pobre Lucy e de tudo que conduziu a ela. Porque na luta que temos diante de nós para libertar a terra desse monstro terrível, precisamos de todo o conhecimento e de toda a ajuda que pudermos conseguir. Acho que os cilindros que o senhor me deu continham mais do que o senhor pretendia que eu soubesse. Mas posso ver que nos seus registros há muitas luzes sobre esse mistério sombrio. O senhor permitirá que eu ajude, não é? Eu conheço toda a história até um certo ponto, e posso pressentir, embora seu diário só tenha me levado até o dia 7 de setembro, como a pobre Lucy foi atacada, e como estava sendo forjada a sua terrível destruição. Jonathan e eu estivemos trabalhando dia e noite desde que o Professor Van Helsing nos encontrou. Ele foi a Whitby para conseguir mais informações, e estará aqui amanhã para nos ajudar. Não deve haver nenhum segredo entre nós. Trabalhando juntos, em absoluta confiança, seremos com certeza mais fortes do que se alguns de nós permanecerem no escuro".

Ela me olhou de modo tão suplicante, e ao mesmo tempo manifestou tanta coragem e decisão na sua maneira de portar-se, que cedi imediatamente aos seus desejos. *"Faça como achar melhor nessa questão"* eu disse. *"Que Deus me perdoe, se estou errado! Ainda saberá de coisas terríveis, mas se viajou de tão longe por causa da morte da pobre Lucy, não ficará satisfeita, eu sei, de permanecer no escuro. Não, o fim, o verdadeiro fim, pode trazer-lhe um vislumbre de paz. Venha, vamos jantar. Temos que nos manter fortes para enfrentar o que está por vir. Temos uma tarefa cruel e terrível a cumprir. Depois de comer, saberá o resto, e eu responderei qualquer pergunta que queira fazer, se houver alguma coisa que a senhora não entenda, embora seja evidente para nós que estivemos lá".*

DIÁRIO DE MINA HARKER

29 de setembro: Depois do jantar, acompanhei o dr. Seward ao seu escritório. Ele trouxe de volta o fonógrafo do meu quarto, e eu peguei uma cadeira. Arranjou o fonógrafo de forma que eu pudesse tocá-lo sem me levantar, e mostrou-me como fazer para parar o instrumento, caso eu desejasse fazer uma pausa. Ele então pegou uma cadeira e virou-a de costas para mim, de modo que eu ficasse tão livre quanto possível, e começou a ler. Coloquei o metal bifurcado nos ouvidos e preparei-me para ouvir.

Quando terminou a assombrosa história da morte de Lucy, e de tudo que se seguiu, eu me reclinei em minha cadeira, impotente. Felizmente, não sou propensa a desmaios. Quando o dr. Seward me viu, pulou da cadeira com uma exclamação horrorizada, e pegando apressadamente uma garrafa do armário, deu-me um pouco de conhaque para beber – o que me restabeleceu um pouco. Meu cérebro estava girando, e se finalmente, no meio de toda aquela procissão de horrores, não surgisse um raio sagrado de luz a indicar que a minha querida Lucy estava afinal em paz, não sei se teria suportado tudo isso sem fazer uma cena. É tudo tão selvagem, e misterioso, e estranho, que se eu não estivesse a par da experiência de Jonathan na Transilvânia, não teria acreditado. Do jeito que as coisas eram, eu não sabia em que acreditar. Então, resolvi superar essa dificuldade distraindo minha mente com alguma outra coisa. Tirei a tampa da minha máquina de escrever e disse ao dr. Seward:

"Deixe-me transcrever tudo isso agora. Temos que estar prontos para quando o dr. Van Helsing chegar. Mandei um telegrama para Jonathan, pedindo que venha para cá quando chegar em Londres, ao voltar de Whitby. Neste assunto, as datas são de vital importância, e acho que se nós estivermos com o nosso material todo organizado, com cada item colocado em ordem cronológica, já teremos feito bastante. O senhor me disse que Lorde Godalming e o sr. Morris também estão vindo. Assim poderemos contar-lhes tudo quando eles chegarem".

Ele então ajustou o fonógrafo para avançar mais lentamente, e eu comecei a datilografar desde o início do décimo sétimo cilindro. Usei várias folhas, e fiz três cópias do diário, da mesma forma que fizera com os outros. Já era tarde quando terminei, mas o dr. Seward saíra para cuidar do seu trabalho, fazendo a ronda para ver os pacientes. Quando ele terminou, voltou e sentou-se perto de mim, lendo, de modo que eu não me sentisse muito só enquanto trabalhava. Ele é muito bom, muito atencioso. O mundo parece cheio de homens bons, mesmo que nele existam monstros.

Antes de deixá-lo, lembrei-me do que Jonathan escrevera em seu diário sobre a perturbação do Professor ao ler algo na edição noturna de um jornal, na estação de Exeter. Desse modo, vendo que o dr. Seward guardava os seus jornais, pedi emprestado os exemplares de "The Westminster Gazette" e "The Pall Mall Gazette", e os levei para o meu quarto. Eu me lembro do quanto "The Dailygraph" e "The Whitby Gazette", dos quais eu havia feito recortes, tinham nos ajudado a entender os eventos terríveis de Whitby, quando o Conde Drácula desembarcou. Assim, vou olhar as edições noturnas dos jornais desde então, e talvez consiga obter alguma nova luz. Não tenho sono, e o trabalho ajudará a me acalmar.

DIÁRIO DO DR. SEWARD

30 de setembro: O sr. Harker chegou às nove horas. Ele recebera o telegrama da esposa logo antes de partir. Ele é extremamente inteligente, a julgar pelo seu rosto, e cheio de energia. Se este diário é verdadeiro, e julgando pelas suas espantosas experiências deve ser mesmo, é também um homem de grande sangue-frio. Aquela descida até a cripta pela segunda vez foi um notável ato de ousadia. Depois de ler o relato que ele fizera, eu estava preparado para encontrar um belo espécime viril, mas não o tranquilo cavalheiro e homem de negócios que veio aqui hoje.

Mais tarde: Depois do almoço, Harker e a esposa voltaram para o seu próprio quarto, e ao passar por ali, algum tempo depois, ouvi o barulho da máquina de escrever. Eles estão trabalhando duro nessa questão. A sra. Harker disse que estão colocando em ordem cronológica cada evidência que possuem. Harker conseguiu as cartas entre o consignatário dos caixões em Whitby e os portadores em Londres que se encarregaram delas. Ele agora está lendo a cópia que sua esposa fez do meu diário. Pergunto-me o que eles entenderam disso. Aí está ele...

Estranho que nunca tenha me ocorrido que a própria casa ao lado da minha poderia ser o esconderijo do Conde! Deus sabe que nós tivemos pistas suficientes com a conduta do meu paciente, Renfield! O maço das cartas relativas à compra da casa está junto com a cópia do diário. Oh, se nós apenas soubéssemos dessas cartas mais cedo, poderíamos ter salvo a pobre Lucy! Chega! É assim que a loucura se instala! Harker voltou, e está de novo coletando material. Ele diz que antes do jantar eles poderão mostrar uma narrativa completa e coerente. Acha que nesse meio tempo eu deveria ver Renfield, pois até aqui ele tem sido uma espécie de indicador das idas e vindas do Conde. Ainda não vi essa conexão, mas suponho que quando checar as datas acabarei vendo. Que bom que a sra. Harker transcreveu a máquina o conteúdo dos meus cilindros! Do contrário, eu nunca poderia ter encontrado as datas.

Encontrei Renfield sentado calmamente em seu quarto, de braços cruzados e com um sorriso benigno nos lábios. No momento, parecia tão normal quanto qualquer um que já vi. Sentei-me e conversei com ele sobre vários assuntos, os quais ele tratou naturalmente. Então, por sua própria vontade, ele falou em ir para casa, um assunto que nunca mencionou, que eu saiba, durante sua estadia aqui. Na verdade, falou de modo bastante confiante em conseguir sua dispensa imediatamente. Creio que, se eu não tivesse tido aquela conversa com Harker e lido as cartas e as datas dos seus ataques, estaria pronto a liberá-lo depois de um breve período de observação. Mas como as coisas estavam, fiquei ainda mais desconfiado. Todos aqueles ataques estavam de algum modo ligados à proximidade do Conde. O que tudo isso significa, então? Será que o seu instinto apenas se satisfaz com o triunfo final do vampiro? Espere! Ele mesmo é zoófago, e nos seus delírios selvagens junto à porta da capela na casa deserta ele sempre se referia ao "Mestre." Tudo isso só parece confirmar a nossa ideia. No entanto, fui embora depois de algum tempo. Meu amigo está um tanto sadio demais no momento, para que seja seguro questioná-lo muito a fundo. Ele poderia começar a pensar, e então... Assim, fui embora. Desconfio desses modos calmos dele, por isso avisei ao atendente que o vigiasse de perto, e que tivesse uma camisa de força pronta, caso houvesse necessidade.

DIÁRIO DE JONATHAN HARKER

29 de setembro, no trem para Londres: Quando recebi a polida mensagem do sr. Billington dizendo que me daria qualquer informação que tivesse, achei melhor ir até Whitby e fazer, no próprio lugar, as investigações que pretendia. Meu objetivo agora era seguir o percurso daquela carga horrenda do Conde até seu destino em Londres. Depois, talvez possamos lidar com isso. Billington Jr., um rapaz muito agradável, encontrou-me na estação e me levou a casa do pai, onde eles decidiram que eu devia passar a noite. Eles são hospitaleiros, com a verdadeira hospitalidade do Yorkshire, oferecendo o máximo ao hóspede e deixando-o agir como desejasse. Todos sabiam que eu estava ocupado, e que minha permanência seria curta, assim o sr. Billington deixou prontos no escritório todos os documentos relativos à consignação dos caixões. Quase tive um choque ao ver de novo uma das cartas que eu tinha visto na mesa do Conde, antes de saber dos seus planos diabólicos. Tudo havia sido planejado com muito cuidado, e executado sistematicamente e com precisão. Ele parecia estar preparado para todo obstáculo que pudesse ser colocado sem querer no caminho para levar a cabo as suas intenções. Para usar um americanismo, ele *"não correu nenhum risco"*, e a precisão absoluta com que suas ordens foram cumpridas era apenas o resultado lógico do seu cuidado. Eu vi a fatura, e tomei nota. *"Cinquenta caixões de terra comum, para ser usada com propósitos experimentais"*. Também havia a cópia da carta para Carter Paterson, e sua resposta. Fiz cópias de ambas. Essa foi toda a informação que o sr. Billington pode me fornecer, assim desci para o porto e fui ver os guardas costeiros, as autoridades alfandegárias e o mestre do porto, que amavelmente me colocou em contato com os homens que de fato haviam recebido os caixões. Sua conta fechava exatamente com o que estava listado na fatura, e eles não tinham nada a acrescentar à descrição simples de *"cinquenta caixões de terra comum"*, a não ser que os caixões eram *"terrivelmente pesados"*, e que foi um trabalho pesadíssimo despachá-los. Um deles acrescentou que o pior de tudo é que não havia nenhum cavalheiro *"assim como o senhor, meu lorde"* para mostrar algum tipo de gratidão pelos seus esforços em forma *"líquida"*. Outro observou que a sede que sentiram na ocasião foi tanta, que mesmo agora, depois de transcorrido todo esse tempo, ainda não tinha sido totalmente aplacada. Desnecessário dizer que, antes de partir, tomei o cuidado de acabar da forma mais adequada e definitiva possível com essa fonte de reclamações.

30 de setembro: O chefe da estação foi amável o bastante para me dar uma linha de apresentação ao seu velho companheiro, o chefe da estação de King's Cross, de modo que quando cheguei lá pela manhã pude perguntar-lhe pela chegada dos caixões. Ele, também, me colocou imediatamente em contato com os próprios funcionários, e vi que sua conta também conferia com a fatura original. Aqui, as oportunidades de sentir uma sede descomunal tinham sido mais limitadas. As mais nobres reivindicações, porém, foram feitas, e novamente fui obrigado a lidar com a situação ex post facto.

De lá fui para o escritório central de Carter Paterson, onde fui tratado com a máxima cortesia. Eles verificaram a transação no livro-diário e no arquivo de cartas, e no mesmo instante telefonaram para seu escritório em King's Cross, para saber mais detalhes. Para minha sorte, os homens que fizeram o transporte estavam esperando para começar um novo trabalho, e o funcionário os mandou imediatamente para mim, enviando também por um deles a nota de entrega e todos os documentos relacionados à entrega dos caixões em Carfax. Aqui também a conta fechava exatamente. Os carregadores puderam completar a penúria das palavras escritas com mais alguns detalhes. Estes detalhes se referiam, como logo descobri, quase unicamente à natureza rude do trabalho, e à consequente sede provocada nos operadores. Depois que tive a oportunidade de aplacar, por meio da moeda corrente no reino, este mal benéfico, mesmo que com atraso, um dos homens observou:

"Aquela casa, patrão, é a mais estranha que eu já entrei. Credo! Ninguém entra naquilo faz cem anos. Tinha uma camada de pó tão grossa que dava para deitar em cima sem machucar os ossos. E o lugar era tão abandonado que chegava a cheirar igual a velha Jerusalém. Mas a

capela antiga, então, essa era um horror! Eu e o meu companheiro pensamos que nós nunca mais íamos conseguir sair dali. Meu Deus, eu não ficaria lá depois de escurecer por nada no mundo".

Como eu já estivera na casa, podia acreditar muito bem no que diziam. Mas se eles soubessem o que eu sei, creio que teriam descrito aquilo em termos ainda piores.

De uma coisa, porém, eu tinha certeza: todos aqueles caixões que chegaram a Whitby, vindos de Varna, no *Demeter*, foram depositados com segurança na velha capela em Carfax. Devia haver cinquenta caixões lá, a menos que algum tivesse sido retirado desde então, como eu temia pelo relato do diário do dr. Seward.

Mais tarde: Mina e eu trabalhamos todo o dia, e pusemos todos os documentos em ordem.

DIÁRIO DE MINA HARKER

30 de setembro: Estou tão contente que mal posso me conter. Suponho que seja uma reação ao medo assombroso que tive, de que este caso terrível e a reabertura da sua antiga ferida possam agir negativamente sobre Jonathan. Eu o vi partir para Whitby demonstrando a maior coragem, mas estava doente de apreensão. Porém, o esforço lhe fez bem. Ele nunca foi tão decidido, tão forte, tão cheio de energia vulcânica como agora. É exatamente como aquele caro e bom Professor Van Helsing disse, ele é corajoso de verdade, e se torna ainda mais corajoso sob a tensão que mataria uma natureza mais fraca. Jonathan voltou cheio de vida, de esperança, de determinação. Pusemos tudo em ordem para hoje à noite. Eu quase não posso conter minha excitação. Suponho que alguém poderia compadecer-se de uma coisa que fosse tão caçada quanto o Conde. E é apenas isso. Essa coisa não é humana, nem mesmo uma besta. Ler o relato do dr. Seward sobre a morte da pobre Lucy, e tudo que se seguiu, é suficiente para secar as fontes da piedade no coração de uma pessoa.

Mais tarde: Lorde Godalming e o sr. Morris chegaram mais cedo do que esperávamos. O dr. Seward estava fora a negócios e tinha levado Jonathan consigo, assim eu mesma tive que recebê-los. Foi um encontro doloroso para mim, pois trouxe de volta todas as esperanças que a pobre querida Lucy tivera, fazia só alguns meses. Claro que eles tinham ouvido Lucy falar de mim, e me pareceu que o dr. Van Helsing também andara *"enchendo a minha bola"*, como disse o sr. Morris. Pobres rapazes, nenhum deles está ciente de que eu sei tudo sobre as propostas de casamento que fizeram a Lucy. Eles quase não sabiam o que dizer ou fazer, pois ignoravam a extensão do meu conhecimento. Então tiveram que se ater a assuntos neutros, comuns. Porém, refleti sobre o assunto e cheguei à conclusão de que a melhor coisa que eu poderia fazer seria atualizá-los a respeito do assunto. Eu sabia pelo diário do dr. Seward que elas tinham estado presentes à morte de Lucy, sua morte real, e que não precisaria temer trair algum segredo antes da hora. Então contei-lhes, tão bem como pude, que eu tinha lido todos os documentos e diários, e que meu marido e eu, depois de datilografá-los, tínhamos acabado de colocá-los em ordem. Dei uma cópia a cada um, para que lessem na biblioteca. Quando Lorde Godalming pegou a sua e a folheou – era uma pilha de bom tamanho – ele disse, *"Escreveu tudo isso, sra. Harker?"*

Confirmei com a cabeça, e ele prosseguiu.

"Eu ainda não vejo bem o sentido disso, mas vocês são pessoas tão boas e gentis, e têm trabalhado com tanta seriedade e energia, que tudo que eu posso fazer é aceitar suas ideias sem questionar e tentar ajudar no que me for possível. Eu já tive uma lição, aceitando fatos que tornariam um homem humilde até a sua última hora de vida. Além disso, sei que a senhora gostava muito da minha Lucy..."

Ao dizer isso, virou-se e cobriu o rosto com as mãos. Sua voz estava embargada pelas lágrimas. O sr. Morris, com delicadeza instintiva, apenas pôs a mão sobre seu ombro por um momento, e então deixou a sala silenciosamente. Creio que há algo na natureza feminina que faz com que um homem se sinta livre para desabar diante dela, e expressar seus sentimentos de ternura ou emoção sem se sentir abalado em sua masculinidade. Pois quando Lorde Godalming viu que estava a sós comigo, sentou-se no sofá e deu vazão ao seu pranto abertamente, sem reservas. Eu me sentei ao lado dele e tomei-lhe a mão. Espero que ele não tenha considerado isso um avanço da minha parte, e que se depois pensar no assunto nunca venha a ter tal pensamento. Ele estaria errado. Mas sei que ele nunca pensará assim, pois é um cavalheiro de verdade. Então eu lhe disse, pois vi que seu coração estava partido, *"Eu amava a querida Lucy, e sei o que ela representava para o senhor, e o que o senhor representava para ela. Ela e eu éramos como irmãs, e agora ela se foi. O senhor não me permitiria ser como uma irmã neste momento tão difícil? Sei bem das tristezas que o senhor tem tido, embora não possa avaliar o quanto foram profundas. Se a simpatia e a piedade puderem ajudar em sua aflição, não me deixaria prestar-lhe essa pequena ajuda, por amor a Lucy?"*

Num instante, o pobre querido rapaz estava devastado pelo sofrimento. Parecia-me que tudo que ele vinha sofrendo ultimamente em silêncio encontrara uma passagem, afinal. Ficou quase histérico, erguendo as mãos abertas e batendo as palmas uma na outra, numa intensa agonia, só provocada pela dor mais profunda. Ele levantou-se e então voltou a sentar-se, e as lágrimas escorreram pelo seu rosto. Senti uma piedade infinita por ele, e abri meus braços sem pensar. Com um soluço, ele pôs a cabeça no meu ombro e chorou como uma criança, tremendo de emoção.

Nós, mulheres, temos todas um pouco do espírito maternal, que nos faz superar as coisas menores quando esse espírito é invocado. Eu sentia essa enorme cabeça de um homem que sofria descansar no meu regaço, como se fosse a de um bebê que algum dia eu seguraria contra o seio, e acariciei seus cabelos como se ele fosse meu próprio filho. Não pensei, na ocasião, em como tudo aquilo era estranho.

Dali a pouco seus soluços cessaram, e ele se ergueu com uma desculpa, embora não disfarçasse a emoção. Contou-me que nos últimos dias e noites, dias fatigantes e noites insones, não tinha podido falar com ninguém, como um homem deve falar num momento de tristeza. Não havia nenhuma mulher que pudesse lhe oferecer sua simpatia, ou com quem ele pudesse falar livremente, devido às circunstâncias terríveis que envolviam a sua tristeza.

"Agora sei o quanto sofri", ele disse, enquanto secava os olhos, *"mas ainda não sei, e ninguém jamais saberá, o quanto seu doce consolo representou para mim neste momento. Com o tempo saberei melhor, e creia, embora eu não seja ingrato agora, minha gratidão crescerá juntamente com a minha compreensão. A senhora me deixará ser como um irmão, não é, pelo resto das nossas vidas, por amor à querida Lucy?"*

"Por amor a querida Lucy", eu disse, enquanto trocamos um aperto de mãos. *"Sim, e pelo seu próprio bem"*, acrescentou ele, *"pois se a estima e a gratidão de um homem já foram merecidas, a senhora hoje conquistou as minhas. Se algum dia, no futuro, houver um tempo em que a senhora precise da ajuda de um homem, creia-me, seu apelo não será em vão. Deus permita que esse tempo nunca venha a chegar para empanar o sol da sua vida, mas se ele um dia vier, prometa que me contará".*

Ele falava tão sério, e sua tristeza era tão recente, que senti que iria confortá-lo, então disse, *"Eu prometo"*.

Quando saí para o corredor, vi o sr. Morris olhando pela janela. Ele se virou ao ouvir meus passos. *"Como está Art?"* ele disse. Então, notando meus olhos vermelhos, prosseguiu, *"Ah, vejo que a senhora o consolou. Meu pobre e velho companheiro! Ele precisa disso. Ninguém senão uma mulher pode ajudar um homem quando ele sofre com problemas do coração, e ele não tem ninguém para confortá-lo".*

Ele suportava sua própria tristeza com tanta coragem que meu coração se condoeu. Vi o manuscrito em sua mão, e soube que quando ele lesse perceberia o quanto eu sabia, então disse a ele, *"Gostaria de poder confortar todos os que sofrem por motivos do coração. Deixar-me-á ser sua amiga, e virá a mim para que eu o conforte caso precise? O senhor saberá depois por que digo isso."*

Ele viu que eu falava sério, e curvando-se tomou minha mão e levou-a aos lábios, beijando-a. Parecia-me um pobre conforto para uma alma tão corajosa e abnegada, e, num impulso, inclinei-me e beijei-o. As lágrimas lhe vieram aos olhos, e sua voz sufocou por um momento. Ele disse calmamente, *"Mocinha, nunca se arrependerá dessa verdadeira bondade de coração, nunca enquanto viver!"* E então ele entrou no escritório para ver o amigo.

"Mocinha!" As mesmas palavras que ele usara com Lucy, e, sim, ele provou ser um verdadeiro amigo.

CAPÍTULO 18

DIÁRIO DO DR. SEWARD

30 de setembro: Cheguei em casa às cinco horas, e descobri que Godalming e Morris não apenas tinham chegado como já haviam lido a cópia dos vários diários e cartas, e que Harker ainda não tinha voltado da sua visita aos carregadores, sobre os quais o dr. Hennessey tinha me escrito. A sra. Harker nos serviu uma xícara de chá, e posso dizer honestamente que, pela primeira vez desde que vivo aqui, esta velha casa parece um lar. Quando terminamos, a sra. Harker disse:

"Dr. Seward, posso pedir-lhe um favor? Queria ver o seu paciente, o sr. Renfield. Deixe-me vê-lo, por favor. O que o senhor disse sobre ele em seu diário interessou-me tanto!"

Ela parecia tão súplice e tão bonita que eu não podia recusar, e não havia nenhuma razão para que o fizesse, então levei-a comigo. Quando entrei no quarto, disse para o homem que uma senhora gostaria de vê-lo, ao que ele apenas respondeu, *"Por quê?"*

"Ela está visitando a casa e quer ver todo mundo que vive aqui", respondi.

"Oh, muito bem", ele disse, *"deixe-a entrar, de qualquer modo, mas espere um minuto até que eu limpe o lugar".*

Seu método de limpar era estranho, ele simplesmente engoliu todas as moscas e aranhas nas caixas antes que eu pudesse detê-lo. Era bastante evidente que ele temia, ou tinha ciúmes, de alguma interferência. Quando terminou sua tarefa repugnante, disse alegremente, *"Deixe a senhora entrar"*, e sentou-se na extremidade da cama com a cabeça baixa, mas com as pálpebras levantadas, de modo que pudesse vê-la quando entrasse. Por um momento pensei que ele poderia ter alguma intenção homicida. Lembrei-me de como ele estava calmo logo antes de me atacar em meu próprio escritório, e tomei o cuidado de ficar de pé onde eu pudesse agarrá-lo imediatamente, se ele tentasse saltar sobre ela.

Ela entrou no quarto com uma graça tranquila, que suscitaria o respeito de qualquer lunático imediatamente, pois a tranquilidade é uma das qualidades que os loucos mais respeitam. Ela dirigiu-se a ele, sorrindo de modo agradável, e estendeu-lhe a mão.

"Boa-noite, sr. Renfield", disse ela. "Veja, eu já o conheço, pois o dr. Seward falou-me do senhor". Ele não deu nenhuma resposta imediata, mas olhou-a de alto a baixo atentamente, com a expressão carrancuda. Esse olhar deu lugar a outro, de surpresa, que se transformou em dúvida, quando para meu enorme espanto ele disse, "Você não é a moça com quem o doutor queria casar, é? Não deve ser, porque ela está morta".

A sra. Harker sorriu docemente, enquanto respondia, "Oh, não! Eu já tenho um marido, com quem me casei antes mesmo de conhecer o dr. Seward, ou ele a mim. Sou a sra. Harker".

"Então o que está fazendo aqui?"

"Meu marido e eu estamos fazendo uma visita ao dr. Seward".

"Então não fique aqui".

"Mas por que não?"

Pensei que esse estilo de conversa podia não agradar a sra. Harker, assim como não agradava a mim, então resolvi interferir, "Como sabia que eu desejava me casar com alguém?"

Sua resposta foi simplesmente arrogante, num momento em que tirou seus olhos da sra. Harker e voltou-os para mim, voltando a olhá-la em seguida, "Que pergunta estúpida!"

"Não acho isso, absolutamente, sr. Renfield" disse a sra. Harker, tomando a minha defesa de imediato.

Ele respondeu a ela com tanta cortesia e respeito quanto tinha mostrado desprezo por mim, "A senhora naturalmente vai entender, sra. Harker, que quando um homem é tão amado e respeitado quanto o nosso anfitrião, tudo que se refere a ele é de interesse da nossa pequena comunidade. O dr. Seward não só é amado pela sua família e seus amigos, mas até mesmo pelos seus pacientes, que, estando alguns deles em precário equilíbrio mental, são hábeis em distorcer e separar as causas dos efeitos. Como eu mesmo tenho vivido em um manicômio, não posso senão notar que as tendências sofísticas de alguns de seus internos inclinam-se a erros de non causa et ignoratio elenche".

Eu arregalei meus olhos diante deste novo desenvolvimento. Aqui estava o meu lunático favorito, o mais característico do seu tipo que eu já havia encontrado, discutindo filosofia elementar, e com os modos polidos de um cavalheiro. Pergunto-me se foi a presença da sra. Harker que tocou alguma corda em sua memória. Se essa nova fase era espontânea, ou de alguma forma devido à influência inconsciente dela, a sra. Harker devia ter algum dom ou poder incomum.

Continuamos conversando durante algum tempo, e vendo que ele, aparentemente, estava bastante razoável, ela se aventurou, olhando-me de modo inquisitivo, a conduzir a conversa ao tópico favorito dele. Fiquei de novo estupefato, pois ele respondeu à pergunta com a imparcialidade de alguém que gozasse de perfeita sanidade. Chegou até a tomar a si mesmo como exemplo, ao mencionar certas coisas.

"Ora, eu mesmo sou um exemplo de um homem que tem uma convicção estranha. Na verdade, não é de estranhar que meus amigos ficassem alarmados, e insistissem para que eu fosse posto sob supervisão. Eu costumava imaginar que a vida era uma entidade positiva e perpétua, e que consumindo uma grande quantidade de coisas vivas, não importa quão baixo estivessem na escala da criação, uma pessoa poderia prolongar a vida indefinidamente. Às vezes eu levava essa convicção tão a sério que na verdade tentei tirar até vidas humanas. O doutor aqui poderá confirmar que numa ocasião eu tentei matá-lo com o objetivo de fortalecer meus *poderes vitais pela assimilação, em meu próprio corpo, da sua vida, por meio do seu sangue, confiando, é claro, na frase bíblica, 'Pois o sangue é a vida.' Embora, na verdade, o vendedor de um certo* nostrum *vulgarizasse o truísmo até o ponto do desprezo. Não é verdade, doutor?"*

Confirmei com a cabeça, pois estava tão pasmo que mal sabia o que pensar ou dizer. Era difícil imaginar que, cinco minutos antes, eu o tinha visto comer suas aranhas e moscas. Olhando para o relógio, vi que precisava ir para a estação encontrar Van Helsing, então disse a sra. Harker que estava na hora de irmos.

Ela veio sem hesitar, depois de dizer agradavelmente ao sr. Renfield, *"Adeus, espero que possa vê-lo outras vezes, sob seus agradáveis auspícios".*

A isso, para meu espanto, ele respondeu, *"Adeus, minha cara. Vou pedir a Deus para não ver seu lindo rosto novamente. Que Deus a proteja e abençoe!"*

Quando fui para a estação encontrar Van Helsing, deixei os rapazes em casa. O pobre Art parecia mais animado do que jamais estivera desde que começou a doença de Lucy, e Quincey voltou a mostrar aquela sua disposição alegre que há muitos dias não mostrava.

Van Helsing desceu do trem com a ansiosa agilidade de um menino. Ele me viu imediatamente, e correu para mim, dizendo, *"Ah, amigo John, como vai tudo? Bem? Então! Estive bastante ocupado, pois vim aqui para ficar, se for necessário. Todos os meus negócios estão resolvidos, e tenho muito para contar. A senhora Mina está com você? Sim. E seu maravilhoso marido? E Arthur e meu amigo Quincey, estão com você também? Ótimo!"*

Enquanto dirigia para casa contei-lhe o que se passara, e de como meu próprio diário acabara por ter alguma utilidade, graças à sugestão da sra. Harker, a que o Professor me interrompeu.

"Ah, aquela maravilhosa senhora Mina! Ela tem o cérebro de um homem, o cérebro que um homem deveria ter se fosse muito bem dotado pela natureza, e o coração de uma mulher. O bom Deus a criou com um propósito, creia-me, quando fez uma combinação tão perfeita. Amigo John, até agora o acaso tornou essa mulher de grande ajuda para nós, mas depois desta noite ela não deve ter nada a ver com esse caso tão terrível. Não é bom que ela corra um risco tão grande. Nós, homens, estamos determinados, não é? Não estamos empenhados em destruir esse monstro? Mas não é coisa para uma mulher. Mesmo se ela não for ferida, seu coração pode fraquejar ao ver tantos e tantos horrores, e no futuro ela pode vir a sofrer, tanto acordada, com seus nervos, quanto dormindo, com seus sonhos. E, além disso, ela é jovem e não está casada há muito tempo, pode haver outras coisas em que pensar daqui a algum tempo, se não agora. Você me disse que ela escreveu tudo, então tem que conversar conosco, mas amanhã ela deve dizer adeus a este trabalho e nós prosseguiremos sozinhos".

Concordei de bom grado com ele, e então lhe contei o que tínhamos descoberto em sua ausência, que a casa que Drácula havia comprado era a própria casa ao lado da minha. Ele ficou espantadíssimo, e uma grande preocupação pareceu tomar conta dele.

"Oh, se apenas tivéssemos sabido disso antes!" ele disse, *"Pois então nós poderíamos tê-lo localizado a tempo de salvar a pobre Lucy. No entanto, 'não adianta chorar o leite derramado', como vocês dizem. Não pensaremos mais nisso, mas vamos seguir nosso caminho até o fim."* Então ele caiu num silêncio que perdurou até que entrássemos em meu próprio portão. Antes de nos prepararmos para o jantar, ele disse a sra. Harker, *"Eu soube, senhora Mina, por meu amigo John, que a senhora e seu marido colocaram na ordem exata todas as coisas que aconteceram até este momento".*

"Não até este momento, Professor", ela disse impulsivamente, *"mas até esta manhã".*

"Mas por que não até agora? Nós temos visto até aqui o quanto as pequenas coisas lançaram luz sobre o caso. Contamos nossos segredos, e ninguém que contou ainda sofreu por isso".

A sra. Harker começou a ruborizar, e pegando um papel do bolso, disse, *"Dr. Van Helsing, queria que lesse isso e me dissesse se devo incluir. É o meu registro de hoje. Eu também vi a necessidade de colocar tudo, no momento, mesmo que seja trivial, mas existe pouca coisa neste registro que não seja exclusivamente pessoal. Deve ser incluído?"*

O Professor leu o documento com expressão grave, e devolveu-o, dizendo, *"Não precisa incluir, se não é o seu desejo, mas lhe rogo que o faça. Só pode fazer com que seu marido a ame ainda mais, e todos nós, seus amigos, passemos a honrá-la ainda mais, além de estimá-la e admirá-la".* Ela o pegou de volta com novo rubor e um sorriso luminoso.

E assim, até o momento, todos os registros que temos estão completos e em ordem. O Professor pegou uma cópia para ler depois do jantar e antes da nossa reunião, que está marcada para as nove horas. Os demais já leram tudo, assim, quando nos encontramos no escritório, todos estaremos informados quanto aos fatos, e poderemos traçar nosso plano de batalha contra esse inimigo terrível e misterioso.

DIÁRIO DE MINA HARKER

30 de setembro: Ao nos encontrarmos no escritório do dr. Seward duas horas após o jantar, que tinha sido às seis, inconscientemente formamos uma espécie de diretoria ou comitê. O Professor Van Helsing ocupou a cabeceira da mesa, lugar que o dr. Seward lhe indicou quando ele entrou na peça. Ele me fez sentar próximo a ele, à sua direita, e me pediu que agisse como secretária. Jonathan sentou-se ao meu lado. À nossa frente estavam Lorde Godalming, o dr. Seward e o sr. Morris – Lorde Godalming próximo ao Professor, e o dr. Seward no centro.

O Professor disse, *"Creio que posso supor que estamos todos informados sobre os fatos relatados nestes documentos".* Todos concordamos, e ele prosseguiu, *"Então, acho que seria bom que eu lhes contasse algo sobre o tipo de inimigo com que vamos lidar. Eu darei a conhecer a vocês algo da história deste homem, que foi averiguado por mim. Assim, poderemos discutir como vamos agir, e então tomarmos as medidas necessárias de acordo com isso.*

"Existem seres a que chamamos vampiros, alguns de nós já tiveram provas da sua existência. Mesmo que não tivéssemos as provas da nossa própria e infeliz experiência, os ensinamentos e os registros do passado fornecem provas suficientes para as pessoas mentalmente sãs. Admito que, no princípio, eu mesmo estava cético. Se durante longos anos não tivesse me condicionado a manter minha mente sempre aberta, não poderia ter acreditado, até o momento em que esse fato estourou como um trovão em meus ouvidos. 'Veja! Veja! Eu provo, eu provo.' Ai de mim! Se ao menos soubesse desde o princípio o que sei agora, não, se ao menos adivinhasse, uma vida tão preciosa teria sido poupada para aqueles tantos entre nós que a amavam. Mas isso acabou. Precisamos agora trabalhar duro, para que outras pobres almas não venham a perecer, se pudermos salvá-las. O nosferatu não é como a abelha, que morre depois de picar uma única vez. Ele é mais forte, e sendo mais forte, tem ainda mais poder de fazer o mal. Esse vampiro que está entre nós é por si só tão forte quanto vinte homens, e de uma astúcia maior que a dos mortais, pois sua astúcia aumentou com o passar dos séculos. Além disso, ele tem a ajuda da necromancia, que é, como a etimologia da palavra sugere, a adivinhação praticada pelos mortos, e todos os mortos de quem ele se aproxima acabam se submetendo ao seu comando. Ele é brutal, e mais do que brutal, é um demônio insensível, que não possui coração; ele pode, dentro do seu alcance, dirigir os elementos, a tempestade, a névoa, o trovão; pode comandar todas as coisas inferiores, o rato, a coruja, o morcego, a traça, a raposa, o lobo; pode crescer ou tornar-se minúsculo; e às vezes pode desaparecer e ficar incógnito. Como então começaremos nossa batalha para destruí-lo? Como o encontraremos, e onde? E depois de tê-lo encontrado,

como podemos destruí-lo? Meus amigos, a tarefa é imensa, é uma tarefa terrível que empreendemos, e pode haver consequências que fariam um bravo tremer. Pois se falharmos em nossa luta, ele certamente vencerá, e nós, onde terminaremos então? A vida não é nada, não ligo para ela. Mas falhar nessa tarefa, não é uma simples questão de vida ou morte. Trata-se de ficarmos iguais a ele, de nos tornarmos, daqui por diante, essas coisas imundas da noite como ele, sem coração ou consciência, atacando os corpos e as almas daqueles a quem mais amamos. Para nós os portões do céu se fecharão para sempre, pois quem os abriria novamente para criaturas assim? Seguiremos odiados por todos até o fim dos tempos, uma mancha no mundo banhado pelo sol que vem de Deus, uma seta cravado no peito Daquele que morreu pelos homens. Mas estamos frente a frente com o dever, e nesse caso, devemos recuar? Da minha parte, digo que não, mas eu sou velho, e a vida, com o seu sol brilhante, seus lindos recantos, sua música, seu amor, e o canto dos pássaros, já ficou para trás. Mas vocês são jovens. Alguns já conheceram a tristeza, mas dias melhores ainda virão. O que me dizem?"

Enquanto ele falava, Jonathan pegou minha mão. Eu temia, oh, temia tanto que a natureza apavorante do perigo que enfrentávamos estivesse abalando os nervos dele, quando percebi que ele estendeu a mão. Para mim foi como um sopro de vida sentir seu toque, tão forte, tão autoconfiante, tão resoluto. A mão de um homem corajoso pode falar por si mesma, nem é preciso o amor de uma mulher para ouvir sua música.

Quando o Professor terminou de falar, meu marido olhou em meus olhos, e eu nos dele. Entre nós não havia necessidade de palavras.

"Eu respondo por Mina e por mim", ele disse.

"Conte comigo, Professor", disse o sr. Quincey Morris, lacônico como sempre.

"Eu estou com o senhor", disse Lorde Godalming, "por causa de Lucy, se não por outra razão".

O dr. Seward simplesmente acenou com a cabeça.

O Professor levantou-se e, depois de pôr seu crucifixo de ouro sobre a mesa, estendeu as duas mãos para nós. Eu tomei sua mão direita, e Lorde Godalming a esquerda, e Jonathan pegou minha mão direita com a esquerda e estendeu a outra para o sr. Morris. E assim, depois que todos nos apertamos as mãos, nosso pacto solene estava feito. Senti meu coração ficar frio como gelo, mas nem mesmo me ocorreu recuar. Voltamos aos nossos lugares, e o dr. Van Helsing prosseguiu com uma espécie de animação, que mostrava que o trabalho sério havia começado. Seria tratado com toda seriedade, da mesma forma que se trata um negócio, como qualquer outra transação que envolva a vida.

"Bem, já sabem a quem teremos que enfrentar, mas nós também não estamos totalmente sem forças. Temos do nosso lado o poder da combinação, um poder que a espécie dos vampiros não possui, temos os recursos da ciência, somos livres para agir e pensar, e as horas do dia e da noite são iguais para nós. Na verdade, tão longe quanto alcançam os nossos poderes, eles não serão tolhidos, e somos livres para usá-los como desejarmos. Temos devoção própria a uma causa e a um objetivo, e não por motivos egoístas. Isso, por si só, já é muito.

"Agora, vamos ver o quanto os poderes gerais arregimentados contra nós são restritos, e como a individualidade sozinha é impotente. Em suma, vamos considerar as limitações dos vampiros em geral, e deste em particular.

"Tudo de que vamos tratar se refere a tradições e superstições. Essa coisas, a princípio, não parecem muito, quando se trata de uma questão de vida ou morte, ou ainda mais do que vida ou morte. Mesmo assim, devemos ficar satisfeitos. Em primeiro lugar porque precisamos, pois nenhum outro meio está ao nosso dispor. Em segundo lugar, porque por trás dessas coisas, tradição e superstição, encontra-se todo o resto. A crença nos vampiros para os outros não se baseia justamente nisso, embora – infelizmente! – para nós não seja assim? Um ano atrás, qual de nós teria aceitado tal possibilidade, neste século XIX tão trivial, dominado pela ciência e o ceticismo? Nós até mesmo descartaríamos uma convicção que fosse justificada aos nossos próprios olhos. Considerem, então, que tanto o vampiro quanto a crença em suas limitações e sua cura, até hoje repousam sobre as mesmas bases. Pois permitam que eu lhes diga que ele é conhecido em todos os lugares em que os homens já estiveram. Foi assim na Grécia Antiga e na Roma Antiga; floresceu por toda parte na Alemanha, na França, na Índia, até mesmo na Crimeia e na China; tão distante de nós, lá está ele, ainda sendo temido pelos povos até os nossos dias. Ele acompanhou o despertar do guerreiro nórdico da Islândia, do diabólico huno, do eslavo, do saxônio, do magiar.

"Até agora, portanto, temos algum conhecimento sobre aquilo contra o que vamos agir, e me permitam dizer-lhes que muitas dessas crenças são justificadas por aquilo que nós mesmos vimos em nossa experiência tão infeliz. O vampiro vive para sempre, e não pode morrer pela simples passagem do tempo. Pode reviver quando consegue nutrir-se com o sangue dos vivos. E mais ainda, nós mesmos vimos que eles podem até rejuvenescer, que a sua força vital é resistente, e parece que ficam revigorados quando esta refeição especial for abundante.

"Mas ele não pode revigorar-se sem essa dieta, pois não se alimenta como os outros. Até mesmo o amigo Jonathan, que viveu com ele durante semanas, nunca o viu comer, nunca! Ele não projeta nenhuma sombra, não tem reflexo no espelho, como Jonathan também observou. Ele tem a força de muitos homens, e invoco novamente o testemunho de Jonathan, que o viu fechar a porta diante dos lobos, e também quando o ajudou a descer da diligência. Ele pode se transformar num lobo, como podemos deduzir da sua chegada de navio a Whitby, quando estraçalhou um cão. Pode ser um morcego, como quando a senhora Mina o viu na janela em Whitby, ou como o amigo John o viu voar tão perto de casa, ou como meu amigo Quincey o viu na janela da srta. Lucy.

"Ele pode vir envolto numa névoa que ele mesmo cria, aquele nobre capitão do navio passou por isso, mas, pelo que sabemos, a distância desta névoa é limitada, e só pode ser criada em torno dele.

"Sob os raios de luar, pode vir na forma de um pó fino, elementar, como Jonathan outra vez viu essas três irmãs no castelo de Drácula. Ele fica minúsculo, nós mesmos vimos a srta. Lucy, antes que alcançasse a paz, deslizar por um espaço estreito como um fio de cabelo, na porta do jazigo. Ele pode, uma vez que encontra o seu alvo, sair ou entrar de qualquer coisa, não importa o quanto esteja trancada, ou lacrada a fogo, ou soldada, como é o costume. Ele pode ver na escuridão, e esse poder não é pequeno, num mundo cuja metade está sempre fora do alcance da luz. Ah, mas me ouçam até o fim.

"Ele pode fazer todas essas coisas, embora não seja livre. Não, ele é até mais prisioneiro do que o escravo nas galés, ou do que o louco em sua cela. Não pode ir onde deseja. Ele, que não é um ser da natureza, mesmo assim tem que obedecer algumas leis da natureza, não sabemos por quê. Ele não pode entrar pela primeira vez em algum lugar a menos que haja alguém da casa que o convide, embora depois possa vir quando quiser. Seu poder acaba, como acontece com todas as coisas malignas, ao raiar do dia.

"Só em determinadas ocasiões ele pode usufruir de uma liberdade limitada. Se ele não estiver no lugar ao qual pertence, só pode se transformar ao meio-dia, ou exatamente ao nascer do sol ou ao pôr do sol. Estas coisas nos foram contadas, e neste nosso registro temos as provas obtidas por inferência. Assim, embora ele possa fazer o que quiser dentro dos seus limites, quando está debaixo da terra, ou no caixão em que dorme, ou no inferno, ou em qualquer lugar profano, como vimos quando ele entrou na sepultura do suicida em Whitby, só poderá se transformar na hora apropriada. Dizem, também, que ele só pode atravessar a correnteza durante a maré baixa ou a maré alta. Portanto, há coisas que o afligem tanto que o deixam de mãos atadas, como o alho que nós já conhecemos, ou as coisas sagradas, como este símbolo cristão, o crucifixo, que está sempre entre nós. Ele não tem poder perante essas coisas, e em sua presença ele se afasta, em silêncio e com respeito. Há outras coisas, também, que eu lhes direi, pois em nossa busca podemos precisar delas.

"Um ramo de rosa selvagem em seu caixão o impede de sair dali. Uma bala sagrada disparada no caixão mata-o, de forma que ele passa a ser um verdadeiro morto. Quanto a estaca transpassada, já sabemos da paz que ela concede, ou da cabeça cortada que propicia o repouso. Vimos isso com nossos próprios olhos.

"Assim, quando encontrarmos o lugar onde habita este suposto-homem, podemos confiná-lo em seu caixão e destruí-lo, se utilizarmos o que sabemos. Mas ele é inteligente. Eu pedi ao meu amigo Arminius, da Universidade de Budapeste, que fizesse uma pesquisa sobre ele, e Arminius me contou o que ele foi, em todas as formas que existem. Ele deve ter sido, de fato, aquele Voivode[32] Drácula que ganhou fama lutando contra os turcos, na batalha que se travou junto ao grande rio que serve de fronteira com a Turquia. Se for assim, então ele não foi um homem comum, pois naquele tempo, e pelos séculos que se seguiram, ganhou fama de ter sido o mais inteligente e o mais astuto, como também o mais valente dos filhos da 'terra além da floresta.' Aquele cérebro poderoso e aquela resolução férrea foram com ele para a sepultura, e agora se levantam contra nós. Os Drácula eram, segundo Arminius, uma estirpe nobre e grandiosa, embora de vez em quando houvesse descendentes que, na opinião dos seus contemporâneos, tinham tratos com o Maligno. Estes aprenderam seus segredos em Scholomance[33], entre as montanhas próximas ao lago Hermanstadt, onde o diabo reivindica o décimo estudante como seu tributo. Nos registros há palavras como stregoica, que quer dizer bruxa, ou ordog e pokol, que significam Satanás e inferno, e num dos manuscritos esse mesmo Drácula é chamado de wampyr, que todos nós sabemos muito bem o que significa. Houve entre eles também grandes homens e boas mulheres, e suas sepulturas tornam sagrado aquele solo onde só esta monstruosidade pode habitar. Mas não é o pior dos terrores que esta coisa maligna tenha raízes profundas em tudo que é bom, pois não pode descansar em solo desprovido de recordações sagradas".

Enquanto ele falava, o sr. Morris olhava constantemente para a janela, e então se levantou com toda calma e deixou a sala. Houve uma pequena pausa, e o Professor prosseguiu.

"E agora, temos que decidir o que fazer. Temos muitos dados, e precisamos organizar nossa campanha. Sabemos, pela investigação de Jonathan, que vieram cinquenta caixões de terra do castelo para Whitby, todos eles entregues em Carfax. Também sabemos que pelo menos alguns desses caixões foram removidos. Parece-me que nosso primeiro passo deveria ser averiguar se todo o resto permanece na casa atrás do muro onde estivemos olhando hoje, ou se mais algum foi removido. No último caso, precisamos traçar..."

Neste momento, fomos interrompidos de forma inesperada. De fora da casa veio o som de um tiro de pistola, e o vidro da janela foi estilhaçado por uma bala que, ao ricochetear na parte superior do caixilho, atingiu a parede nos fundos da sala. Receio que no fundo eu seja uma covarde, pois dei um grito. Todos os homens se levantaram de um salto, Lorde Godalming voou para a janela e levantou a vidraça. Quando fez

---

[32] Comandante militar nos países eslavos (Polônia, Moldávia e Transilvânia e Valáquia na Romênia). NT
[33] Segundo a lenda, Scholomance era uma fabulosa escola de magia negra mantida pelo Diabo, supostamente localizada perto de um lago sem nome nas montanhas ao sul da cidade de Hermanstadt, na região da Transilvânia, na Romênia. NT

isso, ouvimos a voz do sr. Morris lá fora, *"Desculpem! Acho que os assustei. Vou entrar e lhes contar o que aconteceu".*

Um minuto depois ele entrou e disse, *"Foi uma coisa idiota da minha parte, e peço que me desculpe, sra. Harker, sinceramente, receio que tenha lhe dado um susto terrível. Mas o fato é que quando o Professor estava falando, veio um enorme morcego e pousou no peitoril da janela. Tomei um tal horror desses bichos malditos por causa dos eventos recentes que não consigo suportá-los, então saí para dar um tiro, como tenho feito nas últimas noites, sempre que vejo um. Você costumava rir de mim, nessas ocasiões, por causa disso, Art".*

"O senhor o acertou?" perguntou o dr. Van Helsing.

"Não sei, acredito que não, pois ele voou para o bosque". Sem dizer mais nada, tomou seu lugar, e o Professor começou a resumir o que dissera.

"Temos que localizar cada um desses caixões, e quando estivermos prontos, temos que capturar ou matar esse monstro em seu próprio covil, ou devemos, por assim dizer, esterilizar a terra, de forma que ele não possa mais buscar abrigo ali. Assim, no final poderemos encontrá-lo em sua forma humana, nas horas entre o meio-dia e o pôr do sol, e então enfrentá-lo quando ele estiver no ponto máximo da sua fraqueza.

"E no que lhe diz respeito, senhora Mina, esta noite é o fim do caminho, até que tudo esteja bem. A senhora é preciosa demais para nós para correr tal risco. Depois que nos separarmos esta noite, não deve mais fazer perguntas. Vamos contar-lhe tudo na hora certa. Nós somos homens, e podemos aguentar, mas a senhora deve ser a nossa estrela, a nossa esperança, e agiremos com mais liberdade se a senhora não estiver correndo perigo, como nós".

Todos os homens, inclusive Jonathan, pareciam aliviados, mas não me parecia correto que eles enfrentassem o perigo, e, talvez, diminuíssem sua segurança – sendo que a força é a melhor segurança – só por minha causa. Mas já estavam decididos, e embora essa pílula fosse amarga de engolir, eu não podia dizer nada, apenas aceitar seu cavalheiroso cuidado para comigo.

O sr. Morris retomou a discussão, *"Como não há tempo a perder, proponho que demos uma olhada na casa ao lado agora mesmo. No caso dele, tempo é importantíssimo, e uma ação rápida da nossa parte pode salvar outra vítima".*

Admito que meu coração começou a falhar quando se aproximou a hora de agir, mas eu não disse nada. Tinha muito medo de que se eu me tornasse um estorvo ou um obstáculo para o seu trabalho, eles poderiam deixar-me completamente de fora até mesmo das suas deliberações. Eles agora tinham partido para Carfax, munidos dos meios para entrar na casa.

À maneira dos homens, disseram-me que fosse para a cama dormir, como se uma mulher pudesse dormir quando aqueles a quem ama estão em perigo! Eu vou me deitar e fingir que estou dormindo, para que Jonathan não se sinta ainda mais ansioso a meu respeito quando voltar.

DIÁRIO DO DR. SEWARD

1º de outubro, 4 horas da manhã: No momento em que estávamos a ponto de deixar a casa, trouxeram-me uma mensagem urgente de Renfield, perguntando se eu podia vê-lo imediatamente, pois tinha algo de extrema importância para me dizer. Disse à pessoa que trouxera a mensagem que atenderia ao seu pedido pela manhã, pois estava muito ocupado no momento.

O atendente acrescentou, *"Ele parece muito impertinente, senhor. Nunca o vi tão ansioso. Eu não sei, mas acho que se o senhor não o vir logo, ele terá um daqueles seus ataques violentos".* Eu sabia que o homem não teria dito isso sem algum motivo, então eu disse,

"*Está bem, eu irei agora*", e pedi aos outros que esperassem alguns minutos por mim, pois tinha que ver o meu paciente.

"*Leve-me com você, amigo John*", disse o Professor. "*O caso dele que vi no seu diário me interessa muito, e além disso ele teve alguma influência no nosso caso. Eu gostaria muito de vê-lo, em especial quando a sua mente está transtornada*".

"*Eu posso ir também?*" perguntou Lorde Godalming.

"*E eu também?*" disse Quincey Morris. "*Posso ir?*" disse Harker. Concordei com a cabeça e todos nós descemos juntos para o corredor.

Nós o encontramos num estado de considerável excitação, mas muito mais racional na fala e nas atitudes do que eu jamais o tinha visto. Havia uma compreensão incomum da parte dele, diferente de qualquer coisa que eu jamais vira em um lunático, e ele tomou como certo que seus argumentos prevaleceriam sobre os outros das pessoas sãs. Entramos todos os cinco no quarto, mas nenhum dos outros disse qualquer coisa no início. Seu pedido era que eu o liberasse imediatamente do asilo e o mandasse para casa. Apoiou o pedido com argumentos a respeito de sua completa recuperação, e alegou sua própria sanidade atual.

"*Apelo aos seus amigos*", ele disse, "*eles talvez não se importem de proferir um julgamento no meu caso. A propósito, o senhor não nos apresentou*".

Eu estava tão surpreso, que a esquisitice de apresentar um louco num asilo não me ocorreu no momento, e além disso, havia uma certa dignidade nas maneiras do homem, assim como o hábito da igualdade, de modo que fiz imediatamente as apresentações, "*Lorde Godalming, Professor Van Helsing, sr. Quincey Morris, do Texas, sr. Jonathan Harker: sr. Renfield*".

Ele apertou a mão de cada um, dizendo por sua vez, "*Lorde Godalming, eu tive a honra de auxiliar seu pai em Windham. Sinto saber, visto que o senhor agora ostenta o título, que ele não está mais entre nós. Ele era um homem amado e respeitado por todos que o conheceram, e na sua mocidade foi, ouvi dizer, o inventor de um ponche de rum queimado muito utilizado na noite do Derby. Sr. Morris, deve sentir-se orgulhoso do grande estado do Texas. Sua aceitação pela União foi um precedente que pode ter efeitos de longo alcance daqui por diante, quando o Polo e os Trópicos fizerem uma aliança com o pavilhão das Estrelas e Faixas*[34]. *O poder do Tratado ainda pode provar-se uma vasta máquina de expansão, quando a doutrina Monroe tomar seu verdadeiro lugar como fábula política. Como um homem poderia expressar o seu prazer de conhecer Van Helsing? Senhor, não peço desculpas por descartar todas as formas de títulos convencionais. Quando um indivíduo revolucionou a terapêutica pela sua descoberta da evolução contínua da matéria mental, as formas convencionais são inadequadas, visto que poderiam parecer limitá-lo ao único da sua classe. Os senhores, cavalheiros, que por nacionalidade, por hereditariedade, ou pela posse de dons naturais, estão preparados para manter seus respectivos lugares neste mundo em movimento, eu tomo por testemunhas de que sou tão são mentalmente quanto pelo menos a maioria dos homens que estão em pleno gozo da sua liberdade. E estou certo de que o senhor, dr. Seward, humanitário e médico-jurista assim como cientista, julgará seu dever moral tratar comigo como alguém a ser considerado sob circunstâncias excepcionais*". Ele fez este último apelo com um ar elegante de convicção que não era destituído de atrativos.

Creio que estávamos todos chocados. Da minha parte, eu estava convencido, apesar do meu conhecimento do caráter e do histórico do homem, de que a sua razão fora restabelecida, e senti um forte impulso de dizer-lhe que estava satisfeito a respeito da sua sanidade, e que cuidaria das formalidades necessárias para sua liberação pela

---

[34] Nome pelo qual também é conhecida a bandeira americana. NT

manhã. Achei melhor esperar, porém, antes de fazer um pronunciamento tão sério, pois há muito tempo conhecia as mudanças súbitas a que este paciente em particular era suscetível. Assim, contentei-me em fazer uma declaração geral de que ele parecia estar melhorando rapidamente, e que eu teria uma longa conversa com ele pela manhã, e iria ver o que poderia ser feito para atender aos seus desejos.

Isso não o satisfez, pois ele disse depressa, *"Mas eu temo, dr. Seward, que o senhor não tenha entendido bem o que pretendo. Desejo partir imediatamente, já, agora, neste momento, neste instante, se puder. O tempo urge, e em nosso acordo tácito com o velho homem da foice, está na essência do contrato. Estou certo de que basta pôr diante de um médico tão admirável como o dr. Seward, um desejo tão simples, embora tão importante, para assegurar seu cumprimento".*

Ele me olhou intensamente, e vendo a negativa no meu rosto, virou-se para os outros e examinou-os com atenção. Não encontrando resposta suficiente, prosseguiu, *"É possível que eu tenha errado em minha suposição?"*

"Exatamente", eu disse com franqueza, mas ao mesmo tempo com certa grosseria.

Houve uma longa pausa, e então ele disse lentamente, *"Então suponho que só me resta mudar o fundamento do meu pedido. Permita que lhe peça esta concessão, ou benefício, ou privilégio, o que desejar. Fico satisfeito de pleitear num caso como este, não por razões pessoais, mas pelo bem de outros. Não tenho liberdade para lhe dar todas as minhas razões, mas pode estar certo, isso eu lhe asseguro, de que são razões poderosas, legítimas e desinteressadas, nascidas do mais alto sentido de dever. Se pudesse, senhor, ver no fundo do meu coração, aprovaria totalmente os sentimentos que me movem. Mais ainda, me incluiria entre os seus melhores e mais verdadeiros amigos".*

Outra vez ele nos olhou com atenção. Eu estava ficando convencido de que esta súbita mudança de todo o seu método intelectual não era senão outra fase da sua loucura, e assim decidi deixá-lo avançar um pouco mais, sabendo por experiência que ele, como todo lunático, acabaria desistindo no final. Van Helsing o encarava com um olhar intenso e profundo, a ponto de suas sobrancelhas espessas quase se juntarem no meio da testa, encimando aquele olhar fixo. Ele disse a Renfield, num tom que não me surpreendeu na ocasião, mas só quando pensei nisso depois, pois era o tom de alguém se dirigindo a um igual, *"O senhor não pode dizer francamente sua verdadeira razão para desejar ser liberado esta noite? Considero que, se o senhor satisfizer até mesmo a mim, um estranho, sem preconceitos, e com o hábito de manter a mente aberta, o dr. Seward lhe concederá, por sua própria conta e risco, o privilégio que pleiteia".*

Ele sacudiu a cabeça tristemente, com um olhar de profundo pesar no rosto. O Professor continuou, *"Vamos, senhor, reflita. O senhor reivindica o privilégio da razão no mais alto grau, visto que busca nos impressionar com sua completa racionalidade. O senhor age assim, ainda que tenhamos razões para duvidar da sua sanidade, pois ainda não foi liberado do tratamento médico para este mesmo mal. Se o senhor não nos ajuda em nosso esforço para escolher o melhor caminho a seguir, como poderemos executar a tarefa que nos propõe? Seja sensato e nos ajude, e se pudermos o ajudaremos a alcançar o seu desejo".*

Ele voltou a sacudir a cabeça, enquanto dizia, *"Dr. Van Helsing, não tenho nada a dizer. Seu argumento é perfeito, e se eu fosse livre para falar não hesitaria por um momento, mas não sou meu próprio mestre neste assunto. Só posso pedir-lhe que confie em mim. Se recusarem o que peço, desobrigo-me de qualquer responsabilidade".*

Achei que era o momento de acabar com aquela cena, que estava se tornando tragicômica. Dirigi-me então para a porta, dizendo apenas, *"Venham, meus amigos, temos trabalho a fazer. Boa-noite."*

No entanto, quando me aproximava da porta, o paciente sofreu uma nova mudança. Veio em direção a mim tão depressa, que por um momento temi que ele estivesse a ponto de praticar outro ataque homicida. Meus temores, porém, eram infundados, pois ele juntou as duas mãos em súplica, e fez seu pedido de modo comovente. Quando viu que seu próprio excesso de emoção estava militando contra ele, ao restabelecer a antiga relação entre nós, ficou ainda mais efusivo. Olhei de relance para Van Helsing, e vi minha convicção refletida em seus olhos, então me tornei um pouco mais rígido em minhas atitudes, se não mais severo, e dei-lhe a entender que seus esforços eram inúteis. Eu já o tinha visto antes naquele estado de crescente excitação, quando tinha que fazer algum pedido que na ocasião ele achava excessivo, como por exemplo quando me pediu um gato, e estava preparado para vê-lo cair agora naquele mesmo estado de triste prostração.

O que eu esperava não aconteceu, pois quando ele percebeu que seu apelo não teria sucesso, entrou em frenesi. Ajoelhou-se e ergueu as mãos, contorcendo-as num rogo melancólico, e verteu uma torrente de súplicas, as lágrimas rolando pelas faces, e todo o rosto e o corpo expressando profunda emoção.

"*Deixe-me suplicar-lhe, dr. Seward, oh, eu lhe imploro que me permita sair imediatamente desta casa. Mande-me embora como quiser e para onde quiser, mande os guardas comigo com chicotes e algemas, deixe que me levem numa camisa de força, algemado e com um peso de ferro preso à perna, mande-me até para a cadeia, mas deixe-me sair daqui. O senhor não sabe o que faz mantendo-me aqui. Falo do fundo do meu coração, da minha própria alma. O senhor não sabe a quem está ofendendo, nem como, e eu não posso contar. A angústia é toda minha, mas não posso contar! Por tudo que lhe é mais sagrado, por tudo que considera caro ao seu coração, pelo seu amor perdido, pela sua esperança que ainda vive, por amor ao Todo-poderoso, tire-me daqui e livre minha alma da culpa! Pode me ouvir, homem? Pode me entender? Será que nunca vai aprender? Não sabe que estou agora mentalmente são e que falo sério? Que não sou um lunático num ataque de loucura, mas um homem são que luta por sua alma? Oh, ouça-me! Ouça-me! Deixe-me ir, deixe-me ir, deixe-me ir!*"

Pensei que quanto mais essa situação se arrastasse, mais furioso ele ficaria, e acabaria tendo um ataque. Assim, peguei-o pela mão e levantei-o.

"Venha", eu disse severamente, "*chega disso, já tivemos o bastante. Vá para sua cama e tente se comportar de modo mais sensato*".

Ele parou de repente e me olhou fixamente durante algum tempo. Então, sem uma palavra, levantou-se e andou pelo quarto, sentando-se ao lado da cama. O colapso veio, como das outras vezes, exatamente como eu esperava.

Quando eu estava deixando o quarto, depois que os outros já haviam saído, ele me disse num tom de voz calmo e bem-educado, "*Confio, dr. Seward, que no futuro o senhor me fará a justiça de se lembrar que eu fiz o que pude para convencê-lo esta noite*".

CAPÍTULO 19

DIÁRIO DE JONATHAN HARKER

1º de outubro, 5 horas da manhã: Saí com o grupo para fazer a busca com a mente tranquila, pois acho que nunca vi Mina tão forte e tão bem. Estou muito contente que ela tenha concordado em manter-se afastada, deixando que nós, os homens, façamos o trabalho. Senti um pouco de medo por ela estar envolvida neste negócio, afinal, mas agora que seu trabalho está terminado – e que foi devido à sua energia, ao seu cérebro e à sua perspicácia que toda a história foi reunida de modo a que cada ponto fizesse sentido – ela pode sentir que sua parte está feita, e que daqui por diante poderá deixar a nossa companhia. Nós todos ficamos, eu acho, um pouco aborrecidos com aquela cena com o sr. Renfield. Quando saímos do seu quarto, ficamos calados até voltar ao escritório.

Então o sr. Morris disse ao dr. Seward, *"Ora, Jack, se aquele homem não estava tentando um blefe, ele é o lunático mais são que eu já vi. Não estou certo, mas acho que ele tinha algum propósito muito sério, e se tinha, foi um grande golpe para ele não ter tido uma chance".*

Lorde Godalming e eu ficamos calados, mas o dr. Van Helsing acrescentou, *"Amigo John, você conhece os loucos mais do que eu, e fico contente com isso, pois temo que se coubesse a mim decidir, eu o teria liberado antes daquela sua última explosão histérica. Mas, nós vivemos e aprendemos, e em nossa tarefa atual não devemos correr riscos, como meu amigo Quincey diria. Tudo está melhor assim".*

O dr. Seward pareceu responder a ambos, ao dizer de modo pensativo, *"Eu não sei, mas acho que concordo com vocês. Se aquele homem fosse um lunático comum, creio que teria me arriscado a confiar nele, mas ele me parece tão envolvido com o Conde, de um modo bastante evidente, que tenho medo de fazer alguma coisa errada ajudando-o em suas manias. Não posso esquecer de como ele suplicou com fervor quase tão intenso por um gato, e então tentou dilacerar minha garganta com os dentes. Além disso, ele chama o Conde de 'mestre e senhor', e pode querer sair para ajudá-lo em algum plano diabólico. Aquela coisa horrenda tem os lobos, e os ratos, e a sua própria espécie para ajudá-lo, então suponho que não tentará usar um respeitável lunático. Embora ele parecesse estar falando sério. Só espero que tenhamos feito o que é melhor. Essas coisas, junto com a árdua tarefa que temos diante de nós, contribuem muito para exasperar os nervos de um homem".*

O Professor avançou, e pondo a mão em seu ombro, disse no seu modo grave e bondoso, *"Amigo John, não tenha medo. Estamos tentando cumprir o nosso dever neste caso tão triste e terrível, e só podemos fazer aquilo que julgamos melhor. O que mais podemos esperar, além da misericórdia do bom Deus?"*

Lorde Godalming tinha saído por alguns minutos, e naquele momento voltou. Segurava um pequeno apito de prata, e fez uma observação, *"Aquela velharia deve estar infestada de ratos, e nesse caso, tenho um antídoto de prontidão".*

Depois de pular o muro, pegamos o caminho da casa, tomando o cuidado de ficar sob a sombra das árvores no gramado, sempre que o luar brilhava através das nuvens. Quando chegamos ao pórtico, o Professor abriu sua maleta e tirou uma série de coisas, que estendeu nos degraus, ordenando-as em quatro grupos pequenos, evidentemente destinados a cada um de nós. Então disse:

"Meus amigos, estamos nos encaminhando para um perigo terrível, e precisamos de armas de vários tipos. Nosso inimigo não é apenas um espírito. Lembrem-se de que ele tem a força de vinte homens, e que, embora nossos pescoços ou traqueias sejam do tipo comum, e por isso mesmo passíveis de serem quebradas ou esmagadas, o dele não é vulnerável à força comum de um homem. Um homem mais forte, ou um corpo de homens mais forte que ele em todos os sentidos, poderia eventualmente segurá-lo, mas não poderiam feri-lo como nós podemos ser feridos por ele. Portanto, temos que nos proteger do seu toque. Mantenham isso junto do coração". Enquanto falava, ergueu um pequeno crucifixo de prata e ofereceu-o a mim, pois eu era o que estava mais próximo dele, *"Ponham essas flores em volta do pescoço",* e então deu-me uma grinalda de flores de alho murchas, *"e para outros inimigos mais mundanos, este revólver e esta faca. E para ajudar em tudo, estas lanternas elétricas bem*

pequenas, que podem prender no peito. E por último e acima de tudo, isto, que não devemos profanar em vão".

Tratava-se de uma porção da Hóstia Sagrada, que ele colocou num envelope e me entregou. Cada um dos outros estava equipado do mesmo modo.

"Agora", ele disse, *"onde estão as chaves mestras, amigo John? Caso possamos abrir a porta, não precisamos entrar na casa pela janela, como fizemos antes na casa da srta. Lucy".*

O dr. Seward experimentou uma ou duas chaves mestras, pois sua destreza manual como cirurgião fazia dele o mais habilitado para a tarefa. Naquele momento, ele encontrou uma que se ajustava. Depois de uma volta para trás e para frente a fechadura cedeu, e com um rangido de metal enferrujado, a lingueta destravou. Empurramos a porta, as dobradiças enferrujadas rangeram, e então conseguimos abri-la devagar. Era surpreendentemente igual à imagem que eu vira descrita no diário do dr. Seward sobre a abertura do jazigo da srta. Westenra. Imagino que a mesma ideia tenha ocorrido aos outros, pois todos pareceram recuar ao mesmo tempo. O Professor foi o primeiro a avançar e entrar pela porta aberta.

"In manus tuas, Domine!" disse ele, fazendo o sinal da cruz enquanto cruzava o limiar da porta. Fechamos a porta atrás de nós, para que não chamássemos a atenção de alguém que talvez passasse na estrada, ao acendermos nossas lanternas. O Professor teve o cuidado de experimentar a fechadura, para que fosse possível abri-la por dentro, se tivéssemos que sair às pressas. Então todos acendemos as lanternas e prosseguimos na nossa busca.

A luz das pequenas lâmpadas formava todo tipo de formas estranhas, quando os raios se cruzavam, ou quando a massa dos nossos corpos projetava grandes sombras. Eu não podia, por minha vida, afastar a sensação de que havia alguma outra pessoa entre nós. Suponho que era a lembrança, tão poderosamente invocada pelo ambiente sinistro ao meu redor, daquela experiência terrível na Transilvânia. Acho que o sentimento era comum a todos nós, pois percebi que os outros continuavam olhando por sobre os ombros a cada som e a cada sombra nova que surgia, da mesma maneira que eu próprio sabia estar fazendo.

O lugar inteiro estava coberto por uma grossa camada de pó. O chão, ao que parecia, estava vários centímetros abaixo, exceto onde havia pegadas recentes. Abaixando a lanterna, pude ver que nas pegadas havia marcas de pregos, onde o pó estava arranhado. As paredes pareciam macias e pesadas de poeira, e nos cantos havia massas de teias de aranha, sobre as quais o pó havia se acumulado até que parecessem trapos velhos esfarrapados, pois o peso as derrubara em parte. Numa mesa no vestíbulo havia um grande molho de chaves, com um rótulo amarelado pelo tempo em cada uma. Tinham sido usadas várias vezes, pois na mesa havia várias marcas semelhantes sobre a manta de pó, semelhantes àquela que foi exposta quando o Professor as levantou.

Ele virou-se para mim e disse, *"Você conhece este lugar, Jonathan. Fez mapas da propriedade, e pelo menos a conhece melhor do que nós. Qual é o caminho para a capela?"*

Eu tinha uma ideia da direção, embora na minha visita anterior não tivesse conseguido entrar lá, então segui na frente. Depois de algumas voltas pelo caminho errado, encontrei-me em frente a uma porta de carvalho baixa, em forma de arco, guarnecida por cintas de ferro.

"É este o lugar", disse o Professor, enquanto focalizava sua lanterna num pequeno mapa da casa, copiado do arquivo da minha correspondência original relativa à compra. Tivemos pouca dificuldade para encontrar a chave no molho, e abrimos a

porta. Preparamo-nos para sentir algum desconforto, pois quando estávamos abrindo a porta um ar opressivo, malcheiroso, parecia exalar pelas aberturas, mas nenhum de nós esperava um odor como aquele que encontramos. Nenhum dos outros tinha conhecido o Conde pessoalmente, e eu, quando o vira, ou ele estava na fase de jejum da existência, entocado nos seus aposentos, ou então estava inchado de sangue fresco, num edifício em ruínas, quase ao ar livre. Aqui, porém, o lugar era pequeno e fechado, e o longo desuso deixara o ar estagnado e insalubre. Havia um cheiro terroso, como de algum miasma ressecado pelo tempo, que vinha do ar infecto. Mas quanto ao próprio odor, como posso descrevê-lo? Não apenas era composto por todos os males dos mortais, e pelo cheiro acre e pungente de sangue, mas parecia como se a própria corrupção o tivesse corrompido. Argh! Sinto enjoo só de pensar nisso. Cada respiração exalada por aquele monstro parecia ter aderido ao lugar, e aumentado a sua repugnância.

Em circunstâncias normais, um fedor desse tipo teria levado ao fim o nosso empreendimento, mas esta não era uma situação comum, e o propósito elevado e terrível de que estávamos imbuídos deu-nos uma força que superou as considerações meramente físicas. Depois da contração involuntária diante daquele primeiro sopro de ar nauseabundo, cada um de nós se dedicou ao trabalho como se aquele lugar repugnante fosse um jardim de rosas.

Fizemos um exame minucioso do lugar, e o Professor nos disse, quando começamos, *"A primeira coisa é ver quantos caixões restaram. Depois temos que examinar cada buraco, cada canto, cada fresta, e ver se não conseguimos obter alguma pista sobre o que aconteceu com o resto"*.

Um olhar foi suficiente para nos mostrar quantos caixões restavam, pois os grandes cofres de terra eram muito volumosos, e não havia como se enganar.

Restavam apenas vinte e nove dos cinquenta! Então levei um susto, pois vendo Lorde Godalming de repente voltar-se e olhar pela porta na direção do corredor escuro mais além, eu também olhei, e por um momento meu coração parou. Em algum lugar, olhando através das sombras, pensei ver os traços marcantes do rosto maligno do Conde, o nariz adunco, os olhos vermelhos, os lábios vermelhos, a palidez mortal. Foi só por um momento, pois logo Lorde Godalming disse, *"Pensei ter visto um rosto, mas eram apenas as sombras"* e voltou à sua investigação. Eu virei minha lanterna naquela direção, e entrei no corredor. Não havia qualquer sinal da presença de alguém, e como lá não tinha nenhum canto, nenhuma porta, nenhuma abertura de qualquer tipo, mas só as paredes sólidas do corredor, não poderia haver nenhum esconderijo, mesmo para alguém como ele. Concluí que o medo havia excitado a minha imaginação, e não disse nada.

Alguns minutos depois, vi Morris de repente dar um passo para trás, num canto que estava examinando. Todos seguimos seus movimentos com os olhos, pois sem dúvida o nervosismo estava aumentando entre nós. Vimos uma massa compacta fosforescente, cintilando como pequenas estrelas. Todos recuamos por instinto. O lugar inteiro estava se tornando vivo, pois havia uma enorme quantidade de ratos.

Por um momento ou dois ficamos apavorados, todos exceto Lorde Godalming, que ao que parecia estava preparado para uma emergência dessa ordem. Correndo para a grande porta de carvalho guarnecida com ferro, que o dr. Seward no seu diário havia descrito pelo lado de fora, e a qual eu mesmo havia visto, virou a chave na fechadura, puxou os enormes ferrolhos e abriu-a. Então, tirando o pequeno apito de prata do bolso, emitiu um som baixo e estridente. O som foi respondido do outro lado da casa do dr. Seward pelo ganido dos cães, e dentro de um minuto, três terriers vieram correndo, dando a volta pelo canto da casa. Inconscientemente, todos nós havíamos nos aproximado da porta, e quando nos movemos notei que o pó havia sido muito revirado. Os caixões que foram retirados tinham seguido por esse caminho. Mesmo tendo decorrido apenas um minuto, o número de ratos aumentara consideravelmente. Pareciam agora enxamear por todo o lugar, até que a luz da lanterna, brilhando sobre seus corpos escuros em movimento e seus olhos brilhantes e malignos, fizesse o lugar parecer com um banco de terra coberto de vaga-lumes. Os cachorros avançaram, mas pararam de repente na soleira da porta, rosnando. Então, erguendo os focinhos ao mesmo tempo, começaram a uivar de modo horrivelmente lúgubre. Os ratos estavam se multiplicando aos milhares, e saímos dali.

Lorde Godalming ergueu um dos cães, e levando-o para dentro, colocou-o no chão. No momento em que seus pés tocaram o solo, ele pareceu recobrar a coragem, e saiu em perseguição aos seus inimigos naturais. Os ratos fugiram dele tão rápido, que antes que pudesse tirar a vida de alguns, os outros cães, que a essa altura também tinham sido trazidos do mesmo modo, tiveram pouco o que caçar, antes que a massa inteira de ratazanas tivesse desaparecido.

Com a fuga dos ratos, parecia que uma outra presença maligna tinha desaparecido, pois os cães brincavam e latiam alegremente por ali enquanto se atiravam sobre seus inimigos já prostrados, revirando-os e lançando-os para o alto com sacudidelas maldosas. Todos nós parecíamos ter recobrado o ânimo. Se foi a limpeza daquela atmosfera mortal com a abertura da porta da capela, ou o alívio que experimentamos quando nos vimos ao ar livre, isso não sei dizer. O certo é que nos livramos da sombra do medo como se despíssemos um manto, e o motivo da nossa vinda perdeu algo do seu significado sinistro, embora não tenhamos afrouxado um milímetro em nossa resolução. Fechamos a porta externa, passamos a tranca e chaveamos, e trazendo os cães conosco, começamos nossa busca na casa. Não achamos nada em parte alguma, a não ser pó em proporções extraordinárias, tudo estava intacto, exceto pelos meus próprios passos quando fiz a minha primeira visita à casa. Nem uma vez os cães exibiram qualquer sinal de nervosismo, e mesmo quando voltamos à capela, brincavam em volta como se fossem coelhos caçando num bosque de verão.

A manhã estava surgindo no nascente, quando saímos pela porta da frente. O dr. Van Helsing tinha pego a chave da porta no molho de chaves, e trancou-a da maneira usual, guardando a chave no bolso depois de fechá-la.

"Até aqui," ele disse, "*nossa noite foi um sucesso. Nenhum mal nos aconteceu, como eu temia, e ainda conseguimos descobrir quantos caixões estão faltando. Mais do que tudo, fico contente que o nosso primeiro passo – e talvez o mais difícil e perigoso – foi dado sem que fosse preciso levar conosco a nossa encantadora senhora Mina, e sem necessidade de perturbar seus pensamentos, dormindo ou acordada, com visões, sons e cheiros repletos de horror, os quais ela nunca poderia esquecer. Também aprendemos uma lição, se é possível argumentar um particular: que os seres brutos que se submetem ao domínio do Conde ainda não estão receptivos ao seu poder espiritual. Como exemplo, esses ratos que atenderam ao seu chamado, do mesmo modo que do topo do castelo ele chamou os lobos para sua saída e para atacar aquela pobre mãe chorosa: embora acorram ao seu chamado, correm apavorados dos pequenos cães do meu amigo Arthur. Temos outros assuntos diante de nós, outros perigos, outros medos, além daquele monstro... Ele não usou seu poder sobre o mundo das bestas pela única nem última vez esta noite. Assim, deve ter ido para outro lugar. Ótimo! Isso nos deu a oportunidade de gritar 'xeque', de alguma forma, nessa partida de xadrez em que estão em jogo almas humanas. E agora, vamos para casa. O amanhecer já se aproxima, e temos razão para ficarmos satisfeitos com a nossa primeira noite de trabalho. Pode estar escrito que tenhamos muitas noites e dias cheios de perigo, como esta. Mas devemos prosseguir, e não recuaremos diante de nenhum perigo*".

A casa estava silenciosa quando voltamos, exceto por alguma pobre criatura que gritava num dos alojamentos mais distantes do asilo, e um murmúrio surdo que vinha do quarto ocupado por Renfield. O pobre infeliz decerto estava se torturando, à maneira dos lunáticos, com pensamentos dolorosos inteiramente desnecessários.

Entrei no nosso quarto na ponta dos pés, e encontrei Mina adormecida, respirando tão suavemente que tive que aproximar o ouvido para escutar seu ressonar. Ela parece mais pálida que o normal. Espero que a reunião desta noite não a tenha perturbado. Estou realmente grato que ela esteja fora do nosso trabalho futuro, e até mesmo das nossas deliberações. É uma tensão muito grande para uma mulher suportar. No início eu não achava isso, mas agora pensei melhor, e estou contente que isso tenha sido resolvido. Pode haver coisas que ela se assuste de ouvir, e mesmo assim, esconder-lhe essas coisas poderia ser pior do que dizer-lhe de uma vez caso ela suspeite que há algum encobrimento. Daqui por diante, nosso trabalho será um livro fechado para ela, até que ao final chegue a hora em que possamos dizer-lhe que tudo acabou, e que a terra está livre de um monstro do mundo inferior. Ouso dizer que será difícil manter silêncio, depois de conquistarmos uma confiança como essa que existe entre nós. Mas devo ser resoluto, e amanhã manterei segredo sobre os acontecimentos desta noite, recusando-me a falar de qualquer coisa que aconteceu. Vou descansar no sofá, para não perturbá-la.

1º de outubro, mais tarde: Suponho que seja natural que todos nós tenhamos dormido demais, pois o dia fora cansativo, e à noite não tivemos descanso. Mesmo Mina deve ter sentido esse cansaço, pois embora eu dormisse até que o sol estivesse alto, ainda acordei antes dela, e tive que chamá-la duas ou três vezes antes que ela acordasse. Na verdade, ela dormia tão profundamente que durante alguns segundos sequer me reconheceu, mas olhou-me com uma espécie de terror, como alguém que desperta de um pesadelo. Ela reclamou um pouco de cansaço, então deixei que repousasse até bem mais tarde. Nós agora sabemos que vinte e um caixões foram removidos, e se tiver acontecido de vários terem sido levados ao mesmo tempo, nós talvez possamos localizá-los. Isso, é claro, iria simplificar imensamente o nosso trabalho, e quanto antes descobrirmos, melhor. Hoje irei procurar Thomas Snelling.

DIÁRIO DO DR. SEWARD

1º de outubro: Era quase meio-dia quando fui acordado pela entrada do Professor em meu quarto. Ele estava mais alegre e contente do que o normal, e era evidente que o trabalho da noite passada ajudara a tirar um peso considerável da sua mente.

Depois de recordar a aventura da noite anterior, ele disse de repente, *"Seu paciente me interessa muito. Posso ir com você visitá-lo esta manhã? Ou, se estiver muito ocupado, eu posso ir sozinho, caso permita. É uma experiência nova para mim encontrar um lunático que discuta filosofia, ou racione de modo tão coerente".*

Eu tinha algum trabalho urgente a fazer, de modo que lhe disse que agradeceria se ele quisesse ir sozinho, assim não precisaria deixá-lo esperando. Portanto, chamei um atendente e dei-lhe as ordens necessárias. Antes que o Professor deixasse o quarto, alertei-o contra qualquer falsa impressão que pudesse ter do meu paciente.

"Mas", ele respondeu, *"quero que ele fale sobre si mesmo, e sobre seu delírio a respeito de comer coisas vivas. Ele disse à senhora Mina, como vi no seu diário de ontem, que ele uma vez tivera essa convicção. Por que sorri, amigo John?"*

"Desculpe-me", eu disse, *"mas a resposta está aqui".* Pus a mão no material datilografado. *"Quando nosso lunático são e instruído fez aquela declaração de que costumava*

consumir coisas vivas, na verdade ainda tinha na boca os restos nojentos das moscas e aranhas que ele tinha comido logo antes da sra. Harker entrar no quarto".

Van Helsing sorriu de volta. "*Bom!*" ele disse. "*Sua memória é ótima, amigo John. Eu deveria ter me lembrado. E mesmo assim é este mesmo desvio de pensamento e memória que fazem da doença mental um estudo tão fascinante. Talvez eu posso adquirir mais conhecimento com a loucura deste lunático, do que obteria com os ensinamentos dos mais sábios. Quem sabe?*"

Continuei com meu trabalho, e antes que se passasse muito tempo, já tinha terminado. De fato, pareceu-me que havia se passado pouco tempo quando Van Helsing voltou ao escritório.

"*Estou interrompendo?*" ele perguntou educadamente, ao parar na porta.

"*Não*", eu respondi. "*Entre. Já terminei meu trabalho, e estou livre. Posso ir agora com o senhor, se quiser*".

"*Não é necessário, eu já o vi!*"

"*E então?*"

"*Receio que ele não me aprecie muito. Nossa entrevista foi curta. Quando entrei em seu quarto, encontrei-o sentado num banquinho no meio da peça, com os cotovelos sobre os joelhos, e seu rosto era o retrato do descontentamento sombrio. Dirigi-me a ele tão alegremente quanto pude, e com o maior respeito também. Ele não deu resposta alguma. 'Você não me conhece?' perguntei. Sua resposta não foi nada tranquilizadora: 'Conheço-o muito bem; você é o velho tolo do Van Helsing. Gostaria que fosse junto com suas teorias idiotas sobre o cérebro para qualquer outro lugar. Malditos cabeçudos holandeses!' E não disse nem mais uma palavra, só sentou-se em sua implacável rabugice, tão indiferente a mim como se eu não tivesse jamais estado ali. Isso acabou por enquanto com a minha oportunidade de aprender muito com esse lunático tão inteligente, de modo que irei agora, se me permite, animar-me um pouco trocando algumas palavras com aquela alma tão encantadora, a senhora Mina. Amigo John, não posso expressar o quanto me alegra que ela não tenha mais que sofrer nem ficar preocupada com os nossos problemas terríveis. Embora venhamos a sentir muito a sua falta, é melhor assim*".

"*Concordo com o senhor de todo o coração*", respondi seriamente, pois não queria que ele fraquejasse nessa questão. "*A sra. Harker está melhor fora disso. As coisas já são bastante ruins para nós, homens do mundo, que já estivemos em muitos apertos semelhantes em nosso tempo. Mas não é lugar para uma mulher, e se ela se mantivesse em contato com o caso, com o tempo isso a teria certamente destruído*".

Assim, Van Helsing foi conferenciar com a sra. Harker. E Harker, Quincey e Art estão todos fora, seguindo as pistas sobre o paradeiro dos caixões de terra. Vou terminar a minha ronda com os pacientes, pois devemos nos encontrar à noite.

DIÁRIO DE MINA HARKER

1º de outubro: É estranho para mim ser mantida alheia aos fatos como estou hoje, e depois de gozar da plena confiança de Jonathan durante tantos anos, vê-lo notoriamente evitar certos assuntos, e os mais vitais de todos. Esta manhã levantei tarde, depois das fadigas do dia de ontem, e embora Jonathan também dormisse até tarde, ainda acordou antes de mim. Falou comigo antes de sair, nunca com tanta ternura ou carinho, mas não disse uma palavra sobre o que aconteceu durante a visita à casa do Conde. E mesmo assim ele devia saber o quão terrível era a minha ansiedade. Meu pobre querido! Suponho que deve tê-lo afligido ainda mais do que a mim. Todos eles concordaram que era melhor que eu não participasse mais dessa tarefa terrível, e eu concordei. Mas pensar que ele poderia esconder alguma coisa de mim! E agora estou chorando como uma tola, porque sei que isso se deve ao grande amor que meu marido me dedica, e à extrema preocupação de todos esses outros homens tão corajosos.

Isso me fez bem, afinal. Bem, algum dia Jonathan me contará tudo. E para que ele nunca venha a pensar por um momento que escondo alguma coisa dele, manterei como sempre este diário. Assim, se em algum momento ele duvidar da minha confiança, posso mostrar-lhe que todos os pensamentos mais caros ao meu coração estão colocados aqui, para que seus olhos adorados possam ler. Sinto-me estranhamente triste e desanimada hoje. Suponho que seja uma reação a essa excitação terrível.

Ontem à noite, fui para a cama assim que os homens saíram, só porque me disseram que o fizesse. Não tinha sono, e me sentia consumida por uma ansiedade voraz. Fiquei pensando em tudo que aconteceu desde que Jonathan veio me ver em Londres, e tudo parece uma tragédia horrível, com o destino pressionando implacavelmente para algum fim determinado. Tudo o que fazemos, não importa quão certo seja, parece conduzir-nos a algo deplorável. Se eu não tivesse ido para Whitby, talvez a pobre e querida Lucy ainda estivesse entre nós. Ela não tinha ido visitar o cemitério até que eu chegasse, e se ela não tivesse ido lá comigo durante o dia, não teria ido para lá num episódio de sonambulismo. E se ela não tivesse ido até lá à noite, no seu sonambulismo, aquele monstro não poderia tê-la destruído como fez. Oh, por que fui para Whitby, afinal? Pronto, já estou chorando de novo! Gostaria de saber o que aconteceu comigo hoje. Tenho que esconder isso de Jonathan, pois se ele souber que eu estive chorando duas vezes numa manhã... Eu, que nunca chorei por mim mesma, e a quem ele nunca deu motivo para derramar uma lágrima... Meu pobre querido se afligiria ao extremo. Vou tentar vestir a máscara da coragem, e se eu me sentir chorosa, ele nunca verá. Imagino que esta seja apenas uma das lições que nós, pobres mulheres, temos que aprender.

Não consigo me lembrar exatamente como adormeci ontem à noite. Lembro-me de ter ouvido o latido repentino dos cães, e muitos sons esquisitos, como uma espécie de súplica tumultuada no quarto do sr. Renfield, que fica em algum lugar aqui embaixo do meu. Depois um silêncio mortal caiu sobre todo o lugar, um silêncio tão profundo que me assustou. Levantei-me, então, e olhei pela janela. Tudo estava escuro e silencioso, as sombras negras projetadas pelo luar pareciam carregadas de um mistério silencioso próprio daquela paisagem. Nada parecia se mexer, mas tudo parecia sinistro e predeterminado, como a morte ou o destino. Até uma fina faixa de névoa branca, que rastejava de modo lento e quase imperceptível pela grama em direção à casa, parecia ter sensibilidade e vida próprias. Acho que essas divagações da minha mente devem ter me feito bem, pois quando voltei para a cama senti uma letargia tomando conta de mim. Fiquei deitada um tempo, mas não consegui pegar no sono, então levantei-me e olhei de novo pela janela. A névoa estava se espalhando, e agora já estava bem perto da casa, e pude vê-la pairando contra a parede, como se quisesse penetrar pelas janelas. O pobre Renfield gritava mais alto do que nunca, e embora eu não pudesse distinguir uma palavra do que dizia, pude reconhecer no seu tom de voz algum tipo de súplica fervorosa. Então ouvi um som de luta, e soube que os atendentes estavam tentando controlá-lo. Fiquei tão amedrontada que corri para a cama e puxei as cobertas, cobrindo até a cabeça, e pondo as mãos nos ouvidos. Não sentia sono, ou assim pensei, mas devo ter dormido, pois exceto os sonhos, não me lembro de nada até de manhã, quando Jonathan me acordou. Acho que me custou algum tempo e esforço perceber onde estava, e que era Jonathan que se inclinava sobre mim. Meu sonho era muito estranho, e era um típico exemplo de como os pensamentos que temos quando estamos acordados são fundidos de algum modo, ou continuam na forma de imagens, nos sonhos que os sucedem.

Pensei que tivesse adormecido, esperando Jonathan voltar. Estava muito ansiosa a seu respeito, mas era impotente para agir – meus pés, minhas mãos e meu cérebro estavam pesados, de modo que nada poderia prosseguir da maneira habitual. E assim eu dormi, inquieta e pensativa. Então me ocorreu que o ar estava pesado, úmido e frio. Puxei de novo as cobertas sobre o rosto, e descobri, para minha surpresa, que tudo ao meu redor estava turvo e opaco. A lamparina a gás, que eu deixara acesa para Jonathan, havia se transformado numa minúscula chama, atravessando a névoa que a essa altura se tornara mais espessa, e penetrara no quarto. Ocorreu-me que eu tinha fechado a janela antes ir para a cama. Pensei em me levantar e ir até lá verificar, mas um tipo de letargia, pesada como chumbo, parecia tolher meus movimentos e até a minha vontade. Fiquei deitada e esperei, apenas isso. Fechei os olhos, mas ainda conseguia ver através das pálpebras. (É maravilhosa a quantidade de peças que os sonhos nos pregam, e como a nossa imaginação pode agir de modo conveniente.) A névoa se tornava cada vez mais espessa, e agora eu podia ver como ela entrara no quarto – pois era como uma fumaça, ou como o vapor branco da água fervente – e penetrava, não pela janela, mas pelas frestas da porta. Ficou mais e mais espessa, até que pareceu concentrar-se num tipo de coluna de névoa dentro do quarto, no alto do qual eu podia ver a luz do gás brilhando como um olho vermelho. Meu cérebro começou a girar no momento em que a própria coluna de névoa passou a girar pelo quarto, e no meio de tudo isso me vieram à mente as palavras bíblicas, *"uma coluna de névoa durante o dia, e de fogo durante a noite"*. Seria este, na verdade, um tipo de orientação espiritual que estava vindo a mim durante o sono? Mas a coluna era composta pelos dois guias, o do dia e o da noite, pois o fogo estava no olho vermelho que, quando pensei nisso, adquiriu uma fascinação nova para mim. E, enquanto eu olhava, o fogo se dividiu, e pareceu brilhar através da névoa na forma de dois olhos vermelhos, como Lucy me contou que aconteceu durante sua momentânea divagação mental, quando no alto da escarpa em Whitby a luz do sol poente incidiu sobre os vitrais da igreja de Santa Maria. De repente o horror tomou conta de mim, pois dei-me conta de que fora assim que Jonathan tinha visto aquelas mulheres terríveis, tornando-se reais através da névoa que rodopiava ao luar. Então devo ter desmaiado em meu sonho, pois a escuridão mais negra tomou conta de tudo. O último esforço consciente feito pela minha imaginação mostrou-me um rosto terrivelmente lívido, que se inclinava sobre mim através da névoa.

Devo tomar cuidado com tais sonhos, pois abusar deles pode fazer uma pessoa perder a razão. Eu pediria ao dr. Van Helsing ou ao dr. Seward que prescrevessem algo que me fizesse dormir, mas tenho medo de assustá-los. Um sonho como esse, no presente momento, apenas se somaria aos seus temores a meu respeito. Esta noite farei todo o esforço para dormir de modo natural. Se não conseguir, amanhã à noite lhes pedirei que me deem uma dose de cloral, que não me fará mal por uma vez, e me propiciará uma boa noite de sono. A noite passada me deixou cansada, como se eu nem tivesse chegado a dormir.

2 de outubro, 10 horas da noite: Na noite passada eu dormi, mas não sonhei. Devo ter dormido profundamente, pois não acordei quando Jonathan veio para a cama. O sono, porém, não me restaurou, pois hoje me sinto terrivelmente fraca e desanimada. Passei todo o dia de ontem tentando ler, ou então me deitava para cochilar um pouco. À tarde, o sr. Renfield perguntou se poderia me ver. Pobre homem, foi muito gentil, e quando saí beijou-me a mão, e desejou que Deus me abençoasse. De algum modo, isso me afetou muito. Choro quando penso nele. Essa é uma fraqueza nova, com a qual devo ter cuidado. Jonathan ficaria infeliz, se soubesse que estive chorando. Ele e os outros estiveram fora até a hora do jantar, e todos voltaram muito cansados. Fiz o que pude para animá-los, e creio que o esforço me fez bem, pois esqueci do quanto eu mesma estava cansada. Depois do jantar mandaram-me para cama, e saíram todos juntos para fumar, conforme disseram, mas sei que na verdade queriam contar uns aos outros o que lhes acontecera durante o dia. Pude perceber, pelos modos de Jonathan, que ele tinha algo importante a comunicar. Eu não estava com tanto sono quanto deveria, assim, antes que eles saíssem, pedi ao dr. Seward que me desse algum sonífero, pois não tinha dormido bem na noite anterior. Ele gentilmente preparou uma poção e me entregou, dizendo que não me faria mal, pois a dose era bem fraca... Eu tomei a bebida, e estou esperando pelo sono, que por enquanto se mantém distante. Espero que eu não tenha agido errado, pois quando o sono começa a se apossar de mim, surge um novo medo: que eu possa ter sido tola, privando-me do poder de despertar. Pode ser que eu queira acordar. Mas aí vem o sono. Boa-noite.

CAPÍTULO 20

DIÁRIO DE JONATHAN HARKER

1º de outubro, noite: Encontrei Thomas Snelling em sua casa em Bethnal Green, mas ele infelizmente não estava em condições de se lembrar de nada. O seu consumo de cerveja, provocado pela mera expectativa da minha chegada, provara-se demasiado, e ele começara cedo demais com sua previsível desmoralização. Soube, porém, por sua esposa, que parecia uma pobre e decente criatura, que ele era só o assistente de Smollet, e que este é que era o responsável. Portanto, parti para Walworth, e encontrei o sr. Joseph Smollet em casa, em magas de camisa, tomando chá num pires, numa hora tardia. Ele é um sujeito decente, inteligente, e vê-se que é um tipo de trabalhador bom e confiável, com a cabeça no lugar. Lembrou-se de tudo sobre o incidente dos caixões, e tirando de algum bolso misterioso na parte de trás das calças um maravilhoso caderno de notas, marcado com dobras e contendo registros hieroglíficos feitos com lápis grosso, de ponta rombuda, forneceu-me os destinos dos caixões. Segundo ele, havia seis deles num carregamento que ele levou de Carfax para o número 197 da Chicksand Street, Mile End New Town, e outros seis que ele deixou em Jamaica Lane, Bermondsey. Se o Conde pretendia espalhar seus horríveis refúgios por toda Londres, esses lugares seriam escolhidos como o primeiro local de entrega, de forma que depois ele depois pudesse distribuir melhor a carga. A maneira sistemática como isso fora feito me fez pensar que ele talvez não pretendesse limitar-se aos dois lados da cidade de Londres. Agora havia se estabelecido no extremo leste da margem norte do rio, ao leste da margem sul, e no próprio sul. Certamente nunca pretendera deixar de fora do seu esquema diabólico o norte e o oeste, exceto a própria City e o verdadeiro coração da Londres elegante, no sudoeste e no oeste. Voltei a Smollet e perguntei-lhe se ele sabia dizer se quaisquer outros caixões haviam sido levados de Carfax.

Ele respondeu, *"Bem, patrão, o senhor me tratou de modo muito distinto"*, eu tinha lhe dado meio soberano, *"e vou lhe contar tudo que sei. Ouvi um homem chamado Bloxam dizer, quatro noites atrás, no 'Are an' Ounds', em Pincher's Alley, que ele e um companheiro tinham descarregado uma carga bem pesada e poeirenta numa velha casa em Purfleet. Como não há muitos trabalhos como esse, eu acho que talvez Sam Bloxam possa lhe contar alguma coisa"*.

Perguntei-lhe se podia me dizer onde encontrá-lo. Disse-lhe que se pudesse me conseguir o endereço, essa informação lhe valeria outro meio soberano. Assim, ele engoliu o resto do chá e levantou-se, dizendo que ia começar a procurar naquele mesmo instante.

Na porta, parou e me disse, *"Olhe, patrão, não tem nenhum sentido manter o senhor por aqui. Eu posso achar Sam logo, ou posso não achar, mas de qualquer modo ele não deve estar em condições de lhe contar muita coisa esta noite. Quando Sam começa com a bebedeira, é difícil parar. Se o senhor me deixar um envelope selado, com seu endereço, eu descobrirei onde Sam pode ser encontrado e despacho a informação pelo correio esta noite. Mas é melhor estar aqui de manhã cedo, pois Sam é madrugador, não importa o quanto tenha bebido na noite anterior".*

Achei aquela ideia bastante prática. Assim, dei um centavo para uma das crianças, para que fosse comprar um envelope e uma folha de papel, e disse-lhe que ficasse com o troco. Quando ela voltou, enderecei o envelope e selei, e depois que Smollet voltou a prometeu fielmente postar o endereço quando o encontrasse, tomei o caminho de casa. De qualquer forma, estamos na pista certa. Estou cansado esta noite, e quero dormir. Mina dorme profundamente, e parece um tanto pálida. Pelos seus olhos, parece que esteve chorando. Pobre querida, não tenho dúvida de que a afligi mantendo-a fora desse assunto, e isso pode causar-lhe dupla ansiedade, por mim e pelos outros. Mas é melhor assim. É melhor que ela fique preocupada e aborrecida agora, do que ter um colapso nervoso depois. Os médicos tinham toda razão ao insistir em que ela fosse mantida fora desse negócio terrível. Preciso ser firme, pois é especialmente sobre mim que recai esse fardo de silêncio. Não devo nem sequer mencionar o assunto para ela. Na verdade, talvez nem seja uma tarefa tão dura, afinal de contas, pois ela própria tornou-se reticente a respeito do assunto, e não falou do Conde nem das suas ações desde que nós lhe participamos a nossa decisão.

2 de outubro, noite: Foi um dia longo, desgastante e excitante. Recebi o envelope que eu sobrescritara pelo primeiro correio. Dentro vinha um pedaço de papel sujo, em que estava escrito com um lápis de carpinteiro, numa letra esparramada: *"Sam Bloxam, Korkrans, Poters Cort nº 4, Bartel Street, Walworth. Perguntar pelo representativo".*

Eu ainda estava deitado quando recebi a carta, e me levantei sem acordar Mina. Ela parecia pesada, sonolenta e pálida, e longe de estar bem. Resolvi não acordá-la, mas quando eu voltasse dessa nova investigação, providenciaria sua volta para Exeter. Acho que ela estaria mais feliz em nossa própria casa, com suas tarefas diárias que a interessam, em vez de estar aqui entre nós na ignorância de tudo. Vi o dr. Seward só por um momento, e lhe contei onde ia, prometendo voltar e contar o resto tão logo eu descobrisse alguma coisa. Dirigi-me a Walworth e encontrei, com alguma dificuldade, o lugar chamado Potter's Court. A ortografia do sr. Smollet me enganou, pois eu perguntei por Poter's Court, em vez de Potter's Court. Porém, assim que achei Potter's Court, não tive nenhuma dificuldade para descobrir a pensão Corcoran.

Quando perguntei ao homem que atendeu à porta pelo "representativo", ele sacudiu a cabeça e disse, *"Não conheço. Não existe essa pessoa aqui. Nunca ouvi falar dessa pessoa em toda a droga da minha vida. Acho que não há ninguém desse tipo vivendo aqui, nem em qualquer outro lugar".*

Peguei a carta de Smollet, e quando a li, achei que a lição de ortografia que eu recebera com Potter's Court poderia me ajudar. "E quem é o senhor?" perguntei.

"Sou o representante", ele respondeu.

Vi logo que estava na pista certa. A ortografia tinha me enganado novamente. Uma gorjeta de meia coroa pôs o conhecimento do representante à minha disposição, e eu soube que o sr. Bloxam, que se livrara dos últimos resquícios da cerveja da noite anterior dormindo na pensão Corcoran, saíra para seu trabalho na Poplar às cinco horas daquela manhã. Ele não sabia dizer-me onde ficava trabalho do homem, mas tinha uma vaga ideia de que era algum tipo de "depósito bem novo", e tive que sair com essa magra pista para procurar a Poplar. Já era meio-dia quando consegui uma indicação satisfatória sobre o tal prédio, numa cafeteria onde alguns trabalhadores estavam fazendo um lanche. Um deles sugeriu que em Cross Angel Street estava sendo erguido um "frigorífico" novo, e como isso preenchia a condição de "depósito bem novo" dirigi-me imediatamente para lá. Uma entrevista com um porteiro ranzinza, e um capataz mais ranzinza ainda, ambos aplacados com a moeda corrente do reino, me pôs no rastro de Bloxam. Concordaram em chamá-lo diante da minha sugestão de que estava disposto a pagar ao seu capataz o valor de um dia de trabalho do homem, pelo privilégio de lhe fazer algumas perguntas sobre um assunto sigiloso. Bloxam era um camarada bastante esperto, embora rude na fala e nos modos. Depois de prometer pagar-lhe pela informação e dar-lhe um adiantamento, ele me disse que tinha feito duas viagens entre Carfax e uma casa em Piccadilly, e tinha levado dessa casa para a outra nove grandes caixões, "muito pesados", numa carroça de um cavalo alugada por ele para esse propósito.

Perguntei se podia dizer-me o número da casa em Piccadilly, ao que ele respondeu, *"Bem, patrão, esqueci o número, mas fica só a algumas portas de uma grande igreja branca, ou coisa do tipo, de construção recente. Era um pardieiro velho e poeirento, também, mas nada que se compare à poeira da casa de onde tiramos a droga dos caixões".*

"E como o senhor entrou, se ambas as casas estavam vazias?"

"Havia o velho que me contratou à espera na casa em Purfleet. Ele ajudou-me a erguer os caixões e pôr na carroça. Deus que me perdoe, mas ele é o camarada mais forte que já encontrei, como um velho lenhador, com um bigode branco, e tão magro que a gente pensa que não consegue derrubar nem uma sombra".

Como essa frase me fez estremecer!

"Pois ele levantou os caixões pela ponta, como se fossem caixas de chá, e eu bufando e esbaforindo, tentando carregar a minha parte de qualquer maneira, e olhe que não sou nenhum franguinho".

"Como entrou na casa em Piccadilly?", perguntei.

"Ele estava lá também. Ele deve ter partido logo e chegou lá antes de mim, pois quando toquei a campainha ele mesmo abriu a porta, e me ajudou a levar os caixões para o saguão".

"Todos os nove?" perguntei.

"Sim. Tinha cinco no primeiro carregamento e quatro no segundo. Foi um trabalho muito duro e seco, e nem me lembro bem como consegui chegar em casa".

Eu o interrompi, *"Os caixões foram deixados no saguão?"*

"Sim, era um saguão enorme, e não havia nada mais ali".

Fiz mais uma tentativa para avançar no assunto. *"Não lhe deram nenhuma chave?"*

"Não recebi nem chave nem nada. O velho mesmo abriu a porta e fechou de novo depois que saí. Nem me lembro da última vez, mas isso foi por causa da cerveja".

"E não pode se lembrar do número da casa?"

"Não, senhor. Mas o senhor não vai ter nenhuma dificuldade com isso. É uma casa alta, com a fachada em pedra na forma de um arco, e tem degraus que levam até a porta. Eu conheço bem aqueles degraus, pois tive que levar os caixões para cima junto com três vadios, que chegaram por ali para ganhar uns cobres. O velho lhes deu alguns xelins, e quando viram isso, pediram mais. Mas ele pegou um deles pelo ombro e ameaçou jogá-lo escada abaixo, e então o grupo foi embora praguejando".

Pensei que com essa descrição eu poderia achar a casa, e assim, depois de ter pago ao meu amigo pela informação, parti para Piccadilly. Eu tinha adquirido uma nova e dolorosa experiência. O Conde podia carregar ele mesmo os caixões de terra, isso era evidente. Nesse caso, o tempo era precioso, pois agora que ele tinha conseguido distribuir uma certa quantia, também podia, escolhendo a hora certa, completar a tarefa sem ser notado. Dispensei a carruagem de aluguel em Piccadilly Circus, e caminhei na direção oeste. Um pouco além do clube Junior Constitutional, deparei com a casa descrita, e dei-me por satisfeito por ter encontrado o próximo dos covis arrumados por Drácula. A casa dava a impressão de que não era habitada há muito tempo. As janelas estavam incrustadas de pó, com as venezianas levantadas. Todo o vigamento aparente estava enegrecido pelo tempo, e as grades de ferro já não possuíam quase vestígio algum de pintura. Dava para notar que até recentemente tinha havido uma tabuleta de avisos em frente à sacada. Porém, fora rasgada ao ser arrancada, pois as pilastras que a sustentavam ainda permaneciam ali. Vi que havia algumas tábuas soltas atrás das grades da sacada, com as extremidades mal cortadas e esbranquiçadas. Eu teria dado tudo para ter visto a tabuleta de avisos intacta, já que, talvez, pudesse fornecer alguma pista quanto ao dono da casa. Lembrei-me da minha experiência de procura e de compra da propriedade em Carfax, e sentia apenas que, se pudesse achar o dono anterior, poderia descobrir um meio de ter acesso a casa.

No momento, não havia nada a ser descoberto no lado da casa que dava para Piccadilly, e nada mais a ser feito ali, então dei a volta até a parte de trás, para ver se podia descobrir alguma coisa daquele lado. As estrebarias estavam ativas, pois a maioria das casas de Piccadilly estava ocupada. Perguntei a um ou dois dos cavalariços e ajudantes que vi por ali se podiam dizer-me alguma coisa sobre a casa vazia. Um deles disse que ouvira falar que a casa tinha sido comprada recentemente, mas não soube me dizer por quem. Contou-me, porém, que até bem pouco tempo havia lá em cima uma tabuleta com o aviso "À venda", e que talvez Mitchell, Sons & Candy, os corretores, pudessem me dizer alguma coisa, pois pensava ter visto o nome daquela firma na tabuleta. Não quis parecer muito ansioso, ou deixar meu informante saber ou adivinhar muita coisa, então agradeci da maneira habitual e fui embora. Agora já estava escurecendo, e a noite de outono se aproximava, assim não perdi tempo. Tendo conseguido o endereço de Mitchell, Sons & Candy num catálogo no Hotel Berkeley, logo estava em seu escritório na Sackville Street.

O cavalheiro que me atendeu era particularmente gentil no trato, mas reservado na mesma proporção. Tendo me dito de uma vez que a casa em Piccadilly – que ao longo da nossa entrevista ele chamava de "mansão" – fora vendida, considerou meu assunto concluído. Quando lhe perguntei quem a tinha comprado, ele abriu um pouquinho mais os olhos e fez uma pausa de alguns segundos antes de responder, *"Já foi vendida, senhor"*.

"Peço-lhe que me perdoe, senhor", eu disse, com igual polidez, *"mas tenho uma razão especial para desejar saber quem a comprou"*.

Ele fez uma nova pausa, mais longa, e levantou as sobrancelhas ainda mais. *"Já foi vendida, senhor"*, foi de novo sua lacônica resposta.

"Certamente", eu disse, *"mas o senhor não se importaria de me dar essa pequena informação"*.

"Importar-me-ia, sim", ele respondeu. *"Os negócios dos nossos clientes estão sob inteiro sigilo nas mãos de Mitchell, Sons & Candy"*.

O homem era obviamente um pedante de primeira linha, e era inútil discutir com ele. Achei que seria melhor combatê-lo no seu próprio campo, então disse, *"Seus clientes, senhor, são felizes por contarem com tão resoluto guardião da sua confiança. Eu mesmo sou um homem de negócios"*.

Então lhe estendi o meu cartão. *"Neste caso, não fui movido pela curiosidade, pois estou agindo em nome de Lorde Godalming, que deseja saber algo sobre a propriedade, que segundo entendi, esteve recentemente à venda".*

Essas palavras deram outra conotação aos negócios. Ele disse, *"Gostaria de lhe ser útil, se puder, sr. Harker, e gostaria especialmente de ser útil a sua senhoria. Nós nos encarregamos de um pequeno negócio, alugando alguns aposentos para ele uma vez, quando ele ainda era o Honorável Arthur Holmwood. Se o senhor me deixar o endereço de sua senhoria, posso consultar a empresa a respeito do assunto, e irei, em todo caso, comunicar-me com sua senhoria pelo correio desta noite. Será um prazer se pudermos nos desviar assim das nossas regras apenas para dar a informação desejada por sua senhoria".*

Eu queria conquistar um amigo, não fazer um inimigo, então lhe agradeci, dando-lhe o endereço do dr. Seward, e fui embora. Já era noite, e eu estava cansado e faminto. Tomei uma xícara de chá na Aerated Bread Company, e peguei o primeiro trem para Purfleet.

Todos os outros já estavam em casa quando cheguei. Mina parecia pálida e cansada, mas fez um esforço corajoso para se mostrar animada e alegre. Doía-me o coração pensar que eu tinha que esconder qualquer coisa dela, e assim ser a causa da sua inquietação. Graças a Deus, esta será a última noite que ela assiste às nossas conferências, sentindo a dor de não podermos mostrar-lhe nossa confiança. Precisei de toda minha coragem para manter a sábia decisão de deixá-la de fora dessa árdua tarefa. Ela parece um pouco mais conformada, ou então o próprio assunto parece ter adquirido uma conotação repugnante para ela, pois quando é feita alguma insinuação casual ao assunto, ela estremece. Fico contente que tenhamos resolvido isso a tempo, pois com tal sentimento, nosso conhecimento crescente seria torturante para Mina.

Eu não podia contar aos outros as descobertas do dia até que estivéssemos sozinhos, assim, depois do jantar, após o qual tivemos um pouco de música para salvar as aparências, mesmo entre nós, levei Mina para o quarto e fiz com que se deitasse. A querida menina estava mais afetuosa do que nunca, e agarrou-se a mim como se quisesse manter-me junto a si, mas havia muitas coisas para falar, então saí. Graças a Deus, o fato de não trocarmos confidências não fez diferença para nós.

Ao descer novamente, encontrei todos os outros reunidos junto à lareira do escritório. Durante a viagem de trem eu aproveitara para registrar os fatos do dia em meu diário. Assim, simplesmente li em voz alta para eles, como a melhor forma de atualizá-los com as minhas informações.

Quando terminei, Van Helsing disse, *"Esse foi um ótimo dia de trabalho, amigo Jonathan. Não há dúvida de que estamos no rastro dos caixões perdidos. Se os encontramos todos naquela casa, então nosso trabalho estará próximo do fim. Mas se estiver faltando algum, temos que procurar até acharmos. Então daremos nosso golpe final, caçando o desgraçado até levá-lo a sua verdadeira morte".*

Por algum tempo, ficamos todos em silêncio. De repente, o sr. Morris disse, *"Digam-me! Como vamos fazer para entrar naquela casa?"*

"Nós já entramos na outra", respondeu depressa Lorde Godalming.

"Mas, Art, isso é diferente. Nós entramos na casa em Carfax, mas tivemos o escuro da noite e um parque cercado para nos proteger. Será uma coisa inteiramente diferente arrombar uma casa em Piccadilly, seja de dia ou de noite. Confesso que não vejo como poderíamos entrar, a menos que aquele pato da agência de corretores possa nos arrumar algum tipo de chave".

Lorde Godalming franziu o cenho, depois levantou-se e caminhou pela sala.

Logo ele parou e disse, virando-se de um para o outro, *"Quincey tem a cabeça no lugar. Esse negócio de arrombamento está ficando sério. Nós nos saímos bem uma vez, mas agora temos em mãos um trabalho fora do comum. A menos que possamos achar o próprio molho de chaves do Conde".*

Como nada poderia ser feito antes da manhã seguinte, e como seria aconselhável esperar pelo menos até que Lorde Godalming tivesse notícias da agência Mitchell, decidimos não tomar nenhuma atitude antes do café da manhã. Por um bom tempo ficamos sentados fumando e discutindo o assunto sob seus vários aspectos e propósitos. Aproveitei a oportunidade para atualizar meu diário até o momento. Estou com muito sono, e já vou para cama...

Só mais uma linha. Mina dorme profundamente, e sua respiração é regular. Sua testa está contraída em várias linhas finas, como se ela pensasse até mesmo enquanto dorme. Ainda está muito pálida, mas não parece tão desfigurada quanto estava pela manhã. Espero que amanhã tudo isso tenha passado. Em Exeter, ela voltará a ser ela mesma. Oh, como estou com sono!

DIÁRIO DO DR. SEWARD

1º de outubro: Estou de novo confuso a respeito de Renfield. Seus humores mudam com tanta rapidez, que acho difícil acompanhá-los, e como sempre envolvem algo além do seu próprio bem-estar, formam um estudo dos mais interessantes. Esta manhã, quando fui vê-lo depois que ele hostilizou Van Helsing, seus modos eram os de um homem no comando do seu destino. Na realidade, ele estava mesmo comandando o seu destino, de um modo subjetivo. Ele de fato não se importava mais com as coisas simples aqui da terra. Estava nas nuvens, e olhava para baixo, contemplando com altivez as fraquezas e desejos de todos nós, pobres mortais.

Pensei que podia aproveitar a ocasião para aprender alguma coisa, então perguntei-lhe, *"O que me diz sobre as moscas?"*

Ele sorriu para mim de modo superior, um sorriso que teria ficado bem no rosto de Malvolio[35], quando me respondeu, *"A mosca, meu caro senhor, tem uma característica notável. Suas asas são típicas dos poderes aéreos das faculdades psíquicas. Os povos da Antiguidade fizeram bem quando representaram a alma como uma borboleta!"*

Pensei em levar sua analogia até os extremos da lógica, então disse depressa, *"Oh, então agora anda atrás de uma alma, é isso?"*

Sua loucura anulou a razão, e uma expressão confusa tomou conta do seu rosto quando disse, sacudindo a cabeça com uma decisão que eu raramente vira nele:

"Oh, não, oh não! Não quero nenhuma alma. Tudo o que quero é vida". E então seu rosto se iluminou. *"Sou totalmente indiferente a isso no momento. A vida me basta. Tenho tudo que quero. Terá que conseguir um novo paciente, doutor, se deseja estudar zoofagia!"*

Isso me confundiu um pouco, então insisti em sua ideia. *"Então você comanda a vida. É um deus, então?"*

Ele sorriu com uma superioridade benigna. *"Oh não! Longe de mim arrogar-me os atributos da Divindade. Nem mesmo estou a par das suas ações espirituais especiais. Se posso declarar minha posição intelectual, eu estou, no que se refere às coisas puramente terrenas, mais ou menos na posição espiritual ocupada por Enoque!"*

Esta era uma questão difícil para mim. Eu não podia, naquele momento, lembrar-me da significação de Enoque, então tive que fazer uma pergunta simples,

---
[35] Personagem de "Noite de Reis", peça teatral de William Shakespeare (1564-1616) NT

embora sentisse que ao fazê-lo estava me rebaixando aos olhos do lunático. *"E por que com Enoque?"*

"Porque ele caminhou com Deus".

Não pude entender a analogia, mas não queria admitir isso, então voltei ao argumento que ele havia negado. *"Então você não se importa com a vida, e também não quer almas. Por que não?"* Coloquei a questão depressa, num tom um tanto severo, com a intenção de desconcertá-lo.

O esforço foi bem-sucedido, pois por um momento ele sem sentir recaiu na sua antiga maneira servil. Então inclinou-se diante de mim, e na verdade me bajulou ao responder. *"Não quero alma nenhuma, realmente! Não quero. Não poderia utilizá-las, se as tivesse. Não teriam nenhuma utilidade para mim. Não posso comê-las, ou..."*

Ele parou de repente, e o antigo olhar astuto voltou ao seu rosto, como uma rajada de vento na superfície da água.

"E doutor, quanto à vida, o que é a vida, afinal? Quando tiver conseguido tudo o que quer, e sabe que nunca mais vai querer nada, é o que basta. Eu tenho amigos, bons amigos, como o senhor, dr. Seward". Disse isso com um olhar malicioso, de indizível astúcia. *"Eu sei que nunca me faltarão meios de manter a vida!"*

Acho que na nebulosidade da sua loucura ele viu em mim algum antagonismo, pois recorreu imediatamente ao último refúgio de alguém como ele: um silêncio obstinado. Depois de um tempo vi que, no momento, seria inútil tentar conversar. Ele estava mal-humorado, então saí.

Mais tarde naquele dia, ele mandou chamar-me. Normalmente, eu não teria ido sem uma razão especial, mas no momento estou tão interessado nele que de bom grado farei esse esforço. Além disso, fico contente de ter alguma coisa que ajude a passar o tempo. Harker está fora, seguindo algumas pistas, assim como Lorde Godalming e Quincey. Van Helsing está no meu escritório, concentrado na leitura dos registros preparados pelos Harker. Ele parece pensar que com o conhecimento preciso de todos os detalhes, poderá obter alguma pista. Ele não gosta de ser perturbado em seu trabalho sem uma boa razão. Eu o teria levado comigo para ver o paciente, só achei que depois da última rejeição da parte de Renfield, ele poderia não ter interesse em ir outra vez. Havia também outra razão. Renfield poderia não falar com tanta liberdade diante de uma terceira pessoa como quando ele e eu estávamos sozinhos.

Encontrei-o sentado em seu banquinho, no meio do quarto, uma pose que geralmente indica alguma energia mental da sua parte. Quando entrei, ele disse de uma vez, como se a pergunta estivesse pronta em seus lábios. *"O que me diz sobre as almas?"*

Ficou evidente, então, que minha conjetura estivera correta. O raciocínio inconsciente estava fazendo o seu trabalho, até mesmo com o lunático. Determinei-me a levar o assunto adiante.

"E você, o que me diz sobre elas?" perguntei.

Ele não respondeu de imediato, mas deu uma olhada ao redor, e depois para cima e para baixo, como se em busca de inspiração para a sua resposta.

"Não quero alma nenhuma!" ele disse, de modo fraco, apologético. O assunto parecia estar atacando a sua mente, e assim me determinei a usar isso, *"sendo cruel para ser bondoso."* Disse, *"Você gosta da vida, e quer a vida?"*

"Oh sim! Mas está tudo bem. O senhor não precisa se preocupar com isso!"

"Mas", eu perguntei, *"como pretende obter a vida sem obter também a alma?"*

Isso pareceu confundi-lo, então prossegui, *"Vai achar muito bom quando algum dia sair voando daqui, com as almas de milhares de moscas e aranhas e pássaros e gatos* zumbindo e cantando e gemendo ao seu redor. Você tirou suas vidas, sabe disso, e tem que aguentar as suas almas!"

Algo pareceu perturbar a sua imaginação, pois ele colocou os dedos nos ouvidos e fechou os olhos, contorcendo-se do mesmo modo que faz uma criança quando seu rosto está sendo ensaboado. Era algo tão patético que me comoveu. Também recebi uma lição, pois me parecia que diante de mim estava uma criança, apenas uma criança, embora seus traços estivessem desgastados e as mandíbulas brancas. Era evidente que ele estava sofrendo algum processo de perturbação mental, e sabendo pelas suas atitudes passadas como ele interpretava coisas aparentemente estranhas, pensei em entrar em sua mente tão bem quanto pudesse para acompanhar seu raciocínio.

O primeiro passo era restabelecer sua confiança, então lhe perguntei, falando bem alto, de modo que ele pudesse ouvir-me através das orelhas tapadas, *"Gostaria de um pouco de açúcar para voltar a pegar suas moscas?"*

Ele pareceu acordar de repente, e sacudiu a cabeça. Com um sorriso, respondeu, *"Não muito! Moscas são uns pobres seres, afinal de contas!"* Depois de uma pausa, acrescentou, *"Mas não quero suas almas zumbindo à minha volta, também".*

"Ou aranhas?" prossegui.

"Que se danem as aranhas! Para que servem as aranhas? Não há nada nelas que se possa comer, ou..." Ele parou de repente, como se se lembrasse de um tópico proibido.

"Ora, ora!" pensei comigo, *"Essa é a segunda vez que ele para de repente na palavra 'beber'. O que pode significar isso?"*

O próprio Renfield pareceu se dar conta do lapso que cometera, pois se apressou a dizer, como para distrair minha atenção do assunto, *"Não coleciono mais essas coisas. 'Ratos e camundongos e um cervo tão pequeno', como Shakespeare colocou, 'alimento das galinhas da despensa' poderíamos chamá-los. Deixei de lado todo esse tipo de tolice. É a mesma coisa que pedir a um homem que coma moléculas com um par de pauzinho chineses, tentar interessar-me a menosprezar a carne, quando sei o que está diante de mim".*

"Entendo", eu disse. *"Você quer coisas grandes, de modo que possa cravar seus dentes. Gostaria de um elefante no café da manhã?"*

"Que tolice ridícula é essa que está dizendo?" Ele estava ficando bem desperto, assim pensei em apertar o cerco.

"Pergunto-me", eu disse como se refletisse, *"como seria a alma de um elefante!"*

O efeito desejado por mim foi obtido, pois ele apeou imediatamente do seu cavalo alado e se tornou uma criança outra vez.

"Eu não quero a alma de um elefante, nem alma nenhuma!" ele disse. Sentou-se desesperado por alguns momentos. De repente, deu salto e ficou de pé, com os olhos brilhando e todos os sinais de intensa excitação cerebral. *"Para o inferno o senhor e suas almas!"* ele gritou. *"Por que me atormenta com essa história de almas? Já não tenho aborrecimentos e aflições suficientes, para ainda ter que pensar em almas?"*

Ele parecia tão hostil que achei que iria ter outro ataque de fúria homicida, então toquei o apito.

No momento em que fiz isso, porém, ele se acalmou e desculpou-se, dizendo, *"Perdoe-me, doutor. Eu me exaltei. O senhor não precisa pedir ajuda. É que minha mente está tão angustiada, que me irrito por qualquer coisa. Se o senhor apenas soubesse o problema que tenho que enfrentar, e sobre o qual estou refletindo, teria pena de mim e me perdoaria. Por favor, não me ponha na camisa de força. Preciso pensar, e não posso pensar livremente quando meu corpo está confinado. Tenho certeza que entenderá!"*

Era evidente que ele havia se controlado. Assim, quando os atendentes chegaram, eu lhes disse que estava tudo bem, e eles se retiraram. Renfield observou enquanto saíam. Quando a porta foi fechada, ele disse com muita dignidade e calma, *"Dr. Seward, o senhor tem tido muita consideração para comigo. Acredite-me, sou muito, muito grato ao senhor!"*

Achei melhor deixá-lo nesse estado de espírito, portanto saí. Com certeza há alguns pontos a ponderar a respeito do estado mental deste homem. Vários pontos parecem formar o que o entrevistador americano chama de "uma história", se for possível colocá-los na ordem apropriada. Aqui estão:

Ele não menciona a palavra "beber."

Teme a ideia de ser sobrecarregado com a "alma" de qualquer coisa.

Não tem medo de querer a "vida" no futuro.

Despreza inteiramente as formas inferiores de vida, embora receie ser perseguido pelas suas almas.

É lógico que todas essas coisas apontam na mesma direção! Ele tem alguma espécie de garantia de que ascenderá a uma vida mais elevada.

Ele teme a consequência, o fardo de carregar uma alma. Então é uma vida humana o seu objetivo!

E a garantia...?

Deus misericordioso! O Conde veio até ele, e há algum novo esquema de terror em ação!

Mais tarde: Depois da ronda, procurei Van Helsing e contei-lhe a minha suspeita. Ele ficou muito sério, e depois de refletir sobre o assunto durante algum tempo, pediu-me que o levasse até Renfield. Assim fiz. Quando chegamos na porta, ouvimos o lunático lá dentro cantando alegremente, como ele costumava fazer numa época que agora me parece muito distante.

Quando entramos, ficamos surpresos ao ver que ele tinha espalhado o açúcar, como costumava fazer antes. As moscas, um pouco mais letárgicas por conta do outono, começavam a zumbir pelo quarto. Tentamos fazê-lo falar sobre o assunto da nossa conversa anterior, mas ele não deu atenção. Continuou com sua cantoria, como se não estivéssemos presentes. Tinha conseguido um pedaço de papel, e estava guardando-o no seu caderno. Tivemos que sair na mesma ignorância em que entramos.

Ele é um caso curioso, de fato. Temos que vigiá-lo esta noite.

CARTA DE MITCHELL, SONS & CANDY PARA LORDE GODALMING

1º de outubro

Prezado Lorde,

Como sempre, somos muito gratos de poder vir ao encontro dos seus desejos. Em consideração ao pedido de sua senhoria, expressado pelo sr. Harker em seu nome, fiamos honrados de prestar a informação que segue relativa à venda e à compra da casa de n° 347, em Piccadilly. Os vendedores originais são os testamenteiros do falecido Sr. Archibald Winter-Suffield. O comprador é um nobre estrangeiro, Conde de Ville, que efetuou a compra ele mesmo, pagando o valor devido em espécie, 'na boca do caixa' como se diz, pedindo perdão a sua senhoria pelo uso de uma expressão tão vulgar. Além disso, nada mais sabemos sobre ele.

Somos, prezado Lorde,
Seus mais fieis e humildes servidores,

Mitchell, Sons & Candy

DIÁRIO DO DR. SEWARD

2 de outubro: Coloquei um homem no corredor ontem à noite, e lhe disse que tomasse notas precisas de qualquer som que pudesse vir do quarto de Renfield, ordenando-lhe que, se houvesse qualquer coisa estranha, me chamasse imediatamente. Depois do jantar, quando estávamos junto à lareira no escritório, depois do sr. Harker ter ido dormir, discutimos os esforços e as descobertas do dia. Harker era o único que obtivera algum resultado, e tínhamos grandes esperanças de que a pista dele pudesse ser importante.

Antes de ir para a cama, fui até o quarto do paciente e olhei pela janelinha de observação. Ele estava dormindo profundamente, seu peito subia e descia com a respiração regular.

Esta manhã o homem me informou que pouco depois da meia-noite ele ficou inquieto, e passou a dizer suas orações em voz bastante alta. Perguntei-lhe se fora só isso. Ele respondeu que aquilo foi tudo o que ouviu. Havia algo tão suspeito nos seus modos, que lhe perguntei sem rodeios se havia adormecido. Ele negou ter dormido, mas admitiu que "cochilou" por algum tempo. É uma pena que não se possa confiar nos homens, a menos que sejam vigiados.

Hoje Harker está fora seguindo sua pista, e Art e Quincey estão procurando por cavalos. Godalming acha que será bom termos sempre cavalos de prontidão, para que quando estivermos de posse da informação que buscamos, não se perca mais tempo. Temos que esterilizar toda a carga de terra importada, entre o amanhecer e o pôr do sol. Assim, pegaremos o Conde quando estiver mais fraco, e sem um refúgio onde se esconder. Van Helsing foi ao Museu Britânico procurar algumas autoridades em medicina antiga. Os médicos antigos levavam em consideração coisas que os seus sucessores não aceitam, e o Professor está procurando por antídotos contra bruxas e demônios, que mais tarde podem nos ser úteis.

Às vezes penso que devemos estar todos loucos, e que terminaremos acordando dentro de uma camisa de força.

Mais tarde: Encontramo-nos novamente. Parece que estamos na pista certa, afinal, e nossa tarefa de amanhã pode ser o começo do fim. Gostaria de saber se a calma de Renfield tem alguma coisa a ver com isso. Seus humores seguiram tão de perto as ações do Conde, que a destruição próxima do monstro pode acarretar-lhe alguma mudança sutil. Se ao menos tivéssemos algum indício sobre o que se passou em sua mente entre a minha discussão com ele hoje e o seu retorno à caça de moscas, poderíamos ter uma valiosa pista. Ele agora parece que está quieto há algum tempo... Será que está mesmo? Esse grito selvagem parece ter vindo do seu quarto.

O atendente irrompeu em minha sala e me disse que Renfield parece que sofreu algum tipo de acidente. Ele o ouviu gritar, e quando foi vê-lo encontrou-o deitado com o rosto no chão, todo coberto de sangue. Tenho que ir imediatamente.

CAPÍTULO 21

DIÁRIO DO DR. SEWARD

3 de outubro: Vou registrar com exatidão tudo que aconteceu, tanto quanto posso me lembrar, desde a última vez que fiz um registro. Nenhum detalhe que eu possa lembrar deve ser esquecido. Tenho que proceder com toda calma.

Quando cheguei ao quarto de Renfield encontrei-o estendido no chão, sobre o seu lado esquerdo, no meio de uma poça brilhante de sangue. Quando o movi do lugar, na mesma hora percebi que havia sofrido alguns ferimentos graves. Esses ferimentos não pareciam ter nenhuma correlação com as partes do corpo que são expostas até mesmo na sanidade letárgica. Como a face estava exposta, vi que sofrera contusões horríveis, como se tivesse sido batida contra o chão. Na verdade, fora dos ferimentos do rosto que a poça de sangue se originara.

O atendente que estava ajoelhado ao lado do corpo disse-me, assim que nós o viramos, *"Eu acho, senhor, que ele fraturou a coluna. Veja, seu braço e sua perna direitos, assim como todo o lado do rosto, estão paralisados."* Como uma coisa assim podia ter acontecido, é algo que deixou o atendente aturdido. Ele parecia muito confuso, e franziu o cenho quando disse, *"Não posso entender como essas duas coisas aconteceram. Ele podia ter machucado o rosto assim batendo a própria cabeça contra o chão. Vi uma jovem mulher fazer isso uma vez, no Asilo de Eversfield, antes que alguém tivesse podido segurá-la. E suponho que ele poderia ter quebrado o pescoço caindo da cama, se tivesse uma convulsão muito estranha. Mas pela minha vida, não posso imaginar como as duas coisas aconteceram. Se ele fraturou a coluna, não podia ter batido a cabeça, e se o seu rosto estivesse assim antes que caísse da cama, haveria sinais disso, e não há".*

Eu disse a ele, *"Vá procurar o dr. Van Helsing, e peça-lhe que faça a gentileza de vir até aqui imediatamente. Preciso que ele venha sem perder um segundo".*

O homem saiu correndo, e dentro de alguns minutos o Professor apareceu, de roupão e chinelos. Quando viu Renfield no chão, olhou-o atentamente por um momento, e então virou-se para mim. Acho que ele viu o que eu pensava em meus olhos, pois disse com muita calma, obviamente para os ouvidos do atendente, *"Ah, um acidente muito triste! Ele precisará de muitos cuidados, e de uma vigilância cuidadosa. Eu mesmo ficarei com você, mas antes preciso vestir-me. Se permanecer aqui, voltarei para encontrá-lo em poucos minutos".*

O paciente agora respirava aos estertores, e era fácil ver que tinha sofrido algum ferimento terrível.

Van Helsing voltou com extraordinária rapidez, trazendo consigo um estojo cirúrgico. Ele estivera pensando, evidentemente, e já se decidira, pois quase antes de olhar o paciente, sussurrou-me, *"Despache o atendente. Precisamos estar a sós com ele quando recobrar a consciência, após a operação".*

Eu disse, *"Acho que por enquanto basta, Simmons. Fizemos tudo que era possível no momento. É melhor fazer a sua ronda, e o dr. Van Helsing vai operar agora. Informe-me imediatamente se houver qualquer coisa fora do comum, seja onde for".*

O homem retirou-se, e nós começamos a examinar o paciente minuciosamente. As feridas do rosto eram superficiais. O ferimento mais grave era uma fratura no crânio com afundamento, que afetara a área motora do cérebro.

O Professor pensou por um momento e disse, *"Precisamos reduzir a pressão e deixá-lo de novo em condições estáveis, tanto quanto possível. A rapidez do derrame mostra a gravidade do ferimento. Toda área motora parece afetada. A hemorragia cerebral está aumentando depressa, por isso precisamos fazer uma trepanação imediata, ou poderá ser tarde demais".*

Enquanto ele falava, houve uma suave batida na porta. Fui abrir, e no corredor lá fora estavam Arthur e Quincey, de pijamas e chinelos. O primeiro falou, *"Ouvi o atendente* chamar o dr. Van Helsing, dizendo-lhe que houvera um acidente. Então acordei Quincey, ou antes chamei por ele, pois não estava dormindo. As coisas estão acontecendo muito depressa e de modo muito estranho, para que qualquer um de nós possa dormir profundamente numa hora dessas. Tenho pensado que amanhã à noite as coisas não serão mais como eram. Todos teremos que olhar para trás e para diante, um pouco mais do que temos feito. Podemos entrar?"

Concordei com a cabeça, e segurei a porta aberta até que eles entrassem, então fechei-a de novo. Quando Quincey viu a atitude e o estado do paciente, e notou a horrível poça de sangue no chão, disse suavemente, *"Meu Deus! O que aconteceu a ele? Coitado! Pobre diabo!"*

Eu lhe contei brevemente o que acontecera, e acrescentei que esperávamos que ele recobrasse a consciência depois da operação, por pouco tempo, de qualquer modo. Arthur então foi sentar-se na beira da cama, com Godalming ao seu lado. Todos nós assistimos com paciência.

"Vamos esperar", disse Van Helsing, *"apenas o suficiente para encontrar o melhor lugar para a trepanação, de modo que possamos remover o coágulo de sangue com rapidez e perfeição, pois é evidente que a hemorragia está aumentando"*.

Os minutos que passamos à espera pareciam se escoar com terrível lentidão. Eu sentia um peso no coração, e pela expressão de Van Helsing concluí que ele também sentia um pouco de medo ou apreensão do que estava por vir. Eu temia as palavras que Renfield pudesse dizer. Tinha medo até de pensar. Mas tinha plena certeza do que estava por vir, pois lera sobre homens que tinham ouvido o relógio da morte. A respiração do pobre homem era irregular, entrecortada. A cada momento parecia que ele iria abrir os olhos e falar, mas então se seguia uma longa respiração estertorosa, e ele voltava a ficar imóvel, insensível. Acostumado como eu estava à doença e à morte, mesmo assim essa expectativa crescia cada vez mais dentro de mim. Eu quase podia ouvir as batidas do meu próprio coração, e o sangue em minhas têmporas parecia os golpes de um martelo. O silêncio afinal se tornou agonizante. Olhei para meus companheiros, um depois do outro, e vi nos seus rostos excitados e nas sobrancelhas franzidas que eles estavam suportando a mesma tortura. Havia uma expectativa nervosa sobre todos nós, como se algum sino terrível repicasse poderosamente acima das nossas cabeças quando menos esperávamos.

Afinal, chegou um momento em que era evidente que o estado do paciente estava declinando rapidamente. Ele poderia morrer a qualquer momento. Olhei para o Professor e vi seus olhos fixos nos meus. Sua expressão era severa, quando disse, *"Não há tempo a perder. Suas palavras podem valer muitas vidas. Estive pensando nisso, parado aqui. Pode ser que haja uma alma em jogo! Temos que operar logo acima do ouvido"*.

E sem mais uma palavra, fez a operação. A respiração continuou estertorosa por alguns momentos. Então veio uma inspiração tão prolongada, que parecia estar rasgando seu peito. De repente, seus olhos se abriram, e seu olhar fixo parecia louco e desamparado. Continuou assim por alguns momentos, depois suavizou-se numa expressão de feliz surpresa, e dos seus lábios veio um suspiro de alívio. Ele se moveu convulsivamente, e ao fazer isso, disse, *"Ficarei quieto, doutor. Diga-lhes que levem embora a camisa de força. Tive um sonho terrível, e isso me deixou tão fraco que não posso mover-me. O que há de errado com meu rosto? Parece todo inchado, e dói horrivelmente"*.

Tentou virar a cabeça, mas com esse esforço seus olhos pareceram ficar embaciados de novo. Assim, repus suavemente sua cabeça na posição anterior. Então Van Helsing disse, com toda gravidade, *"Conte-nos o seu sonho, sr. Renfield"*.

Seu rosto brilhou ao ouvir a voz, apesar da mutilação, e ele disse, *"Esse é o dr. Van Helsing. Que bom o senhor estar aqui. Dê-me um pouco de água, meus lábios estão secos, e tentarei contar-lhe. Eu sonhei..."*

Ele parou, como se fosse desmaiar. Chamei baixinho por Quincey, *"O conhaque, está no meu escritório, rápido!"* Ele correu, e logo retornou com um copo, a garrafa de conhaque e uma garrafa de água. Umedecemos os lábios ressequidos, e o paciente depressa reanimou-se.

Porém, parecia que o seu pobre cérebro ferido tinha estado trabalhando enquanto isso, pois quando já estava bastante consciente, olhou-me de modo penetrante, numa agonia confusa que jamais esquecerei, e disse, *"Não devo me enganar. Não foi um sonho, mas a mais dura realidade"*. Então seus olhos vagaram pelo quarto. Quando viu as duas figuras sentadas pacientemente na beirada da cama, prosseguiu, *"Se eu já não tivesse certeza, perguntaria sobre aqueles dois"*.

Por um momento seus olhos se fecharam, não por causa da dor ou do sono, mas de modo voluntário, como se procurasse mobilizar todas as suas faculdades para ajudá-lo a suportar. Quando os abriu, disse de modo apressado, e com mais energia do que tinha exibido até então, *"Rápido, doutor, rápido, eu estou morrendo! Sinto que só tenho alguns minutos, e então devo voltar para a morte, ou coisa pior! Molhe de novo os meus lábios com o conhaque. Há algo que preciso dizer antes que eu morra. Ou antes que o meu pobre cérebro ferido morra, de qualquer modo. Obrigado! Foi depois que o senhor me deixou naquela noite, quando lhe implorei para que me deixasse ir embora. Não pude falar então, pois sentia que a minha língua estava atada. Mas minha mente estava tão sã naquele momento como está agora, exceto naquele aspecto. Fiquei numa agonia de desespero por um longo tempo depois que o senhor me deixou, parece-me que foram horas. Então uma paz súbita desceu sobre mim. Meu cérebro acalmou-se, e percebi onde estava. Ouvi os cachorros latirem atrás da nossa casa, mas não onde Ele estava!"*

Enquanto ele falava, os olhos de Van Helsing sequer piscaram, mas ele estendeu a mão e pegou a minha, apertando-a com força. Não se traiu, porém. Acenou levemente com a cabeça e disse, *"Prossiga"*, em voz baixa.

Renfield prosseguiu. *"Ele veio até a janela envolto em névoa, como eu já o tinha visto muitas vezes antes, mas estava presente de corpo, palpável, não na forma de fantasma, e seus olhos emitiam faíscas, como se estivesse furioso. E ria com aquela sua boca vermelha, os dentes brancos afiados brilhando ao luar. Então virou-se para examinar o cinturão de árvores lá atrás, onde os cachorros estavam latindo. Eu não queria pedir-lhe que entrasse, a princípio, embora soubesse que ele queria, como quis desde o início. Então ele começou a me prometer coisas, não com palavras, mas fazendo-as."*

Ele foi interrompido por uma palavra do Professor, *"Como?"*

"Fazendo-as acontecer. Do mesmo modo que me mandava as moscas, quando o sol brilhava. Moscas grandes, gordas, com aço e safira nas asas. E à noite, traças enormes, com caveiras e ossos cruzados nas costas".

Van Helsing acenou com a cabeça, enquanto sussurrava sem sentir ao meu ouvido, *"A Acherontia Atropos das Esfinges, que vocês chamam de 'Traça da morte'"*.

O paciente continuou, sem se deter, *"Então ele começou a sussurrar. 'Ratos, ratos, ratos! Centenas, milhares, milhões de ratos, e cada um uma vida. E cachorros para devorá-los, e gatos também. Todos vivos! Todos inchados de sangue, com anos e anos de vida, e não meras moscas varejeiras!' Ri dele, pois queria saber até onde iria. Então os cães uivaram lá atrás, além das árvores escuras, em Sua casa. Ele me chamou à janela, então levantei-me e olhei para fora.*

Ele ergueu as mãos, e parecia estar invocando alguma coisa, mas sem usar qualquer palavra. Uma massa escura espalhou-se sobre a grama, avançando, como se fosse uma chama de fogo. E então Ele moveu a névoa à direita e à esquerda, e pude ver que havia milhares de ratos com olhos vermelhos, iguais aos dele, só que menores. Ele levantou a mão e todos eles pararam, e achei que o ouvira dizer, 'Eu lhe darei todas essas vidas, sim, e muitas outras, maiores ainda, por incontáveis eras, se cair de joelhos diante de mim em adoração!' E então uma nuvem rubra, da cor do sangue, pareceu fechar-se diante de mim, e antes que eu soubesse o que estava fazendo, vi-me abrindo a vidraça e dizendo-lhe, 'Entre, meu Mestre e Senhor!' Os ratos tinham todos sumido, mas Ele deslizou para dentro do quarto pela vidraça, embora só houvesse uma fresta de alguns centímetros, do mesmo modo que a Lua entrava com frequência pela menor abertura e pairava diante de mim em toda a sua gloria e esplendor".

Sua voz se tornou fraca, então umedeci de novo seus lábios com o conhaque, e ele continuou. Porém, sua memória parecia ter continuado a trabalhar no intervalo, pois quando prosseguiu sua história já avançara. Eu estava a ponto de pedir-lhe que voltasse ao ponto anterior, mas Van Helsing sussurrou-me, "Deixe que continue. Não o interrompa. Ele não consegue voltar, e talvez nem consiga prosseguir, se perder o fio do raciocínio".

Ele continuou, "Esperei notícias dele o dia todo, mas ele não me mandou nada, nem mesmo uma única varejeira, e quando a lua surgiu eu já estava muito bravo com ele. Quando deslizou pela janela, mesmo estando fechada, sem nem mesmo bater, aborreci-me seriamente. Ele zombou de mim, a face branca olhando através da névoa com os olhos vermelhos brilhando, e prosseguiu como se fosse o dono do lugar inteiro, e eu não fosse ninguém. Ele nem mesmo cheirava igual, ao se aproximar de mim. Não pude impedi-lo. Achei que, de algum modo, a sra. Harker tinha entrado no meu quarto".

Os dois homens sentados na cama levantaram-se e chegaram mais perto, parando atrás dele, de forma que pudessem ouvi-lo melhor, mas sem que ele os visse. Estavam ambos silenciosos, mas o Professor assustou-se e estremeceu. Seu rosto, porém, tornou-se ainda mais severo e amargo. Renfield continuou sua história, sem perceber nada, "Quando a sra. Harker entrou para me ver naquela tarde, já não era a mesma. Parecia um bule de chá depois que o enchem de água". Todos nos mexemos, espantados, mas ninguém disse uma palavra.

Ele continuou, "Não percebi que ela estava ali até ouvir sua voz, e já não parecia a mesma. Não gosto das pessoas pálidas. Gosto de gente com muito sangue, mas o dela parecia ter-se esgotado. Não pensei nisso no momento, mas quando ela foi embora comecei a pensar, e fiquei furioso ao descobrir que Ele estivera sugando a vida dela".

Ao ouvir isso, senti que todos estremeceram, assim como eu. Mas, de algum modo, permanecemos imóveis. "Assim, quando Ele veio esta noite, eu estava esperando por Ele. Vi a névoa penetrando no quarto e agarrei-a com força. Eu ouvira dizer que os loucos têm uma força descomunal. E como eu sabia que era um louco, pelo menos às vezes, resolvi usar meu poder. Sim, e Ele também sabia, pois saiu da névoa para lutar comigo. Agarrei-o com força, e achei que ia vencer, pois não queria que Ele seguisse tirando a vida dela, até que vi os seus olhos. Aqueles olhos queimaram ao olhar para mim, e senti que toda minha força se desvaneceu como água. Ele se desvencilhou, e quando tentei agarrá-lo de novo, levantou-me no ar e me atirou ao chão. Senti só uma nuvem rubra diante de mim, e um barulho igual ao do trovão, enquanto a névoa se dissipava por baixo da porta".

Sua voz estava ficando mais fraca, e a respiração estertorosa. Van Helsing levantou-se instintivamente.

"Agora sabemos do pior", ele disse. "Ele está aqui, e conhecemos o seu propósito. Pode não ser tarde demais. Vamos nos armar, assim como fizemos na outra noite, mas não podemos perder mais tempo. Não há um minuto a perder".

Não havia necessidade de colocar em palavras o nosso medo, nem a nossa convicção. Nós os compartilhávamos. Todos nos apressamos a pegar em nossos quartos as mesmas coisas que tínhamos usado quando entramos na casa do Conde. O Professor já estava com as suas, e quando nos encontramos no corredor ele apontou significativamente para elas, enquanto dizia, *"Essas coisas sempre estão comigo, e sempre estarão, até que este negócio infeliz esteja terminado. Sejam sensatos, meus amigos. Aquele que enfrentamos não é um inimigo comum. Ai de mim! Ah! A nossa querida senhora Mina sofrer dessa maneira!"* Ele parou, pois estava com a voz embargada. Quanto a mim, não sei se era o ódio ou o terror que predominava em meu coração.

Paramos diante da porta dos Harker. Art e Quincey hesitaram, e o último disse, *"Será que devemos perturbá-la?"*

"Sim, devemos", disse Van Helsing, com seriedade. *"Se a porta estiver trancada, vou arrombá-la".*

"Isso não a assustaria demais? Não é coisa comum arrombar o quarto de uma senhora!"

Van Helsing disse solenemente, *"Você tem razão, como sempre. Mas esta é uma questão de vida ou morte. Todos os aposentos são iguais para um médico. E mesmo que não fossem, essa noite seriam todos iguais para mim. Amigo John, quando eu girar a maçaneta, se a porta não se abrir, encoste o seu ombro aqui e empurre; e vocês também, meus amigos. Agora!"*

Ele girou a maçaneta enquanto falava, mas a porta não cedeu. Lançamo-nos contra ela. A porta se abriu com um estrondo, e quase nos estatelamos dentro do quarto. O Professor chegou a cair, de fato, e enquanto ele se erguia com as mãos e joelhos no chão, olhei para além dele. O que eu vi me horrorizou. Senti que meus cabelos se eriçavam na nuca, enquanto meu coração literalmente parava.

O luar era tão brilhante que, mesmo através da grossa cortina amarela, havia claridade suficiente para enxergar todo o quarto. Na cama junto à janela jazia Jonathan Harker, com o rosto congestionado e respirando pesadamente, como se estivesse num estupor. Ajoelhada perto da cama, olhando para fora, estava a figura vestida de branco da sua esposa. Ao lado dela havia um homem de pé, alto, magro, trajado de preto. Seu rosto estava virado para o outro lado, fora da nossa visão, mas no momento em que o vimos todos reconhecemos o Conde, em todos os sentidos, inclusive pela cicatriz na testa. Com a mão esquerda ele segurava as duas mãos da sra. Harker, mantendo os braços dela afastados sob violenta tensão. Com a mão direita agarrava-a pela parte de trás do pescoço, forçando seu rosto para baixo na direção do seu peito. A camisola branca que ela vestia estava coberta de sangue, e um fino filete gotejava no peito nu do homem, que estava à vista pelo rasgo da camisa. A atitude dos dois tinha uma semelhança terrível com a de uma criança que força o nariz de um gatinho em um pires de leite para obrigá-lo a beber. Quando irrompemos no quarto, o Conde virou o rosto, e o olhar diabólico que eu conhecia pelas descrições pareceu saltar do seu rosto. Seus olhos vermelhos ardiam com paixão diabólica. As grandes narinas do nariz branco e adunco se dilataram largamente, vibrando nas extremidades. Seus dentes brancos e afiados, por trás dos lábios carnudos na boca ensopada de sangue, cerraram-se como os de uma besta selvagem. Com um empurrão violento, que lançou sua vítima na cama como se fosse arremessada de uma grande altura, ele virou-se e saltou sobre nós. Mas nesse momento o Professor já tinha se erguido, e segurava diante dele o envelope contendo a Hóstia Sagrada. O Conde estacou de repente, da mesma maneira que a pobre Lucy fizera diante do jazigo, e recuou. Foi recuando cada vez mais, até que nós todos avançamos, erguendo nossos crucifixos. De repente, uma grande nuvem negra que cruzava pelo céu encobriu a luz do luar. E quando a lamparina a gás foi acesa por um fósforo de Quincey, não vimos nada além de um débil vapor. E este, enquanto olhávamos, arrastou-se por debaixo da porta, que, com o recuo depois do impacto que sofrera ao ser aberta, voltara à sua antiga posição. Van Helsing, Art e eu fomos em direção à sra. Harker, que a essa hora já tinha recuperado o fôlego, e dera um grito tão selvagem, tão ensurdecedor, tão desesperado, que com certeza permanecerá em meus ouvidos até o dia da minha morte. Durante alguns segundos ela ficou estendida, numa atitude desamparada, as roupas em desalinho. Seu rosto era horrível, muito pálido, e a palidez era acentuada pelo sangue que cobria seus lábios, faces e queixo. Da sua garganta gotejava um delgado filete de sangue. Tinha os olhos desvairados de terror. Ela então pôs diante do rosto as pobres mãos machucadas, que na sua brancura mostravam a marca vermelha do aperto terrível das garras do Conde, e de trás das mãos veio um pranto baixo e desolado, que fez o grito terrível parecer apenas a expressão passageira de um sofrimento infinito. Van Helsing adiantou-se e puxou a colcha suavemente por cima do seu corpo, enquanto Art, depois de lançar um olhar desesperado para o seu rosto por um momento, saiu do quarto.

Van Helsing sussurrou-me, *"Jonathan está num estupor que só um Vampiro pode produzir. Não podemos fazer nada pela pobre senhora Mina por alguns momentos, até que ela se recupere. Mas preciso acordá-lo!"*

Ele mergulhou a ponta de uma toalha em água fria, e começou a dar pancadinhas com ela no rosto de Jonathan. Enquanto isso, sua esposa continuava com o rosto entre as mãos, soluçando de um modo que cortava o coração. Levantei a cortina e olhei para fora. Havia bastante luar, e pude ver que Quincey Morris corria pelo gramado e escondia-se à sombra de um grande teixo. Fiquei intrigado com o que ele poderia estar fazendo ali. Mas naquele momento ouvi a exclamação rápida de Harker quando recobrou em parte a consciência, e virei-me para a cama. Havia um olhar de assombro selvagem em seu rosto, como seria de se esperar. Ele pareceu confuso por alguns segundos, e então de súbito pareceu recobrar plenamente a consciência, e levantou-se de um salto.

Sua esposa foi despertada pelo movimento rápido, e virou-se para ele com os braços estendidos, como se fosse abraçá-lo. No entanto, voltou a recolhê-los de repente, e juntando os cotovelos, pôs as mãos diante do rosto e começou a tremer, até que a própria cama sob ela estremeceu.

"Em nome de Deus, o que significa isso?" Harker gritou. *"Dr. Seward, dr. Van Helsing, o que é isso? O que aconteceu? O que há de errado? Mina, querida, o que se passa? O que significa todo esse sangue? Meu Deus, meu Deus! Chegamos a este ponto!"* E, ajoelhando-se, apertou as mãos em frenesi. *"Deus misericordioso, ajude-nos! Ajude-a! Oh, por favor, ajude-a!"*

Com um movimento rápido ele saltou da cama, e começou a pôr as roupas, todo homem que havia nele pronto para entrar em ação. *"O que aconteceu? Contem-me tudo!"* ele exclamou, sem fazer uma pausa. *"Dr. Van Helsing, eu sei que o senhor tem grande estima por Mina. Oh, faça algo para salvá-la. Isso não pode ter ido longe demais, ainda. Cuide dela, enquanto vou procurá-lo!"*

Sua esposa, mesmo através do seu terror, do seu pavor e sofrimento, viu a certeza do perigo que ele corria. Esquecendo da sua própria aflição no mesmo instante, agarrou-o e gritou:

"Não! Não, Jonathan! Você não pode me deixar! Já sofri o bastante esta noite, Deus é que sabe, sem ter que sentir ainda o medo de que ele o machuque. Precisa ficar comigo. Fique com estes amigos que cuidarão de você!" Sua expressão tornou-se convulsa enquanto falava. E, vendo que ele cedia, ela o puxou de modo que sentasse na beirada da cama, e se agarrou ferozmente a ele.

Van Helsing e eu tentamos acalmar a ambos. O Professor segurou seu crucifixo de ouro e disse, com maravilhosa tranquilidade, *"Não tenha medo, minha querida. Nós estamos aqui, e desde que esta cruz esteja perto de vocês, nenhum ser maligno se aproximará. Vocês estão seguros por esta noite, e devemos ficar calmos e nos reunir para deliberar".*

Ela estremeceu e ficou em silêncio, enquanto mantinha a cabeça apoiada no peito do marido. Quando levantou-a, o roupão de dormir de Jonathan estava manchado de sangue onde os lábios dela haviam tocado, e onde gotejava a fina ferida aberta em seu pescoço. Quando viu isso, ela recuou com um gemido rouco, e sussurrou, entre soluços sufocados.

"Impura! Impura! Nunca mais devo tocá-lo ou beijá-lo. Oh, por que eu, que agora sou o seu pior inimigo, e a quem ele tem mais motivos para temer".

Ao que ele respondeu resolutamente, *"Que tolice, Mina. É uma vergonha para mim ouvir tais palavras. Eu não ouviria uma coisa dessas sobre você. E muito menos admito ouvir isso vindo de você. Que Deus possa julgar-me pelos meus méritos, e castigar-me com um sofrimento mais amargo do que aquele que sinto nesta hora, se por qualquer ato ou pensamento meu, alguma coisa vier um dia a se interpor entre nós!"*

Ele estendeu os braços e puxou-a de volta para o seu peito. E por algum tempo ela ficou ali, soluçando. Ele olhou para nós por sobre a cabeça inclinada de Mina, com os olhos úmidos e as narinas frementes. Sua boca, porém, estava firme como aço.

Depois de um tempo, os soluços de Mina foram se tornando mais fracos e espaçados. Então ele me disse, com calma estudada, que eu sentia que custara um esforço tremendo aos seus nervos.

"E agora, dr. Seward, conte-me tudo o que aconteceu. O fato principal eu já conheço muito bem. Conte-me como tudo se passou".

Eu lhe contei exatamente o que acontecera, e ele me ouviu com aparente impassibilidade, mas suas narinas se contraíram e seus olhos se inflamaram, quando contei como as mãos cruéis do Conde tinham segurado sua esposa naquela posição horrenda, puxando sua boca para a ferida aberta em seu peito. Achei interessante notar que, mesmo naquele momento em que seu rosto estava convulso e pálido de ira sobre a cabeça curvada da esposa, suas mãos continuavam a acariciar-lhe os cabelos desalinhados com ternura e afeto. No exato momento em que eu terminara, Quincey e Godalming bateram na porta. Entraram obedecendo ao nosso chamado. Van Helsing olhou-me interrogativamente. Entendi que ele pretendia aproveitar a chegada dos dois para desviar, se possível, os pensamentos do infeliz casal em outra direção. E assim, quando concordei com a cabeça, ele lhes perguntou o que tinham feito e se haviam visto alguma coisa. Ao que Lorde Godalming respondeu:

"Eu não o vi em lugar nenhum no corredor, nem em qualquer dos quartos. Olhei no escritório, mas embora ele tenha estado lá, já tinha ido embora. No entanto, ele teve..." E ele parou de repente, olhando para a pobre figura inclinada na cama.

Van Helsing disse gravemente, *"Vá em frente, amigo Arthur. Não queremos esconder mais nada entre nós. Nossa esperança agora está em saber tudo. Fale livremente!"*

Então Art continuou, *"Ele esteve lá, e embora tenha ficado só alguns segundos, transformou o lugar numa bagunça. Todos os manuscritos haviam sido queimados, e as chamas azuis ainda brilhavam entre as cinzas brancas. Os cilindros do seu fonógrafo também foram lançados ao fogo, e a cera ajudou a aumentar as chamas".*

Aqui eu interrompi. *"Graças a Deus que há outra cópia no cofre!"*

Seu rosto se iluminou por um momento, mas voltou a ficar grave enquanto ele prosseguia. *"Corri escada abaixo, então, mas não vi sinal dele. Olhei no quarto de Renfield, mas não havia nenhum vestígio lá, exceto..."* E de novo ele fez uma pausa.

"Continue", disse Harker roucamente. Então Arthur baixou a cabeça e, umedecendo os lábios com a língua, acrescentou, *"Exceto que o pobre sujeito está morto"*.

A sra. Harker levantou a cabeça, e olhando-nos um por um, disse solenemente, *"Foi feita a vontade de Deus!"*

Não pude deixar de sentir que Art estava escondendo alguma coisa. Mas, como achei que fazia isso com algum propósito, não disse nada.

Van Helsing virou-se para Morris e perguntou *"E você, amigo Quincey, tem alguma coisa para contar?"*

"Bem pouco", ele respondeu. *"Pode eventualmente vir a ser muito, mas no momento não sei dizer. Achei que seria bom saber, se possível, para onde o Conde iria quando deixasse a casa. Eu não o vi, mas vi um morcego sair da janela de Renfield e voar para oeste. Eu esperava vê-lo voltar a Carfax, sob alguma forma, mas ele evidentemente buscou outro covil. Ele não voltará esta noite, pois o céu já está clareando no leste, e o amanhecer está próximo. Precisamos prosseguir com o nosso trabalho amanhã!"*

Ele disse as últimas palavras com os dentes cerrados. Por mais ou menos dois minutos houve silêncio, e eu imaginei que podia ouvir o som dos nossos corações batendo.

Então Van Helsing disse, colocando a mão ternamente sobre a cabeça da sra. Harker, *"E agora, senhora Mina, pobre querida, pobre senhora Mina, conte-nos exatamente o que aconteceu. Deus sabe que não desejo causar-lhe dor, mas é necessário que tenhamos conhecimento de tudo. Pois agora, mais do que nunca, todo nosso trabalho tem que ser feito com rapidez e astúcia, e com seriedade mortal. Aproxima-se de nós o dia em que tudo estará terminado, se for para ser assim, e agora é a nossa oportunidade de viver e aprender"*.

A pobre e querida senhora tremeu, e eu podia ver a tensão dos seus nervos enquanto buscava os braços do marido, e curvava-se cada vez mais sobre o seu peito. Depois levantou a cabeça orgulhosamente, e estendeu a mão para Van Helsing, que a tomou na sua, e depois de inclinar-se e beijá-la reverentemente, segurou-a com força. A outra mão foi entrelaçada com a do marido, que mantinha o braço protetoramente em volta dela. Depois de uma pausa, durante a qual evidentemente estivera ordenando as ideias, ela começou.

"Tomei o sonífero que o senhor foi tão amável em me dar, mas por um longo tempo ele não fez efeito. Eu parecia ter ficado mais alerta, e uma miríade de fantasias horríveis começou a tomar conta da minha mente. Todas estavam relacionadas com morte e vampiros, com sangue, sofrimento e dificuldades". Seu marido suspirou involuntariamente, e ela voltou-se para ele e disse com toda doçura, *"Não se aflija, querido. Deve ser corajoso e forte, e ajudar-me nesta tarefa horrível. Se você apenas soubesse o esforço que me custa falar de coisa tão medonha, entenderia o quanto preciso da sua ajuda. Bem, percebi que tinha que tentar ajudar o trabalho da medicina com a minha vontade, se fosse para me fazer algum bem, então me empenhei em dormir. Logo peguei no sono, por certo, pois não me lembro de mais nada. Não acordei quando Jonathan entrou, pois quando dei por mim ele já estava ao meu lado. Havia no quarto a mesma névoa fina e branca que eu já tinha notado antes. Mas me esqueço se vocês já têm conhecimento disso. Irão encontrar essa anotação em meu diário, que mostrarei depois. Tive o mesmo sentimento de vago terror que já me ocorrera antes, e a mesma sensação de alguma outra presença no quarto. Virei-me para acordar Jonathan, mas descobri que ele dormia tão profundamente como se ele é que tivesse tomado o sonífero, e não eu. Tentei, mas não consegui acordá-lo. Isso me causou um medo enorme, e olhei à minha volta aterrorizada. Então, de fato, meu coração afundou dentro do peito. Ao lado da cama, como se tivesse saído da névoa, ou melhor, como se a névoa tivesse se transformado na figura dele, pois tinha desaparecido completamente, estava de pé um homem alto, magro, todo vestido de preto. Eu o reconheci imediatamente, pela descrição dos outros. A face cerosa, o nariz alto e*

adunco, sobre o qual a luz incidia como uma fina linha branca, os lábios vermelhos separados mostrando atrás de si os dentes brancos e afiados, e os olhos vermelhos, que me parecera ter visto ao pôr do sol nas janelas da igreja de Santa Maria em Whitby. Também conheci a cicatriz vermelha em sua testa, onde Jonathan o havia golpeado. Meu coração parou de bater por um momento, e eu teria gritado, só que estava paralisada. Na pausa que se seguiu ele disse, num tipo de sussurro agudo e cortante, apontando para Jonathan enquanto falava.

"'Silêncio! Se fizer qualquer barulho, arrancarei os miolos dele diante dos seus olhos.' Eu estava apavorada, e também confusa demais para fazer ou dizer alguma coisa. Com um sorriso de escárnio, colocou uma das mãos no meu ombro e, apertando-me com força, descobriu minha garganta com a outra, dizendo enquanto isso, 'Primeiro, um pequeno refrigério para recompensar os meus esforços. Pode ficar quieta como sempre. Não é a primeira vez, nem a segunda, que suas veias saciam a minha sede!' Eu estava confusa, e por incrível que pareça, não quis impedi-lo. Suponho que isso seja parte da sua maldição terrível, *quando toca em sua vítima*. E então, oh, meu Deus, meu Deus, tenha piedade de mim! Ele colocou os lábios malcheirosos na minha garganta!"

Seu marido voltou a emitir um gemido. Ela apertou sua mão com mais força, e olhou penalizada para ele, como se ele é que tivesse sido ferido, e prosseguiu.

"Senti que minhas forças me abandonavam, e já estava meio inconsciente. Quanto tempo durou essa coisa medonha, não sei dizer, mas pareceu-me que se passara um longo tempo antes que ele tirasse de mim aquela boca terrível, medonha, asquerosa. E ainda vi o sangue fresco pingar dos seus lábios!" A recordação pareceu dominá-la durante algum tempo. Ela se inclinou, e teria desfalecido se não tivesse o braço do marido a ampará-la. Com grande esforço, recobrou-se e continuou.

"Então ele me disse, com escárnio, 'E assim você, como os outros, pensava usar sua inteligência para desafiar a minha. Ajudaria esses homens a caçar-me, e a frustrar os meus desígnios! Você agora sabe, e eles sabem em parte, e logo saberão por inteiro, o que significa atravessar-se em meu caminho. Deviam ter guardado suas energias para usar dentro de casa. Enquanto usavam sua inteligência contra mim – contra mim que comandei nações inteiras, e teci intrigas por elas, e lutei por elas, séculos antes de eles terem nascido – eu usei de artifícios para anular seus ardis. E você, a sua coisa mais preciosa, está agora em meu poder, carne da minha carne, sangue do meu sangue, linhagem da minha linhagem, meu lagar abundante por algum tempo, e que mais tarde será minha companheira e ajudante. Em troca, você será vingada, pois nenhum deles cuidará das suas necessidades. Mas também será punida pelo que fez. Você ajudou a me contrariar. Agora deverá obedecer ao meu comando. Quando minha mente disser 'Venha!', você cruzará terras e mares para atender ao meu chamado. E para tanto, terá isto!'

"E puxando a camisa, abriu uma veia em seu peito com as longas unhas afiadas. Quando o sangue começou a jorrar, ele agarrou minhas mãos com uma das suas, segurando--as com firmeza, e com a outra agarrou meu pescoço, apertando minha boca contra a ferida, de modo que eu, ou sufocava, ou engolia aquele seu... Oh, meu Deus! Meu Deus! O que eu fiz? O que fiz para merecer tal destino, eu que sempre tentei trilhar o caminho da obediência e da retidão, em toda minha vida. Deus, tenha piedade de mim! Olhe para esta pobre alma, exposta a um perigo pior do que a morte. E conceda sua misericordiosa piedade àqueles que a amam!" Então ela começou a esfregar os lábios, como se quisesse limpá-los da degradação que os manchara.

Enquanto ela contava sua história terrível, o céu começou a despertar no lado do nascente, e a claridade avançava mais e mais. Harker estava calado e imóvel. Mas em seu rosto, quando a tenebrosa narrativa terminou, surgiu um olhar cinzento, lívido, que se tornava cada vez mais profundo à luz matinal. E quando o primeiro raio rubro de sol do amanhecer que surgia pousou sobre o seu rosto, a pele se destacava escura contra os cabelos grisalhos.

Combinamos que um de nós ficaria sempre ao lado do infeliz casal, até que pudéssemos nos reunir e organizar nossas futuras ações.

De uma coisa estou certo. O sol não incidirá hoje sobre uma casa mais infeliz, em todo o enorme círculo do seu curso diário.

CAPÍTULO 22

DIÁRIO DE JONATHAN HARKER

3 de outubro: Como tenho que fazer alguma coisa, ou então fico louco, escrevo neste diário. São seis horas agora, e vamos nos encontrar dentro de meia hora no escritório para comer alguma coisa, pois o dr. Van Helsing e o dr. Seward concordam que, se não comermos, não poderemos dar o melhor de nós. E o nosso melhor, Deus sabe, nos será exigido hoje. Tenho que continuar escrevendo sempre que surge uma chance, pois não ouso parar para pensar. Todas as coisas, pequenas ou grandes, entrarão neste relato. Talvez, no final, as pequenas coisas nos ensinem mais. Os ensinamentos, grandes ou pequenos, não poderiam ter deixado Mina ou eu numa situação pior do que aquela em que nos encontramos hoje. No entanto, temos que confiar e esperar. A pobre Mina acabou de me dizer, com as lágrimas escorrendo pelo seu lindo rosto, que é nas dificuldades e infortúnios que nossa fé é posta à prova. Que precisamos manter a confiança, e que Deus nos ajudará a alcançar o fim. O fim! Oh meu Deus! Que fim?... Ao trabalho! Ao trabalho!

Quando o dr. Van Helsing e o dr. Seward voltaram, depois de ver o pobre Renfield, começamos seriamente a pensar no que deveria ser feito. Primeiro, o dr. Seward nos contou que quando ele e o dr. Van Helsing tinham descido para o quarto abaixo, tinham encontrado Renfield atirado no chão, como se formasse um monte. Sua face estava toda contundida e esmagada, e os ossos do pescoço estavam quebrados.

O dr. Seward perguntou ao atendente que estava de serviço no corredor se ele tinha ouvido alguma coisa. Ele disse que estava sentado, e confessou que cochilara, quando ouviu vozes altas no quarto, e então Renfield tinha gritado bem alto, várias vezes, *"Deus! Deus! Deus!"* Depois disso houve um som de queda, e quando ele entrou no quarto encontrou o paciente atirado no chão, com o rosto para baixo, da mesma maneira que os doutores o tinham visto. Van Helsing perguntou ao homem se ele tinha ouvido *"vozes"* ou *"uma voz"*, e ele disse que não saberia dizer. Que, no princípio, lhe parecera que eram duas, mas como não havia ninguém no quarto além do paciente, só poderia ter sido uma. Ele poderia jurar, se fosse preciso, que o paciente dissera a palavra *"Deus."*

Quando ficamos sozinhos, o dr. Seward nos disse que não desejava entrar mais a fundo nesta questão. A hipótese de um inquérito para apurar a morte teria que ser considerada, e não seria possível dizer a verdade, pois ninguém acreditaria. Da forma que as coisas estavam, ele achava que com o testemunho do atendente poderia passar um atestado de óbito por acidente, devido a uma queda da cama. Caso o juiz encarregado de investigar a morte suspeita exigisse, haveria um inquérito formal, necessariamente com o mesmo resultado.

Quando começamos a discutir sobre qual deveria ser o nosso próximo passo, a primeira coisa que decidimos foi que Mina deveria ficar a par de tudo. Que nada, por mais triste que fosse, deveria ser escondido dela. Ela mesma concordou que essa era a atitude mais sábia, e era doloroso vê-la tão corajosa e assim mesmo tão triste, e em tão profundo desespero.

"Não deve haver nenhum segredo" ela disse. *"Ai de mim! Já tivemos segredos demais. E além disso, não há nada neste mundo que possa causar-me mais dor do que já suportei, ou*

mais do que sofro agora! Não importa o que aconteça, será para mim motivo de nova esperança ou de nova coragem!"

Van Helsing, que estivera olhando fixamente para ela enquanto falava, disse de repente, mas de modo sereno, *"Mas minha cara senhora Mina, não sente medo, não pela senhora, mas por outros além da senhora, depois do que aconteceu?"*

Sua face tornou-se grave, mas seus olhos brilharam com a devoção de um mártir quando respondeu, *"Ah, não! Já me decidi sobre isso!"*

"Decidiu o quê?" ele perguntou gentilmente, ainda que estivéssemos todos calados, pois cada um de nós, a seu modo, tinha uma vaga ideia do que ela quisera dizer.

Sua resposta foi dita com perfeita simplicidade, como se estivesse apenas constatando um fato, *"Que se eu perceber em mim, e estarei vigiando atentamente, um sinal de prejuízo para qualquer pessoa que eu ame, morrerei!"*

"Não se mataria, não é?" ele perguntou, roucamente.

"Sim, eu me mataria. Se não houvesse nenhum amigo que me estimasse, que me salvasse de uma dor tão atroz e de um esforço tão desesperado!" E olhou para ele de modo significativo, enquanto falava.

Ele estava sentado, mas agora levantou-se e veio até ela. Colocou a mão sobre sua cabeça, enquanto dizia solenemente, *"Minha filha, sempre haverá um amigo, se for para o seu bem. Da minha parte, poderia colocar na minha conta com Deus achar-lhe uma eutanásia, até mesmo agora, se fosse o melhor. Não, se fosse seguro! Mas minha filha..."*

Ele pareceu sufocar por um momento, e um soluço subiu-lhe à garganta. Mas engoliu em seco e prosseguiu, *"Há muitos aqui que se interporiam entre a senhora e a morte. A senhora não deve morrer. Não deve morrer pela mão de ninguém, e muito menos pela sua. Até que o outro, que prejudicou a sua doce vida, esteja verdadeiramente morto, a senhora não deve morrer. Pois enquanto ele estiver entre os mortos-vivos, a sua morte faria da senhora alguém como ele. Não, a senhora tem que viver! Tem que lutar e se esforçar para viver, embora a morte pareça uma benção indizível. Tem que combater a própria Morte, venha ela com dor ou alegria, de dia ou à noite, em segurança ou em meio ao perigo! Pela salvação da sua alma, ordeno-lhe que não morra. Não, nem pense em morte, até que este grande mal tenha passado."*

A pobre querida ficou branca como a morte, e agitou-se e tremeu, da mesma forma que a areia movediça agita-se e treme à chegada da maré. Ficamos todos calados. Não podíamos fazer nada. Por fim, ela ficou mais calma, e virando-se para ele disse docemente, mas oh! com tanta tristeza, enquanto lhe estendia a mão, *"Eu lhe prometo, meu querido amigo, que se Deus me permitir viver, eu me esforçarei para fazê-lo. Até que, quando Ele considerar que chegou a hora, este horror tenha desaparecido da minha vida."*

Ela era tão boa e corajosa, que todos sentimos uma nova força em nossos corações, prontos para trabalhar e suportar por ela, e começamos a discutir o que devíamos fazer. Eu lhe disse que pegasse todos os documentos no cofre, e todos os documentos e diários e fonógrafos que viéssemos a usar daqui por diante, e que cuidasse de manter os registros como tinha feito antes. Ela estava contente com a perspectiva de ter alguma coisa para fazer, se a palavra "contente" pudesse ser usada em relação a algo tão sinistro.

Como sempre, Van Helsing havia pensado à frente de todos os outros, e preparara uma ordem exata para o nosso trabalho.

"Talvez tenha sido bom", ele disse, *"que em nossa reunião após a visita à Carfax decidíssemos não fazer nada com os caixões de terra que se encontram lá. Se tivéssemos mexido nos caixões o Conde teria adivinhado os nossos propósitos, e sem dúvida teria se antecipado e tomado medidas para frustrar nossos esforços com respeito aos outros caixões. Mas agora*

ele não sabe das nossas intenções. Não, mais ainda, é bastante provável que ele não saiba que existe a possibilidade de esterilizar seus covis, de forma que ele não possa utilizá-los como antes.

"Já estamos tão avançados no nosso conhecimento sobre a sua distribuição, que quando examinarmos a casa em Piccadilly poderemos localizar os últimos. O dia hoje nos pertence, e é aí que reside a nossa esperança. O sol que iluminou a nossa tristeza nesta manhã, nos protege enquanto durar o seu curso. Até que chegue a noite, aquele monstro terá que se manter em qualquer forma que tenha agora. Está confinado dentro dos limites do seu invólucro terreno. Não poderá dissipar-se no ar, nem desaparecer por frestas, fendas ou gretas. Se quiser passar por uma porta, terá que abri-la como qualquer mortal. E assim temos este dia para localizar todos os seus covis e esterilizá-los. E caso já não o tivermos capturado e destruído, podemos fazer com que se dirija para algum lugar onde a captura e a destruição sejam certas".

Então fiquei impaciente, pois não podia conter-me ao pensar que os minutos e segundos tão preciosos dos quais dependiam a vida e a felicidade de Mina estavam se escoando rapidamente, pois enquanto falávamos era impossível agir. Mas Van Helsing ergueu a mão em advertência.

"Não, amigo Jonathan", ele disse, "neste caso, o caminho mais rápido é o mais longo, como diz um dos seus provérbios. Devemos agir, e agir com extrema rapidez, quando a hora chegar. Mas pense, com toda probabilidade, a chave da questão está naquela casa em Piccadilly. O Conde pode ter muitas casas que já comprou. De todas essas casas, ele deve ter documentos de compra, chaves e outras coisas. Deve ter papel para anotações. Deve ter um talão de cheques. Há muitos outros pertences que ele tem que guardar em algum lugar. Por que não nesse lugar tão central, tão tranquilo, onde ele entra e sai pela frente ou pelos fundos a qualquer hora, e no meio do tráfego intenso ninguém percebe nada? Iremos até lá e vasculharemos a casa. E quando soubermos o que contém, então faremos aquilo que o nosso amigo Arthur chama, no seu vocabulário de caça, 'parar a terra'. Desse jeito poderemos perseguir a nossa velha raposa, não acha?"

"Então vamos imediatamente", exclamei, "estamos desperdiçando o nosso precioso tempo!"

O Professor não se moveu, simplesmente disse, "E como vamos entrar naquela casa em Piccadilly?"

"De qualquer jeito!" eu exclamei. "Arrombaremos a casa, se for necessário."

"E a polícia? Onde estará, e o que será que vai dizer?"

Eu estava abalado, mas sabia que se ele desejava protelar, devia ter uma boa razão para isso. Então eu disse, com tanta calma quanto podia, "Não espere mais do que o necessário. Estou certo de que o senhor sabe a tortura em que me encontro".

"Ah, meu filho, sei muito bem. E, realmente, acredite que não desejo aumentar a sua angústia. Mas pense um pouco, o que podemos fazer até que todo o mundo esteja em movimento? Então chegará a nossa hora. Pensei muito nisso, e me parece que o modo mais simples é o melhor. Queremos entrar na casa, mas não temos nenhuma chave. Não é assim?" Eu concordei com a cabeça.

"Agora, suponha que você seja, na verdade, o dono daquela casa, e mesmo assim não possa entrar. Imagine que não seja um arrombador, o que você faria?"

"Eu procuraria um serralheiro respeitável e o faria retirar a fechadura e abri-la para mim".

"E a polícia? Não iria interferir?"

"Oh não! Não se eles soubessem que o homem fora contratado legitimamente".

"Então", ele me olhou intensamente enquanto falava, "tudo o que está em jogo é a consciência do empregador e a convicção dos policiais a respeito das boas ou más intenções *desse empregador. A polícia do seu país realmente deve ser composta de homens zelosos e espertos, oh, tão espertos ao ler o coração das pessoas, que se enganam nessa questão. Não, não, meu amigo Jonathan, você pode tirar fora a fechadura de cem casas vazias nesta sua cidade de Londres, ou em qualquer cidade do mundo, e se você fizer isso da maneira que deve ser feita, e na ocasião em que deve ser feita, ninguém irá interferir. Eu li sobre um cavalheiro que possuía uma casa muito boa em Londres, e quando foi passar alguns meses na Suíça, no verão, fechou e trancou a casa, e um assaltante quebrou uma janela nos fundos e entrou. Então abriu as venezianas da frente e passou a entrar e sair pela porta, diante dos próprios olhos da polícia. Então fez um leilão naquela casa, anunciou e ainda pôs um enorme cartaz. E quando chegou o dia ele vendeu por um grande leiloeiro todos os bens daquele outro homem, que era o legítimo dono. Então procurou um construtor e vendeu a casa, fazendo um acordo para que fosse demolida e o material retirado dali a um certo tempo. E a sua polícia e as autoridades ajudaram-no em tudo que podiam. E quando o dono voltou das suas férias na Suíça, achou só um terreno vazio onde um dia existira a sua casa. Tudo isso foi feito en regle – de acordo com as regras – e o nosso trabalho terá que ser feito en regle também. Não iremos tão cedo que os policiais, que tem pouco a fazer nessa hora, acabem achando isso estranho. Mas iremos depois das dez horas, quando há muita gente por ali, e poderemos fazer as coisas como se fôssemos realmente os donos da casa".*

Eu só podia perceber o quanto ele estava certo, e a expressão de terrível desespero no rosto de Mina também pareceu relaxar. Havia esperança em tão bons conselhos.

Van Helsing prosseguiu, *"Uma vez dentro da casa, podemos achar mais pistas. De qualquer modo, alguns de nós podem permanecer lá, enquanto o resto procura os outros lugares, onde há mais caixões de terra, em Bermondsey e Mile End".*

Lorde Godalming levantou-se. *"Posso ajudar nessa questão"*, ele disse. *"Telegrafarei aos meus empregados para que tenham cavalos e carruagens prontos nos lugares onde serão mais convenientes"*

"Olhe aqui, companheiro", disse Morris, *"é uma ótima ideia ter tudo pronto para o caso de precisarmos usar cavalos. Mas você não acha que aquelas suas carruagens velozes, com seus adornos heráldicos, numa ruela em Walworth ou Mile End, acabariam atraindo atenção demais para os nossos propósitos? Parece-me que seria melhor pegarmos carros de aluguel quando formos para o sul ou para o leste. E eles podem até esperar bem perto do lugar onde estivermos".*

"O amigo Quincey tem razão!" disse o Professor. *"Sua cabeça é do tipo que se costuma dizer que enxerga além do horizonte. O que vamos fazer é algo bem difícil, e não queremos pessoas nos vigiando, se pudermos evitar".*

Mina demonstrava um crescente interesse por tudo, e fiquei contente de ver que a exigência do trabalho a ser feito a estava ajudando a esquecer por um tempo a experiência terrível da noite. Ela estava muito, muito pálida, quase lívida, e tão magra que seus lábios estavam quase apagados, mostrando os dentes um tanto salientes. Evitei mencionar a ela esses detalhes, para não causar-lhe uma dor desnecessária. Mas sentia o sangue gelar em minhas veias ao pensar no que tinha acontecido com a pobre Lucy, quando o Conde sugara seu sangue. Até agora não havia nenhum sinal de que os dentes de Mina estivessem ficando mais afiados, mas ainda assim o tempo era curto, e o futuro me causava medo.

Quando chegamos à discussão da sequência das nossas ações, e de como disporíamos as nossas forças, surgiram novas fontes de dúvida. Finalmente concordamos que antes de partir para Piccadilly deveríamos destruir o covil do Conde que estava mais à mão. Caso ele viesse a descobrir isso muito cedo, ainda assim estaríamos à frente dele em nosso trabalho de destruição. E sua presença na forma puramente material, que era a mais fraca, poderia nos dar alguma pista nova.

Quanto à disposição das nossas forças, o Professor sugeriu que, depois da nossa visita a Carfax, todos deveríamos entrar na casa em Piccadilly. Que os dois médicos e eu permaneceríamos lá, enquanto Lorde Godalming e Quincey encontrariam os covis de Walworth e Mile End e os destruiriam. O Professor observou que era possível, se não provável, que o Conde aparecesse em Piccadilly durante o dia, e nesse caso teríamos que ser capazes de enfrentá-lo ali, na mesma hora. De qualquer modo, teríamos que igualá-lo em força. Contestei vivamente esse plano, em especial no que se referia à minha ida, pois pretendia ficar para proteger Mina. Pensei já estar decidido quanto a isso, mas Mina não quis dar ouvidos à minha objeção. Disse que poderia haver algum problema legal em que a minha presença seria útil. Que entre os documentos do Conde poderia haver alguma pista que eu entenderia melhor, por causa da minha experiência na Transilvânia. E que, na presente situação, seria exigida toda a força que pudéssemos reunir para enfrentar o poder extraordinário do Conde. Tive que ceder, pois a resolução de Mina já fora tomada. Ela disse que sua última esperança residia no nosso trabalho conjunto.

"Quanto a mim", disse ela, "não tenho medo. As coisas não poderiam ficar piores do que já são. E o que quer que aconteça, pode trazer em si algum elemento de esperança ou consolo. Vá, meu marido! Deus pode guardar-me, se for o Seu desejo, tão bem sozinha quanto com qualquer um presente".

Naquele momento me impacientei, exclamando, "Então, em nome de Deus, vamos partir imediatamente, pois estamos perdendo tempo. O Conde pode vir a Piccadilly mais cedo do que pensamos".

"Assim não!" disse Van Helsing, erguendo a mão.

"Mas por quê?" perguntei.

"Está se esquecendo", ele disse com um sorriso, "que ontem à noite ele banqueteou-se lautamente, e que dormirá até tarde?"

Esquecer-me! Poderia eu, algum dia... Poderia eu jamais esquecer? Algum de nós poderia jamais esquecer aquela cena terrível? Mina lutou muito para manter a atitude corajosa, mas a dor subjugou-a, e ela cobriu o rosto com as mãos, tremendo e soluçando. Van Helsing não tivera a intenção de fazê-la recordar sua pavorosa experiência. Ele simplesmente tinha esquecido da presença dela, e da sua participação no caso no plano intelectual.

Quando ele se deu conta do que dissera, ficou horrorizado com sua insensatez e tentou consolá-la.

"Oh, senhora Mina", ele disse, "minha tão querida senhora Mina! Ai de mim! Não me perdoo, eu, que tanto a reverencio, dizer uma coisa tão desrespeitosa! A minha velha língua estúpida e esta minha cabeça velha não são dignas da senhora. Mas vai esquecer, não é?" E inclinou-se para ela com ansiedade, enquanto falava.

Ela tomou-lhe a mão, e olhando-o através das lágrimas, disse roucamente, "Não, não esquecerei, pois é bom que eu me lembre. E tenho tantas memórias doces do senhor, no meio dessa aflição, que fico com todas. Agora, devem partir logo. O café da manhã está pronto, e temos que comer para ficarmos fortes".

O café da manhã foi uma refeição estranha para todos nós. Tentamos ser alegres e encorajar uns aos outros, e, dentre todos, Mina era a mais animada e alegre. Quando terminamos, Van Helsing levantou-se e disse, "Agora, meus queridos amigos, vamos partir para o nosso terrível empreendimento. Estão munidos das suas armas, como estávamos naquela noite quando primeiro visitamos o covil do nosso inimigo? Estão armados para enfrentar um ataque sobrenatural, assim como corporal?"

Todos asseguramos que sim.

"Então está bem. Agora, senhora Mina, em todo caso está bastante segura aqui até o pôr do sol. E antes disso estaremos de volta... se... Não, nós voltaremos! Mas antes de irmos, quero vê-la protegida contra um ataque pessoal. Desde que a senhora desceu, eu mesmo preparei seu quarto, colocando ali algumas coisas que nós conhecemos, de forma que ele não possa entrar. Agora, vou proteger a sua pessoa. E sobre a sua testa eu toco esta porção da Hóstia Sagrada, em nome do Pai, do Filho e do..."

Houve um grito medonho, que quase nos gelou o coração. Quando ele tocou a Hóstia na testa de Mina, ela incendiou-se... Queimou-lhe a própria carne, como se fosse um pedaço de metal incandescente. O cérebro da minha pobre querida lhe contara o significado daquilo tão depressa quanto seus nervos sentiram a dor, e os dois a subjugaram de tal maneira que a sua natureza exausta exprimiu-se naquele grito terrível.

Mas depressa as palavras lhe vieram ao pensamento. O grito ainda ecoava no ar quando lhe veio a reação, e ela lançou-se de joelhos ao chão, numa agonia de degradação. Puxando o belo cabelo por cima do rosto, como os leprosos antigos faziam com seu manto, ela gemeu.

"Impura! Impura! Até Deus Todo-Poderoso evita minha carne degradada! Devo carregar esta marca da maldição sobre a minha testa até o Dia do Juízo Final".

Todos ficaram paralisados. Eu me lançara ao seu lado numa agonia de dor impotente, e pondo meus braços em volta dela, apertei-a com firmeza junto a mim. Durante alguns minutos nossos tristes corações bateram juntos, enquanto os amigos ao nosso redor se viraram para esconder os olhos, dos quais corriam lágrimas silenciosas. Então Van Helsing virou-se e falou com toda gravidade. Sua expressão era tão grave, que não pude deixar de sentir que ele estava tomado por alguma inspiração, e dizia coisas que iam além do pensamento.

"Pode ser que a senhora tenha que carregar essa marca até que Deus ache justo, como certamente achará, no Dia do Juízo Final, reparar todas as injustiças da terra e as que recaem sobre os Seus filhos, a quem Ele colocou neste mundo. E oh, senhora Mina, minha querida, minha querida senhora Mina, que nós que a amamos estejamos lá para ver, quando aquela rubra cicatriz, que é o sinal do conhecimento de Deus de tudo que se passou, desaparecerá, e deixará sua testa tão pura quanto o coração que nós conhecemos. Pois tão certo quanto estarmos vivos, essa cicatriz desaparecerá quando Deus considere justo nos livrar do pesado fardo que ora carregamos. Até lá carregaremos a nossa Cruz, como Seu próprio filho fez em obediência a Sua vontade. Pode ser que nós sejamos apenas instrumentos escolhidos da Sua vontade divina, e que venhamos a ascender ao Seu chamado, como aquele outro recairá nas trevas e na vergonha. Através de lágrimas e sangue, de dúvidas e temores, e de tudo aquilo que faz a diferença entre Deus e o homem".

Havia esperança e conforto em suas palavras, que também nos traziam a resignação. Mina e eu assim o sentimos, e ao mesmo tempo, cada um de nós tomou uma das mãos do velho, inclinou-se e beijou-a. Depois, sem uma palavra, todos nos ajoelhamos e, dando-nos as mãos, prometemos ser verdadeiros uns com os outros. Nós, homens, juramos erguer o véu da tristeza de sobre a cabeça daquela a quem, cada um a seu modo, todos amávamos. E rezamos pedindo auxílio e orientação na tarefa terrível que se estendia diante de nós. Era hora de partir. Então eu disse adeus a Mina, uma despedida que nenhum de nós esquecerá até o dia da nossa morte, e nós partimos.

Uma coisa eu já havia decidido. Se descobrimos que Mina se tornará uma vampira no final de tudo, então ela não entrará sozinha naquela terra terrível e desconhecida. Suponho que seja por isso que nos velhos tempos um vampiro significava muitos deles. Do mesmo modo que os seus corpos odiosos só podiam descansar em solo sagrado, assim o amor mais santificado era quem mais recrutava almas para aquele temível exército.

Entramos em Carfax sem dificuldade, e encontramos tudo exatamente como estava na primeira vez. Era difícil acreditar que neste ambiente tão prosaico, coberto de pó, abandonado e decadente, houvesse justificativa para tanto terror como sabíamos que existia ali. Se não estivéssemos decididos, e não houvesse recordações tão terríveis para nos incitar, dificilmente teríamos prosseguido em nossa tarefa. Não achamos nenhum documento, nem qualquer sinal de que a casa estivesse sendo usada. E na velha capela, os grandes caixões pareciam exatamente como os deixáramos na última vez.

O dr. Van Helsing nos disse solenemente, quando nos acercamos dele, *"E agora, meus amigos, temos um dever a cumprir aqui. Temos que esterilizar esta terra, santificada por tantas memórias sagradas, e que ele trouxe de uma terra distante para um uso tão vil. Ele escolheu esta terra porque ela foi santificada. Então, vamos derrotá-lo com suas próprias armas, pois vamos tornar esta terra ainda mais sagrada. Foi santificada para o uso dos homens, agora nós a consagraremos a Deus".*

Enquanto falava, tirou da maleta uma chave de fenda e uma alavanca, e logo abriu a tampa de um dos caixões. A terra tinha cheiro de mofo e bolor, mas nenhum de nós pareceu se importar, pois nossa atenção estava concentrada no Professor. Tirando do seu estojo um pedaço da Hóstia Sagrada, colocou-a reverentemente sobre a terra. Então fechou a tampa e começou a atarraxá-la de novo como estava antes, enquanto o ajudávamos em seu trabalho.

Fizemos a mesma coisa com todos os caixões, um por um, e os deixamos, em aparência, como os havíamos encontrado. Mas em cada um havia agora uma porção da Hóstia. Quando fechamos a porta atrás de nós, o Professor disse solenemente, *"Por aqui já terminamos. Pode ser que tenhamos o mesmo êxito com todos os outras. Assim, quando o pôr do sol desta tarde brilhar sobre a fronte da senhora Mina, a encontrará branca como marfim e sem marca!"*

Ao passarmos pelo gramado, em nosso caminho para a estação a fim de pegar o trem, podíamos ver a frente do asilo. Olhei ansioso, e vi Mina na janela do meu próprio quarto. Acenei para ela, e fiz-lhe um sinal com a cabeça indicando que nosso trabalho havia sido completado com sucesso. Ela acenou de volta, para mostrar que entendera. A última coisa que vi foi seu carinhoso aceno de adeus. Foi com o coração pesado que seguimos para a estação justo há tempo de pegar o trem, que já espalhava seu vapor quando entramos na plataforma. Escrevi este registro no trem.

Piccadilly 12h30: Logo antes de chegarmos a Fenchurch Street, Lorde Godalming me disse, *"Quincey e eu vamos procurar um serralheiro. É melhor que você não venha conosco, pois pode surgir alguma dificuldade. Dadas as circunstâncias, para nós não seria tão ruim arrombar uma casa vazia. Mas você é um advogado, e a Ordem dos Advogados poderia argumentar que você deveria conhecer melhor a lei".*

Eu objetei quanto a não partilhar dos mesmos perigos, mas ele prosseguiu, *"Além disso, chamará menos atenção se formos poucos. Meu título resolverá tudo com o serralheiro, e com qualquer policial que possa aparecer. É melhor você ficar no Green Park, com Jack e o Professor. Lá do parque terão uma boa visão da casa, e quando virem a porta aberta, depois do serralheiro sair, podem se aproximar. Nós estaremos à espera e os faremos entrar"*.

"Bom conselho!" disse Van Helsing, e o assunto encerrou-se. Godalming e Morris saíram às pressas num carro de aluguel, enquanto seguíamos em outro. Na esquina da Arlington Street, nosso grupo desceu e se dirigiu ao Green Park. Meu coração bateu mais forte ao ver a casa na qual se concentravam tantas das nossas esperanças, surgindo severa e silenciosa em sua condição de casa desabitada, entre suas vizinhas mais vivas e enfeitadas. Sentamos num banco de onde tínhamos uma boa visão, e começamos

a fumar charutos a fim de atrair a menor atenção possível. Os minutos pareciam se arrastar, enquanto esperávamos pela vinda dos outros.

Afinal, vimos um veículo de quatro rodas aproximar-se. E dele saíram, sem a menor pressa, Lorde Godalming e Morris. E da boleia desceu um trabalhador atarracado, com uma cesta de junco contendo as suas ferramentas. Morris pagou o condutor, que tocou na aba do chapéu e foi embora. Os dois subiram os degraus juntos, e Lorde Godalming mostrou ao serralheiro o que desejava que fosse feito. O trabalhador tirou o casaco devagar, e pendurou-o num dos ferros do gradil, dizendo algo a um policial que passava por ali naquele instante. O policial assentiu com a cabeça, e o homem, ajoelhando-se, colocou a cesta ao seu lado. Depois tirou de dentro dela uma série de ferramentas, que começou a dispor no chão numa certa ordem. Então levantou-se, olhou pelo buraco da fechadura, soprou através do orifício, e voltando-se para seus empregadores, fez alguma observação. Lorde Godalming sorriu, e o homem ergueu um molho de chaves de bom tamanho. Selecionando uma delas, ele começou a testar a fechadura, experimentando a chave para ver até onde ia. Depois de procurar mais um pouco, tentou uma segunda chave, e depois uma terceira. Então deu um leve empurrão e a porta abriu-se de uma vez, e ele e os outros dois entraram no vestíbulo. Nós permanecíamos calados. Meu charuto queimava furiosamente, mas Van Helsing estava impassível. Esperamos pacientemente até que vimos o trabalhador sair, trazendo sua cesta. Ele então segurou a porta parcialmente aberta, escorando-a com os joelhos, enquanto ajustava uma chave na fechadura. Esta chave ele finalmente entregou a Lorde Godalming, que tirou sua carteira e lhe deu algum dinheiro. O homem tocou na aba do chapéu, pegou a cesta, vestiu o casaco e se foi. A operação toda não despertou a menor atenção.

Quando o homem tinha se afastado o suficiente, nós três cruzamos a rua e batemos na porta. Ela foi imediatamente aberta por Quincey Morris. Lorde Godalming estava de pé ao seu lado, acendendo um charuto.

"*O lugar tem um cheiro odioso*", disse o último, quanto entramos. Realmente, tinha um cheiro horrível. Como a velha capela em Carfax. E, pela nossa experiência prévia, estava claro que o Conde vinha usando o lugar com toda liberdade. Passamos a explorar a casa, mantendo-nos unidos para o caso de um ataque, pois o inimigo que enfrentávamos era forte e ardiloso. Até agora não sabíamos se o Conde estava ou não na casa.

Na sala de jantar, que ficava atrás do vestíbulo, achamos oito caixões de terra. Apenas oito, dos nove que procurávamos! Nosso trabalho nunca estaria terminado até que achássemos o caixão perdido.

Primeiro, abrimos as venezianas da janela, que dava para um estreito pátio calçado com pedras, fronteiro à fachada plana de um estábulo, que na sua forma parecia uma casa em miniatura. Não havia nenhuma janela na fachada, assim não tínhamos medo de que alguém nos visse. Não perdemos tempo em examinar os caixões. Com as ferramentas que havíamos trazido, abrimos um por um, e os tratamos como tínhamos tratado os outros na antiga capela. Era evidente que o Conde não estava na casa no momento, e começamos a procurar pelos seus objetos pessoais.

Depois de uma olhada superficial nos demais quartos, do porão ao sótão, chegamos à conclusão de que quaisquer objetos que pudessem pertencer ao Conde deveriam estar na sala de jantar. Assim, começamos a examiná-la minuciosamente. Os objetos estavam dispostos numa espécie de desordem organizada, na enorme mesa da sala de jantar.

Havia um grande maço de documentos, contendo a escritura da casa em Piccadilly, documentos de compra das casas de Mile End e Bermondsey, papel de carta, envelopes, canetas e tinta. Todos estavam envoltos em papel de embrulho fino, para protegê-los do pó. Também havia uma escova de roupas, uma escova e um pente, um jarro e uma bacia. A última continha água suja, de um tom avermelhado, como se fosse de sangue. Por fim, havia um pequeno molho de chaves, de todos os tipos e tamanhos, que provavelmente pertenciam às outras casas.

Depois que examinamos este último achado, Lorde Godalming e Quincey Morris anotaram com precisão os vários endereços das casas no leste e no sul, e levando consigo as chaves num grande molho, partiram para destruir os caixões nesses lugares. O restante de nós ficou, pacientemente, esperando o seu retorno, ou então a chegada do Conde.

CAPÍTULO 23

DIÁRIO DO DR. SEWARD

3 de outubro: O tempo parecia que não passava, enquanto esperávamos pela volta de Godalming e Quincey Morris. O Professor tentou manter nossas mentes ativas, fazendo com que as usássemos o tempo inteiro. Percebi seu louvável propósito pelos olhares que lançava de vez em quando para Harker. O pobre rapaz está devastado por tamanha aflição, que dá pena de ver. Ontem à noite ele era um homem honesto, feliz, com um semblante jovem, forte, cheio de energia, e de cabelo castanho-escuro. Hoje ele é um velho desfigurado e hesitante, cujos cabelos grisalhos combinam bem com os olhos vazios e as linhas de aflição que lhe sulcam a face. Mas sua energia ainda está intacta. Na verdade, ele mais parece uma chama viva. Essa ainda pode ser a sua salvação, pois se tudo correr bem, é isso que vai levá-lo a superar esse período de desespero. Então, aos poucos, ele despertará novamente para a realidade da vida. Pobre companheiro! Pensei que a minha própria dor fosse a pior, mas a sua...!

O Professor sabe disso muito bem, e está fazendo o que pode para manter sua mente ativa. O que ele dizia era, dadas as circunstâncias, de absorvente interesse. Registro suas palavras aqui, tão bem como posso me lembrar:

"Já li inúmeras vezes, desde que me chegaram às mãos, todos os documentos relativos a esse monstro, e quanto mais o estudo, maior me parece a necessidade de eliminá-lo totalmente. Tudo nesses papéis mostra o seu avanço, não só em termos de poder, mas de conhecimento. Como soube pelas pesquisas do meu amigo Arminius, de Budapeste, em vida ele foi um homem extraordinário. Soldado, estadista, e alquimista – o que posteriormente se revelou o mais alto grau de desenvolvimento do conhecimento científico do seu tempo. Ele tinha um cérebro poderoso, um conhecimento além de qualquer comparação, e um coração que não conhecia medo nem remorso. Chegou até a frequentar Scholomance, e não havia nenhum ramo do conhecimento da sua época que ele não tivesse experimentado.

"Bem, nele os poderes do cérebro sobreviveram à morte física. Embora pareça que a memória não está completa. No que se refere a certas faculdades mentais, ele tem sido, e é, apenas uma criança. Mas ele está crescendo, e algumas coisas que eram infantis no início, agora já possuem estatura adulta. Ele está fazendo experiências, e conduzindo-as muito bem. E se não tivéssemos cruzado o seu caminho, ele seria, e ainda pode ser se nós falharmos, o pai ou criador de uma nova ordem de seres, cuja estrada deve conduzir à Morte, não à Vida".

Harker suspirou e disse *"E tudo isso foi reunido contra a minha querida! Mas que experiências são essas que ele está fazendo? O conhecimento pode nos ajudar a derrotá-lo!"*

"O tempo inteiro, desde a sua vinda, ele vem testando o seu poder, de modo lento mas seguro. Seu enorme cérebro infantil está trabalhando ativamente. E ainda bem que é um cérebro infantil. Pois se ele tivesse ousado, no início, tentar certas coisas, há muito tempo

estaria além do nosso alcance. Porém, ele pretende ter sucesso, e um homem que tem séculos diante de si, pode se dispor a esperar e fazer as coisas sem pressa. Festina lente[36] poderia muito bem ser o seu lema".

"Não estou entendendo", disse Harker, cansado. "Oh, por favor, me explique melhor! Talvez o sofrimento e as dificuldades estejam entorpecendo meu cérebro".

O Professor colocou ternamente a mão no seu ombro, quando disse, "Ah, meu filho, serei bastante claro. Não reparou como, ultimamente, esse monstro tem avançado no conhecimento experimental? Como ele se utilizou do paciente zoófago para promover sua entrada na casa do amigo John? Pois esse Vampiro, embora depois possa entrar e sair quando e como quiser, só pode entrar pela primeira vez quando convidado por um dos ocupantes da casa. Mas estes não são os seus experimentos mais importantes. Não vimos como, no início, todos esses grandes caixões foram movimentados por outros? Ele não sabia, então, mas era assim que devia ser. Pois durante todo esse tempo, esse enorme cérebro infantil estava crescendo, e ele começou a pensar na possibilidade de ele mesmo movimentar os caixões. Assim, ele começou a ajudar. E quando viu que podia dar certo, tentou movimentá-los sozinho. E assim ele progride, e começa a espalhar esses caixões. E ninguém, além dele, sabe onde eles estão escondidos.

"Ele pode ter a intenção de enterrá-los bem fundo no chão, de modo que só ele possa usá-los à noite. Ou então, quando mudar de forma, eles podem servir-lhe do mesmo modo, e ninguém saberá que este é o seu esconderijo! Mas não desespere, meu filho, esse conhecimento lhe chegou tarde demais! Todos os seus covis já foram esterilizados, com exceção de um. E antes do pôr do sol, esse também o será. Então ele não terá nenhum lugar para onde ir ou onde se esconder. Eu me demorei esta manhã para que pudéssemos estar seguros. Não há muito mais em jogo para nós do que para ele? Então por que não sermos mais cuidadosos do que ele? Pelo meu relógio é uma hora, e nesse momento, se tudo correu bem, os amigos Arthur e Quincey já devem estar voltando para cá. Hoje é o nosso dia, e devemos proceder de modo seguro, embora lento, e não perder nenhuma chance. Veja! Seremos cinco, quando os ausentes retornarem".

Enquanto conversávamos, levamos um susto ao ouvir uma batida na porta da frente. O tipo de batida indicava que era o rapaz do telégrafo. Todos nos lançamos num impulso na direção do corredor, e Van Helsing, erguendo a mão para pedir silêncio, foi até a porta e abriu-a. O menino entregou um telegrama. O Professor fechou a porta de novo, e depois de olhar o endereço, abriu-o e leu em voz alta: "Tomem cuidado com D. Agora mesmo, às 12h45, ele veio de Carfax e seguiu apressadamente na direção do sul. Ele parece estar fazendo a ronda e pode querer vê-lo. Mina".

Houve uma pausa, quebrada pela voz de Jonathan Harker, "Que Deus seja louvado, logo nos encontraremos!"

Van Helsing virou-se depressa para ele e disse, "Deus agirá no seu próprio tempo, e a seu próprio modo. É cedo ainda para temer ou para se alegrar. Para o que desejamos, este momento pode não ser apropriado".

"Não me importo com nada, agora" ele respondeu exaltado, "exceto eliminar esse bruto da face da terra. Eu venderia minha alma por isso!"

"Oh, silêncio, silêncio, silêncio meu filho!" disse Van Helsing. "Deus não compra almas desse modo, e o Diabo, embora possa comprar, não é de confiança. Mas Deus é justo e misericordioso, e sabe da sua dor e da sua devoção a nossa querida senhora Mina. Apenas pense em quanto a sua dor seria dobrada, se ela apenas ouvisse as suas palavras selvagens. Não tema por nenhum de nós, todos estamos devotados a essa causa, e hoje veremos o fim de tudo. Está chegando a hora de agir. Hoje esse Vampiro está limitado aos poderes humanos, e

---

[36] Paradoxismo latino atribuído a Augusto, que significa "Apressa-te, devagar." NT

até o pôr do sol não poderá se transformar. Levará algum tempo para que chegue aqui, veja, passam vinte minutos da uma hora, e ainda passará algum tempo até que venha, por mais que seja rápido. Só podemos esperar que Lorde Arthur e Quincey cheguem primeiro".

Cerca de meia hora depois de recebemos o telegrama da sra. Harker, ouvimos uma batida calma e resoluta na porta da frente. Era uma batida comum, como se ouve a toda hora, por milhares de cavalheiros, mas fez o coração do Professor e o meu baterem loucamente. Nós nos entreolhamos, e fomos juntos para o vestíbulo. Todos tínhamos nossas várias armas prontas para uso, a espiritual na mão esquerda, a mortal na mão direita. Van Helsing puxou o trinco, e segurando a porta meio aberta, deu um passo atrás, ambas as mãos prontas para a ação. A alegria dos nossos corações deve ter se estampado em nossos rostos, quando no degrau próximo à porta, vimos Lorde Godalming e Quincey Morris. Eles entraram depressa e fecharam a porta atrás de si. O primeiro disse, enquanto seguiam pelo corredor:

"Está tudo certo. Encontramos ambos os lugares. Seis caixões em cada um, e destruímos todos".

"Destruíram?" perguntou o Professor.

"Estão destruídos para ele!"

Ficamos em silêncio por um minuto, então Quincey disse, "Não há nada a fazer além de esperar aqui. Porém, se ele não vier até as cinco horas, teremos que partir. Não podemos deixar a sra. Harker sozinha depois do pôr do sol".

"Ele logo estará aqui" disse Van Helsing, que estivera consultando sua caderneta de bolso. "Notem bem, pelo telegrama da senhora Mina, ele foi para o sul ao sair de Carfax. Isso significa que teria que cruzar o rio, e só poderia fazer isso na maré baixa, que foi pouco antes de uma hora. A sua ida para o sul tem um significado para nós. Ele por enquanto apenas suspeita, e foi primeiro de Carfax para o lugar onde menos suspeitaria da nossa interferência. Vocês devem ter estado em Bermondsey pouco tempo antes dele. E como ainda não chegou aqui, isso mostra que foi logo em seguida para Mile End. Isso lhe tomou algum tempo, pois então teria que ser transportado através do rio de algum modo. Acreditem, meus amigos, não teremos que esperar muito agora. Deveríamos ter pronto algum plano de ataque, de forma que não desperdicemos nenhuma chance. Silêncio, não há mais tempo agora! Peguem suas armas! Estejam prontos!" Ele ergueu a mão em advertência enquanto falava, para que todos pudéssemos ouvir uma chave sendo inserida suavemente na fechadura da porta da frente.

Não pude deixar de admirar, mesmo naquele momento, o modo como um espírito de liderança se afirmava sobre os demais. Em todas as nossas caçadas e aventuras, em diferentes partes do mundo, sempre era Quincey Morris quem organizava o plano de ação, e Arthur e eu tínhamos nos acostumado a obedecê-lo de modo tácito. Agora, o velho hábito parecia ter-se renovado como por instinto. Com um rápido olhar ao redor da sala, ele imediatamente preparou nosso plano de ataque, e sem dizer uma palavra, apenas com gestos, indicou a cada um a sua posição. Van Helsing, Harker e eu ficamos logo atrás da porta, de modo que quando fosse aberta o Professor pudesse guardá-la, enquanto nós dois avançaríamos para ficar entre o recém-chegado e a porta. Godalming atrás e Quincey na frente, ficavam fora de vista, prontos para se postarem em frente à janela. Esperamos numa expectativa que fazia os segundos se arrastarem como um pesadelo. Os passos lentos, cuidadosos, atravessaram o corredor. Era evidente que o Conde estava preparado para alguma surpresa, ou pelo menos suspeitava disso.

De repente, com um único movimento, ele saltou para dentro da sala. Abriu caminho e passou por nós, antes que qualquer um pudesse erguer a mão para impedi-lo. Havia algo tão felino no movimento, tão inumano, que pareceu nos acordar do choque provocado pela sua chegada. O primeiro a agir foi Harker, que com um rápido movimento lançou-se diante da porta que conduzia à sala na frente da casa. Quando o Conde nos viu, rosnou de um modo horrível, mostrando seus dentes longos e afiados. Mas o sorriso maligno depressa se transformou num olhar fixo, de um desdém leonino. Sua expressão alterou-se de novo quando, num único impulso, todos avançamos para ele. Era uma pena que não tivéssemos organizado melhor um plano de ataque, pois mesmo naquele momento eu não sabia ao certo o que fazer. Eu nem sabia se as nossas armas letais seriam de alguma ajuda.

Harker evidentemente pretendia liquidar o assunto, pois brandiu sua enorme faca Kukri e desfechou um golpe súbito e feroz. O golpe foi poderoso, e o Conde só se salvou pela rapidez diabólica com que saltou para trás. Um segundo a mais e a lâmina teria atravessado seu coração. Do jeito que foi, o golpe só fez abrir-lhe um extenso rasgo no casaco, por onde se precipitaram um maço de notas e uma torrente de moedas de ouro. A expressão do Conde era tão satânica, que por um momento temi por Harker, embora o visse levantar outra vez a faca para desferir um novo golpe. Instintivamente, dei um passo à frente num impulso protetor, segurando o Crucifixo e a Hóstia na mão esquerda. Senti um poder superior fluir pelo meu braço, e foi sem surpresa que vi o monstro recuar diante do mesmo movimento espontâneo feito por cada um de nós. Seria impossível descrever a expressão de ódio e maligna frustração, de raiva e ira satânica, que assomou à face do Conde. Sua cor cerosa se transformou em amarelo-esverdeada, pelo contraste com seus olhos flamejantes, e a cicatriz vermelha na testa destacava-se como uma ferida palpitante sobre a pele pálida. No momento seguinte, com um mergulho sinuoso, o Conde escapou por baixo do braço de Harker, antes que o golpe o atingisse. Agarrando um punhado de dinheiro do chão, correu pela sala e atirou-se pela janela. Em meio ao estrondo e ao brilho do vidro quebrado, ele caiu no pátio pavimentado logo abaixo. E através do barulho do vidro se estilhaçando, pude ouvir o retinir de alguns soberanos de ouro que caíram sobre as pedras do pavimento.

Nós corremos até a janela, e o vimos levantar-se ileso do chão. E apressando o passo, cruzou o pátio pavimentado e empurrou a porta do estábulo. De lá, virou-se e nos disse:

"Vocês pensam que vão me frustrar, vocês, com sua fila de rostos pálidos, como ovelhas num matadouro. Irão se arrepender, cada um de vocês! Pensam que me deixaram sem um lugar para descansar, mas eu tenho mais. Minha vingança mal começou! Há séculos que venho espalhando a minha vingança, e o tempo está do meu lado. Suas moças, a quem tanto amam, já são minhas. E através delas, vocês e outros ainda serão meus, minhas criaturas, para atenderem ao meu comando, e agirem como meus chacais quando eu quiser me alimentar. Ah!"

Então, com desdenhosa zombaria, passou depressa pela porta, e ouvimos o rangido da fechadura enferrujada quando ele a trancou atrás de si. Uma porta mais adiante foi aberta e fechada. O Professor foi o primeiro de nós a falar. Percebendo a dificuldade de segui-lo através do estábulo, voltamos para o vestíbulo.

"Aprendemos algo hoje... muito importante! Não obstante suas palavras atrevidas, ele nos teme. Ele teme o passar do tempo, teme a necessidade! Do contrário, por que correria daquele modo? Seu próprio tom o traiu, ou meus ouvidos me enganam. Por que precisou pegar aquele dinheiro? Sigam rapidamente atrás dele. Vocês são caçadores da besta selvagem, e sabem o que fazem. Por mim, vou assegurar-me de que nada aqui tenha qualquer utilidade para ele, caso resolva voltar".

E enquanto falava pôs o dinheiro que sobrara no bolso, pegou as escrituras no maço em que Harker as deixara e atirou na lareira, junto com as outras coisas. Depois ateou fogo com um fósforo.

Godalming e Morris tinham corrido para o pátio, e Harker descera pela janela quebrada para seguir o Conde. No entanto, ele tinha trancado a porta do estábulo, e quando conseguiram abri-la não havia mais qualquer sinal da sua presença. Van Helsing e eu tentamos fazer algumas indagações nos fundos da casa. Mas a estrebaria estava deserta, e ninguém o vira partir.

A tarde já ia bem adiantada, e o pôr do sol não tardaria. Tivemos que reconhecer que nossa caçada terminara. Com o coração pesado, concordamos com o Professor quando ele disse, *"Vamos voltar para junto da senhora Mina. Pobre e querida senhora Mina! Tudo que podíamos fazer por hoje já está feito, e lá nós podemos, pelo menos, protegê-la. Mas não precisamos perder a esperança. Há só mais um caixão de terra, e temos que tentar achá-lo. Quando isso for feito, tudo ainda estará bem".*

Vi que ele falava de modo tão corajoso quanto podia, para confortar Harker. O pobre coitado estava bastante abatido. De vez em quando soltava um longo e abafado suspiro, que não conseguia evitar. Estava agora pensando em sua esposa.

Com o coração triste, voltamos para minha casa, onde encontramos a sra. Harker à nossa espera. Ostentava uma alegria que só fazia honrar sua coragem e altruísmo. Quando ela viu a expressão dos nossos rostos, seu próprio rosto tornou-se pálido como a morte. Por um segundo ou dois fechou os olhos, como se fizesse uma prece secreta.

E então ela disse alegremente, *"Nunca poderei agradecer-lhes o suficiente. Oh, meu pobre querido!"* E enquanto falava, tomou a cabeça grisalha do marido entre as mãos e beijou-a.

"Deite sua pobre cabeça aqui e descanse. Tudo ainda ficará bem, querido! Deus nos protegerá, se for esta a Sua santa vontade." O pobre rapaz suspirou. Não havia nenhum lugar para as palavras em sua sublime desgraça.

Fizemos juntos uma refeição ligeira, e acho que isso nos reanimou um pouco. Talvez fosse o mero calor que a comida proporciona às pessoas famintas, pois nenhum de nós tinha comido nada desde o café da manhã, ou talvez fosse o sentido de companheirismo que nos auxiliava. De qualquer modo, todos nos sentimos menos infelizes, e passamos a encarar o amanhã com um pouco mais de esperança.

Fiéis à nossa promessa, contamos à sra. Harker tudo o que se passara. Ela escutou com calma e coragem, embora às vezes ficasse branca como a neve, quando o perigo parecera ameaçar seu marido, e outras vezes ruborizada, quando ele manifestara sua devoção para com ela. Quando chegamos à parte onde Harker tinha atacado o Conde de modo tão temerário, ela agarrou-se ao braço do marido e segurou-o com força, como se assim pudesse protegê-lo dos males que estavam por vir. Não disse nada, porém, até que a narração estivesse terminada e o assunto chegasse ao momento presente.

Então, sem soltar a mão do marido, ficou de pé diante de nós e falou. Oh, se eu pudesse ao menos transmitir uma ideia do que foi aquela cena. Da imagem daquela mulher tão doce, tão boa, tão terna, em toda a radiante beleza da sua juventude e espírito, consciente da marca vermelha gravada em sua testa, a qual olhávamos rangendo os dentes de ódio, ao lembrar de onde e como chegara. Era a sua bondade contra o nosso ódio feroz. Sua terna fé contra todos os nossos temores e dúvidas. E nós, sabendo que até onde alcançavam os símbolos, ela, com toda sua bondade e pureza e fé, fora excomungada por Deus.

"Jonathan", ela disse, e a palavra parecia música em seus lábios, pois era carregada de amor e ternura, *"Jonathan querido, e vocês todos, meus verdadeiros e leais amigos, quero que tenham uma coisa em mente, durante esse período terrível por que passamos. Sei que precisam lutar. Que precisam destruir, como tiveram que destruir a falsa Lucy, para que*

a verdadeira Lucy possa viver no futuro. Mas esse não é um trabalho de ódio. Aquela pobre alma, que está na origem de toda essa desgraça, é o caso mais triste de todos. Pensem agora em qual será a sua alegria quando ele, também, for destruído em sua pior parte, para que sua melhor parte possa alcançar a imortalidade espiritual. Devem ter pena dele, também, embora isso não signifique que suas mãos o pouparão da destruição".

Enquanto ela falava, vi a face de Jonathan contrair-se e tornar-se sombria, como se todo seu entusiasmo estivesse encolhendo até o mais profundo do seu ser. Instintivamente, apertou ainda mais a mão da esposa, até que as juntas dos dedos ficassem brancas. Ela não vacilou diante da dor que devia estar sentindo, mas olhou para ele com os olhos mais suplicantes do que nunca.

Quando ela terminou de falar, ele levantou-se de um salto, quase arrancando sua mão da dela, ao dizer:

"*Só peço a Deus que o entregue em minhas mãos pelo tempo suficiente para destruir sua vida terrena, que é o nosso objetivo. E se, depois disso, eu puder mandar sua alma para apodrecer nas chamas do inferno até o fim dos tempos, eu o farei!*"

"Oh, silêncio! Em nome do bom Deus, não diga isso! Não diga tais coisas, Jonathan, meu marido, ou você me esmagará de medo e horror. Pense um pouco, meu querido... Eu pensei muito durante esse longo dia... Pensei que talvez... algum dia... Talvez eu também venha a precisar dessa piedade, e que algum outro como você, e com igual motivo para sentir raiva, possa negar-me essa piedade! Oh, meu marido! Meu querido, eu na verdade o teria poupado desse pensamento se as coisas fossem de outro modo. Rezo a Deus que ele não tenha guardado as suas palavras raivosas, e que não as considere senão o lamento do coração devastado de um homem muito amoroso e extremamente ferido. Oh, Deus, permita que estes pobres cabelos brancos sejam a prova do que ele sofreu, ele que em toda sua vida não cometeu nenhuma falta, e sobre quem recaíram tantas tristezas."

Nós, homens, estávamos todos em lágrimas. Não havia como resistir a elas, e demos livre curso ao nosso pranto. Ela também chorou, ao ver que seus doces conselhos haviam prevalecido. Seu marido lançou-se de joelhos no chão ao lado dela, e pondo os braços ao seu redor, escondeu o rosto nas dobras do seu vestido. Van Helsing nos fez um sinal e saímos da sala, deixando os dois corações amorosos sozinhos com seu Deus.

Antes que eles se recolhessem, o Professor preparou o quarto contra qualquer eventual incursão do Vampiro, e assegurou à sra. Harker que poderia descansar em paz. Ela procurou se convencer disso, e por causa do marido, evidentemente, tentou parecer contente. Foi uma brava luta, e, conforme acredito, não sem recompensa. Van Helsing tinha colocado um sino no quarto, que qualquer um dos dois devia tocar caso houvesse alguma emergência. Quando eles se retiraram, Quincey, Godalming e eu combinamos de ficar acordados, dividindo a noite entre nós para cuidar da segurança da pobre senhora ferida. O primeiro turno coube à Quincey, assim vamos todos para a cama o mais cedo possível.

Godalming já foi se deitar, pois o seu turno é o segundo. Agora que terminei o meu trabalho, também irei para a cama.

DIÁRIO DE JONATHAN HARKER

3-4 de outubro, perto de meia-noite: Pensei que o dia de ontem jamais terminaria. Eu sentia uma vontade imensa de dormir, numa espécie de convicção cega de que ao despertar encontraria as coisas mudadas, e que qualquer mudança agora devia ser para melhor. Antes de nos separarmos, discutimos quais deviam ser os nossos próximos passos, mas não conseguimos chegar a nenhuma conclusão. Tudo o que sabíamos era que ainda restava um caixão de terra, e que só o Conde sabia onde ele estava. Se ele resolver ficar escondido, pode nos despistar durante anos. E enquanto isso... O pensamento é horrível demais, não ouso pensar nisso mesmo agora. Só sei de uma coisa: se algum dia já houve uma mulher que seja perfeita, esta é a minha pobre querida injustiçada. Amei-a mil vezes mais por sua doce piedade na noite passada, uma piedade que fez o meu próprio ódio do monstro parecer desprezível. Deus certamente não permitirá que o mundo seja empobrecido pela perda de semelhante criatura. Essa é a minha esperança. Todos nós estamos à deriva agora, e a fé é nossa única âncora. Graças a Deus! Mina está dormindo, sem ser perturbada pelos sonhos. Tenho medo dos sonhos que ela poderia ter, com tantas recordações terríveis para servir de motivo. Ao que me parece, ela nunca esteve tão calma, desde o pôr do sol. Então, durante algum tempo, seu rosto espelhou um repouso que lembrava a primavera, depois dos frios ventos de março. Na hora pensei que fosse o suave rubor do pôr-do-sol que pousara em sua face, mas de algum modo agora acho que tem um significado mais profundo. Eu mesmo não tenho sono, embora esteja mortalmente cansado. Porém, tenho que tentar dormir. Pois amanhã teremos que voltar a pensar, e não haverá descanso para mim até...

Mais tarde: Devo ter caído no sono, pois fui acordado por Mina, que estava sentada na cama com um olhar assustado no rosto. Pude ver facilmente, pois não deixamos o quarto em completa escuridão. Ela colocara a mão sobre a minha boca em sinal de advertência, e agora sussurrava em meu ouvido, *"Silêncio! Há alguém no corredor!"* Eu me levantei sem fazer barulho, e atravessando o quarto, abri a porta devagarinho.

Do lado de fora da porta, esticado num colchão, estava o sr. Morris, bem desperto. Ergueu a mão em sinal de silêncio, enquanto sussurrava, *"Não faça barulho! Volte para a cama. Está tudo bem. Durante a noite toda haverá um de nós aqui. Não queremos correr riscos!"*

Seu olhar e sua atitude proibiam qualquer discussão, então voltei e contei a Mina. Ela suspirou, e a sombra de um sorriso assomou em seu pobre rosto desfigurado, enquanto punha os braços ao redor do meu pescoço e dizia suavemente, *"Oh, graças a Deus por esses homens tão corajosos!"* E com um suspiro, deitou-se de novo para dormir. Escrevo isto agora, pois não tenho sono, embora tenha que tentar dormir de novo.

4 de outubro, manhã: Mais uma vez, durante a noite, fui acordado por Mina. Desta vez, ambos tínhamos dormido bastante, pois a luz cinzenta do amanhecer que se aproximava transformara as janelas em retângulos alongados, e a chama do gás parecia uma mancha, em vez de um disco de luz.

Ela me disse apressadamente, *"Vá, chame o Professor. Quero vê-lo imediatamente"*.

"Por quê?" perguntei.

"Tive uma ideia. Acho que me veio durante a noite, e amadureceu sem que me desse conta. Ele tem que me hipnotizar antes do amanhecer, e então poderei falar. Vá rápido, querido, o tempo está passando".

Fui até a porta. O dr. Seward estava descansando no colchão, e ao ver-me levantou-se de imediato.

"Há algo errado?" ele perguntou, alarmado.

"Não", eu respondi. *"Mas Mina quer ver o dr. Van Helsing imediatamente"*.

"Eu vou chamá-lo" ele disse e apressou-se na direção do quarto do Professor.

Dois ou três minutos depois Van Helsing estava no quarto, vestido com seu roupão. Na porta, o sr. Morris, Lorde Godalming e o dr. Seward faziam perguntas. Quando o Professor viu um sorriso no rosto de Mina, um sorriso franco espantou a ansiedade do seu próprio rosto.

Ele esfregava as mãos enquanto dizia, *"Oh, minha cara senhora Mina, esta* realmente é uma mudança. Veja, amigo Jonathan! Temos hoje de volta a nossa cara senhora Mina, como era antes!" E virando-se para ela, disse alegremente, "E o que posso fazer pela senhora? Pois a essa altura a senhora não precisa de mim para nada".

"Quero que o senhor me hipnotize!" ela disse. "Faça isso antes do amanhecer, porque sinto que então poderei falar, e falar livremente. Seja rápido, pois o tempo é curto!" Sem uma palavra, ele fez-lhe sinal para sentar-se na cama.

Olhando fixamente para ela, ele começou a dar passes diante de Mina, do alto da cabeça até em baixo, com uma das mãos de cada vez. Mina olhou-o fixamente durante alguns minutos, enquanto meu próprio coração batia forte como se fosse um martelo, pois sentia que uma nova crise se avizinhava. Pouco a pouco seus olhos se fecharam, e ela sentou-se, ainda imóvel. Só o suave arfar do seu peito indicava que estava viva. O Professor deu mais alguns passes e então parou, e pude ver que sua testa estava coberta com grandes gotas de suor. Mina abriu os olhos, mas não parecia a mesma mulher. Havia uma luz distante em seus olhos, e sua voz tinha um tom de onírica tristeza que era novo para mim. Erguendo a mão para impor silêncio, o Professor me fez sinal para chamar os outros. Eles vieram na ponta dos pés, fechando a porta atrás de si, e pararam junto aos pés da cama, atentos ao que se passava. Mina parecia não vê-los. O silêncio foi quebrado pela voz de Van Helsing, que falava num tom baixo, a fim de não quebrar a corrente dos pensamentos dela.

"Onde você está?"

A resposta veio num tom neutro. "Eu não sei. O sono não tem lugar algum que possa chamar de seu". Durante vários minutos, fez-se silêncio. Mina sentava-se rígida, e o Professor continuava a encará-la fixamente.

O resto de nós mal ousava respirar. O quarto estava ficando mais claro. Sem tirar os olhos do rosto de Mina, o dr. Van Helsing fez-me sinal para levantar a cortina. Assim fiz, e o dia parecia estar diante de nós. Uma faixa vermelha subia no céu, e uma luz rósea espalhava-se pelo quarto. Naquele momento, o Professor falou de novo.

"Onde você está agora?"

A resposta veio um pouco sonhadora, mas com significado. Era como se ela estivesse interpretando alguma coisa. Eu a ouvira usar o mesmo tom ao ler suas anotações taquigrafadas.

"Eu não sei. Tudo é estranho para mim!"

"O que está vendo?"

"Eu não posso ver nada. É tudo escuridão".

"O que está ouvindo?" Eu podia sentir a tensão na voz paciente do Professor.

"O marulhar da água. Está gorgolejando aqui perto, e há pequenas ondas quebrando. Posso ouvi-las lá fora".

"Então você está num navio?"

Todos olhamos uns para os outros, tentando descobrir alguma coisa um do outro. Tínhamos medo até de pensar.

A resposta veio rápida, "Oh, sim!"

"E o que mais você ouve?"

"O som dos passos de homens caminhando de um lado para outro. Ouço o ranger de uma corrente e o tinido alto do freio do cabrestante quando entra na catraca".

"O que você está fazendo?"

"Estou imóvel, oh, completamente imóvel. É como a morte!" A voz desvaneceu-se numa respiração profunda, como de alguém que dormisse, e os olhos abertos fecharam-se novamente.

A essa altura o sol já tinha nascido, e todos estávamos mergulhados na plena luz do dia. O dr. Van Helsing colocou as mãos sobre os ombros de Mina, e deitou sua cabeça suavemente no travesseiro. Ela ficou deitada como uma criança adormecida por alguns momentos, e então, com um suspiro profundo, despertou e olhou espantada ao nos ver todos ao seu redor.

"Estive falando enquanto dormia?" foi tudo que ela disse. Porém, parecia estar ciente da situação sem que fosse preciso contar, embora estivesse ansiosa para saber o que tinha sido dito. O Professor repetiu o diálogo, e ela disse, "Então não há um momento a perder. Talvez ainda não seja tarde demais!"

O sr. Morris e Lorde Godalming dirigiram-se à porta, mas a voz tranquila do Professor chamou-os de volta.

"Fiquem, meus amigos. Esse navio, onde quer que esteja, estava levantando âncora naquele momento no enorme Porto de Londres. Qual deles é aquele que procuram? Devemos agradecer a Deus por termos novamente uma pista, embora não possamos saber onde ela poderá nos conduzir. Temos sido um pouco cegos. Cegos à maneira dos homens, pois se olharmos para trás, podemos ver o que poderíamos ter visto à nossa frente, se fossemos capazes de ver o que deveríamos ter visto! Ah, mas essa frase é um labirinto, não é? Agora sabemos o que estava na mente do Conde, quando ele pegou aquele dinheiro, embora a faca afiada de Jonathan o tenha colocado em perigo, perigo que ele mesmo temeu. Ele pretendia fugir. Ouçam-me bem, FUGIR! Ele viu que, com apenas um caixão de terra, e um bando de homens a segui-lo como cães atrás de uma raposa, esta bela cidade de Londres não era mais o lugar ideal para ele. Deve ter colocado seu último caixão de terra a bordo de um navio, e abandonado a terra firme. Ele acha que vai escapar, mas não! Nós o seguiremos. Tally Ho! Como o amigo Arthur costuma dizer quando sai para caçar raposas com seu casaco vermelho! Nossa raposa velha é astuta. Oh! Muito astuta, e temos que usar a astúcia para segui-la. Eu também sou astucioso, e descubro o que se passa na mente dele em pouco tempo. Nesse meio tempo, podemos descansar e ficar em paz, pois entre ele e nós há uma barreira que ele não deseja transpor, e que não poderia, nem se quisesse. A menos que o navio volte a tocar em terra firme, e isso só na maré baixa ou na maré alta. Vejam, o sol mal despontou, e todo o dia até o pôr do sol nos pertence. Vamos tomar um banho e nos vestir. Depois tomaremos um bom café da manhã, que é o que todos precisamos, e do qual poderemos desfrutar confortavelmente, já que ele não está no mesmo país em que estamos".

Mina olhou para ele com uma súplica nos olhos, quando perguntou, "Mas por que precisamos continuar a persegui-lo, quando ele já está tão longe de nós?"

Ele tomou-lhe a mão carinhosamente, enquanto respondia, "Não me pergunte nada agora. Depois do café da manhã responderei a todas as perguntas". Ele não quis dizer mais nada, e nos separamos para trocar de roupa.

Depois do café, Mina repetiu a pergunta. Ele olhou-a com seriedade por um momento, e então disse tristemente, "Porque, minha querida, minha cara senhora Mina, agora mais do que nunca precisamos encontrá-lo, mesmo que tenhamos que persegui-lo até as profundezas do inferno!"

Ela tornou-se pálida, e perguntou fracamente, "Mas por quê?"

"Porque", ele respondeu solenemente, "ele pode viver durante séculos e a senhora não passa de uma simples mortal. O tempo é nosso inimigo, desde que ele deixou essa marca em sua garganta".

Tive apenas o tempo de segurá-la, para evitar que desabasse no chão quando desmaiou.

CAPÍTULO 24

DIÁRIO FONOGRÁFICO DO DR. SEWARD *(gravado por Van Helsing)*
Destinado a Jonathan Harker,

O senhor deve ficar com sua querida senhora Mina. Partiremos para fazer nossa busca, se podemos chamá-la assim, pois não se trata de uma busca, mas de uma certeza, e só queremos a confirmação. Mas o senhor deve ficar e tomar conta dela hoje. Essa é a sua melhor e mais sagrada tarefa. Hoje ninguém poderá encontrá-lo aqui.
Vou contar-lhe para que saiba o que nós quatro já sabemos, pois já contei a eles também. Ele, o nosso inimigo, foi embora. Voltou para o seu castelo na Transilvânia. Sei disso muito bem, como se uma grande mão de fogo o tivesse escrito na parede. Ele se preparara de algum modo, pois aquele último caixão de terra estava em algum lugar, pronto para ser transportado de navio. Foi para isso que ele pegou o dinheiro. Por isso a sua pressa no final, para que não o pegássemos antes do pôr do sol. Era sua última esperança, a menos que pudesse esconder-se na tumba que ele pensou que a pobre srta. Lucy, sendo ainda igual a ele, manteria aberta à sua espera. Mas não havia mais tempo. Quando esse plano falhou, ele foi direto ao seu último recurso, seu último trabalho na terra, eu diria, se pretendesse usar uma expressão de duplo sentido. Ele é esperto, oh, muito esperto! Sabe que seu jogo aqui terminou. E assim decidiu voltar para casa. Achou um navio que seguiria pela mesma rota que o trouxe para cá, e embarcou nele.
Vamos sair agora para descobrir qual foi o navio, e qual o porto de destino. Quando descobrimos isso, voltaremos para contar-lhe, e então esperamos confortar o senhor e a pobre senhora Mina com novas esperanças. Pois quando refletir sobre isso verá que existe esperança, que nem tudo está perdido. Esta mesma criatura que perseguimos levou centenas de anos para chegar a um lugar tão distante quanto Londres. E mesmo assim, em um dia apenas, quando descobrimos os seus planos, nós o expulsamos daqui. Ele é finito, embora tenha o poder de causar tanto mal e sofrimento, coisa que nós não fazemos. Mas nós também somos fortes, cada um a seu modo, e juntos somos ainda mais fortes. Tenha coragem de novo, caro esposo da senhora Mina. Esta batalha mal começou, e no final nós venceremos. Tão certo quanto Deus está sentado em seu trono no alto, velando pelos Seus filhos. Então mantenha o espírito elevado até que voltemos.

Van Helsing

DIÁRIO DE JONATHAN HARKER

4 de outubro: Quando li para Mina a mensagem que Van Helsing deixara no fonógrafo, a pobre menina ficou bastante animada. A certeza de que o Conde estava fora do país já lhe trouxera um grande consolo. E o consolo para ela significa força. Da minha parte, agora que não estamos mais frente a frente com esse perigo medonho, parece quase impossível acreditar que seja verdade. Até as minhas próprias experiências terríveis no Castelo de Drácula parecem um longo pesadelo já esquecido. Aqui, no ar revigorante do outono e sob o brilho do sol.

Ah! Como posso ainda descrer! Em meio aos meus pensamentos, meus olhos caíram sobre a cicatriz vermelha na fronte da minha pobre querida. Enquanto essa marca existir, não pode haver descrença. Mina e eu receamos ficar inativos, então lemos e relemos os diários várias vezes. De algum modo, embora a realidade pareça se impor cada vez mais, a dor e o medo parecem diminuir. Em tudo isso existe manifestamente um propósito mais elevado, o que não deixa de ser reconfortante. Mina diz que talvez nós sejamos os instrumentos do bem supremo. Pode ser! Tentarei pensar do mesmo modo que ela. Ainda não falamos abertamente um com o outro a respeito do futuro. É melhor esperar o retorno do Professor e dos demais, e sabermos o resultado das suas investigações.

O dia está passando tão rápido como nunca pensei que um dia voltaria a acontecer comigo. Agora são três horas.

DIÁRIO DE MINA HARKER

5 de outubro, 17h: Relato da nossa reunião de hoje. Presentes: Professor Van Helsing, Lorde Godalming, dr. Seward, sr. Quincey Morris, Jonathan Harker, Mina Harker.

O dr. Van Helsing descreveu os passos que foram dados durante o dia para descobrir em qual navio e para qual porto o Conde Drácula escapou.

"*Sabendo que ele pretendia voltar para a Transilvânia, eu tinha certeza de que ele teria que passar pela foz do Danúbio, ou por algum lugar no Mar Negro, pois veio por esse caminho. Tínhamos diante de nós um enorme e triste vazio. Omne ignotum pro magnifico. Tudo que é desconhecido parece magnífico. Assim, com o coração pesado, começamos a tentar descobrir quais navios haviam partido para o Mar Negro na noite anterior. Ele estava num veleiro, pois a senhora Mina se referiu ao içamento de velas. Esses navios não são tão importantes para saírem na lista de partidas e chegadas do Times, e então nos dirigimos, por sugestão de Lorde Godalming, para o Lloyd's, onde estão registrados todos os navios, não importa o seu tamanho. Lá descobrimos que apenas um navio saíra com a maré para o porto do Mar Negro. Era o Czarina Catarina, que partira do Doolittle's Wharf para Varna, e de lá para outros portos Danúbio acima. 'Aí está!' eu disse, 'Foi nesse navio que o Conde embarcou.' Então fomos até Doolittle's Wharf, e lá encontramos um homem no escritório do cais. Perguntamos a ele sobre a partida do Czarina Catarina. Ele praguejava bastante, tinha o rosto vermelho e falava alto, mas era um bom sujeito mesmo assim. E quando Quincey deu-lhe algo que tinha no bolso, e que estalava quando ele mexia, e que pusera numa bolsinha tão pequena que estava escondida no fundo da roupa, ele se tornou um sujeito melhor ainda, e nosso humilde criado. Acompanhou-nos pelo cais, pedindo informações a vários homens, todos rudes e acalorados. Estes se tornavam os melhores sujeitos do mundo, também, depois que lhes dávamos algo para aplacar a sede. Falavam muito de sangue e flores, e de outras coisas que não compreendi, embora adivinhasse o sentido do que era dito. Mas, a despeito disso, acabaram nos contando tudo o que queríamos saber.*

"*Eles nos contaram que, na tarde passada, mais ou menos às cinco horas, apareceu um homem muito apressado. Era um homem alto, magro e pálido, com nariz adunco e dentes muito brancos, e olhos que pareciam queimar. Que ele estava todo vestido de preto, a não ser pelo chapéu de palha, que não combinava com ele nem com o tempo. Que esbanjou seu dinheiro fazendo uma investigação rápida sobre qual navio sairia para o Mar Negro, e em que portos faria escala. Alguns homens o levaram ao escritório, e depois até o navio. Ele não subiu a bordo, porém, mas parou no cais junto à prancha de embarque, pedindo que o capitão viesse falar-lhe. O capitão veio, quando lhe disseram que ele pagaria um bom dinheiro, e embora praguejasse muito no início acabou aceitando. Então o homem magro se foi, e alguém lhe disse onde poderia contratar um carro de aluguel. Ele foi mas voltou logo, dirigindo ele mesmo* uma carruagem onde havia um caixão enorme. Ele mesmo descarregou o caixão, embora fosse preciso vários homens para colocar o caixão no navio. Ele conversou bastante com o capitão sobre como e onde o caixão devia ser colocado. Mas o capitão não gostou disso, e o xingou em várias línguas. Então lhe disse que, se quisesse, que fosse lá ver onde poriam o caixão. Mas ele disse que não, não viria agora, pois tinha muita coisa ainda para fazer. Ao que o capitão lhe disse que era melhor ele se apressar, com sangue, que o seu navio iria deixar o lugar, de sangue, antes da mudança da maré, com sangue. Então o homem magro sorriu e disse que era claro que ele devia ir quando achasse que era melhor, mas que ficaria surpreso se fosse assim tão depressa. O capitão praguejou de novo, em várias línguas, e o homem magro lhe fez uma reverência e agradeceu, e disse que ele lhe faria a bondade de subir a bordo antes da partida do navio. Afinal, o capitão, mais vermelho do que nunca, e em mais línguas ainda, lhe disse que não queria nenhum francês, com flores em cima do corpo e também com sangue, no seu navio. E nem queria sangue no navio, também. E assim, depois de perguntar onde poderia comprar formulários para embarque, ele partiu.

"Ninguém sabe para onde ele foi 'ou floresceu exuberante' como eles disseram, pois tinham outras coisas em que pensar, também com sangue de novo. Pois logo se tornou evidente para todos que o Czarina Catarina não iria navegar como era esperado. Uma fina névoa começou a subir da superfície do rio, e aumentava cada vez mais, até que uma densa neblina envolvia o navio e tudo ao seu redor. O capitão praguejou no seu linguajar poliglota, muito poliglota, poliglota com flores e sangue, mas não podia fazer nada. A água não parava de subir, até que ele começou a recear que com isso iria perder completamente a maré. Ele não estava num humor amigável, quando, exatamente na maré cheia, o homem magro subiu na prancha de embarque outra vez e pediu para ver onde seu caixão havia sido colocado. Então o capitão respondeu que desejava que ele e seu caixão, velho e com muitas flores e sangue, fossem para o inferno. Mas o homem magro não se ofendeu, e desceu com o companheiro para ver onde ele estava, depois subiu e ficou algum tempo no convés tomado pela névoa. Ele deve ter descido sozinho, pois ninguém reparou nele. Na verdade, nem pensaram nele, pois logo a névoa começou a dissipar-se e tudo ficou claro de novo. Meus amigos da sede e da linguagem de flores e sangue riram, ao contar como os xingamentos do capitão excederam até a sua habitual linguagem poliglota, e foi mais pitoresco do que nunca, quando ao questionar outros marinheiros que estavam se movimentando para cima e para baixo no rio naquela hora, descobriu que poucos deles tinham visto qualquer névoa, exceto em volta do cais. Porém, o navio saiu na maré vazante, e ao amanhecer sem dúvida já estava bem abaixo da foz do rio. A essa hora, nos disseram, já devia estar em alto mar.

"E assim, minha cara senhora Mina, podemos descansar por um tempo, pois nosso inimigo está no mar, com a névoa ao seu comando, a caminho da foz do Danúbio. Um navio leva tempo velejando, ele nunca vai tão rápido. E quando começarmos a andar mais rápido em terra, nós o encontraremos lá. Nossa maior esperança é chegar a ele quando estiver no caixão, entre o amanhecer e o pôr do sol. Então ele não será capaz de lutar, e poderemos lidar com ele como deve ser feito. Temos alguns dias, durante os quais poderemos preparar o nosso plano. Sabemos tudo sobre o lugar para onde ele vai. Vimos o proprietário do navio, que nos mostrou as faturas e todos os demais documentos. O caixão que procuramos será descarregado em Varna e entregue a um agente, alguém de nome Ristics, que apresentará suas credenciais. E assim, o nosso amigo armador fez a sua parte. Quando ele perguntou se havia qualquer coisa errada, pois se assim fosse poderia telegrafar e mandar fazer investigações em Varna, respondemos que não, pois o que há para ser feito não é coisa para a polícia ou as autoridades alfandegárias. Deve ser feito apenas por nós, e do nosso próprio jeito".

Quando o dr. Van Helsing terminou de falar, perguntei-lhe se tinha certeza de que o Conde havia permanecido a bordo do navio. Ele respondeu, *"Tivemos a melhor prova disso, a prova fornecida pela senhora mesma, durante o transe hipnótico desta manhã".*

Perguntei-lhe de novo se era realmente necessário que eles fossem atrás do Conde, pois, oh!, eu temia que Jonathan me deixasse, e sabia que ele certamente iria, se os outros fossem. Ele respondeu com calma, a princípio, e depois começou a se inflamar. À medida que prosseguia, porém, tornava-se cada vez mais irritado e mais contundente, até que, no final, só pudemos perceber algo daquela liderança pessoal que fazia dele, há tanto tempo, um mestre entre os homens.

"Sim, é necessário, é necessário, muito necessário! Primeiro pelo bem da senhora, e depois pelo bem da humanidade. Esse monstro já causou muito mal, no âmbito estreito em que se encontra, e no curto espaço de tempo em que ainda é só um corpo tateando sua medida tão pequena na escuridão e no desconhecido. Tudo isso eu já contei aos outros. A senhora, minha cara senhora Mina, saberá disso pelo fonógrafo do meu amigo John, ou pelo diário do seu marido. Eu lhes contei como a decisão de deixar a sua própria terra estéril, estéril de gente, e vir para uma terra nova onde a vida humana é abundante como um campo de trigo maduro, foi um trabalho de séculos. Se fosse outro morto-vivo, semelhante a ele, a tentar fazer o que ele fez, talvez nem todos os séculos que já existiram, ou venham a existir, poderia ajudá-lo em sua tarefa. Com este, porém, todas as forças da natureza que estavam ocultas, as mais profundas, as mais fortes, devem ter trabalhado juntas de algum modo poderoso. O próprio lugar onde ele viveu, morto-vivo durante todos esses séculos, está cheio de singularidades dos mundos geológico e químico. Há cavernas e fissuras tão profundas que ninguém sabe até onde alcançam. Existem vulcões, alguns ainda ativos, cujas crateras expelem águas de propriedades estranhas e gases que matam ou fazem vivificar. Sem dúvida, há algo magnético ou elétrico em algumas dessas combinações de forças ocultas que trabalham de modo estranho para a vida física, e nele se revelaram algumas grandes qualidades desde o princípio. Numa época de dificuldades e guerras, ele foi celebrado como aquele que tinha a coragem mais férrea, o cérebro mais sutil, o coração mais destemido que qualquer outro homem. Nele, algum princípio vital, de um modo que desconhecemos, deve ter atingido seu ponto culminante. E assim como seu corpo se manteve forte, e cresceu, e progrediu, o mesmo aconteceu com seu cérebro. Tudo isso sem recorrer aos diabólicos recursos que possui. Pois ele teve que se render aos poderes que vêm do bem, e que simbolizam o bem. E agora, isso é o que ele representa para nós. Ele a infectou, oh, perdoe-me, minha querida, por dizer uma coisa dessas, mas eu falo para o seu bem. Ele a infectou de tal modo, que mesmo que não volte a fazê-lo, a senhora tem apenas que viver, viver do seu próprio modo doce e calmo, e quando chegar a hora, a morte, que é do destino comum do homem e da sanção divina, a tornará igual a ele. Isso não pode acontecer! Nós juramos, todos nós, que isso não acontecerá. E assim agora somos ministros da própria vontade de Deus. Que o mundo, e os homens por quem Ele deu a vida do Seu próprio filho, não serão entregues a monstros cuja própria existência O difamaria. Deus já nos permitiu redimir uma alma, e nós prosseguiremos como os antigos cruzados na intenção de redimir outras. Como os cruzados, devemos viajar para o oriente. E como eles, se tombarmos, tombaremos por uma causa santa".

Ele fez uma pausa, e então eu disse, "Mas será que o Conde aceitará essa derrota com sabedoria? Já que foi expulso da Inglaterra, não evitará voltar aqui, como faz um tigre com o vilarejo onde foi caçado?"

"Ah!" ele disse, "Sua comparação com o tigre é muito boa, e vou adotá-la. O seu devorador de homens, como eles chamam na Índia o tigre que já provou carne humana, não se interessa mais por nenhuma outra presa, mas ronda incessantemente os vilarejos até conseguir uma nova presa humana. Esse que expulsamos da nossa cidade também é um tigre, um devorador de homens, e nunca deixará de rondar em torno de nós. Não, não é do seu feitio bater em retirada e afastar-se do mundo. Quando vivia, quando ainda estava vivo de fato, ele foi até a fronteira da Turquia e atacou o inimigo em seu próprio terreno. Perdeu a luta, mas será que se manteve longe? Não! Voltou outra vez, e mais outra, e mais outra. Veja como ele *é perseverante e resistente. Com seu cérebro infantil, ele há muito tempo concebeu a ideia de vir para uma grande cidade. O que ele faz, então? Procura no mundo todo o lugar que lhe seja mais promissor. Então prepara-se especialmente para a tarefa. Pacientemente, mede a sua força e os seus poderes. Estuda novas línguas. Aprende sobre a nova vida social, o novo ambiente em que estão inseridos os velhos costumes, a política, a lei, as finanças, a ciência, os hábitos de uma terra nova, e de pessoas novas que hoje são o que ele já foi. O pouco que viu só fez aguçar seu apetite e estimular seu desejo. Não, isso fez com que desenvolvesse seu cérebro, pois apenas lhe provou o quanto estava certo em suas suposições. Ele fez tudo isso sozinho, inteiramente só! De dentro de uma sepultura em ruínas, numa terra esquecida. O que mais ele não fará quando o mundo do pensamento estiver aberto diante dele? Ele que zomba da morte, como nós sabemos. Quem poderia florescer em meio a doenças que exterminaram povos inteiros? Oh! Se alguém como ele viesse de Deus, e não do Demônio, que força benéfica não representaria para este nosso velho mundo! Mas nós estamos empenhados em manter o mundo livre. Nossa labuta deve ser silenciosa, e nossos esforços mantidos em segredo. Nesta era iluminada, quando os homens não acreditam nem mesmo naquilo que veem, a dúvida dos homens esclarecidos seria a sua maior força. Seria ao mesmo tempo seu escudo e sua couraça, e sua arma para nos destruir, a nós, seus inimigos, que estamos dispostos a pôr em risco até mesmo nossas próprias almas para garantir a segurança daqueles a quem amamos. Para o bem do gênero humano, e para honra e glória de Deus".*

Depois de uma discussão geral, decidimos que nesta noite não tomaríamos nenhuma resolução definitiva. Que todos deveríamos refletir sobre os fatos, e tentar chegar a alguma conclusão. Amanhã, no café da manhã, vamos nos encontrar novamente, e depois de comunicarmos nossas conclusões uns aos outros, definiremos o nosso curso de ação.

Sinto uma paz maravilhosa, um alívio, esta noite. É como se uma presença assombrada fosse afastada de mim. Talvez...

Minha expectativa não se confirmou, e nem poderia, pois vi de relance no espelho a marca vermelha em minha testa, e lembrei-me de que ainda era impura.

DIÁRIO DO DR. SEWARD

5 de outubro: Todos nos levantamos cedo, e acho que o sono fez muito bem para todos e cada um de nós. Quando nos encontramos para o café da manhã, havia uma animação geral que nenhum de nós jamais tivera esperanças de voltar a experimentar.

É realmente maravilhoso ver quanta resiliência existe na natureza humana. Basta que um obstáculo, não importa qual, seja removido de qualquer modo, mesmo através da morte, e nós voltamos aos princípios primordiais da esperança e da alegria. Mais de uma vez, enquanto estávamos sentados ao redor da mesa, abri meus olhos com espanto, pensando se os últimos dias não haviam sido um sonho mau. Só quando avistei a enorme marca vermelha na fronte da sra. Harker é que voltei à realidade. Mesmo agora, quando estou discutindo o assunto com toda seriedade, é quase impossível acreditar que a causa de todos os nossos problemas ainda exista. Até mesmo a sra. Harker parece esquecer-se da sua infelicidade por longos períodos. É só de vez em quando, quando algo a faz recordar, que ela pensa na sua terrível cicatriz. Devemos nos encontrar aqui no meu escritório dentro de meia hora para decidir o curso das nossas ações. Vejo apenas uma dificuldade imediata, e sei disso mais por instinto do que pela razão. Todos teremos que falar francamente. Mesmo assim, temo que de algum modo misterioso a pobre sra. Harker fique de boca fechada. Sei que ela tira suas próprias conclusões a respeito do assunto, e por tudo que já aconteceu, posso adivinhar o quanto devem ser inteligentes e verdadeiras. Mas ela não quer, ou não pode, expressá-las em palavras. Mencionei isso a Van Helsing, e ele e eu ficamos de discutir a questão quando estivermos sozinhos. Suponho que seja aquele veneno horrendo que ela tem nas veias que está começando a agir. O Conde devia ter seus próprios propósitos quando deu a ela o que Van Helsing chamou de *"batismo de sangue do Vampiro"*. Bem, pode ser que as coisas boas criem o seu próprio antídoto. Numa época em que a existência das ptomaínas ainda é um mistério, não deveríamos nos espantar com nada! De uma coisa eu sei: se meu instinto sobre os silêncios da pobre sra. Harker for verdadeiro, então há uma dificuldade terrível, um perigo desconhecido para a execução da tarefa que temos diante de nós. O mesmo poder que a força ao silêncio, pode forçá-la a falar. Não ouso pensar mais do que isso, senão estaria desonrando em pensamento uma mulher verdadeiramente nobre!

Mais tarde: Quando o Professor entrou, discutimos sobre a situação. Percebi que ele tinha algo em mente, algo que queria dizer, mas sentia uma certa hesitação em abordar o assunto. Depois de fazer alguns rodeios, ele disse, *"Amigo John, há algo que você e eu temos que conversar, só nós dois, pelo menos por enquanto. Depois, podemos ter que contar aos outros"*.

Ele então fez uma pausa, e eu fiquei à espera. Depois continuou, *"A senhora Mina, nossa pobre querida senhora Mina, está mudando"*.

Senti um calafrio percorrer-me o corpo ao ver os meus piores temores endossados daquela maneira. Van Helsing prosseguiu.

"Com a triste experiência da srta. Lucy, desta vez precisamos nos precaver para que as coisas não cheguem tão longe. Na realidade, nossa tarefa é agora mais difícil do que nunca, e essa nova dificuldade faz com que cada hora seja da maior importância. Posso ver as características do vampiro surgindo em seu rosto. Ainda é algo muito, muito leve. Mas pode ser visto, se olharmos com olhos desprovidos de ideias preconcebidas. Seus dentes estão mais afiados, e às vezes há uma certa dureza em seu olhar. Mas isso não é tudo, há agora esses silêncios frequentes, como aconteceu com a sra. Lucy. Ela não falou, mesmo quando escreveu o que desejava que fosse conhecido mais tarde. Meu medo agora é este. Se ela pode, através de um transe hipnótico, contar o que o Conde vê e ouve, não é menos verdadeiro que ele, que foi o primeiro a hipnotizá-la e que bebeu o sangue dela e a fez beber do seu, poderia se quisesse obrigar sua mente a revelar-lhe o que ela sabe?"

Concordei com a cabeça. Ele continuou, *"Então, precisamos evitar que isso aconteça. Temos que mantê-la na ignorância sobre as nossas intenções, assim ela não poderá revelar o que não sabe. Essa é uma tarefa dolorosa! Oh, tão dolorosa que me dói até pensar nisso, mas deve ser feito. Quando nos encontrarmos hoje, vou dizer-lhe que, por razões que não podemos ainda revelar, ela não deve mais participar das nossas reuniões, mas simplesmente será protegida por nós"*.

Ele enxugou a testa, que estava coberta de suor só de pensar na dor que ele teria que infligir a uma pobre alma já tão torturada. Eu sabia que lhe proporcionaria algum conforto se lhe dissesse que eu também tinha chegado à mesma conclusão. De qualquer modo, isso afastaria a dor provocada pela dúvida. Contei-lhe, então, e o efeito foi aquele que eu esperava.

Aproxima-se a hora da nossa reunião geral. Van Helsing saiu para preparar-se para o encontro, e para a parte dolorosa que caberá a ele. Eu realmente acredito que a sua intenção ao retirar-se é rezar sozinho.

Mais tarde: Logo no início da nossa reunião, tanto eu quanto Van Helsing experimentamos um grande alívio, pois a sra. Harker enviara uma mensagem pelo marido dizendo que não se reuniria conosco no momento, pois achava melhor que tivéssemos liberdade para discutir nossos movimentos, sem o embaraço da sua presença. O Professor e eu olhamos um para o outro por um momento, e ambos parecíamos aliviados. Da minha parte, pensei que se a própria sra. Harker percebesse o perigo, ajudaria a evitar muito sofrimento e um perigo ainda maior. Dadas as circunstâncias, ambos concordamos, mediante uma troca de olhares e um dedo sobre os lábios, em guardar silêncio sobre as nossas suspeitas até que pudéssemos conversar a sós outra vez. Assim, começamos de imediato a discutir nosso Plano de Campanha.

Primeiro, Van Helsing nos fez um rápido resumo dos fatos, "*O Czarina Catarina deixou o Tâmisa ontem pela manhã. Mesmo que navegue à velocidade mais rápida que pode alcançar, o navio levará pelo menos três semanas para chegar a Varna. Mas nós podemos viajar por terra para o mesmo lugar em três dias. Agora, se considerarmos que a viagem do navio leve dois dias menos, devido às influências meteorológicas que sabemos que o Conde é capaz de produzir, e se considerarmos um dia inteiro e uma noite para qualquer atraso que possa ocorrer na nossa viagem, então teremos uma margem de segurança de quase duas semanas.*

"*Assim, para evitar imprevistos, temos que partir daqui no máximo no dia dezessete. De qualquer modo, estaremos em Varna um dia antes do navio chegar, a tempo de fazer as preparações necessárias. Claro que todos nós iremos armados, armados contra as coisas más, tanto espirituais quanto físicas.*"

Então Quincey Morris acrescentou, "*Eu entendo que o Conde vem de um país cheio de lobos, e pode ser que ele chegue lá antes de nós. Proponho que acrescentemos uma Winchester ao nosso armamento. Eu tenho muita confiança numa Winchester quando existe qualquer dificuldade desse tipo por perto. Você se lembra, Art, quando aquele bando nos perseguiu em Tobolsk? O que não teríamos dado naquela hora por uma arma de repetição!*"

"Bom!" disse Van Helsing, "*Que sejam Winchesters, então. A cabeça de Quincey às vezes é muito prática, ainda mais quando o assunto é caça, metáfora que é mais desonrosa para a ciência do que os lobos são perigosos para a espécie humana. Enquanto isso, não podemos fazer nada aqui. E como acho que Varna não é familiar a qualquer um de nós, por que não ir para lá mais cedo? Demora tanto esperar aqui como lá. Temos hoje e amanhã para nos prepararmos, e então, se tudo correr bem, nós quatro podemos partir para a nossa jornada*".

"Nós quatro?" disse Harker surpreso, olhando de um para o outro.

"*É claro!*" respondeu o Professor depressa. "*O senhor deve ficar para tomar conta da sua doce esposa!*"

Harker ficou em silêncio por algum tempo, e então disse numa voz sem expressão, "*Falaremos sobre essa parte pela manhã. Quero consultar Mina*".

Achei que aquele era o momento de Van Helsing avisá-lo para não contar nossos planos para ela, mas ele pareceu não se importar. Olhei para ele de modo significativo e tossi. Como resposta, ele pôs o dedo sobre os lábios e retirou-se.

DIÁRIO DE JONATHAN HARKER

5 de outubro, à tarde: Depois do nosso encontro esta manhã fiquei algum tempo sem conseguir raciocinar. Os novos desdobramentos das coisas deixaram minha mente num estado de surpresa que não dá espaço a qualquer pensamento produtivo. A decisão de Mina de não tomar parte na discussão me deixou pensativo. E como não posso discutir o assunto com ela, só posso fazer conjeturas. Estou tão longe de uma solução agora como estava antes. O modo como os outros receberam essa decisão também me confundiu. A última vez que falamos do assunto, concordamos que não devia mais haver qualquer segredo entre nós. Mina está dormindo agora, calma e docemente, como uma criancinha. Seus lábios estão curvados numa espécie de sorriso, e seu rosto brilha de felicidade. Graças a Deus, ainda existem para ela momentos como esse.

Mais tarde: Tudo é muito estranho. Sentei-me para observar o sono feliz de Mina, e eu mesmo fiquei quase tão contente como suponho que um dia ainda serei. À medida que a noite avançava, e a terra cobria-se de sombras depois que o sol se pôs, o silêncio do quarto começou a tornar-se cada vez mais solene.

De repente Mina abriu os olhos, e olhando-me ternamente disse, *"Jonathan, eu quero que você me prometa algo sob palavra de honra. Essa promessa será feita a mim, mas será santificada pelo testemunho de Deus que nos ouve, e não deve ser quebrada a menos que eu me ajoelhe diante de você e lhe implore em meio às mais amargas lágrimas. Rápido, precisa fazer-me essa promessa agora mesmo".*

"Mina", eu disse, *"não posso fazer uma promessa assim de repente. Posso não ter o direito de fazê-la".*

"Mas, querido", ela disse, com tal intensidade espiritual que seus olhos pareciam estrelas polares, *"sou eu que o desejo. E a promessa não é para mim. Você pode perguntar ao dr. Van Helsing se eu não tenho razão. Se ele discordar, você pode fazer como achar melhor. Não, mais ainda, se todos vocês concordarem, mais tarde você será liberado da promessa".*

"Eu prometo!" eu disse, e por um momento ela pareceu extremamente feliz. Embora, para mim, toda a felicidade dela fosse negada pela cicatriz vermelha em sua testa.

Ela me disse, *"Prometa que não me contará nada sobre os planos feitos para a campanha contra o Conde. Nem por palavras, ou implicações, ou inferências, em nenhum momento, enquanto isto permanecer em mim!"* E apontou solenemente para a cicatriz. Vi que ela falava sério, e disse solenemente, *"Eu prometo!"* E assim que disse isso senti que uma porta havia se fechado entre nós dois.

Mais tarde, meia-noite: Mina esteve alegre e animada a noite toda. Todos os outros pareciam mais animados, como se contagiados pela sua alegria. Afinal, até mesmo eu sentia como se a mortalha de escuridão que pesava sobre nós tivesse começado a erguer-se. Todos nos retiramos cedo. Mina está dormindo agora como uma criancinha. É extraordinário que ela mantenha sua capacidade de dormir em meio a toda essa terrível tristeza. Agradeço a Deus por isso, pois assim ao menos ela poderá esquecer suas preocupações. Talvez o seu exemplo me inspire como a sua alegria o fez esta noite. É isso que tentarei. Oh! Se eu pudesse dormir sem sonhar!

6 de outubro, manhã: Nova surpresa. Mina me acordou cedo, mais ou menos na mesma hora que ontem, e me pediu que chamasse o dr. Van Helsing. Pensei que fosse para outra sessão de hipnotismo, e sem questionar fui buscar o Professor. Ele evidentemente estivera esperando alguma chamada desse tipo, pois encontrei-o já vestido em seu quarto. Sua porta estava entreaberta, de modo que ele podia ouvir a porta do nosso quarto abrir-se. O Professor veio imediatamente. Quando entrou no quarto, perguntou a Mina se os outros podiam vir também.

"Não", ela disse simplesmente, *"não será necessário. O senhor pode lhes contar, tão bem quanto eu. Tenho que partir com o senhor em sua jornada".*

O dr. Van Helsing ficou tão surpreso quanto eu. Depois de uma breve pausa, ele perguntou, *"Mas por quê?"*

"O senhor tem que me levar consigo. Estou mais segura com o senhor, e o senhor também estará mais seguro".

"Mas por que, cara senhora Mina? Sabe que sua segurança é nosso dever mais solene. Vamos enfrentar um perigo ao qual a senhora está, ou poderia estar, mais exposta do

que qualquer um de nós... pelas circunstâncias... pelas coisas que aconteceram." Ele fez uma pausa, embaraçado.

Quando respondeu, Mina ergueu o dedo e apontou para sua testa. "*Eu sei. É por isso que eu tenho que ir. Posso contar-lhe agora, enquanto o sol está nascendo. Depois eu talvez não seja mais capaz. Sei que quando o Conde me chamar, terei que obedecer. Sei que se ele me disser que vá em segredo, terei que recorrer a algum subterfúgio. Usarei de qualquer meio ao meu alcance para enganar, até mesmo Jonathan.*" Deus viu o olhar que ela me dirigiu quando falou, e se há de fato um Anjo Registrador que tome nota das ações humanas, esse olhar foi anotado para sua honra eterna. Só pude apertar sua mão. Não conseguia falar. Minha emoção era tão grande que nem as lágrimas poderiam aliviá-la.

Ela prosseguiu. "*Vocês, homens, são bravos e fortes. Também são superiores em número, pois podem desafiar aquilo que seria capaz de aniquilar a resistência humana de alguém que tivesse que defender-se sozinho. Além disso, eu posso ser útil, pois o senhor pode hipnotizar-me e assim descobrir aquilo que nem eu mesma sei.*"

O dr. Van Helsing disse gravemente, "*Senhora Mina, como sempre, é muito sábia. A senhora virá conosco. E juntos vamos realizar tudo aquilo que buscamos alcançar.*"

Assim que ele terminou de falar, o longo silêncio de Mina me fez olhar para ela. Ela se recostara no travesseiro, e dormia profundamente. Não despertou nem mesmo quando abri a persiana e deixei entrar a luz do sol, que inundou o quarto. Van Helsing fez-me sinal para sair em silêncio. Fomos para o quarto dele, e dentro de um minuto Lorde Godalming, o dr. Seward e o sr. Morris também estavam conosco.

Ele lhes contou o que Mina havia dito, e prosseguiu. "*Pela manhã partiremos para Varna. Temos que lidar agora com um fator novo: a senhora Mina. Ah, mas sua alma é sincera. É uma agonia para ela nos contar tudo o que já contou. Mas está tudo certo, e fomos avisados a tempo. Não podemos desperdiçar nenhuma chance, e em Varna devemos estar prontos para agir no momento em que aquele navio chegar.*"

"*E o que faremos, exatamente?*" perguntou o sr. Morris, lacônico como sempre.

O Professor fez uma pausa antes de responder, "*Primeiro devemos abordar aquele navio. Então, quando identificarmos o caixão, colocaremos sobre ele um ramo de rosa selvagem. Vamos firmá-lo bem, pois enquanto estiver lá ninguém poderá sair de dentro, pelo menos é o que diz a superstição. E devemos confiar na superstição sem hesitar, pois era esta a fé dos homens no princípio, e ela ainda tem suas raízes na fé. Então, assim que tivermos uma oportunidade, quando não houver ninguém por perto para nos ver, abriremos a caixa, e... e tudo sairá bem.*"

"*Não esperarei por oportunidade nenhuma*", disse Morris. "*Quando eu vir o caixão vou abri-lo e destruir o monstro, mesmo que haja mil homens me olhando e que eu venha a ser morto por causa disso no momento seguinte!*" Agarrei sua mão instintivamente, e vi que estava firme como aço. Acho que ele entendeu o meu olhar. É o que eu espero.

"*Bom rapaz,*" disse o dr. Van Helsing. "*Rapaz corajoso. Quincey é um homem de verdade. Deus o abençoe por isso. Meu filho, acredite, nenhum de nós recuará ou se deterá por temer alguma coisa. Apenas digo o que podemos fazer... o que devemos fazer. Mas, na verdade, não podemos prever realmente o que vamos fazer. Há tantas coisas que podem acontecer, e seus modos e fins são tão diversos, que até o momento nada podemos dizer. Todos estaremos armados, em todos os sentidos. E quando chegar a hora, nossos esforços não serão perdidos. Agora, vamos colocar todos os nossos negócios em ordem. Vamos deixar resolvidas todas as coisas que dizem respeito àqueles que nos são caros, e que dependem de nós. Pois nenhum de nós pode dizer qual, ou quando, ou como poderá ser o fim. Quanto a mim, meus próprios negócios estão resolvidos, e como não tenho nada mais para fazer, vou cuidar da viagem. Vou adquirir os bilhetes e outras coisas necessárias para a nossa jornada.*"

Não havia mais nada a ser dito, e nos separamos. Agora vou resolver todos os meus negócios terrenos, e me preparar para o que quer que aconteça.

Mais tarde: Está feito. Meu testamento está pronto e completo. Mina, caso sobreviva, é minha única herdeira. Se não for para ser assim, então os outros que foram tão bons para conosco ficarão com a herança.

O pôr do sol já está chegando. A inquietude de Mina chamou minha atenção para isso. Estou certo de que existe algo em sua mente que só será revelado no exato momento do ocaso. Essas ocasiões estão se transformando em tempos terríveis para todos nós, pois cada nascer e pôr do sol traz um novo perigo, uma nova aflição. Deus permita, porém, que isso tenha um bom fim. Escrevo essas coisas em meu diário, porque a minha querida não pode saber de nada disso. Mas se acontecer de ela vir a saber, que tudo já esteja terminado. Ela está me chamando, agora.

CAPÍTULO 25

DIÁRIO DO DR. SEWARD

11 de outubro, noite: Jonathan Harker pediu-me que anotasse isso, pois disse que não está à altura da tarefa, e deseja que seja mantido um registro exato de tudo.

Acho que nenhum de nós ficou surpreso quando nos pediram que víssemos a sra. Harker um pouco antes do pôr do sol. Ultimamente passamos a entender que o amanhecer e o pôr do sol para ela são momentos de rara liberdade, quando seu antigo ego pode manifestar-se sem que qualquer força controladora a subjugue ou refreie, ou incite-a a agir. Esse humor ou condição começa cerca de meia hora antes do momento em que o sol nasce ou se põe, e dura até que o sol esteja alto, pela manhã, ou quando as nuvens se tingem de vermelho com os derradeiros raios de sol sobre o horizonte, no ocaso. No princípio, há uma espécie de condição negativa, como se alguma amarra fosse solta, logo seguida pela liberdade absoluta. Porém, quando a liberdade cessa, a recaída ou o retorno ao estado anterior vem depressa, só precedido por um breve intervalo de silêncio.

Esta noite, quando nos reunimos, ela estava um pouco limitada, e dava todos os sinais de uma luta interna. Percebi isso pelo esforço violento que ela fazia, no primeiro momento em que isso lhe foi possível.

Em poucos minutos, porém, já recuperara pleno controle sobre si mesma. Então, fazendo sinal ao marido para sentar-se ao seu lado no sofá onde estava reclinada, pediu-nos que aproximássemos nossas cadeiras.

Segurando a mão do marido na sua, ela começou, *"Estamos todos reunidos aqui, em liberdade, talvez pela última vez! Sei que sempre estarão comigo, até o fim."* Isto fora dito para o marido que, como vimos, apertara com força a sua mão. *"Pela manhã partiremos para cumprir a nossa tarefa, e só Deus sabe o que pode estar à espera de cada um de nós. Os senhores são bondosos demais, levando-me consigo. Sei que farão por mim tudo aquilo que homens sérios e corajosos podem fazer por uma pobre mulher, cuja alma talvez esteja perdida – não, não, não ainda, mas de qualquer modo está em jogo. Mas devem se lembrar de que não sou o que os senhores são. Há um veneno em meu sangue, em minha própria alma, que pode destruir-me – que irá destruir-me com certeza – a menos que algum alívio venha em nosso auxílio. Oh, meus amigos, sabem tão bem quanto eu que minha alma está em jogo. E embora eu saiba que existe uma saída para mim, nem os senhores nem eu devemos tomar esse caminho!"* Ela olhou suplicante para cada um de nós, começando e terminando com seu marido.

"*Que saída é essa?*" perguntou Van Helsing, a voz rouca. "*Qual é esse caminho que não devemos nem podemos tomar?*"

"*Que eu morra agora, por minha própria mão ou pela mão de outro, antes que o mal maior esteja inteiramente consumado. Eu sei, e os senhores também, que uma vez que eu morra, os senhores podem, e irão, libertar o meu espírito imortal, como fizeram com a minha pobre Lucy. Se fosse a morte, ou o medo da morte, o único obstáculo no caminho, eu não hesitaria em morrer aqui e agora, entre os amigos que tanto me estimam. Mas a morte não é tudo. Não posso acreditar que a morte, num caso como este, em que há esperança diante de nós e uma tarefa amarga a ser cumprida, seja a vontade de Deus. Assim, eu, da minha parte, renuncio aqui e agora à certeza do descanso eterno, e parto na direção das trevas, onde podem estar as coisas mais negras que o mundo, ou o submundo, mantém em seus domínios!*"

Ficamos todos em silêncio, pois sabíamos por instinto que aquilo era só um prelúdio. Os rostos dos outros estavam fixos, e o rosto de Harker ficou pálido, de um tom acinzentado. Talvez ele adivinhasse melhor do que qualquer um de nós o que estava por vir.

Ela continuou, "*Essa é a minha contribuição para a colação de bens[37]*". Não pude deixar de notar a estranheza da frase legal que ela usara numa situação como essa, e com toda a seriedade. "*Qual será a contribuição de cada um dos senhores? Suas vidas, eu sei*", ela continuou depressa, "*isso é fácil para os homens corajosos. Suas vidas pertencem a Deus, e podem devolvê-las a Ele, mas o que darão a mim?*" E de novo lançou-nos um olhar interrogativo, mas desta vez evitou o rosto do marido. Quincey pareceu entender e confirmou com a cabeça. O rosto de Mina se iluminou. "*Então lhes direi claramente o que desejo, pois não deve haver nenhuma dúvida entre nós, no que se refere a essa questão. Devem prometer-me solenemente, todos e cada um, até mesmo você, meu amado Jonathan, que quando chegar a hora, irão matar-me*".

"*E qual seria essa hora?*" Era a voz de Quincey, mas num tom baixo e tenso.

"*Quando se convencerem de que estou tão mudada que é melhor morrer do que continuar vivendo. E quando a minha carne não mais viver, sem perder um momento, os senhores trespassarão meu corpo com uma estaca e cortarão minha cabeça. Ou farão o que mais for preciso para que eu descanse em paz!*"

Houve uma pausa. Quincey foi o primeiro a levantar-se. Ele ajoelhou-se diante dela, e tomando-lhe a mão, disse solenemente, "*Sou apenas um sujeito rude, que talvez não tenha vivido como um homem deveria viver para merecer tal distinção, mas eu lhe juro por tudo que é mais sagrado e caro para mim, que quando a hora chegar, não fugirei ao dever que agora aceito. Também lhe prometo que farei tudo do modo certo, para que não reste nenhuma dúvida de que a hora de fato chegou!*"

"*Meu verdadeiro amigo!*" foi tudo que ela pode dizer, entre as lágrimas ardentes que lhe escorriam pela face. E inclinando-se, beijou a mão que segurava a sua.

"*Eu faço o mesmo juramento, minha cara senhora Mina!*" disse Van Helsing. "*E eu também!*" disse Lorde Godalming. Cada um deles, por sua vez, ajoelhou-se diante dela para prestar o juramento. Quando chegou a minha vez, fiz o mesmo.

Então seu marido virou-se para ela com um olhar melancólico, a palidez esverdeada do seu rosto acentuando o grisalho dos seus cabelos, e perguntou "*E eu, minha amada esposa, também devo fazer-lhe a mesma promessa?*"

"*Você também, meu adorado*", ela disse, com infinita piedade na voz e no olhar. "*Não deve recuar. Você, que é a pessoa mais próxima e mais querida, e o mundo inteiro para mim. Nossas almas são uma só, por toda a vida e até o fim dos tempos. Lembre-se, querido,*

---

[37] Termo jurídico que significa o ato de restituir à massa da herança os bens recebidos pelos herdeiros com antecipação, durante a vida do falecido, para que haja igualdade na partilha. NT

de que houve épocas em que os homens corajosos matavam suas esposas e as mulheres da sua família, para impedir que caíssem nas mãos do inimigo. Suas mãos não hesitavam, ainda mais porque essas mesmas mulheres a quem amavam lhes imploravam que as matassem. É o dever dos homens para com aquelas a quem amam, em tempos de dolorosas provações! Oh, meu querido, se tenho que morrer pela mão de alguém, que seja pela mão daquele que mais me ama. Dr. Van Helsing, não esqueci da sua clemência no caso da pobre Lucy para com aquele que a amava". Ela parou, pois uma onda de rubor lhe viera ao rosto, e mudou a frase, *"para com aquele que tinha mais direito de proporcionar-lhe a paz. Se esse tempo vier novamente, conto com o senhor para introduzir essa lembrança feliz na vida do meu marido, de que foi a sua amada mão que me libertou deste terrível cativeiro".*

"Juro outra vez!" veio a voz ressonante do Professor.

A sra. Harker sorriu, realmente sorriu, e com um suspiro de alívio reclinou-se e disse, *"E agora, uma palavra de advertência, uma advertência que nunca deverão esquecer. Essa hora, se um dia chegar, virá de modo rápido e inesperado, e nesse caso não devem esperar nenhum segundo para aproveitar a oportunidade. A essa hora, eu mesma poderia estar... Não! Quando a hora chegar, eu estarei unida ao seu inimigo, e contra os senhores. Um último pedido"*, e ela tornou-se solene ao dizer isso, *"Não é tão vital e necessário quanto o outro, mas quero que façam uma coisa para mim, se puderem".*

Todos concordamos, mas ninguém falou. Não havia necessidade de palavras.

"Quero que leiam o Ofício Fúnebre". Ela foi interrompida por um profundo suspiro do marido. Tomando a mão dele, colocou-a sobre o seu coração, e continuou. *"Você terá que lê-lo para mim algum dia. Seja qual for o resultado de toda essa terrível situação, essas palavras serão uma doce lembrança para alguns de nós. Espero que seja você a ler, meu adorado, pois então será com a sua voz que ele ficará para sempre em minha memória, aconteça o que acontecer!"*

"Oh, minha querida" ele implorou, *"a morte ainda está muito distante de você".*

"Não", ela disse, erguendo a mão em advertência. *"Estou mais entranhada na morte neste momento do que se a laje pesada de um túmulo estivesse sobre mim!"*

"Oh, minha esposa, quer mesmo que eu leia?" ele disse, antes de começar.

"Seria um grande consolo para mim, meu marido!" foi tudo o que ela disse, e ele começou a ler assim que ela lhe alcançou o livro.

Como eu poderia... Como qualquer um poderia descrever aquela cena estranha: sua solenidade, sua melancolia, sua tristeza, seu horror, e também sua doçura. Mesmo um cético, que não vê nada além de um disfarce da amarga verdade em qualquer coisa sagrada ou de cunho emocional, sentiria o coração enternecido se tivesse visto aquele pequeno grupo de fiéis e devotados amigos ajoelhados ao redor daquela dama ferida e sofredora. Ou se ouvisse a terna paixão na voz do seu marido – tão emocionada que o obrigava com frequência a fazer uma pausa – enquanto lia o belo e simples sermão do Sepultamento dos Mortos. Não posso continuar... as palavras.. e a voz... me faltam!

Ela tinha razão em seu instinto. Estranho como foi, bizarro como possa parecer daqui por diante até mesmo para nós que sentimos sua poderosa influência na ocasião, aquilo nos confortou muito. E o silêncio, prova de que a sra. Harker estava perdendo de novo a liberdade de espírito, não nos pareceu tão desesperador quanto temíamos.

DIÁRIO DE JONATHAN HARKER

15 de outubro, Varna: Partimos de Charing Cross na manhã do dia doze, chegando a Paris na mesma noite, e ocupamos os lugares reservados para nós no Expresso do

Oriente. Viajamos noite e dia, chegando aqui aproximadamente às cinco horas. Lorde Godalming foi ao Consulado para ver se chegou algum telegrama para ele, enquanto o resto do nosso grupo se dirigia ao hotel, o "Odessus." A viagem pode ter tido incidentes. Eu, porém, estava tão ansioso para prosseguir que pouco me importei com eles. Até que o Czarina Catarina entre no porto, não haverá nada neste vasto mundo que possa despertar meu interesse. Graças a Deus! Mina está bem, e parece estar ficando mais forte. Sua cor está voltando, e ela dorme muito. Durante a viagem, dormiu quase o tempo todo. Antes do amanhecer e do pôr do sol, no entanto, fica bem acordada e alerta. E tornou-se um hábito para Van Helsing hipnotizá-la nessas ocasiões. No princípio, foi preciso algum esforço, e ele teve que fazer muitos passes. Mas agora, ela parece render-se de imediato, como se fosse um hábito, e raramente é preciso qualquer ação. Ele parece ter o poder de apenas impor sua vontade, nesses momentos especiais, e ela simplesmente obedece. Ele sempre lhe pergunta o que ela vê e ouve.

À primeira pergunta, ela responde, *"Nada, está tudo escuro"*.

E à segunda, *"Ouço as ondas batendo contra o casco do navio, e a água passando. As velas e os cordames esticados, e o rangido dos mastros e vergas. O vento sopra forte... Posso ouvi-lo nos ovéns, e a proa joga a espuma de volta"*.

É evidente que o Czarina Catarina ainda está no mar, navegando velozmente em direção à Varna. Lorde Godalming acaba de voltar. Ele recebeu quatro telegramas, um para cada dia desde que partimos, e todos com a mesma informação: o Czarina Catarina não constava de nenhum registro do Lloyd's, em parte alguma. Antes de deixar Londres, ele combinara com seu agente para lhe enviar diariamente um telegrama dizendo se havia algum registro do navio. Ele deveria receber uma mensagem mesmo se o navio não fosse visto, de modo que ele pudesse estar seguro de que havia uma constante vigilância do outro lado do telégrafo.

Jantamos e fomos cedo para a cama. Amanhã vamos nos avistar com o Vice-cônsul, e tentar conseguir, se pudermos, uma autorização para subir a bordo do navio assim que ele chegar. Van Helsing diz que a nossa chance será entrar no barco entre o amanhecer e o pôr do sol. O Conde, mesmo se tomar a forma de um morcego, não pode cruzar a água corrente por sua própria vontade, e assim não pode deixar o navio. E como ele não ousa tomar a forma de um homem sem despertar suspeitas, que ele evidentemente deseja evitar, é obrigado a permanecer no caixão. Se, porém, pudermos subir a bordo depois do amanhecer, ele estará à nossa mercê, pois podemos abrir o caixão e ter certeza, como fizemos com a pobre Lucy, antes que ele desperte. O tipo de clemência que receberá de nós não importa muito. Achamos que não teremos muita dificuldade com os funcionários do porto, ou com os marinheiros. Graças a Deus! Este é um país onde o suborno pode comprar qualquer coisa, e temos uma boa provisão de dinheiro. Basta termos certeza de que o navio não entrará no porto entre o pôr do sol e o amanhecer sem sermos avisados, e estaremos seguros. Uma boa sacola de dinheiro resolverá este caso, eu acho!

16 de outubro: O relatório de Mina continua o mesmo. Ondas que batem e água correndo, escuridão e ventos favoráveis. O tempo está a nosso favor, e quando tivermos notícias do Czarina Catarina estaremos prontos. Quando ele atravessar o estreito de Dardanelos, com certeza vamos receber algum relato.

17 de outubro: Creio que tudo agora está bem organizado para darmos as boas-vindas ao Conde no retorno da sua excursão. Godalming contou aos transportadores que acredita que o caixão enviado a bordo contenha algo roubado de um amigo seu, e obteve uma autorização para abrir o caixão por sua própria conta e risco. O proprietário deu-lhe um documento dizendo ao Capitão que lhe conceda todas as facilidades para fazer o que desejar a bordo do navio, e também mandou uma autorização semelhante para o seu agente em Varna. Estivemos com o agente, que ficou muito impressionado com os modos absolutamente gentis de Godalming para com ele, e ficamos todos satisfeitos em saber que ele fará tudo que estiver ao seu alcance para nos ajudar.

Planejamos, inclusive, o que fazer caso possamos abrir o caixão. Se o Conde estiver lá, Van Helsing e Seward cortarão sua cabeça imediatamente, e trespassarão seu coração com a estaca. Morris, Godalming e eu cuidaremos para que ninguém interfira, mesmo se tivermos que usar as armas que já se encontram preparadas. O Professor diz que, se pudermos tratar o corpo do Conde desse modo, ele em seguida se transformará em pó. Neste caso, não haveria nenhuma evidência contra nós, caso surgisse alguma suspeita de homicídio. Mas mesmo que não surja, somos responsáveis pelo nosso ato, e talvez algum dia este mesmo manuscrito possa servir como prova, e venha a livrar alguns de nós da forca. Por mim, aceitaria isso com muita gratidão, se viesse. Não pretendemos deixar pedra sobre pedra ao levar a cabo o nosso intento. Arranjamos com certos funcionários para que nos mandem informar através de um mensageiro especial, assim que o Czarina Catarina for avistado,

24 de outubro: Uma semana inteira de espera. Telegramas diários para Godalming, mas sempre com a mesma história: *"Nenhuma informação até o momento"*. As sessões de hipnose de Mina, de manhã e à noite, ainda produzem as mesmas respostas. Ondas batendo, água correndo, e mastros rangendo.

TELEGRAMA, 24 DE OUTUBRO, DE RUFUS SMITH, LLOYD'S, LONDRES, PARA LORDE GODALMING, AOS CUIDADOS DO H.B.M. VICE-CÔNSUL, VARNA

"Registrada a passagem do Czarina Catarina por Dardanelos esta manhã".

DIÁRIO DO DR. SEWARD

25 de outubro: Como sinto falta do meu fonógrafo! Escrever um diário a mão é algo profundamente irritante para mim! Mas Van Helsing diz que é preciso. Ficamos todos muito excitados ontem, quando Godalming recebeu o telegrama do Lloyd's. Agora sei o que os homens sentem na batalha, quando ouvem o toque de atacar. A sra. Harker, afastada do nosso grupo, não mostrou qualquer sinal de emoção. Afinal, não é estranho que isso tenha acontecido, pois tomamos cuidado especial para não deixá-la saber de nada disso, e todos tentamos não mostrar qualquer emoção quando estamos em sua presença. Antigamente, estou certo de que ela teria notado, não importa o quanto tentássemos esconder. Mas ela mudou muito, durante as últimas três semanas. A sua letargia está aumentando, e embora ela pareça forte e bem, e algumas cores tenham voltado ao seu rosto, Van Helsing e eu não estamos satisfeitos. Falamos com frequência sobre ela. No entanto, não dissemos uma palavra aos outros. Partiria o coração do pobre Harker, e com certeza abalaria sua coragem, se ele soubesse que chegamos sequer a suspeitar disso. Van Helsing me disse que examina seus dentes com muito cuidado, quando ela está em transe hipnótico. Diz que enquanto os seus dentes não começarem a ficar afiados, não há nenhum perigo imediato de uma mudança radical. Se esta mudança viesse, seria necessário tomar precauções! Ambos sabemos quais seriam essas precauções, embora não tenhamos mencionado nosso pensamento um para o outro. Nenhum de nós se esquivaria da tarefa, por mais terrível que seja. "Eutanásia" é uma palavra excelente e reconfortante! Agradeço a quem a inventou.

São aproximadamente vinte e quatro horas de navegação de Dardanelos até aqui, considerando a velocidade desenvolvida pelo Czarina Catarina desde que deixou Londres. Ele deve, portanto, chegar em algum momento durante a manhã. Mas como possivelmente não entrará no porto antes do meio-dia, todos estamos prestes a nos recolher mais cedo. Vamos levantar à uma hora, de modo a estarmos prontos.

25 de outubro, meio-dia: Nenhuma notícia ainda sobre a chegada do navio. O relato da sessão de hipnose da sra. Harker esta manhã foi o mesmo de sempre, então é possível que venhamos a ter notícias a qualquer momento. Nós, os homens, estamos todos ardendo de excitação, menos Harker, que está calmo. Suas mãos estão frias como gelo, e uma hora atrás eu o encontrei afiando a lâmina da sua enorme faca ghurka, que ele agora sempre carrega consigo. Será uma péssima perspectiva para o Conde, se a lâmina daquela Kukri chegar a tocar em sua garganta, empunhada por aquela mão firme e gelada!

Van Helsing e eu ficamos um pouco alarmados com a sra. Harker hoje. Em torno do meio-dia ela entrou numa espécie de estado letárgico que não nos agradou. Embora não tivéssemos dito nada aos outros, nenhum de nós estava satisfeito com isso. Ela estivera inquieta durante toda a manhã, de modo que no início ficamos contentes de vê-la dormir. Quando, porém, seu marido mencionou por acaso que ela estava dormindo tão profundamente que ele não pudera acordá-la, fomos até seu quarto para ver por nós mesmos. Sua respiração estava normal, e ela parecia tão calma que concordamos que o sono lhe fazia mais bem do que qualquer outra coisa. Pobre menina, tem tantas coisas a esquecer, que não causa admiração que o sono, se lhe traz o esquecimento, faça tão bem a ela.

Mais tarde: Nossa opinião foi justificada quando, depois de algumas horas de um sono revigorante, ela acordou mais disposta e melhor do que estivera nos últimos dias. Ao pôr do sol, fez o habitual relato sob hipnose. Onde quer que ele possa estar no Mar Negro, o Conde está correndo em direção ao seu destino. E confio que também em direção à sua destruição!

26 de outubro: Outro dia e nenhuma novidade do Czarina Catarina. Ele já deveria estar aqui. Que ele ainda está navegando em algum lugar é evidente, pois o relato hipnótico da sra. Harker ao amanhecer foi o mesmo de sempre. É possível que o navio esteja à deriva, por causa da neblina. Alguns dos navios a vapor que entraram no porto na noite passada informaram a existência de manchas de névoa, tanto ao norte quanto ao sul do porto. Precisamos prosseguir com a vigilância, pois o navio pode ser visto a qualquer momento agora.

27 de outubro, meio-dia: Isso é muito estranho. Nenhuma notícia ainda do navio que estamos esperando. Ontem à noite e nesta manhã os relatos da sra. Harker foram os mesmos de sempre. *"Ondas batendo e água correndo"*, no entanto, ela acrescentou que *"as ondas eram muito fracas"*. Os telegramas de Londres eram os mesmos, *"nenhuma notícia adicional"*. Van Helsing está muito ansioso, e me disse agora mesmo que receia que o Conde esteja escapando das nossas mãos.

E acrescentou de modo significativo, *"Não gostei daquela letargia da senhora Mina. A alma e a memória são capazes de coisas estranhas durante um transe"*. Eu estava a ponto de lhe fazer mais perguntas, mas Harker entrou naquele momento, e ele ergueu a mão em sinal de advertência. Precisamos tentar fazê-la falar um pouco mais, durante o transe hipnótico desta noite.

TELEGRAMA, 28 DE OUTUBRO, DE RUFUS SMITH, LONDRES, PARA LORDE GODALMING, AOS CUIDADOS DO H.B.M. VICE-CÔNSUL, VARNA

"Registrada a entrada do Czarina Catarina em Galatz à uma hora de hoje".

DIÁRIO DO DR. SEWARD

28 de outubro: Quando veio o telegrama anunciando a chegada do navio em Galatz, não creio que tenha sido um choque tão grande para qualquer um de nós como seria de se esperar. É verdade que não sabíamos mais de onde, ou como, ou quando, o raio viria. Mas acho que todos esperávamos que algo estranho acontecesse. O dia da nossa chegada a Varna deixou-nos individualmente convencidos de que as coisas não sairiam exatamente como esperávamos. Só nos faltava saber quando ocorreria a mudança. Nem por isso, no entanto, deixou de ser uma surpresa. Suponho que a natureza se baseie tanto na esperança que, mesmo contra nós, acreditávamos que as coisas seriam como deveriam ser, e não como sabíamos que elas eram. O transcendentalismo é um farol para os anjos, embora seja um fogo-fátuo para o homem. Van Helsing ergueu as mãos sobre a cabeça por um momento, como se protestasse contra o Todo-poderoso. Mas não disse uma palavra, e em poucos segundos estava de pé, com uma expressão severa no rosto.

Lorde Godalming ficou muito pálido, e sentou-se, respirando pesadamente. Eu mesmo estava meio aturdido, e olhava surpreso de um para outro. Quincey Morris apertou seu cinto, com aquele movimento rápido que eu conhecia tão bem. Nos nossos velhos tempos de aventuras, isso significava "ação." A sra. Harker ficou mortalmente pálida, de modo que a cicatriz em sua testa parecia queimar, mas juntou as mãos humildemente como se rezasse. Harker sorriu, e foi de fato um sorriso, o sorriso sombrio e amargo de alguém que não tem mais esperança. Mas, ao mesmo tempo, sua atitude desmentia as palavras, pois suas mãos instintivamente buscaram o cabo da grande faca Kukri, e lá permaneceram.

"*Quando parte o próximo trem para Galatz?*" disse Van Helsing, dirigindo-se a todos.

"*Amanhã de manhã, às seis e trinta!*" Todos ficamos surpresos, pois a resposta viera da sra. Harker.

"*Mas por Deus, como é que sabe disso?*" disse Art.

"*O senhor se esquece, ou talvez não saiba, embora Jonathan e também o dr. Van Helsing saibam disso, que eu sou a fada dos trens. Em minha casa, em Exeter, eu costumava sempre organizar as tabelas de horário dos trens, para ajudar o meu marido. Descobri que isso às vezes era tão útil, que agora sempre costumo estudá-las. Eu sabia que, se por qualquer razão tivéssemos que ir ao Castelo de Drácula, deveríamos passar por Galatz, ou de qualquer modo por Bucareste, então estudei os horários com muito cuidado. Infelizmente, não havia muito o que aprender, pois o único trem amanhã sai nesse horário que indiquei*".

"*Mulher admirável!*" murmurou o Professor.

"*Não podemos conseguir um trem especial?*" perguntou Lorde Godalming.

Van Helsing sacudiu a cabeça, "*Receio que não. Este país é muito diferente do seu e do meu. Mesmo se conseguíssemos um trem especial, ele provavelmente não chegaria antes do trem regular. Além disso, temos coisas para tratar. Precisamos pensar. Vamos organizar as coisas. O senhor, amigo Arthur, vá até a estação e compre os bilhetes, e providencie para que tudo esteja pronto para partirmos pela manhã. O senhor, amigo Jonathan, vá procurar o agente responsável pelo navio, e consiga as cartas para o agente em Galatz com autoridade para fazermos uma busca no navio, como conseguimos aqui. Quincey Morris, vá procurar o Vice-cônsul, e peça sua ajuda com seu colega de Galatz, e tudo mais que ele possa fazer para facilitar nosso caminho, de modo que não se perca tempo quando chegarmos ao Danúbio. John ficará com a senhora Mina e comigo, e vamos discutir o assunto. Pois se demorar muito, vocês* se atrasarão. E não importa a hora que anoiteça, desde que eu esteja aqui com a senhora Mina para pegar o seu relato".

"E eu", disse a sra. Harker com vivacidade, mostrando-se mais ela mesma do que era há muitos dias, "tentarei ser útil de todas as maneiras, refletindo e escrevendo como costumava fazer. Algo está se desprendendo de mim de um modo muito estranho, e me sinto mais livre do que tenho estado ultimamente!"

Os três homens mais jovens ficaram extremamente felizes, no momento em que perceberam o significado das suas palavras. Mas Van Helsing e eu nos viramos um para o outro e trocamos um olhar sério e preocupado. Porém, não dissemos nada naquele momento.

Quando os três homens saíram para cuidar dos seus afazeres, Van Helsing pediu à sra. Harker para procurar a cópia dos manuscritos e encontrar no diário de Harker a parte que se referia ao Castelo. Ela saiu para buscar.

Quando a porta se fechou atrás dela, ele virou-se para mim, "Nós pensamos a mesma coisa! Fale!"

"Houve alguma mudança. É uma esperança que me deixa assustado, pois pode ser ilusória".

"Isso mesmo. Você sabe por que eu lhe pedi que pegasse o diário?"

"Não!" eu disse, "A menos que fosse para ter uma oportunidade de falar-me a sós".

"Você tem razão em parte, amigo John, mas só em parte. Quero lhe dizer uma coisa. E oh, meu amigo, eu estou assumindo um enorme e terrível risco. Mas acredito que seja certo. No momento em que a senhora Mina disse aquelas palavras que chamaram a nossa atenção, tive uma inspiração. No transe de três dias atrás, o Conde enviou seu espírito para ler a mente dela. Ou, o que é mais provável, ele a levou até lá para que ela o visse no seu caixão no navio, com a água correndo, do mesmo modo que seu espírito se liberta ao nascer e ao pôr do sol. Ele então descobre que nós estamos aqui, pois ela tem mais a contar em sua vida livre, com olhos para ver e ouvidos para escutar, do que ele, fechado dentro daquele caixão. Agora, todo seu esforço está concentrado em escapar de nós. No momento, ele não a quer.

"Com seu enorme conhecimento, ele está seguro de que ela atenderá sem hesitar ao seu chamado. Mas ele a isolou, então faremos o que ele sabe fazer, a tiraremos de sob o seu poder, para que ela não volte para ele. Ah! Quanto a isso eu tenho esperanças de que nossos cérebros humanos, que são humanos há tanto tempo e que não perderam a graça de Deus, serão superiores ao seu cérebro infantil, que esteve enterrado numa tumba durante séculos, e que ainda não atingiu a nossa estatura, e só pode praticar ações egoísta e mesquinhas. Aí vem a senhora Mina. Nem uma palavra para ela sobre o seu transe! Ela não sabe do que aconteceu, e isso acabaria por arrasá-la e levá-la ao desespero, quando queremos que ela mantenha toda sua esperança e toda sua coragem. Além do mais, queremos seu notável cérebro, que é igual ao de um homem treinado, mas que é suave como o de uma mulher, e que possui um poder especial que o Conde lhe deu, e o qual ele não pode retirar completamente, embora não pense assim. Silêncio! Deixe que eu fale, e você aprenderá. Oh, John, meu amigo, estamos num dilema terrível. Eu sinto medo, como nunca senti antes. Só podemos confiar no bom Deus. Silêncio! Aí vem ela!"

Achei que o Professor iria perder o controle e ter um colapso nervoso, como teve quando a pobre Lucy morreu, mas ele controlou-se com grande esforço. Seus nervos estavam em equilíbrio perfeito quando a sra. Harker irrompeu na sala, parecendo bem-disposta e feliz por fazer o seu trabalho, aparentemente esquecida da sua infelicidade. Ao entrar, entregou a Van Helsing várias folhas datilografadas. Ele examinou-as gravemente, e seu rosto se iluminava à medida que lia.

Então, segurando as páginas entre o indicador e o polegar, ele disse, *"Amigo John, para você que já possui tanta experiência, e para a senhora também, cara senhora Mina, que ainda é jovem, eis aqui uma lição. Nunca tenha receio de pensar. Um pequeno pensamento esteve esvoaçando no meu cérebro com frequência, mas eu temia que ele pudesse perder as asas. Agora, com mais conhecimento, volto ao lugar de onde veio aquele pequeno pensamento, e descubro que não é pequeno, afinal. É um pensamento inteiro, embora seja tão jovem que ainda não é forte o bastante para usar suas próprias asas. Não, como o 'Patinho Feio' do meu amigo Hans Andersen, ele não é nenhum pensamento-pato, mas um grande pensamento-cisne, que desliza sobre a água majestosamente com suas grandes asas, quando chega o momento de experimentá-las. Vejam, vou ler o que Jonathan escreveu.*

Aquele outro de sua raça, e que, tempos depois, novamente atravessou com suas tropas o Grande Rio em direção à Turquia, e que, após bater em retirada, avançou de novo e de novo, mesmo que tivesse que atravessar sozinho o campo sangrento onde suas tropas estavam sendo dizimadas, pois sabia que só ele poderia triunfar por fim.

"O que isso nos diz? Não muito, não acham? Não! A mente infantil do Conde nada vê, por isso ele fala com tanta liberdade. A sua mente humana nada vê. A minha mente humana também não viu nada, até este momento. Não! Mas então temos uma palavra vinda de alguém que fala sem pensar, porque essa pessoa, também, não sabe o que isso significa, o que poderia significar. Como sempre há elementos que permanecem, quando no curso da natureza eles mudam seu caminho e se tocam, puf! Surge um raio de luz, rasgando o céu, cegando alguns, matando e destruindo outros. Mas aquele espetáculo mostra toda a terra embaixo numa distância de léguas e léguas. Não é assim? Bem, eu explico. Para começar, algum dia já estudaram a filosofia do crime? Sim e não. Você, John, sim, pois ele não deixa de ser um estudo da loucura. A senhora não, senhora Mina, pois o crime nunca a atingiu, exceto uma vez. Mesmo assim, sua mente acredita ser verdade, e não discute o particulari ad universale. Isso é uma peculiaridade dos criminosos. O crime é tão constante, em todos os países e a todo momento, que até mesmo a polícia, que não conhece muito de filosofia, conhece o crime empiricamente. E isso é o que chamamos de empírico. O criminoso sempre trabalha com apenas um tipo de crime, isto é, o verdadeiro criminoso que parece predestinado ao crime, e que não irá além disso. Este criminoso não tem um cérebro adulto totalmente desenvolvido. Ele é inteligente, astucioso e cheio de recursos, mas seu cérebro não tem a estatura do cérebro de um homem. Tem muito do cérebro de uma criança. Agora, este criminoso com quem estamos lidando também está predestinado ao crime. Também tem cérebro infantil, e é próprio de uma criança fazer o que ele fez. O filhote de pássaro, o filhote de peixe, qualquer filhote animal não aprende por princípio, mas empiricamente. E quando ele aprender a fazer algo, então descobre o princípio para fazer mais. 'Dos pou sto', disse Arquimedes. 'Deem-me uma alavanca e moverei o mundo!' Fazer uma vez, é o fundamento por meio do qual o cérebro da criança se torna o cérebro de um homem. E enquanto tiver o propósito de fazer mais, ele continua fazendo a mesma coisa a cada vez, exatamente como fez antes! Oh, minha querida, vejo que seus olhos estão abertos, e que o raio de luz mostrou-lhe a terra por léguas e léguas," pois a sra. Harker começara a bater palmas, e seus olhos brilhavam.

Ele prosseguiu, *"Agora é a senhora quem vai falar. Conte para estes dois áridos homens da ciência o que vê com esses olhos tão luminosos."* Ele tomou-lhe a mão, segurando-a enquanto falava. Seu polegar e o indicador fecharam-se em volta do pulso dela, como percebi de modo instintivo e inconsciente ao vê-la falar.

"O Conde é um criminoso, e criminoso típico. Nordau e Lombroso o classificariam assim, e como criminoso, possui uma mente imperfeita. Assim, ao deparar-se com uma dificuldade, ele tem

que buscar recurso no hábito. Seu passado é uma pista, e a única página dele que conhecemos, e pelos seus próprios lábios, conta que uma vez, antigamente, quando estava numa situação que o sr. Morris chamaria de "lugar apertado", ele voltou para o seu próprio país pela terra que tinha tentado invadir, e de lá, sem desistir do seu propósito, preparou-se para uma nova tentativa. Ele voltou, mais bem equipado para a tarefa, e venceu. Assim, ele veio a Londres para invadir uma nova terra. Foi vencido, e quando toda a esperança de sucesso estava perdida e sua existência corria perigo, ele correu pelo mar em direção à sua casa. Do mesmo modo que antes fugira da Turquia atravessando o Danúbio".

"Bom, muito bom! Oh, a senhora é tão inteligente!" disse Van Helsing, entusiasmado, enquanto se inclinava e beijava-lhe a mão. Um momento depois ele me disse, com toda calma, como se estivéssemos tendo uma consulta num consultório médico, "Setenta e dois apenas, e com toda essa excitação. Tenho esperanças".

Virando-se novamente para ela, disse com ansiosa expectativa, "Mas continue. Vá em frente! Há muito mais para contar, se quiser. Não tenha receio. John e eu sabemos. Ou eu sei, em todo caso, e lhe direi se estiver com a razão. Fale sem medo!"

"Tentarei. Mas peço que me perdoe, se eu parecer muito egotista."

"Não! Não tenha medo, é bom que seja egotista, pois é na senhora que estamos pensando."

"Então, como criminoso ele é egoísta. E como seu intelecto é reduzido, e sua ação é baseada no egoísmo, ele se limita a um único propósito. Esse propósito não admite remorso. Da mesma forma que correu através do Danúbio, deixando suas forças para trás para serem aniquiladas, assim agora sua intenção é estar seguro, pouco se importando com todo o resto. Desta forma, seu próprio egoísmo libertou minha alma do poder terrível que adquiriu sobre mim naquela noite funesta. Eu o senti! Oh, eu o senti! Agradeço a Deus, por Sua infinita misericórdia! Minha alma agora está mais livre do que jamais esteve, desde aquela hora sinistra. E tudo que me assusta é o medo de que, durante algum transe hipnótico ou sonho, ele tenha usado meu conhecimento para os seus fins ignóbeis."

O Professor se levantou, "Ele usou sua mente, de fato, e por esse meio nos deixou aqui em Varna, enquanto o navio que o transportava, envolto numa cortina de névoa, navegava velozmente para Galatz, onde, sem dúvida, arranjara tudo para escapar à nossa perseguição. Mas sua mente infantil só enxergou até aí. E pode ser que, como sempre acontece por obra da Divina Providência, a própria coisa que o criminoso mais considera para o seu bem egoísta, acabe se tornando a sua perdição. O caçador é pego na própria armadilha, como diz o grande salmista. Pois agora que ele pensa que está inteiramente livre de nós, e que escapou com tantas horas de vantagem, seu cérebro de criança egoísta o aconselhará a dormir. Ele acha, ademais, que como se desligou do conhecimento da sua mente, também não poderá haver nenhum conhecimento da sua parte sobre o que ocorre com ele. É aí que ele se engana! Aquele fatídico batismo de sangue que ele lhe impôs, deixa-a livre da obrigação de segui-lo em espírito, assim como faz nos seus momentos de liberdade, ao nascer e ao pôr do sol. Nessas ocasiões, a senhora segue a minha vontade, não a dele. E esse poder de fazer o bem a si mesma e aos outros, a senhora adquiriu através do seu sofrimento nas mãos dele. E agora, é ainda mais importante que ele não saiba dessa valiosa circunstância, pois, para resguardar-se, chegou a cortar fora o canal que lhe permitia saber a nossa posição. Nós, porém, não somos egoístas, e acreditamos que Deus está conosco para guiar-nos através dessa escuridão, e das muitas horas sombrias que nos esperam. Nós o seguiremos sem vacilar, mesmo se corrermos o risco de nos tornarmos como ele. Amigo John, este foi um grande momento, e que muito contribuiu para avançarmos em nosso caminho. Você deve ser o nosso escriba, e registrar tudo que se passou, para que quando os outros voltem das suas tarefas possamos lhes dar o texto para ler. E então eles saberão, da mesma forma que nós".

E assim escrevi o que aqui está, enquanto esperamos seu retorno, e a sra. Harker datilografou em sua máquina tudo que aconteceu desde que trouxe o manuscrito para nós.

CAPÍTULO 26

DIÁRIO DO DR. SEWARD

29 de outubro: O que aqui segue foi escrito no trem de Varna para Galatz. Na noite de ontem, todos nos reunimos um pouco antes do pôr do sol. Cada um de nós tinha feito o seu trabalho, tão bem quanto pôde. Tão longe quanto possam alcançar o pensamento, o esforço, e a oportunidade, estamos preparados para o que acontecer nessa viagem, e para a nossa tarefa quando chegarmos a Galatz. Quando chegou a hora habitual, a sra. Harker preparou-se para o seu esforço hipnótico, e depois de um esforço ainda mais longo e mais sério do que seria necessário por parte de Van Helsing, ela mergulhou no transe. Normalmente ela falava por sugestões, mas desta vez o Professor teve que lhe fazer perguntas específicas, e fazê-las de modo decidido, antes que pudéssemos descobrir alguma coisa. Afinal, veio a resposta:

"*Não posso ver nada. Estamos parados. Não há ondas batendo, mas apenas o firme deslizar da água, correndo suavemente contra a amarra. Posso ouvir as vozes dos homens, próximas e distantes, e o girar e ranger dos remos nas forquetas. Uma arma foi disparada em algum lugar, e o eco parece distante. Ouço o barulho de passos lá em cima, e o arrastar de cordas e correntes. O que é isso? Há um clarão de luz. Posso sentir o ar soprando sobre mim*".

Então ela parou. Levantou-se num impulso do sofá onde estava recostada, e ergueu ambas as mãos, com as palmas para cima, como se estivesse segurando um peso. Van Helsing e eu olhamos um para o outro com um olhar de entendimento. Quincey ergueu ligeiramente as sobrancelhas, e olhou atentamente para ela, enquanto a mão de Harker, de modo instintivo, fechou-se em torno do cabo da sua Kukri. Houve uma longa pausa. Todos sabíamos que o tempo que lhe restava para falar estava passando, mas sentíamos que era inútil dizer qualquer coisa.

De repente, ela sentou-se, e enquanto abria os olhos disse docemente, "*Nenhum de vocês gostaria de tomar uma xícara de chá? Devem estar todos tão cansados!*"

Só nos restava agradá-la, então aceitamos. Ela apressou-se a buscar o chá. Depois que ela saiu, Van Helsing disse, "*Vejam, meus amigos. Ele está próximo a terra. Deixou seu cofre terreno. Mas ainda tem que chegar à costa. Durante a noite ele pode ficar escondido em algum lugar, mas se não for transportado para a margem, ou se o navio não atracar, não poderá alcançar a terra. Neste caso ele pode, se for à noite, mudar a sua forma e saltar ou voar até a costa, então, a menos que seja carregado não pode escapar. E se for carregado, então os funcionários da alfândega podem descobrir o conteúdo do caixão. Em suma, se ele não escapar para a costa hoje à noite, ou antes do amanhecer, perderá um dia inteiro. Então poderemos chegar a tempo. Pois se ele não escapar à noite, nós chegaremos até ele durante o dia, fechado num caixão e à nossa mercê. Pois ele não ousa mostrar-se em sua aparência real, acordado e visível, para que não seja descoberto*".

Não havia nada mais a ser dito. Assim, esperamos com paciência pelo amanhecer, quando poderíamos saber mais através da sra. Harker.

Cedo pela manhã nos reunimos para ouvir, em ansiosa expectativa, a resposta que ela daria em seu transe. O estado hipnótico demorou ainda mais do que antes a se instalar, e quando chegou, o tempo restante até o amanhecer era tão curto que começamos a desesperar. Van Helsing parecia lançar sua própria alma naquele esforço. Afinal, obediente a sua vontade, ela respondeu.

"*Tudo está escuro. Ouço a água batendo, ao nível dos meus ouvidos, e o ranger de madeira contra madeira*". Ela fez uma pausa, e o sol rubro surgiu. Teremos que esperar até a noite.

E assim é que estamos viajando para Galatz na mais aflita expectativa. Devemos chegar entre duas e três horas da manhã. Mas já em Bucareste estávamos com três horas de atraso, portanto é provável que o trem não chegue lá até bem depois do sol nascer. Assim, ainda teremos duas mensagens hipnóticas da sra. Harker! Qualquer uma, ou ambas, podem lançar mais alguma luz sobre o que está acontecendo.

Mais tarde: O pôr do sol veio e se foi. Felizmente, veio num momento em que não havia qualquer perturbação. Se tivesse ocorrido enquanto o trem estava parado em alguma estação, talvez não pudéssemos assegurar a necessária calma e isolamento. A sra. Harker demorou ainda mais para ceder à influência hipnótica do que de manhã. Receio que o seu poder de ler a mente do Conde possa estar se extinguindo, justo quando mais precisamos dele. Parece-me que a imaginação dela está começando a interferir, pois até agora, sempre que esteve em transe, limitava-se aos simples fatos. Se isso continuar, pode acabar nos induzindo a erro. Se eu acreditasse que o poder do Conde sobre ela se extinguiria ao mesmo tempo em que ela recuperasse o conhecimento, seria um pensamento feliz. Mas temo que possa não ser bem assim.

Quando ela falou, suas palavras foram enigmáticas, "*Alguma coisa está saindo. Posso senti-la passando por mim, como uma rajada de vento frio. Ao longe, ouço sons confusos, como de homens falando em línguas estranhas, o som da água caindo com força e o uivo dos lobos*". Ela parou, e um tremor sacudiu seu corpo, aumentando de intensidade por alguns segundos. Finalmente, teve um abalo mais forte e ficou imóvel. Não disse mais nada, mesmo em resposta ao interrogatório imperativo do Professor. Quando despertou do transe estava com muito frio, exausta e fraca, mas sua mente estava inteiramente alerta. Ela não se lembrava de nada, mas perguntou o que havia dito. Quando lhe contaram, refletiu profundamente sobre isso em silêncio, durante longo tempo.

30 de outubro, 7 horas da manhã: Estamos agora perto de Galatz, e depois posso não ter mais tempo para escrever. Esta manhã, todos esperamos ansiosos pelo nascer do sol. Sabendo da dificuldade crescente de conseguir que ela entrasse em transe hipnótico, Van Helsing começara seus passes mais cedo do que o habitual. Porém, eles não produziram efeito algum até o momento certo, quando ela cedeu com maior dificuldade ainda, só um minuto antes do nascer do sol. O Professor não perdeu tempo ao interrogá-la.

Sua resposta veio com igual rapidez, "*Tudo está escuro. Ouço a água batendo, ao nível dos meus ouvidos, e o ranger de madeira contra madeira. O gado muge ao longe. Há um outro som, um som esquisito, parecido com...*" Ela parou e empalideceu. Depois ficou lívida.

"*Continue, continue! Fale, estou ordenando!*" disse Van Helsing, em voz agoniada. Ao mesmo tempo, havia desespero nos olhos dele, pois o sol nascente lançava seus raios avermelhados, até mesmo sobre a face pálida da sra. Harker. Ela abriu os olhos, e todos nos assustamos quando ela disse, de modo suave e aparentando total despreocupação:

"*Oh, Professor, por que me pede o que sabe que não posso fazer? Não me lembro de nada*". Então, vendo o olhar de espanto em nossos rostos, virou-se de um para o outro com um olhar desconcertado, dizendo, "*O que foi que eu disse? O que foi que eu fiz? Não sei de nada, só que estava aqui deitada, meio adormecida, e o ouvi dizer 'Continue, continue! Fale, estou ordenando!' Parecia tão engraçado ouvi-lo me dar ordens, como se eu fosse uma criança travessa!*"

"*Oh, senhora Mina*", ele disse, com tristeza, "*Essa é a prova, se é preciso alguma prova, do quanto estimo e admiro a senhora, a ponto de uma palavra dita para o seu bem, quando dita num tom mais sério, parecer-lhe tão estranha porque é uma ordem dirigida àquela a quem tenho o maior orgulho de obedecer!*"

O apito está soando. Estamos nos aproximando de Galatz. Ardemos de ansiedade e impaciência.

DIÁRIO DE MINA HARKER

30 de outubro: O sr. Morris me levou para o hotel, onde nossos quartos tinham sido reservados por telegrama. Ele é o único que poderia ser dispensado para essa tarefa, pois não fala nenhum idioma estrangeiro. Nossas forças foram distribuídas da mesma maneira que em Varna, exceto que coube a Lorde Godalming procurar o Vice-cônsul, uma vez que seu título poderia servir como um tipo de garantia imediata junto ao funcionário, já que tínhamos muita pressa. Jonathan e os dois médicos foram ver o agente responsável pelo navio, para saber particularidades sobre a chegada do Czarina Catarina.

Mais tarde: Lorde Godalming voltou. O Cônsul está fora, e o Vice-cônsul está doente. Assim, o trabalho rotineiro está sendo conduzido por um secretário. Ele foi muito gentil, e prontificou-se a fazer qualquer coisa que estivesse ao seu alcance.

DIÁRIO DE JONATHAN HARKER

30 de outubro: Às nove horas, o dr. Van Helsing, o dr. Seward e eu, nos encontramos com os Srs. Mackenzie & Steinkoff, agentes da empresa londrina Hapgood. Eles haviam recebido um telegrama de Londres, em resposta à solicitação feita por Lorde Godalming, pedindo-lhes que nos dispensassem qualquer cortesia que estivesse ao seu alcance. Foram extremamente solícitos e gentis, levando-nos imediatamente a bordo do Czarina Catarina, que estava ancorado no porto fluvial. Uma vez a bordo, falamos com o Capitão, de nome Donelson, que nos contou sobre a viagem. Disse que em toda a sua vida nunca tinha feito essa rota em condições tão favoráveis.

"*Ora, homem!*" ele disse, "*Isso nos deixou assustados, pois achamos que teríamos que pagar por isso com algum pedaço de má sorte, para manter essa média de velocidade que fizemos. Não é coisa de gente esperta correr de Londres até o Mar Negro com vento de popa, como se o próprio demônio estivesse soprando as nossas velas para atender ao seu propósito. E na ocasião, nem pudemos ver nada. Quando chegávamos perto de um navio, ou um porto, ou um promontório, uma névoa caía sobre nós e nos acompanhava, até que, depois que se dissipava e nós olhávamos para fora, não se podia ver diabo de coisa nenhuma. Passamos correndo por Gibraltar, e nem fomos capazes de sinalizar, como é de praxe. E até chegarmos ao Dardanelos, onde tivemos que esperar para conseguir permissão para atravessar, nem havíamos sinalizado nossa passagem. No princípio, eu estava inclinado a soltar as velas e ficar bordejando por ali até que o nevoeiro se dissipasse. Mas então pensei que se o demônio estava resolvido a nos fazer entrar no Mar Negro a toda pressa, ele ia fazer isso, quer a gente quisesse ou não. E se nós fizéssemos uma viagem rápida, não seria nenhum descrédito para os nossos armadores, nem causaria prejuízo à nossa carga, e o Velho de Preto também seria atendido em seu propósito, e ficaria agradecido por não o termos atrasado.*"

Essa mistura de simplicidade e astúcia, de superstição e mentalidade comercial, animou Van Helsing, que disse, "*Meu amigo, o Diabo é mais inteligente do que alguns acreditam, e ele sabe quando encontra alguém à sua altura!*"

O capitão não ficou descontente com o cumprimento, e prosseguiu, "*Quando passamos o Bósforo, os homens começaram a murmurar. Alguns deles, os romenos, vieram me pedir que lançasse ao mar um caixão que tinha sido trazido a bordo por um velho de aspecto esquisito, logo antes da nossa partida de Londres. Eu os vi fazendo um sinal ao seu compatriota, apontando os dois dedos sempre que o viam, para protegê-los do mau-olhado. Ora, homem! Essa superstição dos estrangeiros é a coisa mais ridícula! Eu os mandei ligeirinho cuidar do seu trabalho, mas como logo após uma névoa envolveu o navio, senti que podiam ter um pouquinho de razão, embora eu não pudesse afirmar que aquilo fosse causado pelo caixão de novo. Bem, então prosseguimos, e como a névoa não diminuiu durante cinco dias, apenas deixei o vento nos levar, pois se o demônio quisesse ir a algum lugar, bom, ele iria dar um jeito de achar uma brecha. E se ele não fizesse isso, bem, de qualquer modo manteríamos um vigia atento. De fato, tivemos um belo caminho pela frente, navegando todo o tempo em águas profundas. E dois dias atrás, quando o sol da manhã atravessou a névoa, nós nos encontramos no rio, em frente a Galatz. Os romenos estavam furiosos, e queriam a todo custo que eu lançasse o caixão ao rio. Eu tive uma discussão com eles, empunhando a barra do cabrestante. E quando o último deles deixou o tombadilho com as mãos na cabeça, eu os tinha convencido de que, mau-olhado ou não, a propriedade e a confiança dos meus armadores estavam melhor nas minhas mãos do que no meio do Danúbio. Imagine o senhor, eles até já tinham levado o caixão para o tombadilho, prontos para arremessá-lo dentro do rio. Mas como estava marcado 'Galatz via Varna', pensei que era melhor deixá-lo ali até que descarregássemos nossa carga no porto, quando nos livraríamos dele de qualquer modo. Não houve muita liberação naquele dia, e tivemos que permanecer uma noite ancorados. Mas de manhã, lépido e faceiro, uma hora antes do sol nascer, um homem veio a bordo com uma ordem escrita, vinda da Inglaterra, para receber uma caixa destinada a um certo Conde Drácula. Como era de se esperar, o negócio foi prontamente entregue em suas mãos. Ele tinha os documentos em ordem, e fiquei contente de me livrar daquela caixa maldita, pois eu mesmo estava começando a me sentir inquieto com aquilo. Se o demônio tinha alguma bagagem a bordo do navio, tenho certeza de que só podia ser aquela!"*

"Qual era o nome do homem que a levou?" perguntou o dr. Van Helsing, contendo a ansiedade.

"Vou lhe dizer num minuto!" ele respondeu, e descendo até sua cabine, voltou com um recibo assinado por *"Immanuel Hildesheim"*. O endereço era Burgenstrasse nº 16. Descobrimos que aquilo era tudo que o Capitão sabia, então agradecemos e fomos embora.

Encontramos Hildesheim em seu escritório. Era um judeu típico, como as personagens do Teatro Adelphi, com um focinho de carneiro e barrete turco na cabeça. Seus argumentos eram pontuados pelo dinheiro, cabendo a nós fazer a pontuação, e depois de uma pequena barganha contou-nos o que sabia. Era uma coisa simples, mas importante. Ele tinha recebido uma carta do sr. de Ville, de Londres, dizendo-lhe que recebesse, se possível antes do amanhecer, para evitar a alfândega, uma caixa que chegaria a Galatz no Czarina Catarina. Essa caixa ele deveria entregar a um certo Petrof Skinsky, que tinha negócios com os eslovacos que comerciavam rio abaixo, até o porto. Ele recebera o pagamento do seu trabalho através de uma nota bancária inglesa, que tinha sido devidamente trocada por ouro no Banco Internacional do Danúbio. Quando Skinsky o procurou, ele o levara ao navio e lhe entregara a caixa, para economizar as despesas com carregadores. Isso era tudo que ele sabia.

Nós então procuramos por Skinsky, mas não pudemos encontrá-lo. Um dos seus vizinhos, que não parecia dedicar-lhe a menor afeição, disse que ele tinha ido embora dois dias antes, ninguém sabia para onde. Isso foi confirmado pelo seu senhorio, que recebera por mensageiro a chave da casa junto com o aluguel devido, em dinheiro inglês. O fato ocorrera entre dez e onze horas da noite anterior. Estávamos novamente de mãos atadas.

Enquanto conversávamos, alguém veio correndo e, ofegante, disse que o corpo de Skinsky havia sido encontrado dentro dos muros do cemitério São Pedro, e que sua garganta fora dilacerada, como se tivesse sido atacado por algum animal selvagem. As pessoas com quem estávamos falando correram para ver o espetáculo de horror, as mulheres gritando, *"Isso só pode ser obra de um eslovaco!"* Saímos às pressas, para que não acabássemos de algum modo envolvidos no caso, e até detidos.

Enquanto voltávamos para casa, não pudemos chegar a nenhuma conclusão definitiva. Estávamos todos convencidos de que o caixão estava a caminho de algum lugar, através da água. Que lugar era esse, porém, ainda teríamos que descobrir. Com um peso no coração, voltamos ao hotel para encontrar Mina.

Quando todos nos reunimos, a primeira coisa era discutir se Mina devia ou não voltar a privar da nossa confiança. As coisas estão se tornando desesperadoras, e pelo menos é uma chance, embora perigosa. Como passo preliminar, fui liberado da promessa que fizera a ela.

DIÁRIO DE MINA HARKER

30 de outubro, noite: Eles estavam tão cansados, abatidos e desolados, que não havia nada a fazer antes que descansassem um pouco. Pedi a todos que se deitassem por meia hora, enquanto atualizo os registros do diário. Sou extremamente grata ao homem que inventou a máquina de escrever portátil, e ao sr. Morris por ter conseguido esta para mim. Eu me sentiria totalmente perdida, se tivesse que usar uma caneta...

Está tudo pronto. Pobre querido, pobre Jonathan, o que ele deve ter sofrido, o que ainda não deve estar sofrendo! Ele está deitado no sofá, e parece mal respirar. Todo seu corpo dá mostras de estar em colapso. Suas sobrancelhas estão franzidas, e seu rosto exaurido pela dor. Pobre companheiro, talvez esteja pensando, seu rosto tem uma expressão de profunda concentração. Oh! Se eu ao menos pudesse ajudar! Mas farei o que puder.

Pedi ao dr. Van Helsing, e ele me entregou todos os documentos que eu ainda não li. Enquanto eles estão descansando, revisarei tudo cuidadosamente, e talvez eu possa chegar a alguma conclusão. Tentarei seguir o exemplo do Professor, e pensar sem prejulgar os fatos que estão diante de mim.

Acho que, com a ajuda da providência divina, fiz uma descoberta. Pegarei os mapas para examinar.

Eu estou mais do que certa de que tenho razão. Minha conclusão está pronta, assim participarei da reunião do grupo e farei a leitura. Eles poderão julgar. É bom que seja bem minuciosa, pois todos os minutos são preciosos.

NOTA ESCRITA POR MINA HARKER *(Incluída em seu diário)*

Fundamento da investigação:

O problema do Conde Drácula é voltar para o seu lugar.

(a) Ele deve ser trazido de volta por alguém. Isso é evidente, pois se tivesse o poder de se movimentar como pensamos, poderia ter ido como homem, ou como lobo, ou como morcego, ou de algum outro modo. É evidente que ele teme ser descoberto ou receia alguma interferência, no estado de desamparo em que se encontra, confinado em seu caixão entre o amanhecer e o pôr do sol.

(b) Como ele pode ser transportado? Aqui um processo de exclusão pode nos ajudar. Pela estrada, pela água, por trem?

1. Pela estrada: Há dificuldades infinitas, especialmente para deixar a cidade.

(x) Existem as pessoas. E as pessoas são curiosas e investigam. Uma sugestão, uma conjetura, uma dúvida sobre o que poderia haver na caixa, bastariam para destruí-lo.

(y) Há, ou pode haver, postos alfandegários ou inspetorias de impostos, por onde ele teria que passar.

(z) Seus perseguidores poderiam segui-lo. Este é seu maior temor. E para evitar uma traição, ele afastou, tanto quanto pode, até mesmo sua própria vítima, eu!

2. Por trem: Não haveria ninguém para tomar conta do caixão. Teria que correr o risco de um atraso, e qualquer atraso seria fatal, com os inimigos no seu rastro. É verdade que ele poderia escapar à noite. Mas o que seria dele se fosse deixado num lugar estranho, sem nenhum refúgio para onde pudesse correr? Não é essa a sua intenção, e ele não correria esse risco.

3. Pela água: Esse é o modo mais seguro, em certo sentido, mas o mais perigoso em outro. Na água ele esta impotente, exceto à noite. E mesmo então, só o que pode fazer é convocar a névoa, a tempestade, a neve e os seus lobos. Mas se naufragasse, a água corrente o engolfaria, e ele de fato estaria perdido. Ele poderia ser levado de navio até a terra, mas se fosse terra hostil, em que ele não tivesse liberdade para movimentar-se, sua posição seria desesperadora.

Sabemos pelos registros que ele estava na água, assim o que temos que fazer é averiguar em que tipo de água.

A primeira coisa é entender exatamente o que ele fez até agora. Então poderemos ter uma ideia sobre o que ele terá que fazer em seguida.

Em primeiro lugar: Temos que fazer uma distinção entre o que ele fez em Londres, como parte do seu plano geral de ação, quando foi pressionado em certos momentos e teve que arranjar-se da melhor forma que pôde.

Em segundo lugar: Temos que descobrir, com base no que podemos deduzir dos fatos que conhecemos, o que ele fez aqui.

Quanto ao primeiro, é evidente que ele pretendia chegar a Galatz, e enviou a fatura para Varna com a intenção de nos enganar, se viéssemos a descobrir o meio pelo qual deixou a Inglaterra. Então, seu propósito imediato e exclusivo era escapar. A prova disso é a carta enviada a Immanuel Hildesheim, com instruções para liberar e desembarcar o caixão antes do amanhecer. Há também as instruções dadas a Petrof Skinsky. Estas só podemos adivinhar, mas deve ter havido alguma carta ou mensagem, visto que Skinsky procurou Hildesheim.

Que até aí seus planos tiveram êxito, isso nós sabemos. O Czarina Catarina fez uma viagem extraordinariamente rápida, tanto que despertou as suspeitas do Capitão Donelson. Mas a superstição do capitão aliada à sua astúcia acabaram por fazer o jogo do Conde, e ele navegou sob ventos favoráveis, através das névoas e tudo o mais, até chegar de olhos vendados a Galatz. Ficou provado também que os arranjos do Conde foram muito benfeitos. Hildesheim liberou o caixão, levou-o e entregou-o a Skinsky. Skinsky pegou-o, e aqui perdemos o rastro. Só sabemos que o caixão está em algum lugar, movendo-se sobre a água. As autoridades alfandegárias e os coletores de impostos foram evitados.

Agora chegamos ao que o Conde deve ter feito depois da sua chegada, em terra, a Galatz.

O caixão foi entregue a Skinsky antes do amanhecer. Ao amanhecer o Conde poderia se mostrar em sua forma humana. Agora nos perguntamos: por que Skinsky foi escolhido, afinal, para ajudar nesse trabalho? No diário do meu marido, Skinsky é mencionado como alguém que tinha ligações com os eslovacos que comerciam ao longo do rio, até o porto. E a observação do homem de que o assassinato era o trabalho de um eslovaco, mostra o sentimento geral contra sua gente. O Conde queria isolamento.

Minha hipótese, então, é que em Londres o Conde decidiu voltar ao seu castelo pela água, como o modo mais seguro e mais discreto. Ele foi tirado do castelo pelos szgany, e estes provavelmente entregaram sua carga aos eslovacos, que levaram as caixas a Varna, pois foi daí que seguiram para Londres. Assim, o Conde teve conhecimento das pessoas que poderiam organizar esse serviço. Quando o caixão estava em terra, antes do amanhecer ou depois do pôr do sol, ele saiu do caixão, encontrou-se com Skinsky e o instruiu para arranjar o transporte do caixão por algum rio. Feito isso, e sabendo que tudo estava em andamento, ele apagou seu rastro, ou acha que o fez, assassinando seu agente.

Consultei o mapa, e descobri que o rio mais adequado para os eslovacos subirem é o Pruth ou o Sereth. Li no diário que no meu transe eu ouvi vacas mugindo, e a água deslizando ao nível dos meus ouvidos, e o ranger de madeira. Então o Conde, em seu caixão, estava navegando num rio dentro de um barco aberto, provavelmente impelido por remos ou varas, pois as margens são próximas e o barco navega contra a correnteza. Não haveria nenhum desses ruídos, se navegassem a favor da correnteza.

Claro que pode não ser o Sereth nem o Pruth, mas poderemos investigar isso mais adiante. Destes dois rios, o Pruth é o que oferece mais facilidade à navegação. O Sereth, porém, na altura de Fundu, encontra-se com o Bistritza, que corre para cima e circunda o Passo Borgo. A curva que o rio faz ali fica tão perto quanto seria possível do castelo de Drácula.

DIÁRIO DE MINA HARKER *(continuação)*

Quando terminei a leitura, Jonathan tomou-me em seus braços e beijou-me. Os outros ficaram apertando minhas duas mãos, e o dr. Van Helsing disse, *"A nossa cara senhora Mina foi de novo a nossa professora. Seus olhos enxergaram onde os nossos foram cegos. Agora estamos mais uma vez na pista certa, e desta vez teremos sucesso. Nosso inimigo está inteiramente impotente. E se pudermos alcançá-lo durante o dia, enquanto estiver na água, nossa tarefa estará concluída. Ele leva vantagem, mas não tem o poder de acelerar sua viagem, pois não pode deixar esse caixão para não despertar as suspeitas daqueles que o estão carregando. Pois se suspeitassem o lançariam na correnteza, onde ele morreria. Ele sabe disso, e não vai permitir que aconteça. Agora, homens, vamos ao nosso Conselho de Guerra. Planejaremos aqui e agora o que cada um de nós fará".*

"Eu vou conseguir uma lancha a vapor e o perseguirei", disse Lorde Godalming.

"E eu conseguirei cavalos para segui-lo na margem do rio, caso ele desembarque", disse o sr. Morris.

"Ótimo!" disse o Professor, *"Ambos tem razão. Mas nenhum deve ir sozinho. Devemos reunir uma força capaz de superar a força, se for necessário. Os eslovacos são fortes e rudes, e carregam armas".* Todos os homens sorriram, pois entre si carregavam um pequeno arsenal.

O sr. Morris disse, *"Eu trouxe algumas Winchester. São fáceis de manejar, mesmo em meio a uma multidão, e pode ser que haja lobos. O Conde, se vocês estão lembrados, tomou algumas outras precauções. Ele fez alguns pedidos a outros que a sra. Harker não pôde ouvir bem, ou não conseguiu entender. Devemos estar prontos para qualquer eventualidade".*

"Acho que é melhor que eu vá com Quincey", disse o dr. Seward, "Acostumamo-nos a caçar juntos, e nós dois, bem armados, somos páreo para qualquer situação. Mas você não deve ir sozinho, Art. Pode ser necessário combater os eslovacos, e um golpe de sorte – pois não acredito que esses sujeitos carreguem armas, poria a perder todos os nossos planos. Desta vez, nada deve ser deixado ao acaso. Não descansaremos até que a cabeça do Conde seja separado do seu corpo, e estivermos certos de que ele não poderá reencarnar".

Ele olhava para Jonathan enquanto falava, e Jonathan olhou para mim. Eu podia ver a intensa luta que se travava em sua mente. É claro que ele queria ficar comigo. Mas o serviço a bordo do barco, com toda probabilidade, seria a única maneira de destruir o... o Vampiro. *(Por que hesitei ao escrever essa palavra?)*

Ele ficou em silêncio por um momento, e então o dr. Van Helsing disse, *"Amigo Jonathan, essa tarefa é sua por duas razões. Primeiro, porque o senhor é jovem e corajoso, e tem condições de lutar, e podemos precisar de todas as nossas forças, afinal. E depois porque é seu direito destruí-lo – aquele que trouxe tamanha desgraça para o senhor e os seus. Não tenha receio pela senhora Mina, ela será minha responsabilidade, se me permitir. Já estou velho. Minhas pernas já não são capazes de correr tão rápido como antes. E não estou acostumado a cavalgar longas distâncias, ou a perseguir alguém como é preciso, ou a lutar com armas letais. Mas posso prestar outro tipo de ajuda. Posso lutar de outro modo. E, se for necessário, posso morrer assim como os homens mais jovens. Agora, permitam que lhes diga o que farei. Enquanto os senhores, meu caro Lorde Godalming e meu amigo Jonathan, estiverem navegando rápido rio acima em seu pequeno barco a vapor, e ainda John e Quincey estiverem vigiando as margens para o caso de ele desembarcar, eu levarei a senhora Mina direto para o próprio coração do país do inimigo. Enquanto a velha raposa está amarrada em seu caixão, flutuando sobre a correnteza do rio sem poder escapar para terra, e sem ousar erguer a tampa do caixão para que os seus carreadores eslovacos não se aterrorizem e o deixem lá para morrer, nós seguiremos a trilha que Jonathan percorreu, saindo de Bistrita e subindo para o Passo Borgo, de onde seguiremos na direção do castelo de Drácula. Ali, o poder hipnótico da senhora Mina certamente será de muita ajuda, e nós encontraremos o caminho, apesar da escuridão e do desconhecido, após o primeiro amanhecer depois que estivermos próximos a esse lugar fatal. Há muito a ser feito lá, e outros lugares para santificar, de modo que aquele ninho de víboras seja por fim destruído".*

Nesse momento, Jonathan o interrompeu, exaltado, *"O senhor pretende dizer, Professor Van Helsing, que levaria Mina, na sua triste situação, e maculada como ela está com a marca daquele demônio, direto para as mandíbulas dessa armadilha mortal? Por nada deste mundo! Nem do céu nem do inferno!"*

Ele ficou quase sem fala por um minuto, e então continuou, *"O senhor sabe que lugar é aquele? O senhor viu aquele medonho antro de infâmias satânicas, onde até o luar parece carregado de fantasmas horríveis, e toda partícula de pó que gira ao vento traz o embrião de um monstro voraz? O senhor já sentiu os lábios do Vampiro em sua garganta?"*

Então ele virou-se para mim, e quando seus olhos pousaram em minha testa, ergueu os braços com um grito, *"Oh, meu Deus, o que fizemos para merecer que esse terror recaia sobre nós?"* e ele afundou no sofá, arrasado pela infelicidade.

A voz do Professor, numa entonação clara e suave que parecia vibrar no ar, acalmou-nos.

"Oh, meu amigo, é justamente porque quero salvar a senhora Mina daquele lugar medonho que vou para lá. Deus me proíbe de levá-la àquele lugar. Há muito trabalho, trabalho duro, a ser feito antes que aquele lugar possa ser purificado. Lembrem-se de que estamos num dilema terrível. Se o Conde nos escapar desta vez – e ele é forte, esperto e sutil, e pode resolver dormir durante um século – quando chegar a hora, a nossa querida", e ele pegou minha

mão, *"se juntaria a ele para fazer-lhe companhia, e então seria igual àquelas outras que o próprio Jonathan viu. O senhor nos contou dos seus lábios voluptuosos. O senhor ouviu o seu riso obsceno, quando agarraram o saco que o Conde lhes atirou. O senhor está tremendo, e tem razão para estar. Perdoe-me por causar-lhe tanto sofrimento, mas é necessário. Meu amigo, não é por essa necessidade terrível que eu estou dando, talvez, minha própria vida? Se fosse preciso que qualquer um entrasse naquele lugar para ficar, eu é que teria que ir fazer-lhe companhia"*.

"*Faça como o senhor quiser*", disse Jonathan, com um soluço que estremeceu todo seu corpo. "*Estamos nas mãos de Deus!*"

Mais tarde: Oh, como me fez bem ver o modo como esses homens corajosos fizeram o seu trabalho! Como podem as mulheres não amar homens assim, tão dedicados, tão sinceros e tão corajosos! E isso me fez pensar, também, no maravilhoso poder do dinheiro! O que o dinheiro não poderia fazer, quando usado de modo indevido! Fico tão grata por Lorde Godalming ser um homem rico, e por ele e o sr. Morris, que também tem bastante dinheiro, estarem dispostos a gastá-lo com tanta liberalidade. Pois se não fossem, nossa pequena expedição não poderia partir – com tanta presteza ou tão bem equipada – como vamos fazer dentro de uma hora. Não faz três horas que decidimos qual seria a tarefa de cada um. E agora, Lorde Godalming e Jonathan já têm uma adorável lancha a vapor, pronta para partir a qualquer momento. O dr. Seward e o sr. Morris têm meia dúzia de bons cavalos, bem equipados. Nós temos todos os mapas, e ferramentas de vários tipos que possam ser úteis. O Professor Van Helsing e eu devemos partir pelo trem das 11h40 desta noite para Veresti, onde conseguiremos uma carruagem para nos levar ao Passo Borgo. Estamos levando uma boa quantidade de dinheiro em moeda corrente, pois pretendemos comprar uma carruagem e cavalos. Nós mesmos vamos conduzi-la, pois não temos ninguém em quem confiar para essa tarefa. O Professor possui algum conhecimento de grande número de idiomas, o que facilitará a nossa viagem. Todos carregamos armas, até mesmo eu, que ganhei um revolver de grosso calibre. Jonathan não ficaria satisfeito, a menos que eu estivesse armada como todos os demais. Ai de mim! Não posso carregar, porém, uma arma que os outros podem. A cicatriz em minha testa proíbe isso. O querido dr. Van Helsing me conforta, dizendo-me que estou muito bem armada, para o caso de haver lobos por lá. A temperatura está caindo mais a cada hora que passa, e de vez em quando ocorrem nevadas repentinas, como um sinal de advertência.

Mais tarde: Precisei de toda minha coragem para dizer adeus ao meu querido. Pode ser que nunca mais nos vejamos. Coragem, Mina! O Professor está olhando para você de modo penetrante. É um olhar de advertência. Não deve haver lágrimas agora, a menos que o bom Deus permita que sejam de alegria.

DIÁRIO DE JONATHAN HARKER

30 de outubro, noite: Estou escrevendo com a luz que vem da porta da fornalha, na nossa lancha a vapor. Lorde Godalming está alimentando a fornalha. Ele tem experiência nesse tipo de trabalho, pois teve durante anos uma lancha de sua propriedade no Tâmisa, e outra em Norfolk Broads. Quanto aos nossos planos, finalmente concluímos que a suposição de Mina estava correta, e se algum curso fluvial tivesse que ser escolhido pelo Conde ao fugir para o seu castelo, o Sereth e depois a confluência com o Bistrita seria o escolhido. Chegamos à conclusão que algum lugar a 47 graus de latitude norte seria o lugar que ele escolheria para cruzar o país entre o rio e os Montes Cárpatos. Não temos medo nenhum de correr à noite em alta velocidade rio acima. A água é bem profunda, e as margens são largas o bastante para que a navegação seja fácil, mesmo na escuridão. Lorde Godalming disse-me que fosse dormir um pouco, pois no momento basta um para vigiar. Mas não consigo dormir. Como poderia, com esse perigo terrível ameaçando a minha amada, e sua partida para aquele lugar sinistro...

Meu único consolo é que estamos nas mãos de Deus. Apenas por essa fé se torna mais fácil morrer do que viver, e assim ser libertado de todo o sofrimento. O sr. Morris e o dr. Seward partiram antes de nós para sua longa cavalgada. Devem manter-se na margem direita, distante o suficiente para atingir a parte mais alta do terreno de onde podem ver uma boa extensão do rio, e assim evitar seguir todas as suas curvas. Para as primeiras etapas, eles tem dois homens para montar os cavalos disponíveis, somando quatro ao todo, para não despertar qualquer curiosidade. Quando dispensarem os homens, o que deve acontecer em breve, eles mesmos cuidarão de todos os cavalos. Pode ser necessário juntarmos nossas forças, e nesse caso todo o nosso grupo pode ir a cavalo. Uma das selas tem um arção móvel, e pode ser facilmente adaptada para Mina, se for preciso.

Estamos metidos numa aventura selvagem. Aqui no barco, enquanto seguimos a toda velocidade pela escuridão, com o frio que sobe do rio a nos enregelar, com todas as vozes misteriosas da noite ao nosso redor, tudo parece nos chamar para casa. Parece que vagamos por lugares desconhecidos, e por caminhos desconhecidos, num mundo de completa escuridão e povoado de coisas terríveis. Godalming está fechando a porta da fornalha...

31 de outubro: Ainda correndo ao longo do rio. Já amanheceu, e Godalming está dormindo. Eu estou de vigia. A manhã está terrivelmente fria. O calor da fornalha é bem-vindo, embora estejamos vestindo pesados casacos de pele. Por enquanto, ultrapassamos apenas alguns poucos barcos abertos, mas nenhum deles levava a bordo qualquer caixa ou pacote com o tamanho daquele que procuramos. Os homens ficavam assustados toda vez que focávamos sobre eles nossas lanternas elétricas, caindo de joelhos e rezando.

1° de novembro, noite: Nenhuma notícia durante todo o dia. Não achamos nada do tipo que procuramos. Nós agora já entramos no rio Bistrita, e se estivermos errados em nossa suposição, nossa chance se foi. Examinamos todos os barcos, grandes e pequenos. Hoje de manhã cedo, a tripulação de um dos barcos nos tomou por um barco do governo, e nos tratou de acordo com a nossa suposta condição. Vimos nisso um meio de facilitar as coisas, e em Fundu, onde o Bistrita se une ao Sereth, conseguimos uma bandeira da Romênia, e a colocamos ostensivamente no nosso barco. Desde então, esse truque teve sucesso com todos os barcos que examinamos. Todos nos trataram com toda deferência, e nem uma vez tivemos qualquer objeção a alguma coisa que resolvêssemos perguntar ou fazer. Alguns dos eslovacos nos contaram que um barco grande passara por eles, navegando a uma velocidade maior do que o habitual, visto que tinha a bordo uma tripulação dobrada. Isso fora antes de chegarem a Fundu, de modo que eles não podiam dizer se o barco se transferiu para o Bistrita ou se continuou subindo o Sereth. Em Fundu, ninguém soube dizer nada sobre tal embarcação, então achamos que deve ter passado por lá à noite. Estou sentindo muito sono. O frio deve estar começando a me castigar, e a natureza exige a sua cota de repouso. Godalming insiste em cumprir o primeiro turno de vigia. Que Deus o abençoe por toda sua bondade para com a querida Mina e comigo.

2 de novembro, manhã: Estamos em pleno dia. O meu bom companheiro não quis despertar-me. Disse que teria sido um pecado, pois eu dormia tranquilamente, e enquanto isso esquecia dos meus problemas. Parece-me um terrível egoísmo da minha parte ter dormido tanto e deixá-lo de vigia a noite inteira, mas ele tinha razão. Sou um novo homem esta manhã. E enquanto me sento aqui e o vejo dormir, posso fazer tudo o que é necessário, como prestar atenção à máquina, manobrar o leme e manter vigia. Sinto que minha força e energia estão voltando. Pergunto-me onde Mina e Van Helsing estão agora. Eles deveriam ter chegado a Veresti em torno do meio-dia, na quarta-feira. Levaria algum tempo para conseguirem a carruagem e os cavalos. Assim, se partiram logo e viajaram depressa, devem estar agora no Passo Borgo. Que Deus os guie e os ajude! Tenho medo de pensar no que pode acontecer. Se ao menos pudéssemos ir mais rápido. Mas não podemos. As máquinas estão girando e dando o máximo. Pergunto-me como o dr. Seward e o sr. Morris estão se saindo. Parece haver uma enormidade de riachos que descem pelas montanhas até este rio, mas como nenhum deles é muito largo – pelo menos nesta estação, embora sem dúvida sejam terríveis no inverno e quando a neve derrete – os cavaleiros podem não ter encontrado muitos obstáculos. Espero que possamos vê-los antes de chegarmos a Strasba. Pois se a essa altura nós não tivermos alcançado o Conde, pode ser necessário reunir o grupo para decidir o que fazer em seguida.

DIÁRIO DO DR. SEWARD

2 de novembro: Três dias na estrada. Nenhuma notícia ainda, e nem tempo para escrever mesmo se houvesse, pois todo momento é precioso. Só descansamos o tempo suficiente para a recuperação dos cavalos. Mas ambos estamos aguentando maravilhosamente bem. Aqueles nossos dias de aventuras afinal estão se mostrando úteis. Temos que prosseguir. Nunca ficaremos contentes até avistarmos a lancha de novo.

3 de novembro: Ouvimos dizer em Fundu que a lancha subiu o Bistrita. Gostaria que não estivesse tão frio. Há sinais de que em breve vai cair neve. E se a nevasca for pesada, vai nos impedir de prosseguir. Nesse caso, vamos conseguir um trenó e seguir em frente, à moda russa.

4 de novembro: Hoje ouvimos falar que a lancha foi detida por conta de um acidente, ao tentar forçar caminho através das corredeiras. Os barcos dos eslovacos passaram muito bem por elas, com a ajuda de uma corda e guiados pelo seu conhecimento do lugar. Alguns deles tinham passado poucas horas antes. Godalming é um mecânico amador, e foi ele, naturalmente, quem colocou a lancha em ordem outra vez.

Finalmente, com ajuda local, eles ultrapassaram as corredeiras, e voltaram à caça uma vez mais. Receio que o barco não esteja em boas condições por causa do acidente. Os camponeses nos contaram que, depois que o barco chegou novamente às águas calmas, começou a parar aqui e ali, enquanto esteve à vista. Temos que correr mais do que nunca. Nossa ajuda pode ser necessária muito em breve.

DIÁRIO DE MINA HARKER

31 de outubro: Chegamos a Veresti ao meio-dia. O Professor me disse que esta manhã, ao amanhecer, ele quase não conseguiu hipnotizar-me, e que tudo que eu disse foi "escuro e calmo." Ele agora está fora, comprando a carruagem e os cavalos. Disse que mais tarde tentará comprar mais cavalos, de modo que possamos trocá-los no caminho. Temos uma viagem de mais de setenta milhas diante de nós. O país é adorável, e muito interessante. Se estivéssemos numa situação diferente, como seria encantador ver toda essa beleza. Se Jonathan e eu estivéssemos passeando por aqui sozinhos, poderia ser um grande prazer. Parar e ver as pessoas, aprender algo sobre a sua vida, e guardar em nossas mentes e em nossas recordações toda a cor e o aspecto pitoresco desse país selvagem e belo, e dessas pessoas tão originais! Mas... Ai de mim!

Mais tarde: O dr. Van Helsing retornou. Ele conseguiu a carruagem e os cavalos. Vamos jantar alguma coisa e partir dentro de uma hora. A proprietária da hospedaria está nos preparando uma enorme cesta de provisões. Parece que tem comida suficiente para uma companhia inteira de soldados. O Professor não para de encorajá-la, e sussurrou-me que pode levar uma semana até conseguirmos de novo alguma coisa para comer. Ele também fez compras, e mandou entregar aqui na estalagem um lote maravilhoso de casacos de pele e agasalhos, além de todo tipo de roupas quentes. Não haverá a menor chance de sentirmos frio.

Logo estaremos partindo. Tenho medo só de pensar no que pode nos acontecer. Estamos realmente nas mãos de Deus. Só Ele sabe o que acontecerá, e rogo a Ele, com toda a força da minha alma triste e humilde, que Ele proteja meu amado marido. Que não importa o que aconteça, Jonathan possa saber que eu o amei e o honrei mais do que posso dizer, e que meu último e mais verdadeiro pensamento sempre será para ele.

CAPÍTULO 27

DIÁRIO DE MINA HARKER

1º de novembro: Viajamos o dia inteiro, a uma boa velocidade. Os cavalos parecem saber que estão sendo bem tratados, pois cobrem o percurso de boa vontade, com a maior rapidez. Já tivemos tantas mudanças e as coisas nos parecem tão constantes, que nos aventuramos a pensar que nossa viagem será tranquila. O dr. Van Helsing é lacônico, só diz aos lavradores que temos pressa de chegar a Bistrita, e paga-os muito bem para fazerem a troca dos cavalos. Eles nos servem um pouco de sopa quente, ou café, ou chá, e partimos em seguida. É um país adorável. Cheio de belezas de todos os tipos imagináveis, e as pessoas são simples, fortes e corajosas, e parecem ter outras boas qualidades. Mas são muito, muito supersticiosas. Na primeira estalagem onde paramos, quando a mulher que nos servia viu a cicatriz em minha testa, fez o sinal da cruz e estendeu dois dedos na minha direção, para afastar o mau-olhado. Acredito que eles se dão ao trabalho de pôr uma quantidade extra de alho na nossa comida, e eu não tolero alho. Desde então, passei a tomar o cuidado de não tirar o chapéu ou o véu, e assim consegui escapar de suas suspeitas. Estamos viajando a toda pressa, e como não temos um condutor para contar histórias, seguimos em frente sem falatórios. Mas eu diria que o medo do mau-olhado segue atrás de nós do mesmo modo. O Professor parece infatigável. Ele não descansa durante todo o dia, embora me faça dormir por longos períodos. Ao pôr do sol ele me hipnotizou, e disse que eu respondi como sempre, *"escuridão, água batendo e o ranger da madeira"*. Assim, nosso inimigo ainda está no rio. Tenho medo de pensar em Jonathan, mas de algum modo não sinto mais medo do que possa acontecer a ele, ou a mim. Escrevo isto numa casa de lavradores, enquanto esperamos que os cavalos fiquem prontos. O dr. Van Helsing está dormindo. Pobre querido, ele parece muito cansado, velho e grisalho, mas tem a expressão tão firme quanto a de um conquistador. Mesmo enquanto dorme, seu rosto mostra intensa resolução. Quando tivermos recomeçado a viagem, vou sugerir que ele descanse enquanto eu conduzo a carruagem. Vou dizer-lhe que temos vários dias de viagem pela frente, e que ele não pode ter um colapso quando toda a sua energia será necessária... Já está tudo pronto. Logo partiremos.

2 de novembro, manhã: Minha sugestão foi bem aceita, e nos revezamos dirigindo a noite toda. Agora já é dia claro, o sol brilha mas está muito frio. Há um peso estranho no ar. Digo peso na falta de uma palavra melhor, mas o que quero dizer é que isso nos causa uma certa opressão. Está muito frio, e só os nossos grossos casacos de pele nos mantêm aquecidos. Ao amanhecer, Van Helsing me hipnotizou. Ele disse que eu respondi *"escuridão, madeira rangendo e água borbulhando"*, então deduzo que o curso do rio está mudando conforme eles avançam. Espero que o meu amado não corra nenhum perigo além do necessário, mas estamos nas mãos de Deus.

2 de novembro, noite: Passamos o dia todo viajando. A região se torna mais selvagem à medida que prosseguimos, e os altos cumes dos Cárpatos, que em Veresti pareciam tão distantes e tão baixos no horizonte, agora parecem fechar-se ao nosso redor e elevar-se majestosos à nossa frente. Ambos parecemos bem-dispostos. Acho que ao fazermos um esforço para animar um ao outro, acabamos por nos contagiar com essa boa disposição. O dr. Van Helsing diz que alcançaremos o Passo Borgo pela manhã. As casas agora são bem mais raras, e o Professor disse que os últimos cavalos que conseguimos terão que nos acompanhar até o fim da viagem, pois não haverá como trocar. Ele conseguiu dois outros cavalos, além dos dois que trocamos, de modo que agora dispomos de quatro cavalos. Os pobres animais são bons e pacientes, e não nos dão nenhum trabalho. Não temos outros viajantes para nos importunar, assim até eu posso dirigir. Pretendemos chegar ao Passo durante o dia, não queremos chegar lá antes. Assim, vamos conduzindo devagar, e por conta disso aproveitamos para descansar bastante. Oh, o que será que o amanhã nos reserva? Vamos em busca do lugar onde o meu querido Jonathan tanto sofreu. Deus permita que sejamos guiados para o caminho certo, e que Ele vele por meu marido e por aqueles que nos são tão caros, e que agora enfrentam esse perigo mortal. Quanto a mim, sou indigna da Sua proteção. Ai de mim! Sou impura aos Seus olhos, e assim serei até que Ele permita que eu compareça diante Dele como alguém que não incorreu em Sua ira.

MENSAGEM DE ABRAHAM VAN HELSING

4 de novembro: Escrevo esta mensagem para meu velho e fiel amigo John Seward, M.D., de Purfleet, Londres, caso eu não torne a vê-lo. Se assim for, pode servir de explicação. Já é de manhã e escrevo à luz do fogo que mantive vivo a noite inteira, com a ajuda da senhora Mina. Está frio, muito frio. Tão frio que o céu pesado e carregado de nuvens está saturado de neve, que ao cair perdurará por todo o inverno, pois o chão já está endurecido e preparado para recebê-la. Isso parece ter afetado a senhora Mina. Ela sentiu a cabeça pesada o dia inteiro, e nem parece ela mesma. Ela dorme e dorme, não faz outra coisa! Ela, que sempre está tão disposta, não fez literalmente nada o dia todo, e até mesmo perdeu o apetite. Não fez nem um registro em seu pequeno diário, logo ela, que a cada pausa não perde uma oportunidade de escrever. Algo me diz que as coisas não estão indo bem. Esta noite, porém, ela está um pouco mais animada. O longo sono parece tê-la restabelecido, pois agora ela é só doçura e vivacidade, como sempre. Ao pôr do sol tentei hipnotizá-la, mas, ai de mim!, sem nenhum sucesso. O poder de hipnotizar parece ter diminuído a cada dia, e esta noite me abandonou completamente. Bem, será feita a vontade de Deus, não importa o que possa acontecer e para onde possa conduzir!

Agora vamos ao registro dos fatos, pois como a senhora Mina não escreve suas notas taquigráficas, cabe a mim fazê-lo, à minha maneira antiquada e trabalhosa, de modo que cada dia da nossa jornada não fique sem registro.

Chegamos ao Passo Borgo na manhã de ontem, logo após o amanhecer. Quando vi os primeiros sinais da aurora, preparei-me para a sessão de hipnotismo. Paramos a carruagem e descemos, de modo que não houvesse nenhuma perturbação. Fiz um assento com as peles sobre o chão, e a senhora Mina, recostando-se, cedeu à hipnose como sempre, mas de modo mais lento e por um tempo mais curto. Como antes, veio a resposta, *"escuridão e o borbulhar da água"*. Então ela acordou, radiante e luminosa, e seguimos nosso caminho. Logo alcançamos o Passo. Neste momento, naquele lugar, ela demonstrou enorme zelo. Algum novo poder de liderança manifestara-se nela, pois apontou para uma estrada e disse *"Este é o caminho"*.

"Como sabe disso?" eu perguntei.

"É claro que eu sei", ela respondeu, e depois de uma pausa, acrescentou, *"O meu Jonathan já não viajou por aqui, e escreveu sobre a sua viagem?"*

No princípio achei aquilo um tanto estranho, mas logo vi que só havia um atalho partindo dali. Mostrava sinais de ser pouco trafegado, e era muito diferente da estrada para veículos maiores que vem de Bucóvina a Bistrita, e que é mais larga e mais sólida, e também mais usada.

Assim, descemos por essa estrada. Quando passávamos por outros caminhos, que nem sempre pareciam estadas, na verdade, pois estavam abandonados e cobertos por uma fina camada de neve, deixávamos a decisão por conta dos cavalos. Afrouxei as rédeas, e eles prosseguiram pacientemente. Aos poucos, fomos descobrindo todas as coisas que Jonathan descrevera naquele seu extraordinário diário. Seguimos assim por horas e horas. No princípio, disse à senhora Mina que dormisse um pouco. Ela tentou, e de fato conseguiu dormir. Depois dormiu o tempo todo, até que por fim comecei a me preocupar, e tentei despertá-la. Mas ela continuou dormindo, e não consegui acordá-la, por mais que tentasse. Não quis insistir para não prejudicá-la, pois sei que ela tem sofrido muito, e o sono às vezes é bom para ela. Acho que eu mesmo cochilei, pois de repente me acordei assustado, como se tivesse acontecido alguma coisa. Mas logo vi que continuava sentado, com as rédeas na mão, e que os dóceis cavalos seguiam em frente, sacudindo, sacudindo, sempre da mesma maneira. Olhei para baixo e vi a senhora Mina ainda dormindo. Agora falta pouco para o ocaso, e a luz do sol reflete-se sobre a neve como um grande manto amarelo, fazendo com que nossas sombras alongadas se projetem contra as montanhas, que se elevam íngremes ao nosso redor. Pois não paramos de subir, e subir, e tudo é tão selvagem e rochoso como se aqui fosse o fim do mundo.

Então acordei a senhora Mina. Desta vez, ela despertou sem muita dificuldade, e em seguida tentei fazê-la entrar em transe hipnótico. Mas ela não cedeu ao sono, como se eu nem estivesse ali. Tentei outra vez, e mais outra, até que de repente percebi que estávamos mergulhados na escuridão. Então olhei em volta, e vi que o sol já se pusera. A senhora Mina riu, então me virei e olhei para ela. Ela agora está bem desperta, e parece tão bem como eu nunca mais a vi, desde aquela primeira noite em Carfax, quando entramos na casa do Conde. Fiquei espantado, e me senti pouco à vontade. Mas ela estava tão radiante, e foi tão terna e atenciosa comigo que me esqueci de todo os meus temores. Acendi um fogo, pois trouxemos uma provisão de lenha, e ela preparou a comida, enquanto eu desatrelava os cavalos e os amarrava num lugar abrigado para alimentá-los. Então, quando voltei para junto do fogo, ela já tinha a minha ceia pronta. Fui servi-la, mas ela sorriu e disse que já tinha comido. Que estava com tanta fome que não pode esperar. Não gostei disso, e fiquei com sérias dúvidas. Mas tive medo de assustá-la, então me calei. Ela me serviu e eu comi sozinho. Depois nos agasalhamos com as peles e nos deitamos ao lado do fogo, e eu lhe disse que dormisse enquanto eu ficaria de vigia. Mas naquele momento me esqueci de toda e qualquer vigilância. E quando de repente me lembrei, encontrei-a deitada quieta, mas acordada, olhando para mim com aqueles olhos tão brilhantes. A mesma coisa ocorreu uma vez, duas vezes, e outras vezes, e eu dormi bastante até antes do amanhecer. Quando acordei, tentei hipnotizá-la, mas ai de mim! Embora ela fechasse os olhos, obediente, não conseguiu entrar em transe. Então o sol surgiu, e foi subindo cada vez mais, e só bem tarde ela pegou no sono. Foi um sono tão pesado, que ela não conseguia despertar. Tive que erguê-la e colocá-la na carruagem, quando já havia atrelado os cavalos e preparado tudo. A senhora Mina ainda está dormindo, e em seu sono ela parece mais saudável e mais corada do que antes. E eu não gosto nada disso. Sinto medo, medo, muito medo! Tenho medo de todas as coisas, até mesmo de pensar, mas tenho que seguir em frente. O que está em jogo é a vida e a morte, ou até mais do que isso, e não devemos vacilar.

5 de novembro, manhã: Vou ser preciso em todos os detalhes, pois embora você e eu, juntos, já tenhamos visto algumas coisas muito estranhas, você pode a princípio pensar que eu, Van Helsing, estou louco. Que essa sucessão de horrores e essa constante tensão nervosa tenham afinal afetado o meu cérebro.

Viajamos durante todo o dia de ontem, sempre nos aproximando das montanhas, e entrando numa região cada vez mais selvagem e deserta. Há precipícios enormes e abruptos, e muitas cachoeiras e quedas d'água, e a Natureza parece ter atingido seu estado de maior exuberância. A senhora Mina ainda dorme o tempo todo. E embora eu tivesse sentido fome e a aplacasse, não pude acordá-la, nem mesmo para comer. Comecei a temer que o feitiço fatal deste lugar a tenha atingido, maculada como está com aquele batismo do Vampiro. *"Bem"*, eu disse para mim mesmo, *"se ela for dormir o dia todo, então eu também terei que ficar acordado a noite inteira"*. Como viajávamos por uma estrada rústica, pois era uma estrada de um tipo antigo e imperfeito, deixei cair a cabeça e dormi.

Acordei novamente um pouco assustado, e com a sensação de que o tempo passara. A senhora Mina ainda dormia, e o sol estava baixo no horizonte. Mas toda a paisagem havia mudado. As montanhas escarpadas pareciam distantes, e estávamos chegando ao topo de uma colina íngreme, no alto da qual estava um castelo, exatamente como Jonathan descrevera em seu diário. Fiquei exultante e temeroso ao mesmo tempo. Pois agora, para o bem ou para o mal, o fim estava próximo.

Acordei a senhora Mina e tentei de novo hipnotizá-la, mas infelizmente o esforço foi infrutífero, até que a hora passou. Então, antes que a escuridão completa baixasse sobre nós – pois até mesmo depois do ocaso o céu continuava a refletir seus raios sobre a neve, e durante algum tempo tudo ficava envolto na luz do crepúsculo – desatrelei os cavalos e os alimentei no melhor abrigo que pude encontrar. Acendi um fogo, e fiz a senhora Mina, agora desperta e mais encantadora do que nunca, sentar-se perto dele, sobre os seus agasalhos. Eu já tinha a comida pronta, mas ela não quis comer, dizendo simplesmente que não tinha fome. Não a pressionei, sabendo da sua inapetência. Mas eu comi, pois agora preciso ficar forte para enfrentar qualquer coisa. Então, temendo o que pudesse acontecer, tracei um amplo círculo, grande o bastante para o seu conforto, perto do lugar em que a senhora Mina estava sentada. E sobre o círculo passei um pouco da hóstia, quebrada em minúsculos pedacinhos, de modo que ficasse bem segura. Ela sentava-se imóvel o tempo todo, imóvel como se não tivesse vida. Tornava-se cada vez mais pálida, até que nem a neve era tão branca quanto ela, e não disse uma palavra. Mas quando me aproximei, ela agarrou-se a mim, e eu podia sentir que a pobre alma tremia da cabeça aos pés, com um tremor que dava pena de ver.

Quando ela se acalmou um pouco, eu disse a ela, *"Não vai vir para perto do fogo?"* pois queria testar o que ela podia fazer. Ela levantou-se obediente, mas depois de dar um passo estacou, como se tivesse levado um choque.

"*Por que não vem?*" perguntei. Ela sacudiu a cabeça, e voltando, sentou-se de novo em seu lugar. Então, olhando-me com os olhos bem abertos, como alguém que acabasse de despertar, disse simplesmente, "*Eu não posso!*" e permaneceu calada. Alegrei-me, pois sabia que o que ela não podia fazer, nenhum daqueles a quem nós temíamos poderia. Embora pudesse haver perigo para o seu corpo, sua alma estava segura!

Naquele momento os cavalos começaram a relinchar e a se debater entre as cordas, até que fui lá e os acalmei. Quando sentiram minhas mãos a afagá-los, relincharam baixo de alegria e lamberam-nas, acalmando-se durante algum tempo. Várias vezes durante a noite tive que voltar para junto deles, até chegar aquela hora fria em que toda a natureza está em seu ponto mais baixo, e minha presença sempre os acalmava. Naquela hora fria o fogo começou a morrer, e eu me adiantei para reavivá-lo, pois agora a neve caía em flocos esvoaçantes, sob uma fria cortina de névoa. Mesmo na escuridão havia alguma luz, como sempre há quando neva, e me parecia que os flocos de neve e as grinaldas de névoa tomavam a forma de mulheres com vestidos rastejantes. Tudo estava envolto num silêncio mortal e sombrio, só os cavalos relinchavam e se encolhiam, como se tomados pelo terror. Comecei a sentir medo, um medo terrível. Mas logo senti a sensação de segurança proporcionada pelo círculo no meio do qual eu estava de pé. Comecei, também, a achar que tudo era imaginação, resultante da noite, da escuridão, e de toda a tensão e ansiedade terríveis pelas quais eu vinha passando. Era como se as minhas lembranças de toda a horrenda experiência de Jonathan estivessem enganando-me. Pois os flocos de neve e a névoa começaram a rodar em círculos, até que tive relances sombrios daquelas mulheres que tentaram beijá-lo. Então os cavalos se encolheram e relincharam baixinho, gemendo como fazem os homens devastados pelo sofrimento. Mas o terror e o medo não os enlouquecera a ponto de fazê-los disparar. Temi pela minha cara senhora Mina, quando essas figuras estranhas se aproximaram e começaram a andar a nossa volta. Olhei para ela, mas ela sentava-se tranquila, e sorria para mim. Quando dei um passo na direção do fogo para reavivá-lo, ela me segurou e puxou-me de volta, sussurrando num tom baixo, como aquelas vozes que se ouvem nos sonhos.

"*Não! Não! Não saia daqui. Aqui o senhor está seguro!*"

Virei-me para ela, e olhando nos seus olhos disse, "*Mas e a senhora? É só pela senhora que eu temo!*"

Ao que ela riu, um riso baixo e irreal, e disse, "*Temer por mim! Por que temer por mim? Ninguém em todo o mundo está mais a salvo delas do que eu*", e enquanto eu me perguntava o que significavam as suas palavras, uma leve rajada de vento fez a chama avivar-se, e vi a cicatriz vermelha em sua testa. Então, infelizmente, eu soube. E se não soubesse, logo teria aprendido, pois as figuras rodopiantes de névoa e de neve se aproximaram, mas sempre se mantendo fora do círculo sagrado. Então começaram a se materializar, se é que Deus não me privou da razão, pois vi com meus próprios olhos. Diante de mim, em carne e osso, estavam as mesmas três mulheres que Jonathan viu no quarto, quando elas teriam beijado a sua garganta. Eu conhecia as formas arredondadas e sensuais, os olhos duros e brilhantes, os dentes brancos, a cor rosada e os lábios voluptuosos. Elas sorriram até para a pobre senhora Mina. E enquanto seu riso varava o silêncio da noite, entrelaçaram os braços e apontaram para ela, dizendo naquele tom musical que Jonathan disse ser igual à intolerável palpitação produzida pela doçura das clepsidras, "*Venha, irmã. Venha para junto de nós. Venha!*"

Virei-me atemorizado para a pobre senhora Mina, e meu coração pulou de alegria. Pois, oh!, o terror nos seus doces olhos, a repulsa, o horror, contavam ao meu coração uma história cheia de esperança. Deus seja louvado, pois ela ainda não era como eles. Agarrei um pouco da lenha que estava perto de mim, e segurando um pedaço da hóstia, avancei para elas na direção do fogo. As mulheres recuaram, e voltaram a rir aquele riso baixo e horrendo. Avivei o fogo, sem sentir medo. Sabia que estávamos seguros dentro do círculo, e que a sra. Mina não poderia sair, assim como elas não poderiam entrar. Os cavalos haviam parado de gemer e agora estavam deitados no chão. A neve caía suavemente sobre eles, que se tornaram brancos. Eu sabia que as pobres bestas não mais sentiriam terror.

E assim nós permanecemos, até que os tons vermelhos do amanhecer começaram a atravessar a obscuridade da neve. Eu estava desolado e temeroso, cheio de aflição e terror. Mas quando aquele belo sol começou a subir no horizonte, a vida voltou a mim. Às primeiras luzes do amanhecer, as figuras horrendas se dissiparam num rodopio de névoa e neve. As grinaldas de névoa transparente flutuaram na direção do castelo, e perderam-se à distância.

Com a aproximação do amanhecer, instintivamente virei-me para a senhora Mina, pretendendo hipnotizá-la. Mas ela se deitara e dormia um sono profundo e súbito, e não consegui despertá-la. Tentei hipnotizá-la enquanto dormia, mas ela não deu nenhuma resposta, e o dia raiou. Eu ainda estava com medo de me mexer. Acendi o fogo e fui ver os cavalos. Estavam todos mortos. Hoje tenho muito que fazer aqui, e continuo esperando até que o sol esteja alto no céu. Pois há lugares para onde devo ir, e onde essa luz do sol, embora obscurecida pela neve e pela névoa, será a minha segurança.

Vou fortalecer-me tomando o café da manhã, e então partirei para cumprir a minha terrível tarefa. A senhora Mina ainda dorme, e, graças a Deus, seu sono é tranquilo.

DIÁRIO DE JONATHAN HARKER

4 de novembro, noite: O acidente com a lancha foi uma coisa péssima para nós. Se não fosse por isso, há muito tempo já teríamos alcançado o barco que procuramos, e agora a minha querida Mina já estaria livre. Temo só de pensar nela, andando pelos descampados próximos daquele lugar sinistro. Conseguimos cavalos, e seguimos no rastro. Escrevo isto enquanto Godalming se prepara. Nós estamos bem armados. Os szgany terão que tomar muito cuidado, se tiverem a intenção de lutar. Oh, se Morris e Seward ao menos estivessem conosco! Tudo que podemos fazer é esperar! Se eu não escrever mais, adeus querida Mina! Que Deus a abençoe e a proteja.

DIÁRIO DO DR. SEWARD

5 de novembro: Com a luz do amanhecer, vimos o bando de szgany à nossa frente retirando-se do rio com um carrinho de carga. Eles o cercaram em peso, e correram como se fossem perseguidos por um exército. Está nevando levemente, e há uma estranha excitação no ar. Pode ser apenas as nossas impressões, mas nos sentimos estranhamente deprimidos. Ouço ao longe o uivo dos lobos. A neve os faz descer das montanhas, e há perigos para todos nós, por todos os lados. Os cavalos estão quase prontos, e logo vamos partir. Cavalgamos em direção à morte. Só Deus sabe quem, ou onde, ou o que, ou quando, ou como será isso...

MENSAGEM DE ABRAHAM VAN HELSING

5 de novembro, tarde: Eu, pelo menos, estou lúcido. Graças a Deus, por sua misericórdia em todos esses eventos, embora a provação tenha sido medonha. Após deixar a senhora Mina dormindo dentro do círculo sagrado, tomei meu rumo na direção do castelo. O martelo de ferreiro que peguei na carruagem em Veresti foi muito útil. Embora as portas estivessem todas abertas, arranquei fora as dobradiças enferrujadas, para que não fossem fechadas por algum ardil ou azar, de modo que depois de entrar eu não pudesse sair. A amarga experiência de Jonathan serviu-me muito bem. Lembrando-me do que ele escreveu em seu diário, encontrei o caminho para a velha capela, pois sei que aqui deverei executar a minha tarefa. A atmosfera era opressiva. Parecia haver no ar um tipo de fumaça sulfurosa, que às vezes me deixava tonto. Ou havia um barulho em meus ouvidos, ou escutei ao longe o uivar dos lobos. Então lembrei-me da minha querida senhora Mina, e fiquei numa tensão terrível. O dilema me pegou entre os dentes.

Eu não ousara trazê-la a este lugar pavoroso, por isso deixei-a segura contra o Vampiro dentro do círculo sagrado. Mas ainda assim havia os lobos! Decidi que meu trabalho residia aqui, e quanto aos lobos teríamos que aceitar o que viesse, se fosse esta a vontade de Deus. De qualquer modo, só havia a morte e a salvação no além. Assim, escolhi por ela. Se fosse para mim, a escolha teria sido fácil, pois é melhor descansar dentro da boca de um lobo do que na tumba do Vampiro! Assim, faço minha escolha coincidir com a minha tarefa.

Eu sabia que havia pelo menos três túmulos que eu devia encontrar, túmulos que estavam habitados. Então procurei e procurei, até que encontrei um deles. Ela jazia no seu sono de Vampiro, tão cheia de vida e beleza voluptuosa que estremeci, como se tivesse vindo para cometer um assassinato. Ah, não duvido que nos tempos antigos, quando tais coisas existiam, mais de um homem que partiu para uma tarefa como a minha, no último momento sentiu seu coração abandoná-lo e seus nervos falharem. E assim este homem se demoraria, e se demoraria, até que a mera beleza e fascinação da devassa morta-viva o hipnotizassem. E ele permaneceria ali, até que viesse o pôr do sol e o sono da Vampira terminasse. Então os belos olhos da linda mulher se abririam, cheios de amor, e a boca voluptuosa se ofereceria para um beijo... e o homem é fraco. E lá ficaria mais uma vítima no aprisco do Vampiro. Mais um para engrossar as sinistras e aterradoras fileiras dos mortos-vivos!...

Existe uma certa fascinação, sem dúvida, e fiquei comovido com a simples presença de uma criatura assim, mesmo jazendo numa tumba corroída pelo tempo e recoberta pelo pó acumulado durante séculos, e embora exalasse aquele odor horrendo que existia nos covis do Conde. Sim, fiquei comovido. Eu, Van Helsing, apesar de todos os meus propósitos, e com todos os motivos que tenho para odiar. Fui tomado por uma nostalgia que me fazia demorar, e que parecia paralisar minhas faculdades e obstruir minha própria alma. Pode ser que a falta de sono, e a estranha opressão que havia no ar, estivessem começando a subjugar-me. O certo era que eu estava caindo no sono, o sono acordado de alguém que se rende a uma doce fascinação, quando através do ar gelado ouvi um longo e surdo lamento, tão cheio de aflição e piedade que me despertou como se fosse um toque de clarim. Pois era a voz da minha cara senhora Mina que eu ouvia.

Então me lancei de novo à minha horrenda tarefa, e depois de arrancar a tampa de mais algumas tumbas, encontrei outra das irmãs, a outra mulher morena. Não ousei parar para olhá-la, como fizera com sua irmã, para que não começasse a ser escravizado uma vez mais. Mas segui procurando, até que, numa tumba grande e alta, como se fosse feita para uma pessoa muito amada, encontrei aquela outra irmã, a moça loira que, como Jonathan, eu tinha visto corporizar-se através dos átomos de névoa. Ela era tão linda de olhar, de uma beleza tão radiante e voluptuosa, que o próprio instinto masculino que havia em mim, e que leva homens como eu a amar e proteger alguém como ela, fez minha cabeça girar com uma nova emoção. Mas, graças ao bom Deus, aquele lamento vindo da própria alma da minha querida senhora Mina não havia deixado de soar em meus ouvidos. E, antes que o encantamento tomasse conta de mim, tive sangue-frio o bastante para fazer o meu bárbaro trabalho. A essa altura eu já havia examinado todas as tumbas da capela, tanto quanto me parecia. E como só houvera três desses fantasmas mortos-vivos andando ao nosso redor à noite, concluí que não havia mais nenhum outro morto-vivo em atividade. Havia ainda uma grande tumba, mais grandiosa que todas as outras. Era imponente, e de proporções nobres. Sobre ela, havia apenas uma palavra: DRÁCULA

Era esta então a morada do morto-vivo, o Rei dos Vampiros, a quem tantos mais prestavam obediência. O fato de estar vazia corroborava de modo eloquente aquilo que eu já sabia. Antes de começar a devolver estas mulheres aos seus corpos mortais através da minha horrível tarefa, deixei cair na tumba de Drácula alguns fragmentos da hóstia sagrada, e assim o bani da sua morada, transformando-o num morto-vivo para sempre.

Então começou minha tarefa terrível, que me causava um grande temor. Se fosse apenas uma, teria sido relativamente fácil. Mas três! Ter que começar mais duas vezes, depois de uma ação tão medonha. Pois se fora tão terrível com a doce srta. Lucy, imagine o que não seria com essas estranhas que tinham sobrevivido por séculos, e que se haviam fortalecido com o passar dos anos. E que iriam, se pudessem, lutar por suas vidas impuras...

Oh, meu amigo John, foi o trabalho de um açougueiro. Se eu não tivesse sido fortalecido pela lembrança de outros mortos, e dos vivos sobre quem pendia essa tenebrosa mortalha, não teria prosseguido. Tremi, e estou tremendo ainda agora, embora, graças a Deus, meus nervos aguentaram até que tudo terminasse. Se eu não tivesse considerado o repouso em primeiro lugar, e a alegria que viria quando da dissolução final, ao perceber que a alma estava salva, jamais teria prosseguido com aquela chacina. Não teria suportado o grito horrendo quando a estaca atravessou o coração, a contorção das suas formas, e a espuma sangrenta que assomava aos seus lábios. Teria corrido aterrorizado, e deixado meu trabalho por fazer. Mas está tudo acabado! E essas pobres almas! Posso apiedar-me delas agora e lamentá-las, quando penso em cada uma mergulhada em seu sono plácido, por um curto momento antes da dissolução final. Pois saiba, amigo John, que mal minha lâmina acabava de cortar a cabeça de cada uma, já o seu corpo inteiro começava a desfazer-se, e a voltar à sua condição primitiva de pó, como se a morte que deveria ter vindo séculos atrás, afinal se afirmasse e dissesse de uma vez, em alto e bom som, *"Estou aqui!"*

Antes de deixar o castelo, preparei as suas entradas de tal modo que o Conde nunca mais possa entrar lá, enquanto for um morto-vivo.

Quando entrei no círculo onde a senhora Mina dormia, ela acordou do seu sono e, ao ver-me, gritou que eu havia demorado demais.

"Venha!" ela disse, *"Vamos embora desse lugar pavoroso! Vamos encontrar meu marido, pois sei que ele está vindo até nós"*. Ela parecia abatida, pálida e fraca. Mas seus olhos eram puros e brilhavam com fervor. Fiquei contente ao ver a sua palidez e fragilidade, pois minha mente ainda estava cheia do horror que me causava aquele rubor dos vampiros em seu sono.

E assim, confiantes e esperançosos, embora cheios de temor, vamos em direção ao leste para encontrar nossos amigos, e também Jonathan, que a senhora Mina me disse saber que está vindo ao nosso encontro.

DIÁRIO DE MINA HARKER

6 de novembro: A tarde já ia avançada quando o Professor e eu partimos em direção ao leste, de onde eu sabia que Jonathan estava vindo. Não íamos depressa, embora o caminho fosse todo em declive, pois tínhamos que carregar nossos pesados agasalhos e cobertas. Não ousávamos encarar a possibilidade de ficarmos sem algo para nos aquecer, no meio do frio e da neve. Tivemos que levar também algumas provisões, pois estávamos num lugar extremamente desolado, e tão longe quanto a nossa vista alcançava em meio a nevasca, não havia nem sinal de qualquer habitação. Depois de caminharmos uma milha, senti o cansaço da pesada caminhada, e sentei-me para descansar. Então olhamos para trás, e vimos a clara silhueta do castelo de Drácula recortada contra o céu. Estávamos tão abaixo da colina sobre a qual ficava o castelo, que o ângulo de perspectiva dos Montes Cárpatos ficava num plano inferior. Nós o vimos em toda sua grandeza, empoleirado a mil pés de altura, no cume de um íngreme precipício; e entre o castelo e as paredes escarpadas das montanhas adjacentes, em qualquer lado, aparentemente havia um profundo abismo. Havia algo selvagem e sinistro naquele lugar. Podíamos ouvir os lobos uivando à distância. Estavam muito longe, mas o som, embora fosse abafado pela nevasca, ainda assim era aterrorizante. Eu sabia, pelo modo como o dr. Van Helsing examinava os arredores, que ele estava tentando encontrar algum ponto estratégico, onde estaríamos menos expostos em caso de ataque. A estrada rústica ainda conduzia para baixo, e podíamos vê-la sob a neve acumulada.

Dali a pouco o Professor acenou-me, então levantei-me e fui até ele. Ele tinha encontrado um lugar excepcional, um tipo de gruta natural escavada na rocha, com uma espécie de entrada entre duas pedras. Ele pegou-me pela mão e me fez entrar.

"*Veja!*" ele disse, "*Aqui a senhora estará abrigada. E se os lobos vierem, eu os enfrentarei um por um*".

Ele trouxe as nossas peles, e fez um ninho confortável para mim. Também pegou algumas provisões, e insistiu para que eu comesse. Mas eu não podia comer. A simples tentativa me repugnava, e por mais que quisesse agradá-lo, não pude forçar-me a comer. Ele pareceu muito triste, mas não me reprovou. Pegando seu binóculo na sacola, subiu no topo da rocha e começou a examinar o horizonte.

De repente, ele exclamou, "*Veja! Veja, senhora Mina! Veja!*"

Eu saltei sobre a rocha e parei ao lado dele. Ele me estendeu o binóculo e apontou. A neve agora caía com mais intensidade, e os flocos rodopiavam furiosamente ao redor, pois começara a soprar um vento forte. No entanto, de vez em quando havia uma pausa entre as rajadas de neve, e eu podia ver boa parte dos arredores. Da altura onde estávamos, era possível enxergar a uma grande distância. E ao longe, além do manto branco da neve, pude ver o rio estendendo-se como uma fita negra, fazendo dobras e curvas enquanto seguia seu curso. Diretamente à nossa frente, e não muito longe, na verdade tão perto que me perguntei como não havíamos percebido antes, vinha um grupo de homens montados avançando a toda pressa. No meio do grupo havia um carrinho de carga, um longo carrinho de carga que se arrastava de um lado para outro, como a cauda de um cachorro, a cada irregularidade mais séria na estrada. Como eles se destacavam contra a neve, percebi pelas roupas dos homens que se tratava de camponeses ou de ciganos.

No carrinho havia uma grande caixa quadrada. Meu coração deu um salto quando a vi, pois senti que o fim estava próximo. A noite já estava chegando, e eu sabia muito bem que, ao pôr do sol, aquela Coisa que até então estava confinada ganharia nova liberdade, e poderia, em quaisquer das suas muitas formas, enganar os perseguidores. Atemorizada, virei-me para o Professor. Para minha consternação, porém, ele não estava mais ali. Um momento depois, eu o vi abaixo de mim. Estava desenhando um círculo em torno da rocha, como havia feito para nos abrigar na noite passada.

Quando terminou, ele postou-se outra vez ao meu lado, dizendo, *"Pelo menos aqui a senhora estará a salvo dele!"* Ele pegou de novo o binóculo, e na próxima calmaria da neve, inspecionou todo o espaço abaixo de onde estávamos. *"Veja"*, ele disse, *"Eles estão vindo depressa. Estão açoitando os cavalos, e galopando tão rápido quanto podem"*.

Ele fez uma pausa, e continuou numa voz sem expressão, *"Eles estão correndo para se antecipar ao pôr do sol. Nós podemos chegar tarde demais. Que seja feita a vontade de Deus!"* Então caiu outra rajada de neve, e toda a paisagem desapareceu. Mas logo passou, e mais uma vez ele focalizou o binóculo na planície.

Então veio um grito repentino, *"Olhe! Olhe lá! Veja, há dois cavaleiros avançando velozmente, vindos do sul. Devem ser Quincey e John. Pegue o binóculo. Olhe, antes que a neve apague tudo!"* Peguei o binóculo e olhei. Os dois cavaleiros de fato poderiam ser o dr. Seward e o sr. Morris. De qualquer modo, eu sabia que nenhum deles era Jonathan. Ao mesmo tempo, sabia que Jonathan não estava longe. Olhando ao redor, percebi ao norte do grupo que se aproximava dois outros cavaleiros, correndo a uma velocidade arriscada. Um deles eu sabia que era Jonathan, e o outro, é claro, só podia ser Lorde Godalming. Eles também estavam perseguindo o grupo que carregava o carrinho de carga. Quando contei ao Professor, ele gritou de alegria como um colegial, e depois de olhar atentamente até que uma nova queda de neve nos tirou a visão, deixou sua Winchester pronta para ser usada, encostada na rocha à entrada do nosso abrigo.

"Todos eles estão convergindo para cá", ele disse. *"Quando chegar o momento, teremos ciganos por todos os lados"*. Deixei meu revólver à mão, pois enquanto estávamos falando, o uivo dos lobos tornou-se mais alto e mais próximo. Quando a tempestade de neve amainou um pouco, voltamos a olhar. Era estranho ver a neve desabando em flocos pesados ao nosso redor, e mais além, o sol brilhando intensamente, enquanto mergulhava atrás dos cumes das montanhas distantes. Então, varrendo toda a área ao redor com o binóculo, pude perceber aqui e ali alguns pontos negros se movendo, alguns solitários, outros em grupos de dois ou três, ou em grupos maiores. Os lobos estavam se reunindo para atacar suas presas.

Enquanto esperávamos, cada minuto parecia um século. O vento agora vinha em violentas rajadas, e a neve rodopiava ao sabor do vento, caindo sobre nós aos turbilhões. Às vezes, não podíamos ver à distância de um palmo. Mas em outras, o vento que rugia ao passar clareava o espaço ao redor, e podíamos ver bem longe. Nos últimos tempos nos havíamos acostumado tanto a esperar pelo amanhecer e pelo pôr do sol, que sabíamos com precisão quando ocorreriam. E sabíamos que logo o sol iria se pôr. Era difícil acreditar que, pelos nossos relógios, passara-se menos de uma hora desde que havíamos chegado àquele abrigo rochoso, quando os diversos grupos começaram a convergir em nossa direção. O vento vinha agora em rajadas ainda mais violentas e geladas, e com mais frequência do norte. Parecia ter afastado as nuvens de neve para longe de nós, pois, fora rajadas ocasionais, a nevasca cessara. Podíamos agora distinguir claramente os indivíduos de cada grupo, os perseguidores e os perseguidos. Por incrível que pareça, os perseguidos pareciam não perceber, ou pelo menos não se preocupar, de estarem sendo perseguidos. No entanto, pareciam avançar com velocidade redobrada, à medida que o sol descia cada vez mais sobre os cumes das montanhas.

Estavam chegando cada vez mais perto. O Professor e eu nos agachamos atrás da nossa pedra, com as armas prontas. Percebi que ele estava determinado a não deixá-los passar. Nenhum deles tinha conhecimento da nossa presença.

De repente, duas vozes gritaram ao mesmo tempo, *"Parem!"* Uma era do meu Jonathan, num tom arrebatado. A outra era a voz de comando resoluta e firme do sr. Morris. Os ciganos podiam não conhecer a língua, mas não havia nenhuma dúvida quanto ao tom de comando, não importa em que língua fossem ditas as palavras. Pararam instintivamente, e no momento seguinte Lorde Godalming e Jonathan os cercaram por um lado, e o dr. Seward e o sr. Morris pelo outro. O líder dos ciganos, um sujeito de aparência esplêndida, que montava seu cavalo como um centauro, fez-lhes um gesto para que recuassem, e numa voz irada, ordenou aos seus companheiros que prosseguissem. Estes chicotearam os cavalos, que saltaram para frente. Mas os quatro homens ergueram suas Winchesters e, de modo inconfundível, mandaram que parassem. Nesse instante, o dr. Van Helsing e eu saímos de trás da rocha, e apontamos nossas armas para eles. Vendo que estavam cercados, os homens apertaram as rédeas e se detiveram. O líder virou-se para eles e deu uma ordem. Diante disso, cada um dos ciganos puxou a arma que carregava, fosse faca ou pistola, e se preparou para atacar. A questão foi resolvida num instante.

O líder, com um movimento rápido das rédeas, lançou seu cavalo para frente, e apontando primeiro para o sol, agora declinando atrás das colinas, e depois para o castelo, disse algo que eu não entendi. Como resposta, todos os quatro homens do nosso grupo apearam dos cavalos e lançaram-se na direção do carrinho. Eu deveria ter sentido um medo terrível ao ver Jonathan enfrentando tal perigo, mas o ardor da batalha deve ter tomado conta de mim, assim como dos outros. Eu não sentia medo, só um desejo selvagem de fazer alguma coisa. Vendo o rápido movimento do nosso grupo, o líder dos ciganos deu uma ordem. Seus homens imediatamente formaram um círculo ao redor do carrinho, num tipo de formação indisciplinada, um empurrando o outro na ânsia de cumprir a ordem.

No meio de tudo, percebi que Jonathan, por um lado do círculo de ciganos, e Quincey pelo outro, estavam forçando uma passagem até o carrinho. Era evidente que pretendiam cumprir sua tarefa antes do sol se pôr. Nada parecia contê-los, ou mesmo impedi-los. Nem as armas apontadas e as facas brilhantes dos ciganos em frente, nem o uivo dos lobos atrás, pareciam sequer chamar sua atenção. A impetuosidade de Jonathan, e a manifesta simplicidade do seu propósito, pareceu intimidar aqueles que se postavam à sua frente. Eles recuaram instintivamente, e o deixaram passar. Num instante, ele pulou sobre o carrinho, e com uma força que parecia incrível, levantou a enorme caixa e por sobre a roda arremessou-a ao chão. Nesse meio tempo, o sr. Morris tivera que usar a força para romper a barreira do seu lado do círculo de szgany. Durante todo o tempo em que eu observava Jonathan, com o canto do olho vira o sr. Morris forçar sua passagem desesperadamente, e vira as facas dos ciganos brilharem quando ele conseguiu penetrar no círculo. Vi quando o esfaquearam, mas ele aparou o golpe com sua grande faca bowie, e a princípio pensei que ele também tinha escapado incólume. Mas quando ele saltou ao lado de Jonathan, que já descera do carrinho, percebi que ele segurava um dos lados do corpo com sua mão esquerda, e que o sangue jorrava entre seus dedos. Mas isso não o conteve, porém, pois enquanto Jonathan, com energia desesperada, forçava um lado da caixa tentando arrancar a tampa com sua faca Kukri, ele forçava o outro com o mesmo frenesi, usando sua faca bowie. Sob o esforço conjunto dos dois homens, a tampa começou a ceder. Os pregos se soltaram com um guincho, e a tampa da caixa foi lançada para trás.

A essa altura, acuados pelas Winchesters, e à mercê de Lorde Godalming e do dr. Seward, os ciganos tinham cedido, e não esboçaram mais qualquer resistência. O sol já quase desaparecera por trás do cume das montanhas, e as sombras do grupo inteiro se projetavam sobre a neve. E eu vi o Conde dentro do caixão, deitado sobre a terra, parte da qual se espalhara sobre ele, quando o caixão fora atirado ao chão. Estava mortalmente pálido, como uma imagem de cera, e os olhos vermelhos brilhavam com o medonho olhar vingativo que eu conhecia tão bem.

Quando olhei, os olhos do Conde se dirigiam ao pôr do sol, e seu olhar de ódio se transformou em triunfo.

Mas, neste momento, veio o movimento rápido e o lampejo da lâmina empunhada por Jonathan. Eu gritei, quando vi a faca atorar a garganta do Conde. Ao mesmo tempo, a faca bowie do sr. Morris atravessou-lhe o coração.

Foi como um milagre, pois diante dos nossos próprios olhos, e no espaço de um momento, o corpo inteiro transformou-se em pó e desapareceu da nossa vista.

Ficarei contente enquanto viver por um motivo: mesmo naquele momento de dissolução final, havia em seu rosto um olhar de paz, como eu nunca imaginaria que pudesse ostentar.

O Castelo de Drácula agora se delineava contra o céu vermelho, e cada pedra de suas ameias arruinadas recebia a luz do sol poente.

Os ciganos, considerando-nos de algum modo responsáveis pelo extraordinário desaparecimento do homem morto, viraram-se sem uma palavra e partiram às pressas, como se temessem por suas vidas. Aqueles que estavam desmontados saltaram para o carrinho, e gritaram aos cavaleiros que não os abandonassem. Os lobos, que haviam se retirado para uma distância segura, seguiram na esteira dos ciganos, deixando-nos sós.

O sr. Morris, que desabara no chão, apoiava-se no cotovelo enquanto segurava a mão contra o lado do corpo. O sangue ainda escorria pelos seus dedos. Corri para ele, pois o círculo sagrado já não me retinha. Os dois médicos fizeram o mesmo. Jonathan ajoelhou-se ao lado dele, e o ferido recostou a cabeça em seu ombro. Com um suspiro, fez ainda um esforço e tomou minha mão na sua, aquela que ainda não manchara de sangue.

Ele deve ter visto a angústia estampada no meu rosto, pois sorriu para mim e disse, *"Estou muito feliz por ter podido ser útil! Oh, Deus!"* ele exclamou de repente, lutando para sentar-se e apontando para mim. *"Valeu a pena morrer por isso! Olhem! Olhem!"*

O sol agora acabara de se pôr atrás das montanhas, e seus raios avermelhados incidiam sobre meu rosto, de modo que ele estava banhado por uma suave luz rosada. Num único impulso os homens se ajoelharam, e dos seus lábios veio um profundo e ardente "Amém", enquanto seus olhos seguiam a direção que ele apontara.

O homem agonizante disse, *"Agradeçamos a Deus, pois tudo que fizemos não foi em vão! Vejam! A neve não é mais imaculada do que a sua fronte! A maldição desapareceu!"*

E, para nossa amarga aflição, com um sorriso e em silêncio, ele morreu, um galante cavaleiro até o fim.

NOTA

Sete anos atrás, todos nós passamos pelas chamas do inferno. E a felicidade alcançada por alguns de nós desde então, vale bem a dor por que passamos. É uma alegria a mais para Mina e para mim que o aniversário do nosso filhinho caia no mesmo dia da morte de Quincey Morris. Sua mãe, eu sei, mantém a secreta convicção de que um pouco do espírito do nosso corajoso amigo tenha passado para o filho. Os vários nomes que ele tem homenageiam todo o nosso grupo de amigos, e são uma ligação entre nós. Mas nós o chamamos de Quincey.

No verão deste ano, fizemos uma viagem para a Transilvânia, e voltamos a visitar o velho lugar que para nós foi, e ainda é, tão repleto das mais vívidas e terríveis recordações. Era quase impossível acreditar que as coisas que tínhamos visto com nossos próprios olhos e ouvido com nossos próprios ouvidos, sejam verdades vivas. Qualquer rastro de tudo que ali acontecera havia sido destruído. Só o castelo erguia-se como antes, pairando no alto daquele ermo desolado.

Ao voltarmos para casa, falamos sobre os velhos tempos, para os quais agora podíamos volver o olhar sem desespero, pois Godalming e Seward estão ambos casados e felizes. Eu peguei os documentos do cofre onde estiveram guardados desde nosso retorno, tanto tempo atrás. Ficamos espantados com o fato de que, em toda a massa de material que compõe os nossos registros, quase não há nenhum documento autêntico. Nada além de um calhamaço de material datilografado, exceto os últimos cadernos de anotações de Mina, do dr. Seward, o meu, além da mensagem de Van Helsing. Dificilmente poderíamos pedir a alguém, mesmo se quiséssemos, que aceitasse esses documentos como provas de uma história tão terrível. Van Helsing resumiu tudo isso quando disse, enquanto segurava o nosso menino no colo.

"*Não precisamos de provas. Não pedimos a ninguém que acredite em nós! Algum dia esse menino saberá como sua mãe foi galante e corajosa. Ele já conhece a sua doçura e os seus amorosos cuidados. Mais tarde entenderá porque alguns homens a amaram tanto, a ponto de ousar tudo pela sua salvação*".

JONATHAN HARKER

FIM

DRACULA'S GUEST

PREFACE
TO MY SON

A few months before the lamented death of my husband – I might say even as the shadow of death was over him – he planned three series of short stories for publication, and the present volume is one of them. To his original list of stories in this book, I have added an hitherto unpublished episode from Dracula. It was originally excised owing to the length of the book, and may prove of interest to the many readers of what is considered my husband's most remarkable work. The other stories have already been published in English and American periodicals. Had my husband lived longer, he might have seen fit to revise this work, which is mainly from the earlier years of his strenuous life. But, as fate has entrusted to me the issuing of it, I consider it fitting and proper to let it go forth practically as it was left by him.

FLORENCE BRAM STOKER

DRACULA'S GUEST

When we started for our drive the sun was shining brightly on Munich, and the air was full of the joyousness of early summer. Just as we were about to depart, Herr Delbrück *(the maître d'hôtel of the Quatre Saisons, where I was staying)* came down, bareheaded, to the carriage and, after wishing me a pleasant drive, said to the coachman, still holding his hand on the handle of the carriage door:

"Remember you are back by nightfall. The sky looks bright but there is a shiver in the north wind that says there may be a sudden storm. But I am sure you will not be late". Here he smiled, and added, "for you know what night it is".

Johann answered with an emphatic, *Ja, mein Herr*, and, touching his hat, drove off quickly. When we had cleared the town, I said, after signalling to him to stop:

"Tell me, Johann, what is tonight?"

He crossed himself, as he answered laconically: *Walpurgisnacht*. Then he took out his watch, a great, old-fashioned German silver thing as big as a turnip, and looked at it, with his eyebrows gathered together and a little impatient shrug of his shoulders. I realised that this was his way of respectfully protesting against the unnecessary delay, and sank back in the carriage, merely motioning him to proceed. He started off rapidly, as if to make up for lost time. Every now and then the horses seemed to throw up their heads and sniffed the air suspiciously. On such occasions I often looked round in alarm. The road was pretty bleak, for we were traversing a sort of high, wind-swept plateau. As we drove, I saw a road that looked but little used, and which seemed to dip through a little, winding valley. It looked so inviting that, even at the risk of offending him, I called Johann to stop – and when he had pulled up, I told him I would like to drive down that road. He made all sorts of excuses, and frequently crossed himself as he spoke. This somewhat piqued my curiosity, so I asked him various questions. He answered fencingly, and repeatedly looked at his watch in protest. Finally I said:

"Well, Johann, I want to go down this road. I shall not ask you to come unless you like; but tell me why you do not like to go, that is all I ask.' For answer he seemed to throw himself off the box, so quickly did he reach the ground. Then he stretched out his hands appealingly to me, and implored me not to go. There was just enough of English mixed with the German for me to understand the drift of his talk. He seemed always just about to tell me something – the very idea of which evidently frightened him; but each time he pulled himself up, saying, as he crossed himself: "Walpurgisnacht!"

I tried to argue with him, but it was difficult to argue with a man when I did not know his language. The advantage certainly rested with him, for although he began to speak in English, of a very crude and broken kind, he always got excited and broke into his native tongue – and every time he did so, he looked at his watch. Then the horses became restless and sniffed the air. At this he grew very pale, and, looking around in a frightened way, he suddenly jumped forward, took them by the bridles and led them on some twenty feet. I followed, and asked why he had done this. For answer he crossed himself, pointed to the spot we had left and drew his carriage in the direction of the other road, indicating a cross, and said, first in German, then in English: "Buried him... him what killed themselves".

I remembered the old custom of burying suicides at cross-roads: "Ah! I see, a suicide. How interesting!" But for the life of me I could not make out why the horses were frightened.

Whilst we were talking, we heard a sort of sound between a yelp and a bark. It was far away; but the horses got very restless, and it took Johann all his time to quiet them. He was pale, and said, "It sounds like a wolf... but yet there are no wolves here now".

"No?" I said, questioning him; "isn't it long since the wolves were so near the city?"

"Long, long", he answered, "in the spring and summer; but with the snow the wolves have been here not so long".

Whilst he was petting the horses and trying to quiet them, dark clouds drifted rapidly across the sky. The sunshine passed away, and a breath of cold wind seemed to drift past us. It was only a breath, however, and more in the nature of a warning than a fact, for the sun came out brightly again. Johann looked under his lifted hand at the horizon and said:

"The storm of snow, he comes before long time". Then he looked at his watch again, and, straightway holding his reins firmly – for the horses were still pawing the ground restlessly and shaking their heads – he climbed to his box as though the time had come for proceeding on our journey.

I felt a little obstinate and did not at once get into the carriage.

"Tell me", I said, "about this place where the road leads", and I pointed down.

Again he crossed himself and mumbled a prayer, before he answered, It is unholy.

"What is unholy?" I enquired.

"The village".

"Then there is a village?"

"No, no. No one lives there hundreds of years". My curiosity was piqued, "But you said there was a village".

"There was".

"Where is it now?"

Whereupon he burst out into a long story in German and English, so mixed up that I could not quite understand exactly what he said, but roughly I gathered that long ago, hundreds of years, men had died there and been buried in their graves; and sounds were heard under the clay, and when the graves were opened, men and women were found rosy with life, and their mouths red with blood. And so, in haste to save their lives *(aye, and their souls!* – *and here he crossed himself)* those who were left fled away to other places, where the living lived, and the dead were dead and not – not something. He was evidently afraid to speak the last words. As he proceeded with his narration, he grew more and more excited. It seemed as if his imagination had got hold of him, and he ended in a perfect paroxysm of fear – white-faced, perspiring, trembling and looking round him, as if expecting that some dreadful presence would manifest itself there in the bright sunshine on the open plain. Finally, in an agony of desperation, he cried:

Walpurgisnacht! and pointed to the carriage for me to get in. All my English blood rose at this, and, standing back, I said:

"You are afraid, Johann – you are afraid. Go home; I shall return alone; the walk will do me good.' The carriage door was open. I took from the seat my oak walking-stick – which I always carry on my holiday excursions – and closed the door, pointing back to Munich, and said, "Go home, Johann – *Walpurgisnacht* doesn't concern Englishmen".

The horses were now more restive than ever, and Johann was trying to hold them in, while excitedly imploring me not to do anything so foolish. I pitied the poor fellow, he was deeply in earnest; but all the same I could not help laughing. His English was quite gone now. In his anxiety he had forgotten that his only means of making me understand was to talk my language, so he jabbered away in his native German. It began to be a little tedious. After giving the direction, "Home!" I turned to go down the cross-road into the valley.

With a despairing gesture, Johann turned his horses towards Munich. I leaned on my stick and looked after him. He went slowly along the road for a while: then there came over the crest of the hill a man tall and thin. I could see so much in the distance. When he drew near the horses, they began to jump and kick about, then to scream with terror. Johann could not hold them in; they bolted down the road, running away madly. I watched them out of sight, then looked for the stranger, but I found that he, too, was gone.

With a light heart I turned down the side road through the deepening valley to which Johann had objected. There was not the slightest reason, that I could see, for his objection; and I daresay I tramped for a couple of hours without thinking of time or distance, and certainly without seeing a person or a house. So far as the place was concerned, it was desolation, itself. But I did not notice this particularly till, on turning a bend in the road, I came upon a scattered fringe of wood; then I recognised that I had been impressed unconsciously by the desolation of the region through which I had passed.

I sat down to rest myself, and began to look around. It struck me that it was considerably colder than it had been at the commencement of my walk – a sort of sighing sound seemed to be around me, with, now and then, high overhead, a sort of muffled roar. Looking upwards I noticed that great thick clouds were drifting rapidly across the sky from North to South at a great height. There were signs of coming storm in some lofty stratum of the air. I was a little chilly, and, thinking that it was the sitting still after the exercise of walking, I resumed my journey.

The ground I passed over was now much more picturesque. There were no striking objects that the eye might single out; but in all there was a charm of beauty. I took little heed of time and it was only when the deepening twilight forced itself upon me that I began to think of how I should find my way home. The brightness of the day had gone. The air was cold, and the drifting of clouds high overhead was more marked. They were accompanied by a sort of far-away rushing sound, through which seemed to come at intervals that mysterious cry which the driver had said came from a wolf. For a while I hesitated. I had said I would see the deserted village, so on I went, and presently came on a wide stretch of open country, shut in by hills all around. Their sides were covered with trees which spread down to the plain, dotting, in clumps, the gentler slopes and hollows which showed here and there. I followed with my eye the winding of the road, and saw that it curved close to one of the densest of these clumps and was lost behind it.

As I looked there came a cold shiver in the air, and the snow began to fall. I thought of the miles and miles of bleak country I had passed, and then hurried on to seek the shelter of the wood in front. Darker and darker grew the sky, and faster and heavier fell the snow, till the earth before and around me was a glistening white carpet the further edge of which was lost in misty vagueness. The road was here but crude, and when on the level its boundaries were not so marked, as when it passed through the cuttings; and in a little while I found that I must have strayed from it, for I missed underfoot the hard surface, and my feet sank deeper in the grass and moss. Then the wind grew stronger and blew with ever increasing force, till I was fain to run before it. The air became icy-cold, and in spite of my exercise I began to suffer. The snow was now falling so thickly and whirling around me in such rapid eddies that I could hardly keep my eyes open. Every now and then the heavens were torn asunder by vivid lightning, and in the flashes I could see ahead of me a great mass of trees, chiefly yew and cypress all heavily coated with snow.

I was soon amongst the shelter of the trees, and there, in comparative silence, I could hear the rush of the wind high overhead. Presently the blackness of the storm had become merged in the darkness of the night By-and-by the storm seemed to be passing away: it now only came in fierce puffs or blasts. At such moments the weird sound of the wolf appeared to be echoed by many similar sounds around me.

Now and again, through the black mass of drifting cloud, came a straggling ray of moonlight, which lit up the expanse, and showed me that I was at the edge of a dense mass of cypress and yew trees. As the snow had ceased to fall, I walked out from the shelter and began to investigate more closely. It appeared to me that, amongst so many old foundations as I had passed, there might be still standing a house in which, though in ruins, I could find some sort of shelter for a while. As I skirted the edge of the copse, I found that a low wall encircled it, and following this I presently found an opening. Here the cypresses formed an alley leading up to a square mass of some kind of building. Just as I caught sight of this, however, the drifting clouds obscured the moon, and I passed up the path in darkness. The wind must have grown colder, for I felt myself shiver as I walked; but there was hope of shelter, and I groped my way blindly on.

I stopped, for there was a sudden stillness. The storm had passed; and, perhaps in sympathy with nature's silence, my heart seemed to cease to beat. But this was only momentarily; for suddenly the moonlight broke through the clouds, showing me that I was in a graveyard, and that the square object before me was a great massive tomb of marble, as white as the snow that lay on and all around it. With the moonlight there came a fierce sigh of the storm, which appeared to resume its course with a long, low howl, as of many dogs or wolves. I was awed and shocked, and felt the cold perceptibly grow upon me till it seemed to grip me by the heart. Then while the flood of moonlight still fell on the marble tomb, the storm gave further evidence of renewing, as though it was returning on its track. Impelled by some sort of fascination, I approached the sepulchre to see what it was, and why such a thing stood alone in such a place. I walked around it, and read, over the Doric door, in German:

COUNTESS DOLINGEN OF GRATZ
IN STYRIA SOUGHT AND FOUND DEATH
1801

On the top of the tomb, seemingly driven through the solid marble – for the structure was composed of a few vast blocks of stone – was a great iron spike or stake. On going to the back I saw, graven in great Russian letters: *"The dead travel fast"*.

There was something so weird and uncanny about the whole thing that it gave me a turn and made me feel quite faint. I began to wish, for the first time, that I had taken Johann's advice. Here a thought struck me, which came under almost mysterious circumstances and with a terrible shock. This was *Walpurgisnight*!

Walpurgis Night, when, according to the belief of millions of people, the devil was abroad – when the graves were opened and the dead came forth and walked. When all evil things of earth and air and water held revel. This very place the driver had specially shunned. This was the depopulated village of centuries ago. This was where the suicide lay; and this was the place where I was alone – unmanned, shivering with cold in a shroud of snow with a wild storm gathering again upon me! It took all my philosophy, all the religion I had been taught, all my courage, not to collapse in a paroxysm of fright.

And now a perfect tornado burst upon me. The ground shook as though thousands of horses thundered across it; and this time the storm bore on its icy wings, not snow, but great hailstones which drove with such violence that they might have come from the thongs of Balearic slingers – hailstones that beat down leaf and branch and made the shelter of the cypresses of no more avail than though their stems were standing-corn. At the first I had rushed to the nearest tree; but I was soon fain to leave it and seek the only spot that seemed to afford refuge, the deep Doric doorway of the marble tomb. There, crouching against the massive bronze door, I gained a certain amount of protection from the beating of the hailstones, for now they only drove against me as they ricocheted from the ground and the side of the marble.

As I leaned against the door, it moved slightly and opened inwards. The shelter of even a tomb was welcome in that pitiless tempest, and I was about to enter it when there came a flash of forked-lightning that lit up the whole expanse of the heavens. In the instant, as I am a living man, I saw, as my eyes were turned into the darkness of the tomb, a beautiful woman, with rounded cheeks and red lips, seemingly sleeping on a bier. As the thunder broke overhead, I was grasped as by the hand of a giant and hurled out into the storm. The whole thing was so sudden that, before I could realise the shock, moral as well as physical, I found the hailstones beating me down. At the same time I had a strange, dominating feeling that I was not alone. I looked towards the tomb. Just then there came another blinding flash, which seemed to strike the iron stake that surmounted the tomb and to pour through to the earth, blasting and crumbling the marble, as in a burst of flame. The dead woman rose for a moment of agony, while she was lapped in the flame, and her bitter scream of pain was drowned in the thundercrash. The last thing I heard was this mingling of dreadful sound, as again I was seized in the giant-grasp and dragged away, while the hailstones beat on me, and the air around seemed reverberant with the howling of wolves. The last sight that I remembered was a vague, white, moving mass, as if all the graves around me had sent out the phantoms of their sheeted-dead, and that they were closing in on me through the white cloudiness of the driving hail.

Gradually there came a sort of vague beginning of consciousness; then a sense of weariness that was dreadful. For a time I remembered nothing; but slowly my senses returned. My feet seemed positively racked with pain, yet I could not move them. They seemed to be numbed. There was an icy feeling at the back of my neck and all down my spine, and my ears, like my feet, were dead, yet in torment; but there was in my breast a sense of warmth which was, by comparison, delicious. It was as a nightmare – a physical nightmare, if one may use such an expression; for some heavy weight on my chest made it difficult for me to breathe.

This period of semi-lethargy seemed to remain a long time, and as it faded away I must have slept or swooned. Then came a sort of loathing, like the first stage of sea-sickness, and a wild desire to be free from something – I knew not what. A vast stillness enveloped me, as though all the world were asleep or dead – only broken by the low panting as of some animal close to me. I felt a warm rasping at my throat, then came a consciousness of the awful truth, which chilled me to the heart and sent the blood surging up through my brain. Some great animal was lying on me and now licking my throat. I feared to stir, for some instinct of prudence bade me lie still; but the brute seemed to realise that there was now some change in me, for it raised its head. Through my eyelashes I saw above me the two great flaming eyes of a gigantic wolf. Its sharp white teeth gleamed in the gaping red mouth, and I could feel its hot breath fierce and acrid upon me.

For another spell of time I remembered no more. Then I became conscious of a low growl, followed by a yelp, renewed again and again. Then, seemingly very far away, I heard a "Holloa! holloa!" as of many voices calling in unison. Cautiously I raised my head and looked in the direction whence the sound came; but the cemetery blocked my view. The wolf still continued to yelp in a strange way, and a red glare began to move round the grove of cypresses, as though following the sound. As the voices drew closer, the wolf yelped faster and louder. I feared to make either sound or motion. Nearer came the red glow, over the white pall which stretched into the darkness around me. Then all at once from beyond the trees there came at a trot a troop of horsemen bearing torches. The wolf rose from my breast and made for the cemetery. I saw one of the horsemen (soldiers by their caps and their long military cloaks) raise his carbine and take aim. A companion knocked up his arm, and I heard the ball whizz over my head. He had evidently taken my body for that of the wolf. Another sighted the animal as it slunk away, and a shot followed. Then, at a gallop, the troop rode forward – some towards me, others following the wolf as it disappeared amongst the snow-clad cypresses.

As they drew nearer I tried to move, but was powerless, although I could see and hear all that went on around me. Two or three of the soldiers jumped from their horses and knelt beside me. One of them raised my head, and placed his hand over my heart.

"Good news, comrades!" he cried. "His heart still beats!"

Then some brandy was poured down my throat; it put vigour into me, and I was able to open my eyes fully and look around. Lights and shadows were moving among the trees, and I heard men call to one another. They drew together, uttering frightened exclamations; and the lights flashed as the others came pouring out of the cemetery pell-mell, like men possessed. When the further ones came close to us, those who were around me asked them eagerly:

"Well, have you found him?"

The reply rang out hurriedly:

"No! no! Come away quick – quick! This is no place to stay, and on this of all nights!"

"What was it?" was the question, asked in all manner of keys. The answer came variously and all indefinitely as though the men were moved by some common impulse to speak, yet were restrained by some common fear from giving their thoughts.

"It... it... indeed!" gibbered one, whose wits had plainly given out for the moment.

"A wolf... and yet not a wolf!" another put in shudderingly.

"No use trying for him without the sacred bullet", a third remarked in a more ordinary manner.

"Serve us right for coming out on this night! Truly we have earned our thousand marks!" were the ejaculations of a fourth.

"There was blood on the broken marble", another said after a pause – "the lightning never brought that there. And for him – is he safe? Look at his throat! See, comrades, the wolf has been lying on him and keeping his blood warm".

The officer looked at my throat and replied:

"He is all right; the skin is not pierced. What does it all mean? We should never have found him but for the yelping of the wolf".

"What became of it?" asked the man who was holding up my head, and who seemed the least panic-stricken of the party, for his hands were steady and without tremor. On his sleeve was the chevron of a petty officer.

"It went to its home", answered the man, whose long face was pallid, and who actually shook with terror as he glanced around him fearfully. "There are graves enough there in which it may lie. Come, comrades – come quickly! Let us leave this cursed spot".

The officer raised me to a sitting posture, as he uttered a word of command; then several men placed me upon a horse. He sprang to the saddle behind me, took me in his arms, gave the word to advance; and, turning our faces away from the cypresses, we rode away in swift, military order.

As yet my tongue refused its office, and I was perforce silent. I must have fallen asleep; for the next thing I remembered was finding myself standing up, supported by a soldier on each side of me. It was almost broad daylight, and to the north a red streak of sunlight was reflected, like a path of blood, over the waste of snow. The officer was telling the men to say nothing of what they had seen, except that they found an English stranger, guarded by a large dog.

"Dog! that was no dog", cut in the man who had exhibited such fear. "I think I know a wolf when I see one".

The young officer answered calmly: I said a dog.

"Dog!" reiterated the other ironically. It was evident that his courage was rising with the sun; and, pointing to me, he said, "Look at his throat. Is that the work of a dog, master?"

Instinctively I raised my hand to my throat, and as I touched it I cried out in pain. The men crowded round to look, some stooping down from their saddles; and again there came the calm voice of the young officer:

"A dog, as I said. If aught else were said we should only be laughed at".

I was then mounted behind a trooper, and we rode on into the suburbs of Munich. Here we came across a stray carriage, into which I was lifted, and it was driven off to the Quatre Saisons – the young officer accompanying me, whilst a trooper followed with his horse, and the others rode off to their barracks.

When we arrived, Herr Delbrück rushed so quickly down the steps to meet me, that it was apparent he had been watching within. Taking me by both hands he solicitously led me in. The officer saluted me and was turning to withdraw, when I recognised his purpose, and insisted that he should come to my rooms. Over a glass of wine I warmly thanked him and his brave comrades for saving me. He replied simply that he was more than glad, and that Herr Delbrück had at the first taken steps to make all the searching party pleased; at which ambiguous utterance the maître d'hôtel smiled, while the officer pleaded duty and withdrew.

"But Herr Delbrück", I enquired, "how and why was it that the soldiers searched for me?"

He shrugged his shoulders, as if in depreciation of his own deed, as he replied:

"I was so fortunate as to obtain leave from the commander of the regiment in which I served, to ask for volunteers".

"But how did you know I was lost?" I asked.

"The driver came hither with the remains of his carriage, which had been upset when the horses ran away".

"But surely you would not send a search-party of soldiers merely on this account?"

Oh, no! he answered; "but even before the coachman arrived, I had this telegram from the Boyar whose guest you are" and he took from his pocket a telegram which he handed to me, and I read:

Bistritz.

Be careful of my guest – his safety is most precious to me. Should aught happen to him, or if he be missed, spare nothing to find him and ensure his safety. He is English and therefore adventurous. There are often dangers from snow and wolves and night. Lose not a moment if you suspect harm to him. I answer your zeal with my fortune.

Dracula.

As I held the telegram in my hand, the room seemed to whirl around me; and, if the attentive maître d'hôtel had not caught me, I think I should have fallen. There was something so strange in all this, something so weird and impossible to imagine, that there grew on me a sense of my being in some way the sport of opposite forces – the mere vague idea of which seemed in a way to paralyse me. I was certainly under some form of mysterious protection. From a distant country had come, in the very nick of time, a message that took me out of the danger of the snow-sleep and the jaws of the wolf.

DRACULA
A MYSTERY STORY

How these papers have been placed in sequence will be made manifest in the reading of them. All needless matters have been eliminated, so that a history almost at variance with the possibilities of latter-day belief may stand forth as simple fact. There is throughout no statement of past things wherein memory may err, for all the records chosen are exactly contemporary, given from the standpoints and within the range of knowledge of those who made them.

CHAPTER 1
JONATHAN HARKER'S JOURNAL
(Kept in shorthand)

3 May. Bistritz. Left Munich at 8:35 P.M., on 1st May, arriving at Vienna early next morning; should have arrived at 6:46, but train was an hour late. Buda-Pesth seems a wonderful place, from the glimpse which I got of it from the train and the little I could walk through the streets. I feared to go very far from the station, as we had arrived late and would start as near the correct time as possible.

The impression I had was that we were leaving the West and entering the East; the most western of splendid bridges over the Danube, which is here of noble width and depth, took us among the traditions of Turkish rule.

We left in pretty good time, and came after nightfall to Klausenburgh. Here I stopped for the night at the Hotel Royale. I had for dinner, or rather supper, a chicken done up some way with red pepper, which was very good but thirsty. (Mem. get recipe for Mina.) I asked the waiter, and he said it was called "paprika hendl," and that, as it was a national dish, I should be able to get it anywhere along the Carpathians.

I found my smattering of German very useful here, indeed, I don't know how I should be able to get on without it.

Having had some time at my disposal when in London, I had visited the British Museum, and made search among the books and maps in the library regarding Transylvania; it had struck me that some foreknowledge of the country could hardly fail to have some importance in dealing with a nobleman of that country.

I find that the district he named is in the extreme east of the country, just on the borders of three states, Transylvania, Moldavia, and Bukovina, in the midst of the Carpathian mountains; one of the wildest and least known portions of Europe.

I was not able to light on any map or work giving the exact locality of the Castle Dracula, as there are no maps of this country as yet to compare with our own Ordnance Survey Maps; but I found that Bistritz, the post town named by Count Dracula, is a fairly well-known place. I shall enter here some of my notes, as they may refresh my memory when I talk over my travels with Mina.

In the population of Transylvania there are four distinct nationalities: Saxons in the South, and mixed with them the Wallachs, who are the descendants of the Dacians; Magyars in the West, and Szekelys in the East and North. I am going among the latter, who claim to be descended from Attila and the Huns. This may be so, for when the Magyars conquered the country in the eleventh century they found the Huns settled in it.

I read that every known superstition in the world is gathered into the horseshoe of the Carpathians, as if it were the centre of some sort of imaginative whirlpool; if so my stay may be very interesting. (Mem., I must ask the Count all about them.)

I did not sleep well, though my bed was comfortable enough, for I had all sorts of queer dreams. There was a dog howling all night under my window, which may have had something to do with it; or it may have been the paprika, for I had to drink up all the water in my carafe, and was still thirsty. Towards morning I slept and was wakened by the continuous knocking at my door, so I guess I must have been sleeping soundly then.

I had for breakfast more paprika, and a sort of porridge of maize flour which they said was "mamaliga", and egg-plant stuffed with forcemeat, a very excellent dish, which they call "impletata". (Mem., get recipe for this also.)

I had to hurry breakfast, for the train started a little before eight, or rather it ought to have done so, for after rushing to the station at 7:30 I had to sit in the carriage for more than an hour before we began to move.

It seems to me that the further east you go the more unpunctual are the trains. What ought they to be in China?

All day long we seemed to dawdle through a country which was full of beauty of every kind. Sometimes we saw little towns or castles on the top of steep hills such as we see in old missals; sometimes we ran by rivers and streams which seemed from the wide stony margin on each side of them to be subject to great floods. It takes a lot of water, and running strong, to sweep the outside edge of a river clear.

At every station there were groups of people, sometimes crowds, and in all sorts of attire. Some of them were just like the peasants at home or those I saw coming through France and Germany, with short jackets, and round hats, and home-made trousers; but others were very picturesque.

The women looked pretty, except when you got near them, but they were very clumsy about the waist. They had all full white sleeves of some kind or other, and most of them had big belts with a lot of strips of something fluttering from them like the dresses in a ballet, but of course there were petticoats under them.

The strangest figures we saw were the Slovaks, who were more barbarian than the rest, with their big cow-boy hats, great baggy dirty-white trousers, white linen shirts, and enormous heavy leather belts, nearly a foot wide, all studded over with brass nails. They wore high boots, with their trousers tucked into them, and had long black hair and heavy black moustaches. They are very picturesque, but do not look prepossessing. On the stage they would be set down at once as some old Oriental band of brigands. They are, however, I am told, very harmless and rather wanting in natural self-assertion.

It was on the dark side of twilight when we got to Bistritz, which is a very interesting old place. Being practically on the frontier for the Borgo Pass leads from it into Bukovina it has had a very stormy existence, and it certainly shows marks of it. Fifty years ago a series of great fires took place, which made terrible havoc on five separate occasions. At the very beginning of the seventeenth century it underwent a siege of three weeks and lost 13,000 people, the casualties of war proper being assisted by famine and disease.

Count Dracula had directed me to go to the Golden Krone Hotel, which I found, to my great delight, to be thoroughly old-fashioned, for of course I wanted to see all I could of the ways of the country.

I was evidently expected, for when I got near the door I faced a cheery-looking elderly woman in the usual peasant dress white undergarment with a long double apron, front, and back, of coloured stuff fitting almost too tight for modesty. When I came close she bowed and said, "The Herr Englishman?"

"Yes," I said, "Jonathan Harker."

She smiled, and gave some message to an elderly man in white shirtsleeves, who had followed her to the door.

He went, but immediately returned with a letter:

"My friend. Welcome to the Carpathians. I am anxiously expecting you. Sleep well tonight. At three tomorrow the diligence will start for Bukovina; a place on it is kept for you. At the Borgo Pass my carriage will await you and will bring you to me. I trust that your journey from London has been a happy one, and that you will enjoy your stay in my beautiful land. Your friend, Dracula."

4 May I found that my landlord had got a letter from the Count, directing him to secure the best place on the coach for me; but on making inquiries

as to details he seemed somewhat reticent, and pretended that he could not understand my German.

This could not be true, because up to then he had understood it perfectly; at least, he answered my questions exactly as if he did.

He and his wife, the old lady who had received me, looked at each other in a frightened sort of way. He mumbled out that the money had been sent in a letter, and that was all he knew. When I asked him if he knew Count Dracula, and could tell me anything of his castle, both he and his wife crossed themselves, and, saying that they knew nothing at all, simply refused to speak further. It was so near the time of starting that I had no time to ask anyone else, for it was all very mysterious and not by any means comforting.

Just before I was leaving, the old lady came up to my room and said in a hysterical way: "Must you go? Oh! Young Herr, must you go?" She was in such an excited state that she seemed to have lost her grip of what German she knew, and mixed it all up with some other language which I did not know at all. I was just able to follow her by asking many questions. When I told her that I must go at once, and that I was engaged on important business, she asked again:

"Do you know what day it is?" I answered that it was the fourth of May. She shook her head as she said again:

"Oh, yes! I know that! I know that, but do you know what day it is?"

On my saying that I did not understand, she went on:

"It is the eve of St. George's Day. Do you not know that tonight, when the clock strikes midnight, all the evil things in the world will have full sway? Do you know where you are going, and what you are going to?" She was in such evident distress that I tried to comfort her, but without effect. Finally, she went down on her knees and implored me not to go; at least to wait a day or two before starting.

It was all very ridiculous but I did not feel comfortable. However, there was business to be done, and I could allow nothing to interfere with it.

I tried to raise her up, and said, as gravely as I could, that I thanked her, but my duty was imperative, and that I must go.

She then rose and dried her eyes, and taking a crucifix from her neck offered it to me.

I did not know what to do, for, as an English Churchman, I have been taught to regard such things as in some measure idolatrous, and yet it seemed so ungracious to refuse an old lady meaning so well and in such a state of mind.

She saw, I suppose, the doubt in my face, for she put the rosary round my neck and said, "For your mother's sake," and went out of the room.

I am writing up this part of the diary whilst I am waiting for the coach, which is, of course, late; and the crucifix is still round my neck.

Whether it is the old lady's fear, or the many ghostly traditions of this place, or the crucifix itself, I do not know, but I am not feeling nearly as easy in my mind as usual.

If this book should ever reach Mina before I do, let it bring my goodbye. Here comes the coach!

5 May. The Castle. The gray of the morning has passed, and the sun is high over the distant horizon, which seems jagged, whether with trees or hills I know not, for it is so far off that big things and little are mixed.

I am not sleepy, and, as I am not to be called till I awake, naturally I write till sleep comes.

There are many odd things to put down, and, lest who reads them may fancy that I dined too well before I left Bistritz, let me put down my dinner exactly.

I dined on what they called "robber steak" bits of bacon, onion, and beef, seasoned with red pepper, and strung on sticks, and roasted over the fire, in simple style of the London cat's meat!

The wine was Golden Mediasch, which produces a queer sting on the tongue, which is, however, not disagreeable.

I had only a couple of glasses of this, and nothing else.

When I got on the coach, the driver had not taken his seat, and I saw him talking to the landlady.

They were evidently talking of me, for every now and then they looked at me, and some of the people who were sitting on the bench outside the door came and listened, and then looked at me, most of them pityingly. I could hear a lot of words often repeated, queer words, for there were many nationalities in the crowd, so I quietly got my polyglot dictionary from my bag and looked them out.

I must say they were not cheering to me, for amongst them were "Ordog" Satan, "Pokol" hell, "stregoica" witch, "vrolok" and "vlkoslak" both mean the same thing, one being Slovak and the other Servian for something that is either werewolf or vampire. (Mem., I must ask the Count about these superstitions.)

When we started, the crowd round the inn door, which had by this time swelled to a considerable size, all made the sign of the cross and pointed two fingers towards me.

With some difficulty, I got a fellow passenger to tell me what they meant. He would not answer at first, but on learning that I was English, he explained that it was a charm or guard against the evil eye.

This was not very pleasant for me, just starting for an unknown place to meet an unknown man. But everyone seemed so kind-hearted, and so sorrowful, and so sympathetic that I could not but be touched.

I shall never forget the last glimpse which I had of the inn yard and its crowd of picturesque figures, all crossing themselves, as they stood round the wide archway, with its background of rich foliage of oleander and orange trees in green tubs clustered in the centre of the yard.

Then our driver, whose wide linen drawers covered the whole front of the boxseat, "gotza" they call them cracked his big whip over his four small horses, which ran abreast, and we set off on our journey.

I soon lost sight and recollection of ghostly fears in the beauty of the scene as we drove along, although had I known the language, or rather languages, which my fellow-passengers were speaking, I might not have been able to throw them off so easily. Before us lay a green sloping land full of forests and woods, with here and there steep hills, crowned with clumps of trees or with farmhouses, the blank gable end to the road. There was everywhere a bewildering mass of fruit blossom apple, plum, pear, cherry. And as we drove by I could see the green grass under the trees spangled with the fallen petals. In and out amongst these green hills of what they call here the "Mittel Land" ran the road, losing itself as it swept round the grassy curve, or was shut out by the straggling ends of pine woods, which here and there ran down the hillsides like tongues of flame. The road was rugged, but still we seemed to fly over it with a feverish haste. I could not understand then what the haste meant, but the driver was evidently bent on losing no time in reaching Borgo Prund. I was told that this road is in summertime excellent, but that it had not yet been put in order after the winter snows. In this respect it is different from the general run of roads in the Carpathians, for it is an old tradition that they are not to be kept in too good order. Of old the Hospadars would not repair them, lest the Turk should think that they were preparing to bring in foreign troops, and so hasten the war which was always really at loading point.

Beyond the green swelling hills of the Mittel Land rose mighty slopes of forest up to the lofty steeps of the Carpathians themselves. Right and left of us they towered, with the afternoon sun falling full upon them and bringing out all the glorious colours of this beautiful range, deep blue and purple in the shadows of the peaks, green and brown where grass and rock mingled, and an endless perspective of jagged rock and pointed crags, till these were themselves lost in the distance, where the snowy peaks rose grandly. Here and there seemed mighty rifts in the mountains, through which, as the sun began to sink, we saw now and again the white gleam of falling water. One of my companions touched my arm as we swept round the base of a hill and opened up the lofty, snow-covered peak of a mountain, which seemed, as we wound on our serpentine way, to be right before us.

"Look! Isten szek!" "God's seat!" and he crossed himself reverently.

As we wound on our endless way, and the sun sank lower and lower behind us, the shadows of the evening began to creep round us. This was emphasized by the fact that the snowy mountain-top still held the sunset, and seemed to glow out with a delicate cool pink. Here and there we passed Cszeks and slovaks, all in picturesque attire, but I noticed that goitre was painfully prevalent. By the roadside were many crosses, and as we swept by, my companions all crossed themselves. Here and there was a peasant man or woman kneeling before a shrine, who did not even turn round as we approached, but seemed in the self-surrender of devotion to have neither eyes nor ears for the outer world. There were many things new to me. For instance, hay-ricks in the trees, and here and there very beautiful masses of weeping birch, their white stems shining like silver through the delicate green of the leaves.

Now and again we passed a leiter-wagon the ordinary peasants's cart with its long, snakelike vertebra, calculated to suit the inequalities of the road. On this were sure to be seated quite a group of homecoming peasants, the Cszeks with their white, and the Slovaks with their coloured sheepskins, the latter carrying lance-fashion their long staves, with axe at end. As the evening fell it began to get very cold, and the growing twilight seemed to merge into one dark mistiness the gloom of the trees, oak, beech, and pine, though in the valleys which ran deep between the spurs of the hills, as we ascended through the Pass, the dark firs stood out here and there against the background of late-lying snow. Sometimes, as the road was cut through the pine woods that seemed in the darkness to be closing down upon us, great masses of greyness which here and there bestrewed the trees, produced a peculiarly weird and solemn effect, which carried on the thoughts and grim fancies engendered earlier in the evening, when the falling sunset threw into strange relief the ghost-like clouds which amongst the Carpathians seem to wind ceaselessly through the valleys. Sometimes the hills were so steep that, despite our driver's haste, the horses could only go slowly. I wished to get down and walk up them, as we do at home, but the driver would not hear of it. "No, no," he said. "You must not walk here. The dogs are too fierce." And then he added, with what he evidently meant for grim pleasantry for he looked round to catch the approving smile of the rest "And you may have enough of such matters before you go to sleep." The only stop he would make was a moment's pause to light his lamps.

When it grew dark there seemed to be some excitement amongst the passengers, and they kept speaking to him, one after the other, as though urging him to further speed. He lashed the horses unmercifully with his long whip, and with wild cries of encouragement urged them on to further exertions. Then through the darkness I could see a sort of patch of grey light ahead of us, as though there were a cleft in the hills. The excitement of the passengers grew greater. The crazy coach rocked on its great leather springs, and swayed like a boat tossed on a stormy sea. I had to hold on. The road grew more level, and we appeared to fly along. Then the mountains seemed to come nearer to us on each side and to frown down upon us. We were entering on the Borgo Pass. One by one several of the passengers offered me gifts, which they pressed upon me with an earnestness which would take no denial. These were certainly of an odd and varied kind, but each was given in simple good faith, with a kindly word, and a blessing, and that same strange mixture of fear-meaning movements which I had seen outside the hotel at Bistritz the sign of the cross and the guard against the evil eye. Then, as we flew along, the driver leaned forward, and on each side the passengers, craning over the edge of the coach, peered eagerly into the darkness. It was evident that something very exciting was either happening or expected, but though I asked each passenger, no one would give me the slightest explanation. This state of excitement kept on for some little time. And at last we saw before us the Pass opening out on the eastern side. There were dark, rolling clouds overhead, and in the air the heavy, oppressive sense of thunder. It seemed as though the mountain range had separated two atmospheres, and that now we had got into the thunderous one. I was now myself looking out for the conveyance which was to take me to the Count. Each moment I expected to see the glare of lamps through the blackness, but all was dark. The only light was the flickering rays of our own lamps, in which the steam from our hard-driven horses rose in a white cloud. We could see now the sandy road lying white before us, but there was on it no sign of a vehicle. The passengers drew back with a sigh of gladness, which seemed to mock my own disappointment. I was already thinking what I had best do, when the driver, looking at his watch, said to the others something which I could hardly hear, it was spoken so quietly and in so low a tone, I thought it was "An hour less than the time." Then turning to me, he spoke in German worse than my own.

"There is no carriage here. The Herr is not expected after all. He will now come on to Bukovina, and return tomorrow or the next day, better the next day." Whilst he was speaking the horses began to neigh and snort and plunge wildly, so that the driver had to hold them up. Then, amongst a chorus of screams from the peasants and a universal crossing of themselves, a caleche, with four horses, drove up behind us, overtook us, and drew up beside the coach. I could see from the flash of our lamps as the rays fell on them, that the horses were coal-black and splendid animals. They were driven by a tall man, with a long brown beard and a great black hat, which seemed to hide his face from us. I could only see the gleam of a pair of very bright eyes, which seemed red in the lamplight, as he turned to us.

He said to the driver, "You are early tonight, my friend."

The man stammered in reply, "The English Herr was in a hurry."

To which the stranger replied, "That is why, I suppose, you wished him to go on to Bukovina. You cannot deceive me, my friend. I know too much, and my horses are swift."

As he spoke he smiled, and the lamplight fell on a hard-looking mouth, with very red lips and sharp-looking teeth, as white as ivory. One of my companions whispered to another the line from Burger's "Lenore."

"Denn die Todten reiten Schnell." ("For the dead travel fast.")

The strange driver evidently heard the words, for he looked up with a gleaming smile. The passenger turned his face away, at the same time putting out his two fingers and crossing himself. "Give me the Herr's luggage," said the driver, and with exceeding alacrity my bags were handed out and put in the caleche. Then I descended from the side of the coach, as the caleche was close alongside, the driver helping me with a hand which caught my arm in a grip of steel. His strength must have been prodigious.

Without a word he shook his reins, the horses turned, and we swept into the darkness of the pass. As I looked back I saw the steam from the horses of the coach by the light of the lamps, and projected against it the figures of my late companions crossing themselves. Then the driver cracked his whip and called to his horses, and off they swept on their way to Bukovina. As they sank into the darkness I felt a strange chill, and a lonely feeling come over me. But a cloak was thrown over my shoulders, and a rug across my knees, and the driver said in excellent German "The night is chill, *mein Herr*, and my master the Count bade me take all care of you. There is a flask of slivovitz (the plum brandy of the country) underneath the seat, if you should require it."

I did not take any, but it was a comfort to know it was there all the same. I felt a little strangely, and not a little frightened. I think had there been any alternative I should have taken it, instead of prosecuting that unknown night journey. The carriage went at a hard pace straight along, then we made a complete turn and went along another straight road. It seemed to me that we were simply going over and over the same ground again, and so I took note of some salient point, and found that this was so. I would have liked to have asked the driver what this all meant, but I really feared to do so, for I thought that, placed as I was, any protest would have had no effect in case there had been an intention to delay.

By-and-by, however, as I was curious to know how time was passing, I struck a match, and by its flame looked at my watch. It was within a few minutes of midnight. This gave me a sort of shock, for I suppose the general superstition about midnight was increased by my recent experiences. I waited with a sick feeling of suspense.

Then a dog began to howl somewhere in a farmhouse far down the road, a long, agonized wailing, as if from fear. The sound was taken up by another dog, and then another and another, till, borne on the wind which now sighed softly through the Pass, a wild howling began, which seemed to come from all over the country, as far as the imagination could grasp it through the gloom of the night.

At the first howl the horses began to strain and rear, but the driver spoke to them soothingly, and they quieted down, but shivered and sweated as though after a runaway from sudden fright. Then, far off in the distance, from the mountains on each side of us began a louder and a sharper howling, that of wolves, which affected both the horses and myself in the same way. For I was minded to jump from the caleche and run, whilst they reared again and plunged madly, so that the driver had to use all his great strength to keep them from bolting. In a few minutes, however, my own ears got accustomed to the sound, and the horses so far became quiet that the driver was able to descend and to stand before them.

He petted and soothed them, and whispered something in their ears, as I have heard of horse-tamers doing, and with extraordinary effect, for under his caresses they became quite manageable again, though they still trembled. The driver again took his seat, and shaking his reins, started off at a great pace. This time, after going to the far side of the Pass, he suddenly turned down a narrow roadway which ran sharply to the right.

Soon we were hemmed in with trees, which in places arched right over the roadway till we passed as through a tunnel. And again great frowning rocks guarded us boldly on either side. Though we were in shelter, we could hear the rising wind, for it moaned and whistled through the rocks, and the branches of the trees crashed together as we swept along. It grew colder and colder still, and fine, powdery snow began to fall, so that soon we and all around us were covered with a white blanket. The keen wind still carried the howling of the dogs, though this grew fainter as we went on our way. The baying of the wolves sounded nearer and nearer, as though they were closing round on us from every side. I grew dreadfully afraid, and the horses shared my fear. The driver, however, was not in the least disturbed. He kept turning his head to left and right, but I could not see anything through the darkness.

Suddenly, away on our left I saw a faint flickering blue flame. The driver saw it at the same moment. He at once checked the horses, and, jumping to the ground, disappeared into the darkness. I did not know what to do, the less as the howling of the wolves grew closer. But while I wondered, the driver suddenly appeared again, and without a word took his seat, and we resumed our journey. I think I must have fallen asleep and kept dreaming of the incident, for it seemed to be repeated endlessly, and now looking back, it is like a sort of awful nightmare. Once the flame appeared so near the road, that even in the darkness around us I could watch the driver's motions. He went rapidly to where the blue flame arose, it must have been very faint, for it did not seem to illumine the place around it at all, and gathering a few stones, formed them into some device.

Once there appeared a strange optical effect. When he stood between me and the flame he did not obstruct it, for I could see its ghostly flicker all the same. This startled me, but as the effect was only momentary, I took it that my eyes deceived me straining through the darkness. Then for a time there were no blue flames, and we sped onwards through the gloom, with the howling of the wolves around us, as though they were following in a moving circle.

At last there came a time when the driver went further afield than he had yet gone, and during his absence, the horses began to tremble worse than ever and to snort and scream with fright. I could not see any cause for it, for the howling of the wolves had ceased altogether. But just then the moon, sailing through the black clouds, appeared behind the jagged crest of a beetling, pine-clad rock, and by its light I saw around us a ring of wolves, with white teeth and lolling red tongues, with long, sinewy limbs and shaggy hair. They were a hundred times more terrible in the grim silence which held them than even when they howled. For myself, I felt a sort of paralysis of fear. It is only when a man feels himself face to face with such horrors that he can understand their true import.

All at once the wolves began to howl as though the moonlight had had some peculiar effect on them. The horses jumped about and reared, and looked helplessly round with eyes that rolled in a way painful to see. But the living ring of terror encompassed them on every side, and they had perforce to remain within it. I called to the coachman to come, for it seemed to me that our only chance was to try to break out through the ring and to aid his approach, I shouted and beat the side of the caleche, hoping by the noise to scare the wolves from the side, so as to give him a chance of reaching the trap. How he came there, I know not, but I heard his voice raised in a tone of imperious command, and looking towards the sound, saw him stand in the roadway. As he swept his long arms, as though brushing aside some impalpable obstacle, the wolves fell back and back further still. Just then a heavy cloud passed across the face of the moon, so that we were again in darkness.

When I could see again the driver was climbing into the caleche, and the wolves disappeared. This was all so strange and uncanny that a dreadful fear came upon me, and I was afraid to speak or move. The time seemed interminable as we swept on our way, now in almost complete darkness, for the rolling clouds obscured the moon.

We kept on ascending, with occasional periods of quick descent, but in the main always ascending. Suddenly, I became conscious of the fact that the driver was in the act of pulling up the horses in the courtyard of a vast ruined castle, from whose tall black windows came no ray of light, and whose broken battlements showed a jagged line against the sky.

CHAPTER 2

JONATHAN HARKER'S JOURNAL continued

5 May. I must have been asleep, for certainly if I had been fully awake I must have noticed the approach of such a remarkable place. In the gloom the courtyard looked of considerable size, and as several dark ways led from it under great round arches, it perhaps seemed bigger than it really is. I have not yet been able to see it by daylight.

When the caleche stopped, the driver jumped down and held out his hand to assist me to alight. Again I could not but notice his prodigious strength. His hand actually seemed like a steel vice that could have crushed mine if he had chosen. Then he took my traps, and placed them on the ground beside me as I stood close to a great door, old and studded with large iron nails, and set in a projecting doorway of massive stone. I could see even in the dim light that the stone was massively carved, but that the carving had been much worn by time and weather. As I stood, the driver jumped again into his seat and shook the reins. The horses started forward, and trap and all disappeared down one of the dark openings.

I stood in silence where I was, for I did not know what to do. Of bell or knocker there was no sign. Through these frowning walls and dark window openings it was not likely that my voice could penetrate. The time I waited seemed endless, and I felt doubts and fears crowding upon me. What sort of place had I come to, and among what kind of people? What sort of grim adventure was it on which I had embarked? Was this a customary incident in the life of a solicitor's clerk sent out to explain the purchase of a London estate to a foreigner? Solicitor's clerk! Mina would not like that. Solicitor, for just before leaving London I got word that my examination was successful, and I am now a full-blown solicitor! I began to rub my eyes and pinch myself to see if I were awake. It all seemed like a horrible nightmare to me, and I expected that I should suddenly awake, and find myself at home, with the dawn struggling in through the windows, as I had now and again felt in the morning after a day of overwork. But my flesh answered the pinching test, and my eyes were not to be deceived. I was indeed awake and among the Carpathians. All I could do now was to be patient, and to wait the coming of morning.

Just as I had come to this conclusion I heard a heavy step approaching behind the great door, and saw through the chinks the gleam of a coming light. Then there was the sound of rattling chains and the clanking of massive bolts drawn back. A key was turned with the loud grating noise of long disuse, and the great door swung back.

Within, stood a tall old man, clean shaven save for a long white moustache, and clad in black from head to foot, without a single speck of colour about him anywhere. He held in his hand an antique silver lamp, in which the flame burned without a chimney or globe of any kind, throwing long quivering shadows as it flickered in the draught of the open door. The old man motioned me in with his right hand with a courtly gesture, saying in excellent English, but with a strange intonation.

"Welcome to my house! Enter freely and of your own free will!" He made no motion of stepping to meet me, but stood like a statue, as though his gesture of welcome had fixed him into stone. The instant, however, that I had stepped over the threshold, he moved impulsively forward, and holding out his hand grasped mine with a strength which made me wince, an effect which was not lessened by the fact that it seemed cold as ice, more like the hand of a dead than a living man. Again he said,

"Welcome to my house! Enter freely. Go safely, and leave something of the happiness you bring!" The strength of the handshake was so much akin to that which I had noticed in the driver, whose face I had not seen, that for a moment I doubted if it were not the same person to whom I was speaking. So to make sure, I said interrogatively, "Count Dracula?"

He bowed in a courtly way as he replied, "I am Dracula, and I bid you welcome, Mr. Harker, to my house. Come in, the night air is chill, and you must need to eat and rest." As he was speaking, he put the lamp on a bracket on the wall, and stepping out, took my luggage. He had carried it in before I could forestall him. I protested, but he insisted.

"Nay, sir, you are my guest. It is late, and my people are not available. Let me see to your comfort myself." He insisted on carrying my traps along the passage, and then up a great winding stair, and along another great passage, on whose stone floor our steps rang heavily. At the end of this he threw open a heavy door, and I rejoiced to see within a well-lit room in which a table was spread for supper, and on whose mighty hearth a great fire of logs, freshly replenished, flamed and flared.

The Count halted, putting down my bags, closed the door, and crossing the room, opened another door, which led into a small octagonal room lit by a single lamp, and seemingly without a window of any sort. Passing through this, he opened another door, and motioned me to enter. It was a welcome sight. For here was a great bedroom well lighted and warmed with another log fire, also added to but lately, for the top logs were fresh, which sent a hollow roar up the wide chimney. The Count himself left my luggage inside and withdrew, saying, before he closed the door.

"You will need, after your journey, to refresh yourself by making your toilet. I trust you will find all you wish. When you are ready, come into the other room, where you will find your supper prepared."

The light and warmth and the Count's courteous welcome seemed to have dissipated all my doubts and fears. Having then reached my normal state, I discovered that I was half famished with hunger. So making a hasty toilet, I went into the other room.

I found supper already laid out. My host, who stood on one side of the great fireplace, leaning against the stonework, made a graceful wave of his hand to the table, and said,

"I pray you, be seated and sup how you please. You will I trust, excuse me that I do not join you, but I have dined already, and I do not sup."

I handed to him the sealed letter which Mr. Hawkins had entrusted to me. He opened it and read it gravely. Then, with a charming smile, he handed it to me to read. One passage of it, at least, gave me a thrill of pleasure.

"I must regret that an attack of gout, from which malady I am a constant sufferer, forbids absolutely any travelling on my part for some time to come. But I am happy to say I can send a sufficient substitute, one in whom I have every possible confidence. He is a young man, full of energy and talent in his own way, and of a very faithful disposition. He is discreet and silent, and has grown into manhood in my service. He shall be ready to attend on you when you will during his stay, and shall take your instructions in all matters."

The count himself came forward and took off the cover of a dish, and I fell to at once on an excellent roast chicken. This, with some cheese and a salad and a bottle of old tokay, of which I had two glasses, was my supper. During the time I was eating it the Count asked me many questions as to my journey, and I told him by degrees all I had experienced.

By this time I had finished my supper, and by my host's desire had drawn up a chair by the fire and begun to smoke a cigar which he offered me, at the same time excusing himself that he did not smoke. I had now an opportunity of observing him, and found him of a very marked physiognomy.

His face was a strong, a very strong, aquiline, with high bridge of the thin nose and peculiarly arched nostrils, with lofty domed forehead, and hair growing scantily round the temples but profusely elsewhere. His eyebrows were very massive, almost meeting over the nose, and with bushy hair that seemed to curl in its own profusion. The mouth, so far as I could see it under the heavy moustache, was fixed and rather cruel-looking, with peculiarly sharp white teeth. These protruded over the lips, whose remarkable ruddiness showed astonishing vitality in a man of his years. For the rest, his ears were pale, and at the tops extremely pointed. The chin was broad and strong, and the cheeks firm though thin. The general effect was one of extraordinary pallor.

Hitherto I had noticed the backs of his hands as they lay on his knees in the firelight, and they had seemed rather white and fine. But seeing them now close to me, I could not but notice that they were rather coarse, broad, with squat fingers. Strange to say, there were hairs in the centre of the palm. The nails were long and fine, and cut to a sharp point. As the Count leaned over me and his hands touched me, I could not repress a shudder. It may have been that his breath was rank, but a horrible feeling of nausea came over me, which, do what I would, I could not conceal.

The Count, evidently noticing it, drew back. And with a grim sort of smile, which showed more than he had yet done his protruberant teeth, sat himself down again on his own side of the fireplace. We were both silent for a while, and as I looked towards the window I saw the first dim streak of the coming dawn. There seemed a strange stillness over everything. But as I listened, I heard as if from down below in the valley the howling of many wolves. The Count's eyes gleamed, and he said.

"Listen to them, the children of the night. What music they make!" Seeing, I suppose, some expression in my face strange to him, he added, "Ah, sir, you dwellers in the city cannot enter into the feelings of the hunter." Then he rose and said.

"But you must be tired. Your bedroom is all ready, and tomorrow you shall sleep as late as you will. I have to be away till the afternoon, so sleep well and dream well!" With a courteous bow, he opened for me himself the door to the octagonal room, and I entered my bedroom.

I am all in a sea of wonders. I doubt. I fear. I think strange things, which I dare not confess to my own soul. God keep me, if only for the sake of those dear to me!

7 May. It is again early morning, but I have rested and enjoyed the last twenty-four hours. I slept till late in the day, and awoke of my own accord. When

I had dressed myself I went into the room where we had supped, and found a cold breakfast laid out, with coffee kept hot by the pot being placed on the hearth. There was a card on the table, on which was written "I have to be absent for a while. Do not wait for me. D." I set to and enjoyed a hearty meal. When I had done, I looked for a bell, so that I might let the servants know I had finished, but I could not find one. There are certainly odd deficiencies in the house, considering the extraordinary evidences of wealth which are round me. The table service is of gold, and so beautifully wrought that it must be of immense value. The curtains and upholstery of the chairs and sofas and the hangings of my bed are of the costliest and most beautiful fabrics, and must have been of fabulous value when they were made, for they are centuries old, though in excellent order. I saw something like them in Hampton Court, but they were worn and frayed and moth-eaten. But still in none of the rooms is there a mirror. There is not even a toilet glass on my table, and I had to get the little shaving glass from my bag before I could either shave or brush my hair. I have not yet seen a servant anywhere, or heard a sound near the castle except the howling of wolves. Some time after I had finished my meal, I do not know whether to call it breakfast or dinner, for it was between five and six o'clock when I had it, I looked about for something to read, for I did not like to go about the castle until I had asked the Count's permission. There was absolutely nothing in the room, book, newspaper, or even writing materials, so I opened another door in the room and found a sort of library. The door opposite mine I tried, but found locked.

In the library I found, to my great delight, a vast number of English books, whole shelves full of them, and bound volumes of magazines and newspapers. A table in the centre was littered with English magazines and newspapers, though none of them were of very recent date. The books were of the most varied kind, history, geography, politics, political economy, botany, geology, law, all relating to England and English life and customs and manners. There were even such books of reference as the London Directory, the "Red" and "Blue" books, Whitaker's Almanac, the Army and Navy Lists, and it somehow gladdened my heart to see it, the Law List.

Whilst I was looking at the books, the door opened, and the Count entered. He saluted me in a hearty way, and hoped that I had had a good night's rest. Then he went on.

"I am glad you found your way in here, for I am sure there is much that will interest you. These companions," and he laid his hand on some of the books, "have been good friends to me, and for some years past, ever since I had the idea of going to London, have given me many, many hours of pleasure. Through them I have come to know your great England, and to know her is to love her. I long to go through the crowded streets of your mighty London, to be in the midst of the whirl and rush of humanity, to share its life, its change, its death, and all that makes it what it is. But alas! As yet I only know your tongue through books. To you, my friend, I look that I know it to speak."

"But, Count," I said, "You know and speak English thoroughly!" He bowed gravely.

"I thank you, my friend, for your all too-flattering estimate, but yet I fear that I am but a little way on the road I would travel. True, I know the grammar and the words, but yet I know not how to speak them."

"Indeed," I said, "You speak excellently."

"Not so," he answered. "Well, I know that, did I move and speak in your London, none there are who would not know me for a stranger. That is not enough for me. Here I am noble. I am a Boyar. The common people know me, and I am master. But a stranger in a strange land, he is no one. Men know him not, and to know not is to care not for. I am content if I am like the rest, so that no man stops if he sees me, or pauses in his speaking if he hears my words, 'Ha, ha! A stranger!' I have been so long master that I would be master still, or at least that none other should be master of me. You come to me not alone as agent of my friend Peter Hawkins, of Exeter, to tell me all about my new estate in London. You shall, I trust, rest here with me a while, so that by our talking I may learn the English intonation. And I would that you tell me when I make error, even of the smallest, in my speaking. I am sorry that I had to be away so long today, but you will, I know forgive one who has so many important affairs in hand."

Of course I said all I could about being willing, and asked if I might come into that room when I chose. He answered, "Yes, certainly," and added.

"You may go anywhere you wish in the castle, except where the doors are locked, where of course you will not wish to go. There is reason that all things are as they are, and did you see with my eyes and know with my knowledge, you would perhaps better understand." I said I was sure of this, and then he went on.

"We are in Transylvania, and Transylvania is not England. Our ways are not your ways, and there shall be to you many strange things. Nay, from what you have told me of your experiences already, you know something of what strange things there may be."

This led to much conversation, and as it was evident that he wanted to talk, if only for talking's sake, I asked him many questions regarding things that had already happened to me or come within my notice. Sometimes he sheered off the subject, or turned the conversation by pretending not to understand, but generally he answered all I asked most frankly. Then as time went on, and I had got somewhat bolder, I asked him of some of the strange things of the preceding night, as for instance, why the coachman went to the places where he had seen the blue flames. He then explained to me that it was commonly believed that on a certain night of the year, last night, in fact, when all evil spirits are supposed to have unchecked sway, a blue flame is seen over any place where treasure has been concealed.

"That treasure has been hidden," he went on, "in the region through which you came last night, there can be but little doubt. For it was the ground fought over for centuries by the Wallachian, the Saxon, and the Turk. Why, there is hardly a foot of soil in all this region that has not been enriched by the blood of men, patriots or invaders. In the old days there were stirring times, when the Austrian and the Hungarian came up in hordes, and the patriots went out to meet them, men and women, the aged and the children too, and waited their coming on the rocks above the passes, that they might sweep destruction on them with their artificial avalanches. When the invader was triumphant he found but little, for whatever there was had been sheltered in the friendly soil."

"But how," said I, "can it have remained so long undiscovered, when there is a sure index to it if men will but take the trouble to look?" The Count smiled, and as his lips ran back over his gums, the long, sharp, canine teeth showed out strangely. He answered:

"Because your peasant is at heart a coward and a fool! Those flames only appear on one night, and on that night no man of this land will, if he can help it, stir without his doors. And, dear sir, even if he did he would not know what to do. Why, even the peasant that you tell me of who marked the place of the flame would not know where to look in daylight even for his own work. Even you would not, I dare be sworn, be able to find these places again?"

"There you are right," I said. "I know no more than the dead where even to look for them." Then we drifted into other matters.

"Come," he said at last, "tell me of London and of the house which you have procured for me." With an apology for my remissness, I went into my own room to get the papers from my bag. Whilst I was placing them in order I heard a rattling of china and silver in the next room, and as I passed through, noticed that the table had been cleared and the lamp lit, for it was by this time deep into the dark. The lamps were also lit in the study or library, and I found the Count lying on the sofa, reading, of all things in the world, an English Bradshaw's Guide. When I came in he cleared the books and papers from the table, and with him I went into plans and deeds and figures of all sorts. He was interested in everything, and asked me a myriad questions about the place and its surroundings. He clearly had studied beforehand all he could get on the subject of the neighbourhood, for he evidently at the end knew very much more than I did. When I remarked this, he answered.

"Well, but, my friend, is it not needful that I should? When I go there I shall be all alone, and my friend Harker Jonathan, nay, pardon me. I fall into my country's habit of putting your patronymic first, my friend Jonathan Harker will not be by my side to correct and aid me. He will be in Exeter, miles away, probably working at papers of the law with my other friend, Peter Hawkins. So!"

We went thoroughly into the business of the purchase of the estate at Purfleet. When I had told him the facts and got his signature to the necessary papers, and had written a letter with them ready to post to Mr. Hawkins, he began to ask me how I had come across so suitable a place. I read to him the notes which I had made at the time, and which I inscribe here.

At Purfleet, on a byroad, I came across just such a place as seemed to be required, and where was displayed a dilapidated notice that the place was for sale. It was surrounded by a high wall, of ancient structure, built of heavy stones, and has not been repaired for a large number of years. The closed gates are of heavy old oak and iron, all eaten with rust.

The estate is called Carfax, no doubt a corruption of the old Quatre Face, as the house is four sided, agreeing with the cardinal points of the compass. It contains in all some twenty acres, quite surrounded by the solid stone wall above mentioned. There are many trees on it, which make it in places gloomy, and there is a deep, dark-looking pond or small lake, evidently fed by some springs, as the water is clear and flows away in a fair-sized stream. The house is very large and of all periods back, I should say, to mediaeval times, for one part is of stone immensely thick, with only a few windows high up and heavily barred with iron. It looks like part of a keep, and is close to an old chapel or church. I could not enter it, as I had not the key of the door leading to it from the house, but I have taken with my Kodak views of it from various points. The house had been added to, but in a very straggling way, and I can only guess at the amount of ground it covers, which must be very great. There are but few houses close at hand, one being a very large house only recently added to and formed into a private lunatic asylum. It is not, however, visible from the grounds.

When I had finished, he said, "I am glad that it is old and big. I myself am of an old family, and to live in a new house would kill me. A house cannot be made habitable in a day, and after all, how few days go to make up a century. I rejoice also that there is a chapel of old times. We Transylvanian nobles love not to think that our bones may lie amongst the common dead. I seek not gaiety nor mirth, not the bright voluptuousness of much sunshine and sparkling waters which please the young and gay. I am no longer young, and my heart, through weary years of mourning over the dead, is not attuned to mirth. Moreover, the walls of my castle are broken. The shadows are many, and the wind breathes cold through the broken battlements and casements. I love the shade and the shadow, and would be alone with my thoughts when I may." Somehow his words and his look did not seem to accord, or else it was that his cast of face made his smile look malignant and saturnine.

Presently, with an excuse, he left me, asking me to pull my papers together. He was some little time away, and I began to look at some of the books around me. One was an atlas, which I found opened naturally to England, as if that map had been much used. On looking at it I found in certain places little rings marked, and on examining these I noticed that one was near London on the east side, manifestly where his new estate was situated. The other two were Exeter, and Whitby on the Yorkshire coast.

It was the better part of an hour when the Count returned. "Aha!" he said. "Still at your books? Good! But you must not work always. Come! I am informed that your supper is ready." He took my arm, and we went into the next room, where I found an excellent supper ready on the table. The Count again excused himself, as he had dined out on his being away from home. But he sat as on the previous night, and chatted whilst I ate. After supper I smoked, as on the last evening, and the Count stayed with me, chatting and asking questions on every conceivable subject, hour after hour. I felt that it was getting very late indeed, but I did not say anything, for I felt under obligation to meet my host's wishes in every way. I was not sleepy, as the long sleep yesterday had fortified me, but I could not help experiencing that chill which comes over one at the coming of the dawn, which is like, in its way, the turn of the tide. They say that people who are near death die generally at the change to dawn or at the turn of the tide. Anyone who has when tired, and tied as it were to his post, experienced this change in the atmosphere can well believe it. All at once we heard the crow of the cock coming up with preternatural shrillness through the clear morning air.

Count Dracula, jumping to his feet, said, "Why there is the morning again! How remiss I am to let you stay up so long. You must make your conversation regarding my dear new country of England less interesting, so that I may not forget how time flies by us," and with a courtly bow, he quickly left me.

I went into my room and drew the curtains, but there was little to notice. My window opened into the courtyard, all I could see was the warm grey of quickening sky. So I pulled the curtains again, and have written of this day.

8 May. I began to fear as I wrote in this book that I was getting too diffuse. But now I am glad that I went into detail from the first, for there is something so strange about this place and all in it that I cannot but feel uneasy. I wish I were safe out of it, or that I had never come. It may be that this strange night existence is telling on me, but would that that were all! If there were any one to talk to I could bear it, but there is no one. I have only the Count to speak with, and he I fear I am myself the only living soul within the place. Let me be prosaic so far as facts can be. It will help me to bear up, and imagination must not run riot with me. If it does I am lost. Let me say at once how I stand, or seem to.

I only slept a few hours when I went to bed, and feeling that I could not sleep any more, got up. I had hung my shaving glass by the window, and was just beginning to shave. Suddenly I felt a hand on my shoulder, and heard the Count's voice saying to me, "Good morning." I started, for it amazed me that I had not seen him, since the reflection of the glass covered the whole room behind me. In starting I had cut myself slightly, but did not notice it at the moment. Having answered the Count's salutation, I turned to the glass again to see how I had been mistaken. This time there could be no error, for the man was close to me, and I could see him over my shoulder. But there was no reflection of him in the mirror! The whole room behind me was displayed, but there was no sign of a man in it, except myself.

This was startling, and coming on the top of so many strange things, was beginning to increase that vague feeling of uneasiness which I always have when the Count is near. But at the instant I saw that the cut had bled a little, and the blood was trickling over my chin. I laid down the razor, turning as I did so half round to look for some sticking plaster. When the Count saw my face, his eyes blazed with a sort of demoniac fury, and he suddenly made a grab at my throat. I drew away and his hand touched the string of beads which held the crucifix. It made an instant change in him, for the fury passed so quickly that I could hardly believe that it was ever there.

"Take care," he said, "take care how you cut yourself. It is more dangerous that you think in this country." Then seizing the shaving glass, he went on, "And this is the wretched thing that has done the mischief. It is a foul bauble of man's vanity. Away with it!" And opening the window with one wrench of his terrible hand, he flung out the glass, which was shattered into a thousand pieces on the stones of the courtyard far below. Then he withdrew without a word. It is very annoying, for I do not see how I am to shave, unless in my watch-case or the bottom of the shaving pot, which is fortunately of metal.

When I went into the dining room, breakfast was prepared, but I could not find the Count anywhere. So I breakfasted alone. It is strange that as yet I have not seen the Count eat or drink. He must be a very peculiar man! After breakfast I did a little exploring in the castle. I went out on the stairs, and found a room looking towards the South.

The view was magnificent, and from where I stood there was every opportunity of seeing it. The castle is on the very edge of a terrific precipice. A stone falling from the window would fall a thousand feet without touching anything! As far as the eye can reach is a sea of green tree tops, with occasionally a deep rift where there is a chasm. Here and there are silver threads where the rivers wind in deep gorges through the forests.

But I am not in heart to describe beauty, for when I had seen the view I explored further. Doors, doors, doors everywhere, and all locked and bolted. In no place save from the windows in the castle walls is there an available exit. The castle is a veritable prison, and I am a prisoner!

CHAPTER 3

JONATHAN HARKER'S JOURNAL *Continued*

When I found that I was a prisoner a sort of wild feeling came over me. I rushed up and down the stairs, trying every door and peering out of every window I could find, but after a little the conviction of my helplessness overpowered all other feelings. When I look back after a few hours I think I must have been mad for the time, for I behaved much as a rat does in a trap. When, however, the conviction had come to me that I was helpless I sat down quietly, as quietly as I have ever done anything in my life, and began to think over what was best to be done. I am thinking still, and as yet have come to no definite conclusion. Of one thing only am I certain. That it is no use making my ideas known to the Count. He knows well that I am imprisoned, and as he has done it himself, and has doubtless his own motives for it, he would only deceive me if I trusted him fully with the facts. So far as I can see, my only plan will be to keep my knowledge and my fears to myself, and my eyes open. I am, I know, either being deceived, like a baby, by my own fears, or else I am in desperate straits, and if the latter be so, I need, and shall need, all my brains to get through.

I had hardly come to this conclusion when I heard the great door below shut, and knew that the Count had returned. He did not come at once into the library, so I went cautiously to my own room and found him making the bed. This was odd, but only confirmed what I had all along thought, that there are no servants in the house. When later I saw him through the chink of the hinges of the door laying the table in the dining room, I was assured of it. For if he does himself all these menial offices, surely it is proof that there is no one else in the castle, it must have been the Count himself who was the driver of the coach that brought me here. This is a terrible thought, for if so, what does it mean that he could control the wolves, as he did, by only holding up his hand for silence? How was it that all the people at Bistritz and on the coach had some terrible fear for me? What meant the giving of the crucifix, of the garlic, of the wild rose, of the mountain ash?

Bless that good, good woman who hung the crucifix round my neck! For it is a comfort and a strength to me whenever I touch it. It is odd that a thing which I have been taught to regard with disfavour and as idolatrous should in a time of loneliness and trouble be of help. Is it that there is something in the essence of the thing itself, or that it is a medium, a tangible help, in conveying memories of sympathy and comfort? Some time, if it may be, I must examine this matter and try to make up my mind about it. In the meantime I must find out all I can about Count Dracula, as it may help me to understand. Tonight he may talk of himself, if I turn the conversation that way. I must be very careful, however, not to awake his suspicion.

Midnight. I have had a long talk with the Count. I asked him a few questions on Transylvania history, and he warmed up to the subject wonderfully. In his speaking of things and people, and especially of battles, he spoke as if he had been present at them all. This he afterwards explained by saying that to a Boyar the pride of his house and name is his own pride, that their glory is his glory, that their fate is his fate. Whenever he spoke of his house he always said "we", and spoke almost in the plural, like a king speaking. I wish I could put down all he said exactly as he said it, for to me it was most fascinating. It seemed to have in it a whole history of the country. He grew excited as he spoke, and walked about the room pulling his great white moustache and grasping anything on which he laid his hands as though he would crush it by main strength. One thing he said which I shall put down as nearly as I can, for it tells in its way the story of his race.

"We Szekelys have a right to be proud, for in our veins flows the blood of many brave races who fought as the lion fights, for lordship. Here, in the whirlpool of European races, the Ugric tribe bore down from Iceland the fighting spirit which Thor and Wodin gave them, which their Berserkers displayed to such fell intent on the seaboards of Europe, aye, and of Asia and Africa too, till the peoples thought that the werewolves themselves had come. Here, too, when they came, they found the Huns, whose warlike fury had swept the earth like a living flame, till the dying peoples held that in their veins ran the blood of those old witches, who, expelled from Scythia had mated with the devils in the desert. Fools, fools! What devil or what witch was ever so great as Attila, whose blood is in these veins?" He held up his arms. "Is it a wonder that we were a conquering race, that we were proud, that when the Magyar, the Lombard, the Avar, the Bulgar, or the Turk poured his thousands on our frontiers, we drove them back? Is it strange that when Arpad and his legions swept through the Hungarian fatherland he found us here when he reached the frontier, that the Honfoglalas was completed there? And when the Hungarian flood swept eastward, the Szekelys were claimed as kindred by the victorious Magyars, and to us for centuries was trusted the guarding of the frontier of Turkeyland. Aye, and more than that, endless duty of the frontier guard, for as the Turks say, 'water sleeps, and the enemy is sleepless.' Who more gladly than we throughout the Four Nations received the 'bloody sword,' or at its warlike call flocked quicker to the standard of the King? When was redeemed that great shame of my nation, the shame of Cassova, when the flags of the Wallach and the Magyar went down beneath the Crescent? Who was it but one of my own race who as Voivode crossed the Danube and beat the Turk on his own ground? This was a Dracula indeed! Woe was it that his own unworthy brother, when he had fallen, sold his people to the Turk and brought the shame of slavery on them! Was it not this Dracula, indeed, who inspired that other of his race who in a later age again and again brought his forces over the great river into Turkeyland, who, when he was beaten back, came again, and again, though he had to come alone from the bloody field where his troops were being slaughtered, since he knew that he alone could ultimately triumph! They said that he thought only of himself. Bah! What good are peasants without a leader? Where ends the war without a brain and heart to conduct it? Again, when, after the battle of Mohacs, we threw off the Hungarian yoke, we of the Dracula blood were amongst their leaders, for our spirit would not brook that we were not free. Ah, young sir, the Szekelys, and the Dracula as their heart's blood, their brains, and their swords, can boast a record that mushroom growths like the Hapsburgs and the Romanoffs can never reach. The warlike days are over. Blood is too precious a thing in these days of dishonourable peace, and the glories of the great races are as a tale that is told."

It was by this time close on morning, and we went to bed. *(Mem., this diary seems horribly like the beginning of the "Arabian Nights," for everything has to break off at cockcrow, or like the ghost of Hamlet's father.)*

12 May. Let me begin with facts, bare, meager facts, verified by books and figures, and of which there can be no doubt. I must not confuse them with experiences which will have to rest on my own observation, or my memory of them. Last evening when the Count came from his room he began by asking me questions on legal matters and on the doing of certain kinds of business. I had spent the day wearily over books, and, simply to keep my mind occupied, went over some of the matters I had been examined in at Lincoln's Inn. There was a certain method in the Count's inquiries, so I shall try to put them down in sequence. The knowledge may somehow or some time be useful to me.

First, he asked if a man in England might have two solicitors or more. I told him he might have a dozen if he wished, but that it would not be wise to have more than one solicitor engaged in one transaction, as only one could act at a time, and that to change would be certain to militate against his interest. He seemed thoroughly to understand, and went on to ask if there would be any practical difficulty in having one man to attend, say, to banking, and another to look after shipping, in case local help were needed in a place far from the home of the banking solicitor. I asked to explain more fully, so that I might not by any chance mislead him, so he said,

"I shall illustrate. Your friend and mine, Mr. Peter Hawkins, from under the shadow of your beautiful cathedral at Exeter, which is far from London, buys for me through your good self my place at London. Good! Now here let me say frankly, lest you should think it strange that I have sought the services of one so far off from London instead of some one resident there, that my motive was that no local interest might be served save my wish only, and as one of London residence might, perhaps, have some purpose of himself or friend to serve, I went thus afield to seek my agent, whose labours should be only to my interest. Now, suppose I, who have much of affairs, wish to ship goods, say, to Newcastle, or Durham, or Harwich, or Dover, might it not be that it could with more ease be done by consigning to one in these ports?"

I answered that certainly it would be most easy, but that we solicitors had a system of agency one for the other, so that local work could be done locally on instruction from any solicitor, so that the client, simply placing himself in the hands of one man, could have his wishes carried out by him without further trouble.

"But," said he, "I could be at liberty to direct myself. Is it not so?"

"Of course," I replied, and "Such is often done by men of business, who do not like the whole of their affairs to be known by any one person."

"Good!" he said, and then went on to ask about the means of making consignments and the forms to be gone through, and of all sorts of difficulties which might arise, but by forethought could be guarded against. I explained all these things to him to the best of my ability, and he certainly left me under the impression that he would have made a wonderful solicitor, for there was nothing that he did not think of or foresee. For a man who was never in the country, and who did not evidently do much in the way of business, his knowledge and acumen were wonderful. When he had satisfied himself on these points of which he had spoken, and I had verified all as well as I could by the books available, he suddenly stood up and said, "Have you written since your first letter to our friend Mr. Peter Hawkins, or to any other?"

It was with some bitterness in my heart that I answered that I had not, that as yet I had not seen any opportunity of sending letters to anybody.

"Then write now, my young friend," he said, laying a heavy hand on my shoulder, "write to our friend and to any other, and say, if it will please you, that you shall stay with me until a month from now."

"Do you wish me to stay so long?" I asked, for my heart grew cold at the thought.

"I desire it much, nay I will take no refusal. When your master, employer, what you will, engaged that someone should come on his behalf, it was understood that my needs only were to be consulted. I have not stinted. Is it not so?"

What could I do but bow acceptance? It was Mr. Hawkins' interest, not mine, and I had to think of him, not myself, and besides, while Count Dracula was speaking, there was that in his eyes and in his bearing which made me remember that I was a prisoner, and that if I wished it I could have no choice. The Count saw his victory in my bow, and his mastery in the trouble of my face, for he began at once to use them, but in his own smooth, resistless way.

"I pray you, my good young friend, that you will not discourse of things other than business in your letters. It will doubtless please your friends to know that you are well, and that you look forward to getting home to them. Is it not so?" As he spoke he handed me three sheets of note paper and three envelopes. They were all of the thinnest foreign post, and looking at them, then at him, and noticing his quiet smile, with the sharp, canine teeth lying over the red underlip, I understood as well as if he had spoken that I should be more careful what I wrote, for he would be able to read it. So I determined to write only formal notes now, but to write fully to Mr. Hawkins in secret, and also to Mina, for to her I could write shorthand, which would puzzle the Count, if he did see it. When I had written my two letters I sat quiet, reading a book whilst the Count wrote several notes, referring as he wrote them to some books on his table. Then he took up my two and placed them with his own, and put by his writing materials, after which, the instant the door had closed behind him, I leaned over and looked at the letters, which were face down on the table. I felt no compunction in doing so for under the circumstances I felt that I should protect myself in every way I could.

One of the letters was directed to Samuel F. Billington, No. 7, The Crescent, Whitby, another to Herr Leutner, Varna. The third was to Coutts & Co., London, and the fourth to Herren Klopstock & Billreuth, bankers, Buda Pesth. The second and fourth were unsealed. I was just about to look at them when I saw the door handle move. I sank back in my seat, having just had time to resume my book before the Count, holding still another letter in his hand, entered the room. He took up the letters on the table and stamped them carefully, and then turning to me, said,

"I trust you will forgive me, but I have much work to do in private this evening. You will, I hope, find all things as you wish." At the door he turned, and after a moment's pause said, "Let me advise you, my dear young friend. Nay, let me warn you with all seriousness, that should you leave these rooms you will not by any chance go to sleep in any other part of the castle. It is old, and has many memories, and there are bad dreams for those who sleep unwisely. Be warned! Should sleep now or ever overcome you, or be like to do, then haste to your own chamber or to these rooms, for your rest will then be safe. But if you be not careful in this respect, then," He finished his speech in a gruesome way, for he motioned with his hands as if he were washing them. I quite understood. My only doubt was as to whether any dream could be more terrible than the unnatural, horrible net of gloom and mystery which seemed closing around me.

Later. I endorse the last words written, but this time there is no doubt in question. I shall not fear to sleep in any place where he is not. I have placed the crucifix over the head of my bed, I imagine that my rest is thus freer from dreams, and there it shall remain.

When he left me I went to my room. After a little while, not hearing any sound, I came out and went up the stone stair to where I could look out towards the South. There was some sense of freedom in the vast expanse, inaccessible though it was to me, as compared with the narrow darkness of the courtyard. Looking out on this, I felt that I was indeed in prison, and I seemed to want a breath of fresh air, though it were of the night. I am beginning to feel this nocturnal existence tell on me. It is destroying my nerve. I start at my own shadow, and am full of all sorts of horrible imaginings. God knows that there is ground for my terrible fear in this accursed place! I looked out over the beautiful expanse, bathed in soft yellow moonlight till it was almost as light as day. In the soft light the distant hills became melted, and the shadows in the valleys and gorges of velvety blackness. The mere beauty seemed to cheer me. There was peace and comfort in every breath I drew. As I leaned from the window my eye was caught by something moving a storey below me, and somewhat to my left, where I imagined, from the order of the rooms, that the windows of the Count's own room would look out. The window at which I stood was tall and deep, stone-mullioned, and though weather-worn, was still complete. But it was evidently many a day since the case had been there. I drew back behind the stonework, and looked carefully out.

What I saw was the Count's head coming out from the window. I did not see the face, but I knew the man by the neck and the movement of his back and arms. In any case I could not mistake the hands which I had had some many opportunities of studying. I was at first interested and somewhat amused, for it is wonderful how small a matter will interest and amuse a man when he is a prisoner. But my very feelings changed to repulsion and terror when I saw the whole man slowly emerge from the window and begin to crawl down the castle wall over the dreadful abyss, face down with his cloak spreading out around him like great wings. At first I could not believe my eyes. I thought it was some trick of the moonlight, some weird effect of shadow, but I kept looking, and it could be no delusion. I saw the fingers and toes grasp the corners of the stones, worn clear of the mortar by the stress of years, and by thus using every projection and inequality move downwards with considerable speed, just as a lizard moves along a wall.

What manner of man is this, or what manner of creature, is it in the semblance of man? I feel the dread of this horrible place overpowering me. I am in fear, in awful fear, and there is no escape for me. I am encompassed about with terrors that I dare not think of.

15 May. Once more I have seen the count go out in his lizard fashion. He moved downwards in a sidelong way, some hundred feet down, and a good deal to the left. He vanished into some hole or window. When his head had disappeared, I leaned out to try and see more, but without avail. The distance was too great to allow a proper angle of sight. I knew he had left the castle now, and thought to use the opportunity to explore more than I had dared to do as yet. I went back to the room, and taking a lamp, tried all the doors. They were all locked, as I had expected, and the locks were comparatively new. But I went down the stone stairs to the hall where I had entered originally. I found I could pull back the bolts easily enough and unhook the great chains. But the door was locked, and the key was gone! That key must be in the Count's room. I must watch should his door be unlocked, so that I may get it and escape. I went on to make a thorough examination of the various stairs and passages, and to try the doors that opened from them. One or two small rooms near the hall were open, but there was nothing to see in them except old furniture, dusty with age and moth-eaten. At last, however, I found one door at the top of the stairway which, though it seemed locked, gave a little under pressure. I tried it harder, and found that it was not really locked, but that the resistance came from the fact that the hinges had fallen somewhat, and the heavy door rested on the floor. Here was an opportunity which I might not have again, so I exerted myself, and with many efforts forced it back so that I could enter. I was now in a wing of the castle further to the right than the rooms I knew and a storey lower down. From the windows I could see that the suite of rooms lay along to the south of the castle, the windows of the end room looking out both west and south. On the latter side, as well as to the former, there was a great precipice. The castle was built on the corner of a great rock, so that on three sides it was quite impregnable, and great windows were placed here where sling, or bow, or culverin could not reach, and consequently light and comfort, impossible to a position which had to be guarded, were secured. To the west was a great valley, and then, rising far away, great jagged mountain fastnesses, rising peak on peak, the sheer rock studded with mountain ash and thorn, whose roots clung in cracks and crevices and crannies of the stone. This was evidently the portion of the castle occupied by the ladies in bygone days, for the furniture had more an air of comfort than any I had seen.

The windows were curtainless, and the yellow moonlight, flooding in through the diamond panes, enabled one to see even colours, whilst it softened the wealth of dust which lay over all and disguised in some measure the ravages of time and moth. My lamp seemed to be of little effect in the brilliant moonlight, but I was glad to have it with me, for there was a dread loneliness in the place which chilled my heart and made my nerves tremble. Still, it was better than living alone in the rooms which I had come to hate from the presence of the Count, and after trying a little to school my nerves, I found a soft quietude come over me. Here I am, sitting at a little oak table where in old times possibly some fair lady sat to pen, with much thought and many blushes, her ill-spelt love letter, and writing in my diary in shorthand all that has happened since I closed it last. It is the nineteenth century up-to-date with a vengeance. And yet, unless my senses deceive me, the old centuries had, and have, powers of their own which mere "modernity" cannot kill.

Later: The morning of 16 May. God preserve my sanity, for to this I am reduced. Safety and the assurance of safety are things of the past. Whilst I live on here there is but one thing to hope for, that I may not go mad, if, indeed, I be not mad already. If I be sane, then surely it is maddening to think that of all the foul things that lurk in this hateful place the Count is the least dreadful to me, that to him alone I can look for safety, even though this be only whilst I can serve his purpose. Great God! Merciful God, let me be calm, for out of that way lies madness indeed. I begin to get new lights on certain things which have puzzled me. Up to now I never quite knew what Shakespeare meant when he made Hamlet say, "My tablets! Quick, my tablets! 'tis meet that I put it down," etc., For now, feeling as though my own brain were unhinged or as if the shock had come which must end in its undoing, I turn to my diary for repose. The habit of entering accurately must help to soothe me.

The Count's mysterious warning frightened me at the time. It frightens me more now when I think of it, for in the future he has a fearful hold upon me. I shall fear to doubt what he may say!

When I had written in my diary and had fortunately replaced the book and pen in my pocket I felt sleepy. The Count's warning came into my mind, but I took pleasure in disobeying it. The sense of sleep was upon me, and with it the obstinacy which sleep brings as outrider. The soft moonlight soothed, and the wide expanse without gave a sense of freedom which refreshed me. I determined not to return tonight to the gloom-haunted rooms, but to sleep here, where, of old, ladies had sat and sung and lived sweet lives whilst their gentle breasts were sad for their menfolk away in the midst of remorseless wars. I drew a great couch out of its place near the corner, so that as I lay, I could look at the lovely view to east and south, and unthinking of and uncaring for the dust, composed myself for sleep. I suppose I must have fallen asleep. I hope so, but I fear, for all that followed was startlingly real, so real that now sitting here in the broad, full sunlight of the morning, I cannot in the least believe that it was all sleep.

I was not alone. The room was the same, unchanged in any way since I came into it. I could see along the floor, in the brilliant moonlight, my own footsteps marked where I had disturbed the long accumulation of dust. In the moonlight opposite me were three young women, ladies by their dress and manner. I thought at the time that it must be dreaming when I saw them, they threw no shadow on the floor. They came close to me, and looked at me for some time, and then whispered together. Two were dark, and had high aquiline noses, like the Count, and great dark, piercing eyes, that seemed to be almost red when contrasted with the pale yellow moon. The other was fair, as fair as can be, with great masses of golden hair and eyes like pale sapphires. I seemed somehow to know her face, and to know it in connection with some dreamy fear, but I could not recollect at the moment how or where. All three had brilliant white teeth that shone like pearls against the ruby of their voluptuous lips. There was something about them that made me uneasy, some longing and at the same time some deadly fear. I felt in my heart a wicked, burning desire that they would kiss me with those red lips. It is not good to note this down, lest some day it should meet Mina's eyes and cause her pain, but it is the truth. They whispered together, and then they all three laughed, such a silvery, musical laugh, but as hard as though the sound never could have come through the softness of human lips. It was like the intolerable, tingling sweetness of waterglasses when played on by a cunning hand. The fair girl shook her head coquettishly, and the other two urged her on.

One said, "Go on! You are first, and we shall follow. Yours is the right to begin."

The other added, "He is young and strong. There are kisses for us all."

I lay quiet, looking out from under my eyelashes in an agony of delightful anticipation. The fair girl advanced and bent over me till I could feel the movement of her breath upon me. Sweet it was in one sense, honey-sweet, and sent the same tingling through the nerves as her voice, but with a bitter underlying the sweet, a bitter offensiveness, as one smells in blood.

I was afraid to raise my eyelids, but looked out and saw perfectly under the lashes. The girl went on her knees, and bent over me, simply gloating. There was a deliberate voluptuousness which was both thrilling and repulsive, and as she arched her neck she actually licked her lips like an animal, till I could see in the moonlight the moisture shining on the scarlet lips and on the red tongue as it lapped the white sharp teeth. Lower and lower went her head as the lips went below the range of my mouth and chin and seemed to fasten on my throat. Then she paused, and I could hear the churning sound of her tongue as it licked her teeth and lips, and I could feel the hot breath on my neck. Then the skin of my throat began to tingle as one's flesh does when the hand that is to tickle it approaches nearer, nearer. I could feel the soft, shivering touch of the lips on the super sensitive skin of my throat, and the hard dents of two sharp teeth, just touching and pausing there. I closed my eyes in languorous ecstasy and waited, waited with beating heart.

But at that instant, another sensation swept through me as quick as lightning. I was conscious of the presence of the Count, and of his being as if lapped in a storm of fury. As my eyes opened involuntarily I saw his strong hand grasp the slender neck of the fair woman and with giant's power draw it back, the blue eyes transformed with fury, the white teeth champing with rage, and the fair cheeks blazing red with passion. But the Count! Never did I imagine such wrath and fury, even to the demons of the pit. His eyes were positively blazing. The red light in them was lurid, as if the flames of hell fire blazed behind them. His face was deathly pale, and the lines of it were hard like drawn wires. The thick eyebrows that met over the nose now seemed like a heaving bar of white-hot metal. With a fierce sweep of his arm, he hurled the woman from him, and then motioned to the others, as though he were beating them back. It was the same imperious gesture that I had seen used to the wolves. In a voice which, though low and almost in a whisper seemed to cut through the air and then ring in the room he said,

"How dare you touch him, any of you? How dare you cast eyes on him when I had forbidden it? Back, I tell you all! This man belongs to me! Beware how you meddle with him, or you'll have to deal with me."

The fair girl, with a laugh of ribald coquetry, turned to answer him. "You yourself never loved. You never love!" On this the other women joined, and such a mirthless, hard, soulless laughter rang through the room that it almost made me faint to hear. It seemed like the pleasure of fiends.

Then the Count turned, after looking at my

face attentively, and said in a soft whisper, "Yes, I too can love. You yourselves can tell it from the past. Is it not so? Well, now I promise you that when I am done with him you shall kiss him at your will. Now go! Go! I must awaken him, for there is work to be done."

"Are we to have nothing tonight?" said one of them, with a low laugh, as she pointed to the bag which he had thrown upon the floor, and which moved as though there were some living thing within it. For answer he nodded his head. One of the women jumped forward and opened it. If my ears did not deceive me there was a gasp and a low wail, as of a half smothered child. The women closed round, whilst I was aghast with horror. But as I looked, they disappeared, and with them the dreadful bag. There was no door near them, and they could not have passed me without my noticing. They simply seemed to fade into the rays of the moonlight and pass out through the window, for I could see outside the dim, shadowy forms for a moment before they entirely faded away.

Then the horror overcame me, and I sank down unconscious.

CHAPTER 4

JONATHAN HARKER'S JOURNAL *Continued*

I awoke in my own bed. If it be that I had not dreamt, the Count must have carried me here. I tried to satisfy myself on the subject, but could not arrive at any unquestionable result. To be sure, there were certain small evidences, such as that my clothes were folded and laid by in a manner which was not my habit. My watch was still unwound, and I am rigorously accustomed to wind it the last thing before going to bed, and many such details. But these things are no proof, for they may have been evidences that my mind was not as usual, and, for some cause or another, I had certainly been much upset. I must watch for proof. Of one thing I am glad. If it was that the Count carried me here and undressed me, he must have been hurried in his task, for my pockets are intact. I am sure this diary would have been a mystery to him which he would not have brooked. He would have taken or destroyed it. As I look round this room, although it has been to me so full of fear, it is now a sort of sanctuary, for nothing can be more dreadful than those awful women, who were, who are, waiting to suck my blood.

18 May. I have been down to look at that room again in daylight, for I must know the truth. When I got to the doorway at the top of the stairs I found it closed. It had been so forcibly driven against the jamb that part of the woodwork was splintered. I could see that the bolt of the lock had not been shot, but the door is fastened from the inside. I fear it was no dream, and must act on this surmise.

19 May. I am surely in the toils. Last night the Count asked me in the suavest tones to write three letters, one saying that my work here was nearly done, and that I should start for home within a few days, another that I was starting on the next morning from the time of the letter, and the third that I had left the castle and arrived at Bistritz. I would fain have rebelled, but felt that in the present state of things it would be madness to quarrel openly with the Count whilst I am so absolutely in his power. And to refuse would be to excite his suspicion and to arouse his anger. He knows that I know too much, and that I must not live, lest I be dangerous to him. My only chance is to prolong my opportunities. Something may occur which will give me a chance to escape. I saw in his eyes something of that gathering wrath which was manifest when he hurled that fair woman from him. He explained to me that posts were few and uncertain, and that my writing now would ensure ease of mind to my friends. And he assured me with so much impressiveness that he would countermand the later letters, which would be held over at Bistritz until due time in case chance would admit of my prolonging my stay, that to oppose him would have been to create new suspicion. I therefore pretended to fall in with his views, and asked him what dates I should put on the letters.

He calculated a minute, and then said, "The first should be June 12, the second June 19, and the third June 29."

I know now the span of my life. God help me!

28 May. There is a chance of escape, or at any rate of being able to send word home. A band of Szgany have come to the castle, and are encamped in the courtyard. These are gipsies. I have notes of them in my book. They are peculiar to this part of the world, though allied to the ordinary gipsies all the world over. There are thousands of them in Hungary and Transylvania, who are almost outside all law. They attach themselves as a rule to some great noble or boyar, and call themselves by his name. They are fearless and without religion, save superstition, and they talk only their own varieties of the Romany tongue.

I shall write some letters home, and shall try to get them to have them posted. I have already spoken to them through my window to begin acquaintance-ship. They took their hats off and made obeisance and many signs, which however, I could not understand any more than I could their spoken language...

I have written the letters. Mina's is in short-hand, and I simply ask Mr. Hawkins to communicate with her. To her I have explained my situation, but without the horrors which I may only surmise. It would shock and frighten her to death were I to expose my heart to her. Should the letters not carry, then the Count shall not yet know my secret or the extent of my knowledge...

I have given the letters. I threw them through the bars of my window with a gold piece, and made what signs I could to have them posted. The man who took them pressed them to his heart and bowed, and then put them in his cap. I could do no more. I stole back to the study, and began to read. As the Count did not come in, I have written here...

The Count has come. He sat down beside me, and said in his smoothest voice as he opened two letters, "The Szgany has given me these, of which, though I know not whence they come, I shall, of course, take care. See!" He must have looked at it. "One is from you, and to my friend Peter Hawkins. The other," here he caught sight of the strange symbols as he opened the envelope, and the dark look came into his face, and his eyes blazed wickedly, "The other is a vile thing, an outrage upon friendship and hospitality! It is not signed. Well! So it cannot matter to us." And he calmly held letter and envelope in the flame of the lamp till they were consumed.

Then he went on, "The letter to Hawkins, that I shall, of course send on, since it is yours. Your letters are sacred to me. Your pardon, my friend, that unknowingly I did break the seal. Will you not cover it again?" He held out the letter to me, and with a courteous bow handed me a clean envelope.

I could only redirect it and hand it to him in silence. When he went out of the room I could hear the key turn softly. A minute later I went over and tried it, and the door was locked.

When, an hour or two after, the Count came quietly into the room, his coming awakened me, for I had gone to sleep on the sofa. He was very courteous and very cheery in his manner, and seeing that I had been sleeping, he said, "So, my friend, you are tired? Get to bed. There is the surest rest. I may not have the pleasure of talk tonight, since there are many labours to me, but you will sleep, I pray."

I passed to my room and went to bed, and, strange to say, slept without dreaming. Despair has its own calms.

31 May. This morning when I woke I thought I would provide myself with some papers and envelopes from my bag and keep them in my pocket, so that I might write in case I should get an opportunity, but again a surprise, again a shock!

Every scrap of paper was gone, and with it all my notes, my memoranda, relating to railways and travel, my letter of credit, in fact all that might be useful to me were I once outside the castle. I sat and pondered awhile, and then some thought occurred to me, and I made search of my portmanteau and in the wardrobe where I had placed my clothes.

The suit in which I had travelled was gone, and also my overcoat and rug. I could find no trace of them anywhere. This looked like some new scheme of villainy...

17 June. This morning, as I was sitting on the edge of my bed cudgelling my brains, I heard without a crackling of whips and pounding and scraping of horses' feet up the rocky path beyond the courtyard. With joy I hurried to the window, and saw drive into the yard two great leiter-wagons, each drawn by eight sturdy horses, and at the head of each pair a Slovak, with his wide hat, great nail-studded belt, dirty sheepskin, and high boots. They had also their long staves in hand. I ran to the door, intending to descend and try and join them through the main hall, as I thought that way might be opened for them. Again a shock, my door was fastened on the outside.

Then I ran to the window and cried to them. They looked up at me stupidly and pointed, but just then the "hetman" of the Szgany came out, and seeing them pointing to my window, said something, at which they laughed.

Henceforth no effort of mine, no piteous cry or agonized entreaty, would make them even look at me. They resolutely turned away. The leiter-wagons contained great, square boxes, with handles of thick rope. These were evidently empty by the ease with which the Slovaks handled them, and by their resonance as they were roughly moved.

When they were all unloaded and packed in a great heap in one corner of the yard, the Slovaks were given some money by the Szgany, and spitting on it for luck, lazily went each to his horse's head. Shortly afterwards, I heard the crackling of their whips die away in the distance.

24 June. Last night the Count left me early, and locked himself into his own room. As soon as I dared I ran up the winding stair, and looked out of the window, which opened South. I thought I would watch for the Count, for there is something going on. The Szgany are quartered somewhere in the castle and are doing work of some kind. I know it, for now and then, I hear a far-away muffled sound as of mattock and spade, and, whatever it is, it must be the end of some ruthless villainy.

I had been at the window somewhat less than half an hour, when I saw something coming out of the Count's window. I drew back and watched carefully, and saw the whole man emerge. It was a new shock to me to find that he had on the suit of clothes which I had worn whilst travelling here, and slung over his shoulder the terrible bag which I had seen the women take away. There could be no doubt as to his quest, and in my garb, too! This, then, is his new scheme of evil, that he will allow others to see me, as they think, so that he may both leave evidence that I have been seen in the towns or villages posting my own letters, and that any wickedness which he may do shall by the local people be attributed to me.

It makes me rage to think that this can go on, and whilst I am shut up here, a veritable prisoner, but without that protection of the law which is even a criminal's right and consolation.

I thought I would watch for the Count's return,

and for a long time sat doggedly at the window. Then I began to notice that there were some quaint little specks floating in the rays of the moonlight. They were like the tiniest grains of dust, and they whirled round and gathered in clusters in a nebulous sort of way. I watched them with a sense of soothing, and a sort of calm stole over me. I leaned back in the embrasure in a more comfortable position, so that I could enjoy more fully the aerial gambolling.

Something made me start up, a low, piteous howling of dogs somewhere far below in the valley, which was hidden from my sight. Louder it seemed to ring in my ears, and the floating moats of dust to take new shapes to the sound as they danced in the moonlight. I felt myself struggling to awake to some call of my instincts. Nay, my very soul was struggling, and my half-remembered sensibilities were striving to answer the call. I was becoming hypnotised!

Quicker and quicker danced the dust. The moonbeams seemed to quiver as they went by me into the mass of gloom beyond. More and more they gathered till they seemed to take dim phantom shapes. And then I started, broad awake and in full possession of my senses, and ran screaming from the place.

The phantom shapes, which were becoming gradually materialised from the moonbeams, were those three ghostly women to whom I was doomed.

I fled, and felt somewhat safer in my own room, where there was no moonlight, and where the lamp was burning brightly.

When a couple of hours had passed I heard something stirring in the Count's room, something like a sharp wail quickly suppressed. And then there was silence, deep, awful silence, which chilled me. With a beating heart, I tried the door, but I was locked in my prison, and could do nothing. I sat down and simply cried.

As I sat I heard a sound in the courtyard without, the agonised cry of a woman. I rushed to the window, and throwing it up, peered between the bars.

There, indeed, was a woman with dishevelled hair, holding her hands over her heart as one distressed with running. She was leaning against the corner of the gateway. When she saw my face at the window she threw herself forward, and shouted in a voice laden with menace, "Monster, give me my child!"

She threw herself on her knees, and raising up her hands, cried the same words in tones which wrung my heart. Then she tore her hair and beat her breast, and abandoned herself to all the violences of extravagant emotion. Finally, she threw herself forward, and though I could not see her, I could hear the beating of her naked hands against the door.

Somewhere high overhead, probably on the tower, I heard the voice of the Count calling in his harsh, metallic whisper. His call seemed to be answered from far and wide by the howling of wolves. Before many minutes had passed a pack of them poured, like a pent-up dam when liberated, through the wide entrance into the courtyard.

There was no cry from the woman, and the howling of the wolves was but short. Before long they streamed away singly, licking their lips.

I could not pity her, for I knew now what had become of her child, and she was better dead.

What shall I do? What can I do? How can I escape from this dreadful thing of night, gloom, and fear?

25 June. No man knows till he has suffered from the night how sweet and dear to his heart and eye the morning can be. When the sun grew so high this morning that it struck the top of the great gateway opposite my window, the high spot which it touched seemed to me as if the dove from the ark had lighted there. My fear fell from me as if it had been a vaporous garment which dissolved in the warmth.

I must take action of some sort whilst the courage of the day is upon me. Last night one of my post-dated letters went to post, the first of that fatal series which is to blot out the very traces of my existence from the earth.

Let me not think of it. Action!

It has always been at night-time that I have been molested or threatened, or in some way in danger or in fear. I have not yet seen the Count in the daylight. Can it be that he sleeps when others wake, that he may be awake whilst they sleep? If I could only get into his room! But there is no possible way. The door is always locked, no way for me.

Yes, there is a way, if one dares to take it. Where his body has gone why may not another body go? I have seen him myself crawl from his window. Why should not I imitate him, and go in by his window? The chances are desperate, but my need is more desperate still. I shall risk it. At the worst it can only be death, and a man's death is not a calf's, and the dreaded Hereafter may still be open to me. God help me in my task! Goodbye, Mina, if I fail. Goodbye, my faithful friend and second father. Goodbye, all, and last of all Mina!

Same day, later. I have made the effort, and God helping me, have come safely back to this room. I must put down every detail in order. I went whilst my courage was fresh straight to the window on the south side, and at once got outside on this side. The stones are big and roughly cut, and the mortar has by process of time been washed away between them. I took off my boots, and ventured out on the desperate way. I looked down once, so as to make sure that a sudden glimpse of the awful depth would not overcome me, but after that kept my eyes away from it. I know pretty well the direction and distance of the Count's window, and made for it as well as I could, having regard to the opportunities available. I did not feel dizzy, I suppose I was too excited, and the time seemed ridiculously short till I found myself standing on the window sill and trying to raise up the sash. I was filled with agitation, however, when I bent down and slid feet foremost in through the window. Then I looked around for the Count, but with surprise and gladness, made a discovery. The room was empty! It was barely furnished with odd things, which seemed to have never been used.

The furniture was something the same style as that in the south rooms, and was covered with dust. I looked for the key, but it was not in the lock, and I could not find it anywhere. The only thing I found was a great heap of gold in one corner, gold of all kinds, Roman, and British, and Austrian, and Hungarian, and Greek and Turkish money, covered with a film of dust, as though it had lain long in the ground. None of it that I noticed was less than three hundred years old. There were also chains and ornaments, some jewelled, but all of them old and stained.

At one corner of the room was a heavy door. I tried it, for, since I could not find the key of the room or the key of the outer door, which was the main object of my search, I must make further examination, or all my efforts would be in vain. It was open, and led through a stone passage to a circular stairway, which went steeply down.

I descended, minding carefully where I went for the stairs were dark, being only lit by loopholes in the heavy masonry. At the bottom there was a dark, tunnel-like passage, through which came a deathly, sickly odour, the odour of old earth newly turned. As I went through the passage the smell grew closer and heavier. At last I pulled open a heavy door which stood ajar, and found myself in an old ruined chapel, which had evidently been used as a graveyard. The roof was broken, and in two places were steps leading to vaults, but the ground had recently been dug over, and the earth placed in great wooden boxes, manifestly those which had been brought by the Slovaks.

There was nobody about, and I made a search over every inch of the ground, so as not to lose a chance. I went down even into the vaults, where the dim light struggled, although to do so was a dread to my very soul. Into two of these I went, but saw nothing except fragments of old coffins and piles of dust. In the third, however, I made a discovery.

There, in one of the great boxes, of which there were fifty in all, on a pile of newly dug earth, lay the Count! He was either dead or asleep. I could not say which, for eyes were open and stony, but without the glassiness of death, and the cheeks had the warmth of life through all their pallor. The lips were as red as ever. But there was no sign of movement, no pulse, no breath, no beating of the heart.

I bent over him, and tried to find any sign of life, but in vain. He could not have lain there long, for the earthy smell would have passed away in a few hours. By the side of the box was its cover, pierced with holes here and there. I thought he might have the keys on him, but when I went to search I saw the dead eyes, and in them dead though they were, such a look of hate, though unconscious of me or my presence, that I fled from the place, and leaving the Count's room by the window, crawled again up the castle wall. Regaining my room, I threw myself panting upon the bed and tried to think.

29 June. Today is the date of my last letter, and the Count has taken steps to prove that it was genuine, for again I saw him leave the castle by the same window, and in my clothes. As he went down the wall, lizard fashion, I wished I had a gun or some lethal weapon, that I might destroy him. But I fear that no weapon wrought along by man's hand would have any effect on him. I dared not wait to see him return, for I feared to see those weird sisters. I came back to the library, and read there till I fell asleep.

I was awakened by the Count, who looked at me as grimly as a man could look as he said, "Tomorrow, my friend, we must part. You return to your beautiful England, I to some work which may have such an end that we may never meet. Your letter home has been despatched. Tomorrow I shall not be here, but all shall be ready for your journey. In the morning come the Szgany, who have some labours of their own here, and also come some Slovaks. When they have gone, my carriage shall come for you, and shall bear you to the Borgo Pass to meet the diligence from Bukovina to Bistritz. But I am in hopes that I shall see more of you at Castle Dracula."

I suspected him, and determined to test his sincerity. Sincerity! It seems like a profanation of the word to write it in connection with such a monster, so I asked him point-blank, "Why may I not go tonight?"

"Because, dear sir, my coachman and horses are away on a mission."

"But I would walk with pleasure. I want to get away at once."

He smiled, such a soft, smooth, diabolical smile that I knew there was some trick behind his smoothness. He said, "And your baggage?"

"I do not care about it. I can send for it some other time."

The Count stood up, and said, with a sweet courtesy which made me rub my eyes, it seemed so real, "You English have a saying which is close to my heart, for its spirit is that which rules our boyars, 'Welcome the coming, speed the parting guest.' Come with me, my dear young friend. Not an hour shall you wait in my house against your will, though sad am I at your going, and that you so suddenly desire it. Come!" With a stately gravity, he, with the lamp, preceded me down the stairs and along the hall. Suddenly he stopped. "Hark!"

Close at hand came the howling of many wolves. It was almost as if the sound sprang up at the rising of his hand, just as the music of a great orchestra seems to leap under the baton of the conductor. After a pause of a moment, he proceeded, in his stately way, to the door, drew back the ponderous bolts, unhooked the heavy chains, and began to draw it open.

To my intense astonishment I saw that it was unlocked. Suspiciously, I looked all round, but could see no key of any kind.

As the door began to open, the howling of the wolves without grew louder and angrier. Their red jaws, with champing teeth, and their blunt-clawed feet as they leaped, came in through the opening door. I knew than that to struggle at the moment against the Count was useless. With such allies as these at his command, I could do nothing.

But still the door continued slowly to open, and only the Count's body stood in the gap. Suddenly it struck me that this might be the moment and means of my doom. I was to be given to the wolves, and at my own instigation. There was a diabolical wickedness in the idea great enough for the Count, and as the last chance I cried out, "Shut the door! I shall wait till morning." And I covered my face with my hands to hide my tears of bitter disappointment.

With one sweep of his powerful arm, the Count threw the door shut, and the great bolts clanged and echoed through the hall as they shot back into their places.

In silence we returned to the library, and after a minute or two I went to my own room. The last I saw of Count Dracula was his kissing his hand to me, with a red light of triumph in his eyes, and with a smile that Judas in hell might be proud of.

When I was in my room and about to lie down, I thought I heard a whispering at my door. I went to it softly and listened. Unless my ears deceived me, I heard the voice of the Count.

"Back! Back to your own place! Your time is not yet come. Wait! Have patience! Tonight is mine. Tomorrow night is yours!"

There was a low, sweet ripple of laughter, and in a rage I threw open the door, and saw without the three terrible women licking their lips. As I appeared, they all joined in a horrible laugh, and ran away.

I came back to my room and threw myself on my knees. It is then so near the end? Tomorrow! Tomorrow! Lord, help me, and those to whom I am dear!

30 June. These may be the last words I ever write in this diary. I slept till just before the dawn, and when I woke threw myself on my knees, for I determined that if Death came he should find me ready.

At last I felt that subtle change in the air, and knew that the morning had come. Then came the welcome cockcrow, and I felt that I was safe. With a glad heart, I opened the door and ran down the hall. I had seen that the door was unlocked, and now escape was before me. With hands that trembled with eagerness, I unhooked the chains and threw back the massive bolts.

But the door would not move. Despair seized me. I pulled and pulled at the door, and shook it till, massive as it was, it rattled in its casement. I could see the bolt shot. It had been locked after I left the Count.

Then a wild desire took me to obtain the key at any risk, and I determined then and there to scale the wall again, and gain the Count's room. He might kill me, but death now seemed the happier choice of evils. Without a pause I rushed up to the east window, and scrambled down the wall, as before, into the Count's room. It was empty, but that was as I expected. I could not see a key anywhere, but the heap of gold remained. I went through the door in the corner and down the winding stair and along the dark passage to the old chapel. I knew now well enough where to find the monster I sought.

The great box was in the same place, close against the wall, but the lid was laid on it, not fastened down, but with the nails ready in their places to be hammered home.

I knew I must reach the body for the key, so I raised the lid, and laid it back against the wall. And then I saw something which filled my very soul with horror. There lay the Count, but looking as if his youth had been half restored. For the white hair and moustache were changed to dark iron-grey. The cheeks were fuller, and the white skin seemed ruby-red underneath. The mouth was redder than ever, for on the lips were gouts of fresh blood, which trickled from the corners of the mouth and ran down over the chin and neck. Even the deep, burning eyes seemed set amongst swollen flesh, for the lids and pouches underneath were bloated. It seemed as if the whole awful creature were simply gorged with blood. He lay like a filthy leech, exhausted with his repletion.

I shuddered as I bent over to touch him, and every sense in me revolted at the contact, but I had to search, or I was lost. The coming night might see my own body a banquet in a similar war to those horrid three. I felt all over the body, but no sign could I find of the key. Then I stopped and looked at the Count. There was a mocking smile on the bloated face which seemed to drive me mad. This was the being I was helping to transfer to London, where, perhaps, for centuries to come he might, amongst its teeming millions, satiate his lust for blood, and create a new and ever-widening circle of semi-demons to batten on the helpless.

The very thought drove me mad. A terrible desire came upon me to rid the world of such a monster. There was no lethal weapon at hand, but I seized a shovel which the workmen had been using to fill the cases, and lifting it high, struck, with the edge downward, at the hateful face. But as I did so the head turned, and the eyes fell upon me, with all their blaze of basilisk horror. The sight seemed to paralyze me, and the shovel turned in my hand and glanced from the face, merely making a deep gash above the forehead. The shovel fell from my hand across the box, and as I pulled it away the flange of the blade caught the edge of the lid which fell over again, and hid the horrid thing from my sight. The last glimpse I had was of the bloated face, bloodstained and fixed with a grin of malice which would have held its own in the nethermost hell.

I thought and thought what should be my next move, but my brain seemed on fire, and I waited with a despairing feeling growing over me. As I waited I heard in the distance a gipsy song sung by merry voices coming closer, and through their song the rolling of heavy wheels and the cracking of whips. The Szgany and the Slovaks of whom the Count had spoken were coming. With a last look around and at the box which contained the vile body, I ran from the place and gained the Count's room, determined to rush out at the moment the door should be opened. With strained ears, I listened, and heard downstairs the grinding of the key in the great lock and the falling back of the heavy door. There must have been some other means of entry, or some one had a key for one of the locked doors.

Then there came the sound of many feet tramping and dying away in some passage which sent up a clanging echo. I turned to run down again towards the vault, where I might find the new entrance, but at the moment there seemed to come a violent puff of wind, and the door to the winding stair blew to with a shock that set the dust from the lintels flying. When I ran to push it open, I found that it was hopelessly fast. I was again a prisoner, and the net of doom was closing round me more closely.

As I write there is in the passage below a sound of many tramping feet and the crash of weights being set down heavily, doubtless the boxes, with their freight of earth. There was a sound of hammering. It is the box being nailed down. Now I can hear the heavy feet tramping again along the hall, with many other idle feet coming behind them.

The door is shut, the chains rattle. There is a grinding of the key in the lock. I can hear the key withdrawn, then another door opens and shuts. I hear the creaking of lock and bolt.

Hark! In the courtyard and down the rocky way the roll of heavy wheels, the crack of whips, and the chorus of the Szgany as they pass into the distance.

I am alone in the castle with those horrible women. Faugh! Mina is a woman, and there is nought in common. They are devils of the Pit!

I shall not remain alone with them. I shall try to scale the castle wall farther than I have yet attempted. I shall take some of the gold with me, lest I want it later. I may find a way from this dreadful place.

And then away for home! Away to the quickest and nearest train! Away from the cursed spot, from this cursed land, where the devil and his children still walk with earthly feet!

At least God's mercy is better than that of those monsters, and the precipice is steep and high. At its foot a man may sleep, as a man. Goodbye, all. Mina!

CHAPTER 5

LETTER FROM MISS MINA MURRAY TO MISS LUCY WESTENRA

9 May.

My dearest Lucy,

Forgive my long delay in writing, but I have been simply overwhelmed with work. The life of an assistant schoolmistress is sometimes trying. I am longing to be with you, and by the sea, where we can talk together freely and build our castles in the air. I have been working very hard lately, because I want to keep up with Jonathan's studies, and I have been practicing shorthand very assiduously. When we are married I shall be able to be useful to Jonathan, and if I can stenograph well enough I can take down what he wants to say in this way and write it out for him on the typewriter, at which also I am practicing very hard.

He and I sometimes write letters in shorthand, and he is keeping a stenographic journal of his travels abroad. When I am with you I shall keep a diary in the same way. I don't mean one of those two-pages-to-the-week-with-Sunday-squeezed- in-a-corner diaries, but a sort of journal which I can write in whenever I feel inclined.

I do not suppose there will be much of interest to other people, but it is not intended for them. I may show it to Jonathan some day if there is in it anything worth sharing, but it is really an exercise book. I shall try to do what I see lady journalists do, interviewing and writing descriptions and trying to remember conversations. I am told that, with a little practice, one can remember all that goes on or that one hears said during a day.

However, we shall see. I will tell you of my little plans when we meet. I have just had a few hurried lines from Jonathan from Transylvania. He is well, and will be returning in about a week. I am longing to hear all his news. It must be nice to see strange countries. I wonder if we, I mean Jonathan and I, shall ever see them together. There is the ten o'clock bell ringing. Goodbye.

Your loving

Mina

P.S.: Tell me all the news when you write. You have not told me anything for a long time. I hear rumours, and especially of a tall, handsome, curly-haired man???

LETTER, LUCY WESTENRA TO MINA MURRAY

17, Chatham Street

Wednesday

My dearest Mina,

I must say you tax me very unfairly with being a bad correspondent. I wrote you twice since we parted, and your last letter was only your second. Besides, I have nothing to tell you. There is really nothing to interest you.

Town is very pleasant just now, and we go a great deal to picture-galleries and for walks and rides in the park. As to the tall, curly-haired man, I suppose it was the one who was with me at the last Pop. Someone has evidently been telling tales.

That was Mr. Holmwood. He often comes to see us, and he and Mamma get on very well together, they have so many things to talk about in common.

We met some time ago a man that would just do for you, if you were not already engaged to Jonathan. He is an excellent parti, being handsome, well off, and of good birth. He is a doctor and really clever. Just fancy! He is only nine-and-twenty, and he has an immense lunatic asylum all under his own care. Mr. Holmwood introduced him to me, and he called here to see us, and often comes now. I think he is one of the most resolute men I ever saw, and yet the most calm. He seems absolutely imperturbable. I can fancy what a wonderful power he must have over his patients. He has a curious habit of looking one straight in the face, as if trying to read one's thoughts. He tries this on very much with me, but I flatter myself he has got a tough nut to crack. I know that from my glass.

Do you ever try to read your own face? I do, and I can tell you it is not a bad study, and gives you more trouble than you can well fancy if you have never tried it.

He says that I afford him a curious psychological study, and I humbly think I do. I do not, as you know, take sufficient interest in dress to be able to describe the new fashions. Dress is a bore. That is slang again, but never mind. Arthur says that every day.

There, it is all out, Mina, we have told all our secrets to each other since we were children. We have slept together and eaten together, and laughed and cried together, and now, though I have spoken, I would like to speak more. Oh, Mina, couldn't you guess? I love him. I am blushing as I write, for although I think he loves me, he has not told me so in words. But, oh, Mina, I love him. I love him! There, that does me good.

I wish I were with you, dear, sitting by the fire undressing, as we used to sit, and I would try to tell you what I feel. I do not know how I am writing this even to you. I am afraid to stop, or I should tear up the letter, and I don't want to stop, for I do so want to tell you all. Let me hear from you at once, and tell me all that you think about it. Mina, pray for my happiness.

Lucy

P.S. I need not tell you this is a secret. Goodnight again. L.

LETTER, LUCY WESTENRA TO MINA MURRAY

24 May

My dearest Mina,

Thanks, and thanks, and thanks again for your sweet letter. It was so nice to be able to tell you and to have your sympathy.

My dear, it never rains but it pours. How true the old proverbs are. Here am I, who shall be twenty in September, and yet I never had a proposal till today, not a real proposal, and today I had three. Just fancy! Three proposals in one day! Isn't it awful! I feel sorry, really and truly sorry, for two of the poor fellows. Oh, Mina, I am so happy that I don't know what to do with myself. And three proposals! But, for goodness' sake, don't tell any of the girls, or they would be getting all sorts of extravagant ideas, and imagining themselves injured and slighted if in their very first day at home they did not get six at least. Some girls are so vain! You and I, Mina dear, who are engaged and are going to settle down soon soberly into old married women, can despise vanity. Well, I must tell you about the three, but you must keep it a secret, dear, from every one except, of course, Jonathan. You will tell him, because I would, if I were in your place, certainly tell Arthur. A woman ought to tell her husband everything. Don't you think so, dear? And I must be fair. Men like women, certainly their wives, to be quite as fair as they are. And women, I am afraid, are not always quite as fair as they should be.

Well, my dear, number One came just before

lunch. I told you of him, Dr. John Seward, the lunatic asylum man, with the strong jaw and the good forehead. He was very cool outwardly, but was nervous all the same. He had evidently been schooling himself as to all sorts of little things, and remembered them, but he almost managed to sit down on his silk hat, which men don't generally do when they are cool, and then when he wanted to appear at ease he kept playing with a lancet in a way that made me nearly scream. He spoke to me, Mina, very straightforwardly. He told me how dear I was to him, though he had known me so little, and what his life would be with me to help and cheer him. He was going to tell me how unhappy he would be if I did not care for him, but when he saw me cry he said he was a brute and would not add to my present trouble. Then he broke off and asked if I could love him in time, and when I shook my head his hands trembled, and then with some hesitation he asked me if I cared already for any one else. He put it very nicely, saying that he did not want to wring my confidence from me, but only to know, because if a woman's heart was free a man might have hope. And then, Mina, I felt a sort of duty to tell him that there was some one. I only told him that much, and then he stood up, and he looked very strong and very grave as he took both my hands in his and said he hoped I would be happy, and that If I ever wanted a friend I must count him one of my best.

Oh, Mina dear, I can't help crying, and you must excuse this letter being all blotted. Being proposed to is all very nice and all that sort of thing, but it isn't at all a happy thing when you have to see a poor fellow, whom you know loves you honestly, going away and looking all broken hearted, and to know that, no matter what he may say at the moment, you are passing out of his life. My dear, I must stop here at present, I feel so miserable, though I am so happy.

Evening.

Arthur has just gone, and I feel in better spirits than when I left off, so I can go on telling you about the day.

Well, my dear, number Two came after lunch. He is such a nice fellow, an American from Texas, and he looks so young and so fresh that it seems almost impossible that he has been to so many places and has such adventures. I sympathize with poor Desdemona when she had such a stream poured in her ear, even by a black man. I suppose that we women are such cowards that we think a man will save us from fears, and we marry him. I know now what I would do if I were a man and wanted to make a girl love me. No, I don't, for there was Mr. Morris telling us his stories, and Arthur never told any, and yet...

My dear, I am somewhat previous. Mr. Quincy P. Morris found me alone. It seems that a man always does find a girl alone. No, he doesn't, for Arthur tried twice to make a chance, and I helping him all I could, I am not ashamed to say it now. I must tell you beforehand that Mr. Morris doesn't always speak slang, that is to say, he never does so to strangers or before them, for he is really well educated and has exquisite manners, but he found out that it amused me to hear him talk American slang, and whenever I was present, and there was no one to be shocked, he said such funny things. I am afraid, my dear, he has to invent it all, for it fits exactly into whatever else he has to say. But this is a way slang has. I do not know myself if I shall ever speak slang. I do not know if Arthur likes it, as I have never heard him use any as yet.

Well, Mr. Morris sat down beside me and looked as happy and jolly as he could, but I could see all the same that he was very nervous. He took my hand in his, and said ever so sweetly...

"Miss Lucy, I know I ain't good enough to regulate the fixin's of your little shoes, but I guess if you wait till you find a man that is you will go join them seven young women with the lamps when you quit. Won't you just hitch up alongside of me and let us go down the long road together, driving in double harness?"

Well, he did look so good humoured and so jolly that it didn't seem half so hard to refuse him as it did poor Dr. Seward. So I said, as lightly as I could, that I did not know anything of hitching, and that I wasn't broken to harness at all yet. Then he said that he had spoken in a light manner, and he hoped that if he had made a mistake in doing so on so grave, so momentous, and occasion for him, I would forgive him. He really did look serious when he was saying it, and I couldn't help feeling a sort of exultation that he was number Two in one day. And then, my dear, before I could say a word he began pouring out a perfect torrent of love-making, laying his very heart and soul at my feet. He looked so earnest over it that I shall never again think that a man must be playful always, and never earnest, because he is merry at times. I suppose he saw something in my face which checked him, for he suddenly stopped, and said with a sort of manly fervour that I could have loved him for if I had been free...

"Lucy, you are an honest hearted girl, I know. I should not be here speaking to you as I am now if I did not believe you clean grit, right through to the very depths of your soul. Tell me, like one good fellow to another, is there any one else that you care for? And if there is I'll never trouble you a hair's breadth again, but will be, if you will let me, a very faithful friend."

My dear Mina, why are men so noble when we women are so little worthy of them? Here was I almost making fun of this great hearted, true gentleman. I burst into tears, I am afraid, my dear, you will think this a very sloppy letter in more ways than one, and I really felt very badly.

Why can't they let a girl marry three men, or as many as want her, and save all this trouble? But this is heresy, and I must not say it. I am glad to say that, though I was crying, I was able to look into Mr. Morris' brave eyes, and I told him out straight...

"Yes, there is some one I love, though he has not told me yet that he even loves me." I was right to speak to him so frankly, for quite a light came into his face, and he put out both his hands and took mine, I think I put them into his, and said in a hearty way...

"That's my brave girl. It's better worth being late for a chance of winning you than being in time for any other girl in the world. Don't cry, my dear. If it's for me, I'm a hard nut to crack, and I take it standing up. If that other fellow doesn't know his happiness, well, he'd better look for it soon, or he'll have to deal with me. Little girl, your honesty and pluck have made me a friend, and that's rarer than a lover, it's more selfish anyhow. My dear, I'm going to have a pretty lonely walk between this and Kingdom Come. Won't you give me one kiss? It'll be something to keep off the darkness now and then. You can, you know, if you like, for that other good fellow, or you could not love him, hasn't spoken yet."

That quite won me, Mina, for it was brave and sweet of him, and noble too, to a rival, wasn't it? And he so sad, so I leant over and kissed him.

He stood up with my two hands in his, and as he looked down into my face, I am afraid I was blushing very much, he said, "Little girl, I hold your hand, and you've kissed me, and if these things don't make us friends nothing ever will. Thank you for your sweet honesty to me, and goodbye."

He wrung my hand, and taking up his hat, went straight out of the room without looking back, without a tear or a quiver or a pause, and I am crying like a baby.

Oh, why must a man like that be made unhappy when there are lots of girls about who would worship the very ground he trod on? I know I would if I were free, only I don't want to be free. My dear, this quite upset me, and I feel I cannot write of happiness just at once, after telling you of it, and I don't wish to tell of the number Three until it can be all happy. Ever your loving...

Lucy

P.S. Oh, about number Three, I needn't tell you of number Three, need I? Besides, it was all so confused. It seemed only a moment from his coming into the room till both his arms were round me, and he was kissing me. I am very, very happy, and I don't know what I have done to deserve it. I must only try in the future to show that I am not ungrateful to God for all His goodness to me in sending to me such a lover, such a husband, and such a friend.

Goodbye.

DR. SEWARD'S DIARY *(Kept in phonograph)*

25 May. Ebb tide in appetite today. Cannot eat, cannot rest, so diary instead. Since my rebuff of yesterday I have a sort of empty feeling. Nothing in the world seems of sufficient importance to be worth the doing. As I knew that the only cure for this sort of thing was work, I went amongst the patients. I picked out one who has afforded me a study of much interest. He is so quaint that I am determined to understand him as well as I can. Today I seemed to get nearer than ever before to the heart of his mystery.

I questioned him more fully than I had ever done, with a view to making myself master of the facts of his hallucination. In my manner of doing it there was, I now see, something of cruelty. I seemed to wish to keep him to the point of his madness, a thing which I avoid with the patients as I would the mouth of hell.

(Mem., Under what circumstances would I not avoid the pit of hell?) Omnia Romae venalia sunt. Hell has its price! If there be anything behind this instinct it will be valuable to trace it afterwards accurately, so I had better commence to do so, therefore...

R. M, Renfield, age 59. Sanguine temperament, great physical strength, morbidly excitable, periods of gloom, ending in some fixed idea which I cannot make out. I presume that the sanguine temperament itself and the disturbing influence end in a mentally-accomplished finish, a possibly dangerous man, probably dangerous if unselfish. In selfish men caution is as secure an armour for their foes as for themselves. What I think of on this point is, when self is the fixed point the centripetal force is balanced with the centrifugal. When duty, a cause, etc., is the fixed point, the latter force is paramount, and only accident or a series of accidents can balance it.

LETTER, QUINCEY P. MORRIS TO HON. ARTHUR HOLMOOD

25 May.

My dear Art,

We've told yarns by the campfire in the prairies, and dressed one another's wounds after trying a landing at the Marquesas, and drunk healths on the shore of Titicaca. There are more yarns to be told, and other wounds to be healed, and another health to be drunk. Won't you let this be at my campfire tomorrow night? I have no hesitation in asking you, as I know a certain lady is engaged to a certain dinner party, and that you are free. There will only be one other, our old pal at the Korea, Jack Seward. He's coming, too, and we both want to mingle our weeps over the wine cup, and to drink a health with all our hearts to the happiest man in all the wide world, who has won the noblest heart that God has made and best worth winning. We promise you a hearty welcome, and a loving greeting, and a health as true as your own right hand. We shall both swear to leave you at home if you drink too deep to a certain pair of eyes. Come!

Yours, as ever and always,

Quincey P. Morris

TELEGRAM FROM ARTHUR HOLMWOOD TO QUINCEY P. MORRIS

26 May

Count me in every time. I bear messages which will make both your ears tingle.

Art

CHAPTER 6

MINA MURRAY'S JOURNAL

24 July. Whitby. Lucy met me at the station, looking sweeter and lovelier than ever, and we drove up to the house at the Crescent in which they have rooms. This is a lovely place. The little river, the Esk, runs through a deep valley, which broadens out as it comes near the harbour. A great viaduct runs across, with high piers, through which the view seems somehow further away than it really is. The valley is beautifully green, and it is so steep that when you are on the high land on either side you look right across it, unless you are near enough to see down. The houses of the old town the side away from us, are all red-roofed, and seem piled up one over the other anyhow, like the pictures we see of Nuremberg. Right over the town is the ruin of Whitby Abbey, which was sacked by the Danes, and which is the scene of part of "Marmion," where the girl was built up in the wall. It is a most noble ruin, of immense size, and full of beautiful and romantic bits. There is a legend that a white lady is seen in one of the windows. Between it and the town there is another church, the parish one, round which is a big graveyard, all full of tombstones. This is to my mind the nicest spot in Whitby, for it lies right over the town, and has a full view of the harbour and all up the bay to where the headland called Kettleness stretches out into the sea. It descends so steeply over the harbour that part of the bank has fallen away, and some of the graves have been destroyed.

In one place part of the stonework of the graves stretches out over the sandy pathway far below. There are walks, with seats beside them, through the churchyard, and people go and sit there all day long looking at the beautiful view and enjoying the breeze.

I shall come and sit here often myself and work. Indeed, I am writing now, with my book on my knee, and listening to the talk of three old men who are sitting beside me. They seem to do nothing all day but sit here and talk.

The harbour lies below me, with, on the far side, one long granite wall stretching out into the sea, with a curve outwards at the end of it, in the middle of which is a lighthouse. A heavy seawall runs along outside of it. On the near side, the seawall makes an elbow crooked inversely, and its end too has a lighthouse. Between the two piers there is a narrow opening into the harbour, which then suddenly widens.

It is nice at high water, but when the tide is out it shoals away to nothing, and there is merely the stream of the Esk, running between banks of sand, with rocks here and there. Outside the harbour on this side there rises for about half a mile a great reef, the sharp of which runs straight out from behind the south lighthouse. At the end of it is a buoy with a bell, which swings in bad weather, and sends in a mournful sound on the wind.

They have a legend here that when a ship is lost bells are heard out at sea. I must ask the old man about this. He is coming this way...

He is a funny old man. He must be awfully old, for his face is gnarled and twisted like the bark of a tree. He tells me that he is nearly a hundred, and that he was a sailor in the Greenland fishing fleet when Waterloo was fought. He is, I am afraid, a very sceptical person, for when I asked him about the bells at sea and the White Lady at the abbey he said very brusquely,

"I wouldn't fash masel' about them, miss. Them things be all wore out. Mind, I don't say that they never was, but I do say that they wasn't in my time. They be all very well for comers and trippers, an' the like, but not for a nice young lady like you. Them feet-folks from York and Leeds that be always eatin' cured herrin's and drinkin' tea an' lookin' out to buy cheap jet would creed aught. I wonder masel' who'd be bothered tellin' lies to them, even the newspapers, which is full of fool-talk."

I thought he would be a good person to learn interesting things from, so I asked him if he would mind telling me something about the whale fishing in the old days. He was just settling himself to begin when the clock struck six, whereupon he laboured to get up, and said,

"I must gang ageeanwards home now, miss. My grand-daughter doesn't like to be kept waitin' when the tea is ready, for it takes me time to crammle aboon the grees, for there be a many of 'em, and miss, I lack belly-timber sairly by the clock."

He hobbled away, and I could see him hurrying, as well as he could, down the steps. The steps are a great feature on the place. They lead from the town to the church, there are hundreds of them, I do not know how many, and they wind up in a delicate curve. The slope is so gentle that a horse could easily walk up and down them.

I think they must originally have had something to do with the abbey. I shall go home too. Lucy went out, visiting with her mother, and as they were only duty calls, I did not go.

1st August. I came up here an hour ago with Lucy, and we had a most interesting talk with my old friend and the two others who always come and join him. He is evidently the Sir Oracle of them, and I should think must have been in his time a most dictatorial person.

He will not admit anything, and down faces everybody. If he can't out-argue them he bullies them, and then takes their silence for agreement with his views.

Lucy was looking sweetly pretty in her white lawn frock. She has got a beautiful colour since she has been here.

I noticed that the old men did not lose any time in coming and sitting near her when we sat down. She is so sweet with old people, I think they all fell in love with her on the spot. Even my old man succumbed and did not contradict her, but gave me double share instead. I got him on the subject of the legends, and he went off at once into a sort of sermon. I must try to remember it and put it down.

"It be all fool-talk, lock, stock, and barrel, that's what it be and nowt else. These bans an' wafts an' boh-ghosts an' bar-guests an' bogles an' all anent them is only fit to set bairns an' dizzy women a'belderin'. They be nowt but air-blebs. They, an' all grims an' signs an' warnin's, be all invented by parsons an' illsome berk-bodies an' railway touters to skeer an' scunner hafflin's, an' to get folks to do somethin' that they don't other incline to. It makes me ireful to think o' them. Why, it's them that, not content with printin' lies on paper an' preachin' them out of pulpits, does want to be cuttin' them on the tombstones. Look here all around you in what airt ye will. All them steans, holdin' up their heads as well as they can out of their pride, is acant, simply tumblin' down with the weight o' the lies wrote on them, 'Here lies the body' or 'Sacred to the memory'

wrote on all of them, an' yet in nigh half of them there bean't no bodies at all, an' the memories of them bean't cared a pinch of snuff about, much less sacred. Lies all of them, nothin' but lies of one kind or another! My gog, but it'll be a quare scowderment at the Day of Judgment when they come tumblin' up in their death-sarks, all jouped together an' trying' to drag their tombsteans with them to prove how good they was, some of them trimmlin' an' dithering, with their hands that dozzened an' slippery from lyin' in the sea that they can't even keep their gurp o' them."

I could see from the old fellow's self-satisfied air and the way in which he looked round for the approval of his cronies that he was "showing off," so I put in a word to keep him going.

"Oh, Mr. Swales, you can't be serious. Surely these tombstones are not all wrong?"

"Yabblins! There may be a poorish few not wrong, savin' where they make out the people too good, for there be folk that do think a balm-bowl be like the sea, if only it be their own. The whole thing be only lies. Now look you here. You come here a stranger, an' you see this kirkgarth."

I nodded, for I thought it better to assent, though I did not quite understand his dialect. I knew it had something to do with the church.

He went on, "And you consate that all these steans be aboon folk that be haped here, snod an' snog?" I assented again. "Then that be just where the lie comes in. Why, there be scores of these laybeds that be toom as old Dun's 'baccabox on Friday night."

He nudged one of his companions, and they all laughed. "And, my gog! How could they be otherwise? Look at that one, the aftest abaft the bier-bank, read it!"

I went over and read, "Edward Spencelagh, master mariner, murdered by pirates off the coast of Andres, April, 1854, age 30." When I came back Mr. Swales went on,

"Who brought him home, I wonder, to hap him here? Murdered off the coast of Andres! An' you consated his body lay under! Why, I could name ye a dozen whose bones lie in the Greenland seas above," he pointed northwards, "or where the currants may have drifted them. There be the steans around ye. Ye can, with your young eyes, read the small print of the lies from here. This Braithwaite Lowery, I knew his father, lost in the Lively off Greenland in '20, or Andrew Woodhouse, drowned in the same seas in 1777, or John Paxton, drowned off Cape Farewell a year later, or old John Rawlings, whose grandfather sailed with me, drowned in the Gulf of Finland in '50. Do ye think that all these men will have to make a rush to Whitby when the trumpet sounds? I have me antherums aboot it! I tell ye that when they got here they'd be jommlin' and jostlin' one another that way that it 'ud be like a fight up on the ice in the old days, when we'd be at one another from daylight to dark, an' tryin' to tie up our cuts by the aurora borealis." This was evidently local pleasantry, for the old man cackled over it, and his cronies joined in with gusto.

"But," I said, "surely you are not quite correct, for you start on the assumption that all the poor people, or their spirits, will have to take their tombstones with them on the Day of Judgment. Do you think that will be really necessary?"

"Well, what else be they tombstones for? Answer me that, miss!"

"To please their relatives, I suppose."

"To please their relatives, you suppose!" This he said with intense scorn. "How will it pleasure their relatives to know that lies is wrote over them, and that everybody in the place knows that they be lies?"

He pointed to a stone at our feet which had been laid down as a slab, on which the seat was rested, close to the edge of the cliff. "Read the lies on that thruff-stone," he said.

The letters were upside down to me from where I sat, but Lucy was more opposite to them, so she leant over and read, "Sacred to the memory of George Canon, who died, in the hope of a glorious resurrection, on July 29, 1873, falling from the rocks at Kettleness. This tomb was erected by his sorrowing mother to her dearly beloved son. 'He was the only son of his mother, and she was a widow.' Really, Mr. Swales, I don't see anything very funny in that!" She spoke her comment very gravely and somewhat severely.

"Ye don't see aught funny! Ha-ha! But that's because ye don't gawm the sorrowin' mother was a hell-cat that hated him because he was acrewk'd, a regular lamiter he was, an' he hated her so that he committed suicide in order that she mightn't get an insurance she put on his life. He blew nigh the top of his head off with an old musket that they had for scarin' crows with. 'Twarn't for crows then, for it brought the clegs and the dowps to him. That's the way he fell off the rocks. And, as to hopes of a glorious resurrection, I've often heard him say masel' that he hoped he'd go to hell, for his mother was so pious that she'd be sure to go to heaven, an' he didn't want to addle where she was. Now isn't that stean at any rate," he hammered it with his stick as he spoke, "a pack of lies? And won't it make Gabriel keckle when Geordie comes pantin' ut the grees with the tompstean balanced on his hump, and asks to be took as evidence!"

I did not know what to say, but Lucy turned the conversation as she said, rising up, "Oh, why did you tell us of this? It is my favourite seat, and I cannot leave it, and now I find I must go on sitting over the grave of a suicide."

"That won't harm ye, my pretty, an' it may make poor Geordie gladsome to have so trim a lass sittin' on his lap. That won't hurt ye. Why, I've sat here off an' on for nigh twenty years past, an' it hasn't done me no harm. Don't ye fash about them as lies under ye, or that doesn' lie there either! It'll be time for ye to be getting scart when ye see the tombsteans all run away with, and the place as bare as a stubble-field. There's the clock, and I must gang. My service to ye, ladies!" And off he hobbled.

Lucy and I sat awhile, and it was all so beautiful before us that we took hands as we sat, and she told me all over again about Arthur and their coming marriage. That made me just a little heart-sick, for I haven't heard from Jonathan for a whole month.

The same day. I came up here alone, for I am very sad. There was no letter for me. I hope there cannot be anything the matter with Jonathan. The clock has just struck nine. I see the lights scattered all over the town, sometimes in rows where the streets are, and sometimes singly. They run right up the Esk and die away in the curve of the valley. To my left the view is cut off by a black line of roof of the old house next to the abbey. The sheep and lambs are bleating in the fields away behind me, and there is a clatter of donkeys' hoofs up the paved road below. The band on the pier is playing a harsh waltz in good time, and further along the quay there is a Salvation Army meeting in a back street. Neither of the bands hears the other, but up here I hear and see them both. I wonder where Jonathan is and if he is thinking of me! I wish he were here.

DR. SEWARD'S DIARY

5 June. The case of Renfield grows more interesting the more I get to understand the man. He has certain qualities very largely developed, selfishness, secrecy, and purpose.

I wish I could get at what is the object of the latter. He seems to have some settled scheme of his own, but what it is I do not know. His redeeming quality is a love of animals, though, indeed, he has such curious turns in it that I sometimes imagine he is only abnormally cruel. His pets are of odd sorts.

Just now his hobby is catching flies. He has at present such a quantity that I have had myself to expostulate. To my astonishment, he did not break out into a fury, as I expected, but took the matter in simple seriousness. He thought for a moment, and then said, "May I have three days? I shall clear them away." Of course, I said that would do. I must watch him.

18 June. He has turned his mind now to spiders, and has got several very big fellows in a box. He keeps feeding them his flies, and the number of the latter is becoming sensibly diminished, although he has used half his food in attracting more flies from outside to his room.

1st July. His spiders are now becoming as great a nuisance as his flies, and today I told him that he must get rid of them.

He looked very sad at this, so I said that he must some of them, at all events. He cheerfully acquiesced in this, and I gave him the same time as before for reduction.

He disgusted me much while with him, for when a horrid blowfly, bloated with some carrion food, buzzed into the room, he caught it, held it exultantly for a few moments between his finger and thumb, and before I knew what he was going to do, put it in his mouth and ate it.

I scolded him for it, but he argued quietly that it was very good and very wholesome, that it was life, strong life, and gave life to him. This gave me an idea, or the rudiment of one. I must watch how he gets rid of his spiders.

He has evidently some deep problem in his mind, for he keeps a little notebook in which he is always jotting down something. Whole pages of it are filled with masses of figures, generally single numbers added up in batches, and then the totals added in batches again, as though he were focussing some account, as the auditors put it.

8 July. There is a method in his madness, and the rudimentary idea in my mind is growing. It will be a whole idea soon, and then, oh, unconscious cerebration, you will have to give the wall to your conscious brother.

I kept away from my friend for a few days, so that I might notice if there were any change. Things remain as they were except that he has parted with some of his pets and got a new one.

He has managed to get a sparrow, and has already partially tamed it. His means of taming is simple, for already the spiders have diminished. Those that do remain, however, are well fed, for he still brings in the flies by tempting them with his food.

19 July We are progressing. My friend has now a whole colony of sparrows, and his flies and spiders are almost obliterated. When I came in he ran to me and said he wanted to ask me a great favour, a very, very great favour. And as he spoke, he fawned on me like a dog.

I asked him what it was, and he said, with a sort of rapture in his voice and bearing, "A kitten, a nice, little, sleek playful kitten, that I can play with, and teach, and feed, and feed, and feed!"

I was not unprepared for this request, for I had noticed how his pets went on increasing in size and vivacity, but I did not care that his pretty family of tame sparrows should be wiped out in the same manner as the flies and spiders. So I said I would see about it, and asked him if he would not rather have a cat than a kitten.

His eagerness betrayed him as he answered, "Oh, yes, I would like a cat! I only asked for a kitten lest you should refuse me a cat. No one would refuse me a kitten, would they?"

I shook my head, and said that at present I feared it would not be possible, but that I would see about it. His face fell, and I could see a warning of danger in it, for there was a sudden fierce, sidelong look which meant killing. The man is an undeveloped homicidal maniac. I shall test him with his present craving and see how it will work out, then I shall know more.

10 pm. I have visited him again and found him sitting in a corner brooding. When I came in he threw himself on his knees before me and implored me to let him have a cat, that his salvation depended upon it.

I was firm, however, and told him that he could not have it, whereupon he went without a word, and sat down, gnawing his fingers, in the corner where I had found him. I shall see him in the morning early.

20 July. Visited Renfield very early, before attendant went his rounds. Found him up and humming a tune. He was spreading out his sugar, which he had saved, in the window, and was manifestly beginning his fly catching again, and beginning it cheerfully and with a good grace.

I looked around for his birds, and not seeing them, asked him where they were. He replied, without turning round, that they had all flown away. There were a few feathers about the room and on his pillow a drop of blood. I said nothing, but went and told the keeper to report to me if there were anything odd about him during the day.

11 am. The attendant has just been to see me to say that Renfield has been very sick and has disgorged a whole lot of feathers. "My belief is, doctor," he said, "that he has eaten his birds, and that he just took and ate them raw!"

11 pm. I gave Renfield a strong opiate tonight, enough to make even him sleep, and took away his pocketbook to look at it. The thought that has been buzzing about my brain lately is complete, and the theory proved.

My homicidal maniac is of a peculiar kind. I shall have to invent a new classification for him, and call him a zoophagous (life-eating) maniac. What he desires is to absorb as many lives as he can, and he has laid himself out to achieve it in a cumulative way. He gave many flies to one spider and many spiders to one bird, and then wanted a cat to eat the many birds. What would have been his later steps?

It would almost be worth while to complete the experiment. It might be done if there were only a sufficient cause. Men sneered at vivisection, and yet look at its results today! Why not advance science in its most difficult and vital aspect, the knowledge of the brain?

Had I even the secret of one such mind, did I hold the key to the fancy of even one lunatic, I might advance my own branch of science to a pitch compared with which Burdon-Sanderson's physiology or Ferrier's brain knowledge would be as nothing. If only there were a sufficient cause! I must not think too much of this, or I may be tempted. A good cause might turn the scale with me, for may not I too be of an exceptional brain, congenitally?

How well the man reasoned. Lunatics always do within their own scope. I wonder at how many lives he values a man, or if at only one. He has closed the account most accurately, and today begun a new record. How many of us begin a new record with each day of our lives?

To me it seems only yesterday that my whole life ended with my new hope, and that truly I began a new record. So it shall be until the Great Recorder sums me up and closes my ledger account with a balance to profit or loss.

Oh, Lucy, Lucy, I cannot be angry with you, nor can I be angry with my friend whose happiness is yours, but I must only wait on hopeless and work. Work! Work!

If I could have as strong a cause as my poor mad friend there, a good, unselfish cause to make me work, that would be indeed happiness.

MINA MURRAY'S JOURNAL

26 July. I am anxious, and it soothes me to express myself here. It is like whispering to one's self and listening at the same time. And there is also something about the shorthand symbols that makes it different from writing. I am unhappy about Lucy and about Jonathan. I had not heard from Jonathan for some time, and was very concerned, but yesterday dear Mr. Hawkins, who is always so kind, sent me a letter from him. I had written asking him if he had heard, and he said the enclosed had just been received. It is only a line dated from Castle Dracula, and says that he is just starting for home. That is not like Jonathan. I do not understand it, and it makes me uneasy.

Then, too, Lucy, although she is so well, has lately taken to her old habit of walking in her sleep. Her mother has spoken to me about it, and we have decided that I am to lock the door of our room every night.

Mrs. Westenra has got an idea that sleep-walkers always go out on roofs of houses and along the edges of cliffs and then get suddenly wakened and fall over with a despairing cry that echoes all over the place.

Poor dear, she is naturally anxious about Lucy, and she tells me that her husband, Lucy's father, had the same habit, that he would get up in the night and dress himself and go out, if he were not stopped.

Lucy is to be married in the autumn, and she is already planning out her dresses and how her house is to be arranged. I sympathise with her, for I do the same, only Jonathan and I will start in life in a very simple way, and shall have to try to make both ends meet.

Mr. Holmwood, he is the Hon. Arthur Holmwood, only son of Lord Godalming, is coming up here very shortly, as soon as he can leave town, for his father is not very well, and I think dear Lucy is counting the moments till he comes.

She wants to take him up in the seat on the churchyard cliff and show him the beauty of Whitby. I daresay it is the waiting which disturbs her. She will be all right when he arrives.

27 July. No news from Jonathan. I am getting quite uneasy about him, though why I should I do not know, but I do wish that he would write, if it were only a single line.

Lucy walks more than ever, and each night I am awakened by her moving about the room. Fortunately, the weather is so hot that she cannot get cold. But still, the anxiety and the perpetually being awakened is beginning to tell on me, and I am getting nervous and wakeful myself. Thank God, Lucy's health keeps up. Mr. Holmwood has been suddenly called to Ring to see his father, who has been taken seriously ill. Lucy frets at the postponement of seeing him, but it does not touch her looks. She is a trifle stouter, and her cheeks are a lovely rose-pink. She has lost the anemic look which she had. I pray it will all last.

3 August. Another week gone by, and no news from Jonathan, not even to Mr. Hawkins, from whom I have heard. Oh, I do hope he is not ill. He surely would have written. I look at that last letter of his, but somehow it does not satisfy me. It does not read like him, and yet it is his writing. There is no mistake of that.

Lucy has not walked much in her sleep the last week, but there is an odd concentration about her which I do not understand, even in her sleep she seems to be watching me. She tries the door, and finding it locked, goes about the room searching for the key.

6 August. Another three days, and no news. This suspense is getting dreadful. If I only knew where to write to or where to go to, I should feel easier. But no one has heard a word of Jonathan since that last letter. I must only pray to God for patience.

Lucy is more excitable than ever, but is otherwise well. Last night was very threatening, and the fishermen say that we are in for a storm. I must try to watch it and learn the weather signs.

Today is a gray day, and the sun as I write is hidden in thick clouds, high over Kettleness. Everything is gray except the green grass, which seems like emerald amongst it, gray earthy rock, gray clouds, tinged with the sunburst at the far edge, hang over the gray sea, into which the sandpoints stretch like gray figures. The sea is tumbling in over the shallows and the sandy flats with a roar, muffled in the sea-mists drifting inland. The horizon is lost in a gray mist. All vastness, the clouds are piled up like giant rocks, and there is a 'brool' over the sea that sounds like some passage of doom. Dark figures are on the beach here and there, sometimes half shrouded in the mist, and seem 'men like trees walking'. The fishing boats are racing for home, and rise and dip in the ground swell as they sweep into the harbour, bending to the scuppers. Here comes old Mr. Swales. He is making straight for me, and I can see, by the way he lifts his hat, that he wants to talk.

I have been quite touched by the change in the poor old man. When he sat down beside me, he said in a very gentle way, "I want to say something to you, miss."

I could see he was not at ease, so I took his poor old wrinkled hand in mine and asked him to speak fully.

So he said, leaving his hand in mine, "I'm afraid, my deary, that I must have shocked you by all the wicked things I've been sayin' about the dead, and such like, for weeks past, but I didn't mean them, and I want ye to remember that when I'm gone. We aud folks that be daffled, and with one foot abaft the krok-hooal, don't altogether like to think of it, and we don't want to feel scart of it, and that's why I've took to makin' light of it, so that I'd cheer up my own heart a bit. But, Lord love ye, miss, I ain't afraid of dyin', not a bit, only I don't want to die if I can help it. My time must be nigh at hand now, for I be aud, and a hundred years is too much for any man to expect. And I'm so nigh it that the Aud Man is already whettin' his scythe. Ye see, I can't get out o' the habit of caffin' about it all at once. The chafts will wag as they be used to. Some day soon the Angel of Death will sound his trumpet for me. But don't ye dooal an' greet, my deary!" for he saw that I was crying "if he should come this very night I'd not refuse to answer his call. For life be, after all, only a waitin' for somethin' else than what we're doin', and death be all that we can rightly depend on. But I'm content, for it's comin' to me, my deary, and comin' quick. It may be comin' while we be lookin' and wonderin'. Maybe it's in that wind out over the sea that's bringin' with it loss and wreck, and sore distress, and sad hearts. Look! Look!" he cried suddenly. "There's something in that wind and in the hoast beyont that sounds, and looks, and tastes, and smells like death. It's in the air. I feel it comin'. Lord, make me answer cheerful, when my call comes!" He held up his arms devoutly, and raised his hat. His mouth moved as though he were praying. After a few minutes' silence, he got up, shook hands with me, and blessed me, and said goodbye, and hobbled off. It all touched me, and upset me very much.

I was glad when the coastguard came along, with his spyglass under his arm. He stopped to talk with me, as he always does, but all the time kept looking at a strange ship.

"I can't make her out," he said. "She's a Russian, by the look of her. But she's knocking about in the queerest way. She doesn't know her mind a bit. She seems to see the storm coming, but can't decide whether to run up north in the open, or to put in here. Look there again! She is steered mighty strangely, for she doesn't mind the hand on the wheel, changes about with every puff of wind. We'll hear more of her before this time tomorrow."

CHAPTER 7

CUTTING FROM "THE DAILYGRAPH", 8 AUGUST
(PASTED IN MINA MURRAY'S JOURNAL)
FROM A CORRESPONDENT. WHITBY.

One of the greatest and suddenest storms on record has just been experienced here, with results both strange and unique. The weather had been somewhat sultry, but not to any degree uncommon in the month of August. Saturday evening was as fine as was ever known, and the great body of holiday-makers laid out yesterday for visits to Mulgrave Woods, Robin Hood's Bay, Rig Mill, Runswick, Staithes, and the various trips in the neighborhood of Whitby. The steamers Emma and Scarborough made trips up and down the coast, and there was an unusual amount of 'tripping' both to and from Whitby. The day was unusually fine till the afternoon, when some of the gossips who frequent the East Cliff churchyard, and from the commanding eminence watch the wide sweep of sea visible to the north and east, called attention to a sudden show of 'mares tails' high in the sky to the northwest. The wind was then blowing from the south-west in the mild degree which in barometrical language is ranked 'No. 2, light breeze.'

The coastguard on duty at once made report, and one old fisherman, who for more than half a century has kept watch on weather signs from the East Cliff, foretold in an emphatic manner the coming of a sudden storm. The approach of sunset was so very beautiful, so grand in its masses of splendidly coloured clouds, that there was quite an assemblage on the walk along the cliff in the old churchyard to enjoy the beauty. Before the sun dipped below the black mass of Kettleness, standing boldly athwart the western sky, its downward way was marked by myriad clouds of every sunset colour, flame, purple, pink, green, violet, and all the tints of gold, with here and there masses not large, but of seemingly absolute blackness, in all sorts of shapes, as well outlined as colossal silhouettes. The experience was not lost on the painters, and doubtless some of the sketches of the 'Prelude to the Great Storm' will grace the R. A and R. I. walls in May next.

More than one captain made up his mind then and there that his 'cobble' or his 'mule', as they term the different classes of boats, would remain in the harbour till the storm had passed. The wind fell away entirely during the evening, and at midnight there was a dead calm, a sultry heat, and that prevailing intensity which, on the approach of thunder, affects persons of a sensitive nature.

There were but few lights in sight at sea, for even the coasting steamers, which usually hug the shore so closely, kept well to seaward, and but few fishing boats were in sight. The only sail noticeable was a foreign schooner with all sails set, which was seemingly going westwards. The foolhardiness or ignorance of her officers was a prolific theme for comment whilst she remained in sight, and efforts were made to signal her to reduce sail in the face of her danger. Before the night shut down she was seen with sails idly flapping as she gently rolled on the undulating swell of the sea.

"As idle as a painted ship upon a painted ocean."

Shortly before ten o'clock the stillness of the air grew quite oppressive, and the silence was so marked that the bleating of a sheep inland or the barking of a dog in the town was distinctly heard, and the band on the pier, with its lively French air, was like a dischord in the great harmony of nature's silence. A little after midnight came a strange sound from over the sea, and high overhead the air began to carry a strange, faint, hollow booming.

Then without warning the tempest broke. With a rapidity which, at the time, seemed incredible, and even afterwards is impossible to realize, the whole aspect of nature at once became convulsed. The waves rose in growing fury, each over-topping its fellow, till in a very few minutes the lately glassy sea was like a roaring and devouring monster. White-crested waves beat madly on the level sands and rushed up the shelving cliffs. Others broke over the piers, and with their spume swept the lanthorns of the lighthouses which rise from the end of either pier of Whitby Harbour.

The wind roared like thunder, and blew with such force that it was with difficulty that even strong men kept their feet, or clung with grim clasp to the iron stanchions. It was found necessary to clear the entire pier from the mass of onlookers, or else the fatalities of the night would have increased manifold. To add to the difficulties and dangers of the time, masses of sea-fog came drifting inland. White, wet clouds, which swept by in ghostly fashion, so dank and damp and cold that it needed but little effort of imagination to think that the spirits of those lost at sea were touching their living brethren with the clammy hands of death, and many a one shuddered as the wreaths of sea-mist swept by.

At times the mist cleared, and the sea for some distance could be seen in the glare of the lightning, which came thick and fast, followed by such peals of thunder that the whole sky overhead seemed trembling under the shock of the footsteps of the storm.

Some of the scenes thus revealed were of immeasurable grandeur and of absorbing interest. The sea, running mountains high, threw skywards with each wave mighty masses of white foam, which the tempest seemed to snatch at and whirl away into space. Here and there a fishing boat, with a rag of sail, running madly for shelter before the blast, now and again the white wings of a storm-tossed seabird. On the summit of the East Cliff the new searchlight was ready for experiment, but had not yet been tried. The officers in charge of it got it into working order, and in the pauses of onrushing mist swept with it the surface of the sea. Once or twice its service was most effective, as when a fishing boat, with gunwale under water, rushed into the harbour, able, by the guidance of the sheltering light, to avoid the danger of dashing against the piers. As each boat achieved the safety of the port there was a shout of joy from the mass of people on the shore, a shout which for a moment seemed to cleave the gale and was then swept away in its rush.

Before long the searchlight discovered some distance away a schooner with all sails set, apparently the same vessel which had been noticed earlier in the evening. The wind had by this time backed to the east, and there was a shudder amongst the watchers on the cliff as they realized the terrible danger in which she now was.

Between her and the port lay the great flat reef on which so many good ships have from time to time suffered, and, with the wind blowing from its present quarter, it would be quite impossible that she should fetch the entrance of the harbour.

It was now nearly the hour of high tide, but the waves were so great that in their troughs the shallows of the shore were almost visible, and the schooner, with all sails set, was rushing with such speed that, in the words of one old salt, "she must fetch up somewhere, if it was only in hell". Then came another rush of sea-fog, greater than any hitherto, a mass of dank mist, which seemed to close on all things like a gray pall, and left available to men only the organ of hearing, for the roar of the tempest, and the crash of the thunder, and the booming of the mighty billows came through the damp oblivion even louder than before. The rays of the searchlight were kept fixed on the harbour mouth across the East Pier, where the shock was expected, and men waited breathless.

The wind suddenly shifted to the northeast, and the remnant of the sea fog melted in the blast. And then, mirabile dictu, between the piers, leaping from wave to wave as it rushed at headlong speed, swept the strange schooner before the blast, with all sail set, and gained the safety of the harbour. The searchlight followed her, and a shudder ran through all who saw her, for lashed to the helm was a corpse, with drooping head, which swung horribly to and fro at each motion of the ship. No other form could be seen on the deck at all.

A great awe came on all as they realised that the ship, as if by a miracle, had found the harbour, unsteered save by the hand of a dead man! However, all took place more quickly than it takes to write these words. The schooner paused not, but rushing across the harbour, pitched herself on that accumulation of sand and gravel washed by many tides and many storms into the southeast corner of the pier jutting under the East Cliff, known locally as Tate Hill Pier.

There was of course a considerable concussion as the vessel drove up on the sand heap. Every spar, rope, and stay was strained, and some of the 'top-hammer' came crashing down. But, strangest of all, the very instant the shore was touched, an immense dog sprang up on deck from below, as if shot up by the concussion, and running forward, jumped from the bow on the sand.

Making straight for the steep cliff, where the churchyard hangs over the laneway to the East Pier so steeply that some of the flat tombstones, thruffsteans or through-stones, as they call them in Whitby vernacular, actually project over where the sustaining cliff has fallen away, it disappeared in the darkness, which seemed intensified just beyond the focus of the searchlight.

It so happened that there was no one at the moment on Tate Hill Pier, as all those whose houses are in close proximity were either in bed or were out on the heights above. Thus the coastguard on duty on the eastern side of the harbour, who at once ran down to the little pier, was the first to climb aboard. The men working the searchlight, after scouring the entrance of the harbour without seeing anything, then turned the light on the derelict and kept it there. The coastguard ran aft, and when he came beside the wheel, bent over to examine it, and recoiled at once as though under some sudden emotion. This seemed to pique general curiosity, and quite a number of people began to run.

It is a good way round from the West Cliff by the Draw-bridge to Tate Hill Pier, but your correspondent is a fairly good runner, and came well ahead of the crowd. When I arrived, however, I found already assembled on the pier a crowd, whom the coastguard and police refused to allow to come on board. By the courtesy of the chief boatman, I was, as your correspondent, permitted to climb on deck, and was one of a small group who saw the dead seaman whilst actually lashed to the wheel.

It was no wonder that the coastguard was surprised, or even awed, for not often can such a sight have been seen. The man was simply fastened by his hands, tied one over the other, to a spoke of the wheel. Between the inner hand and the wood was a crucifix, the set of beads on which it was fastened being around both wrists and wheel, and all kept fast by the binding cords. The poor fellow may have been seated at one time, but the flapping and buffeting of the sails had worked through the rudder of the wheel and had dragged him to and fro, so that the cords with which he was tied had cut the flesh to the bone.

Accurate note was made of the state of things, and a doctor, Surgeon J. M. Caffyn, of 33, East Elliot Place, who came immediately after me, declared, after making examination, that the man must have been dead for quite two days.

In his pocket was a bottle, carefully corked, empty save for a little roll of paper, which proved to be the addendum to the log.

The coastguard said the man must have tied up his own hands, fastening the knots with his teeth. The fact that a coastguard was the first on board may save some complications later on, in the Admiralty Court, for coastguards cannot claim the salvage which is the right of the first civilian entering on a derelict. Already, however, the legal tongues are wagging, and one young law student is loudly asserting that the rights of the owner are already completely sacrificed, his property being held in contravention of the statues of mortmain, since the tiller, as emblemship, if not proof, of delegated possession, is held in a dead hand.

It is needless to say that the dead steersman has been reverently removed from the place where he held his honourable watch and ward till death, a steadfastness as noble as that of the young Casabianca, and placed in the mortuary to await inquest.

Already the sudden storm is passing, and its fierceness is abating. Crowds are scattering backward, and the sky is beginning to redden over the Yorkshire wolds.

I shall send, in time for your next issue, further details of the derelict ship which found her way so miraculously into harbour in the storm.

9 August. The sequel to the strange arrival of the derelict in the storm last night is almost more startling than the thing itself. It turns out that the schooner is Russian from Varna, and is called the Demeter. She is almost entirely in ballast of silver sand, with only a small amount of cargo, a number of great wooden boxes filled with mould.

This cargo was consigned to a Whitby solicitor, Mr. S.F. Billington, of 7, The Crescent, who this morning went aboard and took formal possession of the goods consigned to him.

The Russian consul, too, acting for the charter-party, took formal possession of the ship, and paid all harbour dues, etc.

Nothing is talked about here today except the strange coincidence. The officials of the Board of Trade have been most exacting in seeing that every compliance has been made with existing regulations. As the matter is to be a 'nine days wonder', they are evidently determined that there shall be no cause of other complaint.

A good deal of interest was abroad concerning the dog which landed when the ship struck, and more than a few of the members of the S.P.C.A., which is very strong in Whitby, have tried to befriend the animal. To the general disappointment, however, it was not to be found. It seems to have disappeared entirely from the town. It may be that it was frightened and made its way on to the moors, where it is still hiding in terror.

There are some who look with dread on such a possibility, lest later on it should in itself become a danger, for it is evidently a fierce brute. Early this morning a large dog, a half-bred mastiff belonging to a coal merchant close to Tate Hill Pier, was found dead in the roadway opposite its master's yard. It had been fighting, and manifestly had had a savage opponent, for its throat was torn away, and its belly was slit open as if with a savage claw.

Later. By the kindness of the Board of Trade inspector, I have been permitted to look over the log book of the Demeter, which was in order up to within three days, but contained nothing of special interest except as to facts of missing men. The greatest interest, however, is with regard to the paper found in the bottle, which was today produced at the inquest. And a more strange narrative than the two between them unfold it has not been my lot to come across.

As there is no motive for concealment, I am permitted to use them, and accordingly send you a transcript, simply omitting technical details of seamanship and supercargo. It almost seems as though the captain had been seized with some kind of mania before he had got well into blue water, and that this had developed persistently throughout the voyage. Of course my statement must be taken cum grano, since I am writing from the dictation of a clerk of the Russian consul, who kindly translated for me, time being short.

LOG OF THE "DEMETER" Varna to Whitby

Written 18 July, things so strange happening, that I shall keep accurate note henceforth till we land.

On 6 July we finished taking in cargo, silver sand and boxes of earth. At noon set sail. East wind, fresh. Crew, five hands... two mates, cook, and myself, (captain).

On 11 July at dawn entered Bosphorus. Boarded by Turkish Customs officers. Backsheesh. All correct. Under way at 4 p.m.

On 12 July through Dardanelles. More Customs officers and flagboat of guarding squadron. Backsheesh again. Work of officers thorough, but quick. Want us off soon. At dark passed into Archipelago.

On 13 July passed Cape Matapan. Crew dissatisfied about something. Seemed scared, but would not speak out.

On 14 July was somewhat anxious about crew. Men all steady fellows, who sailed with me before. Mate could not make out what was wrong. They only told him there was SOMETHING, and crossed themselves. Mate lost temper with one of them that day and struck him. Expected fierce quarrel, but all was quiet.

On 16 July mate reported in the morning that one of the crew, Petrofsky, was missing. Could not account for it. Took larboard watch eight bells last night, was relieved by Amramoff, but did not go to bunk. Men more downcast than ever. All said they expected something of the kind, but would not say more than there was SOMETHING aboard. Mate getting very impatient with them. Feared some trouble ahead.

On 17 July, yesterday, one of the men, Olgaren, came to my cabin, and in an awestruck way confided to me that he thought there was a strange man aboard the ship. He said that in his watch he had been sheltering behind the deckhouse, as there was a rain storm, when he saw a tall, thin man, who was not like any of the crew, come up the companionway, and go along the deck forward and disappear. He followed cautiously, but when he got to bows found no one, and the hatchways were all closed. He was in a panic of superstitious fear, and I am afraid the panic may spread. To allay it, I shall today search the entire ship carefully from stem to stern.

Later in the day I got together the whole crew, and told them, as they evidently thought there was some one in the ship, we would search from stem to stern. First mate angry, said it was folly, and to yield to such foolish ideas would demoralise the men, said he would engage to keep them out of trouble with the handspike. I let him take the helm, while the rest began a thorough search, all keeping abreast, with lanterns. We left no corner unsearched. As there were only the big wooden boxes, there were no odd corners where a man could hide. Men much relieved when search over, and went back to work cheerfully. First mate scowled, but said nothing.

22 July. Rough weather last three days, and all hands busy with sails, no time to be frightened. Men seem to have forgotten their dread. Mate cheerful again, and all on good terms. Praised men for work in bad weather. Passed Gibraltar and out through Straits. All well.

24 July. There seems some doom over this ship. Already a hand short, and entering the Bay of Biscay with wild weather ahead, and yet last night

another man lost, disappeared. Like the first, he came off his watch and was not seen again. Men all in a panic of fear, sent a round robin, asking to have double watch, as they fear to be alone. Mate angry. Fear there will be some trouble, as either he or the men will do some violence.

28 July. Four days in hell, knocking about in a sort of maelstrom, and the wind a tempest. No sleep for any one. Men all worn out. Hardly know how to set a watch, since no one fit to go on. Second mate volunteered to steer and watch, and let men snatch a few hours sleep. Wind abating, seas still terrific, but feel them less, as ship is steadier.

29 July. Another tragedy. Had single watch tonight, as crew too tired to double. When morning watch came on deck could find no one except steersman. Raised outcry, and all came on deck. Thorough search, but no one found. Are now without second mate, and crew in a panic. Mate and I agreed to go armed henceforth and wait for any sign of cause.

30 July. Last night. Rejoiced we are nearing England. Weather fine, all sails set. Retired worn out, slept soundly, awakened by mate telling me that both man of watch and steersman missing. Only self and mate and two hands left to work ship.

1st August. Two days of fog, and not a sail sighted. Had hoped when in the English Channel to be able to signal for help or get in somewhere. Not having power to work sails, have to run before wind. Dare not lower, as could not raise them again. We seem to be drifting to some terrible doom. Mate now more demoralised than either of men. His stronger nature seems to have worked inwardly against himself. Men are beyond fear, working stolidly and patiently, with minds made up to worst. They are Russian, he Roumanian.

2 August, midnight. Woke up from few minutes sleep by hearing a cry, seemingly outside my port. Could see nothing in fog. Rushed on deck, and ran against mate. Tells me he heard cry and ran, but no sign of man on watch. One more gone. Lord, help us! Mate says we must be past Straits of Dover, as in a moment of fog lifting he saw North Foreland, just as he heard the man cry out. If so we are now off in the North Sea, and only God can guide us in the fog, which seems to move with us, and God seems to have deserted us.

3 August. At midnight I went to relieve the man at the wheel and when I got to it found no one there. The wind was steady, and as we ran before it there was no yawing. I dared not leave it, so shouted for the mate. After a few seconds, he rushed up on deck in his flannels. He looked wild-eyed and haggard, and I greatly fear his reason has given way. He came close to me and whispered hoarsely, with his mouth to my ear, as though fearing the very air might hear. "It is here. I know it now. On the watch last night I saw It, like a man, tall and thin, and ghastly pale. It was in the bows, and looking out. I crept behind It, and gave it my knife, but the knife went through It, empty as the air." And as he spoke he took the knife and drove it savagely into space. Then he went on, "But It is here, and I'll find It. It is in the hold, perhaps in one of those boxes. I'll unscrew them one by one and see. You work the helm." And with a warning look and his finger on his lip, he went below. There was springing up a choppy wind, and I could not leave the helm. I saw him come out on deck again with a tool chest and lantern, and go down the forward hatchway. He is mad, stark, raving mad, and it's no use my trying to stop him. He can't hurt those big boxes, they are invoiced as clay, and to pull them about is as harmless a thing as he can do. So here I stay and mind the helm, and write these notes. I can only trust in God and wait till the fog clears. Then, if I can't steer to any harbour with the wind that is, I shall cut down sails, and lie by, and signal for help…

It is nearly all over now. Just as I was beginning to hope that the mate would come out calmer, for I heard him knocking away at something in the hold, and work is good for him, there came up the hatchway a sudden, startled scream, which made my blood run cold, and up on the deck he came as if shot from a gun, a raging madman, with his eyes rolling and his face convulsed with fear. "Save me! Save me!" he cried, and then looked round on the blanket of fog. His horror turned to despair, and in a steady voice he said, "You had better come too, captain, before it is too late. He is there! I know the secret now. The sea will save me from Him, and it is all that is left!" Before I could say a word, or move forward to seize him, he sprang on the bulwark and deliberately threw himself into the sea. I suppose I know the secret too, now. It was this madman who had got rid of the men one by one, and now he has followed them himself. God help me! How am I to account for all these horrors when I get to port? When I get to port! Will that ever be?

4 August. Still fog, which the sunrise cannot pierce, I know there is sunrise because I am a sailor, why else I know not. I dared not go below, I dared not leave the helm, so here all night I stayed, and in the dimness of the night I saw it, Him! God, forgive me, but the mate was right to jump overboard. It was better to die like a man. To die like a sailor in blue water, no man can object. But I am captain, and I must not leave my ship. But I shall baffle this fiend or monster, for I shall tie my hands to the wheel when my strength begins to fail, and along with them I shall tie that which He, It, dare not touch. And then, come good wind or foul, I shall save my soul, and my honour as a captain. I am growing weaker, and the night is coming on. If He can look me in the face again, I may not have time to act. . . If we are wrecked, mayhap this bottle may be found, and those who find it may understand. If not… well, then all men shall know that I have been true to my

trust. God and the Blessed Virgin and the Saints help a poor ignorant soul trying to do his duty…

Of course the verdict was an open one. There is no evidence to adduce, and whether or not the man himself committed the murders there is now none to say. The folk here hold almost universally that the captain is simply a hero, and he is to be given a public funeral. Already it is arranged that his body is to be taken with a train of boats up the Esk for a piece and then brought back to Tate Hill Pier and up the abbey steps, for he is to be buried in the churchyard on the cliff. The owners of more than a hundred boats have already given in their names as wishing to follow him to the grave.

No trace has ever been found of the great dog, at which there is much mourning, for, with public opinion in its present state, he would, I believe, be adopted by the town. Tomorrow will see the funeral, and so will end this one more 'mystery of the sea'.

MINA MURRAY'S JOURNAL

8 August. Lucy was very restless all night, and I too, could not sleep. The storm was fearful, and as it boomed loudly among the chimney pots, it made me shudder. When a sharp puff came it seemed to be like a distant gun. Strangely enough, Lucy did not wake, but she got up twice and dressed herself. Fortunately, each time I awoke in time and managed to undress her without waking her, and got her back to bed. It is a very strange thing, this sleep-walking, for as soon as her will is thwarted in any physical way, her intention, if there be any, disappears, and she yields herself almost exactly to the routine of her life.

Early in the morning we both got up and went down to the harbour to see if anything had happened in the night. There were very few people about, and though the sun was bright, and the air clear and fresh, the big, grim-looking waves, that seemed dark themselves because the foam that topped them was like snow, forced themselves in through the mouth of the harbour, like a bullying man going through a crowd. Somehow I felt glad that Jonathan was not on the sea last night, but on land. But, oh, is he on land or sea? Where is he, and how? I am getting fearfully anxious about him. If I only knew what to do, and could do anything!

10 August. The funeral of the poor sea captain today was most touching. Every boat in the harbour seemed to be there, and the coffin was carried by captains all the way from Tate Hill Pier up to the churchyard. Lucy came with me, and we went early to our old seat, whilst the cortege of boats went up the river to the Viaduct and came down again. We had a lovely view, and saw the procession nearly all the way. The poor fellow was laid to rest near our seat so that we stood on it, when the time came and saw everything.

Poor Lucy seemed much upset. She was restless and uneasy all the time, and I cannot but think that her dreaming at night is telling on her. She is quite odd in one thing. She will not admit to me that there is any cause for restlessness, or if there be, she does not understand it herself.

There is an additional cause in that poor Mr. Swales was found dead this morning on our seat, his neck being broken. He had evidently, as the doctor said, fallen back in the seat in some sort of fright, for there was a look of fear and horror on his face that the men said made them shudder. Poor dear old man!

Lucy is so sweet and sensitive that she feels influences more acutely than other people do. Just now she was quite upset by a little thing which I did not much heed, though I am myself very fond of animals.

One of the men who came up here often to look for the boats was followed by his dog. The dog is always with him. They are both quiet persons, and I never saw the man angry, nor heard the dog bark. During the service the dog would not come to its master, who was on the seat with us, but kept a few yards off, barking and howling. Its master spoke to it gently, and then harshly, and then angrily. But it would neither come nor cease to make a noise. It was in a fury, with its eyes savage, and all its hair bristling out like a cat's tail when puss is on the war path.

Finally the man too got angry, and jumped down and kicked the dog, and then took it by the scruff of the neck and half dragged and half threw it on the tombstone on which the seat is fixed. The moment it touched the stone the poor thing began to tremble. It did not try to get away, but crouched down, quivering and cowering, and was in such a pitiable state of terror that I tried, though without effect, to comfort it.

Lucy was full of pity, too, but she did not attempt to touch the dog, but looked at it in an agonised sort of way. I greatly fear that she is of too super sensitive a nature to go through the world without trouble. She will be dreaming of this tonight, I am sure. The whole agglomeration of things, the ship steered into port by a dead man, his attitude, tied to the wheel with a crucifix and beads, the touching funeral, the dog, now furious and now in terror, will all afford material for her dreams.

I think it will be best for her to go to bed tired out physically, so I shall take her for a long walk by the cliffs to Robin Hood's Bay and back. She ought not to have much inclination for sleep-walking then.

CHAPTER 8

MINA MURRAY'S JOURNAL

Same day, 11 o'clock P.M. Oh, but I am tired! If it were not that I had made my diary a duty I should not open it tonight. We had a lovely walk. Lucy, after a while, was in gay spirits, owing, I think, to some dear cows who came nosing towards us in a field close to the lighthouse, and frightened the wits out of us. I believe we forgot everything, except of course, personal fear, and it seemed to wipe the slate clean and give us a fresh start. We had a capital 'severe tea' at Robin Hood's Bay in a sweet little old-fashioned inn, with a bow window right over the seaweed-covered rocks of the strand. I believe we should have shocked the 'New Woman' with our appetites. Men are more tolerant, bless them! Then we walked home with some, or rather many, stoppages to rest, and with our hearts full of a constant dread of wild bulls.

Lucy was really tired, and we intended to creep off to bed as soon as we could. The young curate came in, however, and Mrs. Westenra asked him to stay for supper. Lucy and I had both a fight for it with the dusty miller. I know it was a hard fight on my part, and I am quite heroic. I think that some day the bishops must get together and see about breeding up a new class of curates, who don't take supper, no matter how hard they may be pressed to, and who will know when girls are tired.

Lucy is asleep and breathing softly. She has more colour in her cheeks than usual, and looks, oh so sweet. If Mr. Holmwood fell in love with her seeing her only in the drawing room, I wonder what he would say if he saw her now. Some of the 'New Women' writers will some day start an idea that men and women should be allowed to see each other asleep before proposing or accepting. But I suppose the 'New Woman' won't condescend in future to accept. She will do the proposing herself. And a nice job she will make of it too! There's some consolation in that. I am so happy tonight, because dear Lucy seems better. I really believe she has turned the corner, and that we are over her troubles with dreaming. I should be quite happy if I only knew if Jonathan... God bless and keep him.

11 August. Diary again. No sleep now, so I may as well write. I am too agitated to sleep. We have had such an adventure, such an agonizing experience. I fell asleep as soon as I had closed my diary. . . . Suddenly I became broad awake, and sat up, with a horrible sense of fear upon me, and of some feeling of emptiness around me. The room was dark, so I could not see Lucy's bed. I stole across and felt for her. The bed was empty. I lit a match and found that she was not in the room. The door was shut, but not locked, as I had left it. I feared to wake her mother, who has been more than usually ill lately, so threw on some clothes and got ready to look for her. As I was leaving the room it struck me that the clothes she wore might give me some clue to her dreaming intention. Dressing-gown would mean house, dress outside. Dressing-gown and dress were both in their places. "Thank God," I said to myself, "she cannot be far, as she is only in her nightdress."

I ran downstairs and looked in the sitting room. Not there! Then I looked in all the other rooms of the house, with an ever-growing fear chilling my heart. Finally, I came to the hall door and found it open. It was not wide open, but the catch of the lock had not caught. The people of the house are careful to lock the door every night, so I feared that Lucy must have gone out as she was. There was no time to think of what might happen. A vague overmastering fear obscured all details.

I took a big, heavy shawl and ran out. The clock was striking one as I was in the Crescent, and there was not a soul in sight. I ran along the North Terrace, but could see no sign of the white figure which I expected. At the edge of the West Cliff above the pier I looked across the harbour to the East Cliff, in the hope or fear, I don't know which, of seeing Lucy in our favourite seat.

There was a bright full moon, with heavy black, driving clouds, which threw the whole scene into a fleeting diorama of light and shade as they sailed across. For a moment or two I could see nothing, as the shadow of a cloud obscured St. Mary's Church and all around it. Then as the cloud passed I could see the ruins of the abbey coming into view, and as the edge of a narrow band of light as sharp as a sword-cut moved along, the church and churchyard became gradually visible. Whatever my expectation was, it was not disappointed, for there, on our favourite seat, the silver light of the moon struck a half-reclining figure, snowy white. The coming of the cloud was too quick for me to see much, for shadow shut down on light almost immediately, but it seemed to me as though something dark stood behind the seat where the white figure shone, and bent over it. What it was, whether man or beast, I could not tell.

I did not wait to catch another glance, but flew down the steep steps to the pier and along by the fish-market to the bridge, which was the only way to reach the East Cliff. The town seemed as dead, for not a soul did I see. I rejoiced that it was so, for I wanted no witness of poor Lucy's condition. The time and distance seemed endless, and my knees trembled and my breath came laboured as I toiled up the endless steps to the abbey. I must have gone fast, and yet it seemed to me as if my feet were weighted with lead, and as though every joint in my body were rusty.

When I got almost to the top I could see the seat and the white figure, for I was now close enough to distinguish it even through the spells of shadow. There was undoubtedly something, long and black, bending over the half-reclining white figure. I called in fright, "Lucy! Lucy!" and something raised a head, and from where I was I could see a white face and red, gleaming eyes.

Lucy did not answer, and I ran on to the entrance of the churchyard. As I entered, the church was between me and the seat, and for a minute or so I lost sight of her. When I came in view again the cloud had passed, and the moonlight struck so brilliantly that I could see Lucy half reclining with her head lying over the back of the seat. She was quite alone, and there was not a sign of any living thing about.

When I bent over her I could see that she was still asleep. Her lips were parted, and she was breathing, not softly as usual with her, but in long, heavy gasps, as though striving to get her lungs full at every breath. As I came close, she put up her hand in her sleep and pulled the collar of her nightdress close around her, as though she felt the cold. I flung the warm shawl over her, and drew the edges tight around her neck, for I dreaded lest she should get some deadly chill from the night air, unclad as she was. I feared to wake her all at once, so, in order to have my hands free to help her, I fastened the shawl at her throat with a big safety pin. But I must have been clumsy in my anxiety and pinched or pricked her with it, for by-and-by, when her breathing became quieter, she put her hand to her throat again and moaned. When I had her carefully wrapped up I put my shoes on her feet, and then began very gently to wake her.

At first she did not respond, but gradually she became more and more uneasy in her sleep, moaning and sighing occasionally. At last, as time was passing fast, and for many other reasons, I wished to get her home at once, I shook her forcibly, till finally she opened her eyes and awoke. She did not seem surprised to see me, as, of course, she did not realize all at once where she was.

Lucy always wakes prettily, and even at such a time, when her body must have been chilled with cold, and her mind somewhat appalled at waking unclad in a churchyard at night, she did not lose her grace. She trembled a little, and clung to me. When I told her to come at once with me home, she rose without a word, with the obedience of a child. As we passed along, the gravel hurt my feet, and Lucy noticed me wince. She stopped and wanted to insist upon my taking my shoes, but I would not. However, when we got to the pathway outside the churchyard, where there was a puddle of water, remaining from the storm, I daubed my feet with mud, using each foot in turn on the other, so that as we went home, no one, in case we should meet any one, should notice my bare feet.

Fortune favoured us, and we got home without meeting a soul. Once we saw a man, who seemed not quite sober, passing along a street in front of us. But we hid in a door till he had disappeared up an opening such as there are here, steep little closes, or 'wynds', as they call them in Scotland. My heart beat so loud all the time sometimes I thought I should faint. I was filled with anxiety about Lucy, not only for her health, lest she should suffer from the exposure, but for her reputation in case the story should get wind. When we got in, and had washed our feet, and had said a prayer of thankfulness together, I tucked her into bed. Before falling asleep she asked, even implored, me not to say a word to any one, even her mother, about her sleep-walking adventure.

I hesitated at first, to promise, but on thinking of the state of her mother's health, and how the knowledge of such a thing would fret her, and think too, of how such a story might become distorted, nay, infallibly would, in case it should leak out, I thought it wiser to do so. I hope I did right. I have locked the door, and the key is tied to my wrist, so perhaps I shall not be again disturbed. Lucy is sleeping soundly. The reflex of the dawn is high and far over the sea...

Same day, noon. All goes well. Lucy slept till I woke her and seemed not to have even changed her side. The adventure of the night does not seem to have harmed her, on the contrary, it has benefited her, for she looks better this morning than she has done for weeks. I was sorry to notice that my clumsiness with the safety-pin hurt her. Indeed, it might have been serious, for the skin of her throat was pierced. I must have pinched up a piece of loose skin and have transfixed it, for there are two little red points like pin-pricks, and on the band of her nightdress was a drop of blood. When I apologised and was concerned about it, she laughed and petted me, and said she did not even feel it. Fortunately it cannot leave a scar, as it is so tiny.

Same day, night. We passed a happy day. The air was clear, and the sun bright, and there was a cool breeze. We took our lunch to Mulgrave Woods, Mrs. Westenra driving by the road and Lucy and I walking by the cliff-path and joining her at the gate. I felt a little sad myself, for I could not but feel how absolutely happy it would have been had Jonathan been with me. But there! I must only be patient. In the evening we strolled in the Casino Terrace, and heard some good music by Spohr and Mackenzie, and went to bed early. Lucy seems more restful than she has been for some time, and fell asleep at once. I shall lock the door and secure the key the same as before, though I do not expect any trouble tonight.

12 August. My expectations were wrong, for twice during the night I was wakened by Lucy trying to get out. She seemed, even in her sleep, to be a little impatient at finding the door shut, and went back to bed under a sort of protest. I woke with the dawn, and heard the birds chirping outside of the window. Lucy woke, too, and I was glad to see, was even better than on the previous morning. All her old gaiety of manner seemed to have come back, and she came and snuggled in beside me and told me all about Arthur. I told her how anxious I was about Jonathan, and then she tried to comfort me. Well, she succeeded somewhat, for, though sympathy can't alter facts, it can make them more bearable.

13 August. Another quiet day, and to bed with

the key on my wrist as before. Again I awoke in the night, and found Lucy sitting up in bed, still asleep, pointing to the window. I got up quietly, and pulling aside the blind, looked out. It was brilliant moonlight, and the soft effect of the light over the sea and sky, merged together in one great silent mystery, was beautiful beyond words. Between me and the moonlight flitted a great bat, coming and going in great whirling circles. Once or twice it came quite close, but was, I suppose, frightened at seeing me, and flitted away across the harbour towards the abbey. When I came back from the window Lucy had lain down again, and was sleeping peacefully. She did not stir again all night.

14 August. On the East Cliff, reading and writing all day. Lucy seems to have become as much in love with the spot as I am, and it is hard to get her away from it when it is time to come home for lunch or tea or dinner. This afternoon she made a funny remark. We were coming home for dinner, and had come to the top of the steps up from the West Pier and stopped to look at the view, as we generally do. The setting sun, low down in the sky, was just dropping behind Kettleness. The red light was thrown over on the East Cliff and the old abbey, and seemed to bathe everything in a beautiful rosy glow. We were silent for a while, and suddenly Lucy murmured as if to herself...

"His red eyes again! They are just the same." It was such an odd expression, coming apropos of nothing, that it quite startled me. I slewed round a little, so as to see Lucy well without seeming to stare at her, and saw that she was in a half dreamy state, with an odd look on her face that I could not quite make out, so I said nothing, but followed her eyes. She appeared to be looking over at our own seat, whereon was a dark figure seated alone. I was quite a little startled myself, for it seemed for an instant as if the stranger had great eyes like burning flames, but a second look dispelled the illusion. The red sunlight was shining on the windows of St. Mary's Church behind our seat, and as the sun dipped there was just sufficient change in the refraction and reflection to make it appear as if the light moved. I called Lucy's attention to the peculiar effect, and she became herself with a start, but she looked sad all the same. It may have been that she was thinking of that terrible night up there. We never refer to it, so I said nothing, and we went home to dinner. Lucy had a headache and went early to bed. I saw her asleep, and went out for a little stroll myself.

I walked along the cliffs to the westward, and was full of sweet sadness, for I was thinking of Jonathan. When coming home, it was then bright moonlight, so bright that, though the front of our part of the Crescent was in shadow, everything could be well seen, I threw a glance up at our window, and saw Lucy's head leaning out. I opened my handkerchief and waved it. She did not notice or make any movement whatever. Just then, the moonlight crept round an angle of the building, and the light fell on the window. There distinctly was Lucy with her head lying up against the side of the window sill and her eyes shut. She was fast asleep, and by her, seated on the window sill, was something that looked like a good-sized bird. I was afraid she might get a chill, so I ran upstairs, but as I came into the room she was moving back to her bed, fast asleep, and breathing heavily. She was holding her hand to her throat, as though to protect if from the cold.

I did not wake her, but tucked her up warmly. I have taken care that the door is locked and the window securely fastened.

She looks so sweet as she sleeps, but she is paler than is her wont, and there is a drawn, haggard look under her eyes which I do not like. I fear she is fretting about something. I wish I could find out what it is.

15 August. Rose later than usual. Lucy was languid and tired, and slept on after we had been called. We had a happy surprise at breakfast. Arthur's father is better, and wants the marriage to come off soon. Lucy is full of quiet joy, and her mother is glad and sorry at once. Later on in the day she told me the cause. She is grieved to lose Lucy as her very own, but she is rejoiced that she is soon to have some one to protect her. Poor dear, sweet lady! She confided to me that she has got her death warrant. She has not told Lucy, and made me promise secrecy. Her doctor told her that within a few months, at most, she must die, for her heart is weakening. At any time, even now, a sudden shock would be almost sure to kill her. Ah, we were wise to keep from her the affair of the dreadful night of Lucy's sleep-walking.

17 August. No diary for two whole days. I have not had the heart to write. Some sort of shadowy pall seems to be coming over our happiness. No news from Jonathan, and Lucy seems to be growing weaker, whilst her mother's hours are numbering to a close. I do not understand Lucy's fading away as she is doing. She eats well and sleeps well, and enjoys the fresh air, but all the time the roses in her cheeks are fading, and she gets weaker and more languid day by day. At night I hear her gasping as if for air.

I keep the key of our door always fastened to my wrist at night, but she gets up and walks about the room, and sits at the open window. Last night I found her leaning out when I woke up, and when I tried to wake her I could not.

She was in a faint. When I managed to restore her, she was weak as water, and cried silently between long, painful struggles for breath. When I asked her how she came to be at the window she shook her head and turned away.

I trust her feeling ill may not be from that unlucky prick of the safety-pin. I looked at her throat just now as she lay asleep, and the tiny wounds seem not to have healed. They are still open, and, if anything, larger than before, and the edges of them are faintly white. They are like little white dots with red centres. Unless they heal within a day or two, I shall insist on the doctor seeing about them.

LETTER, SAMUEL F. BILLINGTON & SON, SOLICITORS WHITBY, TO MESSRS. CARTER, PATERSON & CO., LONDON.

17 August

"Dear Sirs,

Herewith please receive invoice of goods sent by Great Northern Railway. Same are to be delivered at Carfax, near Purfleet, immediately on receipt at goods station King's Cross. The house is at present empty, but enclosed please find keys, all of which are labelled.

"You will please deposit the boxes, fifty in number, which form the consignment, in the partially ruined building forming part of the house and marked 'A' on rough diagrams enclosed. Your agent will easily recognize the locality, as it is the ancient chapel of the mansion. The goods leave by the train at 9:30 tonight, and will be due at King's Cross at 4:30 tomorrow afternoon. As our client wishes the delivery made as soon as possible, we shall be obliged by your having teams ready at King's Cross at the time named and forthwith conveying the goods to destination. In order to obviate any delays possible through any routine requirements as to payment in your departments, we enclose cheque herewith for ten pounds, receipt of which please acknowledge. Should the charge be less than this amount, you can return balance, if greater, we shall at once send cheque for difference on hearing from you. You are to leave the keys on coming away in the main hall of the house, where the proprietor may get them on his entering the house by means of his duplicate key.

"Pray do not take us as exceeding the bounds of business courtesy in pressing you in all ways to use the utmost expedition.

"We are, dear Sirs, Faithfully yours,

SAMUEL F. BILLINGTON & SON"

LETTER, MESSRS. CARTER, PATERSON & CO., LONDON, TO MESSRS. BILLINGTON & SON, WHITBY.

21 August.

"Dear Sirs,

We beg to acknowledge 10 pounds received and to return cheque of 1 pound, 17s, 9d, amount of overplus, as shown in receipted account herewith. Goods are delivered in exact accordance with instructions, and keys left in parcel in main hall, as directed.

"We are, dear Sirs, Yours respectfully,

Pro CARTER, PATERSON & CO."

MINA MURRAY'S JOURNAL.

18 August. I am happy today, and write sitting on the seat in the churchyard. Lucy is ever so much better. Last night she slept well all night, and did not disturb me once.

The roses seem coming back already to her cheeks, though she is still sadly pale and wan-looking. If she were in any way anemic I could understand it, but she is not. She is in gay spirits and full of life and cheerfulness. All the morbid reticence seems to have passed from her, and she has just reminded me, as if I needed any reminding, of that night, and that it was here, on this very seat, I found her asleep.

As she told me she tapped playfully with the heel of her boot on the stone slab and said,

"My poor little feet didn't make much noise then! I daresay poor old Mr. Swales would have told me that it was because I didn't want to wake up Geordie."

As she was in such a communicative humour, I asked her if she had dreamed at all that night.

Before she answered, that sweet, puckered look came into her forehead, which Arthur, I call him Arthur from her habit, says he loves, and indeed, I don't wonder that he does. Then she went on in a half-dreaming kind of way, as if trying to recall it to herself.

"I didn't quite dream, but it all seemed to be real. I only wanted to be here in this spot. I don't know why, for I was afraid of something, I don't know what. I remember, though I suppose I was asleep, passing through the streets and over the bridge. A fish leaped as I went by, and I leaned over to look at it, and I heard a lot of dogs howling. The whole town seemed as if it must be full of dogs all howling at once, as I went up the steps. Then I had a vague memory of something long and dark with red eyes, just as we saw in the sunset, and something very sweet and very bitter all around me at once. And then I seemed sinking into deep green water, and there was a singing in my ears, as I have heard there is to drowning men, and then everything seemed passing away from me. My soul seemed to go out from my body and float about the air. I seem to remember that once the West Lighthouse was right under me, and then there was a sort of agonizing feeling, as if I were in an earthquake, and I came back and found you shaking my body. I saw you do it before I felt you."

Then she began to laugh. It seemed a little uncanny to me, and I listened to her breathlessly. I did not quite like it, and thought it better not to keep her mind on the subject, so we drifted on to another subject, and Lucy was like her old self again. When we got home the fresh breeze had braced her up, and her pale cheeks were really more rosy. Her mother rejoiced when she saw her, and we all spent a very happy evening together.

19 August. Joy, joy, joy! Although not all joy. At last, news of Jonathan. The dear fellow has been ill, that is why he did not write. I am not afraid to think it or to say it, now that I know. Mr. Hawkins sent me on the letter, and wrote himself, oh so kindly. I am to leave in the morning and go over to Jonathan, and to help to nurse him if necessary, and to bring him home. Mr. Hawkins says it would not be a bad thing if we were to be married out there. I have cried over the good Sister's letter till I can feel it wet against my bosom, where it lies. It is of Jonathan, and must be near my heart, for he is in my heart. My journey is all mapped out, and my luggage ready. I am only taking one change of dress. Lucy will bring my trunk to London and keep it till I send for it, for it may be that… I must write no more. I must keep it to say to Jonathan, my husband. The letter that he has seen and touched must comfort me till we meet.

LETTER, SISTER AGATHA, HOSPITAL OF ST. JOSEPH AND STE. MARY BUDA-PESTH, TO MISS WILLHELMINA MURRAY

12 August,

Dear Madam.

I write by desire of Mr. Jonathan Harker, who is himself not strong enough to write, though progressing well, thanks to God and St. Joseph and Ste. Mary. He has been under our care for nearly six weeks, suffering from a violent brain fever. He wishes me to convey his love, and to say that by this post I write for him to Mr. Peter Hawkins, Exeter, to say, with his dutiful respects, that he is sorry for his delay, and that all of his work is completed. He will require some few weeks' rest in our sanatorium in the hills, but will then return. He wishes me to say that he has not sufficient money with him, and that he would like to pay for his staying here, so that others who need shall not be wanting for help.

Believe me,

Yours, with sympathy and all blessings.

Sister Agatha

P.S. My patient being asleep, I open this to let you know something more. He has told me all about you, and that you are shortly to be his wife. All blessings to you both! He has had some fearful shock, so says our doctor, and in his delirium his ravings have been dreadful, of wolves and poison and blood, of ghosts and demons, and I fear to say of what. Be careful of him always that there may be nothing to excite him of this kind for a long time to come. The traces of such an illness as his do not lightly die away. We should have written long ago, but we knew nothing of his friends, and there was nothing on him, nothing that anyone could understand. He came in the train from Klausenburg, and the guard was told by the station master there that he rushed into the station shouting for a ticket for home. Seeing from his violent demeanour that he was English, they gave him a ticket for the furthest station on the way thither that the train reached.

Be assured that he is well cared for. He has won all hearts by his sweetness and gentleness. He is truly getting on well, and I have no doubt will in a few weeks be all himself. But be careful of him for safety's sake. There are, I pray God and St. Joseph and Ste. Mary, many, many, happy years for you both.

DR. SEWARD'S DIARY

19 August. Strange and sudden change in Renfield last night. About eight o'clock he began to get excited and sniff about as a dog does when setting. The attendant was struck by his manner, and knowing my interest in him, encouraged him to talk. He is usually respectful to the attendant and at times servile, but tonight, the man tells me, he was quite haughty. Would not condescend to talk with him at all.

All he would say was, "I don't want to talk to you. You don't count now. The master is at hand."

The attendant thinks it is some sudden form of religious mania which has seized him. If so, we must look out for squalls, for a strong man with homicidal and religious mania at once might be dangerous. The combination is a dreadful one.

At nine o'clock I visited him myself. His attitude to me was the same as that to the attendant. In his sublime self-feeling the difference between myself and the attendant seemed to him as nothing. It looks like religious mania, and he will soon think that he himself is God.

These infinitesimal distinctions between man and man are too paltry for an Omnipotent Being. How these madmen give themselves away! The real God taketh heed lest a sparrow fall. But the God created from human vanity sees no difference between an eagle and a sparrow. Oh, if men only knew!

For half an hour or more Renfield kept getting excited in greater and greater degree. I did not pretend to be watching him, but I kept strict observation all the same. All at once that shifty look came into his eyes which we always see when a madman has seized an idea, and with it the shifty movement of the head and back which asylum attendants come to know so well. He became quite quiet, and went and sat on the edge of his bed resignedly, and looked into space with lack-luster eyes.

I thought I would find out if his apathy were real or only assumed, and tried to lead him to talk of his pets, a theme which had never failed to excite his attention.

At first he made no reply, but at length said testily, "Bother them all! I don't care a pin about them."

"What?" I said. "You don't mean to tell me you don't care about spiders?" (Spiders at present are his hobby and the notebook is filling up with columns of small figures.)

To this he answered enigmatically, "The Bride maidens rejoice the eyes that wait the coming of the bride. But when the bride draweth nigh, then the maidens shine not to the eyes that are filled."

He would not explain himself, but remained obstinately seated on his bed all the time I remained with him.

I am weary tonight and low in spirits. I cannot but think of Lucy, and how different things might have been. If I don't sleep at once, chloral, the modern Morpheus! I must be careful not to let it grow into a habit. No, I shall take none tonight! I have thought of Lucy, and I shall not dishonour her by mixing the two. If need be, tonight shall be sleepless.

Later. Glad I made the resolution, gladder that I kept to it. I had lain tossing about, and had heard the clock strike only twice, when the night watchman came to me, sent up from the ward, to say that Renfield had escaped. I threw on my clothes and ran down at once. My patient is too dangerous a person to be roaming about. Those ideas of his might work out dangerously with strangers.

The attendant was waiting for me. He said he had seen him not ten minutes before, seemingly asleep in his bed, when he had looked through the observation trap in the door. His attention was called by the sound of the window being wrenched out. He ran back and saw his feet disappear through the window, and had at once sent up for me. He was only in his night gear, and cannot be far off.

The attendant thought it would be more useful to watch where he should go than to follow him, as he might lose sight of him whilst getting out of the building by the door. He is a bulky man, and couldn't get through the window.

I am thin, so, with his aid, I got out, but feet foremost, and as we were only a few feet above ground landed unhurt.

The attendant told me the patient had gone to the left, and had taken a straight line, so I ran as quickly as I could. As I got through the belt of trees I saw a white figure scale the high wall which separates our grounds from those of the deserted house.

I ran back at once, told the watchman to get three or four men immediately and follow me into the grounds of Carfax, in case our friend might be dangerous. I got a ladder myself, and crossing the wall, dropped down on the other side. I could see Renfield's figure just disappearing behind the angle of the house, so I ran after him. On the far side of the house I found him pressed close against the old iron-bound oak door of the chapel.

He was talking, apparently to some one, but I was afraid to go near enough to hear what he was saying, lest I might frighten him, and he should run off.

Chasing an errant swarm of bees is nothing to following a naked lunatic, when the fit of escaping is upon him! After a few minutes, however, I could see that he did not take note of anything around him, and so ventured to draw nearer to him, the more so as my men had now crossed the wall and were closing him in. I heard him say...

"I am here to do your bidding, Master. I am your slave, and you will reward me, for I shall be faithful. I have worshipped you long and afar off. Now that you are near, I await your commands, and you will not pass me by, will you, dear Master, in your distribution of good things?"

He is a selfish old beggar anyhow. He thinks of the loaves and fishes even when he believes he is in a real Presence. His manias make a startling combination. When we closed in on him he fought like a tiger. He is immensely strong, for he was more like a wild beast than a man.

I never saw a lunatic in such a paroxysm of rage before, and I hope I shall not again. It is a mercy that we have found out his strength and his danger in good time. With strength and determination like his, he might have done wild work before he was caged.

He is safe now, at any rate. Jack Sheppard himself couldn't get free from the strait waistcoat that keeps him restrained, and he's chained to the wall in the padded room.

His cries are at times awful, but the silences that follow are more deadly still, for he means murder in every turn and movement.

Just now he spoke coherent words for the first time. "I shall be patient, Master. It is coming, coming, coming!"

So I took the hint, and came too. I was too excited to sleep, but this diary has quieted me, and I feel I shall get some sleep tonight.

CHAPTER 9

LETTER, MINA HARKER TO LUCY WESTENRA

Buda-Pesth, 24 August.

My dearest Lucy,

I know you will be anxious to hear all that has happened since we parted at the railway station at Whitby.

Well, my dear, I got to Hull all right, and caught the boat to Hamburg, and then the train on here. I feel that I can hardly recall anything of the journey, except that I knew I was coming to Jonathan, and that as I should have to do some nursing, I had better get all the sleep I could. I found my dear one, oh, so thin and pale and weak-looking. All the resolution has gone out of his dear eyes, and that quiet dignity which I told you was in his face has vanished. He is only a wreck of himself, and he does not remember anything that has happened to him for a long time past. At least, he wants me to believe so, and I shall never ask.

He has had some terrible shock, and I fear it might tax his poor brain if he were to try to recall it. Sister Agatha, who is a good creature and a born nurse, tells me that he wanted her to tell me what they were, but she would only cross herself, and say she would never tell. That the ravings of the sick were the secrets of God, and that if a nurse through her vocation should hear them, she should respect her trust.

She is a sweet, good soul, and the next day, when she saw I was troubled, she opened up the subject my poor dear raved about, added, 'I can tell you this much, my dear. That it was not about anything which he has done wrong himself, and you, as his wife to be, have no cause to be concerned. He has not forgotten you or what he owes to you. His fear was of great and terrible things, which no mortal can treat of.'

I do believe the dear soul thought I might be jealous lest my poor dear should have fallen in love with any other girl. The idea of my being jealous about Jonathan! And yet, my dear, let me whisper, I felt a thrill of joy through me when I knew that no other woman was a cause for trouble. I am now sitting by his bedside, where I can see his face while he sleeps. He is waking!

When he woke he asked me for his coat, as he wanted to get something from the pocket. I asked Sister Agatha, and she brought all his things. I saw amongst them was his notebook, and was going to ask him to let me look at it, for I knew that I might find some clue to his trouble, but I suppose he must have seen my wish in my eyes, for he sent me over to the window, saying he wanted to be quite alone for a moment.

Then he called me back, and he said to me very solemnly, 'Wilhelmina', I knew then that he was in deadly earnest, for he has never called me by that name since he asked me to marry him, 'You know, dear, my ideas of the trust between husband and wife. There should be no secret, no concealment. I have had a great shock, and when I try to think of what it is I feel my head spin round, and I do not know if it was real of the dreaming of a madman. You know I had brain fever, and that is to be mad. The secret is here, and I do not want to know it. I want to take up my life here, with our marriage.' For, my dear, we had decided to be married as soon as the formalities are complete. 'Are you willing, Wilhelmina, to share my ignorance? Here is the book. Take it and keep it, read it if you will, but never let me know unless, indeed, some solemn duty should come upon me to go back to the bitter hours, asleep or awake, sane or mad, recorded here.' He fell back exhausted, and I put the book under his pillow, and kissed him. I have asked Sister Agatha to beg the Superior to let our wedding be this afternoon, and am waiting her reply…"

She has come and told me that the Chaplain of the English mission church has been sent for. We are to be married in an hour, or as soon after as Jonathan awakes."

Lucy, the time has come and gone. I feel very solemn, but very, very happy. Jonathan woke a little after the hour, and all was ready, and he sat up in bed, propped up with pillows. He answered his 'I will' firmly and strong. I could hardly speak. My heart was so full that even those words seemed to choke me.

The dear sisters were so kind. Please, God, I shall never, never forget them, nor the grave and sweet responsibilities I have taken upon me. I must tell you of my wedding present. When the chaplain and the sisters had left me alone with my husband oh, Lucy, it is the first time I have written the words 'my husband' left me alone with my husband, I took the book from under his pillow, and wrapped it up in white paper, and tied it with a little bit of pale blue ribbon which was round my neck, and sealed it over the knot with sealing wax, and for my seal I used my wedding ring. Then I kissed it and showed it to my husband, and told him that I would keep it so, and then it would be an outward and visible sign for us all our lives that we trusted each other, that I would never open it unless it were for his own dear sake or for the sake of some stern duty. Then he took my hand in his, and oh, Lucy, it was the first time he took his wife's hand, and said that it was the dearest thing in all the wide world, and that he would go through all the past again to win it, if need be. The poor dear meant to have said a part of the past, but he cannot think of time yet, and I shall not wonder if at first he mixes up not only the month, but the year.

Well, my dear, what could I say? I could only tell him that I was the happiest woman in all the wide world, and that I had nothing to give him except myself, my life, and my trust, and that with these went my love and duty for all the days of my life. And, my dear, when he kissed me, and drew me to him with his poor weak hands, it was like a solemn pledge between us.

Lucy dear, do you know why I tell you all this? It is not only because it is all sweet to me, but because you have been, and are, very dear to me. It was my privilege to be your friend and guide when you came from the schoolroom to prepare for the world of life. I want you to see now, and with the eyes of a very happy wife, whither duty has led me, so that in your own married life you too may be all happy, as I am. My dear, please Almighty God, your life may be all it promises, a long day of sunshine, with no harsh wind, no forgetting duty, no distrust. I must not wish you no pain, for that can never be, but I do hope you will be always as happy as I am now. Goodbye, my dear. I shall post this at once, and perhaps, write you very soon again. I must stop, for Jonathan is waking. I must attend my husband!

Your ever-loving

Mina Harker.

LETTER, LUCY WESTENRA TO MINA HARKER.

Whitby, 30 August.

My dearest Mina,

Oceans of love and millions of kisses, and may you soon be in your own home with your husband. I wish you were coming home soon enough to stay with us here. The strong air would soon restore Jonathan. It has quite restored me. I have an appetite like a cormorant, am full of life, and sleep well. You will be glad to know that I have quite given up walking in my sleep. I think I have not stirred out of my bed for a week, that is when I once got into it at night. Arthur says I am getting fat. By the way, I forgot to tell you that Arthur is here. We have such walks and drives, and rides, and rowing, and tennis, and fishing together, and I love him more than ever. He tells me that he loves me more, but I doubt that, for at first he told me that he couldn't love me more than he did then. But this is nonsense. There he is, calling to me. So no more just at present from your loving,

Lucy.

P.S. Mother sends her love. She seems better, poor dear.

P.P.S. We are to be married on 28 September.

DR. SEWARDS DIARY

20 August. The case of Renfield grows even more interesting. He has now so far quieted that there are spells of cessation from his passion. For the first week after his attack he was perpetually violent. Then one night, just as the moon rose, he grew quiet, and kept murmuring to himself. "Now I can wait. Now I can wait."

The attendant came to tell me, so I ran down at once to have a look at him. He was still in the strait waistcoat and in the padded room, but the suffused look had gone from his face, and his eyes had something of their old pleading. I might almost say, cringing, softness. I was satisfied with his present condition, and directed him to be relieved. The attendants hesitated, but finally carried out my wishes without protest.

It was a strange thing that the patient had humour enough to see their distrust, for, coming close to me, he said in a whisper, all the while looking furtively at them, "They think I could hurt you! Fancy me hurting you! The fools!"

It was soothing, somehow, to the feelings to find myself disassociated even in the mind of this poor madman from the others, but all the same I do not follow his thought. Am I to take it that I have anything in common with him, so that we are, as it were, to stand together. Or has he to gain from me some good so stupendous that my well being is needful to Him? I must find out later on. Tonight he will not speak. Even the offer of a kitten or even a full-grown cat will not tempt him.

He will only say, "I don't take any stock in cats. I have more to think of now, and I can wait. I can wait."

After a while I left him. The attendant tells me that he was quiet until just before dawn, and that then he began to get uneasy, and at length violent, until at last he fell into a paroxysm which exhausted him so that he swooned into a sort of coma.

... Three nights has the same thing happened, violent all day then quiet from moonrise to sunrise. I wish I could get some clue to the cause. It would almost seem as if there was some influence which came and went. Happy thought! We shall tonight play sane wits against mad ones. He escaped before without our help. Tonight he shall escape with it. We shall give him a chance, and have the men ready to follow in case they are required.

23 August. "The expected always happens." How well Disraeli knew life. Our bird when he found the cage open would not fly, so all our subtle arrangements were for nought. At any rate, we have proved one thing, that the spells of quietness last a reasonable time. We shall in future be able to ease his bonds for a few hours each day. I have given orders to the night attendant merely to shut him in the padded room, when once he is quiet, until the hour before sunrise. The poor soul's body will enjoy the relief even if his mind cannot appreciate it. Hark! The unexpected again! I am called. The patient has once more escaped.

Later. Another night adventure. Renfield artfully waited until the attendant was entering the room to inspect. Then he dashed out past him and flew down the passage. I sent word for the attendants to follow. Again he went into the grounds of the deserted house, and we found him in the same place, pressed against the old chapel door. When he saw me he became furious, and had not the attendants seized him in time, he would have tried to kill me. As we were holding him a strange thing happened. He suddenly redoubled his efforts, and then as suddenly grew calm. I looked round instinctively, but could see nothing. Then I caught the patient's eye and followed it, but could trace nothing as it looked into the moonlight sky, except a big bat, which was flapping its silent and ghostly way to the west. Bats usually wheel about, but this one seemed to go straight on, as if it knew where it was bound for or had some intention of its own.

The patient grew calmer every instant, and presently said, "You needn't tie me. I shall go quietly!" Without trouble, we came back to the house. I feel there is something ominous in his calm, and shall not forget this night.

LUCY WESTENRA'S DIARY

Hillingham, 24 August. I must imitate Mina, and keep writing things down. Then we can have long talks when we do meet. I wonder when it will be. I wish she were with me again, for I feel so unhappy. Last night I seemed to be dreaming again just as I was at Whitby. Perhaps it is the change of air, or getting home again. It is all dark and horrid to me, for I can remember nothing. But I am full of vague fear, and I feel so weak and worn out. When Arthur came to lunch he looked quite grieved when he saw me, and I hadn't the spirit to try to be cheerful. I wonder if I could sleep in mother's room tonight. I shall make an excuse to try.

25 August. Another bad night. Mother did not seem to take to my proposal. She seems not too well herself, and doubtless she fears to worry me. I tried to keep awake, and succeeded for a while, but when the clock struck twelve it waked me from a doze, so I must have been falling asleep. There was a sort of scratching or flapping at the window, but I did not mind it, and as I remember no more, I suppose I must have fallen asleep. More bad dreams. I wish I could remember them. This morning I am horribly weak. My face is ghastly pale, and my throat pains me. It must be something wrong with my lungs, for I don't seem to be getting air enough. I shall try to cheer up when Arthur comes, or else I know he will be miserable to see me so.

LETTER, ARTHUR TO DR. SEWARD

Albemarle Hotel, 31 August

My dear Jack,

I want you to do me a favour. Lucy is ill, that is she has no special disease, but she looks awful, and is getting worse every day. I have asked her if there is any cause, I not dare to ask her mother, for to disturb the poor lady's mind about her daughter in her present state of health would be fatal. Mrs. Westenra has confided to me that her doom is spoken, disease of the heart, though poor Lucy does not know it yet. I am sure that there is something preying on my dear girl's mind. I am almost distracted when I think of her. To look at her gives me a pang. I told her I should ask you to see her, and though she demurred at first, I know why, old fellow, she finally consented. It will be a painful task for you, I know, old friend, but it is for her sake, and I must not hesitate to ask, or you to act. You are to come to lunch at Hillingham tomorrow, two o'clock, so as not to arouse any suspicion in Mrs. Westenra, and after lunch Lucy will take an opportunity of being alone with you. I am filled with anxiety, and want to consult with you alone as soon as I can after you have seen her. Do not fail!

Arthur.

TELEGRAM, ARTHUR HOLMWOOD TO SEWARD

1st September

Am summoned to see my father, who is worse. Am writing. Write me fully by tonight's post to Ring. Wire me if necessary.

LETTER FROM DR. SEWARD TO ARTHUR HOLMWOOD

2 September

My dear old fellow,

With regard to Miss Westenra's health I hasten to let you know at once that in my opinion there is not any functional disturbance or any malady that I know of. At the same time, I am not by any means satisfied with her appearance. She is woefully different from what she was when I saw her last. Of course you must bear in mind that I did not have full opportunity of examination such as I should wish. Our very friendship makes a little difficulty which not even medical science or custom can bridge over. I had better tell you exactly what happened, leaving you to draw, in a measure, your own conclusions. I shall then say what I have done and propose doing.

I found Miss Westenra in seemingly gay spirits. Her mother was present, and in a few seconds I made up my mind that she was trying all she knew to mislead her mother and prevent her from being anxious. I have no doubt she guesses, if she does not know, what need of caution there is.

We lunched alone, and as we all exerted ourselves to be cheerful, we got, as some kind of reward for our labours, some real cheerfulness amongst us. Then Mrs. Westenra went to lie down, and Lucy was left with me. We went into her boudoir, and till we got there her gaiety remained, for the servants were coming and going.

As soon as the door was closed, however, the mask fell from her face, and she sank down into a chair with a great sigh, and hid her eyes with her hand. When I saw that her high spirits had failed, I at once took advantage of her reaction to make a diagnosis.

She said to me very sweetly, 'I cannot tell you how I loathe talking about myself.' I reminded her that a doctor's confidence was sacred, but that you were grievously anxious about her. She caught on to my meaning at once, and settled that matter in a word. 'Tell Arthur everything you choose. I do not care for myself, but for him!' So I am quite free.

I could easily see that she was somewhat bloodless, but I could not see the usual anemic signs, and by the chance, I was able to test the actual quality of her blood, for in opening a window which was stiff a cord gave way, and she cut her hand slightly with broken glass. It was a slight matter in itself, but it gave me an evident chance, and I secured a few drops of the blood and have analysed them.

The qualitative analysis give a quite normal condition, and shows, I should infer, in itself a vigorous state of health. In other physical matters I was quite satisfied that there is no need for anxiety, but as there must be a cause somewhere, I have come to the conclusion that it must be something mental.

She complains of difficulty breathing satisfactorily at times, and of heavy, lethargic sleep, with dreams that frighten her, but regarding which she can remember nothing. She says that as a child, she used to walk in her sleep, and that when in Whitby the habit came back, and that once she walked out in the night and went to East Cliff, where Miss Murray found her. But she assures me that of late the habit has not returned.

I am in doubt, and so have done the best thing I know of. I have written to my old friend and master, Professor Van Helsing, of Amsterdam, who knows as much about obscure diseases as any one in the world. I have asked him to come over, and as you told me that all things were to be at your charge, I have mentioned to him who you are and your relations to Miss Westenra. This, my dear fellow, is in obedience to your wishes, for I am only too proud and happy to do anything I can for her.

Van Helsing would, I know, do anything for me for a personal reason, so no matter on what ground he comes, we must accept his wishes. He is a seemingly arbitrary man, this is because he knows what he is talking about better than any one else. He is a philosopher and a metaphysician, and one of the most advanced scientists of his day, and he has, I believe, an absolutely open mind. This, with an iron nerve, a temper of the ice-brook, and indomitable resolution, self-command, and toleration exalted from virtues to blessings, and the kindliest and truest heart that beats, these form his equipment for the noble work that he is doing for mankind, work both in theory and practice, for his views are as wide as his all-embracing sympathy. I tell you these facts that you may know why I have such confidence in him. I have asked him to come at once. I shall see Miss Westenra tomorrow again. She is to meet me at the Stores, so that I may not alarm her mother by too early a repetition of my call.

Yours always.

John Seward

LETTER, ABRAHAM VAN HELSING, MD, DPh, D. Lit, ETC, ETC, TO DR. SEWARD

2 September.

My good Friend,

When I received your letter I am already coming to you. By good fortune I can leave just at once, without wrong to any of those who have trusted me. Were fortune other, then it were bad for those who have trusted, for I come to my friend when he call me to aid those he holds dear. Tell your friend that when that time you suck from my wound so swiftly the poison of the gangrene from that knife that our other friend, too nervous, let slip, you did more for him when he wants my aids and you call for them than all his great fortune could do. But it is pleasure added to do for him, your friend, it is to you that I come. Have near at hand, and please it so arrange that we may see the young lady not too late on tomorrow, for it is likely that I may have to return here that night. But if need be I shall come again in three days, and stay longer if it must. Till then goodbye, my friend John.

Van Helsing.

LETTER, DR. SEWARD TO HON. ARTHUR HOLMWOOD

3 September

My dear Art,

Van Helsing has come and gone. He came on with me to Hillingham, and found that, by Lucy's discretion, her mother was lunching out, so that we were alone with her.

Van Helsing made a very careful examination of the patient. He is to report to me, and I shall advise you, for of course I was not present all the time. He is, I fear, much concerned, but says he must think. When I told him of our friendship and how you trust to me in the matter, he said, 'You must tell him all you think. Tell him what I think, if you can guess it, if you will. Nay, I am not jesting. This is no jest, but life and death, perhaps more.' I asked what he meant by that, for he was very serious. This was when we had come back to town, and he was having a cup of tea before starting on his return to Amsterdam. He would not give me any further clue. You must not be angry with me, Art, because his very reticence means that all his brains are working for her good. He will speak plainly enough when the time comes, be sure. So I told him I would simply write an account of our visit, just as if I were doing a descriptive special article for THE DAILY TELEGRAPH. He seemed not to notice, but remarked that the smuts of London were not quite so bad as they used to be when he was a student here. I am to get his report tomorrow if he can possibly make it. In any case I am to have a letter.

Well, as to the visit, Lucy was more cheerful than on the day I first saw her, and certainly looked better. She had lost something of the ghastly look that so upset you, and her breathing was normal. She was very sweet to the Professor (as she always is), and tried to make him feel at ease, though I could see the poor girl was making a hard struggle for it.

I believe Van Helsing saw it, too, for I saw the quick look under his bushy brows that I knew of old. Then he began to chat of all things except ourselves and diseases and with such an infinite geniality that I could see poor Lucy's pretense of animation merge into reality. Then, without any seeming change, he brought the conversation gently round to his visit, and suavely said,

'My dear young miss, I have the so great pleasure because you are so much beloved. That is much, my dear, even were there that which I do not see. They told me you were down in the spirit, and that you were of a ghastly pale. To them I say "Pouf!"' And he snapped his fingers at me and went on. 'But you and I shall show them how wrong they are. How can he,' and he pointed at me with the same look and gesture as that with which he pointed me out in his class, on, or rather after, a particular occasion which he never fails to remind me of, 'know anything of a young ladies? He has his madmen to play with, and to bring them back to happiness, and to those that love them. It is much to do, and, oh, but there are rewards in that we can bestow such happiness. But the young ladies! He has no wife nor daughter, and the young do not tell themselves to the young, but to the old, like me, who have known so many sorrows and the causes of them. So, my dear, we will send him away to smoke the cigarette in the garden, whiles you and I have little talk all to ourselves.' I took the hint, and strolled about, and presently the professor came to the window and called me in. He looked grave, but said, 'I have made careful examination, but there is no functional cause. With you I agree that there has been much blood lost, it has been but is not. But the conditions of her are in no way anemic. I have asked her to send me her maid, that I may ask just one or two questions, that so I may not chance to miss nothing. I know well what she will say. And yet there is cause. There is always cause for everything. I must go back home and think. You must send me the telegram every day, and if there be cause I shall come again. The disease, for not to be well is a disease, interest me, and the sweet, young dear, she interest me too. She charm me, and for her, if not for you or disease, I come.'

As I tell you, he would not say a word more, even when we were alone. And so now, Art, you know all I know. I shall keep stern watch. I trust your poor father is rallying. It must be a terrible thing to you, my dear old fellow, to be placed in such a position between two people who are both so dear to you. I know your idea of duty to your father, and you are right to stick to it. But if need be, I shall send you word to come at once to Lucy, so do not be over-anxious unless you hear from me.

DR. SEWARD'S DIARY

4 September. Zoophagous patient still keeps up our interest in him. He had only one outburst and that was yesterday at an unusual time. Just before the stroke of noon he began to grow restless. The attendant knew the symptoms, and at once summoned aid. Fortunately the men came at a run, and were just in time, for at the stroke of noon he became so violent that it took all their strength to hold him. In about five minutes, however, he began to get more quiet, and finally sank into a sort of melancholy, in which state he has remained up to now. The attendant tells me that his screams whilst in the paroxysm were really appalling. I found my hands full when I got in, attending to some of the other patients who were frightened by him. Indeed,

I can quite understand the effect, for the sounds disturbed even me, though I was some distance away. It is now after the dinner hour of the asylum, and as yet my patient sits in a corner brooding, with a dull, sullen, woe-begone look in his face, which seems rather to indicate than to show something directly. I cannot quite understand it.

Later. Another change in my patient. At five o'clock I looked in on him, and found him seemingly as happy and contented as he used to be. He was catching flies and eating them, and was keeping note of his capture by making nailmarks on the edge of the door between the ridges of padding. When he saw me, he came over and apologized for his bad conduct, and asked me in a very humble, cringing way to be led back to his own room, and to have his notebook again. I thought it well to humour him, so he is back in his room with the window open. He has the sugar of his tea spread out on the window sill, and is reaping quite a harvest of flies. He is not now eating them, but putting them into a box, as of old, and is already examining the corners of his room to find a spider. I tried to get him to talk about the past few days, for any clue to his thoughts would be of immense help to me, but he would not rise. For a moment or two he looked very sad, and said in a sort of far away voice, as though saying it rather to himself than to me.

"All over! All over! He has deserted me. No hope for me now unless I do it myself!" Then suddenly turning to me in a resolute way, he said, "Doctor, won't you be very good to me and let me have a little more sugar? I think it would be very good for me."

"And the flies?" I said.

"Yes! The flies like it, too, and I like the flies, therefore I like it." And there are people who know so little as to think that madmen do not argue. I procured him a double supply, and left him as happy a man as, I suppose, any in the world. I wish I could fathom his mind.

Midnight. Another change in him. I had been to see Miss Westenra, whom I found much better, and had just returned, and was standing at our own gate looking at the sunset, when once more I heard him yelling. As his room is on this side of the house, I could hear it better than in the morning. It was a shock to me to turn from the wonderful smoky beauty of a sunset over London, with its lurid lights and inky shadows and all the marvellous tints that come on foul clouds even as on foul water, and to realize all the grim sternness of my own cold stone building, with its wealth of breathing misery, and my own desolate heart to endure it all. I reached him just as the sun was going down, and from his window saw the red disc sink. As it sank he became less and less frenzied, and just as it dipped he slid from the hands that held him, an inert mass, on the floor. It is wonderful, however, what intellectual recuperative power lunatics have, for within a few minutes he stood up quite calmly and looked around him. I signalled to the attendants not to hold him, for I was anxious to see what he would do. He went straight over to the window and brushed out the crumbs of sugar. Then he took his fly box, and emptied it outside, and threw away the box. Then he shut the window, and crossing over, sat down on his bed. All this surprised me, so I asked him, "Are you going to keep flies any more?"

"No," said he. "I am sick of all that rubbish!" He certainly is a wonderfully interesting study. I wish I could get some glimpse of his mind or of the cause of his sudden passion. Stop. There may be a clue after all, if we can find why today his paroxysms came on at high noon and at sunset. Can it be that there is a malign influence of the sun at periods which affects certain natures, as at times the moon does others? We shall see.

TELEGRAM. SEWARD, LONDON, TO VAN HELSING, AMSTERDAM

4 September. Patient still better today.

TELEGRAM, SEWARD, LONDON, TO VAN HELSING, AMSTERDAM

5 September. Patient greatly improved. Good appetite, sleeps naturally, good spirits, colour coming back.

TELEGRAM, SEWARD, LONDON, TO VAN HELSING, AMSTERDAM

6 September. Terrible change for the worse. Come at once. Do not lose an hour. I hold over telegram to Holmwood till have seen you.

CHAPTER 10
LETTER, DR. SEWARD TO HON. ARTHUR HOLMWOOD

6 September

My dear Art,

My news today is not so good. Lucy this morning had gone back a bit. There is, however, one good thing which has arisen from it. Mrs. Westenra was naturally anxious concerning Lucy, and has consulted me professionally about her. I took advantage of the opportunity, and told her that my old master, Van Helsing, the great specialist, was coming to stay with me, and that I would put her in his charge conjointly with myself. So now we can come and go without alarming her unduly, for a shock to her would mean sudden death, and this, in Lucy's weak condition, might be disastrous to her. We are hedged in with difficulties, all of us, my poor fellow, but, please God, we shall come through them all right. If any need

I shall write, so that, if you do not hear from me, take it for granted that I am simply waiting for news, In haste,

Yours ever,

John Seward

DR. SEWARD'S DIARY

7 September. The first thing Van Helsing said to me when we met at Liverpool Street was, "Have you said anything to our young friend, to lover of her?"

"No," I said. "I waited till I had seen you, as I said in my telegram. I wrote him a letter simply telling him that you were coming, as Miss Westenra was not so well, and that I should let him know if need be."

"Right, my friend," he said. "Quite right! Better he not know as yet. Perhaps he will never know. I pray so, but if it be needed, then he shall know all. And, my good friend John, let me caution you. You deal with the madmen. All men are mad in some way or the other, and inasmuch as you deal discreetly with your madmen, so deal with God's madmen too, the rest of the world. You tell not your madmen what you do nor why you do it. You tell them not what you think. So you shall keep knowledge in its place, where it may rest, where it may gather its kind around it and breed. You and I shall keep as yet what we know here, and here." He touched me on the heart and on the forehead, and then touched himself the same way. "I have for myself thoughts at the present. Later I shall unfold to you."

"Why not now?" I asked. "It may do some good. We may arrive at some decision." He looked at me and said, "My friend John, when the corn is grown, even before it has ripened, while the milk of its mother earth is in him, and the sunshine has not yet begun to paint him with his gold, the husbandman he pull the ear and rub him between his rough hands, and blow away the green chaff, and say to you, 'Look! He's good corn, he will make a good crop when the time comes.'"

I did not see the application and told him so. For reply he reached over and took my ear in his hand and pulled it playfully, as he used long ago to do at lectures, and said, "The good husbandman tell you so then because he knows, but not till then. But you do not find the good husbandman dig up his planted corn to see if he grow. That is for the children who play at husbandry, and not for those who take it as of the work of their life. See you now, friend John? I have sown my corn, and Nature has her work to do in making it sprout, if he sprout at all, there's some promise, and I wait till the ear begins to swell." He broke off, for he evidently saw that I understood. Then he went on gravely, "You were always a careful student, and your case book was ever more full than the rest. And I trust that good habit have not fail. Remember, my friend, that knowledge is stronger than memory, and we should not trust the weaker. Even if you have not kept the good practice, let me tell you that this case of our dear miss is one that may be, mind, I say may be, of such interest to us and others that all the rest may not make him kick the beam, as your people say. Take then good note of it. Nothing is too small. I counsel you, put down in record even your doubts and surmises. Hereafter it may be of interest to you to see how true you guess. We learn from failure, not from success!"

When I described Lucy's symptoms, the same as before, but infinitely more marked, he looked very grave, but said nothing. He took with him a bag in which were many instruments and drugs, "the ghastly paraphernalia of our beneficial trade," as he once called, in one of his lectures, the equipment of a professor of the healing craft.

When we were shown in, Mrs. Westenra met us. She was alarmed, but not nearly so much as I expected to find her. Nature in one of her beneficent moods has ordained that even death has some antidote to its own terrors. Here, in a case where any shock may prove fatal, matters are so ordered that, from some cause or other, the things not personal, even the terrible change in her daughter to whom she is so attached, do not seem to reach her. It is something like the way dame Nature gathers round a foreign body an envelope of some insensitive tissue which can protect from evil that which it would otherwise harm by contact. If this be an ordered selfishness, then we should pause before we condemn any one for the vice of egoism, for there may be deeper root for its causes than we have knowledge of.

I used my knowledge of this phase of spiritual pathology, and set down a rule that she should not be present with Lucy, or think of her illness more than was absolutely required. She assented readily, so readily that I saw again the hand of Nature fighting for life. Van Helsing and I were shown up to Lucy's room. If I was shocked when I saw her yesterday, I was horrified when I saw her today.

She was ghastly, chalkily pale. The red seemed to have gone even from her lips and gums, and the bones of her face stood out prominently. Her breathing was painful to see or hear. Van Helsing's face grew set as marble, and his eyebrows converged till they almost touched over his nose. Lucy lay motionless, and did not seem to have strength to speak, so for a while we were all silent. Then Van Helsing beckoned to me, and we went gently out of the room. The instant we had closed the door he stepped quickly along the passage to the next door, which was open. Then he pulled me quickly in with him and closed the door. "My god!" he said. "This is dreadful. There is not time to be lost. She will die for sheer want of blood to keep the heart's action as it should be. There must be a transfusion of blood at once. Is it you or me?"

"I am younger and stronger, Professor. It must be me."

"Then get ready at once. I will bring up my bag. I am prepared."

I went downstairs with him, and as we were going there was a knock at the hall door. When we reached the hall, the maid had just opened the door, and Arthur was stepping quickly in. He rushed up to me, saying in an eager whisper,

"Jack, I was so anxious. I read between the lines of your letter, and have been in an agony. The dad was better, so I ran down here to see for myself. Is not that gentleman Dr. Van Helsing? I am so thankful to you, sir, for coming."

When first the Professor's eye had lit upon him, he had been angry at his interruption at such a time, but now, as he took in his stalwart proportions and recognized the strong young manhood which seemed to emanate from him, his eyes gleamed. Without a pause he said to him as he held out his hand,

"Sir, you have come in time. You are the lover of our dear miss. She is bad, very, very bad. Nay, my child, do not go like that." For he suddenly grew pale and sat down in a chair almost fainting. "You are to help her. You can do more than any that live, and your courage is your best help."

"What can I do?" asked Arthur hoarsely. "Tell me, and I shall do it. My life is hers, and I would give the last drop of blood in my body for her."

The Professor has a strongly humorous side, and I could from old knowledge detect a trace of its origin in his answer.

"My young sir, I do not ask so much as that, not the last!"

"What shall I do?" There was fire in his eyes, and his open nostrils quivered with intent. Van Helsing slapped him on the shoulder.

"Come!" he said. "You are a man, and it is a man we want. You are better than me, better than my friend John." Arthur looked bewildered, and the Professor went on by explaining in a kindly way.

"Young miss is bad, very bad. She wants blood, and blood she must have or die. My friend John and I have consulted, and we are about to perform what we call transfusion of blood, to transfer from full veins of one to the empty veins which pine for him. John was to give his blood, as he is the more young and strong than me." Here Arthur took my hand and wrung it hard in silence. "But now you are here, you are more good than us, old or young, who toil much in the world of thought. Our nerves are not so calm and our blood so bright than yours!"

Arthur turned to him and said, "If you only knew how gladly I would die for her you would understand..." He stopped with a sort of choke in his voice.

"Good boy!" said Van Helsing. "In the not-so-far-off you will be happy that you have done all for her you love. Come now and be silent. You shall kiss her once before it is done, but then you must go, and you must leave at my sign. Say no word to Madame. You know how it is with her. There must be no shock, any knowledge of this would be one. Come!"

We all went up to Lucy's room. Arthur by direction remained outside. Lucy turned her head and looked at us, but said nothing. She was not asleep, but she was simply too weak to make the effort. Her eyes spoke to us, that was all.

Van Helsing took some things from his bag and laid them on a little table out of sight. Then he mixed a narcotic, and coming over to the bed, said cheerily, "Now, little miss, here is your medicine. Drink it off, like a good child. See, I lift you so that to swallow is easy. Yes." She had made the effort with success.

It astonished me how long the drug took to act. This, in fact, marked the extent of her weakness. The time seemed endless until sleep began to flicker in her eyelids. At last, however, the narcotic began to manifest its potency, and she fell into a deep sleep. When the Professor was satisfied, he called Arthur into the room, and bade him strip off his coat. Then he added, "You may take that one little kiss whiles I bring over the table. Friend John, help to me!" So neither of us looked whilst he bent over her.

Van Helsing, turning to me, said, "He is so young and strong, and of blood so pure that we need not defibrinate it."

Then with swiftness, but with absolute method, Van Helsing performed the operation. As the transfusion went on, something like life seemed to come back to poor Lucy's cheeks, and through Arthur's growing pallor the joy of his face seemed absolutely to shine. After a bit I began to grow anxious, for the loss of blood was telling on Arthur, strong man as he was. It gave me an idea of what a terrible strain Lucy's system must have undergone that what weakened Arthur only partially restored her.

But the Professor's face was set, and he stood watch in hand, and with his eyes fixed now on the patient and now on Arthur. I could hear my own heart beat. Presently, he said in a soft voice, "Do not stir an instant. It is enough. You attend him. I will look to her."

When all was over, I could see how much Arthur was weakened. I dressed the wound and took his arm to bring him away, when Van Helsing spoke without turning round, the man seems to have eyes in the back of his head, "The brave lover, I think, deserve another kiss, which he shall have presently." And as he had now finished his operation, he adjusted the pillow to the patient's head. As he did so the narrow black velvet band which she seems always to wear round her throat, buckled with an old diamond buckle which her lover had given her, was dragged a little up, and showed a red mark on her throat.

Arthur did not notice it, but I could hear the deep hiss of indrawn breath which is one of Van Helsing's ways of betraying emotion. He said nothing at the moment, but turned to me, saying, "Now take down our brave young lover, give him of the port wine, and let him lie down a while. He must then go home and rest, sleep much and eat much, that he may be recruited of what he has so given to his love. He must not stay here. Hold a moment! I may take it, sir, that you are anxious of result. Then bring it with you, that in all ways the operation is successful. You have saved her life this time, and you can go home and rest easy in mind that all that can be is. I shall tell her all when she is well. She shall love you none the less for what you have done. Goodbye."

When Arthur had gone I went back to the room. Lucy was sleeping gently, but her breathing was stronger. I could see the counterpane move as her breast heaved. By the bedside sat Van Helsing, looking at her intently. The velvet band again covered the red mark. I asked the Professor in a whisper, "What do you make of that mark on her throat?"

"What do you make of it?"

"I have not examined it yet," I answered, and then and there proceeded to loose the band. Just over the external jugular vein there were two punctures, not large, but not wholesome looking. There was no sign of disease, but the edges were white and worn looking, as if by some trituration. It at once occurred to me that that this wound, or whatever it was, might be the means of that manifest loss of blood. But I abandoned the idea as soon as it formed, for such a thing could not be. The whole bed would have been drenched to a scarlet with the blood which the girl must have lost to leave such a pallor as she had before the transfusion.

"Well?" said Van Helsing.

"Well," said I. "I can make nothing of it."

The Professor stood up. "I must go back to Amsterdam tonight," he said "There are books and things there which I want. You must remain here all night, and you must not let your sight pass from her."

"Shall I have a nurse?" I asked.

"We are the best nurses, you and I. You keep watch all night. See that she is well fed, and that nothing disturbs her. You must not sleep all the night. Later on we can sleep, you and I. I shall be back as soon as possible. And then we may begin."

"May begin?" I said. "What on earth do you mean?"

"We shall see!" he answered, as he hurried out. He came back a moment later and put his head inside the door and said with a warning finger held up, "Remember, she is your charge. If you leave her, and harm befall, you shall not sleep easy hereafter!"

DR. SEWARD'S DIARY CONTINUED

8 September. I sat up all night with Lucy. The opiate worked itself off towards dusk, and she waked naturally. She looked a different being from what she had been before the operation. Her spirits even were good, and she was full of a happy vivacity, but I could see evidences of the absolute prostration which she had undergone. When I told Mrs. Westenra that Dr. Van Helsing had directed that I should sit up with her, she almost pooh-poohed the idea, pointing out her daughter's renewed strength and excellent spirits. I was firm, however, and made preparations for my long vigil. When her maid had prepared her for the night I came in, having in the meantime had supper, and took a seat by the bedside.

She did not in any way make objection, but looked at me gratefully whenever I caught her eye. After a long spell she seemed sinking off to sleep, but with an effort seemed to pull herself together and shook it off. It was apparent that she did not want to sleep, so I tackled the subject at once.

"You do not want to sleep?"

"No. I am afraid."

"Afraid to go to sleep! Why so? It is the boon we all crave for."

"Ah, not if you were like me, if sleep was to you a presage of horror!"

"A presage of horror! What on earth do you mean?"

"I don't know. Oh, I don't know. And that is what is so terrible. All this weakness comes to me in sleep, until I dread the very thought."

"But, my dear girl, you may sleep tonight. I am here watching you, and I can promise that nothing will happen."

"Ah, I can trust you!" she said.

I seized the opportunity, and said, "I promise that if I see any evidence of bad dreams I will wake you at once."

"You will? Oh, will you really? How good you are to me. Then I will sleep!" And almost at the word she gave a deep sigh of relief, and sank back, asleep.

All night long I watched by her. She never stirred, but slept on and on in a deep, tranquil, life-giving, health-giving sleep. Her lips were slightly parted, and her breast rose and fell with the regularity of a pendulum. There was a smile on her face, and it was evident that no bad dreams had come to disturb her peace of mind.

In the early morning her maid came, and I left her in her care and took myself back home, for I was anxious about many things. I sent a short wire to Van Helsing and to Arthur, telling them of the excellent result of the operation. My own work, with its manifold arrears, took me all day to clear off. It was dark when I was able to inquire about my zoophagous patient. The report was good. He had been quite quiet for the past day and night. A telegram came from Van Helsing at Amsterdam whilst I was at dinner, suggesting that I should be at Hillingham tonight, as it might be well to be at hand, and stating that he was leaving by the night mail and would join me early in the morning.

9 September. I was pretty tired and worn out when I got to Hillingham. For two nights I had hardly had a wink of sleep, and my brain was beginning to feel that numbness which marks cerebral exhaustion. Lucy was up and in cheerful spirits. When she shook hands with me she looked sharply in my face and said,

"No sitting up tonight for you. You are worn out. I am quite well again. Indeed, I am, and if there is to be any sitting up, it is I who will sit up with you."

I would not argue the point, but went and had my supper. Lucy came with me, and, enlivened by her charming presence, I made an excellent meal, and had a couple of glasses of the more than excellent port. Then Lucy took me upstairs, and showed me a room next her own, where a cozy fire was burning.

"Now," she said. "You must stay here. I shall leave this door open and my door too. You can lie on the sofa for I know that nothing would induce any of you doctors to go to bed whilst there is a patient above the horizon. If I want anything I shall call out, and you can come to me at once."

I could not but acquiesce, for I was dog tired, and could not have sat up had I tried. So, on her renewing her promise to call me if she should want anything, I lay on the sofa, and forgot all about everything.

LUCY WESTENRA'S DIARY

9 September. I feel so happy tonight. I have been so miserably weak, that to be able to think and move about is like feeling sunshine after a long spell of east wind out of a steel sky. Somehow Arthur feels very, very close to me. I seem to feel his presence warm about me. I suppose it is that sickness and weakness are selfish things and turn our inner eyes and sympathy on ourselves, whilst health and strength give love rein, and in thought and feeling he can wander where he wills. I know where my thoughts are. If only Arthur knew! My dear, my dear, your ears must tingle as you sleep, as mine do waking. Oh, the blissful rest of last night! How I slept, with that dear, good Dr. Seward watching me. And tonight I shall not fear to sleep, since he is close at hand and within call. Thank everybody for being so good to me. Thank God! Goodnight Arthur.

DR. SEWARD'S DIARY

10 September. I was conscious of the Professor's hand on my head, and started awake all in a second. That is one of the things that we learn in an asylum, at any rate.

"And how is our patient?"

"Well, when I left her, or rather when she left me," I answered.

"Come, let us see," he said. And together we went into the room.

The blind was down, and I went over to raise it gently, whilst Van Helsing stepped, with his soft, cat-like tread, over to the bed.

As I raised the blind, and the morning sunlight flooded the room, I heard the Professor's low hiss of inspiration, and knowing its rarity, a deadly fear shot through my heart. As I passed over he moved back, and his exclamation of horror, "Gott in Himmel!" needed no enforcement from his agonized face. He raised his hand and pointed to the bed, and his iron face was drawn and ashen white. I felt my knees begin to tremble.

There on the bed, seemingly in a swoon, lay poor Lucy, more horribly white and wan-looking than ever. Even the lips were white, and the gums seemed to have shrunken back from the teeth, as we sometimes see in a corpse after a prolonged illness.

Van Helsing raised his foot to stamp in anger, but the instinct of his life and all the long years of habit stood to him, and he put it down again softly.

"Quick!" he said. "Bring the brandy."

I flew to the dining room, and returned with the decanter. He wetted the poor white lips with it, and together we rubbed palm and wrist and heart. He felt her heart, and after a few moments of agonizing suspense said,

"It is not too late. It beats, though but feebly. All our work is undone. We must begin again. There is no young Arthur here now. I have to call on you yourself this time, friend John." As he spoke, he was dipping into his bag, and producing the instruments of transfusion. I had taken off my coat and rolled up my shirt sleeve. There was no possibility of an opiate just at present, and no need of one; and so, without a moment's delay, we began the operation.

After a time, it did not seem a short time either, for the draining away of one's blood, no matter how willingly it be given, is a terrible feeling, Van Helsing held up a warning finger. "Do not stir," he said. "But I fear that with growing strength she may wake, and that would make danger, oh, so much danger. But I shall precaution take. I shall give hypodermic injection of morphia." He proceeded then, swiftly and deftly, to carry out his intent.

The effect on Lucy was not bad, for the faint seemed to merge subtly into the narcotic sleep. It was with a feeling of personal pride that I could see a faint tinge of colour steal back into the pallid cheeks and lips. No man knows, till he experiences it, what it is to feel his own lifeblood drawn away into the veins of the woman he loves.

The Professor watched me critically. "That will do," he said. "Already?" I remonstrated. "You took a great deal more from Art." To which he smiled a sad sort of smile as he replied,

"He is her lover, her fiancé. You have work, much work to do for her and for others, and the present will suffice."

When we stopped the operation, he attended to Lucy, whilst I applied digital pressure to my own incision. I laid down, while I waited his leisure to attend to me, for I felt faint and a little sick. By and by he bound up my wound, and sent me downstairs to get a glass of wine for myself. As I was leaving the room, he came after me, and half whispered.

"Mind, nothing must be said of this. If our young lover should turn up unexpected, as before, no word to him. It would at once frighten him and enjealous him, too. There must be none. So!"

When I came back he looked at me carefully, and then said, "You are not much the worse. Go into the room, and lie on your sofa, and rest awhile, then have much breakfast and come here to me."

I followed out his orders, for I knew how right and wise they were. I had done my part, and now my next duty was to keep up my strength. I felt very weak, and in the weakness lost something of the amazement at what had occurred. I fell asleep on the sofa, however, wondering over and over again how Lucy had made such a retrograde movement, and how she could have been drained of so much blood with no sign any where to show for it. I think I must have continued my wonder in my dreams, for, sleeping and waking my thoughts always came back to the little punctures in her throat and the ragged, exhausted appearance of their edges, tiny though they were.

Lucy slept well into the day, and when she woke she was fairly well and strong, though not nearly so much so as the day before. When Van Helsing had seen her, he went out for a walk, leaving me in charge, with strict injunctions that I was not to leave her for a moment. I could hear his voice in the hall, asking the way to the nearest telegraph office.

Lucy chatted with me freely, and seemed quite unconscious that anything had happened. I tried to keep her amused and interested. When her mother came up to see her, she did not seem to notice any change whatever, but said to me gratefully,

"We owe you so much, Dr. Seward, for all you have done, but you really must now take care not to overwork yourself. You are looking pale yourself. You want a wife to nurse and look after you a bit, that you do!" As she spoke, Lucy turned crimson, though it was only momentarily, for her poor wasted veins could not stand for long an unwonted drain to the head. The reaction came in excessive pallor as she turned imploring eyes on me. I smiled and nodded, and laid my finger on my lips. With a sigh, she sank back amid her pillows.

Van Helsing returned in a couple of hours, and presently said to me: "Now you go home, and eat much and drink enough. Make yourself strong. I stay here tonight, and I shall sit up with little miss myself. You and I must watch the case, and we must have none other to know. I have grave reasons. No, do not ask me. Think what you will. Do not fear to think even the most not-improbable. Goodnight."

In the hall two of the maids came to me, and asked if they or either of them might not sit up with Miss Lucy. They implored me to let them, and when I said it was Dr. Van Helsing's wish that either he or I should sit up, they asked me quite piteously to intercede with the 'foreign gentleman'. I was much touched by their kindness. Perhaps it is because I am weak at present, and perhaps because it was on Lucy's account, that their devotion was manifested. For over and over again have I seen similar instances of woman's kindness. I got back here in time for a late dinner, went my rounds, all well, and set this down whilst waiting for sleep. It is coming.

11 September. This afternoon I went over to Hillingham. Found Van Helsing in excellent spirits, and Lucy much better. Shortly after I had arrived, a big parcel from abroad came for the Professor. He opened it with much impressment, assumed, of course, and showed a great bundle of white flowers.

"These are for you, Miss Lucy," he said.

"For me? Oh, Dr. Van Helsing!"

"Yes, my dear, but not for you to play with. These are medicines." Here Lucy made a wry face. "Nay, but they are not to take in a decoction or in nauseous form, so you need not snub that so charming nose, or I shall point out to my friend Arthur what woes he may have to endure in seeing so much beauty that he so loves so much distort. Aha, my pretty miss, that bring the so nice nose all straight again. This is medicinal, but you do not know how. I put him in your window, I make pretty wreath, and hang him round your neck, so you sleep well. Oh, yes! They, like the lotus flower, make your trouble forgotten. It smell so like the waters of Lethe, and of that fountain of youth that the Conquistadores sought for in the Floridas, and find him all too late."

Whilst he was speaking, Lucy had been examining the flowers and smelling them. Now she threw them down saying, with half laughter, and half disgust,

"Oh, Professor, I believe you are only putting up a joke on me. Why, these flowers are only common garlic."

To my surprise, Van Helsing rose up and said with all his sternness, his iron jaw set and his bushy eyebrows meeting,

"No trifling with me! I never jest! There is grim

purpose in what I do, and I warn you that you do not thwart me. Take care, for the sake of others if not for your own." Then seeing poor Lucy scared, as she might well be, he went on more gently, "Oh, little miss, my dear, do not fear me. I only do for your good, but there is much virtue to you in those so common flowers. See, I place them myself in your room. I make myself the wreath that you are to wear. But hush! No telling to others that make so inquisitive questions. We must obey, and silence is a part of obedience, and obedience is to bring you strong and well into loving arms that wait for you. Now sit still a while. Come with me, friend John, and you shall help me deck the room with my garlic, which is all the way from Haarlem, where my friend Vanderpool raise herb in his glass houses all the year. I had to telegraph yesterday, or they would not have been here."

We went into the room, taking the flowers with us. The Professor's actions were certainly odd and not to be found in any pharmacopeia that I ever heard of. First he fastened up the windows and latched them securely. Next, taking a handful of the flowers, he rubbed them all over the sashes, as though to ensure that every whiff of air that might get in would be laden with the garlic smell. Then with the wisp he rubbed all over the jamb of the door, above, below, and at each side, and round the fireplace in the same way. It all seemed grotesque to me, and presently I said, "Well, Professor, I know you always have a reason for what you do, but this certainly puzzles me. It is well we have no sceptic here, or he would say that you were working some spell to keep out an evil spirit."

"Perhaps I am!" he answered quietly as he began to make the wreath which Lucy was to wear round her neck.

We then waited whilst Lucy made her toilet for the night, and when she was in bed he came and himself fixed the wreath of garlic round her neck. The last words he said to her were,

"Take care you do not disturb it, and even if the room feel close, do not tonight open the window or the door."

"I promise," said Lucy. "And thank you both a thousand times for all your kindness to me! Oh, what have I done to be blessed with such friends?"

As we left the house in my fly, which was waiting, Van Helsing said, "Tonight I can sleep in peace, and sleep I want, two nights of travel, much reading in the day between, and much anxiety on the day to follow, and a night to sit up, without to wink. Tomorrow in the morning early you call for me, and we come together to see our pretty miss, so much more strong for my 'spell' which I have work. Ho, ho!"

He seemed so confident that I, remembering my own confidence two nights before and with the baneful result, felt awe and vague terror. It must have been my weakness that made me hesitate to tell it to my friend, but I felt it all the more, like unshed tears.

CHAPTER 11
LUCY WESTENRA'S DIARY

12 September. How good they all are to me. I quite love that dear Dr. Van Helsing. I wonder why he was so anxious about these flowers. He positively frightened me, he was so fierce. And yet he must have been right, for I feel comfort from them already. Somehow, I do not dread being alone tonight, and I can go to sleep without fear. I shall not mind any flapping outside the window. Oh, the terrible struggle that I have had against sleep so often of late, the pain of sleeplessness, or the pain of the fear of sleep, and with such unknown horrors as it has for me! How blessed are some people, whose lives have no fears, no dreads, to whom sleep is a blessing that comes nightly, and brings nothing but sweet dreams. Well, here I am tonight, hoping for sleep, and lying like Ophelia in the play, with 'virgin crants and maiden strewments.' I never liked garlic before, but tonight it is delightful! There is peace in its smell. I feel sleep coming already. Goodnight, everybody.

DR. SEWARD'S DIARY

13 September. Called at the Berkeley and found Van Helsing, as usual, up to time. The carriage ordered from the hotel was waiting. The Professor took his bag, which he always brings with him now.

Let all be put down exactly. Van Helsing and I arrived at Hillingham at eight o'clock. It was a lovely morning. The bright sunshine and all the fresh feeling of early autumn seemed like the completion of nature's annual work. The leaves were turning to all kinds of beautiful colours, but had not yet begun to drop from the trees. When we entered we met Mrs. Westenra coming out of the morning room. She is always an early riser. She greeted us warmly and said,

"You will be glad to know that Lucy is better. The dear child is still asleep. I looked into her room and saw her, but did not go in, lest I should disturb her." The Professor smiled, and looked quite jubilant. He rubbed his hands together, and said, "Aha! I thought I had diagnosed the case. My treatment is working."

To which she replied, "You must not take all the credit to yourself, doctor. Lucy's state this morning is due in part to me."

"How do you mean, ma'am?" asked the Professor.

"Well, I was anxious about the dear child in the night, and went into her room. She was sleeping soundly, so soundly that even my coming did not wake her. But the room was awfully stuffy. There were a lot of those horrible, strong-smelling flowers about everywhere, and she had actually a bunch of them round her neck. I feared that the heavy odour would be too much for the dear child in her weak state, so I took them all away and opened a bit of the window to let in a little fresh air. You will be pleased with her, I am sure."

She moved off into her boudoir, where she usually breakfasted early. As she had spoken, I watched the Professor's face, and saw it turn ashen gray. He had been able to retain his self-command whilst the poor lady was present, for he knew her state and how mischievous a shock would be. He actually smiled on her as he held open the door for her to pass into her room. But the instant she had disappeared he pulled me, suddenly and forcibly, into the dining room and closed the door.

Then, for the first time in my life, I saw Van Helsing break down. He raised his hands over his head in a sort of mute despair, and then beat his palms together in a helpless way. Finally he sat down on a chair, and putting his hands before his face, began to sob, with loud, dry sobs that seemed to come from the very racking of his heart.

Then he raised his arms again, as though appealing to the whole universe. "God! God! God!" he said. "What have we done, what has this poor thing done, that we are so sore beset? Is there fate amongst us still, send down from the pagan world of old, that such things must be, and in such way? This poor mother, all unknowing, and all for the best as she think, does such thing as lose her daughter body and soul, and we must not tell her, we must not even warn her, or she die, then both die. Oh, how we are beset! How are all the powers of the devils against us!"

Suddenly he jumped to his feet. "Come," he said, "come, we must see and act. Devils or no devils, or all the devils at once, it matters not. We must fight him all the same." He went to the hall door for his bag, and together we went up to Lucy's room.

Once again I drew up the blind, whilst Van Helsing went towards the bed. This time he did not start as he looked on the poor face with the same awful, waxen pallor as before. He wore a look of stern sadness and infinite pity.

"As I expected," he murmured, with that hissing inspiration of his which meant so much. Without a word he went and locked the door, and then began to set out on the little table the instruments for yet another operation of transfusion of blood. I had long ago recognized the necessity, and begun to take off my coat, but he stopped me with a warning hand. "No!" he said. "Today you must operate. I shall provide. You are weakened already." As he spoke he took off his coat and rolled up his shirtsleeve.

Again the operation. Again the narcotic. Again some return of colour to the ashy cheeks, and the regular breathing of healthy sleep. This time I watched whilst Van Helsing recruited himself and rested.

Presently he took an opportunity of telling Mrs. Westenra that she must not remove anything from Lucy's room without consulting him. That the flowers were of medicinal value, and that the breathing of their odour was a part of the system of cure. Then he took over the care of the case himself, saying that he would watch this night and the next, and would send me word when to come.

After another hour Lucy waked from her sleep, fresh and bright and seemingly not much the worse for her terrible ordeal.

What does it all mean? I am beginning to wonder if my long habit of life amongst the insane is beginning to tell upon my own brain.

LUCY WESTENRA'S DIARY

17 September. Four days and nights of peace. I am getting so strong again that I hardly know myself. It is as if I had passed through some long nightmare, and had just awakened to see the beautiful sunshine and feel the fresh air of the morning around me. I have a dim half remembrance of long, anxious times of waiting and fearing, darkness in which there was not even the pain of hope to make present distress more poignant. And then long spells of oblivion, and the rising back to life as a diver coming up through a great press of water. Since, however, Dr. Van Helsing has been with me, all this bad dreaming seems to have passed away. The noises that used to frighten me out of my wits, the flapping against the windows, the distant voices which seemed so close to me, the harsh sounds that came from I know not where and commanded me to do I know not what, have all ceased. I go to bed now without any fear of sleep. I do not even try to keep awake. I have grown quite fond of the garlic, and a boxful arrives for me every day from Haarlem. Tonight Dr. Van Helsing is going away, as he has to be for a day in Amsterdam. But I need not be watched. I am well enough to be left alone.

Thank God for Mother's sake, and dear Arthur's, and for all our friends who have been so kind! I shall not even feel the change, for last night Dr. Van Helsing slept in his chair a lot of the time. I found him asleep twice when I awoke. But I did not fear to go to sleep again, although the boughs or bats or something flapped almost angrily against the window panes.

THE PALL MALL GAZETTE 18 September.

THE ESCAPED WOLF PERILOUS ADVENTURE OF OUR INTERVIEWER

INTERVIEW WITH THE KEEPER IN THE ZOOLOGICAL GARDENS

After many inquiries and almost as many refusals, and perpetually using the words 'PALL MALL GAZETTE' as a sort of talisman, I managed to find the keeper of the section of the Zoological Gardens in which the wolf department is included. Thomas Bilder lives in one of the cottages in the enclosure behind the elephant house, and was just sitting down to his tea when I found him. Thomas and his wife are hospitable folk, elderly, and without children, and if the specimen I enjoyed of their hospitality be of the average kind, their lives must be pretty comfortable. The keeper would not enter on what he called business until the supper was over, and we were all satisfied. Then when the table was cleared, and he had lit his pipe, he said,

"Now, Sir, you can go on and arsk me what you want. You'll excoose me refoosin' to talk of perfeshunal subjucts afore meals. I gives the wolves and the jackals and the hyenas in all our section their tea afore I begins to arsk them questions."

"How do you mean, ask them questions?" I queried, wishful to get him into a talkative humor.

"'Ittin' of them over the 'ead with a pole is one way. Scratchin' of their ears in another, when gents as is flush wants a bit of a show-orf to their gals. I don't so much mind the fust, the 'ittin of the pole part afore I chucks in their dinner, but I waits till they've 'ad their sherry and kawffee, so to speak, afore I tries on with the ear scratchin'. Mind you," he added philosophically, "there's a deal of the same nature in us as in them theer animiles. Here's you a-comin' and arskin' of me questions about my business, and I that grump-like that only for your bloomin' 'arf-quid I'd 'a' seen you blowed fust 'fore I'd answer. Not even when you asked me sarcastic like if I'd like you to arsk the Superintendent if you might arsk me questions. Without offence did I tell yer to go to 'ell?"

"You did."

"An' when you said you'd report me for usin' obscene language that was 'ittin' me over the 'ead. But the 'arf-quid made that all right. I weren't a-goin' to fight, so I waited for the food, and did with my 'owl as the wolves and lions and tigers does. But, lor' love yer 'art, now that the old 'ooman has stuck a chunk of her tea-cake in me, an' rinsed me out with her bloomin' old teapot, and I've lit hup, you may scratch my ears for all you're worth, and won't even get a growl out of me. Drive along with your questions. I know what yer a-comin' at, that 'ere escaped wolf."

"Exactly. I want you to give me your view of it. Just tell me how it happened, and when I know the facts I'll get you to say what you consider was the cause of it, and how you think the whole affair will end."

"All right, guv'nor. This 'ere is about the 'ole story. That 'ere wolf what we called Bersicker was one of three gray ones that came from Norway to Jamrach's, which we bought off him four years ago. He was a nice well-behaved wolf, that never gave no trouble to talk of. I'm more surprised at 'im for wantin' to get out nor any other animile in the place. But, there, you can't trust wolves no more nor women."

"Don't you mind him, Sir!" broke in Mrs. Tom, with a cheery laugh. "'E's got mindin' the animiles so long that blest if he ain't like a old wolf 'isself! But there ain't no 'arm in 'im."

"Well, Sir, it was about two hours after feedin' yesterday when I first hear my disturbance. I was makin' up a litter in the monkey house for a young puma which is ill. But when I heard the yelpin' and 'owlin' I kem away straight. There was Bersicker a-tearin' like a mad thing at the bars as if he wanted to get out. There wasn't much people about that day, and close at hand was only one man, a tall, thin chap, with a 'ook nose and a pointed beard, with a few white hairs runnin' through it. He had a 'ard, cold look and red eyes, and I took a sort of mislike to him, for it seemed as if it was 'im as they was hirritated at. He 'ad white kid gloves on 'is 'ands, and he pointed out the animiles to me and says, 'Keeper, these wolves seem upset at something.'

"'Maybe it's you,' says I, for I did not like the airs as he give 'isself. He didn't get angry, as I 'oped he would, but he smiled a kind of insolent smile, with a mouth full of white, sharp teeth. 'Oh no, they wouldn't like me,' 'e says.

"'Ow yes, they would,' says I, a-imitatin' of him. 'They always like a bone or two to clean their teeth on about tea time, which you 'as a bagful.'

"Well, it was a odd thing, but when the animiles see us a-talkin' they lay down, and when I went over to Bersicker he let me stroke his ears same as ever. That there man kem over, and blessed but if he didn't put in his hand and stroke the old wolf's ears too!

"'Tyke care,' says I. 'Bersicker is quick.'

"'Never mind,' he says. I'm used to 'em!'

"'Are you in the business yourself?' I says, tyking off my 'at, for a man what trades in wolves, anceterer, is a good friend to keepers.

"'Nom,' says he, 'not exactly in the business, but I 'ave made pets of several.' And with that he lifts his 'at as perlite as a lord, and walks away. Old Bersicker kep' a-lookin' arter 'im till 'e was out of sight, and then went and lay down in a corner and wouldn't come hout the 'ole hevening. Well, larst night, so soon as the moon was hup, the wolves here all began a-'owling. There warn't nothing for them to 'owl at. There warn't no one near, except some one that was evidently a-callin' a dog somewheres out back of the gardings in the Park road. Once or twice I went out to see that all was right, and it was, and then the 'owling stopped. Just before twelve o'clock I just took a look round afore turnin' in, an', bust me, but when I kem opposite to old Bersicker's cage I see the rails broken and twisted about and the cage empty. And that's all I know for certing."

"Did any one else see anything?"

"One of our gard'ners was a-comin' 'ome about that time from a 'armony, when he sees a big gray dog comin' out through the garding 'edges. At least, so he says, but I don't give much for it myself, for if he did 'e never said a word about it to his missis when 'e got 'ome, and it was only after the escape of the wolf was made known, and we had been up all night a-huntin' of the Park for Bersicker, that he remembered seein' anything. My own belief was that the 'armony 'ad got into his 'ead."

"Now, Mr. Bilder, can you account in any way for the escape of the wolf?"

"Well, Sir," he said, with a suspicious sort of modesty, "I think I can, but I don't know as 'ow you'd be satisfied with the theory."

"Certainly I shall. If a man like you, who knows the animals from experience, can't hazard a good guess at any rate, who is even to try?"

"Well then, Sir, I accounts for it this way. It seems to me that 'ere wolf escaped simply because he wanted to get out."

From the hearty way that both Thomas and his wife laughed at the joke I could see that it had done service before, and that the whole explanation was simply an elaborate sell. I couldn't cope in badinage with the worthy Thomas, but I thought I knew a surer way to his heart, so I said, "Now, Mr. Bilder, we'll consider that first half-sovereign worked off, and this brother of his is waiting to be claimed when you've told me what you think will happen."

"Right y'are, Sir," he said briskly. "Ye'll excoose me, I know, for a-chaffin' of ye, but the old woman here winked at me, which was as much as telling me to go on."

"Well, I never!" said the old lady.

"My opinion is this: that 'ere wolf is a'idin' of, somewheres. The gard'ner wot didn't remember said he was a-gallopin' northward faster than a horse could go, but I don't believe him, for, yer see, Sir, wolves don't gallop no more nor dogs does, they not bein' built that way. Wolves is fine things in a storybook, and I dessay when they gets in packs and does be chivyin' somethin' that's more afeared than they is they can make a devil of a noise and chop it up, whatever it is. But, Lor' bless you, in real life a wolf is only a low creature, not half so clever or bold as a good dog, and not half a quarter so much fight in 'im. This one ain't been used to fightin' or even to providin' for hisself, and more like he's somewhere round the Park a'hidin' an' a'shiverin' of, and if he thinks at all, wonderin' where he is to get his breakfast from. Or maybe he's got down some area and is in a coal cellar. My eye, won't some cook get a rum start when she sees his green eyes a-shinin' at her out of the dark! If he can't get food he's bound to look for it, and mayhap he may chance to light on a butcher's shop in time. If he doesn't, and some nursemaid goes out walkin' or orf with a soldier, leavin' the hinfant in the perambulator well, then I shouldn't be surprised if the census is one babby the less. That's all."

I was handing him the half-sovereign, when something came bobbing up against the window, and Mr. Bilder's face doubled its natural length with surprise.

"God bless me!" he said. "If there ain't old Bersicker come back by 'isself!"

He went to the door and opened it, a most unnecessary proceeding it seemed to me. I have always thought that a wild animal never looks so well as when some obstacle of pronounced durability is between us. A personal experience has intensified rather than diminished that idea.

After all, however, there is nothing like custom, for neither Bilder nor his wife thought any more of the wolf than I should of a dog. The animal itself was a peaceful and well-behaved as that father of all picture-wolves, Red Riding Hood's quondam friend, whilst moving her confidence in masquerade.

The whole scene was a unutterable mixture of comedy and pathos. The wicked wolf that for a half a day had paralyzed London and set all the children in town shivering in their shoes, was there in a sort of penitent mood, and was received and petted like a sort of vulpine prodigal son. Old Bilder examined him all over with most tender solicitude, and when he had finished with his penitent said,

"There, I knew the poor old chap would get into some kind of trouble. Didn't I say it all along? Here's his head all cut and full of broken glass. 'E's been a-gettin' over some bloomin' wall or other. It's a shyme that people are allowed to top their walls with broken bottles. This 'ere's what comes of it. Come along, Bersicker."

He took the wolf and locked him up in a cage, with a piece of meat that satisfied, in quantity at any rate, the elementary conditions of the fatted calf, and went off to report.

I came off too, to report the only exclusive information that is given today regarding the strange escapade at the Zoo.

DR. SEWARD'S DIARY

17 September. I was engaged after dinner in my study posting up my books, which, through press of other work and the many visits to Lucy, had fallen sadly into arrear. Suddenly the door was burst open, and in rushed my patient, with his face distorted with passion. I was thunderstruck, for such a thing as a patient getting of his own accord into the Superintendent's study is almost unknown.

Without an instant's notice he made straight at me. He had a dinner knife in his hand, and as I saw he was dangerous, I tried to keep the table between us. He was too quick and too strong for me, however, for before I could get my balance he had struck at me and cut my left wrist rather severely.

Before he could strike again, however, I got in my right hand and he was sprawling on his back on the floor. My wrist bled freely, and quite a little pool trickled on to the carpet. I saw that my friend was not intent on further effort, and occupied myself binding up my wrist, keeping a wary eye on the prostrate figure all the time. When the attendants rushed in, and we turned our attention to him, his employment positively sickened me. He was lying on his belly on the floor licking up, like a dog, the blood which had fallen from my wounded wrist. He was easily secured, and to my surprise, went with the attendants quite placidly, simply repeating over and over again, "The blood is the life! The blood is the life!"

I cannot afford to lose blood just at present. I have lost too much of late for my physical good, and then the prolonged strain of Lucy's illness and its horrible phases is telling on me. I am over excited and weary, and I need rest, rest, rest. Happily Van Helsing has not summoned me, so I need not forego my sleep. Tonight I could not well do without it.

TELEGRAM, VAN HELSING, ANTWERP, TO SEWARD, CARFAX

(Sent to Carfax, Sussex, as no county given, delivered late by twenty-two hours.)

17 September. Do not fail to be at Hilllingham tonight. If not watching all the time, frequently visit and see that flowers are as placed, very important, do not fail. Shall be with you as soon as possible after arrival.

DR. SEWARD'S DIARY

18 September. Just off train to London. The arrival of Van Helsing's telegram filled me with dismay. A whole night lost, and I know by bitter experience what may happen in a night. Of course it is possible that all may be well, but what may have happened? Surely there is some horrible doom hanging over us that every possible accident should thwart us in all we try to do. I shall take this cylinder with me, and then I can complete my entry on Lucy's phonograph.

MEMORANDUM LEFT BY LUCY WESTENRA

17 September, Night. I write this and leave it to be seen, so that no one may by any chance get into trouble through me. This is an exact record of what took place tonight. I feel I am dying of weakness, and have barely strength to write, but it must be done if I die in the doing.

I went to bed as usual, taking care that the flowers were placed as Dr. Van Helsing directed, and soon fell asleep.

I was waked by the flapping at the window, which had begun after that sleep-walking on the cliff at Whitby when Mina saved me, and which now I know so well. I was not afraid, but I did wish that Dr. Seward was in the next room, as Dr. Van Helsing said he would be, so that I might have called him. I tried to sleep, but I could not. Then there came to me the old fear of sleep, and I determined to keep awake. Perversely sleep would try to come then when I did not want it. So, as I feared to be alone, I opened my door and called out, "Is there anybody there?" There was no answer. I was afraid to wake mother, and so closed my door again. Then outside in the shrubbery I heard a sort of howl like a dog's, but more fierce and deeper. I went to the window and looked out, but could see nothing, except a big bat, which had evidently been buffeting its wings against the window. So I went back to bed again, but determined not to go to sleep. Presently the door opened, and mother looked in. Seeing by my moving that I was not asleep, she came in and sat by me. She said to me even more sweetly and softly than her wont,

"I was uneasy about you, darling, and came in to see that you were all right."

I feared she might catch cold sitting there, and asked her to come in and sleep with me, so she came into bed, and lay down beside me. She did not take off her dressing gown, for she said she would only stay a while and then go back to her own bed. As she lay there in my arms, and I in hers the flapping and buffeting came to the window again. She was startled and a little frightened, and cried out, "What is that?"

I tried to pacify her, and at last succeeded, and she lay quiet. But I could hear her poor dear heart still beating terribly. After a while there was the howl again out in the shrubbery, and shortly after there was a crash at the window, and a lot of broken glass was hurled on the floor. The window blind blew back with the wind that rushed in, and in the aperture of the broken panes there was the head of a great, gaunt gray wolf.

Mother cried out in a fright, and struggled up into a sitting posture, and clutched wildly at anything that would help her. Amongst other things, she clutched the wreath of flowers that Dr. Van Helsing insisted on my wearing round my neck, and tore it away from me. For a second or two she sat up, pointing at the wolf, and there was a strange and horrible gurgling in her throat. Then she fell over, as if struck with lightning, and her head hit my forehead and made me dizzy for a moment or two.

The room and all round seemed to spin round. I kept my eyes fixed on the window, but the wolf drew his head back, and a whole myriad of little specks seems to come blowing in through the broken window, and wheeling and circling round like the pillar of dust that travellers describe when there is a simoon in the desert. I tried to stir, but there was some spell upon me, and dear Mother's poor body, which seemed to grow cold already, for her dear heart had ceased to beat, weighed me down, and I remembered no more for a while.

The time did not seem long, but very, very awful, till I recovered consciousness again. Somewhere near, a passing bell was tolling. The dogs all round the neighbourhood were howling, and in our shrubbery, seemingly just outside, a nightingale was singing. I was dazed and stupid with pain and terror and weakness, but the sound of the nightingale seemed like the voice of my dead mother come back to comfort me. The sounds seemed to have awakened the maids, too, for I could hear their bare feet pattering outside my door. I called to them, and they came in, and when they saw what had happened, and what it was that lay over me on the bed, they screamed out. The wind rushed in through the broken window, and the door slammed to. They lifted off the body of my dear mother, and laid her, covered up with a sheet, on the bed after I had got up. They were all so frightened and nervous that I directed them to go to the dining room and each have a glass of wine. The door flew open for an instant and closed again. The maids shrieked, and then went in a body to the dining room, and I laid what flowers I had on my dear mother's breast. When they were there I remembered what Dr. Van Helsing had told me, but I didn't like to remove them, and besides, I would have some of the servants to sit up with me now. I was surprised that the maids did not come back. I called them, but got no answer, so I went to the dining room to look for them.

My heart sank when I saw what had happened. They all four lay helpless on the floor, breathing heavily. The decanter of sherry was on the table half full, but there was a queer, acrid smell about. I was suspicious, and examined the decanter. It smelt of laudanum, and looking on the sideboard, I found that the bottle which Mother's doctor uses for her oh! did use was empty. What am I to do? What am I to do? I am back in the room with Mother. I cannot leave her, and I am alone, save for the sleeping servants, whom some one has drugged. Alone with the dead! I dare not go out, for I can hear the low howl of the wolf through the broken window.

The air seems full of specks, floating and circling in the draught from the window, and the lights burn blue and dim. What am I to do? God shield me from harm this night! I shall hide this paper in my breast, where they shall find it when they come to lay me out. My dear mother gone! It is time that I go too. Goodbye, dear Arthur, if I should not survive this night. God keep you, dear, and God help me!

CHAPTER 12
DR. SEWARD'S DIARY

18 September. I drove at once to Hillingham and arrived early. Keeping my cab at the gate, I went up the avenue alone. I knocked gently and rang as quietly as possible, for I feared to disturb Lucy or her mother, and hoped to only bring a servant to the door. After a while, finding no response, I knocked and rang again, still no answer. I cursed the laziness of the servants that they should lie abed at such an hour, for it was now ten o'clock, and so rang and knocked again, but more impatiently, but still without response. Hitherto I had blamed only the servants, but now a terrible fear began to assail me. Was this desolation but another link in the chain of doom which seemed drawing tight round us? Was it indeed a house of death to which I had come, too late? I know that minutes, even seconds of delay, might mean hours of danger to Lucy, if she had had again one of those frightful relapses, and I went round the house to try if I could find by chance an entry anywhere.

I could find no means of ingress. Every window and door was fastened and locked, and I returned baffled to the porch. As I did so, I heard the rapid pit-pat of a swiftly driven horse's feet. They stopped at the gate, and a few seconds later I met Van Helsing running up the avenue. When he saw me, he gasped out, "Then it was you, and just arrived. How is she? Are we too late? Did you not get my telegram?"

I answered as quickly and coherently as I could that I had only got his telegram early in the morning, and had not a minute in coming here, and that I could not make any one in the house hear me. He paused and raised his hat as he said solemnly, "Then I fear we are too late. God's will be done!"

With his usual recuperative energy, he went on, "Come. If there be no way open to get in, we must make one. Time is all in all to us now."

We went round to the back of the house, where there was a kitchen window. The Professor took a small surgical saw from his case, and handing it to me, pointed to the iron bars which guarded the window. I attacked them at once and had very soon cut through three of them. Then with a long, thin knife we pushed back the fastening of the sashes and opened the window. I helped the Professor in, and followed him. There was no one in the kitchen or in the servants' rooms, which were close at hand. We tried all the rooms as we went along, and in the dining room, dimly lit by rays of light through the shutters, found four servant women lying on the floor. There was no need to think them dead, for their stertorous breathing and the acrid smell of laudanum in the room left no doubt as to their condition.

Van Helsing and I looked at each other, and as we moved away he said, "We can attend to them later." Then we ascended to Lucy's room. For an instant or two we paused at the door to listen, but there was no sound that we could hear. With white faces and trembling hands, we opened the door gently, and entered the room.

How shall I describe what we saw? On the bed lay two women, Lucy and her mother. The latter lay farthest in, and she was covered with a white sheet, the edge of which had been blown back by the drought through the broken window, showing the drawn, white, face, with a look of terror fixed upon it. By her side lay Lucy, with face white and still more drawn. The flowers which had been round her neck we found upon her mother's bosom, and her throat was bare, showing the two little wounds which we had noticed before, but looking horribly white and mangled. Without a word the Professor bent over the bed, his head almost touching poor Lucy's breast. Then he gave a quick turn of his head, as of one who listens, and leaping to his feet, he cried out to me, "It is not yet too late! Quick! Quick! Bring the brandy!"

I flew downstairs and returned with it, taking care to smell and taste it, lest it, too, were drugged like the decanter of sherry which I found on the table. The maids were still breathing, but more restlessly, and I fancied that the narcotic was wearing off. I did not stay to make sure, but returned to Van Helsing. He rubbed the brandy, as on another occasion, on her lips and gums and on her wrists and the palms of her hands. He said to me, "I can do this, all that can be at the present. You go wake those maids. Flick them in the face with a wet towel, and flick them hard. Make them get heat and fire and a warm bath. This poor soul is nearly as cold as that beside her. She will need be heated before we can do anything more."

I went at once, and found little difficulty in waking three of the women. The fourth was only a young girl, and the drug had evidently affected her more strongly so I lifted her on the sofa and let her sleep.

The others were dazed at first, but as remembrance came back to them they cried and sobbed in a hysterical manner. I was stern with them, however, and would not let them talk. I told them that one life was bad enough to lose, and if they delayed they would sacrifice Miss Lucy. So, sobbing and crying they went about their way, half clad as they were, and prepared fire and water. Fortunately, the kitchen and boiler fires were still alive, and there was no lack of hot water. We got a bath and carried Lucy out as she was and placed her in it. Whilst we were busy chafing her limbs there was a knock at the hall door. One of the maids ran off, hurried on some more clothes, and opened it. Then she returned and whispered to us that there was a gentleman who had come with a message from Mr. Holmwood. I bade her simply tell him that he must wait, for we could see no one now. She went away with the message, and, engrossed with our work, I clean forgot all about him.

I never saw in all my experience the Professor work in such deadly earnest. I knew, as he knew, that it was a stand-up fight with death, and in a pause told him so. He answered me in a way that I did not understand, but with the sternest look that his face could wear.

"If that were all, I would stop here where we are now, and let her fade away into peace, for I see no light in life over her horizon." He went on with his work with, if possible, renewed and more frenzied vigour.

Presently we both began to be conscious that the heat was beginning to be of some effect. Lucy's heart beat a trifle more audibly to the stethoscope, and her lungs had a perceptible movement. Van Helsing's face almost beamed, and as we lifted her from the bath and rolled her in a hot sheet to dry her he said to me, "The first gain is ours! Check to the King!"

We took Lucy into another room, which had by now been prepared, and laid her in bed and forced a few drops of brandy down her throat. I noticed that Van Helsing tied a soft silk handkerchief round her throat. She was still unconscious, and was quite as bad as, if not worse than, we had ever seen her.

Van Helsing called in one of the women, and told her to stay with her and not to take her eyes off her till we returned, and then beckoned me out of the room.

"We must consult as to what is to be done," he said as we descended the stairs. In the hall he opened the dining room door, and we passed in, he closing the door carefully behind him. The shutters had been opened, but the blinds were already down, with that obedience to the etiquette of death which the British woman of the lower classes always rigidly observes. The room was, therefore, dimly dark. It was, however, light enough for our purposes. Van Helsing's sternness was somewhat relieved by a look of perplexity. He was evidently torturing his mind about something, so I waited for an instant, and he spoke.

"What are we to do now? Where are we to turn for help? We must have another transfusion of blood, and that soon, or that poor girl's life won't be worth an hour's purchase. You are exhausted already. I am exhausted too. I fear to trust those women, even if they would have courage to submit. What are we to do for some one who will open his veins for her?"

"What's the matter with me, anyhow?"

The voice came from the sofa across the room, and its tones brought relief and joy to my heart, for they were those of Quincey Morris.

Van Helsing started angrily at the first sound, but his face softened and a glad look came into his eyes as I cried out, "Quincey Morris!" and rushed towards him with outstretched hands.

"What brought you here?" I cried as our hands met.

"I guess Art is the cause."

He handed me a telegram. 'Have not heard from Seward for three days, and am terribly anxious. Cannot leave. Father still in same condition. Send me word how Lucy is. Do not delay. Holmwood.'

"I think I came just in the nick of time. You know you have only to tell me what to do."

Van Helsing strode forward, and took his hand, looking him straight in the eyes as he said, "A brave man's blood is the best thing on this earth when a woman is in trouble. You're a man and no mistake. Well, the devil may work against us for all he's worth, but God sends us men when we want them."

Once again we went through that ghastly operation. I have not the heart to go through with the details. Lucy had got a terrible shock and it told on her more than before, for though plenty of blood went into her veins, her body did not respond to the treatment as well as on the other occasions. Her struggle back into life was something frightful to see and hear. However, the action of both heart and lungs improved, and Van Helsing made a subcutaneous injection of morphia, as before, and with good effect. Her faint became a profound slumber. The Professor watched whilst I went downstairs with Quincey Morris, and sent one of the maids to pay off one of the cabmen who were waiting.

I left Quincey lying down after having a glass of wine, and told the cook to get ready a good breakfast. Then a thought struck me, and I went back to the room where Lucy now was. When I came softly in, I found Van Helsing with a sheet or two of note paper in his hand. He had evidently read it, and was thinking it over as he sat with his hand to his brow. There was a look of grim satisfaction in his face, as of one who has had a doubt solved. He handed me the paper saying only, "It dropped from Lucy's breast when we carried her to the bath."

When I had read it, I stood looking at the Professor, and after a pause asked him, "In God's name, what does it all mean? Was she, or is she, mad, or what sort of horrible danger is it?" I was so bewildered that I did not know what to say more. Van Helsing put out his hand and took the paper, saying,

"Do not trouble about it now. Forget it for the present. You shall know and understand it all in good time, but it will be later. And now what is it that you came to me to say?" This brought me back to fact, and I was all myself again.

"I came to speak about the certificate of death. If we do not act properly and wisely, there may be an inquest, and that paper would have to be produced. I am in hopes that we need have no inquest, for if we had it would surely kill poor Lucy, if nothing else did. I know, and you know, and the other doctor who attended her knows, that Mrs. Westenra had disease of the heart, and we can certify that she died of it. Let us fill up the certificate at once, and I shall take it myself to the registrar and go on to the undertaker."

"Good, oh my friend John! Well thought of! Truly Miss Lucy, if she be sad in the foes that beset her, is at least happy in the friends that love her. One, two, three, all open their veins for her, besides one old man. Ah, yes, I know, friend John. I am not blind! I love you all the more for it! Now go."

In the hall I met Quincey Morris, with a telegram for Arthur telling him that Mrs. Westenra was dead, that Lucy also had been ill, but was now going on better, and that Van Helsing and I were with her. I told him where I was going, and he hurried me out, but as I was going said,

"When you come back, Jack, may I have two words with you all to ourselves?" I nodded in reply and went out. I found no difficulty about the registration, and arranged with the local undertaker to come up in the evening to measure for the coffin and to make arrangements.

When I got back Quincey was waiting for me. I told him I would see him as soon as I knew about Lucy, and went up to her room. She was still sleeping, and the Professor seemingly had not moved from his seat at her side. From his putting his finger to his lips, I gathered that he expected her to wake before long and was afraid of fore-stalling nature. So I went down to Quincey and took him into the breakfast room, where the blinds were not drawn down, and which was a little more cheerful, or rather less cheerless, than the other rooms.

When we were alone, he said to me, "Jack Seward, I don't want to shove myself in anywhere where I've no right to be, but this is no ordinary case. You know I loved that girl and wanted to marry her, but although that's all past and gone, I can't help feeling anxious about her all the same. What is it that's wrong with her? The Dutchman, and a fine old fellow he is, I can see that, said that time you two came into the room, that you must have another transfusion of blood, and that both you and he were exhausted. Now I know well that you medical men speak in camera, and that a man must not expect to know what they consult about in private. But this is no common matter, and whatever it is, I have done my part. Is not that so?"

"That's so," I said, and he went on.

"I take it that both you and Van Helsing had done already what I did today. Is not that so?"

"That's so."

"And I guess Art was in it too. When I saw him four days ago down at his own place he looked queer. I have not seen anything pulled down so quick since I was on the Pampas and had a mare that I was fond of go to grass all in a night. One of those big bats that they call vampires had got at her in the night, and what with his gorge and the vein left open, there wasn't enough blood in her to let her stand up, and I had to put a bullet through her as she lay. Jack, if you may tell me without betraying confidence, Arthur was the first, is not that so?"

As he spoke the poor fellow looked terribly anxious. He was in a torture of suspense regarding the woman he loved, and his utter ignorance of the terrible mystery which seemed to surround her intensified his pain. His very heart was bleeding, and it took all the manhood of him, and there was a royal lot of it, too, to keep him from breaking down. I paused before answering, for I felt that I must not betray anything which the Professor wished kept secret, but already he knew so much, and guessed so much, that there could be no reason for not answering, so I answered in the same phrase.

"That's so."

"And how long has this been going on?"

"About ten days."

"Ten days! Then I guess, Jack Seward, that that poor pretty creature that we all love has had put into her veins within that time the blood of four strong men. Man alive, her whole body wouldn't hold it." Then coming close to me, he spoke in a fierce half-whisper. "What took it out?"

I shook my head. "That," I said, "is the crux. Van Helsing is simply frantic about it, and I am at my wits' end. I can't even hazard a guess. There has been a series of little circumstances which have thrown out all our calculations as to Lucy being properly watched. But these shall not occur again. Here we stay until all be well, or ill."

Quincey held out his hand. "Count me in," he said. "You and the Dutchman will tell me what to do, and I'll do it."

When she woke late in the afternoon, Lucy's first movement was to feel in her breast, and to my surprise, produced the paper which Van Helsing had given me to read. The careful Professor had replaced it where it had come from, lest on waking she should be alarmed. Her eyes then lit on Van Helsing and on me too, and gladdened. Then she looked round the room, and seeing where she was, shuddered. She gave a loud cry, and put her poor thin hands before her pale face.

We both understood what was meant, that she had realized to the full her mother's death. So we tried what we could to comfort her. Doubtless sympathy eased her somewhat, but she was very low in thought and spirit, and wept silently and weakly for a long time. We told her that either or both of us would now remain with her all the time, and that seemed to comfort her. Towards dusk she fell into a doze. Here a very odd thing occurred. Whilst still asleep she took the paper from her breast and tore it in two. Van Helsing stepped over and took the pieces from her. All the same, however, she went on with the action of tearing, as though the material were still in her hands. Finally she lifted her hands and opened them as though scattering the fragments. Van Helsing seemed surprised, and his brows gathered as if in thought, but he said nothing.

19 September. All last night she slept fitfully, being always afraid to sleep, and something weaker when she woke from it. The Professor and I took in turns to watch, and we never left her for a moment unattended. Quincey Morris said nothing about his intention, but I knew that all night long he patrolled round and round the house.

When the day came, its searching light showed the ravages in poor Lucy's strength. She was hardly able to turn her head, and the little nourishment which she could take seemed to do her no good. At times she slept, and both Van Helsing and I noticed the difference in her, between sleeping and waking. Whilst asleep she looked stronger, although more haggard, and her breathing was softer. Her open mouth showed the pale gums drawn back from the teeth, which looked positively longer and sharper than usual. When she woke the softness of her eyes evidently changed the expression, for she looked her own self, although a dying one. In the afternoon she asked for Arthur, and we telegraphed for him. Quincey went off to meet him at the station.

When he arrived it was nearly six o'clock, and the sun was setting full and warm, and the red light streamed in through the window and gave more colour to the pale cheeks. When he saw her, Arthur was simply choking with emotion, and none of us could speak. In the hours that had passed, the fits of sleep, or the comatose condition that passed for it, had grown more frequent, so that the pauses when conversation was possible were shortened. Arthur's presence, however, seemed to act as a stimulant. She rallied a little, and spoke to him more brightly than she had done since we arrived. He too pulled himself together, and spoke as cheerily as he could, so that the best was made of everything.

It is now nearly one o'clock, and he and Van Helsing are sitting with her. I am to relieve them in a quarter of an hour, and I am entering this on Lucy's phonograph. Until six o'clock they are to try to rest. I fear that tomorrow will end our watching, for the shock has been too great. The poor child cannot rally. God help us all.

LETTER MINA HARKER TO LUCY WESTENRA
(Unopened by her)

17 September

My dearest Lucy,

It seems an age since I heard from you, or indeed since I wrote. You will pardon me, I know, for all my faults when you have read all my budget of news. Well, I got my husband back all right. When we arrived at Exeter there was a carriage waiting for us, and in it, though he had an attack of gout, Mr. Hawkins. He took us to his house, where there were rooms for us all nice and comfortable, and we dined together. After dinner Mr. Hawkins said,

'My dears, I want to drink your health and prosperity, and may every blessing attend you both.

I know you both from children, and have, with love and pride, seen you grow up. Now I want you to make your home here with me. I have left to me neither chick nor child. All are gone, and in my will I have left you everything.' I cried, Lucy dear, as Jonathan and the old man clasped hands. Our evening was a very, very happy one.

So here we are, installed in this beautiful old house, and from both my bedroom and the drawing room I can see the great elms of the cathedral close, with their great black stems standing out against the old yellow stone of the cathedral, and I can hear the rooks overhead cawing and cawing and chattering and chattering and gossiping all day, after the manner of rooks and humans. I am busy, I need not tell you, arranging things and housekeeping. Jonathan and Mr. Hawkins are busy all day, for now that Jonathan is a partner, Mr. Hawkins wants to tell him all about the clients.

How is your dear mother getting on? I wish I could run up to town for a day or two to see you, dear, but I dare not go yet, with so much on my shoulders, and Jonathan wants looking after still. He is beginning to put some flesh on his bones again, but he was terribly weakened by the long illness. Even now he sometimes starts out of his sleep in a sudden way and awakes all trembling until I can coax him back to his usual placidity. However, thank God, these occasions grow less frequent as the days go on, and they will in time pass away altogether, I trust. And now I have told you my news, let me ask yours. When are you to be married, and where, and who is to perform the ceremony, and what are you to wear, and is it to be a public or private wedding? Tell me all about it, dear, tell me all about everything, for there is nothing which interests you which will not be dear to me. Jonathan asks me to send his 'respectful duty', but I do not think that is good enough from the junior partner of the important firm Hawkins & Harker. And so, as you love me, and he loves me, and I love you with all the moods and tenses of the verb, I send you simply his 'love' instead. Goodbye, my dearest Lucy, and blessings on you.

Yours,

Mina Harker

REPORT FROM PATRICK HENNESSEY, MD, MRCSLK, QCPI, ETC, ETC, TO JOHN SEWARD, MD

20 September

My dear Sir,

In accordance with your wishes, I enclose report of the conditions of everything left in my charge. With regard to patient, Renfield, there is more to say. He has had another outbreak, which might have had a dreadful ending, but which, as it fortunately happened, was unattended with any unhappy results. This afternoon a carrier's cart with two men made a call at the empty house whose grounds abut on ours, the house to which, you will remember, the patient twice ran away. The men stopped at our gate to ask the porter their way, as they were strangers.

I was myself looking out of the study window, having a smoke after dinner, and saw one of them come up to the house. As he passed the window of Renfield's room, the patient began to rate him from within, and called him all the foul names he could lay his tongue to. The man, who seemed a decent fellow enough, contented himself by telling him to 'shut up for a foul-mouthed beggar', whereon our man accused him of robbing him and wanting to murder him and said that he would hinder him if he were to swing for it. I opened the window and signed to the man not to notice, so he contented himself after looking the place over and making up his mind as to what kind of place he had got to by saying, 'Lor' bless yer, sir, I wouldn't mind what was said to me in a bloomin' madhouse. I pity ye and the guv'nor for havin' to live in the house with a wild beast like that.'

Then he asked his way civilly enough, and I told him where the gate of the empty house was. He went away followed by threats and curses and revilings from our man. I went down to see if I could make out any cause for his anger, since he is usually such a well-behaved man, and except his violent fits nothing of the kind had ever occurred. I found him, to my astonishment, quite composed and most genial in his manner. I tried to get him to talk of the incident, but he blandly asked me questions as to what I meant, and led me to believe that he was completely oblivious of the affair. It was, I am sorry to say, however, only another instance of his cunning, for within half an hour I heard of him again. This time he had broken out through the window of his room, and was running down the avenue. I called to the attendants to follow me, and ran after him, for I feared he was intent on some mischief. My fear was justified when I saw the same cart which had passed before coming down the road, having on it some great wooden boxes. The men were wiping their foreheads, and were flushed in the face, as if with violent exercise. Before I could get up to him, the patient rushed at them, and pulling one of them off the cart, began to knock his head against the ground.

If I had not seized him just at the moment, I believe he would have killed the man there and then. The other fellow jumped down and struck him over the head with the butt end of his heavy whip. It was a horrible blow, but he did not seem to mind it, but seized him also, and struggled with the three of us, pulling us to and fro as if we were kittens. You know I am no lightweight, and the others were both burly men. At first he was silent in his fighting, but as we began to master him, and the attendants were putting a strait waistcoat on him, he began to shout, 'I'll frustrate them! They shan't rob me! They shan't murder me by inches! I'll fight for my Lord and Master!' and all sorts of similar incoherent ravings. It was with very considerable difficulty that they got him back to the house and put him in the padded room. One of the attendants, Hardy, had a finger broken. However, I set it all right, and he is going on well.

The two carriers were at first loud in their threats of actions for damages, and promised to rain all the penalties of the law on us. Their threats were, however, mingled with some sort of indirect apology for the defeat of the two of them by a feeble madman. They said that if it had not been for the way their strength had been spent in carrying and raising the heavy boxes to the cart they would have made short work of him. They gave as another reason for their defeat the extraordinary state of drouth to which they had been reduced by the dusty nature of their occupation and the reprehensible distance from the scene of their labors of any place of public entertainment. I quite understood their drift, and after a stiff glass of strong grog, or rather more of the same, and with each a sovereign in hand, they made light of the attack, and swore that they would encounter a worse madman any day for the pleasure of meeting so 'bloomin' good a bloke' as your correspondent. I took their names and addresses, in case they might be needed. They are as follows: Jack Smollet, of Dudding's Rents, King George's Road, Great Walworth, and Thomas Snelling, Peter Farley's Row, Guide Court, Bethnal Green. They are both in the employment of Harris & Sons, Moving and Shipment Company, Orange Master's Yard, Soho.

I shall report to you any matter of interest occurring here, and shall wire you at once if there is anything of importance.

Believe me, dear Sir,

Yours faithfully,

Patrick Hennessey.

LETTER, MINA HARKER TO LUCY WESTENRA

(Unopened by her)

18 September

My dearest Lucy,

Such a sad blow has befallen us. Mr. Hawkins has died very suddenly. Some may not think it so sad for us, but we had both come to so love him that it really seems as though we had lost a father. I never knew either father or mother, so that the dear old man's death is a real blow to me. Jonathan is greatly distressed. It is not only that he feels sorrow, deep sorrow, for the dear, good man who has befriended him all his life, and now at the end has treated him like his own son and left him a fortune which to people of our modest bringing up is wealth beyond the dream of avarice, but Jonathan feels it on another account. He says the amount of responsibility which it puts upon him makes him nervous. He begins to doubt himself. I try to cheer him up, and my belief in him helps him to have a belief in himself. But it is here that the grave shock that he experienced tells upon him the most. Oh, it is too hard that a sweet, simple, noble, strong nature such as his, a nature which enabled him by our dear, good friend's aid to rise from clerk to master in a few years, should be so injured that the very essence of its strength is gone. Forgive me, dear, if I worry you with my troubles in the midst of your own happiness, but Lucy dear, I must tell someone, for the strain of keeping up a brave and cheerful appearance to Jonathan tries me, and I have no one here that I can confide in. I dread coming up to London, as we must do that day after tomorrow, for poor Mr. Hawkins left in his will that he was to be buried in the grave with his father. As there are no relations at all, Jonathan will have to be chief mourner. I shall try to run over to see you, dearest, if only for a few minutes. Forgive me for troubling you. With all blessings,

Your loving,

Mina Harker

DR. SEWARD'S DIARY

20 September. Only resolution and habit can let me make an entry tonight. I am too miserable, too low spirited, too sick of the world and all in it, including life itself, that I would not care if I heard this moment the flapping of the wings of the angel of death. And he has been flapping those grim wings to some purpose of late, Lucy's mother and Arthur's father, and now... Let me get on with my work.

I duly relieved Van Helsing in his watch over Lucy. We wanted Arthur to go to rest also, but he refused at first. It was only when I told him that we should want him to help us during the day, and that we must not all break down for want of rest, lest

Lucy should suffer, that he agreed to go.

Van Helsing was very kind to him. "Come, my child," he said. "Come with me. You are sick and weak, and have had much sorrow and much mental pain, as well as that tax on your strength that we know of. You must not be alone, for to be alone is to be full of fears and alarms. Come to the drawing room, where there is a big fire, and there are two sofas. You shall lie on one, and I on the other, and our sympathy will be comfort to each other, even though we do not speak, and even if we sleep."

Arthur went off with him, casting back a longing look on Lucy's face, which lay in her pillow, almost whiter than the lawn. She lay quite still, and I looked around the room to see that all was as it should be. I could see that the Professor had carried out in this room, as in the other, his purpose of using the garlic. The whole of the window sashes reeked with it, and round Lucy's neck, over the silk handkerchief which Van Helsing made her keep on, was a rough chaplet of the same odorous flowers.

Lucy was breathing somewhat stertorously, and her face was at its worst, for the open mouth showed the pale gums. Her teeth, in the dim, uncertain light, seemed longer and sharper than they had been in the morning. In particular, by some trick of the light, the canine teeth looked longer and sharper than the rest.

I sat down beside her, and presently she moved uneasily. At the same moment there came a sort of dull flapping or buffeting at the window. I went over to it softly, and peeped out by the corner of the blind. There was a full moonlight, and I could see that the noise was made by a great bat, which wheeled around, doubtless attracted by the light, although so dim, and every now and again struck the window with its wings. When I came back to my seat, I found that Lucy had moved slightly, and had torn away the garlic flowers from her throat. I replaced them as well as I could, and sat watching her.

Presently she woke, and I gave her food, as Van Helsing had prescribed. She took but a little, and that languidly. There did not seem to be with her now the unconscious struggle for life and strength that had hitherto so marked her illness. It struck me as curious that the moment she became conscious she pressed the garlic flowers close to her. It was certainly odd that whenever she got into that lethargic state, with the stertorous breathing, she put the flowers from her, but that when she waked she clutched them close. There was no possibility of making any mistake about this, for in the long hours that followed, she had many spells of sleeping and waking and repeated both actions many times.

At six o'clock Van Helsing came to relieve me. Arthur had then fallen into a doze, and he mercifully let him sleep on. When he saw Lucy's face I could hear the hissing indraw of breath, and he said to me in a sharp whisper. "Draw up the blind. I want light!" Then he bent down, and, with his face almost touching Lucy's, examined her carefully. He removed the flowers and lifted the silk handkerchief from her throat. As he did so he started back and I could hear his ejaculation, "Mein Gott!" as it was smothered in his throat. I bent over and looked, too, and as I noticed some queer chill came over me. The wounds on the throat had absolutely disappeared.

For fully five minutes Van Helsing stood looking at her, with his face at its sternest. Then he turned to me and said calmly, "She is dying. It will not be long now. It will be much difference, mark me, whether she dies conscious or in her sleep. Wake that poor boy, and let him come and see the last. He trusts us, and we have promised him."

I went to the dining room and waked him. He was dazed for a moment, but when he saw the sunlight streaming in through the edges of the shutters he thought he was late, and expressed his fear. I assured him that Lucy was still asleep, but told him as gently as I could that both Van Helsing and I feared that the end was near. He covered his face with his hands, and slid down on his knees by the sofa, where he remained, perhaps a minute, with his head buried, praying, whilst his shoulders shook with grief. I took him by the hand and raised him up. "Come," I said, "my dear old fellow, summon all your fortitude. It will be best and easiest for her."

When we came into Lucy's room I could see that Van Helsing had, with his usual forethought, been putting matters straight and making everything look as pleasing as possible. He had even brushed Lucy's hair, so that it lay on the pillow in its usual sunny ripples. When we came into the room she opened her eyes, and seeing him, whispered softly, "Arthur! Oh, my love, I am so glad you have come!"

He was stooping to kiss her, when Van Helsing motioned him back. "No," he whispered, "not yet! Hold her hand, it will comfort her more."

So Arthur took her hand and knelt beside her, and she looked her best, with all the soft lines matching the angelic beauty of her eyes. Then gradually her eyes closed, and she sank to sleep. For a little bit her breast heaved softly, and her breath came and went like a tired child's.

And then insensibly there came the strange change which I had noticed in the night. Her breathing grew stertorous, the mouth opened, and the pale gums, drawn back, made the teeth look longer and sharper than ever. In a sort of sleep-waking, vague, unconscious way she opened her eyes, which were now dull and hard at once, and said in a soft, voluptuous voice, such as I had never heard from her lips, "Arthur! Oh, my love, I am so glad you have come! Kiss me!"

Arthur bent eagerly over to kiss her, but at that instant Van Helsing, who, like me, had been startled by her voice, swooped upon him, and catching him by the neck with both hands, dragged him back with a fury of strength which I never thought he could have possessed, and actually hurled him almost across the room.

"Not on your life!" he said, "not for your living soul and hers!" And he stood between them like a lion at bay.

Arthur was so taken aback that he did not for a moment know what to do or say, and before any impulse of violence could seize him he realized the place and the occasion, and stood silent, waiting.

I kept my eyes fixed on Lucy, as did Van Helsing, and we saw a spasm as of rage flit like a shadow over her face. The sharp teeth clamped together. Then her eyes closed, and she breathed heavily.

Very shortly after she opened her eyes in all their softness, and putting out her poor, pale, thin hand, took Van Helsing's great brown one, drawing it close to her, she kissed it. "My true friend," she said, in a faint voice, but with untellable pathos, "My true friend, and his! Oh, guard him, and give me peace!"

"I swear it!" he said solemnly, kneeling beside her and holding up his hand, as one who registers an oath. Then he turned to Arthur, and said to him, "Come, my child, take her hand in yours, and kiss her on the forehead, and only once."

Their eyes met instead of their lips, and so they parted. Lucy's eyes closed, and Van Helsing, who had been watching closely, took Arthur's arm, and drew him away.

And then Lucy's breathing became stertorous again, and all at once it ceased.

"It is all over," said Van Helsing. "She is dead!"

I took Arthur by the arm, and led him away to the drawing room, where he sat down, and covered his face with his hands, sobbing in a way that nearly broke me down to see.

I went back to the room, and found Van Helsing looking at poor Lucy, and his face was sterner than ever. Some change had come over her body. Death had given back part of her beauty, for her brow and cheeks had recovered some of their flowing lines. Even the lips had lost their deadly pallor. It was as if the blood, no longer needed for the working of the heart, had gone to make the harshness of death as little rude as might be.

"We thought her dying whilst she slept, and sleeping when she died."

I stood beside Van Helsing, and said, "Ah well, poor girl, there is peace for her at last. It is the end!"

He turned to me, and said with grave solemnity, "Not so, alas! Not so. It is only the beginning!"

When I asked him what he meant, he only shook his head and answered, "We can do nothing as yet. Wait and see."

CHAPTER 13
DR. SEWARD'S DIARY *cont.*

The funeral was arranged for the next succeeding day, so that Lucy and her mother might be buried together. I attended to all the ghastly formalities, and the urbane undertaker proved that his staff was afflicted, or blessed, with something of his own obsequious suavity. Even the woman who performed the last offices for the dead remarked to me, in a confidential, brother-professional way, when she had come out from the death chamber,

"She makes a very beautiful corpse, sir. It's quite a privilege to attend on her. It's not too much to say that she will do credit to our establishment!"

I noticed that Van Helsing never kept far away. This was possible from the disordered state of things in the household. There were no relatives at hand, and as Arthur had to be back the next day to attend at his father's funeral, we were unable to notify any one who should have been bidden. Under the circumstances, Van Helsing and I took it upon ourselves to examine papers, etc. He insisted upon looking over Lucy's papers himself. I asked him why, for I feared that he, being a foreigner, might not be quite aware of English legal requirements, and so might in ignorance make some unnecessary trouble.

He answered me, "I know, I know. You forget that I am a lawyer as well as a doctor. But this is not altogether for the law. You knew that, when you avoided the coroner. I have more than him to avoid. There may be papers more, such as this."

As he spoke he took from his pocket book the memorandum which had been in Lucy's breast, and which she had torn in her sleep.

"When you find anything of the solicitor who is for the late Mrs. Westenra, seal all her papers, and write him tonight. For me, I watch here in the room and in Miss Lucy's old room all night, and I myself search for what may be. It is not well that her very thoughts go into the hands of strangers."

I went on with my part of the work, and in another half hour had found the name and address of Mrs. Westenra's solicitor and had written to him. All the poor lady's papers were in order. Explicit directions regarding the place of burial were given. I had hardly sealed the letter, when, to my surprise, Van Helsing walked into the room, saying,

"Can I help you friend John? I am free, and if I may, my service is to you."

"Have you got what you looked for?" I asked.

To which he replied, "I did not look for any specific thing. I only hoped to find, and find I have, all that there was, only some letters and a few memoranda, and a diary new begun. But I have them here, and we shall for the present say nothing of them. I shall see that poor lad tomorrow evening, and, with

When we had finished the work in hand, he said to me, "And now, friend John, I think we may to bed. We want sleep, both you and I, and rest to recuperate. Tomorrow we shall have much to do, but for the tonight there is no need of us. Alas!"

Before turning in we went to look at poor Lucy. The undertaker had certainly done his work well, for the room was turned into a small chapelle ardente. There was a wilderness of beautiful white flowers, and death was made as little repulsive as might be. The end of the winding sheet was laid over the face. When the Professor bent over and turned it gently back, we both started at the beauty before us. The tall wax candles showing a sufficient light to note it well. All Lucy's loveliness had come back to her in death, and the hours that had passed, instead of leaving traces of 'decay's effacing fingers', had but restored the beauty of life, till positively I could not believe my eyes that I was looking at a corpse.

The Professor looked sternly grave. He had not loved her as I had, and there was no need for tears in his eyes. He said to me, "Remain till I return," and left the room. He came back with a handful of wild garlic from the box waiting in the hall, but which had not been opened, and placed the flowers amongst the others on and around the bed. Then he took from his neck, inside his collar, a little gold crucifix, and placed it over the mouth. He restored the sheet to its place, and we came away.

I was undressing in my own room, when, with a premonitory tap at the door, he entered, and at once began to speak.

"Tomorrow I want you to bring me, before night, a set of post-mortem knives."

"Must we make an autopsy?" I asked.

"Yes and no. I want to operate, but not what you think. Let me tell you now, but not a word to another. I want to cut off her head and take out her heart. Ah! You a surgeon, and so shocked! You, whom I have seen with no tremble of hand or heart, do operations of life and death that make the rest shudder. Oh, but I must not forget, my dear friend John, that you loved her, and I have not forgotten it for is I that shall operate, and you must not help. I would like to do it tonight, but for Arthur I must not. He will be free after his father's funeral tomorrow, and he will want to see her, to see it. Then, when she is coffined ready for the next day, you and I shall come when all sleep. We shall unscrew the coffin lid, and shall do our operation, and then replace all, so that none know, save we alone."

"But why do it at all? The girl is dead. Why mutilate her poor body without need? And if there is no necessity for a post-mortem and nothing to gain by it, no good to her, to us, to science, to human knowledge, why do it? Without such it is monstrous."

For answer he put his hand on my shoulder, and said, with infinite tenderness, "Friend John, I pity your poor bleeding heart, and I love you the more because it does so bleed. If I could, I would take on myself the burden that you do bear. But there are things that you know not, but that you shall know, and bless me for knowing, though they are not pleasant things. John, my child, you have been my friend now many years, and yet did you ever know me to do any without good cause? I may err, I am but man, but I believe in all I do. Was it not for these causes that you send for me when the great trouble came? Yes! Were you not amazed, nay horrified, when I would not let Arthur kiss his love, though she was dying, and snatched him away by all my strength? Yes! And yet you saw how she thanked me, with her so beautiful dying eyes, her voice, too, so weak, and she kiss my rough old hand and bless me? Yes! And did you not hear me swear promise to her, that so she closed her eyes grateful? Yes!

"Well, I have good reason now for all I want to do. You have for many years trust me. You have believe me weeks past, when there be things so strange that you might have well doubt. Believe me yet a little, friend John. If you trust me not, then I must tell what I think, and that is not perhaps well. And if I work, as work I shall, no matter trust or no trust, without my friend trust in me, I work with heavy heart and feel oh so lonely when I want all help and courage that may be!" He paused a moment and went on solemnly, "Friend John, there are strange and terrible days before us. Let us not be two, but one, that so we work to a good end. Will you not have faith in me?"

I took his hand, and promised him. I held my door open as he went away, and watched him go to his room and close the door. As I stood without moving, I saw one of the maids pass silently along the passage, she had her back to me, so did not see me, and go into the room where Lucy lay. The sight touched me. Devotion is so rare, and we are so grateful to those who show it unasked to those we love. Here was a poor girl putting aside the terrors which she naturally had of death to go watch alone by the bier of the mistress whom she loved, so that the poor clay might not be lonely till laid to eternal rest.

I must have slept long and soundly, for it was broad daylight when Van Helsing waked me by coming into my room. He came over to my bedside and said, "You need not trouble about the knives. We shall not do it."

"Why not?" I asked. For his solemnity of the night before had greatly impressed me.

"Because," he said sternly, "it is too late, or too early. See!" Here he held up the little golden crucifix.

"This was stolen in the night."

"How stolen," I asked in wonder, "since you have it now?"

"Because I get it back from the worthless wretch who stole it, from the woman who robbed the dead and the living. Her punishment will surely come, but not through me. She knew not altogether what she did, and thus unknowing, she only stole. Now we must wait." He went away on the word, leaving me with a new mystery to think of, a new puzzle to grapple with.

The forenoon was a dreary time, but at noon the solicitor came, Mr. Marquand, of Wholeman, Sons, Marquand & Lidderdale. He was very genial and very appreciative of what we had done, and took off our hands all cares as to details. During lunch he told us that Mrs. Westenra had for some time expected sudden death from her heart, and had put her affairs in absolute order. He informed us that, with the exception of a certain entailed property of Lucy's father which now, in default of direct issue, went back to a distant branch of the family, the whole estate, real and personal, was left absolutely to Arthur Holmwood. When he had told us so much he went on,

"Frankly we did our best to prevent such a testamentary disposition, and pointed out certain contingencies that might leave her daughter either penniless or not so free as she should be to act regarding a matrimonial alliance. Indeed, we pressed the matter so far that we almost came into collision, for she asked us if we were or were not prepared to carry out her wishes. Of course, we had then no alternative but to accept. We were right in principle, and ninety-nine times out of a hundred we should have proved, by the logic of events, the accuracy of our judgment.

"Frankly, however, I must admit that in this case any other form of disposition would have rendered impossible the carrying out of her wishes. For by her predeceasing her daughter the latter would have come into possession of the property, and, even had she only survived her mother by five minutes, her property would, in case there were no will, and a will was a practical impossibility in such a case, have been treated at her decease as under intestacy. In which case Lord Godalming, though so dear a friend, would have had no claim in the world. And the inheritors, being remote, would not be likely to abandon their just rights, for sentimental reasons regarding an entire stranger. I assure you, my dear sirs, I am rejoiced at the result, perfectly rejoiced."

He was a good fellow, but his rejoicing at the one little part, in which he was officially interested, of so great a tragedy, was an object-lesson in the limitations of sympathetic understanding.

He did not remain long, but said he would look in later in the day and see Lord Godalming. His coming, however, had been a certain comfort to us, since it assured us that we should not have to dread hostile criticism as to any of our acts. Arthur was expected at five o'clock, so a little before that time we visited the death chamber. It was so in very truth, for now both mother and daughter lay in it. The undertaker, true to his craft, had made the best display he could of his goods, and there was a mortuary air about the place that lowered our spirits at once.

Van Helsing ordered the former arrangement to be adhered to, explaining that, as Lord Godalming was coming very soon, it would be less harrowing to his feelings to see all that was left of his fiancee quite alone.

The undertaker seemed shocked at his own stupidity and exerted himself to restore things to the condition in which we left them the night before, so that when Arthur came such shocks to his feelings as we could avoid were saved.

Poor fellow! He looked desperately sad and broken. Even his stalwart manhood seemed to have shrunk somewhat under the strain of his much-tried emotions. He had, I knew, been very genuinely and devotedly attached to his father, and to lose him, and at such a time, was a bitter blow to him. With me he was warm as ever, and to Van Helsing he was sweetly courteous. But I could not help seeing that there was some constraint with him. The professor noticed it too, and motioned me to bring him upstairs. I did so, and left him at the door of the room, as I felt he would like to be quite alone with her, but he took my arm and led me in, saying huskily,

"You loved her too, old fellow. She told me all about it, and there was no friend had a closer place in her heart than you. I don't know how to thank you for all you have done for her. I can't think yet…"

Here he suddenly broke down, and threw his arms round my shoulders and laid his head on my breast, crying, "Oh, Jack! Jack! What shall I do? The whole of life seems gone from me all at once, and there is nothing in the wide world for me to live for."

I comforted him as well as I could. In such cases men do not need much expression. A grip of the hand, the tightening of an arm over the shoulder, a sob in unison, are expressions of sympathy dear to a man's heart. I stood still and silent till his sobs died away, and then I said softly to him, "Come and look at her."

Together we moved over to the bed, and I lifted the lawn from her face. God! How beautiful she was. Every hour seemed to be enhancing her loveliness. It frightened and amazed me somewhat. And as for Arthur, he fell to trembling, and finally was shaken with doubt as with an ague. At last, after a long pause, he said to me in a faint whisper, "Jack, is she really dead?"

I assured him sadly that it was so, and went on to suggest, for I felt that such a horrible doubt should not have life for a moment longer than I could help, that it often happened that after death faces become softened and even resolved into their youthful beauty, that this was especially so when death had been preceded by any acute or prolonged suffering. I seemed to quite do away with any doubt, and after kneeling beside the couch for a while and looking at her lovingly and long, he turned aside. I told him that that must be goodbye, as the coffin had to be prepared, so he went back and took her dead hand in his and kissed it, and bent over and kissed her forehead. He came away, fondly looking back over his shoulder at her as he came.

I left him in the drawing room, and told Van Helsing that he had said goodbye, so the latter went to the kitchen to tell the undertaker's men to proceed with the preparations and to screw up the coffin. When he came out of the room again I told him of Arthur's question, and he replied, "I am not surprised. Just now I doubted for a moment myself!"

We all dined together, and I could see that poor Art was trying to make the best of things. Van Helsing had been silent all dinner time, but when we had lit our cigars he said, "Lord..." but Arthur interrupted him.

"No, no, not that, for God's sake! Not yet at any rate. Forgive me, sir. I did not mean to speak offensively. It is only because my loss is so recent."

The Professor answered very sweetly, "I only used that name because I was in doubt. I must not call you 'Mr.' and I have grown to love you, yes, my dear boy, to love you, as Arthur."

Arthur held out his hand, and took the old man's warmly. "Call me what you will," he said. "I hope I may always have the title of a friend. And let me say that I am at a loss for words to thank you for your goodness to my poor dear." He paused a moment, and went on, "I know that she understood your goodness even better than I do. And if I was rude or in any way wanting at that time you acted so, you remember" the Professor nodded "you must forgive me."

He answered with a grave kindness, "I know it was hard for you to quite trust me then, for to trust such violence needs to understand, and I take it that you do not, that you cannot, trust me now, for you do not yet understand. And there may be more times when I shall want you to trust when you cannot, and may not, and must not yet understand. But the time will come when your trust shall be whole and complete in me, and when you shall understand as though the sunlight himself shone through. Then you shall bless me from first to last for your own sake, and for the sake of others, and for her dear sake to whom I swore to protect."

"And indeed, indeed, sir," said Arthur warmly. "I shall in all ways trust you. I know and believe you have a very noble heart, and you are Jack's friend, and you were hers. You shall do what you like."

The Professor cleared his throat a couple of times, as though about to speak, and finally said, "May I ask you something now?"

"Certainly."

"You know that Mrs. Westenra left you all her property?"

"No, poor dear. I never thought of it."

"And as it is all yours, you have a right to deal with it as you will. I want you to give me permission to read all Miss Lucy's papers and letters. Believe me, it is no idle curiosity. I have a motive of which, be sure, she would have approved. I have them all here. I took them before we knew that all was yours, so that no strange hand might touch them, no strange eye look through words into her soul. I shall keep them, if I may. Even you may not see them yet, but I shall keep them safe. No word shall be lost, and in the good time I shall give them back to you. It is a hard thing that I ask, but you will do it, will you not, for Lucy's sake?"

Arthur spoke out heartily, like his old self, "Dr. Van Helsing, you may do what you will. I feel that in saying this I am doing what my dear one would have approved. I shall not trouble you with questions till the time comes."

The old Professor stood up as he said solemnly, "And you are right. There will be pain for us all, but it will not be all pain, nor will this pain be the last. We and you too, you most of all, dear boy, will have to pass through the bitter water before we reach the sweet. But we must be brave of heart and unselfish, and do our duty, and all will be well!"

I slept on a sofa in Arthur's room that night. Van Helsing did not go to bed at all. He went to and fro, as if patroling the house, and was never out of sight of the room where Lucy lay in her coffin, strewn with the wild garlic flowers, which sent through the odour of lily and rose, a heavy, overpowering smell into the night.

MINA HARKER'S JOURNAL

22 September. In the train to Exeter. Jonathan sleeping. It seems only yesterday that the last entry was made, and yet how much between then, in Whitby and all the world before me, Jonathan away and no news of him, and now, married to Jonathan, Jonathan a solicitor, a partner, rich, master of his business, Mr. Hawkins dead and buried, and Jonathan with another attack that may harm him. Some day he may ask me about it. Down it all goes. I am rusty in my shorthand, see what unexpected prosperity does for us, so it may be as well to freshen it up again with an exercise anyhow.

The service was very simple and very solemn. There were only ourselves and the servants there, one or two old friends of his from Exeter, his London agent, and a gentleman representing Sir John Paxton, the President of the Incorporated Law Society. Jonathan and I stood hand in hand, and we felt that our best and dearest friend was gone from us.

We came back to town quietly, taking a bus

to Hyde Park Corner. Jonathan thought it would interest me to go into the Row for a while, so we sat down. But there were very few people there, and it was sad-looking and desolate to see so many empty chairs. It made us think of the empty chair at home. So we got up and walked down Piccadilly. Jonathan was holding me by the arm, the way he used to in the old days before I went to school. I felt it very improper, for you can't go on for some years teaching etiquette and decorum to other girls without the pedantry of it biting into yourself a bit. But it was Jonathan, and he was my husband, and we didn't know anybody who saw us, and we didn't care if they did, so on we walked. I was looking at a very beautiful girl, in a big cart-wheel hat, sitting in a victoria outside Guiliano's, when I felt Jonathan clutch my arm so tight that he hurt me, and he said under his breath, "My God!"

I am always anxious about Jonathan, for I fear that some nervous fit may upset him again. So I turned to him quickly, and asked him what it was that disturbed him.

He was very pale, and his eyes seemed bulging out as, half in terror and half in amazement, he gazed at a tall, thin man, with a beaky nose and black moustache and pointed beard, who was also observing the pretty girl. He was looking at her so hard that he did not see either of us, and so I had a good view of him. His face was not a good face. It was hard, and cruel, and sensual, and big white teeth, that looked all the whiter because his lips were so red, were pointed like an animal's. Jonathan kept staring at him, till I was afraid he would notice. I feared he might take it ill, he looked so fierce and nasty. I asked Jonathan why he was disturbed, and he answered, evidently thinking that I knew as much about it as he did, "Do you see who it is?"

"No, dear," I said. "I don't know him, who is it?" His answer seemed to shock and thrill me, for it was said as if he did not know that it was me, Mina, to whom he was speaking. "It is the man himself!"

The poor dear was evidently terrified at something, very greatly terrified. I do believe that if he had not had me to lean on and to support him he would have sunk down. He kept staring. A man came out of the shop with a small parcel, and gave it to the lady, who then drove off. The dark man kept his eyes fixed on her, and when the carriage moved up Piccadilly he followed in the same direction, and hailed a hansom. Jonathan kept looking after him, and said, as if to himself,

"I believe it is the Count, but he has grown young. My God, if this be so! Oh, my God! My God! If only I knew! If only I knew!" He was distressing himself so much that I feared to keep his mind on the subject by asking him any questions, so I remained silent. I drew away quietly, and he, holding my arm, came easily. We walked a little further, and then went in and sat for a while in the Green Park. It was a hot day for autumn, and there was a comfortable seat in a shady place. After a few minutes' staring at nothing, Jonathan's eyes closed, and he went quickly into a sleep, with his head on my shoulder. I thought it was the best thing for him, so did not disturb him. In about twenty minutes he woke up, and said to me quite cheerfully,

"Why, Mina, have I been asleep! Oh, do forgive me for being so rude. Come, and we'll have a cup of tea somewhere."

He had evidently forgotten all about the dark stranger, as in his illness he had forgotten all that this episode had reminded him of. I don't like this lapsing into forgetfulness. It may make or continue some injury to the brain. I must not ask him, for fear I shall do more harm than good, but I must somehow learn the facts of his journey abroad. The time is come, I fear, when I must open the parcel, and know what is written. Oh, Jonathan, you will, I know, forgive me if I do wrong, but it is for your own dear sake.

Later. A sad homecoming in every way, the house empty of the dear soul who was so good to us. Jonathan still pale and dizzy under a slight relapse of his malady, and now a telegram from Van Helsing, whoever he may be. "You will be grieved to hear that Mrs. Westenra died five days ago, and that Lucy died the day before yesterday. They were both buried today."

Oh, what a wealth of sorrow in a few words! Poor Mrs. Westenra! Poor Lucy! Gone, gone, never to return to us! And poor, poor Arthur, to have lost such a sweetness out of his life! God help us all to bear our troubles.

DR. SEWARD'S DIARY-CONT.

22 September. It is all over. Arthur has gone back to Ring, and has taken Quincey Morris with him. What a fine fellow is Quincey! I believe in my heart of hearts that he suffered as much about Lucy's death as any of us, but he bore himself through it like a moral Viking. If America can go on breeding men like that, she will be a power in the world indeed. Van Helsing is lying down, having a rest preparatory to his journey. He goes to Amsterdam tonight, but says he returns tomorrow night, that he only wants to make some arrangements which can only be made personally. He is to stop with me then, if he can. He says he has work to do in London which may take him some time. Poor old fellow! I fear that the strain of the past week has broken down even his iron strength. All the time of the burial he was, I could see, putting some terrible restraint on himself. When it was all over, we were standing beside Arthur, who, poor fellow, was speaking of his part in the operation where his blood had been transfused to his Lucy's veins. I could see Van Helsing's face grow white and purple

by turns. Arthur was saying that he felt since then as if they two had been really married, and that she was his wife in the sight of God. None of us said a word of the other operations, and none of us ever shall. Arthur and Quincey went away together to the station, and Van Helsing and I came on here. The moment we were alone in the carriage he gave way to a regular fit of hysterics. He has denied to me since that it was hysterics, and insisted that it was only his sense of humor asserting itself under very terrible conditions. He laughed till he cried, and I had to draw down the blinds lest any one should see us and misjudge. And then he cried, till he laughed again, and laughed and cried together, just as a woman does. I tried to be stern with him, as one is to a woman under the circumstances, but it had no effect. Men and women are so different in manifestations of nervous strength or weakness! Then when his face grew grave and stern again I asked him why his mirth, and why at such a time. His reply was in a way characteristic of him, for it was logical and forceful and mysterious. He said,

"Ah, you don't comprehend, friend John. Do not think that I am not sad, though I laugh. See, I have cried even when the laugh did choke me. But no more think that I am all sorry when I cry, for the laugh he come just the same. Keep it always with you that laughter who knock at your door and say, 'May I come in?' is not true laughter. No! He is a king, and he come when and how he like. He ask no person, he choose no time of suitability. He say, 'I am here.' Behold, in example I grieve my heart out for that so sweet young girl. I give my blood for her, though I am old and worn. I give my time, my skill, my sleep. I let my other sufferers want that she may have all. And yet I can laugh at her very grave, laugh when the clay from the spade of the sexton drop upon her coffin and say 'Thud, thud!' to my heart, till it send back the blood from my cheek. My heart bleed for that poor boy, that dear boy, so of the age of mine own boy had I been so blessed that he live, and with his hair and eyes the same.

"There, you know now why I love him so. And yet when he say things that touch my husband-heart to the quick, and make my father-heart yearn to him as to no other man, not even you, friend John, for we are more level in experiences than father and son, yet even at such a moment King Laugh he come to me and shout and bellow in my ear, 'Here I am! Here I am!' till the blood come dance back and bring some of the sunshine that he carry with him to my cheek. Oh, friend John, it is a strange world, a sad world, a world full of miseries, and woes, and troubles. And yet when King Laugh come, he make them all dance to the tune he play. Bleeding hearts, and dry bones of the churchyard, and tears that burn as they fall, all dance together to the music that he make with that smileless mouth of him. And believe me, friend John, that he is good to come, and kind.

Ah, we men and women are like ropes drawn tight with strain that pull us different ways. Then tears come, and like the rain on the ropes, they brace us up, until perhaps the strain become too great, and we break. But King Laugh he come like the sunshine, and he ease off the strain again, and we bear to go on with our labor, what it may be."

I did not like to wound him by pretending not to see his idea, but as I did not yet understand the cause of his laughter, I asked him. As he answered me his face grew stern, and he said in quite a different tone,

"Oh, it was the grim irony of it all, this so lovely lady garlanded with flowers, that looked so fair as life, till one by one we wondered if she were truly dead, she laid in that so fine marble house in that lonely churchyard, where rest so many of her kin, laid there with the mother who loved her, and whom she loved, and that sacred bell going 'Toll! Toll! Toll!' so sad and slow, and those holy men, with the white garments of the angel, pretending to read books, and yet all the time their eyes never on the page, and all of us with the bowed head. And all for what? She is dead, so! Is it not?"

"Well, for the life of me, Professor," I said, "I can't see anything to laugh at in all that. Why, your expression makes it a harder puzzle than before. But even if the burial service was comic, what about poor Art and his trouble? Why his heart was simply breaking."

"Just so. Said he not that the transfusion of his blood to her veins had made her truly his bride?"

"Yes, and it was a sweet and comforting idea for him."

"Quite so. But there was a difficulty, friend John. If so that, then what about the others? Ho, ho! Then this so sweet maid is a polyandrist, and me, with my poor wife dead to me, but alive by Church's law, though no wits, all gone, even I, who am faithful husband to this now-no-wife, am bigamist."

"I don't see where the joke comes in there either!" I said, and I did not feel particularly pleased with him for saying such things. He laid his hand on my arm, and said,

"Friend John, forgive me if I pain. I showed not my feeling to others when it would wound, but only to you, my old friend, whom I can trust. If you could have looked into my heart then when I want to laugh, if you could have done so when the laugh arrived, if you could do so now, when King Laugh have pack up his crown, and all that is to him, for he go far, far away from me, and for a long, long time, maybe you would perhaps pity me the most of all."

I was touched by the tenderness of his tone, and asked why.

"Because I know!"

And now we are all scattered, and for many a long day loneliness will sit over our roofs with brooding wings. Lucy lies in the tomb of her kin, a lordly death house in a lonely churchyard, away from teeming London, where the air is fresh, and the sun rises over Hampstead Hill, and where wild flowers grow of their own accord.

So I can finish this diary, and God only knows if I shall ever begin another. If I do, or if I even open this again, it will be to deal with different people and different themes, for here at the end, where the romance of my life is told, ere I go back to take up the thread of my life-work, I say sadly and without hope, "FINIS."

THE WESTMINSTER GAZETTE, 25 SEPTEMBER
A HAMPSTEAD MYSTERY

The neighborhood of Hampstead is just at present exercised with a series of events which seem to run on lines parallel to those of what was known to the writers of headlines as "The Kensington Horror," or "The Stabbing Woman," or "The Woman in Black." During the past two or three days several cases have occurred of young children straying from home or neglecting to return from their playing on the Heath. In all these cases the children were too young to give any properly intelligible account of themselves, but the consensus of their excuses is that they had been with a "bloofer lady." It has always been late in the evening when they have been missed, and on two occasions the children have not been found until early in the following morning. It is generally supposed in the neighborhood that, as the first child missed gave as his reason for being away that a "bloofer lady" had asked him to come for a walk, the others had picked up the phrase and used it as occasion served. This is the more natural as the favourite game of the little ones at present is luring each other away by wiles. A correspondent writes us that to see some of the tiny tots pretending to be the "bloofer lady" is supremely funny. Some of our caricaturists might, he says, take a lesson in the irony of grotesque by comparing the reality and the picture. It is only in accordance with general principles of human nature that the "bloofer lady" should be the popular role at these al fresco performances. Our correspondent naively says that even Ellen Terry could not be so winningly attractive as some of these grubby-faced little children pretend, and even imagine themselves, to be.

There is, however, possibly a serious side to the question, for some of the children, indeed all who have been missed at night, have been slightly torn or wounded in the throat. The wounds seem such as might be made by a rat or a small dog, and although of not much importance individually, would tend to show that whatever animal inflicts them has a system or method of its own. The police of the division have been instructed to keep a sharp lookout for straying children, especially when very young, in and around Hampstead Heath, and for any stray dog which may be about.

THE WESTMINSTER GAZETTE, 25 SEPTEMBER
EXTRA SPECIAL
THE HAMPSTEAD HORROR
ANOTHER CHILD INJURED
THE "BLOOFER LADY"

We have just received intelligence that another child, missed last night, was only discovered late in the morning under a furze bush at the Shooter's Hill side of Hampstead Heath, which is perhaps, less frequented than the other parts. It has the same tiny wound in the throat as has been noticed in other cases. It was terribly weak, and looked quite emaciated. It too, when partially restored, had the common story to tell of being lured away by the "bloofer lady".

CHAPTER 14
MINA HARKER'S JOURNAL

23 September. Jonathan is better after a bad night. I am so glad that he has plenty of work to do, for that keeps his mind off the terrible things, and oh, I am rejoiced that he is not now weighed down with the responsibility of his new position. I knew he would be true to himself, and now how proud I am to see my Jonathan rising to the height of his advancement and keeping pace in all ways with the duties that come upon him. He will be away all day till late, for he said he could not lunch at home. My household work is done, so I shall take his foreign journal, and lock myself up in my room and read it.

24 September. I hadn't the heart to write last night, that terrible record of Jonathan's upset me so. Poor dear! How he must have suffered, whether it be true or only imagination. I wonder if there is any truth in it at all. Did he get his brain fever, and then write all those terrible things, or had he some cause for it all? I suppose I shall never know, for I dare not open the subject to him. And yet that man we saw yesterday! He seemed quite certain of him, poor fellow! I suppose it was the funeral upset him and sent his mind back on some train of thought.

He believes it all himself. I remember how on our wedding day he said "Unless some solemn duty come upon me to go back to the bitter hours, asleep or awake, mad or sane…" There seems to be through it all some thread of continuity. That fearful Count was coming to London. If it should be, and he came to London, with its teeming millions… There may be a solemn duty, and if it come we must not shrink from it. I shall be prepared. I shall get my typewriter this very hour and begin transcribing. Then we shall be ready for other eyes if required. And if it be wanted, then, perhaps, if I am ready, poor Jonathan may not be upset, for I can speak for him and never let him be troubled or worried with it at all. If ever Jonathan quite gets over the nervousness he may want to tell me of it all, and I can ask him questions and find out things, and see how I may comfort him.

LETTER, VAN HELSING TO MRS. HARKER

24 September

(Confidence)

Dear Madam,

I pray you to pardon my writing, in that I am so far friend as that I sent to you sad news of Miss Lucy Westenra's death. By the kindness of Lord Godalming, I am empowered to read her letters and papers, for I am deeply concerned about certain matters vitally important. In them I find some letters from you, which show how great friends you were and how you love her. Oh, Madam Mina, by that love, I implore you, help me. It is for others' good that I ask, to redress great wrong, and to lift much and terrible troubles, that may be more great than you can know. May it be that I see you? You can trust me. I am friend of Dr. John Seward and of Lord Godalming (that was Arthur of Miss Lucy). I must keep it private for the present from all. I should come to Exeter to see you at once if you tell me I am privilege to come, and where and when. I implore your pardon, Madam. I have read your letters to poor Lucy, and know how good you are and how your husband suffer. So I pray you, if it may be, enlighten him not, least it may harm. Again your pardon, and forgive me.

VAN HELSING

TELEGRAM, MRS. HARKER TO VAN HELSING

25 September. Come today by quarter past ten train if you can catch it. Can see you any time you call.

WILHELMINA HARKER

MINA HARKER'S JOURNAL

25 September. I cannot help feeling terribly excited as the time draws near for the visit of Dr. Van Helsing, for somehow I expect that it will throw some light upon Jonathan's sad experience, and as he attended poor dear Lucy in her last illness, he can tell me all about her. That is the reason of his coming. It is concerning Lucy and her sleep-walking, and not about Jonathan. Then I shall never know the real truth now! How silly I am. That awful journal gets hold of my imagination and tinges everything with something of its own colour. Of course it is about Lucy. That habit came back to the poor dear, and that awful night on the cliff must have made her ill. I had almost forgotten in my own affairs how ill she was afterwards. She must have told him of her sleep-walking adventure on the cliff, and that I knew all about it, and now he wants me to tell him what I know, so that he may understand. I hope I did right in not saying anything of it to Mrs. Westenra. I should never forgive myself if any act of mine, were it even a negative one, brought harm on poor dear Lucy. I hope too, Dr. Van Helsing will not blame me. I have had so much trouble and anxiety of late that I feel I cannot bear more just at present.

I suppose a cry does us all good at times, clears the air as other rain does. Perhaps it was reading the journal yesterday that upset me, and then Jonathan went away this morning to stay away from me a whole day and night, the first time we have been parted since our marriage. I do hope the dear fellow will take care of himself, and that nothing will occur to upset him. It is two o'clock, and the doctor will be here soon now. I shall say nothing of Jonathan's journal unless he asks me. I am so glad I have typewritten out my own journal, so that, in case he asks about Lucy, I can hand it to him. It will save much questioning.

Later. He has come and gone. Oh, what a strange meeting, and how it all makes my head whirl round. I feel like one in a dream. Can it be all possible, or even a part of it? If I had not read Jonathan's journal first, I should never have accepted even a possibility. Poor, poor, dear Jonathan! How he must have suffered. Please the good God, all this may not upset him again. I shall try to save him from it. But it may be even a consolation and a help to him, terrible though it be and awful in its consequences, to know for certain that his eyes and ears and brain did not deceive him, and that it is all true. It may be that it is the doubt which haunts him, that when the doubt is removed, no matter which, waking or dreaming, may prove the truth, he will be more satisfied and better able to bear the shock. Dr. Van Helsing must be a good man as well as a clever one if he is Arthur's friend and Dr. Seward's, and if they brought him all the way from Holland to look after Lucy. I feel from having seen him that he is good and kind and of a noble nature. When he comes tomorrow I shall ask him about Jonathan. And then, please God, all this sorrow and anxiety may lead to a good end. I used to think I would like to practice interviewing. Jonathan's friend on "The Exeter News" told him that memory is everything in such work, that you must be able to put down exactly almost every word spoken, even if you had to refine some of it afterwards. Here was a rare interview. I shall try to record it verbatim.

It was half-past two o'clock when the knock came. I took my courage a deux mains and waited.

In a few minutes Mary opened the door, and announced "Dr. Van Helsing".

I rose and bowed, and he came towards me, a man of medium weight, strongly built, with his shoulders set back over a broad, deep chest and a neck well balanced on the trunk as the head is on the neck. The poise of the head strikes me at once as indicative of thought and power. The head is noble, well-sized, broad, and large behind the ears. The face, clean-shaven, shows a hard, square chin, a large resolute, mobile mouth, a good-sized nose, rather straight, but with quick, sensitive nostrils, that seem to broaden as the big bushy brows come down and the mouth tightens. The forehead is broad and fine, rising at first almost straight and then sloping back above two bumps or ridges wide apart, such a forehead that the reddish hair cannot possibly tumble over it, but falls naturally back and to the sides. Big, dark blue eyes are set widely apart, and are quick and tender or stern with the man's moods. He said to me,

"Mrs. Harker, is it not?" I bowed assent.

"That was Miss Mina Murray?" Again I assented.

"It is Mina Murray that I came to see that was friend of that poor dear child Lucy Westenra. Madam Mina, it is on account of the dead that I come."

"Sir," I said, "you could have no better claim on me than that you were a friend and helper of Lucy Westenra." And I held out my hand. He took it and said tenderly,

"Oh, Madam Mina, I know that the friend of that poor little girl must be good, but I had yet to learn..." He finished his speech with a courtly bow. I asked him what it was that he wanted to see me about, so he at once began.

"I have read your letters to Miss Lucy. Forgive me, but I had to begin to inquire somewhere, and there was none to ask. I know that you were with her at Whitby. She sometimes kept a diary, you need not look surprised, Madam Mina. It was begun after you had left, and was an imitation of you, and in that diary she traces by inference certain things to a sleep-walking in which she puts down that you saved her. In great perplexity then I come to you, and ask you out of your so much kindness to tell me all of it that you can remember."

"I can tell you, I think, Dr. Van Helsing, all about it."

"Ah, then you have good memory for facts, for details? It is not always so with young ladies."

"No, doctor, but I wrote it all down at the time. I can show it to you if you like."

"Oh, Madam Mina, I well be grateful. You will do me much favour."

I could not resist the temptation of mystifying him a bit, I suppose it is some taste of the original apple that remains still in our mouths, so I handed him the shorthand diary. He took it with a grateful bow, and said, "May I read it?"

"If you wish," I answered as demurely as I could. He opened it, and for an instant his face fell. Then he stood up and bowed.

"Oh, you so clever woman!" he said. "I knew long that Mr. Jonathan was a man of much thankfulness, but see, his wife have all the good things. And will you not so much honour me and so help me as to read it for me? Alas! I know not the shorthand."

By this time my little joke was over, and I was almost ashamed. So I took the typewritten copy from my work basket and handed it to him.

"Forgive me," I said. "I could not help it, but I had been thinking that it was of dear Lucy that you wished to ask, and so that you might not have time to wait, not on my account, but because I know your time must be precious, I have written it out on the typewriter for you."

He took it and his eyes glistened. "You are so good," he said. "And may I read it now? I may want to ask you some things when I have read."

"By all means," I said, "read it over whilst I order lunch, and then you can ask me questions whilst we eat."

He bowed and settled himself in a chair with his back to the light, and became so absorbed in the papers, whilst I went to see after lunch chiefly in order that he might not be disturbed. When I came back, I found him walking hurriedly up and down the room, his face all ablaze with excitement. He rushed up to me and took me by both hands.

"Oh, Madam Mina," he said, "how can I say what I owe to you? This paper is as sunshine. It opens the gate to me. I am dazed, I am dazzled, with so much light, and yet clouds roll in behind the light every time. But that you do not, cannot comprehend. Oh, but I am grateful to you, you so clever woman. Madame," he said this very solemnly, "if ever Abraham Van Helsing can do anything for you or yours, I trust you will let me know. It will be pleasure and delight if I may serve you as a friend, as a friend, but all I have ever learned, all I can ever do, shall be for you and those you love. There are darknesses in life, and there are lights. You are one of the lights. You will have a happy life and a good life, and your husband will be blessed in you."

"But, doctor, you praise me too much, and you do not know me."

"Not know you, I, who am old, and who have studied all my life men and women, I who have made my specialty the brain and all that belongs to him and all that follow from him! And I have read your diary that you have so goodly written for me, and which breathes out truth in every line. I, who have read your so sweet letter to poor Lucy of your marriage and your trust, not know you! Oh, Madam Mina, good women tell all their lives, and by day and by hour and by minute, such things that angels can read. And we men who wish to know have in us something of angels' eyes. Your husband is noble nature, and you are noble too, for you trust, and trust cannot be where there is mean nature. And your husband, tell me of him. Is he quite well? Is all that fever gone, and is he strong and hearty?"

I saw here an opening to ask him about Jonathan, so I said, "He was almost recovered, but he has been greatly upset by Mr. Hawkins death."

He interrupted, "Oh, yes. I know. I know. I have read your last two letters."

I went on, "I suppose this upset him, for when we were in town on Thursday last he had a sort of shock."

"A shock, and after brain fever so soon! That is not good. What kind of shock was it?"

"He thought he saw some one who recalled something terrible, something which led to his brain fever." And here the whole thing seemed to overwhelm me in a rush. The pity for Jonathan, the horror which he experienced, the whole fearful mystery of his diary, and the fear that has been brooding over me ever since, all came in a tumult. I suppose I was hysterical, for I threw myself on my knees and held up my hands to him, and implored him to make my husband well again. He took my hands and raised me up, and made me sit on the sofa, and sat by me. He held my hand in his, and said to me with, oh, such infinite sweetness,

"My life is a barren and lonely one, and so full of work that I have not had much time for friendships, but since I have been summoned to here by my friend John Seward I have known so many good people and seen such nobility that I feel more than ever, and it has grown with my advancing years, the loneliness of my life. Believe me, then, that I come here full of respect for you, and you have given me hope, hope, not in what I am seeking of, but that there are good women still left to make life happy, good women, whose lives and whose truths may make good lesson for the children that are to be. I am glad, glad, that I may here be of some use to you. For if your husband suffer, he suffer within the range of my study and experience. I promise you that I will gladly do all for him that I can, all to make his life strong and manly, and your life a happy one. Now you must eat. You are overwrought and perhaps over-anxious. Husband Jonathan would not like to see you so pale, and what he like not where he love, is not to his good. Therefore for his sake you must eat and smile. You have told me about Lucy, and so now we shall not speak of it, lest it distress. I shall stay in Exeter tonight, for I want to think much over what you have told me, and when I have thought I will ask you questions, if I may. And then too, you will tell me of husband Jonathan's trouble so far as you can, but not yet. You must eat now, afterwards you shall tell me all."

After lunch, when we went back to the drawing room, he said to me, "And now tell me all about him."

When it came to speaking to this great learned man, I began to fear that he would think me a weak fool, and Jonathan a madman, that journal is all so strange, and I hesitated to go on. But he was so sweet and kind, and he had promised to help, and I trusted him, so I said,

"Dr. Van Helsing, what I have to tell you is so queer that you must not laugh at me or at my husband. I have been since yesterday in a sort of fever of doubt. You must be kind to me, and not think me foolish that I have even half believed some very strange things."

He reassured me by his manner as well as his words when he said, "Oh, my dear, if you only know how strange is the matter regarding which I am here, it is you who would laugh. I have learned not to think little of any one's belief, no matter how strange it may be. I have tried to keep an open mind, and it is not the ordinary things of life that could close it, but the strange things, the extraordinary things, the things that make one doubt if they be mad or sane."

"Thank you, thank you a thousand times! You have taken a weight off my mind. If you will let me, I shall give you a paper to read. It is long, but I have typewritten it out. It will tell you my trouble and Jonathan's. It is the copy of his journal when abroad, and all that happened. I dare not say anything of it. You will read for yourself and judge. And then when I see you, perhaps, you will be very kind and tell me what you think."

"I promise," he said as I gave him the papers. "I shall in the morning, as soon as I can, come to see you and your husband, if I may."

"Jonathan will be here at half-past eleven, and you must come to lunch with us and see him then. You could catch the quick 3:34 train, which will leave you at Paddington before eight." He was surprised at my knowledge of the trains offhand, but he does not know that I have made up all the trains to and from Exeter, so that I may help Jonathan in case he is in a hurry.

So he took the papers with him and went away, and I sit here thinking, thinking I don't know what.

LETTER (by hand), VAN HELSING TO MRS. HARKER

25 September, 6 o'clock

Dear Madam Mina,

I have read your husband's so wonderful diary. You may sleep without doubt. Strange and terrible as it is, it is true! I will pledge my life on it. It may be worse for others, but for him and you there is no dread. He is a noble fellow, and let me tell you from experience of men, that one who would do as he did in going down that wall and to that room, aye, and going a second time, is not one to be injured in permanence by a shock. His brain and his heart are all right, this I swear, before I have even seen him, so be at rest. I shall have much to ask him of other things. I am blessed that today I come to see you, for I have learn all at once so much that again I am dazzled, dazzled more than ever, and I must think.

Yours the most faithful,

Abraham Van Helsing.

LETTER, MRS. HARKER TO VAN HELSING

25 September, 6:30 P.M.

My dear Dr. Van Helsing,

A thousand thanks for your kind letter, which has taken a great weight off my mind. And yet, if it be true, what terrible things there are in the world, and what an awful thing if that man, that monster, be really in London! I fear to think. I have this moment, whilst writing, had a wire from Jonathan, saying that he leaves by the 6:25 tonight from Launceston and will be here at 10:18, so that I shall have no fear tonight. Will you, therefore, instead of lunching with us, please come to breakfast at eight o'clock, if this be not too early for you? You can get away, if you are in a hurry, by the 10:30 train, which will bring you to Paddington by 2:35. Do not answer this, as I shall take it that, if I do not hear, you will come to breakfast.

Believe me,

Your faithful and grateful friend,

Mina Harker.

JONATHAN HARKER'S JOURNAL

26 September. I thought never to write in this diary again, but the time has come. When I got home last night Mina had supper ready, and when we had supped she told me of Van Helsing's visit, and of her having given him the two diaries copied out, and of how anxious she has been about me. She showed me in the doctor's letter that all I wrote down was true. It seems to have made a new man of me. It was the doubt as to the reality of the whole thing that knocked me over. I felt impotent, and in the dark, and distrustful. But, now that I know, I am not afraid, even of the Count. He has succeeded after all, then, in his design in getting to London, and it was he I saw. He has got younger, and how? Van Helsing is the man to unmask him and hunt him out, if he is anything like what Mina says. We sat late, and talked it over. Mina is dressing, and I shall call at the hotel in a few minutes and bring him over.

He was, I think, surprised to see me. When I came into the room where he was, and introduced myself, he took me by the shoulder, and turned my face round to the light, and said, after a sharp scrutiny,

"But Madam Mina told me you were ill, that you had had a shock."

It was so funny to hear my wife called 'Madam Mina' by this kindly, strong-faced old man. I smiled, and said, "I was ill, I have had a shock, but you have cured me already."

"And how?"

"By your letter to Mina last night. I was in doubt, and then everything took a hue of unreality, and I did not know what to trust, even the evidence of my own senses. Not knowing what to trust, I did not know what to do, and so had only to keep on working in what had hitherto been the groove of my life. The groove ceased to avail me, and I mistrusted myself. Doctor, you don't know what it is to doubt everything, even yourself. No, you don't, you couldn't with eyebrows like yours."

He seemed pleased, and laughed as he said, "So! You are a physiognomist. I learn more here with each hour. I am with so much pleasure coming to you to breakfast, and, oh, sir, you will pardon praise from an old man, but you are blessed in your wife."

I would listen to him go on praising Mina for a day, so I simply nodded and stood silent.

"She is one of God's women, fashioned by His own hand to show us men and other women that there is a heaven where we can enter, and that its light can be here on earth. So true, so sweet, so noble, so little an egoist, and that, let me tell you, is much in this age, so sceptical and selfish. And you, sir... I have read all the letters to poor Miss Lucy, and some of them speak of you, so I know you since some days from the knowing of others, but I have seen your true self since last night. You will give me your hand, will you not? And let us be friends for all our lives."

We shook hands, and he was so earnest and so kind that it made me quite choky.

"And now," he said, "may I ask you for some more help? I have a great task to do, and at the beginning it is to know. You can help me here. Can you tell me what went before your going to Transylvania? Later on I may ask more help, and of a different kind, but at first this will do."

"Look here, Sir," I said, "does what you have to do concern the Count?"

"It does," he said solemnly.

"Then I am with you heart and soul. As you go by the 10:30 train, you will not have time to read them, but I shall get the bundle of papers. You can take them with you and read them in the train."

After breakfast I saw him to the station. When we were parting he said, "Perhaps you will come to town if I send for you, and take Madam Mina too."

"We shall both come when you will," I said.

I had got him the morning papers and the London papers of the previous night, and while we were talking at the carriage window, waiting for the train to start, he was turning them over. His eyes suddenly seemed to catch something in one of them, "The Westminster Gazette", I knew it by the colour, and he grew quite white. He read something intently, groaning to himself, "Mein Gott! Mein Gott! So soon! So soon!" I do not think he remembered me at the moment. Just then the whistle blew, and the train moved off. This recalled him to himself, and he leaned out of the window and waved his hand, calling out, "Love to Madam Mina. I shall write so soon as ever I can."

DR. SEWARD'S DIARY

26 September. Truly there is no such thing as finality. Not a week since I said "Finis," and yet here I am starting fresh again, or rather going on with the record. Until this afternoon I had no cause to think of what is done. Renfield had become, to all intents, as sane as he ever was. He was already well ahead with his fly business, and he had just started in the spider line also, so he had not been of any trouble to me. I had a letter from Arthur, written on Sunday, and from it I gather that he is bearing up wonderfully well. Quincey Morris is with him, and that is much of a help, for he himself is a bubbling well of good spirits. Quincey wrote me a line too, and from him I hear that Arthur is beginning to recover something of his old buoyancy, so as to them all my mind is at rest. As for myself, I was settling down to my work with the enthusiasm which I used to have for it, so that I might fairly have said that the wound which poor Lucy left on me was becoming cicatrised.

Everything is, however, now reopened, and what is to be the end God only knows. I have an idea that Van Helsing thinks he knows, too, but he will only let out enough at a time to whet curiosity. He went to Exeter yesterday, and stayed there all night. Today he came back, and almost bounded into the room at about half-past five o'clock, and thrust last night's "Westminster Gazette" into my hand.

"What do you think of that?" he asked as he stood back and folded his arms.

I looked over the paper, for I really did not know what he meant, but he took it from me and pointed out a paragraph about children being decoyed away at Hampstead. It did not convey much to me, until I reached a passage where it described small puncture wounds on their throats. An idea struck me, and I looked up.

"Well?" he said.

"It is like poor Lucy's."

"And what do you make of it?"

"Simply that there is some cause in common. Whatever it was that injured her has injured them." I did not quite understand his answer.

"That is true indirectly, but not directly."

"How do you mean, Professor?" I asked. I was a little inclined to take his seriousness lightly, for, after all, four days of rest and freedom from burning, harrowing, anxiety does help to restore one's spirits, but when I saw his face, it sobered me. Never, even in the midst of our despair about poor Lucy, had he looked more stern.

"Tell me!" I said. "I can hazard no opinion. I do not know what to think, and I have no data on which to found a conjecture."

"Do you mean to tell me, friend John, that you have no suspicion as to what poor Lucy died of, not after all the hints given, not only by events, but by me?"

"Of nervous prostration following a great loss or waste of blood."

"And how was the blood lost or wasted?" I shook my head.

He stepped over and sat down beside me, and went on, "You are a clever man, friend John. You reason well, and your wit is bold, but you are too prejudiced. You do not let your eyes see nor your ears hear, and that which is outside your daily life is not of account to you. Do you not think that there are things which you cannot understand, and yet which are, that some people see things that others cannot? But there are things old and new which must not be contemplated by men's eyes, because they know, or think they know, some things which other men have told them. Ah, it is the fault of our science that it wants to explain all, and if it explain not, then it says there is nothing to explain. But yet we see around us every day the growth of new beliefs, which think themselves new, and which are yet but the old, which pretend to be young, like the fine ladies at the opera. I suppose now you do not believe in corporeal transference. No? Nor in materialization. No? Nor in astral bodies. No? Nor in the reading of thought. No? Nor in hypnotism…"

"Yes," I said. "Charcot has proved that pretty well."

He smiled as he went on, "Then you are satisfied as to it. Yes? And of course then you understand how it act, and can follow the mind of the great Charcot, alas that he is no more, into the very soul of the patient that he influence. No? Then, friend John, am I to take it that you simply accept fact, and are satisfied to let from premise to conclusion be a blank? No? Then tell me, for I am a student of the brain, how you accept hypnotism and reject the thought reading. Let me tell you, my friend, that there are things done today in electrical science which would have been deemed unholy by the very man who discovered electricity, who would themselves not so long before been burned as wizards. There are always mysteries in life. Why was it that Methuselah lived nine hundred years, and 'Old Parr' one hundred and sixty-nine, and yet that poor Lucy, with four men's blood in her poor veins, could not live even one day? For, had she live one more day, we could save her. Do you know all the mystery of life and death? Do you know the altogether of comparative anatomy and can say wherefore the qualities of brutes are in some men, and not in others? Can you tell me why, when other spiders die small and soon, that one great spider lived for centuries in the tower of the old Spanish church and grew and grew, till, on descending, he could drink the oil of all the church lamps? Can you tell me why in the Pampas, ay and elsewhere, there are bats that come out at night and open the veins of cattle and horses and suck dry their veins, how in some islands of the Western seas there are bats which hang on the trees all day, and those who have seen describe as like giant nuts or pods, and that when the sailors sleep on the deck, because that it is hot, flit down on them and then, and then in the morning are found dead men, white as even Miss Lucy was?"

"Good God, Professor!" I said, starting up. "Do you mean to tell me that Lucy was bitten by such a bat, and that such a thing is here in London in the nineteenth century?"

He waved his hand for silence, and went on, "Can you tell me why the tortoise lives more long than generations of men, why the elephant goes on and on till he have sees dynasties, and why the parrot never die only of bite of cat of dog or other complaint? Can you tell me why men believe in all ages and places that there are men and women who cannot die? We all know, because science has vouched for the fact, that there have been toads shut up in rocks for thousands of years, shut in one so small hole that only hold him since the youth of the world. Can you tell me how the Indian fakir can make himself to die and have been buried, and his grave sealed and corn sowed on it, and the corn reaped and be cut and sown and reaped and cut again, and then men come and take away the unbroken seal and that there lie the Indian fakir, not dead, but that rise up and walk amongst them as before?"

Here I interrupted him. I was getting bewildered. He so crowded on my mind his list of nature's eccentricities and possible impossibilities that my imagination was getting fired. I had a dim idea that he was teaching me some lesson, as long ago he used to do in his study at Amsterdam. But he used them to tell me the thing, so that I could have the object of thought in mind all the time. But now I was without his help, yet I wanted to follow him, so I said,

"Professor, let me be your pet student again.
Tell me the thesis, so that I may apply your knowledge as you go on. At present I am going in my mind from point to point as a madman, and not a sane one, follows an idea. I feel like a novice lumbering through a bog in a midst, jumping from one tussock to another in the mere blind effort to move on without knowing where I am going."

"That is a good image," he said. "Well, I shall tell you. My thesis is this, I want you to believe."

"To believe what?"

"To believe in things that you cannot. Let me illustrate. I heard once of an American who so defined faith, 'that faculty which enables us to believe things which we know to be untrue.' For one, I follow that man. He meant that we shall have an open mind, and not let a little bit of truth check the rush of the big truth, like a small rock does a railway truck. We get the small truth first. Good! We keep him, and we value him, but all the same we must not let him think himself all the truth in the universe."

"Then you want me not to let some previous conviction inure the receptivity of my mind with regard to some strange matter. Do I read your lesson aright?"

"Ah, you are my favourite pupil still. It is worth to teach you. Now that you are willing to understand, you have taken the first step to understand. You think then that those so small holes in the children's throats were made by the same that made the holes in Miss Lucy?"

"I suppose so."

He stood up and said solemnly, "Then you are wrong. Oh, would it were so! But alas! No. It is worse, far, far worse."

"In God's name, Professor Van Helsing, what do you mean?" I cried.

He threw himself with a despairing gesture into a chair, and placed his elbows on the table, covering his face with his hands as he spoke.

"They were made by Miss Lucy!"

CHAPTER 15

DR. SEWARD'S DIARY cont.

For a while sheer anger mastered me. It was as if he had during her life struck Lucy on the face. I smote the table hard and rose up as I said to him, "Dr. Van Helsing, are you mad?"

He raised his head and looked at me, and somehow the tenderness of his face calmed me at once. "Would I were!" he said. "Madness were easy to bear compared with truth like this. Oh, my friend, why, think you, did I go so far round, why take so long to tell so simple a thing? Was it because I hate you and have hated you all my life? Was it because I wished to give you pain? Was it that I wanted, now so late, revenge for that time when you saved my life, and from a fearful death? Ah no!"

"Forgive me," said I.

He went on, "My friend, it was because I wished to be gentle in the breaking to you, for I know you have loved that so sweet lady. But even yet I do not expect you to believe. It is so hard to accept at once any abstract truth, that we may doubt such to be possible when we have always believed the 'no' of it. It is more hard still to accept so sad a concrete truth, and of such a one as Miss Lucy. Tonight I go to prove it. Dare you come with me?"

This staggered me. A man does not like to prove such a truth, Byron excepted from the category, jealousy.

"And prove the very truth he most abhorred."

He saw my hesitation, and spoke, "The logic is simple, no madman's logic this time, jumping from tussock to tussock in a misty bog. If it not be true, then proof will be relief. At worst it will not harm. If it be true! Ah, there is the dread. Yet every dread should help my cause, for in it is some need of belief. Come, I tell you what I propose. First, that we go off now and see that child in the hospital. Dr. Vincent, of the North Hospital, where the papers say the child is, is a friend of mine, and I think of yours since you were in class at Amsterdam. He will let two scientists see his case, if he will not let two friends. We shall tell him nothing, but only that we wish to learn. And then..."

"And then?"

He took a key from his pocket and held it up. "And then we spend the night, you and I, in the churchyard where Lucy lies. This is the key that lock the tomb. I had it from the coffin man to give to Arthur."

My heart sank within me, for I felt that there was some fearful ordeal before us. I could do nothing, however, so I plucked up what heart I could and said that we had better hasten, as the afternoon was passing.

We found the child awake. It had had a sleep and taken some food, and altogether was going on well. Dr. Vincent took the bandage from its throat, and showed us the punctures. There was no mistaking the similarity to those which had been on Lucy's throat. They were smaller, and the edges looked fresher, that was all. We asked Vincent to what he attributed them, and he replied that it must have been a bite of some animal, perhaps a rat, but for his own part, he was inclined to think it was one of the bats which are so numerous on the northern heights of London. "Out of so many harmless ones," he said, "there may be some wild specimen from the South of a more malignant species. Some sailor may have brought one home, and it managed to escape, or even from the Zoological Gardens a young one may have got loose, or one be bred there from a vampire.

These things do occur, you, know. Only ten days ago a wolf got out, and was, I believe, traced up in this direction. For a week after, the children were playing nothing but Red Riding Hood on the Heath and in every alley in the place until this 'bloofer lady' scare came along, since then it has been quite a gala time with them. Even this poor little mite, when he woke up today, asked the nurse if he might go away. When she asked him why he wanted to go, he said he wanted to play with the 'bloofer lady'."

"I hope," said Van Helsing, "that when you are sending the child home you will caution its parents to keep strict watch over it. These fancies to stray are most dangerous, and if the child were to remain out another night, it would probably be fatal. But in any case I suppose you will not let it away for some days?"

"Certainly not, not for a week at least, longer if the wound is not healed."

Our visit to the hospital took more time than we had reckoned on, and the sun had dipped before we came out. When Van Helsing saw how dark it was, he said,

"There is not hurry. It is more late than I thought. Come, let us seek somewhere that we may eat, and then we shall go on our way."

We dined at 'Jack Straw's Castle' along with a little crowd of bicyclists and others who were genially noisy. About ten o'clock we started from the inn. It was then very dark, and the scattered lamps made the darkness greater when we were once outside their individual radius. The Professor had evidently noted the road we were to go, for he went on unhesitatingly, but, as for me, I was in quite a mixup as to locality. As we went further, we met fewer and fewer people, till at last we were somewhat surprised when we met even the patrol of horse police going their usual suburban round. At last we reached the wall of the churchyard, which we climbed over. With some little difficulty, for it was very dark, and the whole place seemed so strange to us, we found the Westenra tomb. The Professor took the key, opened the creaky door, and standing back, politely, but quite unconsciously, motioned me to precede him. There was a delicious irony in the offer, in the courtliness of giving preference on such a ghastly occasion. My companion followed me quickly, and cautiously drew the door to, after carefully ascertaining that the lock was a falling, and not a spring one. In the latter case we should have been in a bad plight. Then he fumbled in his bag, and taking out a matchbox and a piece of candle, proceeded to make a light. The tomb in the daytime, and when wreathed with fresh flowers, had looked grim and gruesome enough, but now, some days afterwards, when the flowers hung lank and dead, their whites turning to rust and their greens to browns, when the spider and the beetle had resumed their accustomed dominance, when the time-discoloured stone, and dust-encrusted mortar, and rusty, dank iron, and tarnished brass, and clouded silver-plating gave back the feeble glimmer of a candle, the effect was more miserable and sordid than could have been imagined. It conveyed irresistibly the idea that life, animal life, was not the only thing which could pass away.

Van Helsing went about his work systematically. Holding his candle so that he could read the coffin plates, and so holding it that the sperm dropped in white patches which congealed as they touched the metal, he made assurance of Lucy's coffin. Another search in his bag, and he took out a turnscrew.

"What are you going to do?" I asked.

"To open the coffin. You shall yet be convinced."

Straightway he began taking out the screws, and finally lifted off the lid, showing the casing of lead beneath. The sight was almost too much for me. It seemed to be as much an affront to the dead as it would have been to have stripped off her clothing in her sleep whilst living. I actually took hold of his hand to stop him.

He only said, "You shall see," and again fumbling in his bag took out a tiny fret saw. Striking the turnscrew through the lead with a swift downward stab, which made me wince, he made a small hole, which was, however, big enough to admit the point of the saw. I had expected a rush of gas from the week-old corpse. We doctors, who have had to study our dangers, have to become accustomed to such things, and I drew back towards the door. But the Professor never stopped for a moment. He sawed down a couple of feet along one side of the lead coffin, and then across, and down the other side. Taking the edge of the loose flange, he bent it back towards the foot of the coffin, and holding up the candle into the aperture, motioned to me to look.

I drew near and looked. The coffin was empty. It was certainly a surprise to me, and gave me a considerable shock, but Van Helsing was unmoved. He was now more sure than ever of his ground, and so emboldened to proceed in his task. "Are you satisfied now, friend John?" he asked.

I felt all the dogged argumentativeness of my nature awake within me as I answered him, "I am satisfied that Lucy's body is not in that coffin, but that only proves one thing."

"And what is that, friend John?"

"That it is not there."

"That is good logic," he said, "so far as it goes. But how do you, how can you, account for it not being there?"

"Perhaps a body-snatcher," I suggested. "Some of the undertaker's people may have stolen it." I felt that I was speaking folly, and yet it was the only real cause which I could suggest.

The Professor sighed. "Ah well!" he said, "we must have more proof. Come with me."

He put on the coffin lid again, gathered up all his things and placed them in the bag, blew out the light, and placed the candle also in the bag. We opened the door, and went out. Behind us he closed the door and locked it. He handed me the key, saying, "Will you keep it? You had better be assured."

I laughed, it was not a very cheerful laugh, I am bound to say, as I motioned him to keep it. "A key is nothing," I said, "there are many duplicates, and anyhow it is not difficult to pick a lock of this kind."

He said nothing, but put the key in his pocket. Then he told me to watch at one side of the churchyard whilst he would watch at the other.

I took up my place behind a yew tree, and I saw his dark figure move until the intervening headstones and trees hid it from my sight.

It was a lonely vigil. Just after I had taken my place I heard a distant clock strike twelve, and in time came one and two. I was chilled and unnerved, and angry with the Professor for taking me on such an errand and with myself for coming. I was too cold and too sleepy to be keenly observant, and not sleepy enough to betray my trust, so altogether I had a dreary, miserable time.

Suddenly, as I turned round, I thought I saw something like a white streak, moving between two dark yew trees at the side of the churchyard farthest from the tomb. At the same time a dark mass moved from the Professor's side of the ground, and hurriedly went towards it. Then I too moved, but I had to go round headstones and railed-off tombs, and I stumbled over graves. The sky was overcast, and somewhere far off an early cock crew. A little ways off, beyond a line of scattered juniper trees, which marked the pathway to the church, a white dim figure flitted in the direction of the tomb. The tomb itself was hidden by trees, and I could not see where the figure had disappeared. I heard the rustle of actual movement where I had first seen the white figure, and coming over, found the Professor holding in his arms a tiny child. When he saw me he held it out to me, and said, "Are you satisfied now?"

"No," I said, in a way that I felt was aggressive.

"Do you not see the child?"

"Yes, it is a child, but who brought it here? And is it wounded?"

"We shall see," said the Professor, and with one impulse we took our way out of the churchyard, he carrying the sleeping child.

When we had got some little distance away, we went into a clump of trees, and struck a match, and looked at the child's throat. It was without a scratch or scar of any kind.

"Was I right?" I asked triumphantly.

"We were just in time," said the Professor thankfully.

We had now to decide what we were to do with the child, and so consulted about it. If we were to take it to a police station we should have to give some account of our movements during the night. At least, we should have had to make some statement as to how we had come to find the child. So finally we decided that we would take it to the Heath, and when we heard a policeman coming, would leave it where he could not fail to find it. We would then seek our way home as quickly as we could. All fell out well. At the edge of Hampstead Heath we heard a policeman's heavy tramp, and laying the child on the pathway, we waited and watched until he saw it as he flashed his lantern to and fro. We heard his exclamation of astonishment, and then we went away silently. By good chance we got a cab near the 'Spainiards,' and drove to town.

I cannot sleep, so I make this entry. But I must try to get a few hours' sleep, as Van Helsing is to call for me at noon. He insists that I go with him on another expedition.

27 September. It was two o'clock before we found a suitable opportunity for our attempt. The funeral held at noon was all completed, and the last stragglers of the mourners had taken themselves lazily away, when, looking carefully from behind a clump of alder trees, we saw the sexton lock the gate after him. We knew that we were safe till morning did we desire it, but the Professor told me that we should not want more than an hour at most. Again I felt that horrid sense of the reality of things, in which any effort of imagination seemed out of place, and I realized distinctly the perils of the law which we were incurring in our unhallowed work. Besides, I felt it was all so useless. Outrageous as it was to open a leaden coffin, to see if a woman dead nearly a week were really dead, it now seemed the height of folly to open the tomb again, when we knew, from the evidence of our own eyesight, that the coffin was empty. I shrugged my shoulders, however, and rested silent, for Van Helsing had a way of going on his own road, no matter who remonstrated. He took the key, opened the vault, and again courteously motioned me to precede. The place was not so gruesome as last night, but oh, how unutterably mean looking when the sunshine streamed in. Van Helsing walked over to Lucy's coffin, and I followed. He bent over and again forced back the leaden flange, and a shock of surprise and dismay shot through me.

There lay Lucy, seemingly just as we had seen her the night before her funeral. She was, if possible, more radiantly beautiful than ever, and I could not believe that she was dead. The lips were red, nay redder than before, and on the cheeks was a delicate bloom.

"Is this a juggle?" I said to him.

"Are you convinced now?" said the Professor, in response, and as he spoke he put over his hand, and in a way that made me shudder, pulled back the dead lips and showed the white teeth. "See," he went on, "they are even sharper than before. With this and this," and he touched one of the canine teeth and that below it, "the little children can be bitten. Are you of belief now, friend John?"

Once more argumentative hostility woke within me. I could not accept such an overwhelming idea as he suggested. So, with an attempt to argue of which I was even at the moment ashamed, I said, "She may have been placed here since last night."

"Indeed? That is so, and by whom?"

"I do not know. Someone has done it."

"And yet she has been dead one week. Most peoples in that time would not look so."

I had no answer for this, so was silent. Van Helsing did not seem to notice my silence. At any rate, he showed neither chagrin nor triumph. He was looking intently at the face of the dead woman, raising the eyelids and looking at the eyes, and once more opening the lips and examining the teeth. Then he turned to me and said,

"Here, there is one thing which is different from all recorded. Here is some dual life that is not as the common. She was bitten by the vampire when she was in a trance, sleep-walking, oh, you start. You do not know that, friend John, but you shall know it later, and in trance could he best come to take more blood. In trance she dies, and in trance she is UnDead, too. So it is that she differ from all other. Usually when the UnDead sleep at home," as he spoke he made a comprehensive sweep of his arm to designate what to a vampire was 'home', "their face show what they are, but this so sweet that was when she not UnDead she go back to the nothings of the common dead. There is no malign there, see, and so it make hard that I must kill her in her sleep."

This turned my blood cold, and it began to dawn upon me that I was accepting Van Helsing's theories. But if she were really dead, what was there of terror in the idea of killing her?

He looked up at me, and evidently saw the change in my face, for he said almost joyously, "Ah, you believe now?"

I answered, "Do not press me too hard all at once. I am willing to accept. How will you do this bloody work?"

"I shall cut off her head and fill her mouth with garlic, and I shall drive a stake through her body."

It made me shudder to think of so mutilating the body of the woman whom I had loved. And yet the feeling was not so strong as I had expected. I was, in fact, beginning to shudder at the presence of this being, this UnDead, as Van Helsing called it, and to loathe it. Is it possible that love is all subjective, or all objective?

I waited a considerable time for Van Helsing to begin, but he stood as if wrapped in thought. Presently he closed the catch of his bag with a snap, and said,

"I have been thinking, and have made up my mind as to what is best. If I did simply follow my inclining I would do now, at this moment, what is to be done. But there are other things to follow, and things that are thousand times more difficult in that them we do not know. This is simple. She have yet no life taken, though that is of time, and to act now would be to take danger from her forever. But then we may have to want Arthur, and how shall we tell him of this? If you, who saw the wounds on Lucy's throat, and saw the wounds so similar on the child's at the hospital, if you, who saw the coffin empty last night and full today with a woman who have not change only to be more rose and more beautiful in a whole week, after she die, if you know of this and know of the white figure last night that brought the child to the churchyard, and yet of your own senses you did not believe, how then, can I expect Arthur, who know none of those things, to believe?

"He doubted me when I took him from her kiss when she was dying. I know he has forgiven me because in some mistaken idea I have done things that prevent him say goodbye as he ought, and he may think that in some more mistaken idea this woman was buried alive, and that in most mistake of all we have killed her. He will then argue back that it is we, mistaken ones, that have killed her by our ideas, and so he will be much unhappy always. Yet he never can be sure, and that is the worst of all. And he will sometimes think that she he loved was buried alive, and that will paint his dreams with horrors of what she must have suffered, and again, he will think that we may be right, and that his so beloved was, after all, an UnDead. No! I told him once, and since then I learn much. Now, since I know it is all true, a hundred thousand times more do I know that he must pass through the bitter waters to reach the sweet. He, poor fellow, must have one hour that will make the very face of heaven grow black to him, then we can act for good all round and send him peace. My mind is made up. Let us go. You return home for tonight to your asylum, and see that all be well. As for me, I shall spend the night here in this churchyard in my own way. Tomorrow night you will come to me to the Berkeley Hotel at ten of the clock. I shall send for Arthur to come too, and also that so fine young man of America that gave his blood. Later we shall all have work to do. I come with you so far as Piccadilly and there dine, for I must be back here before the sun set."

So we locked the tomb and came away, and got over the wall of the churchyard, which was not much of a task, and drove back to Piccadilly.

NOTE LEFT BY VAN HELSING IN HIS PORTMANTEAU, BERKELEY HOTEL DIRECTED TO JOHN SEWARD, M. D. (Not Delivered)

27 September

Friend John,

I write this in case anything should happen. I go alone to watch in that churchyard. It pleases me that the UnDead, Miss Lucy, shall not leave tonight, that so on the morrow night she may be more eager. Therefore I shall fix some things she like not, garlic and a crucifix, and so seal up the door of the tomb. She is young as UnDead, and will heed. Moreover, these are only to prevent her coming out. They may not prevail on her wanting to get in, for then the UnDead is desperate, and must find the line of least resistance, whatsoever it may be. I shall be at hand all the night from sunset till after sunrise, and if there be aught that may be learned I shall learn it. For Miss Lucy or from her, I have no fear, but that other to whom is there that she is UnDead, he have not the power to seek her tomb and find shelter. He is cunning, as I know from Mr. Jonathan and from the way that all along he have fooled us when he played with us for Miss Lucy's life, and we lost, and in many ways the UnDead are strong. He have always the strength in his hand of twenty men, even we four who gave our strength to Miss Lucy it also is all to him. Besides, he can summon his wolf and I know not what. So if it be that he came thither on this night he shall find me. But none other shall, until it be too late. But it may be that he will not attempt the place. There is no reason why he should. His hunting ground is more full of game than the churchyard where the UnDead woman sleeps, and the one old man watch.

Therefore I write this in case… Take the papers that are with this, the diaries of Harker and the rest, and read them, and then find this great UnDead, and cut off his head and burn his heart or drive a stake through it, so that the world may rest from him.

If it be so, farewell.

VAN HELSING.

DR. SEWARD'S DIARY

28 September. It is wonderful what a good night's sleep will do for one. Yesterday I was almost willing to accept Van Helsing's monstrous ideas, but now they seem to start out lurid before me as outrages on common sense. I have no doubt that he believes it all. I wonder if his mind can have become in any way unhinged. Surely there must be some

rational explanation of all these mysterious things. Is it possible that the Professor can have done it himself? He is so abnormally clever that if he went off his head he would carry out his intent with regard to some fixed idea in a wonderful way. I am loathe to think it, and indeed it would be almost as great a marvel as the other to find that Van Helsing was mad, but anyhow I shall watch him carefully. I may get some light on the mystery.

29 September. Last night, at a little before ten o'clock, Arthur and Quincey came into Van Helsing's room. He told us all what he wanted us to do, but especially addressing himself to Arthur, as if all our wills were centred in his. He began by saying that he hoped we would all come with him too, "for," he said, "there is a grave duty to be done there. You were doubtless surprised at my letter?" This query was directly addressed to Lord Godalming.

"I was. It rather upset me for a bit. There has been so much trouble around my house of late that I could do without any more. I have been curious, too, as to what you mean."

"Quincey and I talked it over, but the more we talked, the more puzzled we got, till now I can say for myself that I'm about up a tree as to any meaning about anything."

"Me too," said Quincey Morris laconically.

"Oh," said the Professor, "then you are nearer the beginning, both of you, than friend John here, who has to go a long way back before he can even get so far as to begin."

It was evident that he recognized my return to my old doubting frame of mind without my saying a word. Then, turning to the other two, he said with intense gravity,

"I want your permission to do what I think good this night. It is, I know, much to ask, and when you know what it is I propose to do you will know, and only then how much. Therefore may I ask that you promise me in the dark, so that afterwards, though you may be angry with me for a time, I must not disguise from myself the possibility that such may be, you shall not blame yourselves for anything."

"That's frank anyhow," broke in Quincey. "I'll answer for the Professor. I don't quite see his drift, but I swear he's honest, and that's good enough for me."

"I thank you, Sir," said Van Helsing proudly. "I have done myself the honour of counting you one trusting friend, and such endorsement is dear to me." He held out a hand, which Quincey took.

Then Arthur spoke out, "Dr. Van Helsing, I don't quite like to 'buy a pig in a poke', as they say in Scotland, and if it be anything in which my honour as a gentleman or my faith as a Christian is concerned, I cannot make such a promise. If you can assure me that what you intend does not violate either of these two, then I give my consent at once, though for the life of me, I cannot understand what you are driving at."

"I accept your limitation," said Van Helsing, "and all I ask of you is that if you feel it necessary to condemn any act of mine, you will first consider it well and be satisfied that it does not violate your reservations."

"Agreed!" said Arthur. "That is only fair. And now that the pourparlers are over, may I ask what it is we are to do?"

"I want you to come with me, and to come in secret, to the churchyard at Kingstead."

Arthur's face fell as he said in an amazed sort of way,

"Where poor Lucy is buried?"

The Professor bowed.

Arthur went on, "And when there?"

"To enter the tomb!"

Arthur stood up. "Professor, are you in earnest, or is it some monstrous joke? Pardon me, I see that you are in earnest." He sat down again, but I could see that he sat firmly and proudly, as one who is on his dignity. There was silence until he asked again, "And when in the tomb?"

"To open the coffin."

"This is too much!" he said, angrily rising again. "I am willing to be patient in all things that are reasonable, but in this, this desecration of the grave, of one who…" He fairly choked with indignation.

The Professor looked pityingly at him. "If I could spare you one pang, my poor friend," he said, "God knows I would. But this night our feet must tread in thorny paths, or later, and for ever, the feet you love must walk in paths of flame!"

Arthur looked up with set white face and said, "Take care, sir, take care!"

"Would it not be well to hear what I have to say?" said Van Helsing. "And then you will at least know the limit of my purpose. Shall I go on?"

"That's fair enough," broke in Morris.

After a pause Van Helsing went on, evidently with an effort, "Miss Lucy is dead, is it not so? Yes! Then there can be no wrong to her. But if she be not dead…"

Arthur jumped to his feet, "Good God!" he cried. "What do you mean? Has there been any mistake, has she been buried alive?" He groaned in anguish that not even hope could soften.

"I did not say she was alive, my child. I did not think it. I go no further than to say that she might be UnDead."

"UnDead! Not alive! What do you mean? Is this all a nightmare, or what is it?"

"There are mysteries which men can only guess

at, which age by age they may solve only in part. Believe me, we are now on the verge of one. But I have not done. May I cut off the head of dead Miss Lucy?"

"Heavens and earth, no!" cried Arthur in a storm of passion. "Not for the wide world will I consent to any mutilation of her dead body. Dr. Van Helsing, you try me too far. What have I done to you that you should torture me so? What did that poor, sweet girl do that you should want to cast such dishonour on her grave? Are you mad, that you speak of such things, or am I mad to listen to them? Don't dare think more of such a desecration. I shall not give my consent to anything you do. I have a duty to do in protecting her grave from outrage, and by God, I shall do it!"

Van Helsing rose up from where he had all the time been seated, and said, gravely and sternly, "My Lord Godalming, I too, have a duty to do, a duty to others, a duty to you, a duty to the dead, and by God, I shall do it! All I ask you now is that you come with me, that you look and listen, and if when later I make the same request you do not be more eager for its fulfillment even than I am, then, I shall do my duty, whatever it may seem to me. And then, to follow your Lordship's wishes I shall hold myself at your disposal to render an account to you, when and where you will." His voice broke a little, and he went on with a voice full of pity.

"But I beseech you, do not go forth in anger with me. In a long life of acts which were often not pleasant to do, and which sometimes did wring my heart, I have never had so heavy a task as now. Believe me that if the time comes for you to change your mind towards me, one look from you will wipe away all this so sad hour, for I would do what a man can to save you from sorrow. Just think. For why should I give myself so much labor and so much of sorrow? I have come here from my own land to do what I can of good, at the first to please my friend John, and then to help a sweet young lady, whom too, I come to love. For her, I am ashamed to say so much, but I say it in kindness, I gave what you gave, the blood of my veins. I gave it, I who was not, like you, her lover, but only her physician and her friend. I gave her my nights and days, before death, after death, and if my death can do her good even now, when she is the dead UnDead, she shall have it freely." He said this with a very grave, sweet pride, and Arthur was much affected by it.

He took the old man's hand and said in a broken voice, "Oh, it is hard to think of it, and I cannot understand, but at least I shall go with you and wait."

CHAPTER 16

DR. SEWARD'S DIARY cont.

It was just a quarter before twelve o'clock when we got into the churchyard over the low wall. The night was dark with occasional gleams of moonlight between the dents of the heavy clouds that scudded across the sky. We all kept somehow close together, with Van Helsing slightly in front as he led the way. When we had come close to the tomb I looked well at Arthur, for I feared the proximity to a place laden with so sorrowful a memory would upset him, but he bore himself well. I took it that the very mystery of the proceeding was in some way a counteractant to his grief. The Professor unlocked the door, and seeing a natural hesitation amongst us for various reasons, solved the difficulty by entering first himself. The rest of us followed, and he closed the door. He then lit a dark lantern and pointed to a coffin. Arthur stepped forward hesitatingly. Van Helsing said to me, "You were with me here yesterday. Was the body of Miss Lucy in that coffin?"

"It was."

The Professor turned to the rest saying, "You hear, and yet there is no one who does not believe with me."

He took his screwdriver and again took off the lid of the coffin. Arthur looked on, very pale but silent. When the lid was removed he stepped forward. He evidently did not know that there was a leaden coffin, or at any rate, had not thought of it. When he saw the rent in the lead, the blood rushed to his face for an instant, but as quickly fell away again, so that he remained of a ghastly whiteness. He was still silent. Van Helsing forced back the leaden flange, and we all looked in and recoiled.

The coffin was empty!

For several minutes no one spoke a word. The silence was broken by Quincey Morris, "Professor, I answered for you. Your word is all I want. I wouldn't ask such a thing ordinarily, I wouldn't so dishonour you as to imply a doubt, but this is a mystery that goes beyond any honour or dishonour. Is this your doing?"

"I swear to you by all that I hold sacred that I have not removed or touched her. What happened was this. Two nights ago my friend Seward and I came here, with good purpose, believe me. I opened that coffin, which was then sealed up, and we found it as now, empty. We then waited, and saw something white come through the trees. The next day we came here in daytime and she lay there. Did she not, friend John?"

"Yes."

"That night we were just in time. One more so small child was missing, and we find it, thank God, unharmed amongst the graves. Yesterday I came here before sundown, for at sundown the UnDead can move. I waited here all night till the sun rose, but I saw nothing. It was most probable that it was because I had laid over the clamps of those doors garlic, which the UnDead cannot bear, and other things which they shun. Last night there was no exodus, so tonight before the sundown I took away my garlic and other things. And so it is we find this coffin empty. But bear with me. So far there is much that is strange. Wait you with me outside, unseen and unheard, and things much stranger are yet to be. So," here he shut the dark slide of his lantern, "now to the outside." He opened the door, and we filed out, he coming last and locking the door behind him.

Oh! But it seemed fresh and pure in the night air after the terror of that vault. How sweet it was to see the clouds race by, and the passing gleams of the moonlight between the scudding clouds crossing and passing, like the gladness and sorrow of a man's life. How sweet it was to breathe the fresh air, that had no taint of death and decay. How humanizing to see the red lighting of the sky beyond the hill, and to hear far away the muffled roar that marks the life of a great city. Each in his own way was solemn and overcome. Arthur was silent, and was, I could see, striving to grasp the purpose and the inner meaning of the mystery. I was myself tolerably patient, and half inclined again to throw aside doubt and to accept Van Helsing's conclusions. Quincey Morris was phlegmatic in the way of a man who accepts all things, and accepts them in the spirit of cool bravery, with hazard of all he has at stake. Not being able to smoke, he cut himself a good-sized plug of tobacco and began to chew. As to Van Helsing, he was employed in a definite way. First he took from his bag a mass of what looked like thin, wafer-like biscuit, which was carefully rolled up in a white napkin. Next he took out a double handful of some whitish stuff, like dough or putty. He crumbled the wafer up fine and worked it into the mass between his hands. This he then took, and rolling it into thin strips, began to lay them into the crevices between the door and its setting in the tomb. I was somewhat puzzled at this, and being close, asked him what it was that he was doing. Arthur and Quincey drew near also, as they too were curious.

He answered, "I am closing the tomb so that the UnDead may not enter."

"And is that stuff you have there going to do it?"

"It is."

"What is that which you are using?" This time the question was by Arthur. Van Helsing reverently lifted his hat as he answered.

"The Host. I brought it from Amsterdam. I have an Indulgence."

It was an answer that appalled the most sceptical of us, and we felt individually that in the presence of such earnest purpose as the Professor's, a purpose which could thus use the to him most sacred of things, it was impossible to distrust. In respectful silence we took the places assigned to us close round the tomb, but hidden from the sight of any one approaching. I pitied the others, especially Arthur. I had myself been apprenticed by my former visits to this watching horror, and yet I, who had up to an hour ago repudiated the proofs, felt my heart sink within me. Never did tombs look so ghastly white. Never did cypress, or yew, or juniper so seem the embodiment of funeral gloom. Never did tree or grass wave or rustle so ominously. Never did bough creak so mysteriously, and never did the far-away howling of dogs send such a woeful presage through the night.

There was a long spell of silence, big, aching, void, and then from the Professor a keen "S-s-s-s!" He pointed, and far down the avenue of yews we saw a white figure advance, a dim white figure, which held something dark at its breast. The figure stopped, and at the moment a ray of moonlight fell upon the masses of driving clouds, and showed in startling prominence a dark-haired woman, dressed in the cerements of the grave. We could not see the face, for it was bent down over what we saw to be a fair-haired child. There was a pause and a sharp little cry, such as a child gives in sleep, or a dog as it lies before the fire and dreams. We were starting forward, but the Professor's warning hand, seen by us as he stood behind a yew tree, kept us back. And then as we looked the white figure moved forwards again. It was now near enough for us to see clearly, and the moonlight still held. My own heart grew cold as ice, and I could hear the gasp of Arthur, as we recognized the features of Lucy Westenra. Lucy Westenra, but yet how changed. The sweetness was turned to adamantine, heartless cruelty, and the purity to voluptuous wantonness.

Van Helsing stepped out, and obedient to his gesture, we all advanced too. The four of us ranged in a line before the door of the tomb. Van Helsing raised his lantern and drew the slide. By the concentrated light that fell on Lucy's face we could see that the lips were crimson with fresh blood, and that the stream had trickled over her chin and stained the purity of her lawn death-robe.

We shuddered with horror. I could see by the tremulous light that even Van Helsing's iron nerve had failed. Arthur was next to me, and if I had not seized his arm and held him up, he would have fallen.

When Lucy, I call the thing that was before us Lucy because it bore her shape, saw us she drew back with an angry snarl, such as a cat gives when taken unawares, then her eyes ranged over us. Lucy's eyes in form and colour, but Lucy's eyes unclean and full of hell fire, instead of the pure, gentle orbs we knew. At that moment the remnant of my love passed into hate and loathing. Had she then to be killed, I could have done it with savage delight. As she looked, her eyes blazed with unholy light, and the face became wreathed with a voluptuous smile. Oh, God, how it made me shudder to see it! With a careless motion, she flung to the ground, callous as a devil, the child that up to now she had clutched strenuously to her breast, growling over it as a dog growls over a bone. The child gave a sharp cry, and lay there moaning. There was a cold-bloodedness in the act which wrung a groan from Arthur. When she advanced to him with outstretched arms and a wanton smile he fell back and hid his face in his hands.

She still advanced, however, and with a languorous, voluptuous grace, said, "Come to me, Arthur. Leave these others and come to me. My arms are hungry for you. Come, and we can rest together. Come, my husband, come!"

There was something diabolically sweet in her tones, something of the tinkling of glass when struck, which rang through the brains even of us who heard the words addressed to another.

As for Arthur, he seemed under a spell, moving his hands from his face, he opened wide his arms. She was leaping for them, when Van Helsing sprang forward and held between them his little golden crucifix. She recoiled from it, and, with a suddenly distorted face, full of rage, dashed past him as if to enter the tomb.

When within a foot or two of the door, however, she stopped, as if arrested by some irresistible force. Then she turned, and her face was shown in the clear burst of moonlight and by the lamp, which had now no quiver from Van Helsing's nerves. Never did I see such baffled malice on a face, and never, I trust, shall such ever be seen again by mortal eyes. The beautiful colour became livid, the eyes seemed to throw out sparks of hell fire, the brows were wrinkled as though the folds of flesh were the coils of Medusa's snakes, and the lovely, blood-stained mouth grew to an open square, as in the passion masks of the Greeks and Japanese. If ever a face meant death, if looks could kill, we saw it at that moment.

And so for full half a minute, which seemed an eternity, she remained between the lifted crucifix and the sacred closing of her means of entry.

Van Helsing broke the silence by asking Arthur, "Answer me, oh my friend! Am I to proceed in my work?"

"Do as you will, friend. Do as you will. There can be no horror like this ever any more." And he groaned in spirit.

Quincey and I simultaneously moved towards him, and took his arms. We could hear the click of the closing lantern as Van Helsing held it down. Coming close to the tomb, he began to remove from the chinks some of the sacred emblem which he had placed there. We all looked on with horrified amazement as we saw, when he stood back, the woman, with a corporeal body as real at that moment as our own, pass through the interstice where scarce a knife blade could have gone. We all felt a glad sense of relief when we saw the Professor calmly restoring the strings of putty to the edges of the door.

When this was done, he lifted the child and said, "Come now, my friends. We can do no more till tomorrow. There is a funeral at noon, so here we shall all come before long after that. The friends of the dead will all be gone by two, and when the sexton locks the gate we shall remain. Then there is more to do, but not like this of tonight. As for this little one, he is not much harmed, and by tomorrow night he shall be well. We shall leave him where the police will find him, as on the other night, and then to home."

Coming close to Arthur, he said, "My friend Arthur, you have had a sore trial, but after, when you look back, you will see how it was necessary. You are now in the bitter waters, my child. By this time tomorrow you will, please God, have passed them, and have drunk of the sweet waters. So do not mourn over-much. Till then I shall not ask you to forgive me."

Arthur and Quincey came home with me, and we tried to cheer each other on the way. We had left behind the child in safety, and were tired. So we all slept with more or less reality of sleep.

29 September, night. A little before twelve o'clock we three, Arthur, Quincey Morris, and myself, called for the Professor. It was odd to notice that by common consent we had all put on black clothes. Of course, Arthur wore black, for he was in deep mourning, but the rest of us wore it by instinct. We got to the graveyard by half-past one, and strolled about, keeping out of official observation, so that when the gravediggers had completed their task and the sexton, under the belief that every one had gone, had locked the gate, we had the place all to ourselves. Van Helsing, instead of his little black bag, had with him a long leather one, something like a cricketing bag. It was manifestly of fair weight.

When we were alone and had heard the last of the footsteps die out up the road, we silently, and as if by ordered intention, followed the Professor to the tomb. He unlocked the door, and we entered, closing it behind us. Then he took from his bag the lantern, which he lit, and also two wax candles, which, when lighted, he stuck by melting their own ends, on other coffins, so that they might give light sufficient to work by. When he again lifted the lid off Lucy's coffin we all looked, Arthur trembling like an aspen, and saw that the corpse lay there in all its death beauty. But there was no love in my own heart, nothing but loathing for the foul Thing which had taken Lucy's shape without her soul. I could see even Arthur's face grow hard as he looked. Presently he said to Van Helsing, "Is this really Lucy's body, or only a demon in her shape?"

"It is her body, and yet not it. But wait a while, and you shall see her as she was, and is."

She seemed like a nightmare of Lucy as she lay there, the pointed teeth, the blood stained, voluptuous mouth, which made one shudder to see, the whole carnal and unspirited appearance, seeming like a devilish mockery of Lucy's sweet purity. Van

Helsing, with his usual methodicalness, began taking the various contents from his bag and placing them ready for use. First he took out a soldering iron and some plumbing solder, and then small oil lamp, which gave out, when lit in a corner of the tomb, gas which burned at a fierce heat with a blue flame, then his operating knives, which he placed to hand, and last a round wooden stake, some two and a half or three inches thick and about three feet long. One end of it was hardened by charring in the fire, and was sharpened to a fine point. With this stake came a heavy hammer, such as in households is used in the coal cellar for breaking the lumps. To me, a doctor's preparations for work of any kind are stimulating and bracing, but the effect of these things on both Arthur and Quincey was to cause them a sort of consternation. They both, however, kept their courage, and remained silent and quiet.

When all was ready, Van Helsing said, "Before we do anything, let me tell you this. It is out of the lore and experience of the ancients and of all those who have studied the powers of the UnDead. When they become such, there comes with the change the curse of immortality. They cannot die, but must go on age after age adding new victims and multiplying the evils of the world. For all that die from the preying of the Undead become themselves Undead, and prey on their kind. And so the circle goes on ever widening, like as the ripples from a stone thrown in the water. Friend Arthur, if you had met that kiss which you know of before poor Lucy die, or again, last night when you open your arms to her, you would in time, when you had died, have become nosferatu, as they call it in Eastern Europe, and would for all time make more of those Un-Deads that so have filled us with horror. The career of this so unhappy dear lady is but just begun. Those children whose blood she sucked are not as yet so much the worse, but if she lives on, UnDead, more and more they lose their blood and by her power over them they come to her, and so she draw their blood with that so wicked mouth. But if she die in truth, then all cease. The tiny wounds of the throats disappear, and they go back to their play unknowing ever of what has been. But of the most blessed of all, when this now UnDead be made to rest as true dead, then the soul of the poor lady whom we love shall again be free. Instead of working wickedness by night and growing more debased in the assimilating of it by day, she shall take her place with the other Angels. So that, my friend, it will be a blessed hand for her that shall strike the blow that sets her free. To this I am willing, but is there none amongst us who has a better right? Will it be no joy to think of hereafter in the silence of the night when sleep is not, 'It was my hand that sent her to the stars. It was the hand of him that loved her best, the hand that of all she would herself have chosen, had it been to her to choose?' Tell me if there be such a one amongst us?"

We all looked at Arthur. He saw too, what we all did, the infinite kindness which suggested that his should be the hand which would restore Lucy to us as a holy, and not an unholy, memory. He stepped forward and said bravely, though his hand trembled, and his face was as pale as snow, "My true friend, from the bottom of my broken heart I thank you. Tell me what I am to do, and I shall not falter!"

Van Helsing laid a hand on his shoulder, and said, "Brave lad! A moment's courage, and it is done. This stake must be driven through her. It well be a fearful ordeal, be not deceived in that, but it will be only a short time, and you will then rejoice more than your pain was great. From this grim tomb you will emerge as though you tread on air. But you must not falter when once you have begun. Only think that we, your true friends, are round you, and that we pray for you all the time."

"Go on," said Arthur hoarsely. "Tell me what I am to do."

"Take this stake in your left hand, ready to place to the point over the heart, and the hammer in your right. Then when we begin our prayer for the dead, I shall read him, I have here the book, and the others shall follow, strike in God's name, that so all may be well with the dead that we love and that the UnDead pass away."

Arthur took the stake and the hammer, and when once his mind was set on action his hands never trembled nor even quivered. Van Helsing opened his missal and began to read, and Quincey and I followed as well as we could.

Arthur placed the point over the heart, and as I looked I could see its dint in the white flesh. Then he struck with all his might.

The thing in the coffin writhed, and a hideous, blood-curdling screech came from the opened red lips. The body shook and quivered and twisted in wild contortions. The sharp white teeth champed together till the lips were cut, and the mouth was smeared with a crimson foam. But Arthur never faltered. He looked like a figure of Thor as his untrembling arm rose and fell, driving deeper and deeper the mercy-bearing stake, whilst the blood from the pierced heart welled and spurted up around it. His face was set, and high duty seemed to shine through it. The sight of it gave us courage so that our voices seemed to ring through the little vault.

And then the writhing and quivering of the body became less, and the teeth seemed to champ, and the face to quiver. Finally it lay still. The terrible task was over.

The hammer fell from Arthur's hand. He reeled and would have fallen had we not caught him. The great drops of sweat sprang from his forehead, and his breath came in broken gasps. It had indeed been an awful strain on him, and had he not been forced to his task by more than human considerations he could never have gone through with it. For a few minutes we were so taken up with him that we did not look towards the coffin. When we did, however, a murmur of startled surprise ran from one to the other of us. We gazed so eagerly that Arthur rose, for he had been seated on the ground, and came and looked too, and then a glad strange light broke over his face and dispelled altogether the gloom of horror that lay upon it.

There, in the coffin lay no longer the foul Thing that we had so dreaded and grown to hate that the work of her destruction was yielded as a privilege to the one best entitled to it, but Lucy as we had seen her in life, with her face of unequalled sweetness and purity. True that there were there, as we had seen them in life, the traces of care and pain and waste. But these were all dear to us, for they marked her truth to what we knew. One and all we felt that the holy calm that lay like sunshine over the wasted face and form was only an earthly token and symbol of the calm that was to reign for ever.

Van Helsing came and laid his hand on Arthur's shoulder, and said to him, "And now, Arthur my friend, dear lad, am I not forgiven?"

The reaction of the terrible strain came as he took the old man's hand in his, and raising it to his lips, pressed it, and said, "Forgiven! God bless you that you have given my dear one her soul again, and me peace." He put his hands on the Professor's shoulder, and laying his head on his breast, cried for a while silently, whilst we stood unmoving.

When he raised his head Van Helsing said to him, "And now, my child, you may kiss her. Kiss her dead lips if you will, as she would have you to, if for her to choose. For she is not a grinning devil now, not any more a foul Thing for all eternity. No longer she is the devil's UnDead. She is God's true dead, whose soul is with Him!"

Arthur bent and kissed her, and then we sent him and Quincey out of the tomb. The Professor and I sawed the top off the stake, leaving the point of it in the body. Then we cut off the head and filled the mouth with garlic. We soldered up the leaden coffin, screwed on the coffin lid, and gathering up our belongings, came away. When the Professor locked the door he gave the key to Arthur.

Outside the air was sweet, the sun shone, and the birds sang, and it seemed as if all nature were tuned to a different pitch. There was gladness and mirth and peace everywhere, for we were at rest ourselves on one account, and we were glad, though it was with a tempered joy.

Before we moved away Van Helsing said, "Now, my friends, one step of our work is done, one the most harrowing to ourselves. But there remains a greater task: to find out the author of all this our sorrow and to stamp him out. I have clues which we can follow, but it is a long task, and a difficult one,

and there is danger in it, and pain. Shall you not all help me? We have learned to believe, all of us, is it not so? And since so, do we not see our duty? Yes! And do we not promise to go on to the bitter end?"

Each in turn, we took his hand, and the promise was made. Then said the Professor as we moved off, "Two nights hence you shall meet with me and dine together at seven of the clock with friend John. I shall entreat two others, two that you know not as yet, and I shall be ready to all our work show and our plans unfold. Friend John, you come with me home, for I have much to consult you about, and you can help me. Tonight I leave for Amsterdam, but shall return tomorrow night. And then begins our great quest. But first I shall have much to say, so that you may know what to do and to dread. Then our promise shall be made to each other anew. For there is a terrible task before us, and once our feet are on the ploughshare we must not draw back."

CHAPTER 17

DR. SEWARD'S DIARY cont.

When we arrived at the Berkely Hotel, Van Helsing found a telegram waiting for him.

"Am coming up by train. Jonathan at Whitby. Important news. Mina Harker."

The Professor was delighted. "Ah, that wonderful Madam Mina," he said, "pearl among women! She arrive, but I cannot stay. She must go to your house, friend John. You must meet her at the station. Telegraph her en route so that she may be prepared."

When the wire was dispatched he had a cup of tea. Over it he told me of a diary kept by Jonathan Harker when abroad, and gave me a typewritten copy of it, as also of Mrs. Harker's diary at Whitby. "Take these," he said, "and study them well. When I have returned you will be master of all the facts, and we can then better enter on our inquisition. Keep them safe, for there is in them much of treasure. You will need all your faith, even you who have had such an experience as that of today. What is here told," he laid his hand heavily and gravely on the packet of papers as he spoke, "may be the beginning of the end to you and me and many another, or it may sound the knell of the UnDead who walk the earth. Read all, I pray you, with the open mind, and if you can add in any way to the story here told do so, for it is all important. You have kept a diary of all these so strange things, is it not so? Yes! Then we shall go through all these together when we meet." He then made ready for his departure and shortly drove off to Liverpool Street. I took my way to Paddington, where I arrived about fifteen minutes before the train came in.

The crowd melted away, after the bustling fashion common to arrival platforms, and I was beginning to feel uneasy, lest I might miss my guest, when a sweet-faced, dainty looking girl stepped up to me, and after a quick glance said, "Dr. Seward, is it not?"

"And you are Mrs. Harker!" I answered at once, whereupon she held out her hand.

"I knew you from the description of poor dear Lucy, but..." She stopped suddenly, and a quick blush overspread her face.

The blush that rose to my own cheeks somehow set us both at ease, for it was a tacit answer to her own. I got her luggage, which included a typewriter, and we took the Underground to Fenchurch Street, after I had sent a wire to my housekeeper to have a sitting room and a bedroom prepared at once for Mrs. Harker.

In due time we arrived. She knew, of course, that the place was a lunatic asylum, but I could see that she was unable to repress a shudder when we entered.

She told me that, if she might, she would come presently to my study, as she had much to say. So here I am finishing my entry in my phonograph diary whilst I await her. As yet I have not had the chance of looking at the papers which Van Helsing left with me, though they lie open before me. I must get her interested in something, so that I may have an opportunity of reading them. She does not know how precious time is, or what a task we have in hand. I must be careful not to frighten her. Here she is!

MINA HARKER'S JOURNAL

29 September. After I had tidied myself, I went down to Dr. Seward's study. At the door I paused a moment, for I thought I heard him talking with some one. As, however, he had pressed me to be quick, I knocked at the door, and on his calling out, "Come in," I entered.

To my intense surprise, there was no one with him. He was quite alone, and on the table opposite him was what I knew at once from the description to be a phonograph. I had never seen one, and was much interested.

"I hope I did not keep you waiting," I said, "but I stayed at the door as I heard you talking, and thought there was someone with you."

"Oh," he replied with a smile, "I was only entering my diary."

"Your diary?" I asked him in surprise.

"Yes," he answered. "I keep it in this." As he spoke he laid his hand on the phonograph. I felt quite excited over it, and blurted out, "Why, this beats even shorthand! May I hear it say something?"

"Certainly," he replied with alacrity, and stood up to put it in train for speaking. Then he paused, and a troubled look overspread his face.

"The fact is," he began awkwardly, "I only keep my diary in it, and as it is entirely, almost entirely, about my cases it may be awkward, that is, I mean..." He stopped, and I tried to help him out of his embarrassment.

"You helped to attend dear Lucy at the end. Let me hear how she died, for all that I know of her, I shall be very grateful. She was very, very dear to me."

To my surprise, he answered, with a horror-struck look in his face, "Tell you of her death? Not for the wide world!"

"Why not?" I asked, for some grave, terrible feeling was coming over me.

Again he paused, and I could see that he was trying to invent an excuse. At length, he stammered out, "You see, I do not know how to pick out any particular part of the diary."

Even while he was speaking an idea dawned upon him, and he said with unconscious simplicity, in a different voice, and with the naivete of a child, "that's quite true, upon my honour. Honest Indian!"

I could not but smile, at which he grimaced. "I gave myself away that time!" he said. "But do you know that, although I have kept the diary for months past, it never once struck me how I was going to find any particular part of it in case I wanted to look it up?"

By this time my mind was made up that the diary of a doctor who attended Lucy might have something to add to the sum of our knowledge of that terrible Being, and I said boldly, "Then, Dr. Seward, you had better let me copy it out for you on my typewriter."

He grew to a positively deathly pallor as he said, "No! No! No! For all the world. I wouldn't let you know that terrible story!"

Then it was terrible. My intuition was right! For a moment, I thought, and as my eyes ranged the room, unconsciously looking for something or some opportunity to aid me, they lit on a great batch of typewriting on the table. His eyes caught the look in mine, and without his thinking, followed their direction. As they saw the parcel he realized my meaning.

"You do not know me," I said. "When you have read those papers, my own diary and my husband's also, which I have typed, you will know me better. I have not faltered in giving every thought of my own heart in this cause. But, of course, you do not know me, yet, and I must not expect you to trust me so far."

He is certainly a man of noble nature. Poor dear Lucy was right about him. He stood up and opened a large drawer, in which were arranged in order a number of hollow cylinders of metal covered with dark wax, and said,

"You are quite right. I did not trust you because I did not know you. But I know you now, and let me say that I should have known you long ago. I know that Lucy told you of me. She told me of you too. May I make the only atonement in my power? Take the cylinders and hear them. The first half-dozen of them are personal to me, and they will not horrify you. Then you will know me better. Dinner will by then be ready. In the meantime I shall read over some of these documents, and shall be better able to understand certain things."

He carried the phonograph himself up to my sitting room and adjusted it for me. Now I shall learn something pleasant, I am sure. For it will tell me the other side of a true love episode of which I know one side already.

DR. SEWARD'S DIARY

29 September. I was so absorbed in that wonderful diary of Jonathan Harker and that other of his wife that I let the time run on without thinking. Mrs. Harker was not down when the maid came to announce dinner, so I said, "She is possibly tired. Let dinner wait an hour," and I went on with my work. I had just finished Mrs. Harker's diary, when she came in. She looked sweetly pretty, but very sad, and her eyes were flushed with crying. This somehow moved me much. Of late I have had cause for tears, God knows! But the relief of them was denied me, and now the sight of those sweet eyes, brightened by recent tears, went straight to my heart. So I said as gently as I could, "I greatly fear I have distressed you."

"Oh, no, not distressed me," she replied. "But I have been more touched than I can say by your grief. That is a wonderful machine, but it is cruelly true. It told me, in its very tones, the anguish of your heart. It was like a soul crying out to Almighty God. No one must hear them spoken ever again! See, I have tried to be useful. I have copied out the words on my typewriter, and none other need now hear your heart beat, as I did."

"No one need ever know, shall ever know," I said in a low voice. She laid her hand on mine and said very gravely, "Ah, but they must!"

"Must! But why?" I asked.

"Because it is a part of the terrible story, a part of poor Lucy's death and all that led to it. Because in the struggle which we have before us to rid the earth of this terrible monster we must have all the knowledge and all the help which we can get. I think that the cylinders which you gave me contained more than you intended me to know. But I can see that there are in your record many lights to this dark mystery. You will let me help, will you not? I know all up to a certain point, and I see already, though your diary only took me to 7 September, how poor Lucy was beset, and how her terrible doom was being wrought out. Jonathan and I have been working day and night since Professor Van Helsing saw us. He is gone to Whitby to get more information, and he will be here tomorrow to help us. We need have no secrets amongst us. Working together and with absolute trust, we can surely be stronger than if some of us were in the dark."

She looked at me so appealingly, and at the same time manifested such courage and resolution in her bearing, that I gave in at once to her wishes. "You shall," I said, "do as you like in the matter. God forgive me if I do wrong! There are terrible things yet to learn of, but if you have so far traveled on the road to poor Lucy's death, you will not be content, I know, to remain in the dark. Nay, the end, the very end, may give you a gleam of peace. Come, there is dinner. We must keep one another strong for what is before us. We have a cruel and dreadful task. When you have eaten you shall learn the rest, and I shall answer any questions you ask, if there be anything which you do not understand, though it was apparent to us who were present."

MINA HARKER'S JOURNAL

29 September. After dinner I came with Dr. Seward to his study. He brought back the phonograph from my room, and I took a chair, and arranged the phonograph so that I could touch it without getting up, and showed me how to stop it in case I should want to pause. Then he very thoughtfully took a chair, with his back to me, so that I might be as free as possible, and began to read. I put the forked metal to my ears and listened.

When the terrible story of Lucy's death, and all that followed, was done, I lay back in my chair powerless. Fortunately I am not of a fainting disposition. When Dr. Seward saw me he jumped up with a horrified exclamation, and hurriedly taking a case bottle from the cupboard, gave me some brandy, which in a few minutes somewhat restored me. My brain was all in a whirl, and only that there came through all the multitude of horrors, the holy ray of light that my dear Lucy was at last at peace, I do not think I could have borne it without making a scene. It is all so wild and mysterious, and strange that if I had not known Jonathan's experience in Transylvania I could not have believed. As it was, I didn't know what to believe, and so got out of my difficulty by attending to something else. I took the cover off my typewriter, and said to Dr. Seward,

"Let me write this all out now. We must be ready for Dr. Van Helsing when he comes. I have sent a telegram to Jonathan to come on here when he arrives in London from Whitby. In this matter dates are everything, and I think that if we get all of our material ready, and have every item put in chronological order, we shall have done much.

"You tell me that Lord Godalming and Mr. Morris are coming too. Let us be able to tell them when they come."

He accordingly set the phonograph at a slow pace, and I began to typewrite from the beginning of the seventeenth cylinder. I used manifold, and so took three copies of the diary, just as I had done with the rest. It was late when I got through, but

Dr. Seward went about his work of going his round of the patients. When he had finished he came back and sat near me, reading, so that I did not feel too lonely whilst I worked. How good and thoughtful he is. The world seems full of good men, even if there are monsters in it.

Before I left him I remembered what Jonathan put in his diary of the Professor's perturbation at reading something in an evening paper at the station at Exeter, so, seeing that Dr. Seward keeps his newspapers, I borrowed the files of 'The Westminster Gazette' and 'The Pall Mall Gazette' and took them to my room. I remember how much the 'Dailygraph' and 'The Whitby Gazette', of which I had made cuttings, had helped us to understand the terrible events at Whitby when Count Dracula landed, so I shall look through the evening papers since then, and perhaps I shall get some new light. I am not sleepy, and the work will help to keep me quiet.

DR. SEWARD'S DIARY

30 September. Mr. Harker arrived at nine o'clock. He got his wife's wire just before starting. He is uncommonly clever, if one can judge from his face, and full of energy. If this journal be true, and judging by one's own wonderful experiences, it must be, he is also a man of great nerve. That going down to the vault a second time was a remarkable piece of daring. After reading his account of it I was prepared to meet a good specimen of manhood, but hardly the quiet, businesslike gentleman who came here today.

LATER. After lunch Harker and his wife went back to their own room, and as I passed a while ago I heard the click of the typewriter. They are hard at it. Mrs. Harker says that they are knitting together in chronological order every scrap of evidence they have. Harker has got the letters between the consignee of the boxes at Whitby and the carriers in London who took charge of them. He is now reading his wife's transcript of my diary. I wonder what they make out of it. Here it is...

Strange that it never struck me that the very next house might be the Count's hiding place! Goodness knows that we had enough clues from the conduct of the patient Renfield! The bundle of letters relating to the purchase of the house were with the transcript. Oh, if we had only had them earlier we might have saved poor Lucy! Stop! That way madness lies! Harker has gone back, and is again collecting material. He says that by dinner time they will be able to show a whole connected narrative. He thinks that in the meantime I should see Renfield, as hitherto he has been a sort of index to the coming and going of the Count. I hardly see this yet, but when I get at the dates I suppose I shall. What a good thing that Mrs. Harker put my cylinders into type! We never could have found the dates otherwise.

I found Renfield sitting placidly in his room with his hands folded, smiling benignly. At the moment he seemed as sane as any one I ever saw. I sat down and talked with him on a lot of subjects, all of which he treated naturally. He then, of his own accord, spoke of going home, a subject he has never mentioned to my knowledge during his sojourn here. In fact, he spoke quite confidently of getting his discharge at once. I believe that, had I not had the chat with Harker and read the letters and the dates of his outbursts, I should have been prepared to sign for him after a brief time of observation. As it is, I am darkly suspicious. All those out-breaks were in some way linked with the proximity of the Count. What then does this absolute content mean? Can it be that his instinct is satisfied as to the vampire's ultimate triumph? Stay. He is himself zoophagous, and in his wild ravings outside the chapel door of the deserted house he always spoke of 'master'. This all seems confirmation of our idea. However, after a while I came away. My friend is just a little too sane at present to make it safe to probe him too deep with questions. He might begin to think, and then... So I came away. I mistrust these quiet moods of his, so I have given the attendant a hint to look closely after him, and to have a strait waistcoat ready in case of need.

JOHNATHAN HARKER'S JOURNAL

29 September, in train to London. When I received Mr. Billington's courteous message that he would give me any information in his power I thought it best to go down to Whitby and make, on the spot, such inquiries as I wanted. It was now my object to trace that horrid cargo of the Count's to its place in London. Later, we may be able to deal with it. Billington junior, a nice lad, met me at the station, and brought me to his father's house, where they had decided that I must spend the night. They are hospitable, with true Yorkshire hospitality, give a guest everything and leave him to do as he likes. They all knew that I was busy, and that my stay was short, and Mr. Billington had ready in his office all the papers concerning the consignment of boxes. It gave me almost a turn to see again one of the letters which I had seen on the Count's table before I knew of his diabolical plans. Everything had been carefully thought out, and done systematically and with precision. He seemed to have been prepared for every obstacle which might be placed by accident in the way of his intentions being carried out. To use an Americanism, he had 'taken no chances', and the absolute accuracy with which his instructions were fulfilled was simply the logical result of his care. I saw the invoice, and took note of it. 'Fifty cases of common earth, to be used for experimental purposes'. Also the copy of the letter to Carter Paterson, and their reply. Of both these I got copies. This was all the information Mr. Billington could give me, so I went down to the port and saw the coastguards,

the Customs Officers and the harbour master, who kindly put me in communication with the men who had actually received the boxes. Their tally was exact with the list, and they had nothing to add to the simple description 'fifty cases of common earth', except that the boxes were 'main and mortal heavy', and that shifting them was dry work. One of them added that it was hard lines that there wasn't any gentleman 'such like as like yourself, squire', to show some sort of appreciation of their efforts in a liquid form. Another put in a rider that the thirst then generated was such that even the time which had elapsed had not completely allayed it. Needless to add, I took care before leaving to lift, forever and adequately, this source of reproach.

30 September. The station master was good enough to give me a line to his old companion the station master at King's Cross, so that when I arrived there in the morning I was able to ask him about the arrival of the boxes. He, too put me at once in communication with the proper officials, and I saw that their tally was correct with the original invoice. The opportunities of acquiring an abnormal thirst had been here limited. A noble use of them had, however, been made, and again I was compelled to deal with the result in ex post facto manner.

From thence I went to Carter Paterson's central office, where I met with the utmost courtesy. They looked up the transaction in their day book and letter book, and at once telephoned to their King's Cross office for more details. By good fortune, the men who did the teaming were waiting for work, and the official at once sent them over, sending also by one of them the way-bill and all the papers connected with the delivery of the boxes at Carfax. Here again I found the tally agreeing exactly. The carriers' men were able to supplement the paucity of the written words with a few more details. These were, I shortly found, connected almost solely with the dusty nature of the job, and the consequent thirst engendered in the operators. On my affording an opportunity, through the medium of the currency of the realm, of the allaying, at a later period, this beneficial evil, one of the men remarked,

"That 'ere 'ouse, guv'nor, is the rummiest I ever was in. Blyme! But it ain't been touched sence a hundred years. There was dust that thick in the place that you might have slep' on it without 'urtin' of yer bones. An' the place was that neglected that yer might 'ave smelled ole Jerusalem in it. But the old chapel, that took the cike, that did! Me and my mate, we thort we wouldn't never git out quick enough. Lor', I wouldn't take less nor a quid a moment to stay there arter dark."

Having been in the house, I could well believe him, but if he knew what I know, he would, I think have raised his terms.

Of one thing I am now satisfied. That all those boxes which arrived at Whitby from Varna in the Demeter were safely deposited in the old chapel at Carfax. There should be fifty of them there, unless any have since been removed, as from Dr. Seward's diary I fear.

Later. Mina and I have worked all day, and we have put all the papers into order.

MINA HARKER'S JOURNAL

30 September. I am so glad that I hardly know how to contain myself. It is, I suppose, the reaction from the haunting fear which I have had, that this terrible affair and the reopening of his old wound might act detrimentally on Jonathan. I saw him leave for Whitby with as brave a face as could, but I was sick with apprehension. The effort has, however, done him good. He was never so resolute, never so strong, never so full of volcanic energy, as at present. It is just as that dear, good Professor Van Helsing said, he is true grit, and he improves under strain that would kill a weaker nature. He came back full of life and hope and determination. We have got everything in order for tonight. I feel myself quite wild with excitement. I suppose one ought to pity anything so hunted as the Count. That is just it. This thing is not human, not even a beast. To read Dr. Seward's account of poor Lucy's death, and what followed, is enough to dry up the springs of pity in one's heart.

Later. Lord Godalming and Mr. Morris arrived earlier than we expected. Dr. Seward was out on business, and had taken Jonathan with him, so I had to see them. It was to me a painful meeting, for it brought back all poor dear Lucy's hopes of only a few months ago. Of course they had heard Lucy speak of me, and it seemed that Dr. Van Helsing, too, had been quite 'blowing my trumpet', as Mr. Morris expressed it. Poor fellows, neither of them is aware that I know all about the proposals they made to Lucy. They did not quite know what to say or do, as they were ignorant of the amount of my knowledge. So they had to keep on neutral subjects. However, I thought the matter over, and came to the conclusion that the best thing I could do would be to post them on affairs right up to date. I knew from Dr. Seward's diary that they had been at Lucy's death, her real death, and that I need not fear to betray any secret before the time. So I told them, as well as I could, that I had read all the papers and diaries, and that my husband and I, having typewritten them, had just finished putting them in order. I gave them each a copy to read in the library. When Lord Godalming got his and turned it over, it does make a pretty good pile, he said, "Did you write all this, Mrs. Harker?"

I nodded, and he went on.

"I don't quite see the drift of it, but you people are all so good and kind, and have been working so earnestly and so energetically, that all I can do is to accept your ideas blindfold and try to help you. I have had one lesson already in accepting facts that should make a man humble to the last hour of his life. Besides, I know you loved my Lucy…"

Here he turned away and covered his face with his hands. I could hear the tears in his voice. Mr. Morris, with instinctive delicacy, just laid a hand for a moment on his shoulder, and then walked quietly out of the room. I suppose there is something in a woman's nature that makes a man free to break down before her and express his feelings on the tender or emotional side without feeling it derogatory to his manhood. For when Lord Godalming found himself alone with me he sat down on the sofa and gave way utterly and openly. I sat down beside him and took his hand. I hope he didn't think it forward of me, and that if he ever thinks of it afterwards he never will have such a thought. There I wrong him. I know he never will. He is too true a gentleman. I said to him, for I could see that his heart was breaking, "I loved dear Lucy, and I know what she was to you, and what you were to her. She and I were like sisters, and now she is gone, will you not let me be like a sister to you in your trouble? I know what sorrows you have had, though I cannot measure the depth of them. If sympathy and pity can help in your affliction, won't you let me be of some little service, for Lucy's sake?"

In an instant the poor dear fellow was overwhelmed with grief. It seemed to me that all that he had of late been suffering in silence found a vent at once. He grew quite hysterical, and raising his open hands, beat his palms together in a perfect agony of grief. He stood up and then sat down again, and the tears rained down his cheeks. I felt an infinite pity for him, and opened my arms unthinkingly. With a sob he laid his head on my shoulder and cried like a wearied child, whilst he shook with emotion.

We women have something of the mother in us that makes us rise above smaller matters when the mother spirit is invoked. I felt this big sorrowing man's head resting on me, as though it were that of a baby that some day may lie on my bosom, and I stroked his hair as though he were my own child. I never thought at the time how strange it all was.

After a little bit his sobs ceased, and he raised himself with an apology, though he made no disguise of his emotion. He told me that for days and nights past, weary days and sleepless nights, he had been unable to speak with any one, as a man must speak in his time of sorrow. There was no woman whose sympathy could be given to him, or with whom, owing to the terrible circumstance with which his sorrow was surrounded, he could speak freely.

"I know now how I suffered," he said, as he dried his eyes, "but I do not know even yet, and none other can ever know, how much your sweet sympathy has been to me today. I shall know better in time, and believe me that, though I am not ungrateful now, my gratitude will grow with my understanding. You will let me be like a brother, will you not, for all our lives, for dear Lucy's sake?"

"For dear Lucy's sake," I said as we clasped hands. "Ay, and for your own sake," he added, "for if a man's esteem and gratitude are ever worth the winning, you have won mine today. If ever the future should bring to you a time when you need a man's help, believe me, you will not call in vain. God grant that no such time may ever come to you to break the sunshine of your life, but if it should ever come, promise me that you will let me know."

He was so earnest, and his sorrow was so fresh, that I felt it would comfort him, so I said, "I promise."

As I came along the corridor I saw Mr. Morris looking out of a window. He turned as he heard my footsteps. "How is Art?" he said. Then noticing my red eyes, he went on, "Ah, I see you have been comforting him. Poor old fellow! He needs it. No one but a woman can help a man when he is in trouble of the heart, and he had no one to comfort him."

He bore his own trouble so bravely that my heart bled for him. I saw the manuscript in his hand, and I knew that when he read it he would realize how much I knew, so I said to him, "I wish I could comfort all who suffer from the heart. Will you let me be your friend, and will you come to me for comfort if you need it? You will know later why I speak."

He saw that I was in earnest, and stooping, took my hand, and raising it to his lips, kissed it. It seemed but poor comfort to so brave and unselfish a soul, and impulsively I bent over and kissed him. The tears rose in his eyes, and there was a momentary choking in his throat. He said quite calmly, "Little girl, you will never forget that true hearted kindness, so long as ever you live!" Then he went into the study to his friend.

"Little girl!" The very words he had used to Lucy, and, oh, but he proved himself a friend.

CHAPTER 18
DR. SEWARD'S DIARY

30 September. I got home at five o'clock, and found that Godalming and Morris had not only arrived, but had already studied the transcript of the various diaries and letters which Harker had not yet returned from his visit to the carriers' men, of whom Dr. Hennessey had written to me. Mrs. Harker gave us a cup of tea, and I can honestly say that, for the first time since I have lived in it, this old house seemed like home. When we had finished, Mrs. Harker said,

"Dr. Seward, may I ask a favour? I want to see your patient, Mr. Renfield. Do let me see him. What you have said of him in your diary interests me so much!"

She looked so appealing and so pretty that I could not refuse her, and there was no possible reason why I should, so I took her with me. When I went into the room, I told the man that a lady would like to see him, to which he simply answered, "Why?"

"She is going through the house, and wants to see every one in it," I answered.

"Oh, very well," he said, "let her come in, by all means, but just wait a minute till I tidy up the place."

His method of tidying was peculiar, he simply swallowed all the flies and spiders in the boxes before I could stop him. It was quite evident that he feared, or was jealous of, some interference. When he had got through his disgusting task, he said cheerfully, "Let the lady come in," and sat down on the edge of his bed with his head down, but with his eyelids raised so that he could see her as she entered. For a moment I thought that he might have some homicidal intent. I remembered how quiet he had been just before he attacked me in my own study, and I took care to stand where I could seize him at once if he attempted to make a spring at her.

She came into the room with an easy gracefulness which would at once command the respect of any lunatic, for easiness is one of the qualities mad people most respect. She walked over to him, smiling pleasantly, and held out her hand.

"Good evening, Mr. Renfield," said she. "You see, I know you, for Dr. Seward has told me of you." He made no immediate reply, but eyed her all over intently with a set frown on his face. This look gave way to one of wonder, which merged in doubt, then to my intense astonishment he said, "You're not the girl the doctor wanted to marry, are you? You can't be, you know, for she's dead."

Mrs. Harker smiled sweetly as she replied, "Oh no! I have a husband of my own, to whom I was married before I ever saw Dr. Seward, or he me. I am Mrs. Harker."

"Then what are you doing here?"

"My husband and I are staying on a visit with Dr. Seward."

"Then don't stay."

"But why not?"

I thought that this style of conversation might not be pleasant to Mrs. Harker, any more than it was to me, so I joined in, "How did you know I wanted to marry anyone?"

His reply was simply contemptuous, given in a pause in which he turned his eyes from Mrs. Harker to me, instantly turning them back again, "What an asinine question!"

"I don't see that at all, Mr. Renfield," said Mrs. Harker, at once championing me.

He replied to her with as much courtesy and respect as he had shown contempt to me, "You will, of course, understand, Mrs. Harker, that when a man is so loved and honoured as our host is, everything regarding him is of interest in our little community. Dr. Seward is loved not only by his household and his friends, but even by his patients, who, being some of them hardly in mental equilibrium, are apt to distort causes and effects. Since I myself have been an inmate of a lunatic asylum, I cannot but notice that the sophistic tendencies of some of its inmates lean towards the errors of non causa and ignoratio elenchi."

I positively opened my eyes at this new development. Here was my own pet lunatic, the most pronounced of his type that I had ever met with, talking elemental philosophy, and with the manner of a polished gentleman. I wonder if it was Mrs. Harker's presence which had touched some chord in his memory. If this new phase was spontaneous, or in any way due to her unconscious influence, she must have some rare gift or power.

We continued to talk for some time, and seeing that he was seemingly quite reasonable, she ventured, looking at me questioningly as she began, to lead him to his favourite topic. I was again astonished, for he addressed himself to the question with the impartiality of the completest sanity. He even took himself as an example when he mentioned certain things.

"Why, I myself am an instance of a man who had a strange belief. Indeed, it was no wonder that my friends were alarmed, and insisted on my being put under control. I used to fancy that life was a positive and perpetual entity, and that by consuming a multitude of live things, no matter how low in the scale of creation, one might indefinitely prolong life. At times I held the belief so strongly that I actually tried to take human life. The doctor here will bear me out that on one occasion I tried to kill him for the purpose of strengthening my vital powers by the assimilation with my own body of his life through the medium of his blood, relying of course, upon the Scriptural phrase, 'For the blood is the life.' Though, indeed, the vendor of a certain nostrum has vulgarized the truism to the very point of contempt. Isn't that true, doctor?"

I nodded assent, for I was so amazed that I hardly knew what to either think or say, it was hard to imagine that I had seen him eat up his spiders and flies not five minutes before. Looking at my watch, I saw that I should go to the station to meet Van Helsing, so I told Mrs. Harker that it was time to leave.

She came at once, after saying pleasantly to Mr. Renfield, "Goodbye, and I hope I may see you often, under auspices pleasanter to yourself."

To which, to my astonishment, he replied, "Goodbye, my dear. I pray God I may never see your sweet face again. May He bless and keep you!"

When I went to the station to meet Van Helsing I left the boys behind me. Poor Art seemed more cheerful than he has been since Lucy first took ill, and Quincey is more like his own bright self than he has been for many a long day.

Van Helsing stepped from the carriage with the eager nimbleness of a boy. He saw me at once, and rushed up to me, saying, "Ah, friend John, how goes all? Well? So! I have been busy, for I come here to stay if need be. All affairs are settled with me, and I have much to tell. Madam Mina is with you? Yes. And her so fine husband? And Arthur and my friend Quincey, they are with you, too? Good!"

As I drove to the house I told him of what had passed, and of how my own diary had come to be of some use through Mrs. Harker's suggestion, at which the Professor interrupted me.

"Ah, that wonderful Madam Mina! She has man's brain, a brain that a man should have were he much gifted, and a woman's heart. The good God fashioned her for a purpose, believe me, when He made that so good combination. Friend John, up to now fortune has made that woman of help to us, after tonight she must not have to do with this so terrible affair. It is not good that she run a risk so great. We men are determined, nay, are we not pledged, to destroy this monster? But it is no part for a woman. Even if she be not harmed, her heart may fail her in so much and so many horrors and hereafter she may suffer, both in waking, from her nerves, and in sleep, from her dreams. And, besides, she is young woman and not so long married, there may be other things to think of some time, if not now. You tell me she has wrote all, then she must consult with us, but tomorrow she say goodbye to this work, and we go alone."

I agreed heartily with him, and then I told him what we had found in his absence, that the house which Dracula had bought was the very next one to my own. He was amazed, and a great concern seemed to come on him.

"Oh that we had known it before!" he said, "for then we might have reached him in time to save poor Lucy. However, 'the milk that is spilt cries not out afterwards,' as you say. We shall not think of that, but go on our way to the end." Then he fell into a silence that lasted till we entered my own gateway. Before we went to prepare for dinner he said to Mrs. Harker, "I am told, Madam Mina, by my friend John that you and your husband have put up in exact order all things that have been, up to this moment."

"Not up to this moment, Professor," she said impulsively, "but up to this morning."

"But why not up to now? We have seen hitherto how good light all the little things have made. We have told our secrets, and yet no one who has told is the worse for it."

Mrs. Harker began to blush, and taking a paper from her pockets, she said, "Dr. Van Helsing, will you read this, and tell me if it must go in. It is my record of today. I too have seen the need of putting down at present everything, however trivial, but there is little in this except what is personal. Must it go in?"

The Professor read it over gravely, and handed it back, saying, "It need not go in if you do not wish it, but I pray that it may. It can but make your husband love you the more, and all us, your friends, more honour you, as well as more esteem and love." She took it back with another blush and a bright smile.

And so now, up to this very hour, all the records we have are complete and in order. The Professor took away one copy to study after dinner, and before our meeting, which is fixed for nine o'clock. The rest of us have already read everything, so when we meet in the study we shall all be informed as to facts, and can arrange our plan of battle with this terrible and mysterious enemy.

MINA HARKER'S JOURNAL

30 September. When we met in Dr. Seward's study two hours after dinner, which had been at six o'clock, we unconsciously formed a sort of board or committee. Professor Van Helsing took the head of the table, to which Dr. Seward motioned him as he came into the room. He made me sit next to him on his right, and asked me to act as secretary. Jonathan sat next to me. Opposite us were Lord Godalming, Dr. Seward, and Mr. Morris, Lord Godalming being next the Professor, and Dr. Seward in the centre.

The Professor said, "I may, I suppose, take it that we are all acquainted with the facts that are in these papers." We all expressed assent, and he went on, "Then it were, I think, good that I tell you something of the kind of enemy with which we have to deal. I shall then make known to you something of the history of this man, which has been ascertained for me. So we then can discuss how we shall act, and can take our measure according.

"There are such beings as vampires, some of us have evidence that they exist. Even had we not the proof of our own unhappy experience, the teachings and the records of the past give proof enough for sane peoples. I admit that at the first I was sceptic. Were it not that through long years I have trained myself to keep an open mind, I could not have believed until such time as that fact thunder on my ear. 'See! See! I prove, I prove.' Alas! Had I known at first what now I know, nay, had I even guess at him, one so precious life had been spared to many of us who did love her. But that is gone, and we must so work, that other poor souls perish not, whilst we can save. The nosferatu do not die like the bee when he sting once. He is only stronger, and being stronger, have yet more power to work evil. This vampire which is amongst us is of himself so strong in person as twenty men, he is of cunning more than mortal, for his cunning be the growth of ages, he have still the aids of necromancy, which is, as his etymology imply, the divination by the dead, and all the dead that he can come nigh to are for him at command; he is brute, and more than brute; he is devil in callous, and the heart of him is not; he can, within his range, direct the elements, the storm, the fog, the thunder; he can command all the meaner things, the rat, and the owl, and the bat, the moth, and the fox, and the wolf, he can grow and become small; and he can at times vanish and come unknown. How then are we to begin our strike to destroy him? How shall we find his where, and having found it, how can we destroy? My friends, this is much, it is a terrible task that we undertake, and there may be consequence to make the brave shudder. For if we fail in this our fight he must surely win, and then where end we? Life is nothings, I heed him not. But to fail here, is not mere life or death. It is that we become as him, that we henceforward become foul things of the night like him, without heart or conscience, preying on the bodies and the souls of those we love best. To us forever are the gates of heaven shut, for who shall open them to us again? We go on for all time abhorred by all, a blot on the face of God's sunshine, an arrow in the side of Him who died for man. But we are face to face with duty, and in such case must we shrink? For me, I say no, but then I am old, and life, with his sunshine, his fair places, his song of birds, his music and his love, lie far behind. You others are young. Some have seen sorrow, but there are fair days yet in store. What say you?"

Whilst he was speaking, Jonathan had taken my hand. I feared, oh so much, that the appalling nature of our danger was overcoming him when I saw his hand stretch out, but it was life to me to feel its touch, so strong, so self reliant, so resolute. A brave man's hand can speak for itself, it does not even need a woman's love to hear its music.

When the Professor had done speaking my husband looked in my eyes, and I in his, there was no need for speaking between us.

"I answer for Mina and myself," he said.

"Count me in, Professor," said Mr. Quincey Morris, laconically as usual.

"I am with you," said Lord Godalming, "for Lucy's sake, if for no other reason."

Dr. Seward simply nodded.

The Professor stood up and, after laying his golden crucifix on the table, held out his hand on either side. I took his right hand, and Lord Godalming his left, Jonathan held my right with his left and stretched across to Mr. Morris. So as we all took hands our solemn compact was made. I felt my heart icy cold, but it did not even occur to me to draw back. We resumed our places, and Dr. Van Helsing went on with a sort of cheerfulness which showed that the serious work had begun. It was to be taken as gravely, and in as businesslike a way, as any other transaction of life.

"Well, you know what we have to contend against, but we too, are not without strength. We have on our side power of combination, a power denied to the vampire kind, we have sources of science, we are free to act and think, and the hours of the day and the night are ours equally. In fact, so far as our powers extend, they are unfettered, and we are free to use them. We have self devotion in a cause and an end to achieve which is not a selfish one. These things are much."

"Now let us see how far the general powers arrayed against us are restrict, and how the individual cannot. In fine, let us consider the limitations of the vampire in general, and of this one in particular.

"All we have to go upon are traditions and superstitions. These do not at the first appear much, when the matter is one of life and death, nay of more than either life or death. Yet must we be satisfied, in the first place because we have to be, no other means is at our control, and secondly, because, after all these things, tradition and superstition, are everything. Does not the belief in vampires rest for others, though not, alas! for us, on them? A year ago which of us would have received such a possibility, in the midst of our scientific, sceptical, matter-of-fact nineteenth century? We even scouted a belief that we saw justified under our very eyes. Take it, then, that the vampire, and the belief in his limitations and his cure, rest for the moment on the same base. For, let me tell you, he is known everywhere that men have been. In old Greece, in old Rome, he flourish in Germany all over, in France, in India, even in the Chermosese, and in China, so far from us in all ways, there even is he, and the peoples for him at this day. He have follow the wake of the berserker Icelander, the devil-begotten Hun, the Slav, the Saxon, the Magyar.

"So far, then, we have all we may act upon, and let me tell you that very much of the beliefs are justified by what we have seen in our own so unhappy experience. The vampire live on, and cannot die by mere passing of the time, he can flourish when that he can fatten on the blood of the living. Even more, we have seen amongst us that he can even grow younger, that his vital faculties grow strenuous, and seem as though they refresh themselves when his special pabulum is plenty.

"But he cannot flourish without this diet, he eat not as others. Even friend Jonathan, who lived with him for weeks, did never see him eat, never! He throws no shadow, he make in the mirror no reflect, as again Jonathan observe. He has the strength of many of his hand, witness again Jonathan when he shut the door against the wolves, and when he help him from the diligence too. He can transform himself to wolf, as we gather from the ship arrival in Whitby, when he tear open the dog, he can be as bat, as Madam Mina saw him on the window at Whitby, and as friend John saw him fly from this so near house, and as my friend Quincey saw him at the window of Miss Lucy.

"He can come in mist which he create, that noble ship's captain proved him of this, but, from what we know, the distance he can make this mist is limited, and it can only be round himself.

"He come on moonlight rays as elemental dust, as again Jonathan saw those sisters in the castle of Dracula. He become so small, we ourselves saw Miss Lucy, ere she was at peace, slip through a hairbreadth space at the tomb door. He can, when once he find his way, come out from anything or into anything, no matter how close it be bound or even fused up with fire, solder you call it. He can see in the dark, no small power this, in a world which is one half shut from the light. Ah, but hear me through.

"He can do all these things, yet he is not free. Nay, he is even more prisoner than the slave of the galley, than the madman in his cell. He cannot go where he lists, he who is not of nature has yet to obey some of nature's laws, why we know not. He may not enter anywhere at the first, unless there be some one of the household who bid him to come, though afterwards he can come as he please. His power ceases, as does that of all evil things, at the coming of the day.

"Only at certain times can he have limited freedom. If he be not at the place whither he is bound, he can only change himself at noon or at exact sunrise or sunset. These things we are told, and in this record of ours we have proof by inference. Thus, whereas he can do as he will within his limit, when he have his earth-home, his coffin-home, his hell-home, the place unhallowed, as we saw when he went to the grave of the suicide at Whitby, still at other time he can only change when the time come. It is said, too, that he can only pass running water at the slack or the flood of the tide. Then there are things which so afflict him that he has no power, as the garlic that we know of, and as for things sacred, as this symbol, my crucifix, that was amongst us even now when we resolve, to them he is nothing, but in their presence he take his place far off and silent with respect. There are others, too, which I shall tell you of, lest in our seeking we may need them.

"The branch of wild rose on his coffin keep him that he move not from it, a sacred bullet fired into the coffin kill him so that he be true dead, and as for the stake through him, we know already of its peace, or the cut off head that giveth rest. We have seen it with our eyes.

"Thus when we find the habitation of this man-that-was, we can confine him to his coffin and destroy him, if we obey what we know. But he is clever. I have asked my friend Arminius, of Buda-Pesth University, to make his record, and from all the means that are, he tell me of what he has been. He must, indeed, have been that Voivode Dracula who won his name against the Turk, over the great river on the very frontier of Turkeyland. If it be so, then was he no common man, for in that time, and for centuries after, he was spoken of as the cleverest and the most cunning, as well as the bravest of the sons of the 'land beyond the forest.' That mighty brain and that iron resolution went with him to his grave, and are even now arrayed against us. The Draculas were, says Arminius, a great and noble race, though now and again were scions who were held by their coevals to have had dealings with the Evil One. They learned his secrets in the Scholomance, amongst the mountains over Lake Hermanstadt, where the devil claims the tenth scholar as his due. In the records are such words as 'stregoica' witch, 'ordog' and 'pokol' Satan and hell, and in one manuscript this very Dracula is spoken of as 'wampyr,' which we all understand too well. There have been from the loins of this very one great men and good women, and their graves make sacred the earth where alone this foulness can dwell. For it is not the least of its terrors that this evil thing is rooted deep in all good, in soil barren of holy memories it cannot rest."

Whilst they were talking Mr. Morris was looking steadily at the window, and he now got up quietly, and went out of the room. There was a little pause, and then the Professor went on.

"And now we must settle what we do. We have here much data, and we must proceed to lay out our campaign. We know from the inquiry of Jonathan that from the castle to Whitby came fifty boxes of earth, all of which were delivered at Carfax, we also know that at least some of these boxes have been removed. It seems to me, that our first step should be to ascertain whether all the rest remain in the house beyond that wall where we look today, or whether any more have been removed. If the latter, we must trace…"

Here we were interrupted in a very startling way. Outside the house came the sound of a pistol shot, the glass of the window was shattered with a bullet, which ricochetting from the top of the embrasure, struck the far wall of the room. I am afraid I am at heart a coward, for I shrieked out. The men all jumped to their feet, Lord Godalming flew over to the window and threw up the sash. As he did so we heard Mr. Morris' voice without, "Sorry! I fear I have alarmed you. I shall come in and tell you about it."

A minute later he came in and said, "It was an idiotic thing of me to do, and I ask your pardon, Mrs. Harker, most sincerely, I fear I must have frightened you terribly. But the fact is that whilst the Professor was talking there came a big bat and sat on the window sill. I have got such a horror of the damned brutes from recent events that I cannot stand them, and I went out to have a shot, as I have been doing of late of evenings, whenever I have seen one. You used to laugh at me for it then, Art."

"Did you hit it?" asked Dr. Van Helsing.

"I don't know, I fancy not, for it flew away into

the wood." Without saying any more he took his seat, and the Professor began to resume his statement.

"We must trace each of these boxes, and when we are ready, we must either capture or kill this monster in his lair, or we must, so to speak, sterilize the earth, so that no more he can seek safety in it. Thus in the end we may find him in his form of man between the hours of noon and sunset, and so engage with him when he is at his most weak.

"And now for you, Madam Mina, this night is the end until all be well. You are too precious to us to have such risk. When we part tonight, you no more must question. We shall tell you all in good time. We are men and are able to bear, but you must be our star and our hope, and we shall act all the more free that you are not in the danger, such as we are."

All the men, even Jonathan, seemed relieved, but it did not seem to me good that they should brave danger and, perhaps lessen their safety, strength being the best safety, through care of me, but their minds were made up, and though it was a bitter pill for me to swallow, I could say nothing, save to accept their chivalrous care of me.

Mr. Morris resumed the discussion, "As there is no time to lose, I vote we have a look at his house right now. Time is everything with him, and swift action on our part may save another victim."

I own that my heart began to fail me when the time for action came so close, but I did not say anything, for I had a greater fear that if I appeared as a drag or a hindrance to their work, they might even leave me out of their counsels altogether. They have now gone off to Carfax, with means to get into the house.

Manlike, they had told me to go to bed and sleep, as if a woman can sleep when those she loves are in danger! I shall lie down, and pretend to sleep, lest Jonathan have added anxiety about me when he returns.

DR. SEWARD'S DIARY

1st October, 4 A.M. Just as we were about to leave the house, an urgent message was brought to me from Renfield to know if I would see him at once, as he had something of the utmost importance to say to me. I told the messenger to say that I would attend to his wishes in the morning, I was busy just at the moment.

The attendant added, "He seems very importunate, sir. I have never seen him so eager. I don't know but what, if you don't see him soon, he will have one of his violent fits." I knew the man would not have said this without some cause, so I said, "All right, I'll go now," and I asked the others to wait a few minutes for me, as I had to go and see my patient.

"Take me with you, friend John," said the Professor. "His case in your diary interest me much, and it had bearing, too, now and again on our case. I should much like to see him, and especial when his mind is disturbed."

"May I come also?" asked Lord Godalming.

"Me too?" said Quincey Morris. "May I come?" said Harker. I nodded, and we all went down the passage together.

We found him in a state of considerable excitement, but far more rational in his speech and manner than I had ever seen him. There was an unusual understanding of himself, which was unlike anything I had ever met with in a lunatic, and he took it for granted that his reasons would prevail with others entirely sane. We all five went into the room, but none of the others at first said anything. His request was that I would at once release him from the asylum and send him home. This he backed up with arguments regarding his complete recovery, and adduced his own existing sanity.

"I appeal to your friends," he said, "they will, perhaps, not mind sitting in judgement on my case. By the way, you have not introduced me."

I was so much astonished, that the oddness of introducing a madman in an asylum did not strike me at the moment, and besides, there was a certain dignity in the man's manner, so much of the habit of equality, that I at once made the introduction, "Lord Godalming, Professor Van Helsing, Mr. Quincey Morris, of Texas, Mr. Jonathan Harker, Mr. Renfield."

He shook hands with each of them, saying in turn, "Lord Godalming, I had the honour of seconding your father at the Windham; I grieve to know, by your holding the title, that he is no more. He was a man loved and honoured by all who knew him, and in his youth was, I have heard, the inventor of a burnt rum punch, much patronized on Derby night. Mr. Morris, you should be proud of your great state. Its reception into the Union was a precedent which may have far-reaching effects hereafter, when the Pole and the Tropics may hold alliance to the Stars and Stripes. The power of Treaty may yet prove a vast engine of enlargement, when the Monroe doctrine takes its true place as a political fable. What shall any man say of his pleasure at meeting Van Helsing? Sir, I make no apology for dropping all forms of conventional prefix. When an individual has revolutionized therapeutics by his discovery of the continuous evolution of brain matter, conventional forms are unfitting, since they would seem to limit him to one of a class. You, gentlemen, who by nationality, by heredity, or by the possession of natural gifts, are fitted to hold your respective places in the moving world, I take to witness that I am as sane as at least the majority of men who are in full possession of their liberties. And I am sure that you, Dr. Seward, humanitarian and medico-jurist as well as scientist, will deem it a moral duty to deal with me as one to be considered as under exceptional circumstances."

He made this last appeal with a courtly air of conviction which was not without its own charm.

I think we were all staggered. For my own part, I was under the conviction, despite my knowledge of the man's character and history, that his reason had been restored, and I felt under a strong impulse to tell him that I was satisfied as to his sanity, and would see about the necessary formalities for his release in the morning. I thought it better to wait, however, before making so grave a statement, for of old I knew the sudden changes to which this particular patient was liable. So I contented myself with making a general statement that he appeared to be improving very rapidly, that I would have a longer chat with him in the morning, and would then see what I could do in the direction of meeting his wishes.

This did not at all satisfy him, for he said quickly, "But I fear, Dr. Seward, that you hardly apprehend my wish. I desire to go at once, here, now, this very hour, this very moment, if I may. Time presses, and in our implied agreement with the old scytheman it is of the essence of the contract. I am sure it is only necessary to put before so admirable a practitioner as Dr. Seward so simple, yet so momentous a wish, to ensure its fulfilment."

He looked at me keenly, and seeing the negative in my face, turned to the others, and scrutinised them closely. Not meeting any sufficient response, he went on, "Is it possible that I have erred in my supposition?"

"You have," I said frankly, but at the same time, as I felt, brutally.

There was a considerable pause, and then he said slowly, "Then I suppose I must only shift my ground of request. Let me ask for this concession, boon, privilege, what you will. I am content to implore in such a case, not on personal grounds, but for the sake of others. I am not at liberty to give you the whole of my reasons, but you may, I assure you, take it from me that they are good ones, sound and unselfish, and spring from the highest sense of duty.

"Could you look, sir, into my heart, you would approve to the full the sentiments which animate me. Nay, more, you would count me amongst the best and truest of your friends."

Again he looked at us all keenly. I had a growing conviction that this sudden change of his entire intellectual method was but yet another phase of his madness, and so determined to let him go on a little longer, knowing from experience that he would, like all lunatics, give himself away in the end. Van Helsing was gazing at him with a look of utmost intensity, his bushy eyebrows almost meeting with the fixed concentration of his look. He said to Renfield in a tone which did not surprise me at the time, but only when I thought of it afterwards, for it was as of one addressing an equal, "Can you not tell frankly your real reason for wishing to be free tonight? I will undertake that if you will satisfy even me, a stranger, without prejudice, and with the habit of keeping an open mind, Dr. Seward will give you, at his own risk and on his own responsibility, the privilege you seek."

He shook his head sadly, and with a look of poignant regret on his face. The Professor went on, "Come, sir, bethink yourself. You claim the privilege of reason in the highest degree, since you seek to impress us with your complete reasonableness. You do this, whose sanity we have reason to doubt, since you are not yet released from medical treatment for this very defect. If you will not help us in our effort to choose the wisest course, how can we perform the duty which you yourself put upon us? Be wise, and help us, and if we can we shall aid you to achieve your wish."

He still shook his head as he said, "Dr. Van Helsing, I have nothing to say. Your argument is complete, and if I were free to speak I should not hesitate a moment, but I am not my own master in the matter. I can only ask you to trust me. If I am refused, the responsibility does not rest with me."

I thought it was now time to end the scene, which was becoming too comically grave, so I went towards the door, simply saying, "Come, my friends, we have work to do. Goodnight."

As, however, I got near the door, a new change came over the patient. He moved towards me so quickly that for the moment I feared that he was about to make another homicidal attack. My fears, however, were groundless, for he held up his two hands imploringly, and made his petition in a moving manner. As he saw that the very excess of his emotion was militating against him, by restoring us more to our old relations, he became still more demonstrative. I glanced at Van Helsing, and saw my conviction reflected in his eyes, so I became a little more fixed in my manner, if not more stern, and motioned to him that his efforts were unavailing. I had previously seen something of the same constantly growing excitement in him when he had to make some request of which at the time he had thought much, such for instance, as when he wanted a cat, and I was prepared to see the collapse into the same sullen acquiescence on this occasion.

My expectation was not realized, for when he found that his appeal would not be successful, he got into quite a frantic condition. He threw himself on his knees, and held up his hands, wringing them in plaintive supplication, and poured forth a torrent of entreaty, with the tears rolling down his cheeks, and his whole face and form expressive of the deepest emotion.

"Let me entreat you, Dr. Seward, oh, let me implore you, to let me out of this house at once. Send me away how you will and where you will, send keepers with me with whips and chains, let them take me in a strait waistcoat, manacled and leg-ironed, even to gaol, but let me go out of this. You don't know what you do by keeping me here. I am speaking from the depths of my heart, of my very soul. You don't know whom you wrong, or how, and I may not tell. Woe is me! I may not tell. By all you hold sacred, by all you hold dear, by your love that is lost, by your hope that lives, for the sake of the Almighty, take me out of this and save my soul from guilt! Can't you hear me, man? Can't you understand? Will you never learn? Don't you know that I am sane and earnest now, that I am no lunatic in a mad fit, but a sane man fighting for his soul? Oh, hear me! Hear me! Let me go, let me go, let me go!"

I thought that the longer this went on the wilder he would get, and so would bring on a fit, so I took him by the hand and raised him up.

"Come," I said sternly, "no more of this, we have had quite enough already. Get to your bed and try to behave more discreetly."

He suddenly stopped and looked at me intently for several moments. Then, without a word, he rose and moving over, sat down on the side of the bed. The collapse had come, as on former occasions, just as I had expected.

When I was leaving the room, last of our party, he said to me in a quiet, well-bred voice, "You will, I trust, Dr. Seward, do me the justice to bear in mind, later on, that I did what I could to convince you tonight."

CHAPTER 19

JONATHAN HARKER'S JOURNAL

1st October, 5 A.M. I went with the party to the search with an easy mind, for I think I never saw Mina so absolutely strong and well. I am so glad that she consented to hold back and let us men do the work. Somehow, it was a dread to me that she was in this fearful business at all, but now that her work is done, and that it is due to her energy and brains and foresight that the whole story is put together in such a way that every point tells, she may well feel that her part is finished, and that she can henceforth leave the rest to us. We were, I think, all a little upset by the scene with Mr. Renfield. When we came away from his room we were silent till we got back to the study.

Then Mr. Morris said to Dr. Seward, "Say, Jack, if that man wasn't attempting a bluff, he is about the sanest lunatic I ever saw. I'm not sure, but I believe that he had some serious purpose, and if he had, it was pretty rough on him not to get a chance."

Lord Godalming and I were silent, but Dr. Van Helsing added, "Friend John, you know more lunatics than I do, and I'm glad of it, for I fear that if it had been to me to decide I would before that last hysterical outburst have given him free. But we live and learn, and in our present task we must take no chance, as my friend Quincey would say. All is best as they are."

Dr. Seward seemed to answer them both in a dreamy kind of way, "I don't know but that I agree with you. If that man had been an ordinary lunatic I would have taken my chance of trusting him, but he seems so mixed up with the Count in an indexy kind of way that I am afraid of doing anything wrong by helping his fads. I can't forget how he prayed with almost equal fervor for a cat, and then tried to tear my throat out with his teeth. Besides, he called the Count 'lord and master', and he may want to get out to help him in some diabolical way. That horrid thing has the wolves and the rats and his own kind to help him, so I suppose he isn't above trying to use a respectable lunatic. He certainly did seem earnest, though. I only hope we have done what is best. These things, in conjunction with the wild work we have in hand, help to unnerve a man."

The Professor stepped over, and laying his hand on his shoulder, said in his grave, kindly way, "Friend John, have no fear. We are trying to do our duty in a very sad and terrible case, we can only do as we deem best. What else have we to hope for, except the pity of the good God?"

Lord Godalming had slipped away for a few minutes, but now he returned. He held up a little silver whistle as he remarked, "That old place may be full of rats, and if so, I've got an antidote on call."

Having passed the wall, we took our way to the house, taking care to keep in the shadows of the trees on the lawn when the moonlight shone out. When we got to the porch the Professor opened his bag and took out a lot of things, which he laid on the step, sorting them into four little groups, evidently one for each. Then he spoke.

"My friends, we are going into a terrible danger, and we need arms of many kinds. Our enemy is not merely spiritual. Remember that he has the strength of twenty men, and that, though our necks or our windpipes are of the common kind, and therefore breakable or crushable, his are not amenable to mere strength. A stronger man, or a body of men more strong in all than him, can at certain times hold him, but they cannot hurt him as we can be hurt by him. We must, therefore, guard ourselves from his touch. Keep this near your heart." As he spoke he lifted a little silver crucifix and held it out to me, I being nearest to him, "put these flowers round your neck," here he handed to me a wreath of withered garlic blossoms, "for other enemies more mundane, this revolver and this knife, and for aid in all, these so small electric lamps, which you can fasten to your breast, and for all, and above all at the last, this, which we must not desecrate needless."

This was a portion of Sacred Wafer, which he put in an envelope and handed to me. Each of the others was similarly equipped.

"Now," he said, "friend John, where are the skeleton keys? If so that we can open the door, we need not break house by the window, as before at Miss Lucy's."

Dr. Seward tried one or two skeleton keys, his mechanical dexterity as a surgeon standing him in good stead. Presently he got one to suit, after a little play back and forward the bolt yielded, and with a rusty clang, shot back. We pressed on the door, the rusty hinges creaked, and it slowly opened. It was startlingly like the image conveyed to me in Dr. Seward's diary of the opening of Miss Westenra's tomb, I fancy that the same idea seemed to strike the others, for with one accord they shrank back. The Professor was the first to move forward, and stepped into the open door.

"In manus tuas, Domine!" he said, crossing himself as he passed over the threshold. We closed the door behind us, lest when we should have lit our lamps we should possibly attract attention from the road. The Professor carefully tried the lock, lest we might not be able to open it from within should we be in a hurry making our exit. Then we all lit our lamps and proceeded on our search.

The light from the tiny lamps fell in all sorts of odd forms, as the rays crossed each other, or the opacity of our bodies threw great shadows. I could not for my life get away from the feeling that there was someone else amongst us. I suppose it was the recollection, so powerfully brought home to me by the grim surroundings, of that terrible experience in Transylvania. I think the feeling was common to us all, for I noticed that the others kept looking over their shoulders at every sound and every new shadow, just as I felt myself doing.

The whole place was thick with dust. The floor was seemingly inches deep, except where there were recent footsteps, in which on holding down my lamp I could see marks of hobnails where the dust was cracked. The walls were fluffy and heavy with dust, and in the corners were masses of spider's webs, whereon the dust had gathered till they looked like old tattered rags as the weight had torn them partly down. On a table in the hall was a great bunch of keys, with a time-yellowed label on each. They had been used several times, for on the table were several similar rents in the blanket of dust, similar to that exposed when the Professor lifted them.

He turned to me and said, "You know this place, Jonathan. You have copied maps of it, and you know it at least more than we do. Which is the way to the chapel?"

I had an idea of its direction, though on my former visit I had not been able to get admission to it, so I led the way, and after a few wrong turnings found myself opposite a low, arched oaken door, ribbed with iron bands.

"This is the spot," said the Professor as he turned his lamp on a small map of the house, copied from the file of my original correspondence regarding the purchase. With a little trouble we found the key on the bunch and opened the door. We were prepared for some unpleasantness, for as we were opening the door a faint, malodorous air seemed to exhale through the gaps, but none of us ever expected such an odour as we encountered. None of the others had met the Count at all at close quarters, and when I had seen him he was either in the fasting stage of his existence in his rooms or, when he was bloated with fresh blood, in a ruined building open to the air, but here the place was small and close, and the long disuse had made the air stagnant and foul. There was an earthy smell, as of some dry miasma, which came through the fouler air. But as to the odour itself, how shall I describe it? It was not alone that it was composed of all the ills of mortality and with the pungent, acrid smell of blood, but it seemed as though corruption had become itself corrupt. Faugh! It sickens me to think of it. Every breath exhaled by that monster seemed to have clung to the place and intensified its loathsomeness.

Under ordinary circumstances such a stench would have brought our enterprise to an end, but this was no ordinary case, and the high and terrible purpose in which we were involved gave us a strength which rose above merely physical considerations. After the involuntary shrinking consequent on the first nauseous whiff, we one and all set about our work as though that loathsome place were a garden of roses.

We made an accurate examination of the place, the Professor saying as we began, "The first thing is to see how many of the boxes are left, we must then examine every hole and corner and cranny and see if we cannot get some clue as to what has become of the rest."

A glance was sufficient to show how many remained, for the great earth chests were bulky, and there was no mistaking them.

There were only twenty-nine left out of the fifty! Once I got a fright, for, seeing Lord Godalming suddenly turn and look out of the vaulted door into the dark passage beyond, I looked too, and for an instant my heart stood still. Somewhere, looking out from the shadow, I seemed to see the high lights of the Count's evil face, the ridge of the nose, the red eyes, the red lips, the awful pallor. It was only for a moment, for, as Lord Godalming said, "I thought I saw a face, but it was only the shadows," and resumed his inquiry, I turned my lamp in the direction, and stepped into the passage. There was no sign of anyone, and as there were no corners, no doors, no aperture of any kind, but only the solid walls of the passage, there could be no hiding place even for him. I took it that fear had helped imagination, and said nothing.

A few minutes later I saw Morris step suddenly back from a corner, which he was examining.

We all followed his movements with our eyes, for undoubtedly some nervousness was growing on us, and we saw a whole mass of phosphorescence, which twinkled like stars. We all instinctively drew back. The whole place was becoming alive with rats.

For a moment or two we stood appalled, all save Lord Godalming, who was seemingly prepared for such an emergency. Rushing over to the great iron-bound oaken door, which Dr. Seward had described from the outside, and which I had seen myself, he turned the key in the lock, drew the huge bolts, and swung the door open. Then, taking his little silver whistle from his pocket, he blew a low, shrill call. It was answered from behind Dr. Seward's house by the yelping of dogs, and after about a minute three terriers came dashing round the corner of the house. Unconsciously we had all moved towards the door, and as we moved I noticed that the dust had been much disturbed. The boxes which had been taken out had been brought this way. But even in the minute that had elapsed the number of the rats had vastly increased. They seemed to swarm over the place all at once, till the lamplight, shining on their moving dark bodies and glittering, baleful eyes, made the place look like a bank of earth set with fireflies. The dogs dashed on, but at the threshold suddenly stopped and snarled, and then, simultaneously lifting their noses, began to howl in most lugubrious fashion. The rats were multiplying in thousands, and we moved out.

Lord Godalming lifted one of the dogs, and carrying him in, placed him on the floor. The instant his feet touched the ground he seemed to recover his courage, and rushed at his natural enemies. They fled before him so fast that before he had shaken the life out of a score, the other dogs, who had by now been lifted in the same manner, had but small prey ere the whole mass had vanished.

With their going it seemed as if some evil presence had departed, for the dogs frisked about and barked merrily as they made sudden darts at their prostrate foes, and turned them over and over and tossed them in the air with vicious shakes. We all seemed to find our spirits rise. Whether it was the purifying of the deadly atmosphere by the opening of the chapel door, or the relief which we experienced by finding ourselves in the open I know not, but most certainly the shadow of dread seemed to slip from us like a robe, and the occasion of our coming lost something of its grim significance, though we did not slacken a whit in our resolution. We closed the outer door and barred and locked it, and bringing the dogs with us, began our search of the house. We found nothing throughout except dust in extraordinary proportions, and all untouched save for my own footsteps when I had made my first visit. Never once did the dogs exhibit any symptom of uneasiness, and even when we returned to the chapel they frisked about as though they had been rabbit hunting in a summer wood.

The morning was quickening in the east when we emerged from the front. Dr. Van Helsing had taken the key of the hall door from the bunch, and locked the door in orthodox fashion, putting the key into his pocket when he had done.

"So far," he said, "our night has been eminently successful. No harm has come to us such as I feared might be and yet we have ascertained how many boxes are missing. More than all do I rejoice that this, our first, and perhaps our most difficult and dangerous, step has been accomplished without the bringing thereinto our most sweet Madam Mina or troubling her waking or sleeping thoughts with sights and sounds and smells of horror which she might never forget. One lesson, too, we have learned, if it be allowable to argue a particulari, that the brute beasts which are to the Count's command are yet themselves not amenable to his spiritual power, for look, these rats that would come to his call, just as from his castle top he summon the wolves to your going and to that poor mother's cry, though they come to him, they run pell-mell from the so little dogs of my friend Arthur. We have other matters before us, other dangers, other fears, and that monster... He has not used his power over the brute world for the only or the last time tonight. So be it that he has gone elsewhere. Good! It has given us opportunity to cry 'check' in some ways in this chess game, which we play for the stake of human souls. And now let us go home. The dawn is close at hand, and we have reason to be content with our first night's work. It may be ordained that we have many nights and days to follow, if full of peril, but we must go on, and from no danger shall we shrink."

The house was silent when we got back, save for some poor creature who was screaming away in one of the distant wards, and a low, moaning sound from Renfield's room. The poor wretch was doubtless torturing himself, after the manner of the insane, with needless thoughts of pain.

I came tiptoe into our own room, and found Mina asleep, breathing so softly that I had to put my ear down to hear it. She looks paler than usual. I hope the meeting tonight has not upset her. I am truly thankful that she is to be left out of our future work, and even of our deliberations. It is too great a strain for a woman to bear. I did not think so at first, but I know better now. Therefore I am glad that it is settled. There may be things which would frighten her to hear, and yet to conceal them from her might be worse than to tell her if once she suspected that there was any concealment. Henceforth our work is to be a sealed book to her, till at least such time as we can tell her that all is finished, and the earth free from a monster of the nether world. I daresay it will be difficult to begin to keep silence after such confidence as ours, but I must be resolute, and to-morrow I shall keep dark over tonight's doings, and shall refuse to speak of anything that has happened.

I rest on the sofa, so as not to disturb her.

1st October, later. I suppose it was natural that we should have all overslept ourselves, for the day was a busy one, and the night had no rest at all. Even Mina must have felt its exhaustion, for though I slept till the sun was high, I was awake before her, and had to call two or three times before she awoke. Indeed, she was so sound asleep that for a few seconds she did not recognize me, but looked at me with a sort of blank terror, as one looks who has been waked out of a bad dream. She complained a little of being tired, and I let her rest till later in the day. We now know of twenty-one boxes having been removed, and if it be that several were taken in any of these removals we may be able to trace them all. Such will, of course, immensely simplify our labor, and the sooner the matter is attended to the better. I shall look up Thomas Snelling today.

DR. SEWARD'S DIARY

1st October. It was towards noon when I was awakened by the Professor walking into my room. He was more jolly and cheerful than usual, and it is quite evident that last night's work has helped to take some of the brooding weight off his mind.

After going over the adventure of the night he suddenly said, "Your patient interests me much. May it be that with you I visit him this morning? Or if that you are too occupy, I can go alone if it may be. It is a new experience to me to find a lunatic who talk philosophy, and reason so sound."

I had some work to do which pressed, so I told him that if he would go alone I would be glad, as then I should not have to keep him waiting, so I called an attendant and gave him the necessary instructions. Before the Professor left the room I cautioned him against getting any false impression from my patient.

"But," he answered, "I want him to talk of himself and of his delusion as to consuming live things. He said to Madam Mina, as I see in your diary of yesterday, that he had once had such a belief. Why do you smile, friend John?"

"Excuse me," I said, "but the answer is here." I laid my hand on the typewritten matter. "When our sane and learned lunatic made that very statement of how he used to consume life, his mouth was actually nauseous with the flies and spiders which he had eaten just before Mrs. Harker entered the room."

Van Helsing smiled in turn. "Good!" he said. "Your memory is true, friend John. I should have remembered. And yet it is this very obliquity of thought and memory which makes mental disease such a fascinating study. Perhaps I may gain more knowledge out of the folly of this madman than I shall from the teaching of the most wise. Who knows?"

I went on with my work, and before long was through that in hand. It seemed that the time had been very short indeed, but there was Van Helsing back in the study.

"Do I interrupt?" he asked politely as he stood at the door.

"Not at all," I answered. "Come in. My work is finished, and I am free. I can go with you now, if you like."

"It is needless, I have seen him!"

"Well?"

"I fear that he does not appraise me at much. Our interview was short. When I entered his room he was sitting on a stool in the centre, with his elbows on his knees, and his face was the picture of sullen discontent. I spoke to him as cheerfully as I could, and with such a measure of respect as I could assume. He made no reply whatever. 'Don't you know me?' I asked. His answer was not reassuring: 'I know you well enough; you are the old fool Van Helsing. I wish you would take yourself and your idiotic brain theories somewhere else. Damn all thick-headed Dutchmen!' Not a word more would he say, but sat in his implacable sullenness as indifferent to me as though I had not been in the room at all. Thus departed for this time my chance of much learning from this so clever lunatic, so I shall go, if I may, and cheer myself with a few happy words with that sweet soul Madam Mina. Friend John, it does rejoice me unspeakable that she is no more to be pained, no more to be worried with our terrible things. Though we shall much miss her help, it is better so."

"I agree with you with all my heart," I answered earnestly, for I did not want him to weaken in this matter. "Mrs. Harker is better out of it. Things are quite bad enough for us, all men of the world, and who have been in many tight places in our time, but it is no place for a woman, and if she had remained in touch with the affair, it would in time infallibly have wrecked her."

So Van Helsing has gone to confer with Mrs. Harker and Harker, Quincey and Art are all out following up the clues as to the earth boxes. I shall finish my round of work and we shall meet tonight.

MINA HARKER'S JOURNAL

1st October. It is strange to me to be kept in the dark as I am today, after Jonathan's full confidence for so many years, to see him manifestly avoid certain matters, and those the most vital of all. This morning I slept late after the fatigues of yesterday, and though Jonathan was late too, he was the earlier. He spoke to me before he went out, never more sweetly or tenderly, but he never mentioned a word of what had happened in the visit to the Count's house. And yet he must have known how terribly anxious I was. Poor dear fellow! I suppose it must have distressed him even more than it did me. They all agreed that it was best that I should not be drawn further into this awful work, and I acquiesced. But to think that he keeps anything from me! And now I am crying like a silly fool, when I know it comes from my husband's great love and from the good, good wishes of those other strong men.

That has done me good. Well, some day Jonathan will tell me all. And lest it should ever be that he should think for a moment that I kept anything from him, I still keep my journal as usual. Then if he has feared of my trust I shall show it to him, with every thought of my heart put down for his dear eyes to read. I feel strangely sad and low-spirited today. I suppose it is the reaction from the terrible excitement.

Last night I went to bed when the men had gone, simply because they told me to. I didn't feel sleepy, and I did feel full of devouring anxiety. I kept thinking over everything that has been ever since Jonathan came to see me in London, and it all seems like a horrible tragedy, with fate pressing on relentlessly to some destined end. Everything that one does seems, no matter how right it may be, to bring on the very thing which is most to be deplored. If I hadn't gone to Whitby, perhaps poor dear Lucy would be with us now. She hadn't taken to visiting the churchyard till I came, and if she hadn't come there in the day time with me she wouldn't have walked in her sleep. And if she hadn't gone there at night and asleep, that monster couldn't have destroyed her as he did. Oh, why did I ever go to Whitby? There now, crying again! I wonder what has come over me today. I must hide it from Jonathan, for if he knew that I had been crying twice in one morning… I, who never cried on my own account, and whom he has never caused to shed a tear, the dear fellow would fret his heart out. I shall put a bold face on, and if I do feel weepy, he shall never see it. I suppose it is just one of the lessons that we poor women have to learn…

I can't quite remember how I fell asleep last night. I remember hearing the sudden barking of the dogs and a lot of queer sounds, like praying on a very tumultuous scale, from Mr. Renfield's room, which is somewhere under this. And then there was silence over everything, silence so profound that it startled me, and I got up and looked out of the window. All was dark and silent, the black shadows thrown by the moonlight seeming full of a silent mystery of their own. Not a thing seemed to be stirring, but all to be grim and fixed as death or fate, so that a thin streak of white mist, that crept with almost imperceptible slowness across the grass towards the house, seemed to have a sentience and a vitality of its own. I think that the digression of my thoughts must have done me good, for when I got back to bed I found a lethargy creeping over me. I lay a while, but could not quite sleep, so I got out and looked out of the window again. The mist was spreading, and was now close up to the house, so that I could see it lying thick against the wall, as though it were stealing up to the windows. The poor man was more loud than ever, and though I could not distinguish a word he said, I could in some way recognize in his tones some passionate entreaty on his part. Then there was the sound of a struggle, and I knew that the attendants were dealing with him. I was so frightened that I crept into bed, and pulled the clothes over my head, putting my fingers in my ears. I was not then a bit sleepy, at least so I thought, but I must have fallen asleep, for except dreams, I do not remember anything until the morning, when Jonathan woke me. I think that it took me an effort and a little time to realize where I was, and that it was Jonathan who was bending over me. My dream was very peculiar, and was almost typical of the way that waking thoughts become merged in, or continued in, dreams.

I thought that I was asleep, and waiting for Jonathan to come back. I was very anxious about him, and I was powerless to act, my feet, and my hands, and my brain were weighted, so that nothing could proceed at the usual pace. And so I slept uneasily and thought. Then it began to dawn upon me that the air was heavy, and dank, and cold. I put back the clothes from my face, and found, to my surprise, that all was dim around. The gaslight which I had left lit for Jonathan, but turned down, came only like a tiny red spark through the fog, which had evidently grown thicker and poured into the room. Then it occurred to me that I had shut the window before I had come to bed. I would have got out to make certain on the point, but some leaden lethargy seemed to chain my limbs and even my will. I lay still and endured, that was all. I closed my eyes, but could still see through my eyelids. (It is wonderful what tricks our dreams play us, and how conveniently we can imagine.) The mist grew thicker and thicker and I could see now how it came in, for I could see it like smoke, or with the white energy of boiling water, pouring in, not through the window, but through the joinings of the door. It got thicker and thicker, till it seemed as if it became concentrated into a sort of pillar of cloud in the room, through the top of which I could see the light of the gas shining like a red eye. Things began to whirl through my brain just as the cloudy column was now whirling in the room, and through it all came the scriptural words "a pillar of cloud by day and of fire by night." Was it indeed such spiritual guidance that was coming to me in my sleep? But the pillar was composed of both the day and the night guiding, for the fire was in the red eye, which at the thought got a new fascination for me, till, as I looked, the fire divided, and seemed to shine on me through the fog like two red eyes, such as Lucy told me of in her momentary mental wandering when, on the cliff, the dying sunlight struck the windows of St. Mary's Church. Suddenly the horror burst upon me that it was thus that Jonathan had seen those awful women growing into reality through the whirling mist in the moonlight, and in my dream I must have fainted, for all became black darkness. The last conscious effort which imagination made was to show me a livid white face bending over me out of the mist.

I must be careful of such dreams, for they would unseat one's reason if there were too much of them. I would get Dr. Van Helsing or Dr. Seward to prescribe something for me which would make me sleep, only that I fear to alarm them. Such a dream at the present time would become woven into their fears for me. Tonight I shall strive hard to sleep naturally. If I do not, I shall tomorrow night get them to give me a dose of chloral, that cannot hurt me for once, and it will give me a good night's sleep. Last night tired me more than if I had not slept at all.

2 October 10 P.M. Last night I slept, but did not dream. I must have slept soundly, for I was not waked by Jonathan coming to bed, but the sleep has not refreshed me, for today I feel terribly weak and spiritless. I spent all yesterday trying to read, or lying down dozing. In the afternoon, Mr. Renfield asked if he might see me. Poor man, he was very gentle, and when I came away he kissed my hand and bade God bless me. Some way it affected me much. I am crying when I think of him. This is a new weakness, of which I must be careful. Jonathan would be miserable if he knew I had been crying. He and the others were out till dinner time, and they all came in tired. I did what I could to brighten them up, and I suppose that the effort did me good, for I forgot how tired I was. After dinner they sent me to bed, and all went off to smoke together, as they said, but I knew that they wanted to tell each other of what had occurred to each during the day. I could see from Jonathan's manner that he had something important to communicate. I was not so sleepy as I should have been, so before they went I asked Dr. Seward to give me a little opiate of some kind, as I had not slept well the night before. He very kindly made me up a sleeping draught, which he gave to me, telling me that it would do me no harm, as it was very mild... I have taken it, and am waiting for sleep, which still keeps aloof. I hope I have not done wrong, for as sleep begins to flirt with me, a new fear comes: that I may have been foolish in thus depriving myself of the power of waking. I might want it. Here comes sleep. Goodnight.

CHAPTER 20
JONATHAN HARKER'S JOURNAL

1st October, evening. I found Thomas Snelling in his house at Bethnal Green, but unhappily he was not in a condition to remember anything. The very prospect of beer which my expected coming had opened to him had proved too much, and he had begun too early on his expected debauch. I learned, however, from his wife, who seemed a decent, poor soul, that he was only the assistant of Smollet, who of the two mates was the responsible person. So off I drove to Walworth, and found Mr. Joseph Smollet at home and in his shirtsleeves, taking a late tea out of a saucer. He is a decent, intelligent fellow, distinctly a good, reliable type of workman, and with a headpiece of his own. He remembered all about the incident of the boxes, and from a wonderful dog-eared notebook, which he produced from some mysterious receptacle about the seat of his trousers, and which had hieroglyphical entries in thick, half-obliterated pencil, he gave me the destinations of the boxes. There were, he said, six in the cartload which he took from Carfax and left at 197 Chicksand Street, Mile End New Town, and another six which he deposited at Jamaica Lane, Bermondsey. If then the Count meant to scatter these ghastly refuges of his over London, these places were chosen as the first of delivery, so that later he might distribute more fully. The systematic manner in which this was done made me think that he could not mean to confine himself to two sides of London. He was now fixed on the far east on the northern shore, on the east of the southern shore, and on the south. The north and west were surely never meant to be left out of his diabolical scheme, let alone the City itself and the very heart of fashionable London in the south-west and west. I went back to Smollet, and asked him if he could tell us if any other boxes had been taken from Carfax.

He replied, "Well guv'nor, you've treated me very 'an'some", I had given him half a sovereign, "an I'll tell yer all I know. I heard a man by the name of Bloxam say four nights ago in the 'Are an' 'Ounds, in Pincher's Alley, as 'ow he an' his mate 'ad 'ad a rare dusty job in a old 'ouse at Purfleet. There ain't a many such jobs as this 'ere, an' I'm thinkin' that maybe Sam Bloxam could tell ye summut."

I asked if he could tell me where to find him. I told him that if he could get me the address it would be worth another half sovereign to him. So he gulped down the rest of his tea and stood up, saying that he was going to begin the search then and there.

At the door he stopped, and said, "Look 'ere, guv'nor, there ain't no sense in me a keepin' you 'ere. I may find Sam soon, or I mayn't, but anyhow he ain't like to be in a way to tell ye much tonight. Sam is a rare one when he starts on the booze. If you can give me a envelope with a stamp on it, and put yer address on it, I'll find out where Sam is to be found and post it ye tonight. But ye'd better be up arter 'im soon in the mornin', never mind the booze the night afore."

This was all practical, so one of the children went off with a penny to buy an envelope and a sheet of paper, and to keep the change. When she came back, I addressed the envelope and stamped it, and when Smollet had again faithfully promised to post the address when found, I took my way to home. We're on the track anyhow. I am tired tonight, and I want to sleep. Mina is fast asleep, and looks a little too pale. Her eyes look as though she had been crying. Poor dear, I've no doubt it frets her to be kept in the dark, and it may make her doubly anxious about me and the others. But it is best as it is. It is better to be disappointed and worried in such a way now than to have her nerve broken. The doctors were quite right to insist on her being kept out of this dreadful business. I must be firm, for on me this particular burden of silence must rest. I shall not ever enter on the subject with her under any circumstances. Indeed, It may not be a hard task, after all, for she herself has become reticent on the subject, and has not spoken of the Count or his doings ever since we told her of our decision.

2 October, evening A long and trying and exciting day. By the first post I got my directed envelope with a dirty scrap of paper enclosed, on which was written with a carpenter's pencil in a sprawling hand, "Sam Bloxam, Korkrans, 4 Poters Cort, Bartel Street, Walworth. Arsk for the depite."

I got the letter in bed, and rose without waking Mina. She looked heavy and sleepy and pale, and far from well. I determined not to wake her, but that when I should return from this new search, I would arrange for her going back to Exeter. I think she would be happier in our own home, with her daily tasks to interest her, than in being here amongst us and in ignorance. I only saw Dr. Seward for a moment, and told him where I was off to, promising to come back and tell the rest so soon as I should have found out anything. I drove to Walworth and found, with some difficulty, Potter's Court. Mr. Smollet's spelling misled me, as I asked for Poter's Court instead of Potter's Court. However, when I had found the court, I had no difficulty in discovering Corcoran's lodging house.

When I asked the man who came to the door for the "depite," he shook his head, and said, "I dunno 'im. There ain't no such a person 'ere. I never 'eard of 'im in all my bloomin' days. Don't believe there ain't nobody of that kind livin' 'ere or anywheres."

I took out Smollet's letter, and as I read it it seemed to me that the lesson of the spelling of the name of the court might guide me. "What are you?" I asked.

"I'm the depity," he answered.

I saw at once that I was on the right track. Phonetic spelling had again misled me. A half crown tip put the deputy's knowledge at my disposal, and I learned that Mr. Bloxam, who had slept off the remains of his beer on the previous night at Corcoran's, had left for his work at Poplar at five o'clock that morning. He could not tell me where the place of work was situated, but he had a vague idea that it was some kind of a "new-fangled ware'us," and with this slender clue I had to start for Poplar. It was twelve o'clock before I got any satisfactory hint of such a building, and this I got at a coffee shop,

where some workmen were having their dinner. One of them suggested that there was being erected at Cross Angel Street a new "cold storage" building, and as this suited the condition of a "new-fangled ware'us," I at once drove to it. An interview with a surly gatekeeper and a surlier foreman, both of whom were appeased with the coin of the realm, put me on the track of Bloxam. He was sent for on my suggestion that I was willing to pay his days wages to his foreman for the privilege of asking him a few questions on a private matter. He was a smart enough fellow, though rough of speech and bearing. When I had promised to pay for his information and given him an earnest, he told me that he had made two journeys between Carfax and a house in Piccadilly, and had taken from this house to the latter nine great boxes, "main heavy ones," with a horse and cart hired by him for this purpose.

I asked him if he could tell me the number of the house in Piccadilly, to which he replied, "Well, guv'nor, I forgits the number, but it was only a few door from a big white church, or somethink of the kind, not long built. It was a dusty old 'ouse, too, though nothin' to the dustiness of the 'ouse we tooked the bloomin' boxes from."

"How did you get in if both houses were empty?"

"There was the old party what engaged me a waitin' in the 'ouse at Purfleet. He 'elped me to lift the boxes and put them in the dray. Curse me, but he was the strongest chap I ever struck, an' him a old feller, with a white moustache, one that thin you would think he couldn't throw a shadder."

How this phrase thrilled through me!

"Why, 'e took up 'is end o' the boxes like they was pounds of tea, and me a puffin' an' a blowin' afore I could upend mine anyhow, an' I'm no chicken, neither."

"How did you get into the house in Piccadilly?" I asked.

"He was there too. He must 'a started off and got there afore me, for when I rung of the bell he kem an' opened the door 'isself an' 'elped me carry the boxes into the 'all."

"The whole nine?" I asked.

"Yus, there was five in the first load an' four in the second. It was main dry work, an' I don't so well remember 'ow I got 'ome."

I interrupted him, "Were the boxes left in the hall?"

"Yus, it was a big 'all, an' there was nothin' else in it."

I made one more attempt to further matters. "You didn't have any key?"

"Never used no key nor nothink. The old gent, he opened the door 'isself an' shut it again when I druv off. I don't remember the last time, but that was the beer."

"And you can't remember the number of the house?"

"No, sir. But ye needn't have no difficulty about that. It's a 'igh 'un with a stone front with a bow on it, an' 'igh steps up to the door. I know them steps, 'avin' 'ad to carry the boxes up with three loafers what come round to earn a copper. The old gent give them shillin's, an' they seein' they got so much, they wanted more. But 'e took one of them by the shoulder and was like to throw 'im down the steps, till the lot of them went away cussin'."

I thought that with this description I could find the house, so having paid my friend for his information, I started off for Piccadilly. I had gained a new painful experience. The Count could, it was evident, handle the earth boxes himself. If so, time was precious, for now that he had achieved a certain amount of distribution, he could, by choosing his own time, complete the task unobserved. At Piccadilly Circus I discharged my cab, and walked westward. Beyond the Junior Constitutional I came across the house described and was satisfied that this was the next of the lairs arranged by Dracula. The house looked as though it had been long untenanted. The windows were encrusted with dust, and the shutters were up. All the framework was black with time, and from the iron the paint had mostly scaled away. It was evident that up to lately there had been a large notice board in front of the balcony. It had, however, been roughly torn away, the uprights which had supported it still remaining. Behind the rails of the balcony I saw there were some loose boards, whose raw edges looked white. I would have given a good deal to have been able to see the notice board intact, as it would, perhaps, have given some clue to the ownership of the house. I remembered my experience of the investigation and purchase of Carfax, and I could not but feel that if I could find the former owner there might be some means discovered of gaining access to the house.

There was at present nothing to be learned from the Piccadilly side, and nothing could be done, so I went around to the back to see if anything could be gathered from this quarter. The mews were active, the Piccadilly houses being mostly in occupation. I asked one or two of the grooms and helpers whom I saw around if they could tell me anything about the empty house. One of them said that he heard it had lately been taken, but he couldn't say from whom. He told me, however, that up to very lately there had been a notice board of "For Sale" up, and that perhaps Mitchell, Sons, & Candy the house agents could tell me something, as he thought he remembered seeing the name of that firm on the board. I did not wish to seem too eager, or to let my informant know or guess too much, so thanking him in the usual manner, I strolled away.

It was now growing dusk, and the autumn night was closing in, so I did not lose any time. Having learned the address of Mitchell, Sons, & Candy from a directory at the Berkeley, I was soon at their office in Sackville Street.

The gentleman who saw me was particularly suave in manner, but uncommunicative in equal proportion. Having once told me that the Piccadilly house, which throughout our interview he called a "mansion," was sold, he considered my business as concluded. When I asked who had purchased it, he opened his eyes a thought wider, and paused a few seconds before replying, "It is sold, sir."

"Pardon me," I said, with equal politeness, "but I have a special reason for wishing to know who purchased it."

Again he paused longer, and raised his eyebrows still more. "It is sold, sir," was again his laconic reply.

"Surely," I said, "you do not mind letting me know so much."

"But I do mind," he answered. "The affairs of their clients are absolutely safe in the hands of Mitchell, Sons, & Candy."

This was manifestly a prig of the first water, and there was no use arguing with him. I thought I had best meet him on his own ground, so I said, "Your clients, sir, are happy in having so resolute a guardian of their confidence. I am myself a professional man."

Here I handed him my card. "In this instance I am not prompted by curiosity, I act on the part of Lord Godalming, who wishes to know something of the property which was, he understood, lately for sale."

These words put a different complexion on affairs. He said, "I would like to oblige you if I could, Mr. Harker, and especially would I like to oblige his lordship. We once carried out a small matter of renting some chambers for him when he was the honourable Arthur Holmwood. If you will let me have his lordship's address I will consult the House on the subject, and will, in any case, communicate with his lordship by tonight's post. It will be a pleasure if we can so far deviate from our rules as to give the required information to his lordship."

I wanted to secure a friend, and not to make an enemy, so I thanked him, gave the address at Dr. Seward's and came away. It was now dark, and I was tired and hungry. I got a cup of tea at the Aerated Bread Company and came down to Purfleet by the next train.

I found all the others at home. Mina was looking tired and pale, but she made a gallant effort to be bright and cheerful. It wrung my heart to think that I had had to keep anything from her and so caused her inquietude. Thank God, this will be the last night of her looking on at our conferences, and feeling the sting of our not showing our confidence.

It took all my courage to hold to the wise resolution of keeping her out of our grim task. She seems somehow more reconciled, or else the very subject seems to have become repugnant to her, for when any accidental allusion is made she actually shudders. I am glad we made our resolution in time, as with such a feeling as this, our growing knowledge would be torture to her.

I could not tell the others of the day's discovery till we were alone, so after dinner, followed by a little music to save appearances even amongst ourselves, I took Mina to her room and left her to go to bed. The dear girl was more affectionate with me than ever, and clung to me as though she would detain me, but there was much to be talked of and I came away. Thank God, the ceasing of telling things has made no difference between us.

When I came down again I found the others all gathered round the fire in the study. In the train I had written my diary so far, and simply read it off to them as the best means of letting them get abreast of my own information.

When I had finished Van Helsing said, "This has been a great day's work, friend Jonathan. Doubtless we are on the track of the missing boxes. If we find them all in that house, then our work is near the end. But if there be some missing, we must search until we find them. Then shall we make our final coup, and hunt the wretch to his real death."

We all sat silent awhile and all at once Mr. Morris spoke, "Say! How are we going to get into that house?"

"We got into the other," answered Lord Godalming quickly.

"But, Art, this is different. We broke house at Carfax, but we had night and a walled park to protect us. It will be a mighty different thing to commit burglary in Piccadilly, either by day or night. I confess I don't see how we are going to get in unless that agency duck can find us a key of some sort."

Lord Godalming's brows contracted, and he stood up and walked about the room. By-and-by he stopped and said, turning from one to another of us, "Quincey's head is level. This burglary business is getting serious. We got off once all right, but we have now a rare job on hand. Unless we can find the Count's key basket."

As nothing could well be done before morning, and as it would be at least advisable to wait till Lord Godalming should hear from Mitchell's, we decided not to take any active step before breakfast time. For a good while we sat and smoked, discussing the matter in its various lights and bearings. I took the opportunity of bringing this diary right up to the moment. I am very sleepy and shall go to bed...

Just a line. Mina sleeps soundly and her breathing is regular. Her forehead is puckered up into little wrinkles, as though she thinks even in her sleep. She is still too pale, but does not look so haggard as she did this morning. Tomorrow will, I hope, mend all this. She will be herself at home in Exeter. Oh, but I am sleepy!

DR. SEWARD'S DIARY

1st October. I am puzzled afresh about Renfield. His moods change so rapidly that I find it difficult to keep touch of them, and as they always mean something more than his own well-being, they form a more than interesting study. This morning, when I went to see him after his repulse of Van Helsing, his manner was that of a man commanding destiny. He was, in fact, commanding destiny, subjectively. He did not really care for any of the things of mere earth, he was in the clouds and looked down on all the weaknesses and wants of us poor mortals.

I thought I would improve the occasion and learn something, so I asked him, "What about the flies these times?"

He smiled on me in quite a superior sort of way, such a smile as would have become the face of Malvolio, as he answered me, "The fly, my dear sir, has one striking feature. Its wings are typical of the aerial powers of the psychic faculties. The ancients did well when they typified the soul as a butterfly!"

I thought I would push his analogy to its utmost logically, so I said quickly, "Oh, it is a soul you are after now, is it?"

His madness foiled his reason, and a puzzled look spread over his face as, shaking his head with a decision which I had but seldom seen in him.

He said, "Oh, no, oh no! I want no souls. Life is all I want." Here he brightened up. "I am pretty indifferent about it at present. Life is all right. I have all I want. You must get a new patient, doctor, if you wish to study zoophagy!"

This puzzled me a little, so I drew him on. "Then you command life. You are a god, I suppose?"

He smiled with an ineffably benign superiority. "Oh no! Far be it from me to arrogate to myself the attributes of the Deity. I am not even concerned in His especially spiritual doings. If I may state my intellectual position I am, so far as concerns things purely terrestrial, somewhat in the position which Enoch occupied spiritually!"

This was a poser to me. I could not at the moment recall Enoch's appositeness, so I had to ask a simple question, though I felt that by so doing I was lowering myself in the eyes of the lunatic. "And why with Enoch?"

"Because he walked with God."

I could not see the analogy, but did not like to admit it, so I harked back to what he had denied. "So you don't care about life and you don't want souls.

Why not?" I put my question quickly and somewhat sternly, on purpose to disconcert him.

The effort succeeded, for an instant he unconsciously relapsed into his old servile manner, bent low before me, and actually fawned upon me as he replied. "I don't want any souls, indeed, indeed! I don't. I couldn't use them if I had them. They would be no manner of use to me. I couldn't eat them or…"

He suddenly stopped and the old cunning look spread over his face, like a wind sweep on the surface of the water.

"And doctor, as to life, what is it after all? When you've got all you require, and you know that you will never want, that is all. I have friends, good friends, like you, Dr. Seward." This was said with a leer of inexpressible cunning. "I know that I shall never lack the means of life!"

I think that through the cloudiness of his insanity he saw some antagonism in me, for he at once fell back on the last refuge of such as he, a dogged silence. After a short time I saw that for the present it was useless to speak to him. He was sulky, and so I came away.

Later in the day he sent for me. Ordinarily I would not have come without special reason, but just at present I am so interested in him that I would gladly make an effort. Besides, I am glad to have anything to help pass the time. Harker is out, following up clues, and so are Lord Godalming and Quincey. Van Helsing sits in my study poring over the record prepared by the Harkers. He seems to think that by accurate knowledge of all details he will light up on some clue. He does not wish to be disturbed in the work, without cause. I would have taken him with me to see the patient, only I thought that after his last repulse he might not care to go again. There was also another reason. Renfield might not speak so freely before a third person as when he and I were alone.

I found him sitting in the middle of the floor on his stool, a pose which is generally indicative of some mental energy on his part. When I came in, he said at once, as though the question had been waiting on his lips. "What about souls?"

It was evident then that my surmise had been correct. Unconscious cerebration was doing its work, even with the lunatic. I determined to have the matter out.

"What about them yourself?" I asked.

He did not reply for a moment but looked all around him, and up and down, as though he expected to find some inspiration for an answer.

"I don't want any souls!" he said in a feeble, apologetic way. The matter seemed preying on his mind, and so I determined to use it, to "be cruel only to be kind." So I said, "You like life, and you want life?"

"Oh yes! But that is all right. You needn't worry about that!"

"But," I asked, "how are we to get the life without getting the soul also?"

This seemed to puzzle him, so I followed it up, "A nice time you'll have some time when you're flying out here, with the souls of thousands of flies and spiders and birds and cats buzzing and twittering and moaning all around you. You've got their lives, you know, and you must put up with their souls!"

Something seemed to affect his imagination, for he put his fingers to his ears and shut his eyes, screwing them up tightly just as a small boy does when his face is being soaped. There was something pathetic in it that touched me. It also gave me a lesson, for it seemed that before me was a child, only a child, though the features were worn, and the stubble on the jaws was white. It was evident that he was undergoing some process of mental disturbance, and knowing how his past moods had interpreted things seemingly foreign to himself, I thought I would enter into his mind as well as I could and go with him.

The first step was to restore confidence, so I asked him, speaking pretty loud so that he would hear me through his closed ears, "Would you like some sugar to get your flies around again?"

He seemed to wake up all at once, and shook his head. With a laugh he replied, "Not much! Flies are poor things, after all!" After a pause he added, "But I don't want their souls buzzing round me, all the same."

"Or spiders?" I went on.

"Blow spiders! What's the use of spiders? There isn't anything in them to eat or…" He stopped suddenly as though reminded of a forbidden topic.

"So, so!" I thought to myself, "this is the second time he has suddenly stopped at the word 'drink'. What does it mean?"

Renfield seemed himself aware of having made a lapse, for he hurried on, as though to distract my attention from it, "I don't take any stock at all in such matters. 'Rats and mice and such small deer,' as Shakespeare has it, 'chicken feed of the larder' they might be called. I'm past all that sort of nonsense. You might as well ask a man to eat molecules with a pair of chopsticks, as to try to interest me about the less carnivora, when I know of what is before me."

"I see," I said. "You want big things that you can make your teeth meet in? How would you like to breakfast on an elephant?"

"What ridiculous nonsense you are talking?" He was getting too wide awake, so I thought I would press him hard.

"I wonder," I said reflectively, "what an elephant's soul is like!"

The effect I desired was obtained, for he at once fell from his high-horse and became a child again.

"I don't want an elephant's soul, or any soul at all!" he said. For a few moments he sat despondently. Suddenly he jumped to his feet, with his eyes blazing and all the signs of intense cerebral excitement. "To hell with you and your souls!" he shouted. "Why do you plague me about souls? Haven't I got enough to worry, and pain, to distract me already, without thinking of souls?"

He looked so hostile that I thought he was in for another homicidal fit, so I blew my whistle.

The instant, however, that I did so he became calm, and said apologetically, "Forgive me, Doctor. I forgot myself. You do not need any help. I am so worried in my mind that I am apt to be irritable. If you only knew the problem I have to face, and that I am working out, you would pity, and tolerate, and pardon me. Pray do not put me in a strait waistcoat. I want to think and I cannot think freely when my body is confined. I am sure you will understand!"

He had evidently self-control, so when the attendants came I told them not to mind, and they withdrew. Renfield watched them go. When the door was closed he said with considerable dignity and sweetness, "Dr. Seward, you have been very considerate towards me. Believe me that I am very, very grateful to you!"

I thought it well to leave him in this mood, and so I came away. There is certainly something to ponder over in this man's state. Several points seem to make what the American interviewer calls "a story," if one could only get them in proper order. Here they are:

Will not mention "drinking."

Fears the thought of being burdened with the "soul" of anything.

Has no dread of wanting "life" in the future.

Despises the meaner forms of life altogether, though he dreads being haunted by their souls.

Logically all these things point one way! He has assurance of some kind that he will acquire some higher life.

He dreads the consequence, the burden of a soul. Then it is a human life he looks to!

And the assurance...?

Merciful God! The Count has been to him, and there is some new scheme of terror afoot!

Later. I went after my round to Van Helsing and told him my suspicion. He grew very grave, and after thinking the matter over for a while asked me to take him to Renfield. I did so. As we came to the door we heard the lunatic within singing gaily, as he used to do in the time which now seems so long ago.

When we entered we saw with amazement that he had spread out his sugar as of old. The flies, lethargic with the autumn, were beginning to buzz into the room. We tried to make him talk of the subject of our previous conversation, but he would not attend. He went on with his singing, just as though we had not been present. He had got a scrap of paper and was folding it into a notebook. We had to come away as ignorant as we went in.

His is a curious case indeed. We must watch him tonight.

LETTER, MITCHELL, SONS & CANDY TO LORD GODALMING.

1st October.

My Lord,

We are at all times only too happy to meet your wishes. We beg, with regard to the desire of your Lordship, expressed by Mr. Harker on your behalf, to supply the following information concerning the sale and purchase of N°. 347, Piccadilly. The original vendors are the executors of the late Mr. Archibald Winter-Suffield. The purchaser is a foreign nobleman, Count de Ville, who effected the purchase himself paying the purchase money in notes 'over the counter,' if your Lordship will pardon us using so vulgar an expression. Beyond this we know nothing whatever of him.

We are, my Lord,

Your Lordship's humble servants,

MITCHELL, SONS & CANDY.

DR. SEWARD'S DIARY

2 October. I placed a man in the corridor last night, and told him to make an accurate note of any sound he might hear from Renfield's room, and gave him instructions that if there should be anything strange he was to call me. After dinner, when we had all gathered round the fire in the study, Mrs. Harker having gone to bed, we discussed the attempts and discoveries of the day. Harker was the only one who had any result, and we are in great hopes that his clue may be an important one.

Before going to bed I went round to the patient's room and looked in through the observation trap. He was sleeping soundly, his heart rose and fell with regular respiration.

This morning the man on duty reported to me that a little after midnight he was restless and kept saying his prayers somewhat loudly. I asked him if that was all. He replied that it was all he heard. There was something about his manner, so suspicious that I asked him point blank if he had been asleep. He denied sleep, but admitted to having "dozed" for a while. It is too bad that men cannot be trusted unless they are watched.

Today Harker is out following up his clue, and Art and Quincey are looking after horses. Godalming thinks that it will be well to have horses always in readiness, for when we get the information which we seek there will be no time to lose. We must sterilize all the imported earth between sunrise and sunset. We shall thus catch the Count at his weakest, and without a refuge to fly to. Van Helsing is off to the British Museum looking up some authorities on ancient medicine. The old physicians took account of things which their followers do not accept, and the Professor is searching for witch and demon cures which may be useful to us later.

I sometimes think we must be all mad and that we shall wake to sanity in strait waistcoats.

Later. We have met again. We seem at last to be on the track, and our work of tomorrow may be the beginning of the end. I wonder if Renfield's quiet has anything to do with this. His moods have so followed the doings of the Count, that the coming destruction of the monster may be carried to him some subtle way. If we could only get some hint as to what passed in his mind, between the time of my argument with him today and his resumption of fly-catching, it might afford us a valuable clue. He is now seemingly quiet for a spell... Is he? That wild yell seemed to come from his room...

The attendant came bursting into my room and told me that Renfield had somehow met with some accident. He had heard him yell, and when he went to him found him lying on his face on the floor, all covered with blood. I must go at once...

CHAPTER 21
DR. SEWARD'S DIARY

3 October. Let me put down with exactness all that happened, as well as I can remember, since last I made an entry. Not a detail that I can recall must be forgotten. In all calmness I must proceed.

When I came to Renfield's room I found him lying on the floor on his left side in a glittering pool of blood. When I went to move him, it became at once apparent that he had received some terrible injuries. There seemed none of the unity of purpose between the parts of the body which marks even lethargic sanity. As the face was exposed I could see that it was horribly bruised, as though it had been beaten against the floor. Indeed it was from the face wounds that the pool of blood originated.

The attendant who was kneeling beside the body said to me as we turned him over, "I think, sir, his back is broken. See, both his right arm and leg and the whole side of his face are paralysed." How such a thing could have happened puzzled the attendant beyond measure. He seemed quite bewildered, and his brows were gathered in as he said, "I can't understand the two things. He could mark his face like that by beating his own head on the floor. I saw a young woman do it once at the Eversfield Asylum before anyone could lay hands on her. And I suppose he might have broken his neck by falling out of bed, if he got in an awkward kink. But for the life of me I can't imagine how the two things occurred. If his back was broke, he couldn't beat his head, and if his face was like that before the fall out of bed, there would be marks of it."

I said to him, "Go to Dr. Van Helsing, and ask him to kindly come here at once. I want him without an instant's delay."

The man ran off, and within a few minutes the Professor, in his dressing gown and slippers, appeared. When he saw Renfield on the ground, he looked keenly at him a moment, and then turned to me. I think he recognized my thought in my eyes, for he said very quietly, manifestly for the ears of the attendant, "Ah, a sad accident! He will need very careful watching, and much attention. I shall stay with you myself, but I shall first dress myself. If you will remain I shall in a few minutes join you."

The patient was now breathing stertorously and it was easy to see that he had suffered some terrible injury.

Van Helsing returned with extraordinary celerity, bearing with him a surgical case. He had evidently been thinking and had his mind made up, for almost before he looked at the patient, he whispered to me, "Send the attendant away. We must be alone with him when he becomes conscious, after the operation."

I said, "I think that will do now, Simmons. We have done all that we can at present. You had better go your round, and Dr. Van Helsing will operate. Let me know instantly if there be anything unusual anywhere."

The man withdrew, and we went into a strict examination of the patient. The wounds of the face were superficial. The real injury was a depressed fracture of the skull, extending right up through the motor area.

The Professor thought a moment and said, "We must reduce the pressure and get back to normal conditions, as far as can be. The rapidity of the suffusion shows the terrible nature of his injury. The whole motor area seems affected. The suffusion of the brain will increase quickly, so we must trephine at once or it may be too late."

As he was speaking there was a soft tapping at the door. I went over and opened it and found in the corridor without, Arthur and Quincey in pajamas and slippers; the former spoke, "I heard your man call up Dr. Van Helsing and tell him of an accident. So I woke Quincey or rather called for him as he was not asleep. Things are moving too quickly and too strangely for sound sleep for any of us these times. I've been thinking that tomorrow night will not see things as they have been. We'll have to look back, and forward a little more than we have done. May we come in?"

I nodded, and held the door open till they had entered, then I closed it again. When Quincey saw the attitude and state of the patient, and noted the horrible pool on the floor, he said softly, "My God! What has happened to him? Poor, poor devil!"

I told him briefly, and added that we expected he would recover consciousness after the operation, for a short time, at all events. He went at once and sat down on the edge of the bed, with Godalming beside him. We all watched in patience.

"We shall wait," said Van Helsing, "just long enough to fix the best spot for trephining, so that we may most quickly and perfectly remove the blood clot, for it is evident that the haemorrhage is increasing."

The minutes during which we waited passed with fearful slowness. I had a horrible sinking in my heart, and from Van Helsing's face I gathered that he felt some fear or apprehension as to what was to come. I dreaded the words Renfield might speak. I was positively afraid to think. But the conviction of what was coming was on me, as I have read of men who have heard the death watch. The poor man's breathing came in uncertain gasps. Each instant he seemed as though he would open his eyes and speak, but then would follow a prolonged stertorous breath, and he would relapse into a more fixed insensibility. Inured as I was to sick beds and death, this suspense grew and grew upon me. I could almost hear the beating of my own heart, and the blood surging through my temples sounded like blows from a hammer. The silence finally became agonizing. I looked at my companions, one after another, and saw from their flushed faces and damp brows that they were enduring equal torture. There was a nervous suspense over us all, as though overhead some dread bell would peal out powerfully when we should least expect it.

At last there came a time when it was evident that the patient was sinking fast. He might die at any moment. I looked up at the Professor and caught his eyes fixed on mine. His face was sternly set as he spoke, "There is no time to lose. His words may be worth many lives. I have been thinking so, as I stood here. It may be there is a soul at stake! We shall operate just above the ear."

Without another word he made the operation. For a few moments the breathing continued to be stertorous. Then there came a breath so prolonged that it seemed as though it would tear open his chest. Suddenly his eyes opened, and became fixed in a wild, helpless stare. This was continued for a few moments, then it was softened into a glad surprise, and from his lips came a sigh of relief. He moved convulsively, and as he did so, said, "I'll be quiet, Doctor. Tell them to take off the strait waistcoat. I have had a terrible dream, and it has left me so weak that I cannot move. What's wrong with my face? It feels all swollen, and it smarts dreadfully."

He tried to turn his head, but even with the effort his eyes seemed to grow glassy again so I gently put it back. Then Van Helsing said in a quiet grave tone, "Tell us your dream, Mr. Renfield."

As he heard the voice his face brightened, through its mutilation, and he said, "That is Dr. Van Helsing. How good it is of you to be here. Give me some water, my lips are dry, and I shall try to tell you. I dreamed…"

He stopped and seemed fainting. I called quietly to Quincey, "The brandy, it is in my study, quick!" He flew and returned with a glass, the decanter of brandy and a carafe of water. We moistened the parched lips, and the patient quickly revived.

It seemed, however, that his poor injured brain had been working in the interval, for when he was quite conscious, he looked at me piercingly with an agonized confusion which I shall never forget, and said, "I must not deceive myself. It was no dream, but all a grim reality." Then his eyes roved round the room. As they caught sight of the two figures sitting patiently on the edge of the bed he went on, "If I were not sure already, I would know from them."

For an instant his eyes closed, not with pain or sleep but voluntarily, as though he were bringing all his faculties to bear. When he opened them he said, hurriedly, and with more energy than he had yet displayed, "Quick, Doctor, quick, I am dying! I feel that I have but a few minutes, and then I must go back to death, or worse! Wet my lips with brandy again. I have something that I must say before I die. Or before my poor crushed brain dies anyhow. Thank you! It was that night after you left me, when I implored you to let me go away. I couldn't speak then, for I felt my tongue was tied. But I was as sane then, except in that way, as I am now. I was in an agony of despair for a long time after you left me, it seemed hours. Then there came a sudden peace to me. My brain seemed to become cool again, and I realized where I was. I heard the dogs bark behind our house, but not where He was!"

As he spoke, Van Helsing's eyes never blinked, but his hand came out and met mine and gripped it hard. He did not, however, betray himself. He nodded slightly and said, "Go on," in a low voice.

Renfield proceeded. "He came up to the window in the mist, as I had seen him often before, but he was solid then, not a ghost, and his eyes were fierce like a man's when angry. He was laughing with his red mouth, the sharp white teeth glinted in the moonlight when he turned to look back over the belt of trees, to where the dogs were barking. I wouldn't ask him to come in at first, though I knew he wanted to, just as he had wanted all along. Then he began promising me things, not in words but by doing them."

He was interrupted by a word from the Professor, "How?"

"By making them happen. Just as he used to send in the flies when the sun was shining. Great big fat ones with steel and sapphire on their wings. And big moths, in the night, with skull and cross-bones on their backs."

Van Helsing nodded to him as he whispered to me unconsciously, "The Acherontia Atropos of the Sphinges, what you call the 'Death's-head Moth'?"

The patient went on without stopping, "Then he began to whisper. 'Rats, rats, rats! Hundreds, thousands, millions of them, and every one a life. And dogs to eat them, and cats too. All lives! All red blood, with years of life in it, and not merely buzzing flies!' I laughed at him, for I wanted to see what he could do. Then the dogs howled, away beyond the dark trees in His house. He beckoned me to the window. I got up and looked out, and He raised his hands, and seemed to call out without using any words. A dark mass spread over the grass, coming on like the shape of a flame of fire. And then He moved the mist to the right and left, and I could see that there were thousands of rats with their eyes blazing red, like His only smaller. He held up his hand, and they all stopped, and I thought he seemed to be saying, 'All these lives will I give you, ay, and many more and greater, through countless ages, if you will fall down and worship me!' And then a red cloud, like the colour of blood, seemed to close over my eyes, and before I knew what I was doing, I found myself opening the sash and saying to Him, 'Come in, Lord and Master!' The rats were all gone, but He slid into the room through the sash, though it was only open an inch wide, just as the Moon herself has often come in through the tiniest crack and has stood before me in all her size and splendour."

His voice was weaker, so I moistened his lips with the brandy again, and he continued, but it seemed as though his memory had gone on working in the interval for his story was further advanced. I was about to call him back to the point, but Van Helsing whispered to me, "Let him go on. Do not interrupt him. He cannot go back, and maybe could not proceed at all if once he lost the thread of his thought."

He proceeded, "All day I waited to hear from him, but he did not send me anything, not even a blowfly, and when the moon got up I was pretty angry with him. When he did slide in through the window, though it was shut, and did not even knock, I got mad with him. He sneered at me, and his white face looked out of the mist with his red eyes gleaming, and he went on as though he owned the whole place, and I was no one. He didn't even smell the same as he went by me. I couldn't hold him. I thought that, somehow, Mrs. Harker had come into the room."

The two men sitting on the bed stood up and came over, standing behind him so that he could not see them, but where they could hear better. They were both silent, but the Professor started and quivered. His face, however, grew grimmer and sterner still. Renfield went on without noticing, "When Mrs. Harker came in to see me this afternoon she wasn't the same. It was like tea after the teapot has been watered." Here we all moved, but no one said a word.

He went on, "I didn't know that she was here till she spoke, and she didn't look the same. I don't care for the pale people. I like them with lots of blood in them, and hers all seemed to have run out. I didn't think of it at the time, but when she went away I began to think, and it made me mad to know that He had been taking the life out of her." I could feel that the rest quivered, as I did; but we remained otherwise still. "So when He came tonight I was ready for Him. I saw the mist stealing in, and I grabbed it tight. I had heard that madmen have unnatural strength. And as I knew I was a madman, at times anyhow, I resolved to use my power. Ay, and He felt it too, for He had to come out of the mist to struggle with me. I held tight, and I thought I was going to win, for I didn't mean Him to take any more of her life, till I saw His eyes. They burned into me, and my strength became like water. He slipped through it, and when I tried to cling to Him, He raised me up and flung me down. There was a red cloud before me, and a noise like thunder, and the mist seemed to steal away under the door."

His voice was becoming fainter and his breath more stertorous. Van Helsing stood up instinctively.

"We know the worst now," he said. "He is here, and we know his purpose. It may not be too late. Let us be armed, the same as we were the other night, but lose no time, there is not an instant to spare."

There was no need to put our fear, nay our conviction, into words, we shared them in common. We all hurried and took from our rooms the same things that we had when we entered the Count's house. The Professor had his ready, and as we met in the corridor he pointed to them significantly as he said, "They never leave me, and they shall not till this unhappy business is over. Be wise also, my friends. It is no common enemy that we deal with Alas! Alas! That dear Madam Mina should suffer!" He stopped, his voice was breaking, and I do not know if rage or terror predominated in my own heart.

Outside the Harkers' door we paused. Art and Quincey held back, and the latter said, "Should we disturb her?"

"We must," said Van Helsing grimly. "If the door be locked, I shall break it in."

"May it not frighten her terribly? It is unusual to break into a lady's room!"

Van Helsing said solemnly, "You are always right. But this is life and death. All chambers are alike to the doctor. And even were they not they are all as one to me tonight. Friend John, when I turn the handle, if the door does not open, do you put your shoulder down and shove; and you too, my friends. Now!"

He turned the handle as he spoke, but the door did not yield. We threw ourselves against it. With a crash it burst open, and we almost fell headlong into the room. The Professor did actually fall, and I saw across him as he gathered himself up from hands and knees. What I saw appalled me. I felt my hair rise like bristles on the back of my neck, and my heart seemed to stand still.

The moonlight was so bright that through the thick yellow blind the room was light enough to see. On the bed beside the window lay Jonathan Harker, his face flushed and breathing heavily as though in a stupor. Kneeling on the near edge of the bed facing outwards was the white-clad figure of his wife. By her side stood a tall, thin man, clad in black. His face was turned from us, but the instant we saw we all recognized the Count, in every way, even to the scar on his forehead. With his left hand he held both Mrs. Harker's hands, keeping them away with her arms at full tension. His right hand gripped her by the back of the neck, forcing her face down on his bosom. Her white nightdress was smeared with blood, and a thin stream trickled down the man's bare chest which was shown by his torn-open dress. The attitude of the two had a terrible resemblance to a child forcing a kitten's nose into a saucer of milk to compel it to drink. As we burst into the room, the Count turned his face, and the hellish look that I had heard described seemed to leap into it. His eyes flamed red with devilish passion. The great nostrils of the white aquiline nose opened wide and quivered at the edge, and the white sharp teeth, behind the full lips of the blood dripping mouth, clamped together like those of a wild beast. With a wrench, which threw his victim back upon the bed as though hurled from a height, he turned and sprang at us. But by this time the Professor had gained his feet, and was holding towards him the envelope which contained the Sacred Wafer. The Count suddenly stopped, just as poor Lucy had done outside the tomb, and cowered back. Further and further back he cowered, as we, lifting our crucifixes, advanced. The moonlight suddenly failed, as a great black cloud sailed across the sky. And when the gaslight sprang up under Quincey's match, we saw nothing but a faint vapour. This, as we looked, trailed under the door, which with the recoil from its bursting open, had swung back to its old position. Van Helsing, Art, and I moved forward to Mrs. Harker, who by this time had drawn her breath and with it had given a scream so wild, so ear-piercing, so despairing that it seems to me now that it will ring in my ears till my dying day. For a few seconds she lay in her helpless attitude and disarray. Her face was ghastly, with a pallor which was accentuated by the blood which smeared her lips and cheeks and chin. From her throat trickled a thin stream of blood. Her eyes were mad with terror. Then she put before her face her poor crushed hands, which bore on their whiteness the red mark of the Count's terrible grip, and from behind them came a low desolate wail which made the terrible scream seem only the quick expression of an endless grief. Van Helsing stepped forward and drew the coverlet gently over her body, whilst Art, after looking at her face for an instant despairingly, ran out of the room.

Van Helsing whispered to me, "Jonathan is in a stupor such as we know the Vampire can produce. We can do nothing with poor Madam Mina for a few moments till she recovers herself. I must wake him!"

He dipped the end of a towel in cold water and with it began to flick him on the face, his wife all the while holding her face between her hands and sobbing in a way that was heart breaking to hear. I raised the blind, and looked out of the window. There was much moonshine, and as I looked I could see Quincey Morris run across the lawn and hide himself in the shadow of a great yew tree. It puzzled me to think why he was doing this. But at the instant I heard Harker's quick exclamation as he woke to partial consciousness, and turned to the bed. On his face, as there might well be, was a look of wild amazement. He seemed dazed for a few seconds, and then full consciousness seemed to burst upon him all at once, and he started up.

His wife was aroused by the quick movement, and turned to him with her arms stretched out, as though to embrace him. Instantly, however, she drew them in again, and putting her elbows together, held her hands before her face, and shuddered till the bed beneath her shook.

"In God's name what does this mean?" Harker cried out. "Dr. Seward, Dr. Van Helsing, what is it? What has happened? What is wrong? Mina, dear what is it? What does that blood mean? My God, my God! Has it come to this!" And, raising himself to his knees, he beat his hands wildly together. "Good God help us! Help her! Oh, help her!"

With a quick movement he jumped from bed, and began to pull on his clothes, all the man in him awake at the need for instant exertion. "What has happened? Tell me all about it!" he cried without pausing. "Dr. Van Helsing, you love Mina, I know. Oh, do something to save her. It cannot have gone too far yet. Guard her while I look for him!"

His wife, through her terror and horror and distress, saw some sure danger to him. Instantly forgetting her own grief, she seized hold of him and cried out.

"No! No! Jonathan, you must not leave me. I have suffered enough tonight, God knows, without the dread of his harming you. You must stay with me.

Stay with these friends who will watch over you!" Her expression became frantic as she spoke. And, he yielding to her, she pulled him down sitting on the bedside, and clung to him fiercely.

Van Helsing and I tried to calm them both. The Professor held up his golden crucifix, and said with wonderful calmness, "Do not fear, my dear. We are here, and whilst this is close to you no foul thing can approach. You are safe for tonight, and we must be calm and take counsel together."

She shuddered and was silent, holding down her head on her husband's breast. When she raised it, his white nightrobe was stained with blood where her lips had touched, and where the thin open wound in the neck had sent forth drops. The instant she saw it she drew back, with a low wail, and whispered, amidst choking sobs.

"Unclean, unclean! I must touch him or kiss him no more. Oh, that it should be that it is I who am now his worst enemy, and whom he may have most cause to fear."

To this he spoke out resolutely, "Nonsense, Mina. It is a shame to me to hear such a word. I would not hear it of you. And I shall not hear it from you. May God judge me by my deserts, and punish me with more bitter suffering than even this hour, if by any act or will of mine anything ever come between us!"

He put out his arms and folded her to his breast. And for a while she lay there sobbing. He looked at us over her bowed head, with eyes that blinked damply above his quivering nostrils. His mouth was set as steel.

After a while her sobs became less frequent and more faint, and then he said to me, speaking with a studied calmness which I felt tried his nervous power to the utmost.

"And now, Dr. Seward, tell me all about it. Too well I know the broad fact. Tell me all that has been."

I told him exactly what had happened and he listened with seeming impassiveness, but his nostrils twitched and his eyes blazed as I told how the ruthless hands of the Count had held his wife in that terrible and horrid position, with her mouth to the open wound in his breast. It interested me, even at that moment, to see that whilst the face of white set passion worked convulsively over the bowed head, the hands tenderly and lovingly stroked the ruffled hair. Just as I had finished, Quincey and Godalming knocked at the door. They entered in obedience to our summons. Van Helsing looked at me questioningly. I understood him to mean if we were to take advantage of their coming to divert if possible the thoughts of the unhappy husband and wife from each other and from themselves. So on nodding acquiescence to him he asked them what they had seen or done. To which Lord Godalming answered.

"I could not see him anywhere in the passage, or in any of our rooms. I looked in the study but, though he had been there, he had gone. He had, however..." He stopped suddenly, looking at the poor drooping figure on the bed.

Van Helsing said gravely, "Go on, friend Arthur. We want here no more concealments. Our hope now is in knowing all. Tell freely!"

So Art went on, "He had been there, and though it could only have been for a few seconds, he made rare hay of the place. All the manuscript had been burned, and the blue flames were flickering amongst the white ashes. The cylinders of your phonograph too were thrown on the fire, and the wax had helped the flames."

Here I interrupted. "Thank God there is the other copy in the safe!"

His face lit for a moment, but fell again as he went on. "I ran downstairs then, but could see no sign of him. I looked into Renfield's room, but there was no trace there except..." Again he paused.

"Go on," said Harker hoarsely. So he bowed his head and moistening his lips with his tongue, added, "except that the poor fellow is dead."

Mrs. Harker raised her head, looking from one to the other of us she said solemnly, "God's will be done!"

I could not but feel that Art was keeping back something. But, as I took it that it was with a purpose, I said nothing.

Van Helsing turned to Morris and asked, "And you, friend Quincey, have you any to tell?"

"A little," he answered. "It may be much eventually, but at present I can't say. I thought it well to know if possible where the Count would go when he left the house. I did not see him, but I saw a bat rise from Renfield's window, and flap westward. I expected to see him in some shape go back to Carfax, but he evidently sought some other lair. He will not be back tonight, for the sky is reddening in the east, and the dawn is close. We must work tomorrow!"

He said the latter words through his shut teeth. For a space of perhaps a couple of minutes there was silence, and I could fancy that I could hear the sound of our hearts beating.

Then Van Helsing said, placing his hand tenderly on Mrs. Harker's head, "And now, Madam Mina, poor dear, dear, Madam Mina, tell us exactly what happened. God knows that I do not want that you be pained, but it is need that we know all. For now more than ever has all work to be done quick and sharp, and in deadly earnest. The day is close to us that must end all, if it may be so, and now is the chance that we may live and learn."

The poor dear lady shivered, and I could see the tension of her nerves as she clasped her husband closer to her and bent her head lower and lower still on his breast. Then she raised her head proudly, and held out one hand to Van Helsing who took it in his, and after stooping and kissing it reverently, held it fast. The other hand was locked in that of her husband, who held his other arm thrown round her protectingly. After a pause in which she was evidently ordering her thoughts, she began.

"I took the sleeping draught which you had so kindly given me, but for a long time it did not act. I seemed to become more wakeful, and myriads of horrible fancies began to crowd in upon my mind. All of them connected with death, and vampires, with blood, and pain, and trouble." Her husband involuntarily groaned as she turned to him and said lovingly, "Do not fret, dear. You must be brave and strong, and help me through the horrible task. If you only knew what an effort it is to me to tell of this fearful thing at all, you would understand how much I need your help. Well, I saw I must try to help the medicine to its work with my will, if it was to do me any good, so I resolutely set myself to sleep. Sure enough sleep must soon have come to me, for I remember no more. Jonathan coming in had not waked me, for he lay by my side when next I remember. There was in the room the same thin white mist that I had before noticed. But I forget now if you know of this. You will find it in my diary which I shall show you later. I felt the same vague terror which had come to me before and the same sense of some presence. I turned to wake Jonathan, but found that he slept so soundly that it seemed as if it was he who had taken the sleeping draught, and not I. I tried, but I could not wake him. This caused me a great fear, and I looked around terrified. Then indeed, my heart sank within me. Beside the bed, as if he had stepped out of the mist, or rather as if the mist had turned into his figure, for it had entirely disappeared, stood a tall, thin man, all in black. I knew him at once from the description of the others. The waxen face, the high aquiline nose, on which the light fell in a thin white line, the parted red lips, with the sharp white teeth showing between, and the red eyes that I had seemed to see in the sunset on the windows of St. Mary's Church at Whitby. I knew, too, the red scar on his forehead where Jonathan had struck him. For an instant my heart stood still, and I would have screamed out, only that I was paralyzed. In the pause he spoke in a sort of keen, cutting whisper, pointing as he spoke to Jonathan.

"'Silence! If you make a sound I shall take him and dash his brains out before your very eyes.' I was appalled and was too bewildered to do or say anything. With a mocking smile, he placed one hand upon my shoulder and, holding me tight, bared my throat with the other, saying as he did so, 'First, a little refreshment to reward my exertions. You may as well be quiet. It is not the first time, or the second, that your veins have appeased my thirst!' I was bewildered, and strangely enough, I did not want to hinder him. I suppose it is a part of the horrible curse that such is, when his touch is on his victim. And oh, my God, my God, pity me! He placed his reeking lips upon my throat!" Her husband groaned again. She clasped his hand harder, and looked at him pityingly, as if he were the injured one, and went on.

"I felt my strength fading away, and I was in a half swoon. How long this horrible thing lasted I know not, but it seemed that a long time must have passed before he took his foul, awful, sneering mouth away. I saw it drip with the fresh blood!" The remembrance seemed for a while to overpower her, and she drooped and would have sunk down but for her husband's sustaining arm. With a great effort she recovered herself and went on.

"Then he spoke to me mockingly, 'And so you, like the others, would play your brains against mine. You would help these men to hunt me and frustrate me in my design! You know now, and they know in part already, and will know in full before long, what it is to cross my path. They should have kept their energies for use closer to home. Whilst they played wits against me, against me who commanded nations, and intrigued for them, and fought for them, hundreds of years before they were born, I was countermining them. And you, their best beloved one, are now to me, flesh of my flesh, blood of my blood, kin of my kin, my bountiful wine-press for a while, and shall be later on my companion and my helper. You shall be avenged in turn, for not one of them but shall minister to your needs. But as yet you are to be punished for what you have done. You have aided in thwarting me. Now you shall come to my call. When my brain says "Come!" to you, you shall cross land or sea to do my bidding. And to that end this!'

"With that he pulled open his shirt, and with his long sharp nails opened a vein in his breast. When the blood began to spurt out, he took my hands in one of his, holding them tight, and with the other seized my neck and pressed my mouth to the wound, so that I must either suffocate or swallow some to the... Oh, my God! My God! What have I done? What have I done to deserve such a fate, I who have tried to walk in meekness and righteousness all my days. God pity me! Look down on a poor soul in worse than mortal peril. And in mercy pity those to whom she is dear!" Then she began to rub her lips as though to cleanse them from pollution.

As she was telling her terrible story, the eastern sky began to quicken, and everything became more and more clear. Harker was still and quiet; but over his face, as the awful narrative went on, came a grey look which deepened and deepened in the morning light, till when the first red streak of the coming dawn shot up, the flesh stood darkly out against the whitening hair.

We have arranged that one of us is to stay within call of the unhappy pair till we can meet together and arrange about taking action.

Of this I am sure. The sun rises today on no more miserable house in all the great round of its daily course.

CHAPTER 22

JONATHAN HARKER'S JOURNAL

3 October. As I must do something or go mad, I write this diary. It is now six o'clock, and we are to meet in the study in half an hour and take something to eat, for Dr. Van Helsing and Dr. Seward are agreed that if we do not eat we cannot work our best. Our best will be, God knows, required today. I must keep writing at every chance, for I dare not stop to think. All, big and little, must go down. Perhaps at the end the little things may teach us most. The teaching, big or little, could not have landed Mina or me anywhere worse than we are today. However, we must trust and hope. Poor Mina told me just now, with the tears running down her dear cheeks, that it is in trouble and trial that our faith is tested. That we must keep on trusting, and that God will aid us up to the end. The end! Oh my God! What end?... To work! To work!

When Dr. Van Helsing and Dr. Seward had come back from seeing poor Renfield, we went gravely into what was to be done. First, Dr. Seward told us that when he and Dr. Van Helsing had gone down to the room below they had found Renfield lying on the floor, all in a heap. His face was all bruised and crushed in, and the bones of the neck were broken.

Dr. Seward asked the attendant who was on duty in the passage if he had heard anything. He said that he had been sitting down, he confessed to half dozing, when he heard loud voices in the room, and then Renfield had called out loudly several times, "God! God! God!" After that there was a sound of falling, and when he entered the room he found him lying on the floor, face down, just as the doctors had seen him. Van Helsing asked if he had heard "voices" or "a voice," and he said he could not say. That at first it had seemed to him as if there were two, but as there was no one in the room it could have been only one. He could swear to it, if required, that the word "God" was spoken by the patient.

Dr. Seward said to us, when we were alone, that he did not wish to go into the matter. The question of an inquest had to be considered, and it would never do to put forward the truth, as no one would believe it. As it was, he thought that on the attendant's evidence he could give a certificate of death by misadventure in falling from bed. In case the coroner should demand it, there would be a formal inquest, necessarily to the same result.

When the question began to be discussed as to what should be our next step, the very first thing we decided was that Mina should be in full confidence. That nothing of any sort, no matter how painful, should be kept from her. She herself agreed as to its wisdom, and it was pitiful to see her so brave and yet so sorrowful, and in such a depth of despair.

"There must be no concealment," she said. "Alas! We have had too much already. And besides there is nothing in all the world that can give me more pain than I have already endured, than I suffer now! Whatever may happen, it must be of new hope or of new courage to me!"

Van Helsing was looking at her fixedly as she spoke, and said, suddenly but quietly, "But dear Madam Mina, are you not afraid. Not for yourself, but for others from yourself, after what has happened?"

Her face grew set in its lines, but her eyes shone with the devotion of a martyr as she answered, "Ah no! For my mind is made up!"

"To what?" he asked gently, whilst we were all very still, for each in our own way we had a sort of vague idea of what she meant.

Her answer came with direct simplicity, as though she was simply stating a fact, "Because if I find in myself, and I shall watch keenly for it, a sign of harm to any that I love, I shall die!"

"You would not kill yourself?" he asked, hoarsely.

"I would. If there were no friend who loved me, who would save me such a pain, and so desperate an effort!" She looked at him meaningly as she spoke.

He was sitting down, but now he rose and came close to her and put his hand on her head as he said solemnly. "My child, there is such an one if it were for your good. For myself I could hold it in my account with God to find such an euthanasia for you, even at this moment if it were best. Nay, were it safe! But my child..."

For a moment he seemed choked, and a great sob rose in his throat. He gulped it down and went on, "There are here some who would stand between you and death. You must not die. You must not die by any hand, but least of all your own. Until the other, who has fouled your sweet life, is true dead you must not die. For if he is still with the quick Undead, your death would make you even as he is. No, you must live! You must struggle and strive to live, though death would seem a boon unspeakable. You must fight Death himself, though he come to you in pain or in joy. By the day, or the night, in safety or in peril! On your living soul I charge you that you do not die. Nay, nor think of death, till this great evil be past."

The poor dear grew white as death, and shook and shivered, as I have seen a quicksand shake and shiver at the incoming of the tide. We were all silent. We could do nothing. At length she grew more calm and turning to him said sweetly, but oh so sorrowfully, as she held out her hand, "I promise you, my dear friend, that if God will let me live, I shall strive to do so. Till, if it may be in His good time, this horror may have passed away from me."

She was so good and brave that we all felt that our hearts were strengthened to work and endure for her, and we began to discuss what we were to do. I told her that she was to have all the papers in the safe, and all the papers or diaries and phonographs we might hereafter use, and was to keep the record as she had done before. She was pleased with the prospect of anything to do, if "pleased" could be used in connection with so grim an interest.

As usual Van Helsing had thought ahead of everyone else, and was prepared with an exact ordering of our work.

"It is perhaps well," he said, "that at our meeting after our visit to Carfax we decided not to do anything with the earth boxes that lay there. Had we done so, the Count must have guessed our purpose, and would doubtless have taken measures in advance to frustrate such an effort with regard to the others. But now he does not know our intentions. Nay, more, in all probability, he does not know that such a power exists to us as can sterilize his lairs, so that he cannot use them as of old.

"We are now so much further advanced in our knowledge as to their disposition that, when we have examined the house in Piccadilly, we may track the very last of them. Today then, is ours, and in it rests our hope. The sun that rose on our sorrow this morning guards us in its course. Until it sets tonight, that monster must retain whatever form he now has. He is confined within the limitations of his earthly envelope. He cannot melt into thin air nor disappear through cracks or chinks or crannies. If he go through a doorway, he must open the door like a mortal. And so we have this day to hunt out all his lairs and sterilize them. So we shall, if we have not yet catch him and destroy him, drive him to bay in some place where the catching and the destroying shall be, in time, sure."

Here I started up for I could not contain myself at the thought that the minutes and seconds so preciously laden with Mina's life and happiness were flying from us, since whilst we talked action was impossible. But Van Helsing held up his hand warningly.

"Nay, friend Jonathan," he said, "in this, the quickest way home is the longest way, so your proverb say. We shall all act and act with desperate quick, when the time has come. But think, in all probable the key of the situation is in that house in Piccadilly. The Count may have many houses which he has bought. Of them he will have deeds of purchase, keys and other things. He will have paper that he write on. He will have his book of cheques. There are many belongings that he must have somewhere. Why not in this place so central, so quiet, where he come and go by the front or the back at all hours, when in the very vast of the traffic there is none to notice. We shall go there and search that house. And when we learn what it holds, then we do what our friend Arthur call, in his phrases of hunt 'stop the earths' and so we run down our old fox, so? Is it not?"

"Then let us come at once," I cried, "we are wasting the precious, precious time!"

The Professor did not move, but simply said, "And how are we to get into that house in Piccadilly?"

"Any way!" I cried. "We shall break in if need be."

"And your police? Where will they be, and what will they say?"

I was staggered, but I knew that if he wished to delay he had a good reason for it. So I said, as quietly as I could, "Don't wait more than need be. You know, I am sure, what torture I am in."

"Ah, my child, that I do. And indeed there is no wish of me to add to your anguish. But just think, what can we do, until all the world be at movement. Then will come our time. I have thought and thought, and it seems to me that the simplest way is the best of all. Now we wish to get into the house, but we have no key. Is it not so?" I nodded.

"Now suppose that you were, in truth, the owner of that house, and could not still get in. And think there was to you no conscience of the housebreaker, what would you do?"

"I should get a respectable locksmith, and set him to work to pick the lock for me."

"And your police, they would interfere, would they not?"

"Oh no! Not if they knew the man was properly employed."

"Then," he looked at me as keenly as he spoke, "all that is in doubt is the conscience of the employer, and the belief of your policemen as to whether or not that employer has a good conscience or a bad one. Your police must indeed be zealous men and clever, oh so clever, in reading the heart, that they trouble themselves in such matter. No, no, my friend Jonathan, you go take the lock off a hundred empty houses in this your London, or of any city in the world, and if you do it as such things are rightly done, and at the time such things are rightly done, no one will interfere. I have read of a gentleman who owned a so fine house in London, and when he went for months of summer to Switzerland and lock up his house, some burglar come and broke window at back and got in. Then he went and made open the shutters in front and walk out and in through the door, before the very eyes of the police. Then he have an auction in that house, and advertise it, and put up big notice. And when the day come he sell off by a great auctioneer all the goods of that other man who own them. Then he go to a builder, and he sell him that house, making an agreement that he pull it down and take all away within a certain time. And your police and other authority help him all they can. And when that owner come back from his holiday in Switzerland he find only an empty hole where his house had been. This was all done en regle, and in our work we shall be en regle too. We shall not go so early that the policemen who have then little to think of, shall deem it strange. But we shall go after ten o'clock, when there are many about, and such things would be done were we indeed owners of the house."

I could not but see how right he was and the terrible despair of Mina's face became relaxed in thought. There was hope in such good counsel.

Van Helsing went on, "When once within that house we may find more clues. At any rate some of us can remain there whilst the rest find the other places where there be more earth boxes, at Bermondsey and Mile End."

Lord Godalming stood up. "I can be of some use here," he said. "I shall wire to my people to have horses and carriages where they will be most convenient."

"Look here, old fellow," said Morris, "it is a capital idea to have all ready in case we want to go horse backing, but don't you think that one of your snappy carriages with its heraldic adornments in a byway of Walworth or Mile End would attract too much attention for our purpose? It seems to me that we ought to take cabs when we go south or east. And even leave them somewhere near the neighbourhood we are going to."

"Friend Quincey is right!" said the Professor. "His head is what you call in plane with the horizon. It is a difficult thing that we go to do, and we do not want no peoples to watch us if so it may."

Mina took a growing interest in everything and I was rejoiced to see that the exigency of affairs was helping her to forget for a time the terrible experience of the night. She was very, very pale, almost ghastly, and so thin that her lips were drawn away, showing her teeth in somewhat of prominence. I did not mention this last, lest it should give her needless pain, but it made my blood run cold in my veins to think of what had occurred with poor Lucy when the Count had sucked her blood. As yet there was no sign of the teeth growing sharper, but the time as yet was short, and there was time for fear.

When we came to the discussion of the sequence of our efforts and of the disposition of our forces, there were new sources of doubt. It was finally agreed that before starting for Piccadilly we should destroy the Count's lair close at hand. In case he should find it out too soon, we should thus be still ahead of him in our work of destruction. And his presence in his purely material shape, and at his weakest, might give us some new clue.

As to the disposal of forces, it was suggested by the Professor that, after our visit to Carfax, we should all enter the house in Piccadilly. That the two doctors and I should remain there, whilst Lord Godalming and Quincey found the lairs at Walworth and Mile End and destroyed them. It was possible, if not likely, the Professor urged, that the Count might appear in Piccadilly during the day, and that if so we might be able to cope with him then and there. At any rate, we might be able to follow him in force. To this plan I strenuously objected, and so far as my going was concerned, for I said that I intended to stay and protect Mina. I thought that my mind was made up on the subject, but Mina would not listen to my objection. She said that there might be some law matter in which I could be useful. That amongst the Count's papers might be some clue which I could understand out of my experience in Transylvania. And that, as it was, all the strength we could muster was required to cope with the Count's extraordinary power. I had to give in, for Mina's resolution was fixed. She said that it was the last hope for her that we should all work together.

"As for me," she said, "I have no fear. Things have been as bad as they can be. And whatever may happen must have in it some element of hope or comfort. Go, my husband! God can, if He wishes to, guard me as well alone as with any one present."

So I started up crying out, "Then in God's name let us come at once, for we are losing time. The Count may come to Piccadilly earlier than we think."

"Not so!" said Van Helsing, holding up his hand.

"But why?" I asked.

"Do you forget," he said, with actually a smile, "that last night he banqueted heavily, and will sleep late?"

Did I forget! Shall I ever… can I ever! Can any of us ever forget that terrible scene! Mina struggled hard to keep her brave countenance, but the pain overmastered her and she put her hands before her face, and shuddered whilst she moaned. Van Helsing had not intended to recall her frightful experience. He had simply lost sight of her and her part in the affair in his intellectual effort.

When it struck him what he said, he was horrified at his thoughtlessness and tried to comfort her.

"Oh, Madam Mina," he said, "dear, dear, Madam Mina, alas! That I of all who so reverence you should have said anything so forgetful. These stupid old lips of mine and this stupid old head do not deserve so, but you will forget it, will you not?" He bent low beside her as he spoke.

She took his hand, and looking at him through her tears, said hoarsely, "No, I shall not forget, for it is well that I remember. And with it I have so much in memory of you that is sweet, that I take it all together. Now, you must all be going soon. Breakfast is ready, and we must all eat that we may be strong."

Breakfast was a strange meal to us all. We tried to be cheerful and encourage each other, and Mina was the brightest and most cheerful of us. When it was over, Van Helsing stood up and said, "Now, my dear friends, we go forth to our terrible enterprise. Are we all armed, as we were on that night when first we visited our enemy's lair. Armed against ghostly as well as carnal attack?"

We all assured him.

"Then it is well. Now, Madam Mina, you are in any case quite safe here until the sunset. And before then we shall return... if... We shall return! But before we go let me see you armed against personal attack. I have myself, since you came down, prepared your chamber by the placing of things of which we know, so that He may not enter. Now let me guard yourself. On your forehead I touch this piece of Sacred Wafer in the name of the Father, the Son, and..."

There was a fearful scream which almost froze our hearts to hear. As he had placed the Wafer on Mina's forehead, it had seared it... had burned into the flesh as though it had been a piece of white-hot metal. My poor darling's brain had told her the significance of the fact as quickly as her nerves received the pain of it, and the two so overwhelmed her that her overwrought nature had its voice in that dreadful scream.

But the words to her thought came quickly. The echo of the scream had not ceased to ring on the air when there came the reaction, and she sank on her knees on the floor in an agony of abasement. Pulling her beautiful hair over her face, as the leper of old his mantle, she wailed out.

"Unclean! Unclean! Even the Almighty shuns my polluted flesh! I must bear this mark of shame upon my forehead until the Judgement Day."

They all paused. I had thrown myself beside her in an agony of helpless grief, and putting my arms around held her tight. For a few minutes our sorrowful hearts beat together, whilst the friends around us turned away their eyes that ran tears silently. Then Van Helsing turned and said gravely. So gravely that I could not help feeling that he was in some way inspired, and was stating things outside himself.

"It may be that you may have to bear that mark till God himself see fit, as He most surely shall, on the Judgement Day, to redress all wrongs of the earth and of His children that He has placed thereon. And oh, Madam Mina, my dear, my dear, may we who love you be there to see, when that red scar, the sign of God's knowledge of what has been, shall pass away, and leave your forehead as pure as the heart we know. For so surely as we live, that scar shall pass away when God sees right to lift the burden that is hard upon us. Till then we bear our Cross, as His Son did in obedience to His Will. It may be that we are chosen instruments of His good pleasure, and that we ascend to His bidding as that other through stripes and shame. Through tears and blood. Through doubts and fear, and all that makes the difference between God and man."

There was hope in his words, and comfort. And they made for resignation. Mina and I both felt so, and simultaneously we each took one of the old man's hands and bent over and kissed it. Then without a word we all knelt down together, and all holding hands, swore to be true to each other. We men pledged ourselves to raise the veil of sorrow from the head of her whom, each in his own way, we loved. And we prayed for help and guidance in the terrible task which lay before us. It was then time to start. So I said farewell to Mina, a parting which neither of us shall forget to our dying day, and we set out.

To one thing I have made up my mind. If we find out that Mina must be a vampire in the end, then she shall not go into that unknown and terrible land alone. I suppose it is thus that in old times one vampire meant many. Just as their hideous bodies could only rest in sacred earth, so the holiest love was the recruiting sergeant for their ghastly ranks.

We entered Carfax without trouble and found all things the same as on the first occasion. It was hard to believe that amongst so prosaic surroundings of neglect and dust and decay there was any ground for such fear as already we knew. Had not our minds been made up, and had there not been terrible memories to spur us on, we could hardly have proceeded with our task. We found no papers, or any sign of use in the house. And in the old chapel the great boxes looked just as we had seen them last.

Dr. Van Helsing said to us solemnly as we stood before him, "And now, my friends, we have a duty here to do. We must sterilize this earth, so sacred of holy memories, that he has brought from a far distant land for such fell use. He has chosen this earth because it has been holy. Thus we defeat him with his own weapon, for we make it more holy still. It was sanctified to such use of man, now we sanctify it to God."

As he spoke he took from his bag a screwdriver and a wrench, and very soon the top of one of the cases was thrown open. The earth smelled musty and close, but we did not somehow seem to mind, for our attention was concentrated on the Professor. Taking from his box a piece of the Sacred Wafer he laid it reverently on the earth, and then shutting down the lid began to screw it home, we aiding him as he worked.

One by one we treated in the same way each of the great boxes, and left them as we had found them to all appearance. But in each was a portion of the Host. When we closed the door behind us, the Professor said solemnly, "So much is already done. It may be that with all the others we can be so successful, then the sunset of this evening may shine of Madam Mina's forehead all white as ivory and with no stain!"

As we passed across the lawn on our way to the station to catch our train we could see the front of the asylum. I looked eagerly, and in the window of my own room saw Mina. I waved my hand to her, and nodded to tell that our work there was successfully accomplished. She nodded in reply to show that she understood. The last I saw, she was waving her hand in farewell. It was with a heavy heart that we sought the station and just caught the train, which was steaming in as we reached the platform. I have written this in the train.

Piccadilly, 12:30 o'clock. Just before we reached Fenchurch Street Lord Godalming said to me, "Quincey and I will find a locksmith. You had better not come with us in case there should be any difficulty. For under the circumstances it wouldn't seem so bad for us to break into an empty house. But you are a solicitor and the Incorporated Law Society might tell you that you should have known better."

I demurred as to my not sharing any danger even of odium, but he went on, "Besides, it will attract less attention if there are not too many of us. My title will make it all right with the locksmith, and with any policeman that may come along. You had better go with Jack and the Professor and stay in the Green Park. Somewhere in sight of the house, and when you see the door opened and the smith has gone away, do you all come across. We shall be on the lookout for you, and shall let you in."

"The advice is good!" said Van Helsing, so we said no more. Godalming and Morris hurried off in a cab, we following in another. At the corner of Arlington Street our contingent got out and strolled into the Green Park. My heart beat as I saw the house on which so much of our hope was centred, looming up grim and silent in its deserted condition amongst its more lively and spruce-looking neighbours. We sat down on a bench within good view, and began to smoke cigars so as to attract as little attention as possible. The minutes seemed to pass with leaden feet as we waited for the coming of the others.

At length we saw a four-wheeler drive up. Out of it, in leisurely fashion, got Lord Godalming and Morris. And down from the box descended a thick-set working man with his rush-woven basket of tools. Morris paid the cabman, who touched his hat and drove away. Together the two ascended the steps, and Lord Godalming pointed out what he wanted done. The workman took off his coat leisurely and hung it on one of the spikes of the rail, saying something to a policeman who just then sauntered along. The policeman nodded acquiescence, and the man kneeling down placed his bag beside him. After searching through it, he took out a selection of tools which he proceeded to lay beside him in orderly fashion. Then he stood up, looked in the keyhole, blew into it, and turning to his employers, made some remark. Lord Godalming smiled, and the man lifted a good sized bunch of keys. Selecting one of them, he began to probe the lock, as if feeling his way with it. After fumbling about for a bit he tried a second, and then a third. All at once the door opened under a slight push from him, and he and the two others entered the hall. We sat still. My own cigar burnt furiously, but Van Helsing's went cold altogether. We waited patiently as we saw the workman come out and bring his bag. Then he held the door partly open, steadying it with his knees, whilst he fitted a key to the lock. This he finally handed to Lord Godalming, who took out his purse and gave him something. The man touched his hat, took his bag, put on his coat and departed. Not a soul took the slightest notice of the whole transaction.

When the man had fairly gone, we three crossed the street and knocked at the door. It was immediately opened by Quincey Morris, beside whom stood Lord Godalming lighting a cigar.

"The place smells so vilely," said the latter as we came in. It did indeed smell vilely. Like the old chapel at Carfax. And with our previous experience it was plain to us that the Count had been using the place pretty freely. We moved to explore the house, all keeping together in case of attack, for we knew we had a strong and wily enemy to deal with, and as yet we did not know whether the Count might not be in the house.

In the dining room, which lay at the back of the hall, we found eight boxes of earth. Eight boxes only out of the nine which we sought! Our work was not over, and would never be until we should have found the missing box.

First we opened the shutters of the window which looked out across a narrow stone flagged yard at the blank face of a stable, pointed to look like the front of a miniature house. There were no windows in it, so we were not afraid of being overlooked. We did not lose any time in examining the chests. With the tools which we had brought with us we opened them, one by one, and treated them as we had treated those others in the old chapel. It was evident to us that the Count was not at present in the house, and we proceeded to search for any of his effects.

After a cursory glance at the rest of the rooms, from basement to attic, we came to the conclusion that the dining room contained any effects which might belong to the Count. And so we proceeded to minutely examine them. They lay in a sort of orderly disorder on the great dining room table.

There were title deeds of the Piccadilly house in a great bundle, deeds of the purchase of the houses at Mile End and Bermondsey, notepaper, envelopes, and pens and ink. All were covered up in thin wrapping paper to keep them from the dust. There were also a clothes brush, a brush and comb, and a jug and basin. The latter containing dirty water which was reddened as if with blood. Last of all was a little heap of keys of all sorts and sizes, probably those belonging to the other houses.

When we had examined this last find, Lord Godalming and Quincey Morris taking accurate notes of the various addresses of the houses in the East and the South, took with them the keys in a great bunch, and set out to destroy the boxes in these places. The rest of us are, with what patience we can, waiting their return, or the coming of the Count.

CHAPTER 23
DR. SEWARD'S DIARY

3 October. The time seemed terribly long whilst we were waiting for the coming of Godalming and Quincey Morris. The Professor tried to keep our minds active by using them all the time. I could see his beneficent purpose, by the side glances which he threw from time to time at Harker. The poor fellow is overwhelmed in a misery that is appalling to see. Last night he was a frank, happy-looking man, with strong, youthful face, full of energy, and with dark brown hair. Today he is a drawn, haggard old man, whose white hair matches well with the hollow burning eyes and grief-written lines of his face. His energy is still intact. In fact, he is like a living flame. This may yet be his salvation, for if all go well, it will tide him over the despairing period. He will then, in a kind of way, wake again to the realities of life. Poor fellow, I thought my own trouble was bad enough, but his... !

The Professor knows this well enough, and is doing his best to keep his mind active. What he has been saying was, under the circumstances, of absorbing interest. So well as I can remember, here it is:

"I have studied, over and over again since they came into my hands, all the papers relating to this monster, and the more I have studied, the greater seems the necessity to utterly stamp him out. All through there are signs of his advance. Not only of his power, but of his knowledge of it. As I learned from the researches of my friend Arminius of Buda-Pesth, he was in life a most wonderful man. Soldier, statesman, and alchemist which latter was the highest development of the science knowledge of his time. He had a mighty brain, a learning beyond compare, and a heart that knew no fear and no remorse. He dared even to attend the Scholomance, and there was no branch of knowledge of his time that he did not essay.

"Well, in him the brain powers survived the physical death. Though it would seem that memory was not all complete. In some faculties of mind he has been, and is, only a child. But he is growing, and some things that were childish at the first are now of man's stature. He is experimenting, and doing it well. And if it had not been that we have crossed his path he would be yet, he may be yet if we fail, the father or furtherer of a new order of beings, whose road must lead through Death, not Life."

Harker groaned and said, "And this is all arrayed against my darling! But how is he experimenting? The knowledge may help us to defeat him!"

"He has all along, since his coming, been trying his power, slowly but surely. That big child-brain of his is working. Well for us, it is as yet a child-brain. For had he dared, at the first, to attempt certain things he would long ago have been beyond our power. However, he means to succeed, and a man who has centuries before him can afford to wait and to go slow. Festina lente may well be his motto."

"I fail to understand," said Harker wearily. "Oh, do be more plain to me! Perhaps grief and trouble are dulling my brain."

The Professor laid his hand tenderly on his shoulder as he spoke, "Ah, my child, I will be plain. Do you not see how, of late, this monster has been creeping into knowledge experimentally. How he has been making use of the zoophagous patient to effect his entry into friend John's home. For your Vampire, though in all afterwards he can come when and how he will, must at the first make entry only when asked thereto by an inmate. But these are not his most important experiments. Do we not see how at the first all these so great boxes were moved by others. He knew not then but that must be so. But all the time that so great child-brain of his was growing, and he began to consider whether he might not himself move the box. So he began to help. And then, when he found that this be all right, he try to move them all alone. And so he progress, and he scatter these graves of him. And none but he know where they are hidden.

"He may have intend to bury them deep in the ground. So that only he use them in the night, or at such time as he can change his form, they do him equal well, and none may know these are his hiding place! But, my child, do not despair, this knowledge came to him just too late! Already all of his lairs but one be sterilize as for him. And before the sunset this shall be so. Then he have no place where he can move and hide. I delayed this morning that so we might be sure. Is there not more at stake for us than for him? Then why not be more careful than him? By my clock it is one hour and already, if all be well, friend Arthur and Quincey are on their way to us. Today is our day, and we must go sure, if slow, and lose no chance. See! There are five of us when those absent ones return."

Whilst we were speaking we were startled by a knock at the hall door, the double postman's knock of the telegraph boy. We all moved out to the hall with one impulse, and Van Helsing, holding up his hand to us to keep silence, stepped to the door and opened it. The boy handed in a dispatch. The Professor closed the door again, and after looking at the direction, opened it and read aloud.

"Look out for D. He has just now, 12:45, come from Carfax hurriedly and hastened towards the South. He seems to be going the round and may want to see you: Mina."

There was a pause, broken by Jonathan Harker's voice, "Now, God be thanked, we shall soon meet!"

Van Helsing turned to him quickly and said, "God will act in His own way and time. Do not fear, and do not rejoice as yet. For what we wish for at the moment may be our own undoings."

"I care for nothing now," he answered hotly, "except to wipe out this brute from the face of creation. I would sell my soul to do it!"

"Oh, hush, hush, my child!" said Van Helsing. "God does not purchase souls in this wise, and the Devil, though he may purchase, does not keep faith. But God is merciful and just, and knows your pain and your devotion to that dear Madam Mina. Think you, how her pain would be doubled, did she but hear your wild words. Do not fear any of us, we are all devoted to this cause, and today shall see the end. The time is coming for action. Today this Vampire is limit to the powers of man, and till sunset he may not change. It will take him time to arrive here, see it is twenty minutes past one, and there are yet some times before he can hither come, be he never so quick. What we must hope for is that my Lord Arthur and Quincey arrive first."

About half an hour after we had received Mrs. Harker's telegram, there came a quiet, resolute knock at the hall door. It was just an ordinary knock, such as is given hourly by thousands of gentlemen, but it made the Professor's heart and mine beat loudly. We looked at each other, and together moved out into the hall. We each held ready to use our various armaments, the spiritual in the left hand, the mortal in the right. Van Helsing pulled back the latch, and holding the door half open, stood back, having both hands ready for action. The gladness of our hearts must have shown upon our faces when on the step, close to the door, we saw Lord Godalming and Quincey Morris. They came quickly in and closed the door behind them, the former saying, as they moved along the hall:

"It is all right. We found both places. Six boxes in each and we destroyed them all."

"Destroyed?" asked the Professor.

"For him!" We were silent for a minute, and then Quincey said, "There's nothing to do but to wait here. If, however, he doesn't turn up by five o'clock, we must start off. For it won't do to leave Mrs. Harker alone after sunset."

"He will be here before long now," said Van Helsing, who had been consulting his pocketbook. "Nota bene, in Madam's telegram he went south from Carfax. That means he went to cross the river, and he could only do so at slack of tide, which should be something before one o'clock. That he went south has a meaning for us. He is as yet only suspicious, and he went from Carfax first to the place where he would suspect interference least. You must have been at Bermondsey only a short time before him. That he is not here already shows that he went to Mile End next. This took him some time, for he would then have to be carried over the river in some way. Believe me, my friends, we shall not have long to wait now. We should have ready some plan of attack, so that we may throw away no chance. Hush, there is no time now. Have all your arms! Be ready!" He held up a warning hand as he spoke, for we all could hear a key softly inserted in the lock of the hall door.

I could not but admire, even at such a moment, the way in which a dominant spirit asserted itself. In all our hunting parties and adventures in different parts of the world, Quincey Morris had always been the one to arrange the plan of action, and Arthur and I had been accustomed to obey him implicitly. Now, the old habit seemed to be renewed instinctively. With a swift glance around the room, he at once laid out our plan of attack, and without speaking a word, with a gesture, placed us each in position. Van Helsing, Harker, and I were just behind the door, so that when it was opened the Professor could guard it whilst we two stepped between the incomer and the door. Godalming behind and Quincey in front stood just out of sight ready to move in front of the window. We waited in a suspense that made the seconds pass with nightmare slowness. The slow, careful steps came along the hall. The Count was evidently prepared for some surprise, at least he feared it.

Suddenly with a single bound he leaped into the room. Winning a way past us before any of us could raise a hand to stay him. There was something so pantherlike in the movement, something so unhuman, that it seemed to sober us all from the shock of his coming. The first to act was Harker, who with a quick movement, threw himself before the door leading into the room in the front of the house. As the Count saw us, a horrible sort of snarl passed over his face, showing the eyeteeth long and pointed. But the evil smile as quickly passed into a cold stare of lion-like disdain. His expression again changed as, with a single impulse, we all advanced upon him. It was a pity that we had not some better organized plan of attack, for even at the moment I wondered what we were to do. I did not myself know whether our lethal weapons would avail us anything.

Harker evidently meant to try the matter, for he had ready his great Kukri knife and made a fierce and sudden cut at him. The blow was a powerful one; only the diabolical quickness of the Count's leap back saved him. A second less and the trenchant blade had shorn through his heart. As it was, the point just cut the cloth of his coat, making a wide gap whence a bundle of bank notes and a stream of gold fell out. The expression of the Count's face was so hellish, that for a moment I feared for Harker, though I saw him throw the terrible knife aloft again for another stroke. Instinctively I moved forward with a protective impulse, holding the Crucifix and Wafer in my left hand. I felt a mighty power fly along my arm, and it was without surprise that I saw the monster cower back before a similar movement made spontaneously by each one of us. It would be impossible to describe the expression of hate and baffled malignity, of anger and hellish rage, which came over the Count's face. His waxen hue became greenish-yellow by the contrast of his burning eyes, and the red scar on the forehead showed on the pallid skin like a palpitating wound. The next instant, with a sinuous dive he swept under Harker's arm, ere his blow could fall, and grasping a handful of the money from the floor, dashed across the room, threw himself at the window. Amid the crash and glitter of the falling glass, he tumbled into the flagged area below. Through the sound of the shivering glass I could hear the "ting" of the gold, as some of the sovereigns fell on the flagging.

We ran over and saw him spring unhurt from the ground. He, rushing up the steps, crossed the flagged yard, and pushed open the stable door. There he turned and spoke to us.

"You think to baffle me, you with your pale faces all in a row, like sheep in a butcher's. You shall be sorry yet, each one of you! You think you have left me without a place to rest, but I have more. My revenge is just begun! I spread it over centuries, and time is on my side. Your girls that you all love are mine already. And through them you and others shall yet be mine, my creatures, to do my bidding and to be my jackals when I want to feed. Bah!"

With a contemptuous sneer, he passed quickly through the door, and we heard the rusty bolt creak as he fastened it behind him. A door beyond opened and shut. The first of us to speak was the Professor. Realizing the difficulty of following him through the stable, we moved toward the hall.

"We have learnt something... much! Notwithstanding his brave words, he fears us. He fears time, he fears want! For if not, why he hurry so? His very tone betray him, or my ears deceive. Why take that money? You follow quick. You are hunters of the wild beast, and understand it so. For me, I make sure that nothing here may be of use to him, if so that he returns."

As he spoke he put the money remaining in his pocket, took the title deeds in the bundle as Harker had left them, and swept the remaining things into the open fireplace, where he set fire to them with a match.

Godalming and Morris had rushed out into the yard, and Harker had lowered himself from the window to follow the Count. He had, however, bolted the stable door, and by the time they had forced it open there was no sign of him. Van Helsing and I tried to make inquiry at the back of the house. But the mews was deserted and no one had seen him depart.

It was now late in the afternoon, and sunset was not far off. We had to recognize that our game was up. With heavy hearts we agreed with the Professor when he said, "Let us go back to Madam Mina. Poor, poor dear Madam Mina. All we can do just now is done, and we can there, at least, protect her. But we need not despair. There is but one more earth box, and we must try to find it. When that is done all may yet be well."

I could see that he spoke as bravely as he could to comfort Harker. The poor fellow was quite broken down, now and again he gave a low groan which he could not suppress. He was thinking of his wife.

With sad hearts we came back to my house, where we found Mrs. Harker waiting us, with an appearance of cheerfulness which did honour to her bravery and unselfishness. When she saw our faces, her own became as pale as death. For a second or two her eyes were closed as if she were in secret prayer.

And then she said cheerfully, "I can never thank you all enough. Oh, my poor darling!"

As she spoke, she took her husband's grey head in her hands and kissed it.

"Lay your poor head here and rest it. All will yet be well, dear! God will protect us if He so will it in His good intent." The poor fellow groaned. There was no place for words in his sublime misery.

We had a sort of perfunctory supper together, and I think it cheered us all up somewhat. It was, perhaps, the mere animal heat of food to hungry people, for none of us had eaten anything since breakfast, or the sense of companionship may have helped us, but anyhow we were all less miserable, and saw the morrow as not altogether without hope.

True to our promise, we told Mrs. Harker everything which had passed. And although she grew snowy white at times when danger had seemed to threaten her husband, and red at others when his devotion to her was manifested, she listened bravely and with calmness. When we came to the part where Harker had rushed at the Count so recklessly, she clung to her husband's arm, and held it tight as though her clinging could protect him from any harm that might come. She said nothing, however, till the narration was all done, and matters had been brought up to the present time.

Then without letting go her husband's hand she stood up amongst us and spoke. Oh, that I could give any idea of the scene. Of that sweet, sweet, good, good woman in all the radiant beauty of her youth and animation, with the red scar on her forehead, of which she was conscious, and which we saw with grinding of our teeth, remembering whence and how it came. Her loving kindness against our grim hate. Her tender faith against all our fears and doubting. And we, knowing that so far as symbols went, she with all her goodness and purity and faith, was outcast from God.

"Jonathan," she said, and the word sounded like music on her lips it was so full of love and tenderness, "Jonathan dear, and you all my true, true friends, I want you to bear something in mind through all this dreadful time. I know that you must fight. That you must destroy even as you destroyed the false Lucy so that the true Lucy might live hereafter. But it is not a work of hate. That poor soul who has wrought all this misery is the saddest case of all. Just think what will be his joy when he, too, is destroyed in his worser part that his better part may have spiritual immortality. You must be pitiful to him, too, though it may not hold your hands from his destruction."

As she spoke I could see her husband's face darken and draw together, as though the passion in him were shriveling his being to its core. Instinctively the clasp on his wife's hand grew closer, till his knuckles looked white. She did not flinch from the pain which I knew she must have suffered, but looked at him with eyes that were more appealing than ever.

As she stopped speaking he leaped to his feet, almost tearing his hand from hers as he spoke.

"May God give him into my hand just for long enough to destroy that earthly life of him which we are aiming at. If beyond it I could send his soul forever and ever to burning hell I would do it!"

"Oh, hush! Oh, hush in the name of the good God. Don't say such things, Jonathan, my husband, or you will crush me with fear and horror. Just think, my dear... I have been thinking all this long, long day of it... that... perhaps... some day... I, too, may need such pity, and that some other like you, and with equal cause for anger, may deny it to me! Oh, my husband! My husband, indeed I would have spared you such a thought had there been another way. But I pray that God may not have treasured your wild words, except as the heart-broken wail of a very loving and sorely stricken man. Oh, God, let these poor white hairs go in evidence of what he has suffered, who all his life has done no wrong, and on whom so many sorrows have come."

We men were all in tears now. There was no resisting them, and we wept openly. She wept, too, to see that her sweeter counsels had prevailed. Her husband flung himself on his knees beside her, and putting his arms round her, hid his face in the folds of her dress. Van Helsing beckoned to us and we stole out of the room, leaving the two loving hearts alone with their God.

Before they retired the Professor fixed up the room against any coming of the Vampire, and assured Mrs. Harker that she might rest in peace. She tried to school herself to the belief, and manifestly for her husband's sake, tried to seem content. It was a brave struggle, and was, I think and believe, not without its reward. Van Helsing had placed at hand a bell which either of them was to sound in case of any emergency. When they had retired, Quincey, Godalming, and I arranged that we should sit up, dividing the night between us, and watch over the safety of the poor stricken lady. The first watch falls to Quincey, so the rest of us shall be off to bed as soon as we can.

Godalming has already turned in, for his is the second watch. Now that my work is done I, too, shall go to bed.

JONATHAN HARKER'S JOURNAL

3-4 October, close to midnight. I thought yesterday would never end. There was over me a yearning for sleep, in some sort of blind belief that to wake would be to find things changed, and that any change must now be for the better. Before we parted, we discussed what our next step was to be, but we could arrive at no result. All we knew was that one earth box remained, and that the Count alone knew where it was. If he chooses to lie hidden, he may baffle us for years. And in the meantime, the thought is too horrible, I dare not think of it even now. This I know, that if ever there was a woman who was all perfection, that one is my poor wronged darling. I loved her a thousand times more for her sweet pity of last night, a pity that made my own hate of the monster seem despicable. Surely God will not permit the world to be the poorer by the loss of such a creature. This is hope to me. We are all drifting reefwards now, and faith is our only anchor. Thank God! Mina is sleeping, and sleeping without dreams. I fear what her dreams might be like, with such terrible memories to ground them in. She has not been so calm, within my seeing, since the sunset. Then, for a while, there came over her face a repose which was like spring after the blasts of March. I thought at the time that it was the softness of the red sunset on her face, but somehow now I think it has a deeper meaning. I am not sleepy myself, though I am weary... weary to death. However, I must try to sleep. For there is tomorrow to think of, and there is no rest for me until...

Later I must have fallen asleep, for I was awakened by Mina, who was sitting up in bed, with a startled look on her face. I could see easily, for we did not leave the room in darkness. She had placed a warning hand over my mouth, and now she whispered in my ear, "Hush! There is someone in the corridor!" I got up softly, and crossing the room, gently opened the door.

Just outside, stretched on a mattress, lay Mr. Morris, wide awake. He raised a warning hand for silence as he whispered to me, "Hush! Go back to bed. It is all right. One of us will be here all night. We don't mean to take any chances!"

His look and gesture forbade discussion, so I came back and told Mina. She sighed and positively a shadow of a smile stole over her poor, pale face as she put her arms round me and said softly, "Oh, thank God for good brave men!" With a sigh she sank back again to sleep. I write this now as I am not sleepy, though I must try again.

4 October, morning. Once again during the night I was wakened by Mina. This time we had all had a good sleep, for the grey of the coming dawn was making the windows into sharp oblongs, and the gas flame was like a speck rather than a disc of light.

She said to me hurriedly, "Go, call the Professor. I want to see him at once."

"Why?" I asked.

"I have an idea. I suppose it must have come in the night, and matured without my knowing it. He must hypnotize me before the dawn, and then I shall be able to speak. Go quick, dearest, the time is getting close."

I went to the door. Dr. Seward was resting on the mattress, and seeing me, he sprang to his feet.

"Is anything wrong?" he asked, in alarm.

"No," I replied. "But Mina wants to see Dr. Van Helsing at once."

"I will go," he said, and hurried into the Professor's room.

Two or three minutes later Van Helsing was in the room in his dressing gown, and Mr. Morris and Lord Godalming were with Dr. Seward at the door asking questions. When the Professor saw Mina a smile, a positive smile ousted the anxiety of his face.

He rubbed his hands as he said, "Oh, my dear Madam Mina, this is indeed a change. See! Friend Jonathan, we have got our dear Madam Mina, as of old, back to us today!" Then turning to her, he said cheerfully, "And what am I to do for you? For at this hour you do not want me for nothing."

"I want you to hypnotize me!" she said. "Do it before the dawn, for I feel that then I can speak, and speak freely. Be quick, for the time is short!" Without a word he motioned her to sit up in bed.

Looking fixedly at her, he commenced to make passes in front of her, from over the top of her head downward, with each hand in turn. Mina gazed at him fixedly for a few minutes, during which my own heart beat like a trip hammer, for I felt that some crisis was at hand. Gradually her eyes closed, and she sat, stock still. Only by the gentle heaving of her bosom could one know that she was alive. The Professor made a few more passes and then stopped, and I could see that his forehead was covered with great beads of perspiration. Mina opened her eyes, but she did not seem the same woman. There was a far-away look in her eyes, and her voice had a sad dreaminess which was new to me. Raising his hand to impose silence, the Professor motioned to me to bring the others in. They came on tiptoe, closing the door behind them, and stood at the foot of the bed, looking on. Mina appeared not to see them. The stillness was broken by Van Helsing's voice speaking in a low level tone which would not break the current of her thoughts.

"Where are you?" The answer came in a neutral way.

"I do not know. Sleep has no place it can call its own." For several minutes there was silence. Mina sat rigid, and the Professor stood staring at her fixedly.

The rest of us hardly dared to breathe. The room was growing lighter. Without taking his eyes from Mina's face, Dr. Van Helsing motioned me to pull up the blind. I did so, and the day seemed just upon us. A red streak shot up, and a rosy light seemed to diffuse itself through the room. On the instant the Professor spoke again.

"Where are you now?"

The answer came dreamily, but with intention. It were as though she were interpreting something. I have heard her use the same tone when reading her shorthand notes.

"I do not know. It is all strange to me!"

"What do you see?"

"I can see nothing. It is all dark."

"What do you hear?" I could detect the strain in the Professor's patient voice.

"The lapping of water. It is gurgling by, and little waves leap. I can hear them on the outside."

"Then you are on a ship?"

We all looked at each other, trying to glean something each from the other. We were afraid to think.

The answer came quick, "Oh, yes!"

"What else do you hear?"

"The sound of men stamping overhead as they run about. There is the creaking of a chain, and the loud tinkle as the check of the capstan falls into the ratchet."

"What are you doing?"

"I am still, oh so still. It is like death!" The voice faded away into a deep breath as of one sleeping, and the open eyes closed again.

By this time the sun had risen, and we were all in the full light of day. Dr. Van Helsing placed his hands on Mina's shoulders, and laid her head down softly on her pillow. She lay like a sleeping child for a few moments, and then, with a long sigh, awoke and stared in wonder to see us all around her.

"Have I been talking in my sleep?" was all she said. She seemed, however, to know the situation without telling, though she was eager to know what she had told. The Professor repeated the conversation, and she said, "Then there is not a moment to lose. It may not be yet too late!"

Mr. Morris and Lord Godalming started for the door but the Professor's calm voice called them back.

"Stay, my friends. That ship, wherever it was, was weighing anchor at the moment in your so great Port of London. Which of them is it that you seek? God be thanked that we have once again a clue, though whither it may lead us we know not. We have been blind somewhat. Blind after the manner of men, since we can look back we see what we might have seen looking forward if we had been able to see what we might have seen! Alas, but that sentence is a puddle, is it not? We can know now what was in the Count's mind, when he seize that money, though Jonathan's so fierce knife put him in the danger that even he dread. He meant escape. Hear me, ESCAPE! He saw that with but one earth box left, and a pack of men following like dogs after a fox, this London was no place for him. He have take his last earth box on board a ship, and he leave the land. He think to escape, but no! We follow him. Tally Ho! As friend Arthur would say when he put on his red frock! Our old fox is wily. Oh! So wily, and we must follow with wile. I, too, am wily and I think his mind in a little while. In meantime we may rest and in peace, for there are between us which he do not want to pass, and which he could not if he would. Unless the ship were to touch the land, and then only at full or slack tide. See, and the sun is just rose, and all day to sunset is us. Let us take bath, and dress, and have breakfast which we all need, and which we can eat comfortably since he be not in the same land with us."

Mina looked at him appealingly as she asked, "But why need we seek him further, when he is gone away from us?"

He took her hand and patted it as he replied, "Ask me nothing as yet. When we have breakfast, then I answer all questions." He would say no more, and we separated to dress.

After breakfast Mina repeated her question. He looked at her gravely for a minute and then said sorrowfully, "Because my dear, dear Madam Mina, now more than ever must we find him even if we have to follow him to the jaws of Hell!"

She grew paler as she asked faintly, "Why?"

"Because," he answered solemnly, "he can live for centuries, and you are but mortal woman. Time is now to be dreaded, since once he put that mark upon your throat."

I was just in time to catch her as she fell forward in a faint.

CHAPTER 24
DR. SEWARD'S PHONOGRAPH DIARY
SPOKEN BY VAN HELSING

This to Jonathan Harker.

You are to stay with your dear Madam Mina. We shall go to make our search, if I can call it so, for it is not search but knowing, and we seek confirmation only. But do you stay and take care of her today. This is your best and most holiest office. This day nothing can find him here.

Let me tell you that so you will know what we four know already, for I have tell them. He, our enemy, have gone away. He have gone back to his Castle in Transylvania. I know it so well, as if a great hand of fire wrote it on the wall. He have prepare for this in some way, and that last earth box was ready to ship somewheres. For this he took the money. For this he hurry at the last, lest we catch him before the sun go down. It was his last hope, save that he might hide in the tomb that he think poor Miss Lucy, being as he thought like him, keep open to him. But there was not of time. When that fail he make straight for his last resource, his last earth-work I might say did I wish double entente. He is clever, oh so clever! He know that his game here was finish. And so he decide he go back home. He find ship going by the route he came, and he go in it.

We go off now to find what ship, and whither bound. When we have discover that, we come back and tell you all. Then we will comfort you and poor Madam Mina with new hope. For it will be hope when you think it over, that all is not lost. This very creature that we pursue, he take hundreds of years to get so far as London. And yet in one day, when we know of the disposal of him we drive him out. He is finite, though he is powerful to do much harm and suffers not as we do. But we are strong, each in our purpose, and we are all more strong together. Take heart afresh, dear husband of Madam Mina. This battle is but begun and in the end we shall win. So sure as that God sits on high to watch over His children. Therefore be of much comfort till we return.

VAN HELSING.

JONATHAN HARKER'S JOURNAL

4 October. When I read to Mina, Van Helsing's message in the phonograph, the poor girl brightened up considerably. Already the certainty that the Count is out of the country has given her comfort. And comfort is strength to her. For my own part, now

that his horrible danger is not face to face with us, it seems almost impossible to believe in it. Even my own terrible experiences in Castle Dracula seem like a long forgotten dream. Here in the crisp autumn air in the bright sunlight.

Alas! How can I disbelieve! In the midst of my thought my eye fell on the red scar on my poor darling's white forehead. Whilst that lasts, there can be no disbelief. Mina and I fear to be idle, so we have been over all the diaries again and again. Somehow, although the reality seem greater each time, the pain and the fear seem less. There is something of a guiding purpose manifest throughout, which is comforting. Mina says that perhaps we are the instruments of ultimate good. It may be! I shall try to think as she does. We have never spoken to each other yet of the future. It is better to wait till we see the Professor and the others after their investigations.

The day is running by more quickly than I ever thought a day could run for me again. It is now three o'clock.

MINA HARKER'S JOURNAL

5 October, 5 P.M. Our meeting for report. Present: Professor Van Helsing, Lord Godalming, Dr. Seward, Mr. Quincey Morris, Jonathan Harker, Mina Harker.

Dr. Van Helsing described what steps were taken during the day to discover on what boat and whither bound Count Dracula made his escape.

"As I knew that he wanted to get back to Transylvania, I felt sure that he must go by the Danube mouth, or by somewhere in the Black Sea, since by that way he come. It was a dreary blank that was before us. *Omne ignotum pro magnifico*; and so with heavy hearts we start to find what ships leave for the Black Sea last night. He was in sailing ship, since Madam Mina tell of sails being set. These not so important as to go in your list of the shipping in the Times, and so we go, by suggestion of Lord Godalming, to your Lloyd's, where are note of all ships that sail, however so small. There we find that only one Black Sea bound ship go out with the tide. She is the Czarina Catherine, and she sail from Doolittle's Wharf for Varna, and thence to other ports and up the Danube. 'So!' said I, 'this is the ship whereon is the Count.' So off we go to Doolittle's Wharf, and there we find a man in an office. From him we inquire of the goings of the Czarina Catherine. He swear much, and he red face and loud of voice, but he good fellow all the same. And when Quincey give him something from his pocket which crackle as he roll it up, and put it in a so small bag which he have hid deep in his clothing, he still better fellow and humble servant to us. He come with us, and ask many men who are rough and hot. These be better fellows too when they have been no more thirsty.

They say much of blood and bloom, and of others which I comprehend not, though I guess what they mean. But nevertheless they tell us all things which we want to know.

"They make known to us among them, how last afternoon at about five o'clock comes a man so hurry. A tall man, thin and pale, with high nose and teeth so white, and eyes that seem to be burning. That he be all in black, except that he have a hat of straw which suit not him or the time. That he scatter his money in making quick inquiry as to what ship sails for the Black Sea and for where. Some took him to the office and then to the ship, where he will not go aboard but halt at shore end of gangplank, and ask that the captain come to him. The captain come, when told that he will be pay well, and though he swear much at the first he agree to term. Then the thin man go and some one tell him where horse and cart can be hired. He go there and soon he come again, himself driving cart on which a great box. This he himself lift down, though it take several to put it on truck for the ship. He give much talk to captain as to how and where his box is to be place. But the captain like it not and swear at him in many tongues, and tell him that if he like he can come and see where it shall be. But he say 'no,' that he come not yet, for that he have much to do. Whereupon the captain tell him that he had better be quick, with blood, for that his ship will leave the place, of blood, before the turn of the tide, with blood. Then the thin man smile and say that of course he must go when he think fit, but he will be surprise if he go quite so soon. The captain swear again, polyglot, and the thin man make him bow, and thank him, and say that he will so far intrude on his kindness as to come aboard before the sailing. Final the captain, more red than ever, and in more tongues, tell him that he doesn't want no Frenchmen, with bloom upon them and also with blood, in his ship, with blood on her also. And so, after asking where he might purchase ship forms, he departed.

"No one knew where he went 'or bloomin' well cared' as they said, for they had something else to think of, well with blood again. For it soon became apparent to all that the Czarina Catherine would not sail as was expected. A thin mist began to creep up from the river, and it grew, and grew. Till soon a dense fog enveloped the ship and all around her. The captain swore polyglot, very polyglot, polyglot with bloom and blood, but he could do nothing. The water rose and rose, and he began to fear that he would lose the tide altogether. He was in no friendly mood, when just at full tide, the thin man came up the gangplank again and asked to see where his box had been stowed. Then the captain replied that he wished that he and his box, old and with much bloom and blood, were in hell. But the thin man did not be offend, and went down with the mate and saw where it was place, and came up and stood awhile on deck in fog. He must have come off by himself, for none notice him. Indeed they thought not of him, for soon the fog begin to melt away, and all was clear again. My friends of the thirst and the language that was of bloom and blood laughed, as they told how the captain's swears exceeded even his usual polyglot, and was more than ever full of picturesque, when on questioning other mariners who were on movement up and down the river that hour, he found that few of them had seen any of fog at all, except where it lay round the wharf. However, the ship went out on the ebb tide, and was doubtless by morning far down the river mouth. She was then, when they told us, well out to sea.

"And so, my dear Madam Mina, it is that we have to rest for a time, for our enemy is on the sea, with the fog at his command, on his way to the Danube mouth. To sail a ship takes time, go she never so quick. And when we start to go on land more quick, and we meet him there. Our best hope is to come on him when in the box between sunrise and sunset. For then he can make no struggle, and we may deal with him as we should. There are days for us, in which we can make ready our plan. We know all about where he go. For we have seen the owner of the ship, who have shown us invoices and all papers that can be. The box we seek is to be landed in Varna, and to be given to an agent, one Ristics who will there present his credentials. And so our merchant friend will have done his part. When he ask if there be any wrong, for that so, he can telegraph and have inquiry made at Varna, we say 'no,' for what is to be done is not for police or of the customs. It must be done by us alone and in our own way."

When Dr. Van Helsing had done speaking, I asked him if he were certain that the Count had remained on board the ship. He replied, "We have the best proof of that, your own evidence, when in the hypnotic trance this morning."

I asked him again if it were really necessary that they should pursue the Count, for oh! I dread Jonathan leaving me, and I know that he would surely go if the others went. He answered in growing passion, at first quietly. As he went on, however, he grew more angry and more forceful, till in the end we could not but see wherein was at least some of that personal dominance which made him so long a master amongst men.

"Yes, it is necessary, necessary, necessary! For your sake in the first, and then for the sake of humanity. This monster has done much harm already, in the narrow scope where he find himself, and in the short time when as yet he was only as a body groping his so small measure in darkness and not knowing. All this have I told these others. You, my dear Madam Mina, will learn it in the phonograph of my friend John, or in that of your husband. I have told them how the measure of leaving his own barren land, barren of peoples, and coming to a new land where life of man teems till they are like the multitude of standing corn, was the work of centuries. Were another of the Undead, like him, to try to do what he has done, perhaps not all the centuries of the world that have been, or that will be, could aid him. With this one, all the forces of nature that are occult and deep and strong must have worked together in some wonderous way. The very place, where he have been alive, Undead for all these centuries, is full of strangeness of the geologic and chemical world. There are deep caverns and fissures that reach none know whither. There have been volcanoes, some of whose openings still send out waters of strange properties, and gases that kill or make to vivify. Doubtless, there is something magnetic or electric in some of these combinations of occult forces which work for physical life in strange way, and in himself were from the first some great qualities. In a hard and warlike time he was celebrate that he have more iron nerve, more subtle brain, more braver heart, than any man. In him some vital principle have in strange way found their utmost. And as his body keep strong and grow and thrive, so his brain grow too. All this without that diabolic aid which is surely to him. For it have to yield to the powers that come from, and are, symbolic of good. And now this is what he is to us. He have infect you, oh forgive me, my dear, that I must say such, but it is for good of you that I speak. He infect you in such wise, that even if he do no more, you have only to live, to live in your own old, sweet way, and so in time, death, which is of man's common lot and with God's sanction, shall make you like to him. This must not be! We have sworn together that it must not. Thus are we ministers of God's own wish. That the world, and men for whom His Son die, will not be given over to monsters, whose very existence would defame Him. He have allowed us to redeem one soul already, and we go out as the old knights of the Cross to redeem more. Like them we shall travel towards the sunrise. And like them, if we fall, we fall in good cause."

He paused and I said, "But will not the Count take his rebuff wisely? Since he has been driven from England, will he not avoid it, as a tiger does the village from which he has been hunted?"

"Aha!" he said, "your simile of the tiger good, for me, and I shall adopt him. Your maneater, as they of India call the tiger who has once tasted blood of the human, care no more for the other prey, but prowl unceasing till he get him. This that we hunt from our village is a tiger, too, a maneater, and he never cease to prowl. Nay, in himself he is not one to retire and stay afar. In his life, his living life, he go over the Turkey frontier and attack his enemy on his own ground. He be beaten back, but did he stay? No! He come again, and again, and again. Look at his persistence and endurance. With the child-brain that was to him he have long since conceive the idea of coming to a great city. What does he do? He find out the place of all the world most of promise for him. Then he deliberately set himself down to prepare for the task. He find in patience just how is his strength, and what are his powers. He study new tongues. He learn new social life, new environment of old ways, the politics, the law, the finance, the science, the habit of a new land and a new people who have come to be since he was. His glimpse that he have had, whet his appetite only and enkeen his desire. Nay, it help him to grow as to his brain. For it all prove to him how right he was at the first in his surmises. He have done this alone, all alone! From a ruin tomb in a forgotten land. What more may he not do when the greater world of thought is open to him. He that can smile at death, as we know him. Who can flourish in the midst of diseases that kill off whole peoples. Oh! If such an one was to come from God, and not the Devil, what a force for good might he not be in this old world of ours. But we are pledged to set the world free. Our toil must be in silence, and our efforts all in secret. For in this enlightened age, when men believe not even what they see, the doubting of wise men would be his greatest strength. It would be at once his sheath and his armor, and his weapons to destroy us, his enemies, who are willing to peril even our own souls for the safety of one we love. For the good of mankind, and for the honour and glory of God."

After a general discussion it was determined that for tonight nothing be definitely settled. That we should all sleep on the facts, and try to think out the proper conclusions. Tomorrow, at breakfast, we are to meet again, and after making our conclusions known to one another, we shall decide on some definite cause of action…

I feel a wonderful peace and rest tonight. It is as if some haunting presence were removed from me. Perhaps…

My surmise was not finished, could not be, for I caught sight in the mirror of the red mark upon my forehead, and I knew that I was still unclean.

DR. SEWARD'S DIARY

5 October. We all arose early, and I think that sleep did much for each and all of us. When we met at early breakfast there was more general cheerfulness than any of us had ever expected to experience again.

It is really wonderful how much resilience there is in human nature. Let any obstructing cause, no matter what, be removed in any way, even by death, and we fly back to first principles of hope and enjoyment. More than once as we sat around the table, my eyes opened in wonder whether the whole of the past days had not been a dream. It was only when I caught sight of the red blotch on Mrs. Harker's forehead that I was brought back to reality. Even now, when I am gravely revolving the matter, it is almost impossible to realize that the cause of all our trouble is still existent. Even Mrs. Harker seems to lose sight of her trouble for whole spells. It is only now and again, when something recalls it to her mind, that she thinks of her terrible scar. We are to meet here in my study in half an hour and decide on our course of action. I see only one immediate difficulty, I know it by instinct rather than reason. We shall all have to speak frankly. And yet I fear that in some mysterious way poor Mrs. Harker's tongue is tied. I know that she forms conclusions of her own, and from all that has been I can guess how brilliant and how true they must be. But she will not, or cannot, give them utterance. I have mentioned this to Van Helsing, and he and I are to talk it over when we are alone. I suppose it is some of that horrid poison which has got into her veins beginning to work. The Count had his own purposes when he gave her what Van Helsing called "the Vampire's baptism of blood." Well, there may be a poison that distills itself out of good things. In an age when the existence of ptomaines is a mystery we should not wonder at anything! One thing I know, that if my instinct be true regarding poor Mrs. Harker's silences, then there is a terrible difficulty, an unknown danger, in the work before us. The same power that compels her silence may compel her speech. I dare not think further, for so I should in my thoughts dishonour a noble woman!

Later. When the Professor came in, we talked over the state of things. I could see that he had something on his mind, which he wanted to say, but felt some hesitancy about broaching the subject. After beating about the bush a little, he said, "Friend John, there is something that you and I must talk of alone, just at the first at any rate. Later, we may have to take the others into our confidence."

Then he stopped, so I waited. He went on, "Madam Mina, our poor, dear Madam Mina is changing."

A cold shiver ran through me to find my worst fears thus endorsed. Van Helsing continued.

"With the sad experience of Miss Lucy, we must this time be warned before things go too far. Our task is now in reality more difficult than ever, and this new trouble makes every hour of the direst importance. I can see the characteristics of the vampire coming in her face. It is now but very, very slight. But it is to be seen if we have eyes to notice without prejudge. Her teeth are sharper, and at times her eyes are more hard. But these are not all, there is to her the silence now often, as so it was with Miss Lucy. She did not speak, even when she wrote that which she wished to be known later. Now my fear is this. If it be that she can, by our hypnotic trance, tell what the Count see and hear, is it not more true that he who have hypnotize her first, and who have drink of her very blood and make her drink of his, should if he will, compel her mind to disclose to him that which she know?"

I nodded acquiescence. He went on, "Then, what we must do is to prevent this. We must keep her ignorant of our intent, and so she cannot tell what she know not. This is a painful task! Oh, so painful that it heartbreak me to think of it, but it must be. When today we meet, I must tell her that for reason which we will not to speak she must not more be of our council, but be simply guarded by us."

He wiped his forehead, which had broken out in profuse perspiration at the thought of the pain which he might have to inflict upon the poor soul already so tortured. I knew that it would be some sort of comfort to him if I told him that I also had come to the same conclusion. For at any rate it would take away the pain of doubt. I told him, and the effect was as I expected.

It is now close to the time of our general gathering. Van Helsing has gone away to prepare for the meeting, and his painful part of it. I really believe his purpose is to be able to pray alone.

Later. At the very outset of our meeting a great personal relief was experienced by both Van Helsing and myself. Mrs. Harker had sent a message by her husband to say that she would not join us at present, as she thought it better that we should be free to discuss our movements without her presence to embarrass us. The Professor and I looked at each other for an instant, and somehow we both seemed relieved. For my own part, I thought that if Mrs. Harker realized the danger herself, it was much pain as well as much danger averted. Under the circumstances we agreed, by a questioning look and answer, with finger on lip, to preserve silence in our suspicions, until we should have been able to confer alone again. We went at once into our Plan of Campaign.

Van Helsing roughly put the facts before us first, "The Czarina Catherine left the Thames yesterday morning. It will take her at the quickest speed she has ever made at least three weeks to reach Varna. But we can travel overland to the same place in three days. Now, if we allow for two days less for the ship's voyage, owing to such weather influences as we know that the Count can bring to bear, and if we allow a whole day and night for any delays which may occur to us, then we have a margin of nearly two weeks.

"Thus, in order to be quite safe, we must leave here on 17th at latest. Then we shall at any rate be in Varna a day before the ship arrives, and able to make such preparations as may be necessary. Of course we shall all go armed, armed against evil things, spiritual as well as physical."

Here Quincey Morris added, "I understand that the Count comes from a wolf country, and it may be that he shall get there before us. I propose that we add Winchesters to our armament. I have a kind of belief in a Winchester when there is any trouble of that sort around. Do you remember, Art, when we had the pack after us at Tobolsk? What wouldn't we have given then for a repeater apiece!"

"Good!" said Van Helsing, "Winchesters it shall be. Quincey's head is level at times, but most so when there is to hunt, metaphor be more dishonour to science than wolves be of danger to man. In the meantime we can do nothing here. And as I think that Varna is not familiar to any of us, why not go there more soon? It is as long to wait here as there. Tonight and tomorrow we can get ready, and then if all be well, we four can set out on our journey."

"We four?" said Harker interrogatively, looking from one to another of us.

"Of course!" answered the Professor quickly. "You must remain to take care of your so sweet wife!"

Harker was silent for awhile and then said in a hollow voice, "Let us talk of that part of it in the morning. I want to consult with Mina."

I thought that now was the time for Van Helsing to warn him not to disclose our plan to her, but he took no notice. I looked at him significantly and coughed. For answer he put his finger to his lips and turned away.

JONATHAN HARKER'S JOURNAL

5 October, afternoon. For some time after our meeting this morning I could not think. The new phases of things leave my mind in a state of wonder which allows no room for active thought. Mina's determination not to take any part in the discussion set me thinking. And as I could not argue the matter with her, I could only guess. I am as far as ever from a solution now. The way the others received it, too puzzled me. The last time we talked of the subject we agreed that there was to be no more concealment of anything amongst us. Mina is sleeping now, calmly and sweetly like a little child. Her lips are curved and her face beams with happiness. Thank God, there are such moments still for her.

Later. How strange it all is. I sat watching Mina's happy sleep, and I came as near to being happy myself as I suppose I shall ever be. As the evening drew on, and the earth took its shadows from the sun sinking lower, the silence of the room grew more and more solemn to me.

All at once Mina opened her eyes, and looking at me tenderly said, "Jonathan, I want you to promise me something on your word of honour. A promise made to me, but made holily in God's hearing, and not to be broken though I should go down on my knees and implore you with bitter tears. Quick, you must make it to me at once."

"Mina," I said, "a promise like that, I cannot make at once. I may have no right to make it."

"But, dear one," she said, with such spiritual intensity that her eyes were like pole stars, "it is I who wish it. And it is not for myself. You can ask Dr. Van Helsing if I am not right. If he disagrees you may do as you will. Nay, more if you all agree, later you are absolved from the promise."

"I promise!" I said, and for a moment she looked supremely happy. Though to me all happiness for her was denied by the red scar on her forehead.

She said, "Promise me that you will not tell me anything of the plans formed for the campaign against the Count. Not by word, or inference, or implication, not at any time whilst this remains to me!" And she solemnly pointed to the scar. I saw that she was in earnest, and said solemnly, "I promise!" and as I said it I felt that from that instant a door had been shut between us.

Later, midnight. Mina has been bright and cheerful all the evening. So much so that all the rest seemed to take courage, as if infected somewhat with her gaiety. As a result even I myself felt as if the pall of gloom which weighs us down were somewhat lifted. We all retired early. Mina is now sleeping like a little child. It is wonderful thing that her faculty of sleep remains to her in the midst of her terrible trouble. Thank God for it, for then at least she can forget her care. Perhaps her example may affect me as her gaiety did tonight. I shall try it. Oh! For a dreamless sleep.

6 October, morning. Another surprise. Mina woke me early, about the same time as yesterday, and asked me to bring Dr. Van Helsing. I thought that it was another occasion for hypnotism, and without question went for the Professor. He had evidently expected some such call, for I found him dressed in his room. His door was ajar, so that he could hear the opening of the door of our room. He came at once. As he passed into the room, he asked Mina if the others might come, too.

"No," she said quite simply, "it will not be necessary. You can tell them just as well. I must go with you on your journey."

Dr. Van Helsing was as startled as I was. After a moment's pause he asked, "But why?"

"You must take me with you. I am safer with you, and you shall be safer, too."

"But why, dear Madam Mina? You know that your safety is our solemnest duty. We go into danger, to which you are, or may be, more liable than any of us from... from circumstances... things that have been." He paused embarrassed.

As she replied, she raised her finger and pointed to her forehead. "I know. That is why I must go. I can tell you now, whilst the sun is coming up. I may not be able again. I know that when the Count wills me I must go. I know that if he tells me to come in secret, I must by wile. By any device to hoodwink, even Jonathan." God saw the look that she turned on me as she spoke, and if there be indeed a Recording Angel that look is noted to her ever-lasting honour. I could only clasp her hand. I could not speak. My emotion was too great for even the relief of tears.

She went on. "You men are brave and strong. You are strong in your numbers, for you can defy that which would break down the human endurance of one who had to guard alone. Besides, I may be of service, since you can hypnotize me and so learn that which even I myself do not know."

Dr. Van Helsing said gravely, "Madam Mina, you are, as always, most wise. You shall with us come. And together we shall do that which we go forth to achieve."

When he had spoken, Mina's long spell of silence made me look at her. She had fallen back on her pillow asleep. She did not even wake when I had pulled up the blind and let in the sunlight which flooded the room. Van Helsing motioned to me to come with him quietly. We went to his room, and within a minute Lord Godalming, Dr. Seward, and Mr. Morris were with us also.

He told them what Mina had said, and went on. "In the morning we shall leave for Varna. We have now to deal with a new factor, Madam Mina. Oh, but her soul is true. It is to her an agony to tell us so much as she has done. But it is most right, and we are warned in time. There must be no chance lost, and in Varna we must be ready to act the instant when that ship arrives."

"What shall we do exactly?" asked Mr. Morris laconically.

The Professor paused before replying, "We shall at the first board that ship. Then, when we have identified the box, we shall place a branch of the wild rose on it. This we shall fasten, for when it is there none can emerge, so that at least says the superstition. And to superstition must we trust at the first. It was man's faith in the early, and it have its root in faith still. Then, when we get the opportunity that we seek, when none are near to see, we shall open the box, and... and all will be well."

"I shall not wait for any opportunity," said Morris. "When I see the box I shall open it and destroy the monster, though there were a thousand men looking on, and if I am to be wiped out for it the next moment!" I grasped his hand instinctively and found it as firm as a piece of steel. I think he understood my look. I hope he did.

"Good boy," said Dr. Van Helsing. "Brave boy. Quincey is all man. God bless him for it. My child, believe me none of us shall lag behind or pause from any fear. I do but say what we may do... what we must do. But, indeed, indeed we cannot say what we may do. There are so many things which may happen, and their ways and their ends are so various that until the moment we may not say. We shall all be armed, in all ways. And when the time for the end has come, our effort shall not be lack. Now let us today put all our affairs in order. Let all things which touch on others dear to us, and who on us depend, be complete. For none of us can tell what, or when, or how, the end may be. As for me, my own affairs are regulate, and as I have nothing else to do, I shall go make arrangements for the travel. I shall have all tickets and so forth for our journey."

There was nothing further to be said, and we parted. I shall now settle up all my affairs of earth, and be ready for whatever may come.

Later. It is done. My will is made, and all complete. Mina if she survive is my sole heir. If it should not be so, then the others who have been so good to us shall have remainder.

It is now drawing towards the sunset. Mina's uneasiness calls my attention to it. I am sure that there is something on her mind which the time of exact sunset will reveal. These occasions are becoming harrowing times for us all. For each sunrise and sunset opens up some new danger, some new pain, which however, may in God's will be means to a good end. I write all these things in the diary since my darling must not hear them now. But if it may be that she can see them again, they shall be ready. She is calling to me.

CHAPTER 25

DR. SEWARD'S DIARY

11 October, Evening. Jonathan Harker has asked me to note this, as he says he is hardly equal to the task, and he wants an exact record kept.

I think that none of us were surprised when we were asked to see Mrs. Harker a little before the time of sunset. We have of late come to understand that sunrise and sunset are to her times of peculiar freedom. When her old self can be manifest without any controlling force subduing or restraining her, or inciting her to action. This mood or condition begins some half hour or more before actual sunrise or sunset, and lasts till either the sun is high, or whilst the clouds are still aglow with the rays streaming above the horizon. At first there is a sort of negative condition, as if some tie were loosened, and then the absolute freedom quickly follows. When, however, the freedom ceases the change back or relapse comes quickly, preceded only by a spell of warning silence.

Tonight, when we met, she was somewhat constrained, and bore all the signs of an internal struggle. I put it down myself to her making a violent effort at the earliest instant she could do so.

A very few minutes, however, gave her complete control of herself. Then, motioning her husband to sit beside her on the sofa where she was half reclining, she made the rest of us bring chairs up close.

Taking her husband's hand in hers, she began, "We are all here together in freedom, for perhaps the last time! I know that you will always be with me to the end." This was to her husband whose hand had, as we could see, tightened upon her. "In the morning we go out upon our task, and God alone knows what may be in store for any of us. You are going to be so good to me to take me with you. I know that all that brave earnest men can do for a poor weak woman, whose soul perhaps is lost, no, no, not yet, but is at any rate at stake, you will do. But you must remember that I am not as you are. There is a poison in my blood, in my soul, which may destroy me, which must destroy me, unless some relief comes to us. Oh, my friends, you know as well as I do, that my soul is at stake. And though I know there is one way out for me, you must not and I must not take it!" She looked appealingly to us all in turn, beginning and ending with her husband.

"What is that way?" asked Van Helsing in a hoarse voice. "What is that way, which we must not, may not, take?"

"That I may die now, either by my own hand or that of another, before the greater evil is entirely wrought. I know, and you know, that were I once dead you could and would set free my immortal spirit, even as you did my poor Lucy's. Were death, or the fear of death, the only thing that stood in the way I would not shrink to die here now, amidst the friends who love me. But death is not all. I cannot believe that to die in such a case, when there is hope before us and a bitter task to be done, is God's will. Therefore, I on my part, give up here the certainty of eternal rest, and go out into the dark where may be the blackest things that the world or the nether world holds!"

We were all silent, for we knew instinctively that this was only a prelude. The faces of the others were set, and Harker's grew ashen grey. Perhaps, he guessed better than any of us what was coming.

She continued, "This is what I can give into the hotch-pot." I could not but note the quaint legal phrase which she used in such a place, and with all seriousness. "What will each of you give? Your lives I know," she went on quickly, "that is easy for brave men. Your lives are God's, and you can give them back to Him, but what will you give to me?" She looked again questioningly, but this time avoided her husband's face. Quincey seemed to understand, he nodded, and her face lit up. "Then I shall tell you plainly what I want, for there must be no doubtful matter in this connection between us now. You must promise me, one and all, even you, my beloved husband, that should the time come, you will kill me."

"What is that time?" The voice was Quincey's, but it was low and strained.

"When you shall be convinced that I am so changed that it is better that I die that I may live. When I am thus dead in the flesh, then you will, without a moment's delay, drive a stake through me and cut off my head, or do whatever else may be wanting to give me rest!"

Quincey was the first to rise after the pause. He knelt down before her and taking her hand in his said solemnly, "I'm only a rough fellow, who hasn't, perhaps, lived as a man should to win such a distinction, but I swear to you by all that I hold sacred and dear that, should the time ever come, I shall not flinch from the duty that you have set us. And I promise you, too, that I shall make all certain, for if I am only doubtful I shall take it that the time has come!"

"My true friend!" was all she could say amid her fast-falling tears, as bending over, she kissed his hand.

"I swear the same, my dear Madam Mina!" said Van Helsing. "And I!" said Lord Godalming, each of them in turn kneeling to her to take the oath. I followed, myself.

Then her husband turned to her wan-eyed and with a greenish pallor which subdued the snowy whiteness of his hair, and asked, "And must I, too, make such a promise, oh, my wife?"

"You too, my dearest," she said, with infinite yearning of pity in her voice and eyes. "You must not shrink. You are nearest and dearest and all the world to me. Our souls are knit into one, for all life and all time. Think, dear, that there have been times when brave men have killed their wives and their womenkind, to keep them from falling into the hands of the enemy. Their hands did not falter any the more because those that they loved implored them to slay them. It is men's duty towards those whom they love, in such times of sore trial! And oh, my dear, if it is to be that I must meet death at any hand, let it be at the hand of him that loves me best. Dr. Van Helsing, I have not forgotten your mercy in poor Lucy's case to him who loved." She stopped with a flying blush, and changed her phrase, "to him who had best right to give her peace. If that time shall come again, I look to you to make it a happy memory of my husband's life that it was his loving hand which set me free from the awful thrall upon me."

"Again I swear!" came the Professor's resonant voice.

Mrs. Harker smiled, positively smiled, as with a sigh of relief she leaned back and said, "And now one word of warning, a warning which you must never forget. This time, if it ever come, may come quickly and unexpectedly, and in such case you must lose no time in using your opportunity. At such a time I myself might be... nay! If the time ever come, shall be, leagued with your enemy against you.

"One more request," she became very solemn as she said this, "it is not vital and necessary like the other, but I want you to do one thing for me, if you will."

We all acquiesced, but no one spoke. There was no need to speak.

"I want you to read the Burial Service." She was interrupted by a deep groan from her husband. Taking his hand in hers, she held it over her heart, and continued. "You must read it over me some day. Whatever may be the issue of all this fearful state of things, it will be a sweet thought to all or some of us. You, my dearest, will I hope read it, for then it will be in your voice in my memory forever, come what may!"

"But oh, my dear one," he pleaded, "death is afar off from you."

"Nay," she said, holding up a warning hand. "I am deeper in death at this moment than if the weight of an earthly grave lay heavy upon me!"

"Oh, my wife, must I read it?" he said, before he began.

"It would comfort me, my husband!" was all she said, and he began to read when she had got the book ready.

How can I, how could anyone, tell of that strange scene, its solemnity, its gloom, its sadness, its horror, and withal, its sweetness. Even a sceptic, who can see nothing but a travesty of bitter truth in anything holy or emotional, would have been melted to the heart had he seen that little group of loving and devoted friends kneeling round that stricken and sorrowing lady; or heard the tender passion of her husband's voice, as in tones so broken and emotional that often he had to pause, he read the simple and beautiful service from the Burial of the Dead. I cannot go on... words... and v-voices... f-fail m-me!

She was right in her instinct. Strange as it was, bizarre as it may hereafter seem even to us who felt its potent influence at the time, it comforted us much. And the silence, which showed Mrs. Harker's coming relapse from her freedom of soul, did not seem so full of despair to any of us as we had dreaded.

JONATHAN HARKER'S JOURNAL

15 October, Varna. We left Charing Cross on the morning of the 12th, got to Paris the same night, and took the places secured for us in the Orient Express. We traveled night and day, arriving here at about five o'clock. Lord Godalming went to the Consulate to see if any telegram had arrived for him, whilst the rest of us came on to this hotel, "the Odessus." The journey may have had incidents. I was, however, too eager to get on, to care for them. Until the Czarina Catherine comes into port there will be no interest for me in anything in the wide world. Thank God! Mina is well, and looks to be getting stronger. Her colour is coming back. She sleeps a great deal. Throughout the journey she slept nearly all the time. Before sunrise and sunset, however, she is very wakeful and alert. And it has become a habit for Van Helsing to hypnotize her at such times. At

first, some effort was needed, and he had to make many passes. But now, she seems to yield at once, as if by habit, and scarcely any action is needed. He seems to have power at these particular moments to simply will, and her thoughts obey him. He always asks her what she can see and hear.

She answers to the first, "Nothing, all is dark."

And to the second, "I can hear the waves lapping against the ship, and the water rushing by. Canvas and cordage strain and masts and yards creak. The wind is high... I can hear it in the shrouds, and the bow throws back the foam."

It is evident that the Czarina Catherine is still at sea, hastening on her way to Varna. Lord Godalming has just returned. He had four telegrams, one each day since we started, and all to the same effect. That the Czarina Catherine had not been reported to Lloyd's from anywhere. He had arranged before leaving London that his agent should send him every day a telegram saying if the ship had been reported. He was to have a message even if she were not reported, so that he might be sure that there was a watch being kept at the other end of the wire.

We had dinner and went to bed early. Tomorrow we are to see the Vice Consul, and to arrange, if we can, about getting on board the ship as soon as she arrives. Van Helsing says that our chance will be to get on the boat between sunrise and sunset. The Count, even if he takes the form of a bat, cannot cross the running water of his own volition, and so cannot leave the ship. As he dare not change to man's form without suspicion, which he evidently wishes to avoid, he must remain in the box. If, then, we can come on board after sunrise, he is at our mercy, for we can open the box and make sure of him, as we did of poor Lucy, before he wakes. What mercy he shall get from us all will not count for much. We think that we shall not have much trouble with officials or the seamen. Thank God! This is the country where bribery can do anything, and we are well supplied with money. We have only to make sure that the ship cannot come into port between sunset and sunrise without our being warned, and we shall be safe. Judge Moneybag will settle this case, I think!

16 October. Mina's report still the same. Lapping waves and rushing water, darkness and favouring winds. We are evidently in good time, and when we hear of the Czarina Catherine we shall be ready. As she must pass the Dardanelles we are sure to have some report.

17 October. Everything is pretty well fixed now, I think, to welcome the Count on his return from his tour. Godalming told the shippers that he fancied that the box sent aboard might contain something stolen from a friend of his, and got a half consent that he might open it at his own risk. The owner gave him a paper telling the Captain to give him every facility in doing whatever he chose on board the ship, and also a similar authorization to his agent at Varna. We have seen the agent, who was much impressed with Godalming's kindly manner to him, and we are all satisfied that whatever he can do to aid our wishes will be done.

We have already arranged what to do in case we get the box open. If the Count is there, Van Helsing and Seward will cut off his head at once and drive a stake through his heart. Morris and Godalming and I shall prevent interference, even if we have to use the arms which we shall have ready. The Professor says that if we can so treat the Count's body, it will soon after fall into dust. In such case there would be no evidence against us, in case any suspicion of murder were aroused. But even if it were not, we should stand or fall by our act, and perhaps some day this very script may be evidence to come between some of us and a rope. For myself, I should take the chance only too thankfully if it were to come. We mean to leave no stone unturned to carry out our intent. We have arranged with certain officials that the instant the Czarina Catherine is seen, we are to be informed by a special messenger.

24 October. A whole week of waiting. Daily telegrams to Godalming, but only the same story. "Not yet reported." Mina's morning and evening hypnotic answer is unvaried. Lapping waves, rushing water, and creaking masts.

TELEGRAM, OCTOBER 24TH RUFUS SMITH, LLOYD'S, LONDON, TO LORD GODALMING, CARE OF H. B. M. VICE CONSUL, VARNA

Czarina Catherine reported this morning from Dardanelles.

DR. SEWARD'S DIARY

25 October. How I miss my phonograph! To write a diary with a pen is irksome to me! But Van Helsing says I must. We were all wild with excitement yesterday when Godalming got his telegram from Lloyd's. I know now what men feel in battle when the call to action is heard. Mrs. Harker, alone of our party, did not show any signs of emotion. After all, it is not strange that she did not, for we took special care not to let her know anything about it, and we all tried not to show any excitement when we were in her presence. In old days she would, I am sure, have noticed, no matter how we might have tried to conceal it. But in this way she is greatly changed during the past three weeks. The lethargy grows upon her, and though she seems strong and well, and is getting back some of her colour, Van Helsing and I are not satisfied. We talk of her often. We have not, however, said a word to the others. It would break poor Harker's heart, certainly his nerve, if he knew that we had even a suspicion on the subject. Van Helsing examines, he tells me, her teeth very carefully, whilst she is in the hypnotic condition, for

he says that so long as they do not begin to sharpen there is no active danger of a change in her. If this change should come, it would be necessary to take steps! We both know what those steps would have to be, though we do not mention our thoughts to each other. We should neither of us shrink from the task, awful though it be to contemplate. "Euthanasia" is an excellent and a comforting word! I am grateful to whoever invented it.

It is only about 24 hours' sail from the Dardanelles to here, at the rate the Czarina Catherine has come from London. She should therefore arrive some time in the morning, but as she cannot possibly get in before noon, we are all about to retire early. We shall get up at one o'clock, so as to be ready.

25 October, Noon. No news yet of the ship's arrival. Mrs. Harker's hypnotic report this morning was the same as usual, so it is possible that we may get news at any moment. We men are all in a fever of excitement, except Harker, who is calm. His hands are cold as ice, and an hour ago I found him whetting the edge of the great Ghoorka knife which he now always carries with him. It will be a bad lookout for the Count if the edge of that "Kukri" ever touches his throat, driven by that stern, ice-cold hand!

Van Helsing and I were a little alarmed about Mrs. Harker today. About noon she got into a sort of lethargy which we did not like. Although we kept silence to the others, we were neither of us happy about it. She had been restless all the morning, so that we were at first glad to know that she was sleeping. When, however, her husband mentioned casually that she was sleeping so soundly that he could not wake her, we went to her room to see for ourselves. She was breathing naturally and looked so well and peaceful that we agreed that the sleep was better for her than anything else. Poor girl, she has so much to forget that it is no wonder that sleep, if it brings oblivion to her, does her good.

Later. Our opinion was justified, for when after a refreshing sleep of some hours she woke up, she seemed brighter and better than she had been for days. At sunset she made the usual hypnotic report. Wherever he may be in the Black Sea, the Count is hurrying to his destination. To his doom, I trust!

26 October. Another day and no tidings of the Czarina Catherine. She ought to be here by now. That she is still journeying somewhere is apparent, for Mrs. Harker's hypnotic report at sunrise was still the same. It is possible that the vessel may be lying by, at times, for fog. Some of the steamers which came in last evening reported patches of fog both to north and south of the port. We must continue our watching, as the ship may now be signalled any moment.

27 October, Noon. Most strange. No news yet of the ship we wait for. Mrs. Harker reported last night and this morning as usual. "Lapping waves and rushing water," though she added that "the waves were very faint." The telegrams from London have been the same, "no further report." Van Helsing is terribly anxious, and told me just now that he fears the Count is escaping us.

He added significantly, "I did not like that lethargy of Madam Mina's. Souls and memories can do strange things during trance." I was about to ask him more, but Harker just then came in, and he held up a warning hand. We must try tonight at sunset to make her speak more fully when in her hypnotic state.

28 October. Telegram. Rufus Smith, London, to Lord Godalming, care H. B. M. Vice Consul, Varna

"Czarina Catherine reported entering Galatz at one o'clock today."

DR. SEWARD'S DIARY

28 October. When the telegram came announcing the arrival in Galatz I do not think it was such a shock to any of us as might have been expected. True, we did not know whence, or how, or when, the bolt would come. But I think we all expected that something strange would happen. The day of arrival at Varna made us individually satisfied that things would not be just as we had expected. We only waited to learn where the change would occur. None the less, however, it was a surprise. I suppose that nature works on such a hopeful basis that we believe against ourselves that things will be as they ought to be, not as we should know that they will be. Transcendentalism is a beacon to the angels, even if it be a will-o'-the-wisp to man. Van Helsing raised his hand over his head for a moment, as though in remonstrance with the Almighty. But he said not a word, and in a few seconds stood up with his face sternly set.

Lord Godalming grew very pale, and sat breathing heavily. I was myself half stunned and looked in wonder at one after another. Quincey Morris tightened his belt with that quick movement which I knew so well. In our old wandering days it meant "action." Mrs. Harker grew ghastly white, so that the scar on her forehead seemed to burn, but she folded her hands meekly and looked up in prayer. Harker smiled, actually smiled, the dark, bitter smile of one who is without hope, but at the same time his action belied his words, for his hands instinctively sought the hilt of the great Kukri knife and rested there.

"When does the next train start for Galatz?" said Van Helsing to us generally.

"At 6:30 tomorrow morning!" We all started, for the answer came from Mrs. Harker.

"How on earth do you know?" said Art.

"You forget, or perhaps you do not know, though Jonathan does and so does Dr. Van Helsing, that I am the train fiend. At home in Exeter I always used to make up the time tables, so as to be helpful to my husband. I found it so useful sometimes, that I always make a study of the time tables now. I knew that if anything were to take us to Castle Dracula we should go by Galatz, or at any rate through Bucharest, so I learned the times very carefully. Unhappily there are not many to learn, as the only train tomorrow leaves as I say."

"Wonderful woman!" murmured the Professor.

"Can't we get a special?" asked Lord Godalming.

Van Helsing shook his head, "I fear not. This land is very different from yours or mine. Even if we did have a special, it would probably not arrive as soon as our regular train. Moreover, we have something to prepare. We must think. Now let us organize. You, friend Arthur, go to the train and get the tickets and arrange that all be ready for us to go in the morning. Do you, friend Jonathan, go to the agent of the ship and get from him letters to the agent in Galatz, with authority to make a search of the ship just as it was here. Quincey Morris, you see the Vice Consul, and get his aid with his fellow in Galatz and all he can do to make our way smooth, so that no times be lost when over the Danube. John will stay with Madam Mina and me, and we shall consult. For so if time be long you may be delayed. And it will not matter when the sun set, since I am here with Madam to make report."

"And I," said Mrs. Harker brightly, and more like her old self than she had been for many a long day, "shall try to be of use in all ways, and shall think and write for you as I used to do. Something is shifting from me in some strange way, and I feel freer than I have been of late!"

The three younger men looked happier at the moment as they seemed to realize the significance of her words. But Van Helsing and I, turning to each other, met each a grave and troubled glance. We said nothing at the time, however.

When the three men had gone out to their tasks Van Helsing asked Mrs. Harker to look up the copy of the diaries and find him the part of Harker's journal at the Castle. She went away to get it.

When the door was shut upon her he said to me, "We mean the same! Speak out!"

"Here is some change. It is a hope that makes me sick, for it may deceive us."

"Quite so. Do you know why I asked her to get the manuscript?"

"No!" said I, "unless it was to get an opportunity of seeing me alone."

"You are in part right, friend John, but only in part. I want to tell you something. And oh, my friend, I am taking a great, a terrible, risk. But I believe it is right. In the moment when Madam Mina said those words that arrest both our understanding, an inspiration came to me. In the trance of three days ago the Count sent her his spirit to read her mind. Or more like he took her to see him in his earth box in the ship with water rushing, just as it go free at rise and set of sun. He learn then that we are here, for she have more to tell in her open life with eyes to see ears to hear than he, shut as he is, in his coffin box. Now he make his most effort to escape us. At present he want her not.

"He is sure with his so great knowledge that she will come at his call. But he cut her off, take her, as he can do, out of his own power, that so she come not to him. Ah! There I have hope that our man brains that have been of man so long and that have not lost the grace of God, will come higher than his child-brain that lie in his tomb for centuries, that grow not yet to our stature, and that do only work selfish and therefore small. Here comes Madam Mina. Not a word to her of her trance! She knows it not, and it would overwhelm her and make despair just when we want all her hope, all her courage, when most we want all her great brain which is trained like man's brain, but is of sweet woman and have a special power which the Count give her, and which he may not take away altogether, though he think not so. Hush! Let me speak, and you shall learn. Oh, John, my friend, we are in awful straits. I fear, as I never feared before. We can only trust the good God. Silence! Here she comes!"

I thought that the Professor was going to break down and have hysterics, just as he had when Lucy died, but with a great effort he controlled himself and was at perfect nervous poise when Mrs. Harker tripped into the room, bright and happy looking and, in the doing of work, seemingly forgetful of her misery. As she came in, she handed a number of sheets of typewriting to Van Helsing. He looked over them gravely, his face brightening up as he read.

Then holding the pages between his finger and thumb he said, "Friend John, to you with so much experience already, and you too, dear Madam Mina, that are young, here is a lesson. Do not fear ever to think. A half thought has been buzzing often in my brain, but I fear to let him loose his wings. Here now, with more knowledge, I go back to where that half thought come from and I find that he be no half thought at all. That be a whole thought, though so young that he is not yet strong to use his little wings. Nay, like the 'Ugly Duck' of my friend Hans Andersen, he be no duck thought at all, but a big swan thought that sail nobly on big wings, when the time come for him to try them. See I read here what Jonathan have written.

"That other of his race who, in a later age, again and again, brought his forces over The Great River into Turkey Land, who when he was beaten back, came again, and again, and again, though he had to come alone from the bloody field where his troops were being slaughtered, since he knew that he alone could ultimately triumph.

"What does this tell us? Not much? No! The Count's child thought see nothing, therefore he speak so free. Your man thought see nothing. My man thought see nothing, till just now. No! But there comes another word from some one who speak without thought because she, too, know not what it mean, what it might mean. Just as there are elements which rest, yet when in nature's course they move on their way and they touch, the pouf! And there comes a flash of light, heaven wide, that blind and kill and destroy some. But that show up all earth below for leagues and leagues. Is it not so? Well, I shall explain. To begin, have you ever study the philosophy of crime? 'Yes' and 'No.' You, John, yes, for it is a study of insanity. You, no, Madam Mina, for crime touch you not, not but once. Still, your mind works true, and argues not a particulari ad universale. There is this peculiarity in criminals. It is so constant, in all countries and at all times, that even police, who know not much from philosophy, come to know it empirically, that it is. That is to be empiric. The criminal always work at one crime, that is the true criminal who seems predestinate to crime, and who will of none other. This criminal has not full man brain. He is clever and cunning and resourceful, but he be not of man stature as to brain. He be of child brain in much. Now this criminal of ours is predestinate to crime also. He, too, have child brain, and it is of the child to do what he have done. The little bird, the little fish, the little animal learn not by principle, but empirically. And when he learn to do, then there is to him the ground to start from to do more. 'Dos pou sto,' said Archimedes. 'Give me a fulcrum, and I shall move the world!' To do once, is the fulcrum whereby child brain become man brain. And until he have the purpose to do more, he continue to do the same again every time, just as he have done before! Oh, my dear, I see that your eyes are opened, and that to you the lightning flash show all the leagues," for Mrs. Harker began to clap her hands and her eyes sparkled.

He went on, "Now you shall speak. Tell us two dry men of science what you see with those so bright eyes." He took her hand and held it whilst he spoke. His finger and thumb closed on her pulse, as I thought instinctively and unconsciously, as she spoke.

"The Count is a criminal and of criminal type. Nordau and Lombroso would so classify him, and qua criminal he is of an imperfectly formed mind. Thus, in a difficulty he has to seek resource in habit. His past is a clue, and the one page of it that we know, and that from his own lips, tells that once before, when in what Mr. Morris would call a 'tight place,' he went back to his own country from the land he had tried to invade, and thence, without losing purpose, prepared himself for a new effort. He came again better equipped for his work, and won. So he came to London to invade a new land. He was beaten, and when all hope of success was lost, and his existence in danger, he fled back over the sea to his home. Just as formerly he had fled back over the Danube from Turkey Land."

"Good, good! Oh, you so clever lady!" said Van Helsing, enthusiastically, as he stooped and kissed her hand. A moment later he said to me, as calmly as though we had been having a sick room consultation, "Seventy-two only, and in all this excitement. I have hope."

Turning to her again, he said with keen expectation, "But go on. Go on! There is more to tell if you will. Be not afraid. John and I know. I do in any case, and shall tell you if you are right. Speak, without fear!"

"I will try to. But you will forgive me if I seem too egotistical."

"Nay! Fear not, you must be egotist, for it is of you that we think."

"Then, as he is criminal he is selfish. And as his intellect is small and his action is based on selfishness, he confines himself to one purpose. That purpose is remorseless. As he fled back over the Danube, leaving his forces to be cut to pieces, so now he is intent on being safe, careless of all. So his own selfishness frees my soul somewhat from the terrible power which he acquired over me on that dreadful night. I felt it! Oh, I felt it! Thank God, for His great mercy! My soul is freer than it has been since that awful hour. And all that haunts me is a fear lest in some trance or dream he may have used my knowledge for his ends."

The Professor stood up, "He has so used your mind, and by it he has left us here in Varna, whilst the ship that carried him rushed through enveloping fog up to Galatz, where, doubtless, he had made preparation for escaping from us. But his child mind only saw so far. And it may be that as ever is in God's Providence, the very thing that the evil doer most reckoned on for his selfish good, turns out to be his chiefest harm. The hunter is taken in his own snare, as the great Psalmist says. For now that he think he is free from every trace of us all, and that he has escaped us with so many hours to him, then his selfish child brain will whisper him to sleep. He think, too, that as he cut himself off from knowing your mind, there can be no knowledge of him to you. There is where he fail! That terrible baptism of blood which he give you makes you free to go to him in spirit, as you have as yet done in your times of freedom, when the sun rise and set. At such times you go by my volition and not by his. And this power to good of you and others, you have won from your suffering at his hands. This is now all more precious that he know it not, and to guard himself have even cut himself off from his knowledge of our where. We, however, are not selfish, and we believe that God is with us through all this blackness, and these many dark hours. We shall follow him, and we shall not flinch, even if we peril ourselves that we become like him. Friend John, this has been a great hour, and it have done much to advance us on our way. You must be scribe and write him all down, so that when the others return from their work you can give it to them, then they shall know as we do."

And so I have written it whilst we wait their return, and Mrs. Harker has written with the typewriter all since she brought the MS to us.

CHAPTER 26
DR. SEWARD'S DIARY

29 October. This is written in the train from Varna to Galatz. Last night we all assembled a little before the time of sunset. Each of us had done his work as well as he could, so far as thought, and endeavour, and opportunity go, we are prepared for the whole of our journey, and for our work when we get to Galatz. When the usual time came round Mrs. Harker prepared herself for her hypnotic effort, and after a longer and more serious effort on the part of Van Helsing than has been usually necessary, she sank into the trance. Usually she speaks on a hint, but this time the Professor had to ask her questions, and to ask them pretty resolutely, before we could learn anything. At last her answer came.

"I can see nothing. We are still. There are no waves lapping, but only a steady swirl of water softly running against the hawser. I can hear men's voices calling, near and far, and the roll and creak of oars in the rowlocks. A gun is fired somewhere, the echo of it seems far away. There is tramping of feet overhead, and ropes and chains are dragged along. What is this? There is a gleam of light. I can feel the air blowing upon me."

Here she stopped. She had risen, as if impulsively, from where she lay on the sofa, and raised both her hands, palms upwards, as if lifting a weight. Van Helsing and I looked at each other with understanding. Quincey raised his eyebrows slightly and looked at her intently, whilst Harker's hand instinctively closed round the hilt of his Kukri. There was a long pause. We all knew that the time when she could speak was passing, but we felt that it was useless to say anything.

Suddenly she sat up, and as she opened her eyes said sweetly, "Would none of you like a cup of tea? You must all be so tired!"

We could only make her happy, and so acquiesced. She bustled off to get tea. When she had gone Van Helsing said, "You see, my friends. He is close to land. He has left his earth chest. But he has yet to get on shore. In the night he may lie hidden somewhere, but if he be not carried on shore, or if the ship do not touch it, he cannot achieve the land. In such case he can, if it be in the night, change his form and jump or fly on shore, then, unless he be carried he cannot escape. And if he be carried, then the customs men may discover what the box contain. Thus, in fine, if he escape not on shore tonight, or before dawn, there will be the whole day lost to him. We may then arrive in time. For if he escape not at night we shall come on him in daytime, boxed up and at our mercy. For he dare not be his true self, awake and visible, lest he be discovered."

There was no more to be said, so we waited in patience until the dawn, at which time we might learn more from Mrs. Harker.

Early this morning we listened, with breathless anxiety, for her response in her trance. The hypnotic stage was even longer in coming than before, and when it came the time remaining until full sunrise was so short that we began to despair. Van Helsing seemed to throw his whole soul into the effort. At last, in obedience to his will she made reply.

"All is dark. I hear lapping water, level with me, and some creaking as of wood on wood." She paused, and the red sun shot up. We must wait till tonight.

And so it is that we are travelling towards Galatz in an agony of expectation. We are due to arrive between two and three in the morning. But already, at Bucharest, we are three hours late, so we cannot possibly get in till well after sunup. Thus we shall have two more hypnotic messages from Mrs. Harker! Either or both may possibly throw more light on what is happening.

Later. Sunset has come and gone. Fortunately it came at a time when there was no distraction. For had it occurred whilst we were at a station, we might not have secured the necessary calm and isolation. Mrs. Harker yielded to the hypnotic influence even less readily than this morning. I am in fear that her power of reading the Count's sensations may die away, just when we want it most. It seems to me that her imagination is beginning to work. Whilst she has been in the trance hitherto she has confined herself to the simplest of facts. If this goes on it may ultimately mislead us. If I thought that the Count's power over her would die away equally with her power of knowledge it would be a happy thought. But I am afraid that it may not be so.

When she did speak, her words were enigmatical, "Something is going out. I can feel it pass me like a cold wind. I can hear, far off, confused sounds, as of men talking in strange tongues, fierce falling water, and the howling of wolves." She stopped and a shudder ran through her, increasing in intensity for a few seconds, till at the end, she shook as though in a palsy. She said no more, even in answer to the Professor's imperative questioning. When she woke from the trance, she was cold, and exhausted, and languid, but her mind was all alert. She could not remember anything, but asked what she had said. When she was told, she pondered over it deeply for a long time and in silence.

30 October, 7 A.M. We are near Galatz now, and I may not have time to write later. Sunrise this morning was anxiously looked for by us all. Knowing of the increasing difficulty of procuring the hypnotic trance, Van Helsing began his passes earlier than usual. They produced no effect, however, until the regular time, when she yielded with a still greater

difficulty, only a minute before the sun rose. The Professor lost no time in his questioning.

Her answer came with equal quickness, "All is dark. I hear water swirling by, level with my ears, and the creaking of wood on wood. Cattle low far off. There is another sound, a queer one like…" She stopped and grew white, and whiter still.

"Go on, go on! Speak, I command you!" said Van Helsing in an agonized voice. At the same time there was despair in his eyes, for the risen sun was reddening even Mrs. Harker's pale face. She opened her eyes, and we all started as she said, sweetly and seemingly with the utmost unconcern.

"Oh, Professor, why ask me to do what you know I can't? I don't remember anything." Then, seeing the look of amazement on our faces, she said, turning from one to the other with a troubled look, "What have I said? What have I done? I know nothing, only that I was lying here, half asleep, and heard you say 'go on! speak, I command you!' It seemed so funny to hear you order me about, as if I were a bad child!"

"Oh, Madam Mina," he said, sadly, "it is proof, if proof be needed, of how I love and honour you, when a word for your good, spoken more earnest than ever, can seem so strange because it is to order her whom I am proud to obey!"

The whistles are sounding. We are nearing Galatz. We are on fire with anxiety and eagerness.

MINA HARKER'S JOURNAL

30 October. Mr. Morris took me to the hotel where our rooms had been ordered by telegraph, he being the one who could best be spared, since he does not speak any foreign language. The forces were distributed much as they had been at Varna, except that Lord Godalming went to the Vice Consul, as his rank might serve as an immediate guarantee of some sort to the official, we being in extreme hurry. Jonathan and the two doctors went to the shipping agent to learn particulars of the arrival of the Czarina Catherine.

Later. Lord Godalming has returned. The Consul is away, and the Vice Consul sick. So the routine work has been attended to by a clerk. He was very obliging, and offered to do anything in his power.

JONATHAN HARKER'S JOURNAL

30 October. At nine o'clock Dr. Van Helsing, Dr. Seward, and I called on Messrs. Mackenzie & Steinkoff, the agents of the London firm of Hapgood. They had received a wire from London, in answer to Lord Godalming's telegraphed request, asking them to show us any civility in their power. They were more than kind and courteous, and took us at once on board the Czarina Catherine, which lay at anchor out in the river harbor. There we saw the Captain, Donelson by name, who told us of his voyage. He said that in all his life he had never had so favourable a run.

"Man!" he said, "but it made us afeard, for we expect it that we should have to pay for it wi' some rare piece o' ill luck, so as to keep up the average. It's no canny to run frae London to the Black Sea wi' a wind ahint ye, as though the Deil himself were blawin' on yer sail for his ain purpose. An' a' the time we could no speer a thing. Gin we were nigh a ship, or a port, or a headland, a fog fell on us and travelled wi' us, till when after it had lifted and we looked out, the deil a thing could we see. We ran by Gibraltar wi' oot bein' able to signal. An' til we came to the Dardanelles and had to wait to get our permit to pass, we never were within hail o' aught. At first I inclined to slack off sail and beat about till the fog was lifted. But whiles, I thocht that if the Deil was minded to get us into the Black Sea quick, he was like to do it whether we would or no. If we had a quick voyage it would be no to our miscredit wi' the owners, or no hurt to our traffic, an' the Old Mon who had served his ain purpose wad be decently grateful to us for no hinderin' him."

This mixture of simplicity and cunning, of superstition and commercial reasoning, aroused Van Helsing, who said, "Mine friend, that Devil is more clever than he is thought by some, and he know when he meet his match!"

The skipper was not displeased with the compliment, and went on, "When we got past the Bosphorus the men began to grumble. Some o' them, the Roumanians, came and asked me to heave overboard a big box which had been put on board by a queer lookin' old man just before we had started frae London. I had seen them speer at the fellow, and put out their twa fingers when they saw him, to guard them against the evil eye. Man! but the supersteetion of foreigners is pairfectly rideeculous! I sent them aboot their business pretty quick, but as just after a fog closed in on us I felt a wee bit as they did anent something, though I wouldn't say it was again the big box. Well, on we went, and as the fog didn't let up for five days I joost let the wind carry us, for if the Deil wanted to get somewheres, well, he would fetch it up a'reet. An' if he didn't, well, we'd keep a sharp lookout anyhow. Sure eneuch, we had a fair way and deep water all the time. And two days ago, when the mornin' sun came through the fog, we found ourselves just in the river opposite Galatz. The Roumanians were wild, and wanted me right or wrong to take out the box and fling it in the river. I had to argy wi' them aboot it wi' a handspike. An' when the last o' them rose off the deck wi' his head in his hand, I had convinced them that, evil eye or no evil eye, the property and the trust of my owners were better in my hands than in the river Danube. They had, mind ye, taken the box on the deck ready to fling in, and as it was marked Galatz via Varna, I thocht I'd let it lie till we discharged in the port an' get rid o't althegither. We didn't do much clearin' that day, an' had to remain the nicht at anchor. But in the mornin', braw an' airly, an hour before sunup, a man came aboard wi' an order, written to him from England, to receive a box marked for one Count Dracula. Sure eneuch the matter was one ready to his hand. He had his papers a' reet, an' glad I was to be rid o' the dam' thing, for I was beginnin' masel' to feel uneasy at it. If the Deil did have any luggage aboord the ship, I'm thinkin' it was nane ither than that same!"

"What was the name of the man who took it?" asked Dr. Van Helsing with restrained eagerness.

"I'll be tellin' ye quick!" he answered, and stepping down to his cabin, produced a receipt signed "Immanuel Hildesheim." Burgen-strasse 16 was the address. We found out that this was all the Captain knew, so with thanks we came away.

We found Hildesheim in his office, a Hebrew of rather the Adelphi Theatre type, with a nose like a sheep, and a fez. His arguments were pointed with specie, we doing the punctuation, and with a little bargaining he told us what he knew. This turned out to be simple but important. He had received a letter from Mr. de Ville of London, telling him to receive, if possible before sunrise so as to avoid customs, a box which would arrive at Galatz in the Czarina Catherine. This he was to give in charge to a certain Petrof Skinsky, who dealt with the Slovaks who traded down the river to the port. He had been paid for his work by an English bank note, which had been duly cashed for gold at the Danube International Bank. When Skinsky had come to him, he had taken him to the ship and handed over the box, so as to save porterage. That was all he knew.

We then sought for Skinsky, but were unable to find him. One of his neighbors, who did not seem to bear him any affection, said that he had gone away two days before, no one knew whither. This was corroborated by his landlord, who had received by messenger the key of the house together with the rent due, in English money. This had been between ten and eleven o'clock last night. We were at a standstill again.

Whilst we were talking one came running and breathlessly gasped out that the body of Skinsky had been found inside the wall of the churchyard of St. Peter, and that the throat had been torn open as if by some wild animal. Those we had been speaking with ran off to see the horror, the women crying out. "This is the work of a Slovak!" We hurried away lest we should have been in some way drawn into the affair, and so detained.

As we came home we could arrive at no definite conclusion. We were all convinced that the box was on its way, by water, to somewhere, but where that might be we would have to discover. With heavy hearts we came home to the hotel to Mina.

When we met together, the first thing was to consult as to taking Mina again into our confidence. Things are getting desperate, and it is at least a chance, though a hazardous one. As a preliminary step, I was released from my promise to her.

MINA HARKER'S JOURNAL

30 October, evening. They were so tired and worn out and dispirited that there was nothing to be done till they had some rest, so I asked them all to lie down for half an hour whilst I should enter everything up to the moment. I feel so grateful to the man who invented the "Traveller's" typewriter, and to Mr. Morris for getting this one for me. I should have felt quite astray doing the work if I had to write with a pen...

It is all done. Poor dear, dear Jonathan, what he must have suffered, what he must be suffering now. He lies on the sofa hardly seeming to breathe, and his whole body appears in collapse. His brows are knit. His face is drawn with pain. Poor fellow, maybe he is thinking, and I can see his face all wrinkled up with the concentration of his thoughts. Oh! if I could only help at all. I shall do what I can.

I have asked Dr. Van Helsing, and he has got me all the papers that I have not yet seen. Whilst they are resting, I shall go over all carefully, and perhaps I may arrive at some conclusion. I shall try to follow the Professor's example, and think without prejudice on the facts before me...

I do believe that under God's providence I have made a discovery. I shall get the maps and look over them.

I am more than ever sure that I am right. My new conclusion is ready, so I shall get our party together and read it. They can judge it. It is well to be accurate, and every minute is precious.

MINA HARKER'S MEMORANDUM *(ENTERED IN HER JOURNAL)*

Ground of inquiry.

Count Dracula's problem is to get back to his own place.

(a) He must be brought back by some one. This is evident; for had he power to move himself as he wished he could go either as man, or wolf, or bat, or in some other way. He evidently fears discovery or interference, in the state of helplessness in which he must be, confined as he is between dawn and sunset in his wooden box.

(b) How is he to be taken? Here a process of exclusions may help us. By road, by rail, by water?

1. By Road. There are endless difficulties, especially in leaving the city.

(x) There are people. And people are curious, and investigate. A hint, a surmise, a doubt as to what might be in the box, would destroy him.

(y) There are, or there may be, customs and octroi officers to pass.

(z) His pursuers might follow. This is his highest fear. And in order to prevent his being betrayed he has repelled, so far as he can, even his victim, me!

2. By Rail. There is no one in charge of the box. It would have to take its chance of being delayed, and delay would be fatal, with enemies on the track. True, he might escape at night. But what would he be, if left in a strange place with no refuge that he could fly to? This is not what he intends, and he does not mean to risk it.

3. By Water. Here is the safest way, in one respect, but with most danger in another. On the water he is powerless except at night. Even then he can only summon fog and storm and snow and his wolves. But were he wrecked, the living water would engulf him, helpless, and he would indeed be lost. He could have the vessel drive to land, but if it were unfriendly land, wherein he was not free to move, his position would still be desperate.

We know from the record that he was on the water, so what we have to do is to ascertain what water.

The first thing is to realize exactly what he has done as yet. We may, then, get a light on what his task is to be.

Firstly. We must differentiate between what he did in London as part of his general plan of action, when he was pressed for moments and had to arrange as best he could.

Secondly. We must see, as well as we can surmise it from the facts we know of, what he has done here.

As to the first, he evidently intended to arrive at Galatz, and sent invoice to Varna to deceive us lest we should ascertain his means of exit from England. His immediate and sole purpose then was to escape. The proof of this, is the letter of instructions sent to Immanuel Hildesheim to clear and take away the box before sunrise. There is also the instruction to Petrof Skinsky. These we must only guess at, but there must have been some letter or message, since Skinsky came to Hildesheim.

That, so far, his plans were successful we know. The Czarina Catherine made a phenomenally quick journey. So much so that Captain Donelson's suspicions were aroused. But his superstition united with his canniness played the Count's game for him, and he ran with his favouring wind through fogs and all till he brought up blindfold at Galatz. That the Count's arrangements were well made, has been proved. Hildesheim cleared the box, took it off, and gave it to Skinsky. Skinsky took it, and here we lose the trail. We only know that the box is somewhere on the water, moving along. The customs and the octroi, if there be any, have been avoided.

Now we come to what the Count must have done after his arrival, on land, at Galatz.

The box was given to Skinsky before sunrise. At sunrise the Count could appear in his own form. Here, we ask why Skinsky was chosen at all to aid in the work? In my husband's diary, Skinsky is mentioned as dealing with the Slovaks who trade down the river to the port. And the man's remark, that the murder was the work of a Slovak, showed the general feeling against his class. The Count wanted isolation.

My surmise is this, that in London the Count decided to get back to his castle by water, as the most safe and secret way. He was brought from the castle by Szgany, and probably they delivered their cargo to Slovaks who took the boxes to Varna, for there they were shipped to London. Thus the Count had knowledge of the persons who could arrange this service. When the box was on land, before sunrise or after sunset, he came out from his box, met Skinsky and instructed him what to do as to arranging the carriage of the box up some river. When this was done, and he knew that all was in train, he blotted out his traces, as he thought, by murdering his agent.

I have examined the map and find that the river most suitable for the Slovaks to have ascended is either the Pruth or the Sereth. I read in the typescript that in my trance I heard cows low and water swirling level with my ears and the creaking of wood. The Count in his box, then, was on a river in an open boat, propelled probably either by oars or poles, for the banks are near and it is working against stream. There would be no such if floating down stream.

Of course it may not be either the Sereth or the Pruth, but we may possibly investigate further. Now of these two, the Pruth is the more easily navigated, but the Sereth is, at Fundu, joined by the Bistritza which runs up round the Borgo Pass. The loop it makes is manifestly as close to Dracula's castle as can be got by water.

MINA HARKER'S JOURNAL CONTINUED

When I had done reading, Jonathan took me in his arms and kissed me. The others kept shaking me by both hands, and Dr. Van Helsing said, "Our dear Madam Mina is once more our teacher. Her eyes have been where we were blinded. Now we are on the track once again, and this time we may succeed. Our enemy is at his most helpless. And if we can come on him by day, on the water, our task will be over. He has a start, but he is powerless to hasten, as he may not leave this box lest those who carry him may suspect. For them to suspect would be to prompt them to throw him in the stream where he perish. This he knows, and will not. Now men, to our Council of War, for here and now, we must plan what each and all shall do."

"I shall get a steam launch and follow him," said Lord Godalming.

"And I, horses to follow on the bank lest by chance he land," said Mr. Morris.

"Good!" said the Professor, "both good. But neither must go alone. There must be force to overcome force if need be. The Slovak is strong and rough, and he carries rude arms." All the men smiled, for amongst them they carried a small arsenal.

Said Mr. Morris, "I have brought some Winchesters. They are pretty handy in a crowd, and there may be wolves. The Count, if you remember, took some other precautions. He made some requisitions on others that Mrs. Harker could not quite hear or understand. We must be ready at all points."

Dr. Seward said, "I think I had better go with Quincey. We have been accustomed to hunt together, and we two, well armed, will be a match for whatever may come along. You must not be alone, Art. It may be necessary to fight the Slovaks, and a chance thrust, for I don't suppose these fellows carry guns, would undo all our plans. There must be no chances, this time. We shall not rest until the Count's head and body have been separated, and we are sure that he cannot reincarnate."

He looked at Jonathan as he spoke, and Jonathan looked at me. I could see that the poor dear was torn about in his mind. Of course he wanted to be with me. But then the boat service would, most likely, be the one which would destroy the... the... Vampire. (Why did I hesitate to write the word?)

He was silent awhile, and during his silence Dr. Van Helsing spoke, "Friend Jonathan, this is to you for twice reasons. First, because you are young and brave and can fight, and all energies may be needed at the last. And again that it is your right to destroy him. That, which has wrought such woe to you and yours. Be not afraid for Madam Mina. She will be my care, if I may. I am old. My legs are not so quick to run as once. And I am not used to ride so long or to pursue as need be, or to fight with lethal weapons. But I can be of other service. I can fight in other way. And I can die, if need be, as well as younger men. Now let me say that what I would is this. While you, my Lord Godalming and friend Jonathan go in your so swift little steamboat up the river, and whilst John and Quincey guard the bank where perchance he might be landed, I will take Madam Mina right into the heart of the enemy's country. Whilst the old fox is tied in his box, floating on the running stream whence he cannot escape to land, where he dares not raise the lid of his coffin box lest his Slovak carriers should in fear leave him to perish, we shall go in the track where Jonathan went, from Bistritz over the Borgo, and find our way to the Castle of Dracula. Here, Madam Mina's hypnotic power will surely help, and we shall find our way, all dark and unknown otherwise, after the first sunrise when we are near that fateful place. There is much to be done, and other places to be made sanctify, so that that nest of vipers be obliterated."

Here Jonathan interrupted him hotly, "Do you mean to say, Professor Van Helsing, that you would bring Mina, in her sad case and tainted as she is with that devil's illness, right into the jaws of his death-trap? Not for the world! Not for Heaven or Hell!"

He became almost speechless for a minute, and then went on, "Do you know what the place is? Have you seen that awful den of hellish infamy, with the very moonlight alive with grisly shapes, and every speck of dust that whirls in the wind a devouring monster in embryo? Have you felt the Vampire's lips upon your throat?"

Here he turned to me, and as his eyes lit on my forehead he threw up his arms with a cry, "Oh, my God, what have we done to have this terror upon us?" and he sank down on the sofa in a collapse of misery.

The Professor's voice, as he spoke in clear, sweet tones, which seemed to vibrate in the air, calmed us all.

"Oh, my friend, it is because I would save Madam Mina from that awful place that I would go. God forbid that I should take her into that place. There is work, wild work, to be done before that place can be purify. Remember that we are in terrible straits. If the Count escape us this time, and he is strong and subtle and cunning, he may choose to sleep him for a century, and then in time our dear one," he took my hand, "would come to him to keep him company, and would be as those others that you, Jonathan, saw. You have told us of their gloating lips. You heard their ribald laugh as they clutched the moving bag that the Count threw to them. You shudder, and well may it be. Forgive me that I make you so much pain, but it is necessary. My friend, is it not a dire need for that which I am giving, possibly my life? If it were that any one went into that place to stay, it is I who would have to go to keep them company."

"Do as you will," said Jonathan, with a sob that shook him all over, "we are in the hands of God!"

Later. Oh, it did me good to see the way that these brave men worked. How can women help loving men when they are so earnest, and so true, and so brave! And, too, it made me think of the wonderful power of money! What can it not do when basely used. I felt so thankful that Lord Godalming is rich, and both he and Mr. Morris, who also has plenty of money, are willing to spend it so freely. For if they did not, our little expedition could not start, either so promptly or so well equipped, as it will within another hour. It is not three hours since it was arranged what part each of us was to do. And now Lord Godalming and Jonathan have a lovely steam launch, with steam up ready to start at a moment's notice. Dr. Seward and Mr. Morris have half a dozen good horses, well appointed. We have all the maps and appliances of various kinds that can be had. Professor Van Helsing and I are to leave by the 11:40 train tonight for Veresti, where we are to get a carriage to drive to the Borgo Pass. We are bringing a good deal of ready money, as we are to buy a carriage and horses. We shall drive ourselves, for we have no one whom we can trust in the matter. The Professor knows something of a great many languages, so we shall get on all right. We have all got arms, even for me a large bore revolver. Jonathan would not be happy unless I was armed like the rest. Alas! I cannot carry one arm that the rest do, the scar on my forehead forbids that. Dear Dr. Van Helsing comforts me by telling me that I am fully armed as there may be wolves. The weather is getting colder every hour, and there are snow flurries which come and go as warnings.

Later. It took all my courage to say goodbye to my darling. We may never meet again. Courage, Mina! The Professor is looking at you keenly. His look is a warning. There must be no tears now, unless it may be that God will let them fall in gladness.

JONATHAN HARKER'S JOURNAL

30 October, night. I am writing this in the light from the furnace door of the steam launch. Lord Godalming is firing up. He is an experienced hand at the work, as he has had for years a launch of his own on the Thames, and another on the Norfolk Broads. Regarding our plans, we finally decided that Mina's guess was correct, and that if any waterway was chosen for the Count's escape back to his Castle, the Sereth and then the Bistritza at its junction, would be the one. We took it, that somewhere about the 47th degree, north latitude, would be the place chosen for crossing the country between the river and the Carpathians. We have no fear in running at good speed up the river at night. There is plenty of water, and the banks are wide enough apart to make steaming, even in the dark, easy enough. Lord Godalming tells me to sleep for a while, as it is enough for the present for one to be on watch. But I cannot sleep, how can I with the terrible danger hanging over my darling, and her going out into that awful place…

My only comfort is that we are in the hands of God. Only for that faith it would be easier to die than to live, and so be quit of all the trouble. Mr. Morris and Dr. Seward were off on their long ride before we started. They are to keep up the right bank, far enough off to get on higher lands where they can see a good stretch of river and avoid the following of its curves. They have, for the first stages, two men to ride and lead their spare horses, four in all, so as not to excite curiosity. When they dismiss the men, which shall be shortly, they shall themselves look after the horses. It may be necessary for us to join forces. If so they can mount our whole party. One of the saddles has a moveable horn, and can be easily adapted for Mina, if required.

It is a wild adventure we are on. Here, as we are rushing along through the darkness, with the cold from the river seeming to rise up and strike us, with all the mysterious voices of the night around us, it all comes home. We seem to be drifting into unknown places and unknown ways. Into a whole world of dark and dreadful things. Godalming is shutting the furnace door…

31 October. Still hurrying along. The day has come, and Godalming is sleeping. I am on watch. The morning is bitterly cold, the furnace heat is grateful, though we have heavy fur coats. As yet we have passed only a few open boats, but none of them had on board any box or package of anything like the size of the one we seek. The men were scared every time we turned our electric lamp on them, and fell on their knees and prayed.

1st November, evening. No news all day. We have found nothing of the kind we seek. We have now passed into the Bistritza, and if we are wrong in our surmise our chance is gone. We have overhauled every boat, big and little. Early this morning, one crew took us for a Government boat, and treated us accordingly. We saw in this a way of smoothing matters, so at Fundu, where the Bistritza runs into the Sereth, we got a Roumanian flag which we now fly conspicuously. With every boat which we have overhauled since then this trick has succeeded. We have had every deference shown to us, and not once any objection to whatever we chose to ask or do. Some of the Slovaks tell us that a big boat passed them, going at more than usual speed as she had a double crew on board. This was before they came to Fundu, so they could not tell us whether the boat turned into the Bistritza or continued on up the Sereth. At Fundu we could not hear of any such boat, so she must have passed there in the night. I am feeling very sleepy. The cold is perhaps beginning to tell upon me, and nature must have rest some time. Godalming insists that he shall keep the first watch. God bless him for all his goodness to poor dear Mina and me.

2 November, morning. It is broad daylight. That good fellow would not wake me. He says it would have been a sin to, for I slept peacefully and was forgetting my trouble. It seems brutally selfish to me to have slept so long, and let him watch all night, but he was quite right. I am a new man this morning. And, as I sit here and watch him sleeping, I can do all that is necessary both as to minding the engine, steering, and keeping watch. I can feel that my strength and energy are coming back to me. I wonder where Mina is now, and Van Helsing. They should have got to Veresti about noon on Wednesday. It would take them some time to get the carriage and horses. So if they had started and travelled hard, they would be about now at the Borgo Pass. God guide and help them! I am afraid to think

what may happen. If we could only go faster. But we cannot. The engines are throbbing and doing their utmost. I wonder how Dr. Seward and Mr. Morris are getting on. There seem to be endless streams running down the mountains into this river, but as none of them are very large, at present, at all events, though they are doubtless terrible in winter and when the snow melts, the horsemen may not have met much obstruction. I hope that before we get to Strasba we may see them. For if by that time we have not overtaken the Count, it may be necessary to take counsel together what to do next.

DR. SEWARD'S DIARY

2 November. Three days on the road. No news, and no time to write it if there had been, for every moment is precious. We have had only the rest needful for the horses. But we are both bearing it wonderfully. Those adventurous days of ours are turning up useful. We must push on. We shall never feel happy till we get the launch in sight again.

3 November. We heard at Fundu that the launch had gone up the Bistritza. I wish it wasn't so cold. There are signs of snow coming. And if it falls heavy it will stop us. In such case we must get a sledge and go on, Russian fashion.

4 November. Today we heard of the launch having been detained by an accident when trying to force a way up the rapids. The Slovak boats get up all right, by aid of a rope and steering with knowledge. Some went up only a few hours before. Godalming is an amateur fitter himself, and evidently it was he who put the launch in trim again.

Finally, they got up the rapids all right, with local help, and are off on the chase afresh. I fear that the boat is not any better for the accident, the peasantry tell us that after she got upon smooth water again, she kept stopping every now and again so long as she was in sight. We must push on harder than ever. Our help may be wanted soon.

MINA HARKER'S JOURNAL

31 October. Arrived at Veresti at noon. The Professor tells me that this morning at dawn he could hardly hypnotize me at all, and that all I could say was, "dark and quiet." He is off now buying a carriage and horses. He says that he will later on try to buy additional horses, so that we may be able to change them on the way. We have something more than 70 miles before us. The country is lovely, and most interesting. If only we were under different conditions, how delightful it would be to see it all. If Jonathan and I were driving through it alone what a pleasure it would be. To stop and see people, and learn something of their life, and to fill our minds and memories with all the colour and picturesqueness of the whole wild, beautiful country and the quaint people! But, alas!

Later. Dr. Van Helsing has returned. He has got the carriage and horses. We are to have some dinner, and to start in an hour. The landlady is putting us up a huge basket of provisions. It seems enough for a company of soldiers. The Professor encourages her, and whispers to me that it may be a week before we can get any food again. He has been shopping too, and has sent home such a wonderful lot of fur coats and wraps, and all sorts of warm things. There will not be any chance of our being cold.

We shall soon be off. I am afraid to think what may happen to us. We are truly in the hands of God. He alone knows what may be, and I pray Him, with all the strength of my sad and humble soul, that He will watch over my beloved husband. That whatever may happen, Jonathan may know that I loved him and honoured him more than I can say, and that my latest and truest thought will be always for him.

CHAPTER 27

MINA HARKER'S JOURNAL

1st November. All day long we have travelled, and at a good speed. The horses seem to know that they are being kindly treated, for they go willingly their full stage at best speed. We have now had so many changes and find the same thing so constantly that we are encouraged to think that the journey will be an easy one. Dr. Van Helsing is laconic, he tells the farmers that he is hurrying to Bistritz, and pays them well to make the exchange of horses. We get hot soup, or coffee, or tea, and off we go. It is a lovely country. Full of beauties of all imaginable kinds, and the people are brave, and strong, and simple, and seem full of nice qualities. They are very, very superstitious. In the first house where we stopped, when the woman who served us saw the scar on my forehead, she crossed herself and put out two fingers towards me, to keep off the evil eye. I believe they went to the trouble of putting an extra amount of garlic into our food, and I can't abide garlic. Ever since then I have taken care not to take off my hat or veil, and so have escaped their suspicions. We are travelling fast, and as we have no driver with us to carry tales, we go ahead of scandal. But I daresay that fear of the evil eye will follow hard behind us all the way. The Professor seems tireless. All day he would not take any rest, though he made me sleep for a long spell. At sunset time he hypnotized me, and he says I answered as usual, "darkness, lapping water and creaking wood." So our enemy is still on the river. I am afraid to think of Jonathan, but somehow I have now no fear for him, or for myself. I write this whilst we wait in a farmhouse for the horses to be ready. Dr. Van Helsing is sleeping. Poor dear, he looks very tired and old and grey, but his mouth is set as firmly as a conqueror's. Even in his sleep he is intense with resolution. When we have well started I must make him rest whilst I drive. I shall tell him that we have days before us, and he must not break down when most of all his strength will be needed… All is ready. We are off shortly.

2 November, morning. I was successful, and we took turns driving all night. Now the day is on us, bright though cold. There is a strange heaviness in the air. I say heaviness for want of a better word. I mean that it oppresses us both. It is very cold, and only our warm furs keep us comfortable. At dawn Van Helsing hypnotized me. He says I answered "darkness, creaking wood and roaring water," so the river is changing as they ascend. I do hope that my darling will not run any chance of danger, more than need be, but we are in God's hands.

2 November, night. All day long driving. The country gets wilder as we go, and the great spurs of the Carpathians, which at Veresti seemed so far from us and so low on the horizon, now seem to gather round us and tower in front. We both seem in good spirits. I think we make an effort each to cheer the other, in the doing so we cheer ourselves. Dr. Van Helsing says that by morning we shall reach the Borgo Pass. The houses are very few here now, and the Professor says that the last horse we got will have to go on with us, as we may not be able to change. He got two in addition to the two we changed, so that now we have a rude four-in-hand. The dear horses are patient and good, and they give us no trouble. We are not worried with other travellers, and so even I can drive. We shall get to the Pass in daylight. We do not want to arrive before. So we take it easy, and have each a long rest in turn. Oh, what will tomorrow bring to us? We go to seek the place where my poor darling suffered so much. God grant that we may be guided aright, and that He will deign to watch over my husband and those dear to us both, and who are in such deadly peril. As for me, I am not worthy in His sight. Alas! I am unclean to His eyes, and shall be until He may deign to let me stand forth in His sight as one of those who have not incurred His wrath.

MEMORANDUM BY ABRAHAM VAN HELSING

4 November. This to my old and true friend John Seward, M.D., of Purfleet, London, in case I may not see him. It may explain. It is morning, and I write by a fire which all the night I have kept alive, Madam Mina aiding me. It is cold, cold. So cold that the grey heavy sky is full of snow, which when it falls will settle for all winter as the ground is hardening to receive it. It seems to have affected Madam Mina. She has been so heavy of head all day that she was not like herself. She sleeps, and sleeps, and sleeps! She who is usual so alert, have done literally nothing all the day. She even have lost her appetite. She make no entry into her little diary, she who write so faithful at every pause. Something whisper to me that all is not well. However, tonight she is more *vif*. Her long sleep all day have refresh and restore her, for now she is all sweet and bright as ever. At sunset I try to hypnotize her, but alas! with no effect. The power has grown less and less with each day, and tonight it fail me altogether. Well, God's will be done, whatever it may be, and whithersoever it may lead!

Now to the historical, for as Madam Mina write not in her stenography, I must, in my cumbrous old fashion, that so each day of us may not go unrecorded.

We got to the Borgo Pass just after sunrise yesterday morning. When I saw the signs of the dawn I got ready for the hypnotism. We stopped our carriage, and got down so that there might be no disturbance. I made a couch with furs, and Madam Mina, lying down, yield herself as usual, but more slow and more short time than ever, to the hypnotic sleep. As before, came the answer, "darkness and the swirling of water." Then she woke, bright and radiant and we go on our way and soon reach the Pass. At this time and place, she become all on fire with zeal. Some new guiding power be in her manifested, for she point to a road and say, "This is the way."

"How know you it?" I ask.

"Of course I know it," she answer, and with a pause, add, "Have not my Jonathan travelled it and wrote of his travel?"

At first I think somewhat strange, but soon I see that there be only one such byroad. It is used but little, and very different from the coach road from the Bukovina to Bistritz, which is more wide and hard, and more of use.

So we came down this road. When we meet other ways, not always were we sure that they were roads at all, for they be neglect and light snow have fallen, the horses know and they only. I give rein to them, and they go on so patient. By and by we find all the things which Jonathan have note in that wonderful diary of him. Then we go on for long, long hours and hours. At the first, I tell Madam Mina to sleep. She try, and she succeed. She sleep all the time, till at the last, I feel myself to suspicious grow, and attempt to wake her. But she sleep on, and I may not wake her though I try. I do not wish to try too hard lest I harm her. For I know that she have suffer much, and sleep at times be all-in-all to her. I think I drowse myself, for all of sudden I feel guilt, as though I have done something. I find myself bolt up, with the reins in my hand, and the good horses go along jog, jog, just as ever. I look down and find Madam Mina still asleep. It is now not far off sunset time, and over the snow the light of the sun flow in big yellow flood, so that we throw great long shadow on where the mountain rise so steep. For we are going up, and up, and all is oh so wild and rocky, as though it were the end of the world.

Then I arouse Madam Mina. This time she wake with not much trouble, and then I try to put her to hypnotic sleep. But she sleep not, being as though

I were not. Still I try and try, till all at once I find her and myself in dark, so I look round, and find that the sun have gone down. Madam Mina laugh, and I turn and look at her. She is now quite awake, and look so well as I never saw her since that night at Carfax when we first enter the Count's house. I am amaze, and not at ease then. But she is so bright and tender and thoughtful for me that I forget all fear. I light a fire, for we have brought supply of wood with us, and she prepare food while I undo the horses and set them, tethered in shelter, to feed. Then when I return to the fire she have my supper ready. I go to help her, but she smile, and tell me that she have eat already. That she was so hungry that she would not wait. I like it not, and I have grave doubts. But I fear to affright her, and so I am silent of it. She help me and I eat alone, and then we wrap in fur and lie beside the fire, and I tell her to sleep while I watch. But presently I forget all of watching. And when I sudden remember that I watch, I find her lying quiet, but awake, and looking at me with so bright eyes. Once, twice more the same occur, and I get much sleep till before morning. When I wake I try to hypnotize her, but alas! though she shut her eyes obedient, she may not sleep. The sun rise up, and up, and up, and then sleep come to her too late, but so heavy that she will not wake. I have to lift her up, and place her sleeping in the carriage when I have harnessed the horses and made all ready. Madam still sleep, and she look in her sleep more healthy and more redder than before. And I like it not. And I am afraid, afraid, afraid! I am afraid of all things, even to think but I must go on my way. The stake we play for is life and death, or more than these, and we must not flinch.

5 November, morning. Let me be accurate in everything, for though you and I have seen some strange things together, you may at the first think that I, Van Helsing, am mad. That the many horrors and the so long strain on nerves has at the last turn my brain.

All yesterday we travel, always getting closer to the mountains, and moving into a more and more wild and desert land. There are great, frowning precipices and much falling water, and Nature seem to have held sometime her carnival. Madam Mina still sleep and sleep. And though I did have hunger and appeased it, I could not waken her, even for food. I began to fear that the fatal spell of the place was upon her, tainted as she is with that Vampire baptism. "Well," said I to myself, "if it be that she sleep all the day, it shall also be that I do not sleep at night." As we travel on the rough road, for a road of an ancient and imperfect kind there was, I held down my head and slept.

Again I waked with a sense of guilt and of time passed, and found Madam Mina still sleeping, and the sun low down. But all was indeed changed. The frowning mountains seemed further away, and we were near the top of a steep rising hill, on summit of which was such a castle as Jonathan tell of in his diary. At once I exulted and feared. For now, for good or ill, the end was near.

I woke Madam Mina, and again tried to hypnotize her, but alas! unavailing till too late. Then, ere the great dark came upon us, for even after down sun the heavens reflected the gone sun on the snow, and all was for a time in a great twilight. I took out the horses and fed them in what shelter I could. Then I make a fire, and near it I make Madam Mina, now awake and more charming than ever, sit comfortable amid her rugs. I got ready food, but she would not eat, simply saying that she had not hunger. I did not press her, knowing her unavailingness. But I myself eat, for I must needs now be strong for all. Then, with the fear on me of what might be, I drew a ring so big for her comfort, round where Madam Mina sat. And over the ring I passed some of the wafer, and I broke it fine so that all was well guarded. She sat still all the time, so still as one dead. And she grew whiter and even whiter till the snow was not more pale, and no word she said. But when I drew near, she clung to me, and I could know that the poor soul shook her from head to feet with a tremor that was pain to feel.

I said to her presently, when she had grown more quiet, "Will you not come over to the fire?" for I wished to make a test of what she could. She rose obedient, but when she have made a step she stopped, and stood as one stricken.

"Why not go on?" I asked. She shook her head, and coming back, sat down in her place. Then, looking at me with open eyes, as of one waked from sleep, she said simply, "I cannot!" and remained silent. I rejoiced, for I knew that what she could not, none of those that we dreaded could. Though there might be danger to her body, yet her soul was safe!

Presently the horses began to scream, and tore at their tethers till I came to them and quieted them. When they did feel my hands on them, they whinnied low as in joy, and licked at my hands and were quiet for a time. Many times through the night did I come to them, till it arrive to the cold hour when all nature is at lowest, and every time my coming was with quiet of them. In the cold hour the fire began to die, and I was about stepping forth to replenish it, for now the snow came in flying sweeps and with it a chill mist. Even in the dark there was a light of some kind, as there ever is over snow, and it seemed as though the snow flurries and the wreaths of mist took shape as of women with trailing garments. All was in dead, grim silence only that the horses whinnied and cowered, as if in terror of the worst. I began to fear, horrible fears. But then came to me the sense of safety in that ring wherein I stood. I began too, to think that my imaginings were of the night, and the gloom, and the unrest that I have gone through, and all the terrible anxiety. It was as though my memories of all Jonathan's horrid experience were befooling me. For the snow flakes and the mist began to wheel and circle round, till I could get as though a shadowy glimpse of those women that would have kissed him. And then the horses cowered lower and lower, and moaned in terror as men do in pain. Even the madness of fright was not to them, so that they could break away. I feared for my dear Madam Mina when these weird figures drew near and circled round. I looked at her, but she sat calm, and smiled at me. When I would have stepped to the fire to replenish it, she caught me and held me back, and whispered, like a voice that one hears in a dream, so low it was.

"No! No! Do not go without. Here you are safe!"

I turned to her, and looking in her eyes said, "But you? It is for you that I fear!"

Whereat she laughed, a laugh low and unreal, and said, "Fear for me! Why fear for me? None safer in all the world from them than I am," and as I wondered at the meaning of her words, a puff of wind made the flame leap up, and I see the red scar on her forehead. Then, alas! I knew. Did I not, I would soon have learned, for the wheeling figures of mist and snow came closer, but keeping ever without the Holy circle. Then they began to materialize till, if God have not taken away my reason, for I saw it through my eyes. There were before me in actual flesh the same three women that Jonathan saw in the room, when they would have kissed his throat. I knew the swaying round forms, the bright hard eyes, the white teeth, the ruddy colour, the voluptuous lips. They smiled ever at poor dear Madam Mina. And as their laugh came through the silence of the night, they twined their arms and pointed to her, and said in those so sweet tingling tones that Jonathan said were of the intolerable sweetness of the water glasses, "Come, sister. Come to us. Come!"

In fear I turned to my poor Madam Mina, and my heart with gladness leapt like flame. For oh! the terror in her sweet eyes, the repulsion, the horror, told a story to my heart that was all of hope. God be thanked she was not, yet, of them. I seized some of the firewood which was by me, and holding out some of the Wafer, advanced on them towards the fire. They drew back before me, and laughed their low horrid laugh. I fed the fire, and feared them not. For I knew that we were safe within the ring, which she could not leave no more than they could enter. The horses had ceased to moan, and lay still on the ground. The snow fell on them softly, and they grew whiter. I knew that there was for the poor beasts no more of terror.

And so we remained till the red of the dawn began to fall through the snow gloom. I was desolate and afraid, and full of woe and terror. But when that beautiful sun began to climb the horizon life was to me again. At the first coming of the dawn the horrid figures melted in the whirling mist and snow. The wreaths of transparent gloom moved away towards the castle, and were lost.

Instinctively, with the dawn coming, I turned to Madam Mina, intending to hypnotize her. But she lay in a deep and sudden sleep, from which I could not wake her. I tried to hypnotize through her sleep, but she made no response, none at all, and the day broke. I fear yet to stir. I have made my fire and have seen the horses, they are all dead. Today I have much to do here, and I keep waiting till the sun is up high. For there may be places where I must go, where that sunlight, though snow and mist obscure it, will be to me a safety.

I will strengthen me with breakfast, and then I will do my terrible work. Madam Mina still sleeps, and God be thanked! She is calm in her sleep...

JONATHAN HARKER'S JOURNAL

4 November, evening. The accident to the launch has been a terrible thing for us. Only for it we should have overtaken the boat long ago, and by now my dear Mina would have been free. I fear to think of her, off on the wolds near that horrid place. We have got horses, and we follow on the track. I note this whilst Godalming is getting ready. We have our arms. The Szgany must look out if they mean to fight. Oh, if only Morris and Seward were with us. We must only hope! If I write no more Goodby Mina! God bless and keep you.

DR. SEWARD'S DIARY

5 November. With the dawn we saw the body of Szgany before us dashing away from the river with their leiter wagon. They surrounded it in a cluster, and hurried along as though beset. The snow is falling lightly and there is a strange excitement in the air. It may be our own feelings, but the depression is strange. Far off I hear the howling of wolves. The snow brings them down from the mountains, and there are dangers to all of us, and from all sides. The horses are nearly ready, and we are soon off. We ride to death of some one. God alone knows who, or where, or what, or when, or how it may be...

DR. VAN HELSING'S MEMORANDUM

5 November, afternoon. I am at least sane. Thank God for that mercy at all events, though the proving it has been dreadful. When I left Madam Mina sleeping within the Holy circle, I took my way to the castle. The blacksmith hammer which I took in the carriage from Veresti was useful, though the doors were all open I broke them off the rusty hinges, lest some ill intent or ill chance should close them, so that being entered I might not get out. Jonathan's bitter experience served me here.

By memory of his diary I found my way to the old chapel, for I knew that here my work lay. The air was oppressive. It seemed as if there was some sulphurous fume, which at times made me dizzy. Either there was a roaring in my ears or I heard afar off the howl of wolves. Then I bethought me of my dear Madam Mina, and I was in terrible plight. The dilemma had me between his horns.

Her, I had not dare to take into this place, but left safe from the Vampire in that Holy circle. And yet even there would be the wolf! I resolve me that my work lay here, and that as to the wolves we must submit, if it were God's will. At any rate it was only death and freedom beyond. So did I choose for her. Had it but been for myself the choice had been easy, the maw of the wolf were better to rest in than the grave of the Vampire! So I make my choice to go on with my work.

I knew that there were at least three graves to find, graves that are inhabit. So I search, and search, and I find one of them. She lay in her Vampire sleep, so full of life and voluptuous beauty that I shudder as though I have come to do murder. Ah, I doubt not that in the old time, when such things were, many a man who set forth to do such a task as mine, found at the last his heart fail him, and then his nerve. So he delay, and delay, and delay, till the mere beauty and the fascination of the wanton Undead have hypnotize him. And he remain on and on, till sunset come, and the Vampire sleep be over. Then the beautiful eyes of the fair woman open and look love, and the voluptuous mouth present to a kiss, and the man is weak. And there remain one more victim in the Vampire fold. One more to swell the grim and grisly ranks of the Undead!...

There is some fascination, surely, when I am moved by the mere presence of such an one, even lying as she lay in a tomb fretted with age and heavy with the dust of centuries, though there be that horrid odour such as the lairs of the Count have had. Yes, I was moved. I, Van Helsing, with all my purpose and with my motive for hate. I was moved to a yearning for delay which seemed to paralyze my faculties and to clog my very soul. It may have been that the need of natural sleep, and the strange oppression of the air were beginning to overcome me. Certain it was that I was lapsing into sleep, the open eyed sleep of one who yields to a sweet fascination, when there came through the snow-stilled air a long, low wail, so full of woe and pity that it woke me like the sound of a clarion. For it was the voice of my dear Madam Mina that I heard.

Then I braced myself again to my horrid task, and found by wrenching away tomb tops one other of the sisters, the other dark one. I dared not pause to look on her as I had on her sister, lest once more I should begin to be enthrall. But I go on searching until, presently, I find in a high great tomb as if made to one much beloved that other fair sister which, like Jonathan I had seen to gather herself out of the atoms of the mist. She was so fair to look on, so radiantly beautiful, so exquisitely voluptuous, that the very instinct of man in me, which calls some of my sex to love and to protect one of hers, made my head whirl with new emotion. But God be thanked, that soul wail of my dear Madam Mina had not died out of my ears. And, before the spell could be wrought further upon me, I had nerved myself to my wild work. By this time I had searched all the tombs in the chapel, so far as I could tell. And as there had been only three of these Undead phantoms around us in the night, I took it that there were no more of active Undead existent. There was one great tomb more lordly than all the rest. Huge it was, and nobly proportioned. On it was but one word: DRACULA

This then was the Undead home of the King Vampire, to whom so many more were due. Its emptiness spoke eloquent to make certain what I knew. Before I began to restore these women to their dead selves through my awful work, I laid in Dracula's tomb some of the Wafer, and so banished him from it, Undead, for ever.

Then began my terrible task, and I dreaded it. Had it been but one, it had been easy, comparative. But three! To begin twice more after I had been through a deed of horror. For it was terrible with the sweet Miss Lucy, what would it not be with these strange ones who had survived through centuries, and who had been strengthened by the passing of the years. Who would, if they could, have fought for their foul lives...

Oh, my friend John, but it was butcher work. Had I not been nerved by thoughts of other dead, and of the living over whom hung such a pall of fear, I could not have gone on. I tremble and tremble even yet, though till all was over, God be thanked, my nerve did stand. Had I not seen the repose in the first place, and the gladness that stole over it just ere the final dissolution came, as realization that the soul had been won, I could not have gone further with my butchery. I could not have endured the horrid screeching as the stake drove home, the plunging of writhing form, and lips of bloody foam. I should have fled in terror and left my work undone. But it is over! And the poor souls, I can pity them now and weep, as I think of them placid each in her full sleep of death for a short moment ere fading. For, friend John, hardly had my knife severed the head of each, before the whole body began to melt away and crumble into its native dust, as though the death that should have come centuries ago had at last assert himself and say at once and loud, "I am here!"

Before I left the castle I so fixed its entrances that never more can the Count enter there Undead.

When I stepped into the circle where Madam Mina slept, she woke from her sleep and, seeing me, cried out in pain that I had endured too much.

"Come!" she said, "come away from this awful

place! Let us go to meet my husband who is, I know, coming towards us." She was looking thin and pale and weak. But her eyes were pure and glowed with fervour. I was glad to see her paleness and her illness, for my mind was full of the fresh horror of that ruddy vampire sleep.

And so with trust and hope, and yet full of fear, we go eastward to meet our friends, and him, whom Madam Mina tell me that she know are coming to meet us.

MINA HARKER'S JOURNAL

6 November. It was late in the afternoon when the Professor and I took our way towards the east whence I knew Jonathan was coming. We did not go fast, though the way was steeply downhill, for we had to take heavy rugs and wraps with us. We dared not face the possibility of being left without warmth in the cold and the snow. We had to take some of our provisions too, for we were in a perfect desolation, and so far as we could see through the snowfall, there was not even the sign of habitation. When we had gone about a mile, I was tired with the heavy walking and sat down to rest. Then we looked back and saw where the clear line of Dracula's castle cut the sky. For we were so deep under the hill whereon it was set that the angle of perspective of the Carpathian mountains was far below it. We saw it in all its grandeur, perched a thousand feet on the summit of a sheer precipice, and with seemingly a great gap between it and the steep of the adjacent mountain on any side. There was something wild and uncanny about the place. We could hear the distant howling of wolves. They were far off, but the sound, even though coming muffled through the deadening snowfall, was full of terror. I knew from the way Dr. Van Helsing was searching about that he was trying to seek some strategic point, where we would be less exposed in case of attack. The rough roadway still led downwards. We could trace it through the drifted snow.

In a little while the Professor signalled to me, so I got up and joined him. He had found a wonderful spot, a sort of natural hollow in a rock, with an entrance like a doorway between two boulders. He took me by the hand and drew me in.

"See!" he said, "here you will be in shelter. And if the wolves do come I can meet them one by one."

He brought in our furs, and made a snug nest for me, and got out some provisions and forced them upon me. But I could not eat, to even try to do so was repulsive to me, and much as I would have liked to please him, I could not bring myself to the attempt. He looked very sad, but did not reproach me. Taking his field glasses from the case, he stood on the top of the rock, and began to search the horizon. Suddenly he called out, "Look! Madam Mina, look! Look!"

I sprang up and stood beside him on the rock. He handed me his glasses and pointed. The snow was now falling more heavily, and swirled about fiercely, for a high wind was beginning to blow. However, there were times when there were pauses between the snow flurries and I could see a long way round. From the height where we were it was possible to see a great distance. And far off, beyond the white waste of snow, I could see the river lying like a black ribbon in kinks and curls as it wound its way. Straight in front of us and not far off, in fact so near that I wondered we had not noticed before, came a group of mounted men hurrying along. In the midst of them was a cart, a long leiter wagon which swept from side to side, like a dog's tail wagging, with each stern inequality of the road. Outlined against the snow as they were, I could see from the men's clothes that they were peasants or gypsies of some kind.

On the cart was a great square chest. My heart leaped as I saw it, for I felt that the end was coming. The evening was now drawing close, and well I knew that at sunset the Thing, which was till then imprisoned there, would take new freedom and could in any of many forms elude pursuit. In fear I turned to the Professor. To my consternation, however, he was not there. An instant later, I saw him below me. Round the rock he had drawn a circle, such as we had found shelter in last night.

When he had completed it he stood beside me again saying, "At least you shall be safe here from him!" He took the glasses from me, and at the next lull of the snow swept the whole space below us. "See," he said, "they come quickly. They are flogging the horses, and galloping as hard as they can."

He paused and went on in a hollow voice, "They are racing for the sunset. We may be too late. God's will be done!" Down came another blinding rush of driving snow, and the whole landscape was blotted out. It soon passed, however, and once more his glasses were fixed on the plain.

Then came a sudden cry, "Look! Look! Look! See, two horsemen follow fast, coming up from the south. It must be Quincey and John. Take the glass. Look before the snow blots it all out!" I took it and looked. The two men might be Dr. Seward and Mr. Morris. I knew at all events that neither of them was Jonathan. At the same time I knew that Jonathan was not far off. Looking around I saw on the north side of the coming party two other men, riding at breakneck speed. One of them I knew was Jonathan, and the other I took, of course, to be Lord Godalming. They too, were pursuing the party with the cart. When I told the Professor he shouted in glee like a schoolboy, and after looking intently till a snow fall made sight impossible, he laid his Winchester rifle ready for use against the boulder at the opening of our shelter.

"They are all converging," he said. "When the time comes we shall have gypsies on all sides." I got out my revolver ready to hand, for whilst we were speaking the howling of wolves came louder and closer. When the snow storm abated a moment we looked again. It was strange to see the snow falling in such heavy flakes close to us, and beyond, the sun shining more and more brightly as it sank down towards the far mountain tops. Sweeping the glass all around us I could see here and there dots moving singly and in twos and threes and larger numbers. The wolves were gathering for their prey.

Every instant seemed an age whilst we waited. The wind came now in fierce bursts, and the snow was driven with fury as it swept upon us in circling eddies. At times we could not see an arm's length before us. But at others, as the hollow sounding wind swept by us, it seemed to clear the air space around us so that we could see afar off. We had of late been so accustomed to watch for sunrise and sunset, that we knew with fair accuracy when it would be. And we knew that before long the sun would set. It was hard to believe that by our watches it was less than an hour that we waited in that rocky shelter before the various bodies began to converge close upon us. The wind came now with fiercer and more bitter sweeps, and more steadily from the north. It seemingly had driven the snow clouds from us, for with only occasional bursts, the snow fell. We could distinguish clearly the individuals of each party, the pursued and the pursuers. Strangely enough those pursued did not seem to realize, or at least to care, that they were pursued. They seemed, however, to hasten with redoubled speed as the sun dropped lower and lower on the mountain tops.

Closer and closer they drew. The Professor and I crouched down behind our rock, and held our weapons ready. I could see that he was determined that they should not pass. One and all were quite unaware of our presence.

All at once two voices shouted out to "Halt!" One was my Jonathan's, raised in a high key of passion. The other Mr. Morris' strong resolute tone of quiet command. The gypsies may not have known the language, but there was no mistaking the tone, in whatever tongue the words were spoken. Instinctively they reined in, and at the instant Lord Godalming and Jonathan dashed up at one side and Dr. Seward and Mr. Morris on the other. The leader of the gypsies, a splendid looking fellow who sat his horse like a centaur, waved them back, and in a fierce voice gave to his companions some word to proceed. They lashed the horses which sprang forward. But the four men raised their Winchester rifles, and in an unmistakable way commanded them to stop. At the same moment Dr. Van Helsing and I rose behind the rock and pointed our weapons at them. Seeing that they were surrounded the men tightened their reins and drew up. The leader turned to them and gave a word at which every man of the gypsy party drew what weapon he carried, knife or pistol, and held himself in readiness to attack. Issue was joined in an instant.

The leader, with a quick movement of his rein, threw his horse out in front, and pointed first to the sun, now close down on the hill tops, and then to the castle, said something which I did not understand. For answer, all four men of our party threw themselves from their horses and dashed towards the cart. I should have felt terrible fear at seeing Jonathan in such danger, but that the ardor of battle must have been upon me as well as the rest of them. I felt no fear, but only a wild, surging desire to do something. Seeing the quick movement of our parties, the leader of the gypsies gave a command. His men instantly formed round the cart in a sort of undisciplined endeavour, each one shouldering and pushing the other in his eagerness to carry out the order.

In the midst of this I could see that Jonathan on one side of the ring of men, and Quincey on the other, were forcing a way to the cart. It was evident that they were bent on finishing their task before the sun should set. Nothing seemed to stop or even to hinder them. Neither the levelled weapons nor the flashing knives of the gypsies in front, nor the howling of the wolves behind, appeared to even attract their attention. Jonathan's impetuosity, and the manifest singleness of his purpose, seemed to overawe those in front of him. Instinctively they cowered aside and let him pass. In an instant he had jumped upon the cart, and with a strength which seemed incredible, raised the great box, and flung it over the wheel to the ground. In the meantime, Mr. Morris had had to use force to pass through his side of the ring of Szgany. All the time I had been breathlessly watching Jonathan I had, with the tail of my eye, seen him pressing desperately forward, and had seen the knives of the gypsies flash as he won a way through them, and they cut at him. He had parried with his great bowie knife, and at first I thought that he too had come through in safety. But as he sprang beside Jonathan, who had by now jumped from the cart, I could see that with his left hand he was clutching at his side, and that the blood was spurting through his fingers. He did not delay notwithstanding this, for as Jonathan, with desperate energy, attacked one end of the chest, attempting to prize off the lid with his great Kukri knife, he attacked the other frantically with his bowie. Under the efforts of both men the lid began to yield. The nails drew with a screeching sound, and the top of the box was thrown back.

By this time the gypsies, seeing themselves covered by the Winchesters, and at the mercy of Lord Godalming and Dr. Seward, had given in and made no further resistance. The sun was almost down on the mountain tops, and the shadows of the whole group fell upon the snow. I saw the Count lying within the box upon the earth, some of which the rude falling from the cart had scattered over him. He was deathly pale, just like a waxen image, and the red eyes glared with the horrible vindictive look which I knew so well.

As I looked, the eyes saw the sinking sun, and the look of hate in them turned to triumph.

But, on the instant, came the sweep and flash of Jonathan's great knife. I shrieked as I saw it shear through the throat. Whilst at the same moment Mr. Morris's bowie knife plunged into the heart.

It was like a miracle, but before our very eyes, and almost in the drawing of a breath, the whole body crumbled into dust and passed from our sight.

I shall be glad as long as I live that even in that moment of final dissolution, there was in the face a look of peace, such as I never could have imagined might have rested there.

The Castle of Dracula now stood out against the red sky, and every stone of its broken battlements was articulated against the light of the setting sun.

The gypsies, taking us as in some way the cause of the extraordinary disappearance of the dead man, turned, without a word, and rode away as if for their lives. Those who were unmounted jumped upon the leiter wagon and shouted to the horsemen not to desert them. The wolves, which had withdrawn to a safe distance, followed in their wake, leaving us alone.

Mr. Morris, who had sunk to the ground, leaned on his elbow, holding his hand pressed to his side. The blood still gushed through his fingers. I flew to him, for the Holy circle did not now keep me back; so did the two doctors. Jonathan knelt behind him and the wounded man laid back his head on his shoulder. With a sigh he took, with a feeble effort, my hand in that of his own which was unstained.

He must have seen the anguish of my heart in my face, for he smiled at me and said, "I am only too happy to have been of service! Oh, God!" he cried suddenly, struggling to a sitting posture and pointing to me. "It was worth for this to die! Look! Look!"

The sun was now right down upon the mountain top, and the red gleams fell upon my face, so that it was bathed in rosy light. With one impulse the men sank on their knees and a deep and earnest "Amen" broke from all as their eyes followed the pointing of his finger.

The dying man spoke, "Now God be thanked that all has not been in vain! See! The snow is not more stainless than her forehead! The curse has passed away!"

And, to our bitter grief, with a smile and in silence, he died, a gallant gentleman.

NOTE

Seven years ago we all went through the flames. And the happiness of some of us since then is, we think, well worth the pain we endured. It is an added joy to Mina and to me that our boy's birthday is the same day as that on which Quincey Morris died. His mother holds, I know, the secret belief that some of our brave friend's spirit has passed into him. His bundle of names links all our little band of men together. But we call him Quincey.

In the summer of this year we made a journey to Transylvania, and went over the old ground which was, and is, to us so full of vivid and terrible memories. It was almost impossible to believe that the things which we had seen with our own eyes and heard with our own ears were living truths. Every trace of all that had been was blotted out. The castle stood as before, reared high above a waste of desolation.

When we got home we were talking of the old time, which we could all look back on without despair, for Godalming and Seward are both happily married. I took the papers from the safe where they had been ever since our return so long ago. We were struck with the fact, that in all the mass of material of which the record is composed, there is hardly one authentic document. Nothing but a mass of typewriting, except the later notebooks of Mina and Seward and myself, and Van Helsing's memorandum. We could hardly ask any one, even did we wish to, to accept these as proofs of so wild a story. Van Helsing summed it all up as he said, with our boy on his knee.

"We want no proofs. We ask none to believe us! This boy will some day know what a brave and gallant woman his mother is. Already he knows her sweetness and loving care. Later on he will understand how some men so loved her, that they did dare much for her sake."

JONATHAN HARKER

FINIS